सौर प्रकाश वोल्टीय प्रौद्योगिकी और प्रणाली

तकनीशियनों, प्रशिक्षकों एवं इंजीनियर्स हेतु मैनुअल

चेतन सिंह सोलंकी
प्राध्यापक
डिपार्टमेंट ऑफ एनर्जी साइंस एवं इंजीनियरिंग
भारतीय प्रौद्योगिकी संस्थान बॉम्बे

PHI Learning Private Limited
Delhi-110092
2022

₹ 795.00

सौर प्रकाश वोल्टीय प्रौद्योगिकी और प्रणालीः तकनीशियनों, प्रशिक्षकों एवं इंजीनियर्स हेतु मैनुअल
चेतन सिंह सोलंकी

ISBN-978-81-203-5216-2 (Print Book)
ISBN-978-93-5443-858-5 (e-Book)

Published by Asoke K. Ghosh, PHI Learning Private Limited, Rimjhim House, 111, Patparganj Industrial Estate, Delhi-110092 and Printed by Syndicate Binders, A-20, Hosiery Complex, Noida, Phase-II Extension, Noida-201305 (N.C.R. Delhi).

नवीन और नवीकरणीय ऊर्जा मंत्रालय (एम.एन.आर.ई.)
भारत सरकार द्वारा सौर पीवी इंस्टॉलेशन के विकास के प्रयास को समर्पित

विषय-सूची

प्रस्तावना

भारत में जवाहरलाल नेहरू राष्ट्रीय सौर मिशन (JNNSM) का वर्ष 2009–10 में शुभारंभ हुआ, जिसका मुख्य एवं महत्वाकांक्षी उद्देश्य था, देश में वर्ष 2022 तक, 20,000 मेगा वॉट सौर एवं सौर फोटोवोल्टाइक के साथ–साथ, सौर–तापीय पॉवर का उत्पादन। JNNSM, सौर पीवी संयंत्र की स्थापना हेतु, ग्रिड से जुड़े या कनेक्टेड पीवी संयंत्र एवं ग्रिड से नहीं जुड़े या ऑफ ग्रिड पीवी संयंत्र, दोनों को ही प्रोत्साहित करता है। भारत में ऐसी बहुत–सी राज्य सरकारें हैं, जो कि सौर पीवी संयंत्रों की स्थापना को बढ़ावा देने के लिये स्वयं की योजनाएं बना रही हैं एवं उनकी स्थापना कर योजना कार्यान्वित भी कर रही हैं। इसके साथ–साथ, पिछले 1 से 2 वर्षों के दौरान, पीवी मॉड्यूलों के मूल्य बहुत कम हुए हैं। प्रशासन द्वारा प्रदत्त अनुकूल नीतियों एवं पीवी मॉड्यूलों के घटे मूल्यों से पैदा हुए परिदृश्य के कारण पीवी संयंत्र की स्थापना के प्रति अत्यधिक रुचि जागृत हुई है। भारत में सौर पीवी संयंत्रों के विस्तार को संभव बनाने हेतु, सौर पीवी क्षेत्र में बहुत अधिक संख्या में प्रशिक्षित व्यक्तियों की आवश्यकता है। MNRE, भारत सरकार के अनुसार, 100,000 प्रशिक्षित व्यक्तियों की आवश्यकता है, परंतु मेरे अनुमान से यह आवश्यकता 300,000 प्रशिक्षित व्यक्तियों की है। इन प्रशिक्षित व्यक्तियों की विभिन्न स्तरों पर आवश्यकता है, वह है, शोधकर्ता, इंजीनियर से लेकर तकनीशियन या पीवी संयंत्र स्थापनकर्ता तक। इस पीवी मैनुअल में उन व्यक्तियों के प्रशिक्षण को ध्यान में रखा गया है, जो कि या तो पीवी संयंत्रों की स्थापना करते हैं या भविष्य में करने वाले हैं।

यह किताब किसी भी ऐसे व्यक्ति के लिये उपयोगी होगी, जो कि सौर पीवी संयंत्रों के क्षेत्र में कार्य करना चाहते हैं। यह किताब तकनीशियनों, प्रशिक्षकों, एवं इंजीनियरों या अन्य पीवी संयंत्र व्यवसायियों, जो कि सभी प्रकार के सौर पीवी संयंत्रों के डिजाइन, स्थापना एवं रख–रखाव पर कार्य कर रहे हैं, के लिये विशेष रूप से अत्यंत लाभदायी सिद्ध होगी।

इस पुस्तक को लिखने का उद्देश्य है, पीवी संयंत्र पर कार्य करने वाले व्यक्तियों के लिये, सौर पीवी तकनीकों एवं संयंत्रों से संबंधित विभिन्न पहलुओं पर सरल एवं आसानी से समझ आने वाले लेख तैयार करना। प्रशिक्षण मॉड्यूल की विषयवस्तु का चुनाव इस प्रकार से किया गया है, जिसमें प्रत्येक विषय के मूलभूत बिंदु शामिल हों। इसके साथ–साथ भाषा का चयन करते समय ध्यान रखा गया है कि वह स्व–व्याख्यात्मक हो और प्रत्येक पाठक को समझ आए, चाहे उसके पास तकनीकी ज्ञान पहले से हो या न हो। इस पुस्तक में अनेक सचित्र उदाहरण दिए गए हैं, जो कि विषय को आसान बनाते हैं। विभिन्न विषयों पर जहां भी आवश्यक है व्यावहारिक उदाहरण भी दिए

गए हैं। इस मैनुअल का उपयोग करते हुए एक सौर पीवी व्यवसायी विभिन्न कार्यों को करने में सक्षम होगा जैसे कि, सौर पीवी संयंत्र अवयवों की पहचान करना, सौर पीवी संयंत्रों को डिजाइन करना, उनकी स्थापना करना एवं पीवी संयंत्रों की मरम्मत करना आदि।

प्रारंभिक अध्याय, विद्युत के आधारभूत बिंदुओं एवं उससे संबंधित संकल्पनाओं की व्याख्या करते हैं। यहां मल्टीमीटर एवं विद्युतीय मात्रा का मापन करने वाली विभिन्न युक्तियों के बारे में भी विस्तारपूर्वक समझाया गया है। ऊर्जा के आधारभूत बिंदु, उसकी इकाईयां, मात्रा आदि अध्याय 2 में समझाए गए हैं। अध्याय 3 सौर सेलों के विषय में व्याख्या करता है। यह सौर सेलों के विभिन्न मापदंडों एवं उनकी दक्षता के साथ संबंधों का वर्णन करता है। अध्याय 4 में पीवी मॉड्यूलों में सौर सेलों के बीच संबंध दर्शाया गया है। पीवी मॉड्यूलों के डिजाइन, पीवी मॉड्यूलों में सेलों की संख्या, सेलों के आकार, पॉवर रेटिंग आदि के विषय में चर्चा की गई है। बड़े पीवी संयंत्रों के लिये, अनेक पीवी मॉड्यूलों को पीवी श्रृंखला के रूप में जोड़ना होता है। अध्याय 5 में पीवी श्रृंखला के डिजाइन की चर्चा की गई है। इसमें शामिल है, पीवी मॉड्यूलों का श्रेणी एवं समानांतर में संयोजन, दिए गए कांफीगरेशन में पीवी मॉड्यूल के वोल्टेज एवं विद्युतधारा का योग, आवश्यक पीवी मॉड्यूलों की संख्या का आंकलन आदि। ऑफ–ग्रिड पीवी संयंत्रों में बैटरियां महत्वपूर्ण घटक हैं। ऑफ–ग्रिड पीवी संयंत्रों के उपर्युक्त डिजाइन एवं सुचारू रूप से संचालन के लिये, बैटरियों की पूरी समझ अत्यंत आवश्यक है। अध्याय 6 में बैटरियों के आधारभूत बिंदु दिए गए हैं एवं उनका बैटरी के अन्य मापदंडों जैसे वोल्टेज एवं Ah क्षमता से संबंध परिभाषित किया गया है। अध्याय 7 में बैटरियों के अंतर्संबंध, उनकी श्रेणी एवं समानांतर संयोजन आदि को समझाया गया है। अध्याय 8 पीवी संयंत्रों में उपयोग की जाने वाली इलेक्टॉनिकी की व्याख्या करता है, विशेष रूप से, ऑफ ग्रिड पीवी संयंत्रों की। इस अध्याय में, विभिन्न इलेक्टॉनिक अवयव जैसे चार्ज कंट्रोलर, इन्वर्टर, MPPT आदि की विशेषताओं को भी परिभाषित किया गया है। यहां विभिन्न इलेक्टॉनिक अवयवों की रेटेड क्षमता की भी चर्चा की गई है। तार, विशेष रूप से पीवी संयंत्र के DC भाग में, प्रतिरोध की वजह से होने वाली हानियों के विषय में विशेष भूमिका अदा करता है। तारों का उपर्युक्त माप अत्यंत आवश्यक है। अध्याय 9 में, तारों के माप के साथ साथ एक दिए गए संयंत्र हेतु तारों की माप विशेष के बारे में विस्तारपूर्वक समझाया गया है। दैनिक रूप से विद्युतधारा की एक निश्चित मात्रा प्रदान करने के लिये एक स्टैंडअलोन पीवी संयंत्र की डिजाइन के विषय में अध्याय 10 में चर्चा की गई है। पीवी संयंत्र के विभिन्न अवयवों के डिजाइन एवं मापन को भी समझाया गया है। अध्याय 11 में ग्रिड–कनेक्टेड पीवी संयंत्रों के विषय में समझाया गया है। ग्रिड–कनेक्टेड पीवी संयंत्र के विभिन्न विन्यास के साथ–साथ ग्रिड–कनेक्टेड पीवी संयंत्रों की डिजाइन भी दर्शाए गए हैं। अध्याय 12 में पीवी संयंत्र के विभिन्न अवयवों के रख–रखाव के साथ ही पूरे पीवी संयंत्र के रखरखाव एवं समस्या पहचानने व निवारण करने के बिंदुओं की चर्चा की गई है।

चेतन सिंह सोलंकी

अभिस्वीकृति

मैंने यह मैनुअल लिखना तब शुरू किया था जब, नवीन और नवीकरणीय ऊर्जा मंत्रालय (MNRE), भारत सरकार ने आई.आई.टी. बॉम्बे में राष्ट्रीय प्रकाश वोल्टीय अनुसधांन एवं शिक्षा केंद्र (NCPRE) की स्थापना की। इस सेंटर की स्थापना ने ही सौर फोटोवोल्टाइक के क्षेत्र में, मानवशक्ति को शिक्षित एवं प्रशिक्षित करने हेतु लेखन सामग्री की रचना करने के लिये प्रेरित किया। सेंटर के कारण, इन गतिविधियों हेतु एक मंच भी प्राप्त हुआ। मैं NCPRE की स्थापना हेतु नवीन और नवीकरणीय ऊर्जा मंत्रालय को धन्यवाद देता हूं।

वास्तव में, बहुत से ऐसे व्यक्ति हैं जिनकी मदद के बिना इस पुस्तक का वर्तमान स्वरूप में आना संभव नहीं था। इसलिये, मैं इस अवसर का लाभ उठाते हुए, उन्हें धन्यवाद देना चाहता हूं।

सबसे पहली और महत्वपूर्ण सहायता जो मुझे इस प्रोजेक्ट के लिये प्राप्त हुई है, वह है मेरे विद्यार्थियों एवं स्टाफ के सदस्यों की ओर से। रवि तेजवानी, धर्मेंद्र राय, गौरव तारे, विष्णु बाजेपयी, एम.एन. राव एवं वमन कुबेर आदि वे मुख्य लोग हैं जिनका सहयोग इस कार्य को पूरा करने में अत्यंत निर्णायक सिद्ध हुआ। इस पुस्तक को लिखने में इन सभी ने अनेक तरह से मदद की। इन सभी की मदद के बिना इस पुस्तक को पूरा करना बहुत ही मुश्किल होता। मैं इन सभी की मदद का आभारी हूं और उन्हें सहृदय धन्यवाद देता हूं। मैं अपने विद्यार्थियों सोम, मेहुल, बंदना, अमृता, परेश एवं हेमंत का भी आभार व्यक्त करता हूं, जिन्होंने इस पूर्ण प्रक्रिया के दौरान संयम का प्रदर्शन किया।

मैं NCPRE के सदस्यों को उनके सहयोग एवं योगदान के लिये धन्यवाद देना चाहता हूं। विशेष रूप से, मैं प्रोफेसर जुज़ेर वाशी का आभारी हूं जिन्होंने, सौर पीवी क्षेत्र में मानवशक्ति की शिक्षा एवं प्रशिक्षण हेतु निरंतर रूप से प्रोत्साहन एवं सहयोग प्रदान किया। साथ ही, मैं प्रोफेसर प्रतिभा शर्मा, प्रोफेसर अनिल कुमार एवं प्रोफेसर ब्रिज मोहन अरोरा को पीवी प्रशिक्षण में भाग लेने के लिये धन्यवाद देता हूं। मैं प्रोफेसर एन.के. बंसल एवं प्रोफेसर एस. रांगणेकर का पुस्तक की विषयवस्तु सामग्री एवं जरूरतों पर चर्चा करने के लिये आभारी हूं। इस पुस्तक के अनुवादन हेतु मैं अभिलाषा चौहान को धन्यवाद देता हूं, जिन्होंने हिंन्दी भाषा में पुस्तक का अनुवाद प्रदान किया।

मेरे ऑफिस स्टाफ द्वारा प्रदान किया गया सहयोग अत्यंत अकल्पनीय है। मैं आभार के साथ अपने ऑफिस स्टाफ, भरत पवार, अजय जाधव, संदीप जुत्शी एवं विशेषतः सुषमा गवांडे का आभार के साथ सराहना करता हूं। मेरे कार्य के पूरा करने में, सुषमा गवांडे का सहयोग विशेष रूप से उल्लेखनीय है।

मैं अपने माता–पिता एवं भाइयों, एजुकेशन पार्क के सदस्यों एवं करीबी मित्रों के प्रति आभारी हूं जिन्होंने मेरे लक्ष्य प्राप्ति हेतु निरंतर सहयोग व मेरा साथ दिया। उनके इस सहयोग से, न केवल मुझे मेरे कार्यों की पूर्ति के प्रति आत्म–विश्वास वरन् और अच्छा कार्य करने हेतु प्रोत्साहन प्राप्त हुआ। इस श्रेणी में आने वाले लोगों की सूची बहुत लंबी है। मैं उनके इस सहयोग की सहारना करता हूं एवं उनके प्रति कृतज्ञ हूं।

मैं अपनी पत्नी रजनी का बहुत आभारी हूं, जिन्होंने मेरे इस उद्देश्य की पूर्ति में मेरे प्रयासों हेतु मेरी सहभागी रहीं। इस पुस्तक के लेखन हेतु, दिये गए समय में वह समय भी है, जो कि मेरे परिवार का होता था, विशेष रूप से मेरी प्यारी पुत्रियों सुहानी और महक का। उनका यह सहयोग वास्तव में अकल्पनीय है, जिसके बिना इस पुस्तक को पूरा कर पाना संभव ही नहीं था।

चेतन सिंह सोलंकी

1 बिजली पर मूलभूत बिंदु

हम बिजली या विद्युत का उपयोग हमारी दैनिक आवश्यकताओं को पूरा करने के लिये करते हैं, बिना विद्युत के उपयोग के जीवन का एक दिन भी बहुत कठिन है। अतः, यह महत्वपूर्ण है कि हम विद्युत के विषय में कुछ मूलभूत बिंदु, इसकी शब्दावली, किस तरह विद्युत को मापा जाता है, आदि जानें। इस पुस्तिका को पढ़ने वाले सभी पाठक सौर विद्युत के तकनीशियन बनने वाले हैं एवं इसीलिये, सौर ऊर्जा के एक तकनीशियन के रूप में, यह बहुत महत्वपूर्ण है कि आप विद्युत के मूलभूत बिंदुओं के विषय में अच्छी तरह जानें। इस अध्याय में हम इससे संबंधित आधारभूत संकल्पनाओं एवं शब्दावली के विषय में जानेंगे। इस अध्याय के अंत तक आप मल्टीमीटर से परिचित हो जाएंगे, जो कि विद्युत एवं इससे संबंधित मापदंडों को मापने के लिये अत्यंत आवश्यक साधन है।

1.1 विद्युत से परिचय

भले ही हम विद्युत को अपने दैनिक जीवन में उपयोग कर रहे हों परंतु हम में से अधिकांश लोग इसके मूल शब्दों को नहीं समझते एवं इसके विषय में समझना लोगों के लिये कठिन भी होता है। विद्युत से संबंधित मुख्य शब्द निम्न प्रकार से हैं :

- विद्युतधारा
- वोल्टेज
- पॉवर
- ऊर्जा
- AC एवं DC पॉवर

एक तकनीशियन के रूप में विद्युत से संबंधित ऊपर दिए गए सभी शब्द आपको अच्छी तरह से समझ आने चाहिये। इन शब्दों को न केवल जानना जरूरी है, बल्कि इनके बीच का अंतर समझना भी जरूरी है। इसके अलावा, आपको इन शब्दों के महत्व व मानों की अच्छी समझ होनी चाहिये जैसे कि कोई मान विशेष कम होना चाहिये या ज्यादा।

हम विद्युत एवं इससे संबंधित शब्दों जैसे कि वोल्टेज, विद्युतधारा, पॉवर आदि को एक सादृश्य, एक पानी के टैंक से पानी के बहने की प्रक्रिया से समझ सकते हैं। एक सर्किट से प्रवाहित विद्युतधारा एवं टैंक से बहने वाले पानी में बहुत सी समानताएं हैं। जब एक टैंक भरता है एवं उसका नल खुला है तो पानी टैंक से बाहर की ओर बहता है। यदि टैंक पूरी तरह भरा हो तो पानी बहुत तेजी से बहता है, उस टैंक की तुलना में जो कि थोड़ा भरा हुआ हो। इसी प्रकार से, एक विद्युत सर्किट से विद्युतधारा प्रवाहित होती है, जब उसमें वोल्टेज हो। जब वोल्टेज अधिक होता है, तब

> एक विद्युत सर्किट में विद्युतधारा तभी प्रवाहित होती है जब एक वोल्टेज स्रोत उपस्थित हो।

अधिक विद्युतधारा प्रवाहित होती है। इस प्रकार किसी टैंक में पानी की ऊंचाई, विद्युत सर्किट में वोल्टेज के समान है एवं पानी का बहाव विद्युत सर्किट में विद्युतधारा प्रवाह के समान है।

पानी का प्रवाह पानी के अणुओं के प्रवाह के रूप में होता है, अर्थात् पानी के अणुओं का प्रवाह ही पानी का प्रवाह है। इसी प्रकार से, चित्र 1.1 में इलेक्ट्रॉनों के प्रवाह के कारण विद्युतधारा प्रवाह दर्शाया गया है। अतः विद्युतीय सर्किट में इलेक्ट्रॉनों का प्रवाह ही विद्युतधारा प्रवाह है। इलेक्ट्रॉन, आवेशयुक्त कण होते हैं। इस प्रकार विद्युतीय भाषा में, आवेशित कणों का प्रवाह, या आवेशों के प्रवाह को विद्युतधारा प्रवाह कहा जाता है।

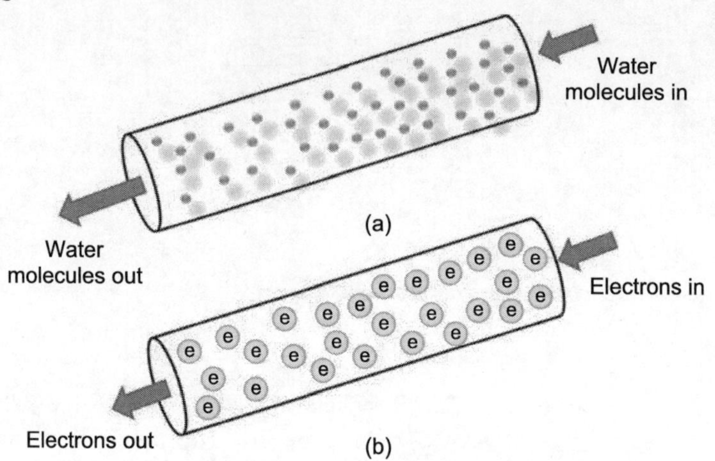

चित्र 1.1
(a) पानी के अणुओं एवं (b) आवेशित कणों (इलेक्ट्रॉन), का प्रवाह दर्शाता हुआ रेखाचित्र।

चित्र 1.2 में पानी का एक टैंक दर्शाया गया है, जिसमें एक निश्चित ऊंचाई पर पानी भरा हुआ है एवं एक निश्चित व्यास का पाइप है। किसी तार से इलेक्ट्रॉनों का प्रवाह पाइप से बहने वाले पानी के बहाव के समान ही होता है। पाइप को एक बिंदु विशेष पर देखने पर हम पाएंगे कि उस बिंदु से प्रति सेकंड एक निश्चित मात्रा में पानी गुजरता है। पाइप से प्रति सेकंड पानी का यह प्रवाह ही पानी की धारा कहलाती है। इसी प्रकार से एक तार से प्रति सेकंड गुजरने वाले इलेक्ट्रॉन आवेशों को विद्युतधारा प्रवाह कहते हैं।

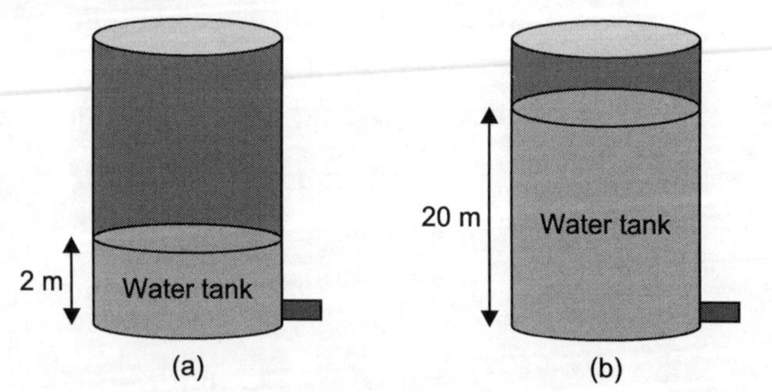

चित्र 1.2
इलेक्ट्रिक वोल्टेज समझने हेतु पानी के टैंक से सादृश्यता। जितनी अधिक ऊंचाई होगी पानी पर उतना ही अधिक दबाव होगा। समान रूप से जितना अधिक वोल्टेज होगा उतनी ही अधिक विद्युतधारा होगी।

पाइप से गुजरने वाले पानी की मात्रा दो बातों पर निर्भर करती है :

1. पानी को कितना तेजी से धकाया गया है यानि उस पर कितना दबाव लगाया गया है।
2. पाइप का व्यास, जो कि पानी के बहाव में प्रतिरोध की मात्रा निर्धारित करता है। अधिक व्यास का पाइप यानि पानी के प्रवाह में निम्न प्रतिरोध।

इसी प्रकार से एक तार से प्रवाहित होने वाली विद्युतधारा की मात्रा भी दो बिंदुओं पर निर्भर करती है :

1. विद्युतीय दबाव, जिसे विद्युतीय शब्दावली में "वोल्टेज" कहा जाता है।
2. तार का व्यास, जो कि विद्युतधारा प्रवाह में प्रतिरोध की मात्रा निर्धारित करता है। अधिक व्यास यानि विद्युतधारा प्रवाह में निम्न प्रतिरोध।

विद्युतीय वोल्टेज, पानी के टैंक में दबाव के समान होता है।

उपरोक्त चर्चा से हम यह कह सकते हैं कि पानी के अधिक दबाव एवं पानी के पाइप के अधिक व्यास होने पर, पाइप से प्रति सेकंड प्रवाहित होने वाले पानी की मात्रा अधिक होगी। इसी प्रकार से, अधिक विद्युतीय दबाव या वोल्टेज एवं तार के अधिक व्यास होने की स्थिति में निम्न प्रतिरोध होगा एवं तार से प्रवाहित होने वाली विद्युतधारा अधिक होगी।

1.2 वोल्टेज

एक तार में आवेशित कणों या आवेशों (इलेक्ट्रॉनों) को धकाने वाला दबाव, ''वोल्टेज'' कहलाता है। वोल्टेज के लिये प्रयोग किया जाने वाला प्रतीक 'V' है। चित्र 1.2 में दर्शाए गए पानी के टैंक को देखें। जैसा कि दर्शाया गया है, पानी के एक टैंक में जमीन से 2 मीटर ऊपर तक पानी भरा है व इसके आधार से एक सेंटीमीटर का पाइप बाहर निकला हुआ है, इन स्थितियों में पानी का दबाव बहुत कम होगा, बिल्कुल एक शॉवर या नहाने के फव्वारे के दबाव के समान। दूसरी स्थिति में समान पानी के टैंक को जमीन से 20 मीटर ऊपर तक भर दिया गया है, एवं इस स्थिति में पानी का दबाव बहुत अधिक होगा। इस प्रकार से 20 मीटर ऊंचाई तक भरे पानी की तुलना में, 2 मीटर ऊंचाई वाला पानी कम दबाव बनाएगा। एक अन्य उदाहरण में, यदि आपके सिर पर 2 मीटर ऊंचाई से एक गेंद गिरती है तो यह आपको कम पीड़ा पहुंचाएगी, उस स्थिति की तुलना में जब गेंद आपके सिर पर 20 मीटर की ऊंचाई से गिरती है। इसका तात्पर्य है कि अधिक ऊंचाई से गिरने वाली गेंद अधिक दबाव बनाती है एवं आपको अधिक पीड़ा पहुंचाती है।

विद्युतीय भाषा में, शब्द ''वोल्टेज'', किसी सर्किट में इलेक्ट्रॉनों के प्रवाह पर लगने वाले दबाव को इंगित करता है। वोल्टेज (विद्युतीय दबाव), पानी के दबाव के ही समान है। यदि वोल्टेज अधिक हो तो इलेक्ट्रॉनों पर दबाव भी अधिक होगा इसके परिणामस्वरूप विद्युतधारा भी अधिक होगी। वहीं, यदि वोल्टेज कम है तो परिणामस्वरूप इलेक्ट्रॉनों पर दबाव भी कम होगा, तब विद्युतधारा कम होगी।

वोल्टेज को ''वोल्ट'' के रूप में मापा जाता है एवं इकाई वोल्ट के लिये प्रतीक 'V' है। याद रखें कि वोल्टेज के लिये उपयोग किया जाने वाला प्रतीक भी 'V' है। जैसे कि 1 मीटर टैंक की तुलना में 20 मीटर ऊंचाई वाला टैंक अधिक दबाव बनाता है; इसी प्रकार से 10 V का एक वोल्टेज स्रोत 1 V के एक वोल्टेज स्रोत की तुलना में अधिक दबाव बनाएगा। व्यावहारिक रूप से हम वोल्टेज की व्यापक रेंज का उपयोग करते हैं ; बहुत कम वोल्टेज स्तर से बहुत अधिक वोल्टेज स्तर तक। उदाहरण के लिये, छोटी पेंसिल बैटरियां जो कि हमें बाजार में मिलती हैं वे 1.5 V का वोल्टेज प्रदान करती हैं। कार बैटरियां भी होती हैं जो कि 12 V का वोल्टेज स्तर प्रदान करती हैं। हमारे घरों के विद्युतीय सर्किट में हम 230 V का वोल्टेज प्राप्त करते हैं। उद्योगों में सामान्यतः वोल्टेज का स्तर 440 V होता है। सब–स्टेशनों में वोल्टेज स्तर लगभग 11,000 V होता है एवं पॉवर प्लांट पर वोल्टेज स्तर लगभग 66,000 V वोल्ट होता है। उपरोक्त आंकड़ों से हम देख सकते हैं कि हमारे आस पास विद्युतीय सर्किट में हम बहुत अधिक रेंज के वोल्टेज स्तर का उपयोग करते हैं।

> एक विद्युतीय सर्किट में वोल्टेज स्तर बहुत कम जैसे 1-2 V से लेकर बहुत अधिक जैसे 10,000 V हो सकता है।

कम वोल्टेज स्तर से एक छोटा विद्युतीय उपकरण चल सकता है एवं अधिक वोल्टेज स्तर से बड़े विद्युतीय उपकरणों को चलाया जा सकता है। उदाहरण के लिये, छोटी पेंसिल बैटरियां 1.5 V प्रदान करती है। यह कम वोल्टेज या विद्युतीय दबाव है जो कि छोटे बल्बों को जलाने के लिये उपर्युक्त है, उदाहरण के लिये फ्लैश लाइट या टॉर्च। वहीं दूसरी तरफ, एक कार में सामान्यतः 12 V बैटरी होती है एवं यह तार से विद्युतधारा प्रवाह के लिये अधिक वोल्टेज प्रदान करती है एवं इससे कार में बड़ी लाइटें जल सकती हैं।

> वोल्टेज की इकाई वोल्ट या V है एवं विद्युतधारा की इकाई एम्पियर या A है।

प्रश्न 1.1 एक ट्यूब में पानी को धकाने वाले दबाव को पानी का दबाव कहते हैं। एक तार में इलेक्ट्रॉनों को धकाने वाला दबाव क्या कहलाता है? माना कि दो बैटरियां हैं, एक 5 V बैटरी एवं दूसरी 10 V बैटरी। इन दोनों बैटरियों में से कौन सी बैटरी इलेक्ट्रॉनों को अधिक दबाव से धकाएगी ?

1.3 विद्युतधारा

विद्युतीय प्रवाह या इलेक्ट्रिसिटी, को प्रतीक 'I' से दर्शाया जाता है। किसी तार से प्रवाहित होने वाला इलेक्ट्रॉनों का प्रवाह ठीक उसी समान है जिस तरह, एक पाइप से बहने वाला पानी। पानी के बहाव से तात्पर्य है, प्रति सेकंड किसी निश्चित बिंदु से पानी के अणुओं की संख्या का गुजरना। इसी प्रकार से, विद्युतीय प्रवाह आवेशों (इलेक्ट्रॉनों) की वह मात्रा है, जो कि एक निश्चित बिंदु से प्रति सेकंड गुजरते हैं। विद्युतधारा को एम्पियर (Amps) में मापा जाता है, एवं एम्पियर के लिये उपयोग किया जाने वाला प्रतीक 'A' है। एक एम्पियर विद्युतधारा प्रवाह यानि, बहुत अधिक संख्या में इलेक्ट्रॉनों का प्रति सेकंड प्रवाह। एक एम्पियर विद्युतधारा से मतलब है, लगभग 1,000,000,000,000,000,000 इलेक्ट्रॉनों का एक तार से प्रति सेकंड प्रवाह।

हमें, यहां यह ध्यान रखना चाहिये कि विद्युतधारा प्रवाह तभी संभव है जब कि वोल्टेज उपलब्ध हो। यदि वोल्टेज शून्य हो, तब विद्युतधारा प्रवाह भी शून्य होगा।

छोटे विद्युतीय सर्किट या छोटे विद्युतीय उपकरणों के लिये 1 A विद्युतधारा बहुत अधिक होती है। इसीलिये, लोग विद्युतधारा के कम मान की इकाइयों जैसे कि, 0.001 A का उपयोग करते हैं। 0.001, एक का एक हजारवां हिस्सा दर्शाती है, अतः इसे 'मिली' कहा जाता है एवं प्रतीक 'm' से दर्शाया जाता है। इसीलिये 0.001 A विद्युतधारा यानि 1 mA विद्युतधारा है।

जैसे–जैसे किसी पाइप का व्यास बढ़ता है, वैसे ही इससे प्रवाहित होने वाले पानी की मात्रा भी बढ़ती है, जैसा कि चित्र 1.3 में दर्शाया गया है। अधिक व्यास का तार यानि कि, विद्युतधारा प्रवाह में कम प्रतिरोध। समान वोल्टेज स्तर के लिये, जैसे–जैसे तार का क्रॉस–सेक्शनल क्षेत्रफल बढ़ता है, वैसे ही इससे प्रवाहित होने वाली विद्युत्धारा की मात्रा भी बढ़ जाती है। अतः जब भी हमें अधिक विद्युतधारा प्रवाह की आवश्यकता होती है, तब अधिक व्यास वाला तार चुनना चाहिये।

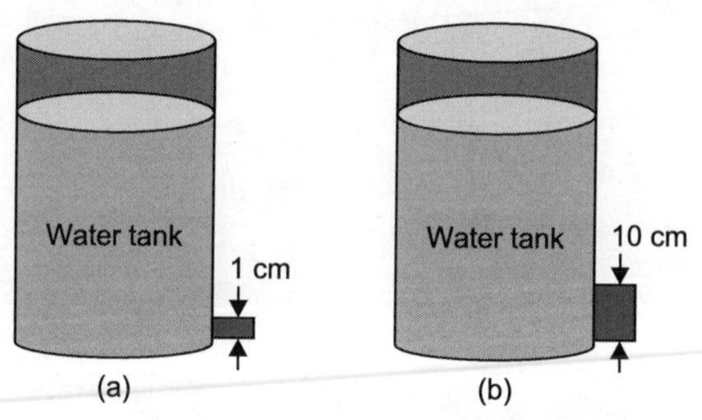

चित्र 1.3
विद्युत धारा समझने हेतु, पानी के टैंक से सादृश्यता। पाइप का व्यास जितना अधिक होगा पानी का प्रवाह उतना ही अधिक होगा। इसी प्रकार से तार का व्यास जितना अधिक होगा उतना ही अधिक विद्युतधारा प्रवाह होगा।

> सर्किट में विद्युतधारा का प्रवाह इलेक्ट्रॉनों का प्रवाह होता है। जब विद्युतधारा प्रवाह में प्रतिरोध कम होता है तब अधिक विद्युतधारा प्रवाहित होती है।

वोल्टेज के विभिन्न मान संभव हैं एवं उसी मान के अनुसार विद्युतधारा भी विभिन्न मानों में संभव है। एक विद्युतीय सर्किट में बहुत निम्न विद्युतधारा प्रवाह, जैसे 0.001 mA या 1 A से लेकर बहुत अधिक विद्युतधारा प्रवाह जैसे 1000 A हो सकती है। किसी छोटे विद्युतीय उपकरण को चलाने के लिये कम विद्युतधारा की एवं बड़े विद्युतीय उपकरण को चलाने हेतु अधिक विद्युतधारा स्तर की आवश्यकता होती है।

प्रश्न 1.2 पाइप में पानी के प्रवाह को पानी की धारा कहते हैं। किसी तार में इलेक्ट्रॉनों के प्रवाह को क्या कहते हैं ? यदि दो तार लें, जिनमें एक 0.1 सेमी व्यास का तार एवं दूसरा 0.2 सेमी व्यास का है। यदि वोल्टेज का मान समान हो, तब इन दोनों में से कौन से तार से अधिक मात्रा में इलेक्ट्रॉनों का प्रवाह होगा ?

1.4 उच्च वोल्टेज एवं विद्युतधारा स्तर से होने वाले खतरे

एक वोल्टेज स्तर, उस विद्युतीय दबाव को दर्शाता है, जो कि विद्युतधारा के प्रवाह के लिये उपलब्ध है। यहां यह ध्यान रखना आवश्यक है, कि अधिक वोल्टेज स्तर मानव जाति के लिये खतरनाक होता है। यदि हम उच्च वोल्टेज युक्त किसी विद्युतीय तार के संपर्क में आ जाएं, तो अधिक वोल्टेज स्तर या दबाव के कारण विद्युतधारा मानव शरीर से प्रवाहित हो सकती है, जिसका परिणाम है बहुत अधिक नुकसान। मानव शरीर में वोल्टेज का होना यानि, शरीर से विद्युतधारा का प्रवाह एवं विद्युतधारा की वजह से शरीर को क्षति पहुंच सकती है। मानव शरीर से

विद्युतधारा प्रवाह का परिणाम, एक दर्दयुक्त सनसनी के एहसास से लेकर उससे कहीं अधिक बुरा भी हो सकता है। मानव शरीर से विद्युतधारा के प्रवाह का परिणाम लकवा, श्वसन अंगों का पक्षाघात, कार्डियक डिस्ऑर्डर, एवं जलने से मौत आदि हो सकती है। विद्युतधारा प्रवाह से होने वाला प्रभाव विद्युतधारा के स्तर या मान पर निर्भर करता है।

वोल्टेज एवं विद्युतधारा का उच्च मान जीवन के लिये खतरनाक हो सकता है, इसलिये विद्युतीय सर्किट के साथ कार्य करते समय सावधानियां बरतना अत्यधिक आवश्यक है।

1.5 विद्युतधारा प्रवाह में प्रतिरोध

विद्युतधारा प्रवाह के लिये एक माध्यम की आवश्यकता होती है। विद्युतीय धारा के प्रवाह के लिये, माध्यम संवाहक तार जैसे तांबा एवं एल्युमिनियम होते हैं। सामान्यतः संवाहक तार इस प्रकार चुने जाते हैं कि वे विद्युतधारा को अबाध रूप से प्रवाहित होने दें, परंतु वे जिस सामग्री के बने होते हैं, उनके गुण विशेष के कारण सभी संवाहक माध्यमों में विद्युतधारा प्रवाह के लिये कुछ प्रतिरोध होता है। विद्युतधारा प्रवाह में रुकावट की इस मात्रा को शब्द प्रतिरोध द्वारा दर्शाया जाता है, जिसका प्रतीक R है। प्रतिरोध को इकाई ओम (Ohms) में मापा जाता है। Ohms का प्रतीक ग्रीक अक्षर ओमेगा (Ω) है।

प्रतिरोध का गुण होता है विद्युतधारा प्रवाह को रोकना या उसमें बाधा उत्पन्न करना। सामान्यतः हम चाहते हैं कि विद्युतीय सर्किट में कम से कम प्रतिरोध हो, जिससे विद्युतधारा प्रवाह में कोई प्रतिरोध न हो। एक तार में प्रतिरोध का एक अन्य दुष्प्रभाव है, वोल्टेज का गिरना, तब, जब कि विद्युतधारा प्रवाहित हो रही हो। वोल्टेज ड्रॉप की यह मात्रा प्रतिरोध व तार से प्रवाहित होने वाले विद्युतधारा के मान पर निर्भर करती है। इसे निम्न समीकरण द्वारा दर्शाया गया है :

$$\text{Voltage} = \text{Resistance} \times \text{Current}$$

or

$$V = R \times I$$

उदाहरण के लिये यदि एक तार का प्रतिरोध 0.1 ओम है एवं तार से प्रवाहित होने वाली विद्युतधारा 10 A है, तब तार में होने वाला वोल्टेज ड्रॉप होगा = 0.1 × 10 = 1 V। सामान्यतः हमें कोशिश करनी चाहिये ताकि तार में होने वाला वोल्टेज ड्रॉप, स्रोत वोल्टेज से 1 या 2% (प्रतिशत) कम हो।

1.6 विद्युत पॉवर

माना, कि एक 100 लीटर क्षमता वाला पानी का टैंक खाली किया जाना है। यहां, क्या हम एक प्रश्न पूछ सकते हैं कि; पानी के प्रवाह की पॉवर क्या है? हां, हम यह प्रश्न पूछ सकते हैं। अतः, टैंक से बहने या प्रवाहित होने वाले पानी की पॉवर क्या है या कितनी है ? पानी के प्रवाह की पॉवर इस बात पर निर्भर करती है कि टैंक कितनी तेजी से खाली हो सकता है। टैंक या तो 10 मिनट या 1 मिनट में खाली हो सकता है। यदि टैंक 10 मिनट में खाली होता है, तो वह कम पॉवर इंगित करता है, क्यों कि होने वाले कार्य की गति कम है। परंतु, वहीं दूसरी ओर समान 100 लीटर का टैंक 1 मिनट में खाली हो जाता है, तो अधिक पॉवर इंगित होती है, क्योंकि इस स्थिति में होने वाले कार्य की गति अधिक है।

पॉवर न केवल पानी के प्रवाह की गति पर निर्भर करती है, वरन्, यह टैंक की ऊंचाई (पानी का दबाव) पर भी निर्भर करती है। दोनों पानी का उच्च स्तर (पानी का दबाव) एवं पानी के प्रवाह की अधिक गति (पानी की धारा) पानी के प्रवाह की पॉवर निश्चित करते हैं जैसा कि चित्र 1.4 में दर्शाया गया है। इस प्रकार, पानी के टैंक की स्थिति में,

$$\text{पॉवर} = \text{पानी का दबाव} \times \text{पानी की धारा}$$

चित्र 1.4 में चित्रित उदाहरण में, कौन सी स्थिति में पानी का प्रवाह अधिकतम होगा एवं क्यों ?

विद्युत में भी, वोल्टेज एवं विद्युतधारा के अतिरिक्त, अगला महत्वपूर्ण शब्द है, पॉवर। शब्द "पॉवर" में, दोनों विद्युतधारा एवं वोल्टेज शामिल होते हैं। जब एक विद्युत सर्किट में बिजली के प्रवाह के परिणामस्वरूप कुछ कार्य होता है। उदाहरण के लिये, जब पंखे में बिजली प्रवाहित होती

है, पंखे के ब्लेड घूमते हैं, जब टी वी में बिजली प्रवाहित होती है, टीवी चलता है, जब फ्रिज में बिजली प्रवाहित होती है, तो वह अंदर की चीजों को ठंडा करता है। इस प्रकार, किसी उपकरण से बिजली के प्रवाहित होने के, परिणामस्वरूप कुछ न कुछ कार्य होता है। विद्युतीय कार्य होने की गति क्या है? या विद्युतीय कार्य होने की दर क्या है? हम इसे किस प्रकार प्रदर्शित कर सकते हैं? शब्द, पॉवर (P), विद्युतीय कार्य होने की दर या गति का माप होती है। इस प्रकार से अधिक पॉवर यानि, उच्च गति या दर से अधिक विद्युतीय कार्य का होना एवं कम पॉवर का तात्पर्य है निम्न गति या दर पर कम विद्युतीय कार्य का होना।

विद्युतीय पॉवर है विद्युतीय कार्यों की दर या गति। पॉवर की इकाई वॉट होती है।

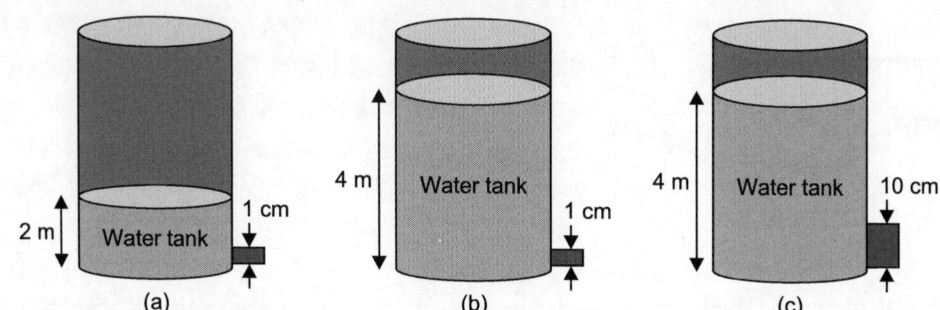

चित्र 1.4
विद्युत पॉवर समझने हेतु पानी के टैंक से सादृश्यता। पानी के टैंक की ऊंचाई (b) एवं/या पाइप का व्यास (c) जितना अधिक होगा उतना ही अधिक दबाव एवं या पानी की धारा होगी। समान रूप से जितना अधिक वोल्टेज एवं/या विद्युतधारा होगी उतनी ही अधिक विद्युतीय पॉवर होगी।

अतः विद्युतीय शब्दावली में, जितनी तेजी से विद्युतीय कार्य होता है वह पॉवर कहलाता है। एवं, विद्युतीय कार्य होने की पॉवर या विद्युत की पॉवर, विद्युतीय दबाव (विद्युतीय वोल्टेज) एवं इलेक्ट्रॉन प्रवाह दर (विद्युतधारा) पर निर्भर करती है जैसा कि चित्र 1.4 में दर्शाया गया है। अतः विद्युत में,

$$\text{विद्युतीय पॉवर} = \text{वोल्टेज} \times \text{विद्युत धारा}$$

या

$$\text{पॉवर (वॉट)} = \text{वोल्टेज (V)} \times \text{विद्युत धारा (A)}$$

पॉवर को वॉट या W इकाइयों में मापा जाता है। अतः विद्युतीय पॉवर के उपरोक्त अभिव्यक्ति को निम्न प्रकार से भी लिखा जा सकता है :

$$P\,(\mathrm{W}) = V\,(\mathrm{V}) \times I\,(\mathrm{A})$$

इस प्रकार से विद्युतीय उपकरणों की उच्च पॉवर इंगित करती है, कि या तो वह उपकरण उच्च विद्युतधारा या उच्च वोल्टेज या दोनों उच्च विद्युतधारा व उच्च पॉवर का उपयोग कर रहा है। पॉवर को समझने का अन्य उदाहरण है, दो भिन्न पॉवर रेटिंग वाले बल्ब, जैसा कि चित्र 1.5 में दर्शाया गया है। एक 60 W बल्ब की तुलना में, एक 100 W का बल्ब अधिक प्रकाश देगा। इसका मतलब है कि 100 W बल्ब, 60 W बल्ब की तुलना में अधिक कार्य करता है। इस प्रकार, 100 W बल्ब की कार्य करने की गति 60 W के बल्ब से अधिक है, इसीलिये 100 W बल्ब अधिक पॉवरयुक्त है।

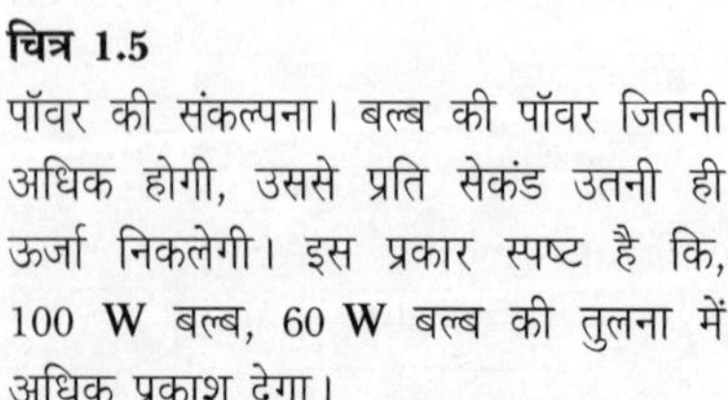

चित्र 1.5
पॉवर की संकल्पना। बल्ब की पॉवर जितनी अधिक होगी, उससे प्रति सेकंड उतनी ही ऊर्जा निकलेगी। इस प्रकार स्पष्ट है कि, 100 W बल्ब, 60 W बल्ब की तुलना में अधिक प्रकाश देगा।

बहुत से व्यावहारिक अनुप्रयोगों के लिये 1 W, एक छोटी इकाई है, एवं लोग पॉवर की बड़ी इकाई का उपयोग करते हैं, इसे 1000 से गुणा करके यानि 1000 W। चूंकि 1000 दर्शाता है 1 किलो, अतः पॉवर की बड़ी इकाई 1 kW या 1 किलो वॉट है। पॉवर प्लांट्स में 1 kW भी पॉवर की छोटी इकाई होती है इसलिये वहां पॉवर की और बड़ी इकाई का उपयोग किया जाता है। जब हम 1 kW को 1000,000 से गुणा करते हैं तब हमें 1000,000 W मिलता है। चूंकि 1000,000 दर्शाता है 1 मिलियन या 1 मेगा, अतः संक्षिप्त में इस पॉवर को 1 MW कहते हैं (तालिका 1.1 देखें)।

प्रश्न 1.3 विद्युतीय पॉवर किस पर निर्भर करती है ? एक विद्युतीय उपकरण को 50 V से जोड़ा गया है जिसके परिणामस्वरूप उपकरण में 3 A विद्युतधारा प्रवाहित होती है। उपकरण द्वारा खपत की गई पॉवर का मान कितना है?

प्रश्न 1.4 एक 100 W लैम्प के लिये, वोल्टेज का मान 240 V (वोल्टेज) है। परिणामस्वरूप प्राप्त होने वाली विद्युतधारा का मान क्या है ?

वर्कशीट 1.1 निम्न वर्कशीट पूर्ण करें (तालिका 1.1)।

तालिका 1.1 रिक्त स्थानों को भरें

वोल्टेज (V)	*विद्युतधारा* (A)	*पॉवर* (W)
300	2	...
...	4	...
400	...	...
...	10	1000

1.7 विद्युतीय ऊर्जा

ऊर्जा, विद्युत के उपयोग से संबंधित एक अन्य महत्वपूर्ण शब्द है। ऊर्जा एवं पॉवर के बीच का अंतर बहुत ही स्पष्ट है, परंतु अनेक लोग, चाहे वे अत्यंत शिक्षित क्यों न हों, वे शब्द ऊर्जा एवं पॉवर को मिला देते हैं। कुछ लोग शब्द ऊर्जा को पॉवर के स्थान पर उपयोग करते हैं एवं पॉवर को ऊर्जा के स्थान पर। जब सौर ऊर्जा की बात होती है, तब इस अंतर को समझना और भी महत्वपूर्ण हो जाता है। अतः, सौर ऊर्जा में एक तकनीशियन के रूप में, इन दो शब्दों के बीच का अंतर समझना अत्यंत आवश्यक हो जाता है; ऊर्जा एवं पॉवर। पिछले भाग में आपने समझा कि विद्युतीय पॉवर क्या है? आइये अब हम समझने की कोशिश करें कि विद्युतीय ऊर्जा क्या है ?

यदि विद्युतीय पॉवर, कार्य होने की गति या दर को दर्शाती है, तब शब्द 'विद्युतीय ऊर्जा' हुए कार्य की कुल मात्रा दर्शाती है। आइये अब हम विद्युत बल्ब का उदाहरण लें। माना कि दो बल्ब हैं, बल्ब-A एवं बल्ब-B, इनमें से प्रत्येक 100 W पॉवर का है जैसा कि चित्र 1.6 में दर्शाया गया है। यहां बल्ब-A का उपयोग 5 घण्टे तक प्रकाश के लिये किया जाता है एवं बल्ब-B का उपयोग 10 घंटे तक प्रकाश देने के लिये किया जाता है। दोनों स्थितियों में क्या अंतर है ? दोनों परिस्थितियों में बल्ब में समान पॉवर है, प्रत्येक में 100 W है। अंतर यह है कि एक बल्ब को 5 घंटों के लिये व अन्य बल्ब को 10 घंटों के लिये उपयोग किया जाता है। चूंकि, दोनों बल्बों में समान पॉवर है, इसलिये हम यह उम्मीद करते हैं कि दोनों बल्ब समान रूप से रौशनी देंगे। इस प्रकार, दोनों बल्ब समान गति या दर से कार्य कर रहे हैं एवं हमें समान मात्रा में प्रकाश दे रहे हैं एवं दोनों स्थितियों में केवल एक अंतर है, वह है उपयोग के घंटों की अलग संख्या। बल्ब-A को 5 घंटों के लिये एवं बल्ब-B को 10 घंटों के लिये उपयोग किया गया है। समय के घंटों के अंतर के प्रभाव, को विद्युतीय रूप में, विद्युतीय ऊर्जा में शामिल किया जाता है। इस प्रकार कह सकते हैं कि, समान पॉवर वाला एक विद्युतीय उपकरण, यदि लंबे समय के लिये चलाया जाता है, तो वह अधिक ऊर्जा की खपत करता है, एवं यदि वह कम घंटों के लिये चलाया जाता है तो कम ऊर्जा की खपत करेगा। इस उदाहरण में, चूंकि बल्ब-B 10 घंटों के लिये चलाया जा रहा है, यह 5 घंटों के लिये चलने वाले समान बल्ब की तुलना में अधिक ऊर्जा की खपत करेगा।

> विद्युतीय ऊर्जा, एक निश्चित समयांतराल में किये गए विद्युतीय कार्य की कुल मात्रा है। यह विद्युतीय उपकरणों की पॉवर एवं उनके उपयोग के समय का उत्पाद है।

चित्र 1.6
एक विद्युतीय उपकरण द्वारा खपत की गई ऊर्जा की मात्रा पॉवर एवं उस समय पर निर्भर की गई है जब तक पॉवर का उपयोग किया गया है।

अब माना कि, दो बल्ब हैं जिनमें से एक 50 W का एवं अन्य 100 W का है, दोनों का उपयोग 10 घंटों के लिये किया जाता है। कौन सा बल्ब अधिक ऊर्जा की खपत करेगा ? इसमें चूंकि उपयोग की अवधि दोनों में समान है, अधिक पॉवर वाला बल्ब अधिक ऊर्जा की खपत करेगा, इस प्रकार यह अधिक प्रकाश प्रदान करेगा, जिसका तात्पर्य है कि यह अधिक कार्य करेगा।

उपरोक्त चर्चा से हम यह समझ सकते हैं कि एक उपकरण द्वारा विद्युतीय ऊर्जा की खपत की मात्रा दो कारकों पर निर्भर करती है : उपकरण की पॉवर एवं उपयोग की अवधि। विद्युत उपकरण की पॉवर वॉट में दर्शाई जाती है एवं उपयोग की अवधि को घंटों में दिया जा सकता है। अतः विद्युतीय ऊर्जा को निम्न तरीके से दर्शाया जा सकता है :

$$\text{विद्युतीय ऊर्जा} = \text{पॉवर} \times \text{उपयोग की अवधि}$$

या

$$\text{ऊर्जा (E)} = \text{पॉवर (वॉट)} \times \text{समय (घंटे)}$$

या

$$\text{ऊर्जा (वॉट आवर)} = \text{पॉवर वॉट} \times \text{समय (घंटे)}$$

चूंकि विद्युतीय ऊर्जा, पॉवर एवं समय का उत्पाद है, अतः विद्युतीय ऊर्जा की इकाई भी पॉवर एवं समय की इकाई का उत्पाद होगी, यानि Watt × Hour या वॉट–घंटा। ऊर्जा इकाइयों के लिये उपयोग किए जाने वाले अन्य संक्षिप्ताक्षर भी हैं, वे हैं WH या Wh या WHr या Whr। अनेकों अनुप्रयोगों हेतु 1WHr एक छोटी इकाई है, एवं इसीलिये लोग इसे 1000 से गुणा करके बड़ी इकाइयों का उपयोग करते हैं जैसे 1000 WHr। चूंकि 1000 दर्शाता है 1 किलो, अतः ऊर्जा की बड़ी इकाई है 1 kWHr A।

विद्युतीय ऊर्जा, कुल किया गया विद्युतीय कार्य दर्शाती है जबकि विद्युतीय पॉवर, किए कार्य की दर या गति दर्शाती है। अतः, ऊर्जा की गणना करने के लिये हमें पॉवर को समय से गुणा करना होगा, एवं पॉवर प्राप्त करने के लिये, हमें ऊर्जा को समय से विभाजित करना होगा।

$$\text{ऊर्जा} = \text{पॉवर} \times \text{समय}$$

$$\text{पॉवर} = \frac{\text{ऊर्जा}}{\text{समय}}$$

विद्युत संबंधित शब्दावली, प्रतीक, एवं विभिन्न कारकों को मापने के लिये उपयोग होने वाली इकाईयां व इकाइयों के प्रतीक तालिका 1.2 में दिये गए हैं।

तालिका 1.2 विद्युतीय शब्द एवं उसकी इकाईयां

Name of electrical term	*Symbol of electrical term*	*Measured in units*	*Symbol of unit*	*Alternative units*
Voltage	*V*	volt	V	mV
Current	*I*	ampere	A	mA
Power	*P*	watt	W	kW, MW
Energy	*E*	watt-hour	Wh	kWh

1 वॉट–घंटा, विद्युतीय ऊर्जा की एक छोटी मात्रा होती है। सामान्यतः, हम विद्युतीय ऊर्जा को बड़ी इकाइयों में मापते हैं जिन्हें किलोवॉट–घंटा (kWh) या 1,000 वॉट–घंटा (किलो यानि हजार)

कहा जाता है। एक किलोवॉट–घंटा वह इकाई है, जो कि तब उपयोग की जाती है जब हमारे घरों में बिलिंग की जाती है। घरेलू उपयोगों हेतु, एक किलोवॉट–घंटा बिजली की इकाई है एवं इसका औसत मूल्य लगभग 2 रुपये है।

जब 2000 W का वॉटर हीटर 2 घंटों के लिये उपयोग किया जा रहा हो तब, पानी गर्म करने में लगने वाली विद्युत का मूल्य क्या होगा ? हम वॉट–घंटा को किलोवॉट–घंटा में परिवर्तित करेंगे, तब उपयोग किए गए किलोवॉट–घंटा को मूल्य प्रति किलोवॉट–घंटा से गुणा करेंगे, जैसा कि नीचे दर्शाया गया है :

खपत की गई विद्युतीय ऊर्जा = 2000 × 2 Wh विभाजित 1,000 = 4 kWh = 4 इकाईयां / यूनिट
मूल्य = 4 kWh × ₹ 2/kWh = ₹ 8

इसी प्रकार, एक 1000 W के कुकर को खाना पकाने के लिये, 2 घण्टे चलाने पर, भोजन पकाने की कीमत लगभग 4 रुपये होगी।

प्रश्न 1.5 यदि 100 Wh ऊर्जा 1 घण्टे में उपयोग की जाती है तो कुल खपत हुई पॉवर कितनी है ?

प्रश्न 1.6 एक विद्युतीय बल्ब 100 W की दर पर ऊर्जा की खपत करता है एवं उसे 10 घंटों के लिये उपयोग किया जाता है। खपत हुई ऊर्जा कितनी है?

प्रश्न 1.7 10 kWh ऊर्जा 2 घटों में खपत की जाती है। खपत हुई पॉवर कितनी है?

प्रश्न 1.8 एक विद्युतीय हीटर 1000 W की दर पर ऊर्जा की खपत करता है एवं 30 मिनट के लिये उपयोग किया जाता है। खपत हुई ऊर्जा कितनी है?

प्रश्न 1.9 100 kWh ऊर्जा की खपत 2 घंटों में की जाती है। खपत हुई पॉवर कितनी है?

प्रश्न 1.10 माना कि एक ही बल्ब निर्माता कंपनी के दो बल्ब हैं, A एवं B जिनका वॉटेज समान 100 mW है। बल्ब A को 5 घंटों के लिये उपयोग किया जाता है वहीं बल्ब B को 10 घंटों के लिये उपयोग किया जाता है। कौन सा बल्ब अधिक रौशनी से चमकेगा ? कौन सा बल्ब अधिक ऊर्जा की खपत करेगा ? यदि उपयोगिता प्रभार या शुल्क 2 रुपये प्रति इकाई है, तब बल्बों द्वारा खपत की गई बिजली का मूल्य क्या होगा ?

प्रश्न 1.11 माना कि एक ही बल्ब निर्माता कंपनी के समान वॉटेज 200 mW वाले दो बल्ब A एवं B हैं। बल्ब A को 3 घंटों के लिये उपयोग किया गया है वहीं बल्ब B को 5 घंटों के लिये उपयोग किया गया है। कौन सा बल्ब ज्यादा चमकेगा? कौन सा बल्ब ज्यादा ऊर्जा की खपत करेगा? यदि उपयोगिता प्रभार 2 रुपये प्रति इकाई है, तो बल्बों द्वारा खर्च की गई बिजली का मूल्य क्या होगा?

1.8 DC पॉवर एवं AC पॉवर

विद्युत संबंधित, किसी चाहे गए काम को पूरा करने के लिये अनेकों अवयवों को आपस में जोड़ना जरूरी होता है। विभिन्न विद्युतीय अवयवों का यह इंटरकनेक्शन (आपस में जुड़ना) विद्युतीय सर्किट कहलाता है। विद्युतीय सर्किट में पॉवर दो रूपों में प्रवाहित होती है; ये रूप निम्न प्रकार से हैं :

1. डायरेक्ट विद्युतधारा या DC पॉवर
2. अल्टरनेटिंग विद्युतधारा या AC पॉवर

आइये अब AC पॉवर एवं DC पॉवर के बारे में थोड़ा और सीखें, जैसे, उनकी विशेषताएं क्या हैं, हम उनके बीच का अंतर कैसे जान सकते हैं, इन्हें किस प्रकार से माप सकते हैं, आदि।

1.8.1 DC पॉवर

आपने शायद कहीं पढ़ा हो कि, एक फोटोवोल्टाइक या पीवी मॉड्यूल DC पॉवर या DC वोल्टेज या DC विद्युतधारा उत्पादित कर सकता है। साथ ही यह भी कि, DC विद्युतधारा DC उपकरणों या DC सर्किट में प्रवाहित होती है। इसलिये, आइये सबसे पहले जानें कि DC पॉवर या एक DC उपकरण या एक DC सर्किट क्या है ? एक DC सर्किट वह सर्किट है जिसमें विद्युतधारा केवल एक दिशा

में प्रवाहित होती है जैसा कि चित्र 1.7(a) में दर्शाया गया है। इसमें समय के साथ विद्युतधारा की दिशा नहीं बदलती है। सर्किट में V_{dc} वोल्टेज की बैटरी एक उपकरण R से जुड़ी हुई है। इस चित्र में यह दर्शाया गया है कि विद्युतधारा क्लॉकवाइस (घड़ी की सुईयों) की दिशा में प्रवाहित हो रही है। चित्र 1.7(a) में दर्शाए गए सर्किट में विद्युतधारा एन्टी–क्लॉकवाइस (घड़ी की सुईयों की विपरीत) दिशा में प्रवाहित हो सकती है यदि बैटरी विपरीत तरीके से जुड़ी हुई हो जैसा कि चित्र 1.7(b) में दर्शाया गया है, परंतु फिर भी विद्युतधारा की दिशा समय के साथ परिवर्तित नहीं होगी। DC विद्युतधारा का मान भी जैसा कि चित्र 1.7(c) में दिखाया गया है बदलते समय में अधिकांशतः स्थिर ही रहेगा। DC वोल्टेज भी समय के अनुसार परिवर्तित नहीं होगा बल्कि स्थिर रहेगा जैसा कि चित्र 1.7(d) में दर्शाया गया है। पी वी मॉड्यूल DC विद्युतधारा उत्पादित करता है, से तात्पर्य है कि DC सर्किट विद्युतधारा में केवल एक ही दिशा में प्रवाहित होती है कि जिसमें DC उपकरण पीवी मॉड्यूल के DC पॉवर से चल रहे हैं।

DC विद्युतधारा की दिशा, मान एवं DC वोल्टेज समय के साथ परिवर्तित नहीं होते हैं।

उपकरण में प्रवाहित होने वाले DC विद्युतधारा एवं DC वोल्टेज के आधार पर उपकरण द्वारा खपत की गई DC पॉवर का आंकलन किया जा सकता है। DC पॉवर (P_{dc}), DC विद्युत–धारा (I_{dc}) एवं DC वोल्टेज (V_{dc}) का उत्पाद होता है।

$$P_{dc} = I_{dc} \times V_{dc} \text{ Watt}$$

DC उपकरण, एक ऐसा उपकरण है जो कि DC पॉवर पर कार्य करता है, या एक DC सर्किट एक ऐसा सर्किट है जो कि DC विद्युतधारा पर कार्य करता है। LED (रौशनी करने की युक्ति) DC उपकरण का एक उदाहरण है। इसी प्रकार, अनेक अन्य प्रकार के उपकरण उपलब्ध हैं, जो कि DC पॉवर पर कार्य करते हैं, जैसे मोटर, फ्रिज, पंखा, टीवी आदि।

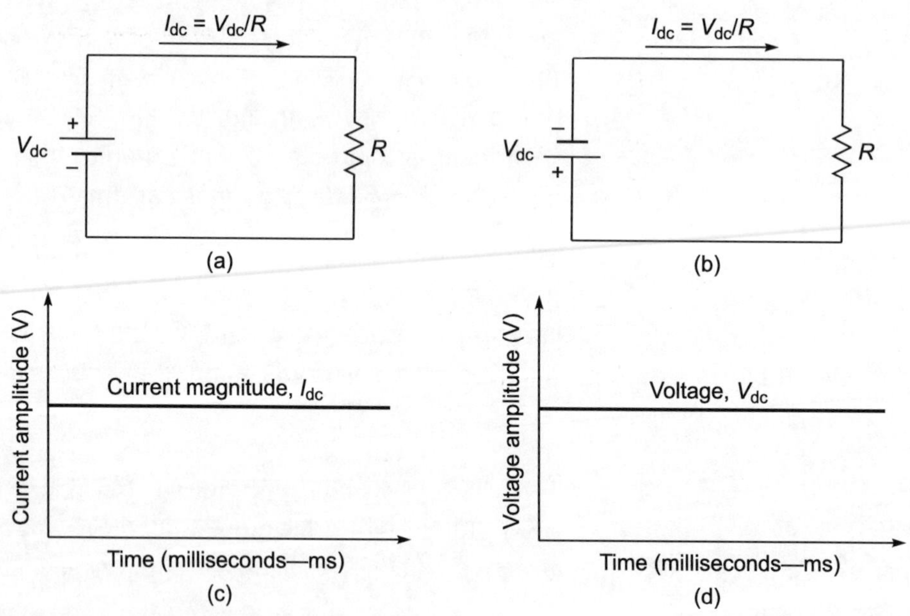

चित्र 1.7
(a) DC विद्युतधारा की दिशा को दर्शाता हुआ DC सर्किट। (b) बैटरी की ध्रुवता या पोलैरिटी के अनुसार विद्युतधारा विपरीत दिशा में। (c) DC विद्युतधारा की परिभाषा। (d) DC वोल्टेज की परिभाषा।

DC सर्किट में उपकरण को मिलने वाली पॉवर, उपकरण में विद्युतधारा एवं वोल्टेज का उत्पाद होती है।

उदाहरण 1.1

एक DC पंखा 24 V पर कार्य करता है एवं चलने के दौरान यह 3 A विद्युतधारा लेता है। पंखे द्वारा खर्च की गई DC पॉवर की गणना करें।

हल

यह एक DC पंखा है, पंखे में प्रवाहित होने वाली विद्युतधारा, I_{dc}, 3 A है। पंखे का वोल्टेज, V_{dc}, 24 V है। तब पंखे द्वारा खर्च की गई DC पॉवर है :

$$P_{dc} = I_{dc} \times V_{dc}$$
$$= 3 \times 24 = 72 \text{ Watt}$$

प्रश्न 13 एक DC टीवी 24 V पर कार्य करती है एवं 120 वॉट पॉवर खर्च करती है। टी वी चलाने के लिये आवश्यक DC विद्युतधारा का आंकलन करें?

वर्कशीट 1.2 विभिन्न DC उपकरणों के लिये नीचे दी गई तालिका 1.3 में रिक्त स्थानों को भरें।

तालिका 1.3 उपकरणों के DC मानक

DC *उपकरण का नाम*	*वोल्ट में उपकरण का वोल्टेज मान* V_{dc}	*उपकरण से प्रवाहित होने वाली विद्युतधारा,* I_{dc}, *(एम्पियर)*	*उपकरण द्वारा खपत की गई पॉवर,* P_{dc}, *(वॉट)*
पंखा	12	2.5	...
LED	...	0.5	1.5
TV	...	3.3	80
फ्रिज	48	...	500
मोटर	36	...	746

1.8.2 AC पॉवर

हमने उपरोक्त सेक्शन में DC सर्किट, (DC विद्युतधारा, DC वोल्टेज एवं DC उपकरण के विषय में चर्चा की। सर्किट का एक अन्य रूप AC सर्किट या अल्टरनेटिव सर्किट (AC) कहलाता है। AC सर्किट में विद्युतधारा (I_{ac}) दोनों दिशाओं में प्रवाहित होती है; क्लॉकवाइस (घड़ी की सुईयों की दिशा में) एवं काउंटर–क्लॉकवाइस (घड़ी की सुईयों की विपरीत दिशा में)। चित्र 1.8(c) में AC विद्युतधारा का समय के साथ परिवर्तन दर्शाया गया है। 0 से T/2 समयान्तराल के लिये विद्युतधारा क्लॉकवाइस दिशा में प्रवाहित होती है जैसा कि चित्र 1.8(a) में दर्शाया गया है। T/2 से T समयान्तराल के लिये आवेश या आवेशित कण विपरीत दिशा में या काउन्टर क्लॉकवाइस दिशा में प्रवाहित होते हैं, जैसा कि चित्र 1.8(b) में दर्शाया गया है। यहां केवल दिशा ही नहीं, बल्कि विद्युतधारा का मान भी समय के साथ परिवर्तित होता रहता है (DC विद्युतधारा में विद्युतधारा का मान समय के साथ स्थिर रहता है)। AC विद्युतधारा, एक सेकंड में 50 बार अपनी दिशा बदलती है (इस स्थिति में कहा जाता है कि विद्युतधारा में 50 हट्र्ज आवृति है)। चूंकि विद्युतधारा का मान पूरे समय परिवर्तित होता जा रहा है, तो हम कैसे कह सकते हैं कि कितनी विद्युतधारा प्रवाहित हो रही है? AC सर्किट में सामान्यतः विद्युतधारा के दो मान हैं जिनका उपयोग किया जाता है :

1. विद्युतधारा का पीक या अधिकतम मान, I_m,
2. विद्युतधारा का औसत मान, इसकी औसत वर्ग के मूल के रूप में गणना की जाती है। इसे रूट मीन स्क्वायर मान या RMS मान कहा जाता है।

जब हम कहते हैं कि 'X' एम्पियर AC विद्युतधारा सर्किट में प्रवाहित हो रही है, तब हम विद्युतधारा के RMS मान का उल्लेख करते हैं। जब हम AC विद्युतधारा के RMS मान को मापने के लिये डिजिटल एमीटर का उपयोग करते हैं, तब यह विद्युतधारा के RMS मान को मापता है।

विद्युतधारा के RMS मान एवं पीक या अधिकतम मान आपस में एक तरह से जुड़े होते हैं। इस संबंध को निम्न समीकरण द्वारा समझाया जा सकता है।

$$I_{rms} = \frac{I_m}{\sqrt{2}}$$

AC विद्युतधारा के समान ही, AC वोल्टेज का समय के साथ दिशा एवं मान परिवर्तित होता रहता है जैसा कि चित्र 1.8(d) में दर्शाया गया है। AC विद्युतधारा की तरह, AC वोल्टेज का भी पीक या अधिकतम मान (V_m) एवं RMS मान (V_{rms}) होता है। जब हम AC सर्किट में वोल्टेज का मान मापने के लिये डिजिटल वोल्टमीटर का उपयोग करते हैं, यह वोल्टेज के RMS मान को मापता है।

वोल्टेज के RMS मान एवं पीक या अधिकतम मान आपस में एक तरह से जुड़े होते हैं। इस संबंध को निम्न समीकरण द्वारा समझाया जा सकता है।

$$V_{rms} = \frac{V_m}{\sqrt{2}}$$

AC विद्युतधारा एवं AC वोल्टेज का मान एवं दिशा हमेशा परिवर्तित होते रहते हैं।

इस प्रकार से वह सर्किट जहां AC विद्युतधारा प्रवाहित हो रही है, AC सर्किट कहलाएगा। इसी प्रकार, जब एक उपकरण (जैसे टी वी, पंखा, मोटर आदि) AC विद्युतधारा पर कार्य करते हैं, तब वे AC उपकरण कहलाते हैं।

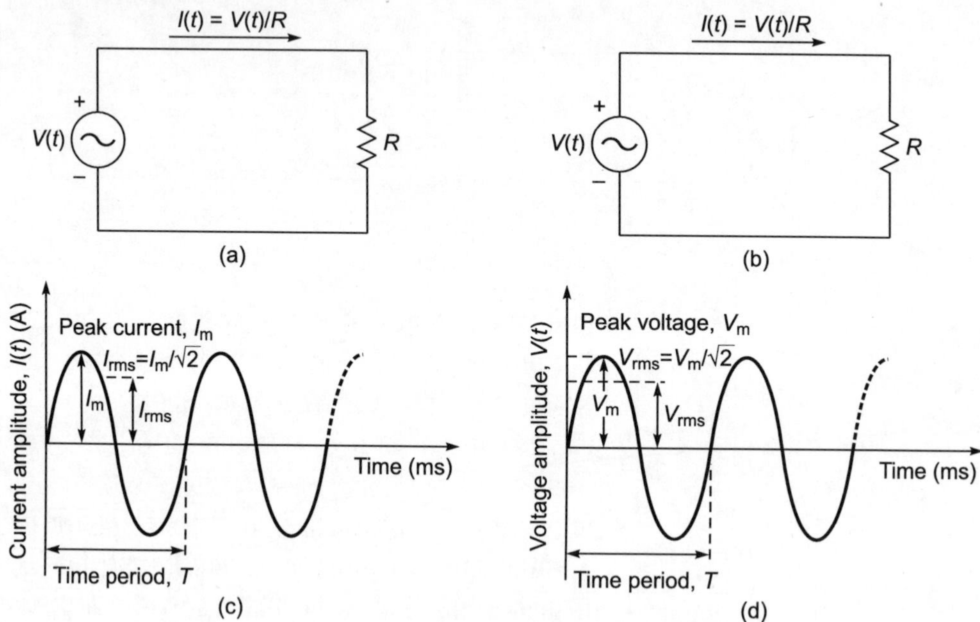

चित्र 1.8
(a) 0 से T/2 सेकंड के दौरान AC विद्युतधारा को दर्शाता हुआ AC सर्किट, (b) T/2 से T सेकंड के दौरान AC विद्युतधारा को दर्शाता हुआ AC सर्किट, (c) AC विद्युतधारा की परिभाषा, (d) AC वोल्टेज की परिभाषा।

AC सर्किट में पॉवर

यदि किसी उपकरण से AC विद्युतधारा प्रवाहित हो रही है एवं उसमें AC वोल्टेज दिखाई दे रहा है, तब उपकरण द्वारा AC पॉवर खर्च की जा रही है। उपकरण द्वारा खर्च की गई AC पॉवर का आंकलन किया जा सकता है। AC पॉवर या उपकरण की RMS पॉवर (P_{rms}), AC विद्युतधारा (I_{rms}) एवं AC वोल्टेज (V_{rms}) का उत्पाद होता है।

विद्युतीय तारों में समान पॉवर प्रवाहित होने की स्थिति में, जब वोल्टेज मान अधिक होता है, प्रवाहित होने वाली विद्युतधारा का मान कम होता है।

$$P_{rms} = I_{rms} \times V_{rms} \text{ watt}$$

सर्किट की RMS पॉवर को 'प्रत्यक्ष' पॉवर (Apparent power) भी कहा जाता है। इसे प्रत्यक्ष पॉवर इसलिये कहा जाता है, क्योंकि यह देखा गया है कि AC सर्किट में उपकरण को पहुंचाई गई वास्तविक पॉवर सामान्यतः प्रत्यक्ष पॉवर से कम होती है।

किसी उपकरण तक पहुंचने जाने वाली वास्तविक पॉवर का मान, AC सर्किट के पॉवर फैक्टर (PF) पर निर्भर करती है। AC सर्किट का पॉवर फैक्टर, का मान, आदर्श रूप में 1, अन्यथा 1 के लगभग होना चाहिये । पॉवर फैक्टर AC विद्युतधारा एवं AC वोल्टेज के बीच के फेज अंतर पर निर्भर करता है। यदि AC विद्युतधारा एवं AC वोल्टेज के बीच कोई फेज अंतर नहीं है तब PF 1 (उच्चतम संभव मान) होता है वहीं दूसरी ओर जितना फेज अंतर अधिक होगा उतना ही PF मान कम होगा। PF का निम्न या कम मान, उपकरण को पहुंचाई जाने वाली पॉवर को प्रत्यक्ष पॉवर की तुलना में कम करता है। उपकरण को वास्तव में पहुंचाई जाने वाली पॉवर को निम्न तरीके से समझाया जा सकता है :

AC सर्किट में उपकरण को पहुंचाई जाने वाली वास्तविक पॉवर प्रत्यक्ष पॉवर से कम होती है, क्योंकि पॉवर फैक्टर का मान सामान्यतः 1 से थोड़ा कम होता है।

$$\text{Actual power } (P_{real}) = \text{Apparent power } (P_{rms}) \times PF \text{ watt}$$

उदाहरण 1.2 यदि चित्र 1.8 (a) में V_{ac}, 10 V_{rms} है एवं प्रतिरोध R, 2 kΩ है, RMS AC विद्युतधारा ज्ञात करें। साथ ही जनरेटर से उत्पादित AC पॉवर एवं प्रतिरोधक द्वारा ली गई AC पॉवर ज्ञात करें।

हल RMS वोल्टेज है $V_{rms} = 10$ V

RMS विद्युतधारा, $I_{rms} = V_{rms} / R = 10 / 2 = 5$ mA

AC पॉवर $P_{rms} = I_{rms} \times V_{rms}$ watt $= 10 \times 5 = 50$ mW

साथ ही प्रतिरोधक का PF 1 है, अतः वास्तविक पॉवर

Actual power $(P_{real}) = P_{rms} \times PF = 50 \times 1 = 50$ mW

उदाहरण 1.3 यदि एक उपकरण की प्रत्यक्ष पॉवर 100 mW है। उपकरण द्वारा ली गई वास्तविक पॉवर निकालें, यदि पॉवर फैक्टर 0.8 है।

हल वास्तविक पॉवर (Actual power) $(P_{real}) = P_{rms} \times PF = 100 \times 0.8 = 80$ mW

वर्कशीट 1.3 चित्र 1.8 में दर्शाए सर्किट को देख कर निम्न तालिका पूर्ण करें।

तालिका 1.4 रिक्त स्थानों में मात्राओं को भरें

वोल्टेज (V_{rms})	प्रतिरोध (R)	विद्युतधारा (I_{rms})	वोल्टेज स्रोत द्वारा उत्पादित पॉवर	रेसिस्टर द्वारा ली गई पॉवर
5 V	5 Ω	...	...	...
10 V	...	2 A	...	...
20 V	...		60 W	...
...	3 Ω	3 A	...	...
10 V	...	...	...	100 W

वर्कशीट 1.4 एक AC सर्किट को ध्यान में रखते हुए निम्न तालिका को पूर्ण करें।

तालिका 1.5 रिक्त स्थानों की पूर्ति करें

P_{rms} (W)	P_{real} (W)	PF
5	5	...
10	8	...
20	...	0.7
...	20	0.9
10	...	0.85

सामान्यतः दूरस्थ स्थानों में अल्टरनेटर या जनरेटर द्वारा उत्पादित AC पॉवर उपकरण केंद्रों में AC रूप में ही संचारित कर दी जाती है। यह एक बड़ा कारण है कि हम DC उपकरण की अपेक्षा AC उपकरणों का उपयोग करते हैं। हम अपने घरों में AC उपकरण, जैसे पंखा, लाइट आदि चलाने के लिये AC पॉवर का उपयोग करते हैं । हम अपने सेल फोन व लैपटॉप की बैटरियां चार्ज करने के लिये DC पॉवर का भी उपयोग करते हैं।

1.9 विद्युतीय मात्र का मापन

विभिन्न विद्युतीय शब्दों को समझने के पश्चात्, आइये अब समझें कि इन विद्युतीय या इलेक्ट्रिकल मात्राओं को किस तरह मापा जाता है। अनेक प्रकार के मीटर उपलब्ध हैं जो कि वोल्टेज, विद्युतधारा, पॉवर एवं ऊर्जा को मापते हैं इनमें से एक उपकरण जो कि सबसे अधिक बहुमुखी है, उसे मल्टीमीटर कहा जाता है। जैसा कि नाम से स्पष्ट है, इसमें एक मीटर में अनेक मीटर निर्मित होते हैं, इसीलिये यह मल्टीमीटर कहलाता है। एक मल्टीमीटर का उपयोग विद्युतधारा एवं वोल्टेज को मापने में किया जाता है। मल्टीमीटर से प्रतिरोधकता का मान भी मापा जा सकता है। अगले भाग में आपको मल्टीमीटर व उसके उपयोगों से परिचय कराया जाएगा।

1.9.1 एक मल्टीमीटर क्या है?

मल्टीमीटर मापन हेतु यह एक ऐसा उपकरण है जिसमें एक इकाई/उपकरण में अनेक मापन इकाईयां संयुक्त रूप से कार्य करती हैं। एक मल्टीमीटर में अनेक विशेषताएं होती हैं जैसे वोल्टेज, विद्युतधारा एवं प्रतिरोध मापने की क्षमता। मल्टीमीटर दो प्रकार के हो सकते हैं एनालॉग एवं डिजिटल। एनालॉग मल्टीमीटर वह है जिसमें एक सुई होती है जो कि मापित मान को दर्शाने के लिये इस पर निर्मित स्केल की ओर घूम जाती है। एवं डिजिटल मल्टीमीटर इलेक्ट्रॉनिक मीटर होते हैं, जो कि मापित मान को डिजिटल रूप में दर्शाते हैं। यह एक आसान पोर्टेबल युक्ति है जो कि इसके अन्दर स्थित एक छोटी बैटरी से चलती है। आजकल एनालॉग मल्टीमीटर की तुलना में डिजिटल मल्टीमीटर का उपयोग अधिक किया जा रहा है, क्योंकि वे बाजार में आसानी से उपलब्ध हैं एवं साथ ही डिजिटल मल्टीमीटर एनालॉग मल्टीमीटर की तुलना में सस्ते होते हैं। इसलिये आगे हम केवल डिजिटल मल्टीमीटर के विषय में जानेंगे। याद रखें यहां इस अध्याय में जिन मल्टीमीटर की बात की गई है वे डिजिटल मल्टीमीटर हैं।

> सामान्यतः आसानी से उपलब्धता एवं कम कीमत के कारण डिजिटल मल्टीमीटर का उपयोग किया जाता है।

एक मल्टीमीटर किस तरह दिखता है?

एक मल्टीमीटर निम्न भागों से मिल कर बना होता है :

1. **डिस्प्ले/प्रदर्शन स्क्रीन :** इस LCD प्रदर्शन स्क्रीन पर मापित मान दर्शाया जाता है।
2. **मापदंड एवं रेंज सिलेक्टर नॉब :** हमें ज्ञात है कि, एक मल्टीमीटर विद्युतीय मापदंड जैसे वोल्टेज, विद्युतधारा एवं प्रतिरोध को माप सकता है। इस नॉब की मदद से, मल्टीमीटर के उपयोग से जिस मापदंड को मापना है उसे चुना जाता है। किसी मापदंड विशेष, जैसे वोल्टेज में, कोई भी मापन की रेंज जैसे 200 mV, 20 V, 200 V का चयन करने हेतु इस नॉब का उपयोग किया जा सकता है। समान तरीके से विद्युतधारा एवं प्रतिरोध की रेंज का चयन करने के लिये भी इस नॉब का उपयोग किया जा सकता है।
3. **प्रोब :** एक मल्टीमीटर में दो प्रोब होते हैं (जैसा कि चित्र 1.9 में दर्शाया गया है) ; एक काला होता है एवं दूसरा लाल। यह प्रोब, उस विद्युतीय सर्किट, जहां विद्युतीय मात्राओं का मापन होना है एवं मल्टीमीटर के बिंदुओं के बीच में एक कड़ी की तरह कार्य करता है। सामान्यतः काला प्रोब विद्युतधारा एवं वोल्टेज दोनों के मापन के लिये एक कॉमन प्रोब की तरह उपयोग किया जाता है। अतः काले प्रोब को COM (या कॉमन प्रोब) कहा जाता है एवं लाल प्रोब को या तो विद्युतधारा या वोल्टेज के मापन के लिये उपयोग किया जाता है।
4. **बजर :** एक मल्टीमीटर का उपयोग, किसी सर्किट में त्रुटि या टूटे हुए तारों का पता लगाने के लिये भी किया जा सकता है। इसके लिये, हमें मल्टीमीटर के नॉब को कन्टीन्यूटी मोड पर रखना होता है। यदि एक सर्किट में आप कन्टीन्यूटी को माप रहे हैं, तब, यदि बजर कुछ आवाज करता है तो यह दर्शाता है कि सर्किट अच्छी तरह से कार्य कर रहा है या तार टूटा हुआ नहीं है एवं यदि बजर कोई आवाज नहीं करता है तो इसका यह तात्पर्य है कि सर्किट में कोई त्रुटि है या तार टूटा हुआ है।

> एक साधारण मल्टीमीटर का उपयाग वोल्टेज, विद्युतधारा एवं प्रतिरोध को मापने के लिये किया जा सकता है।

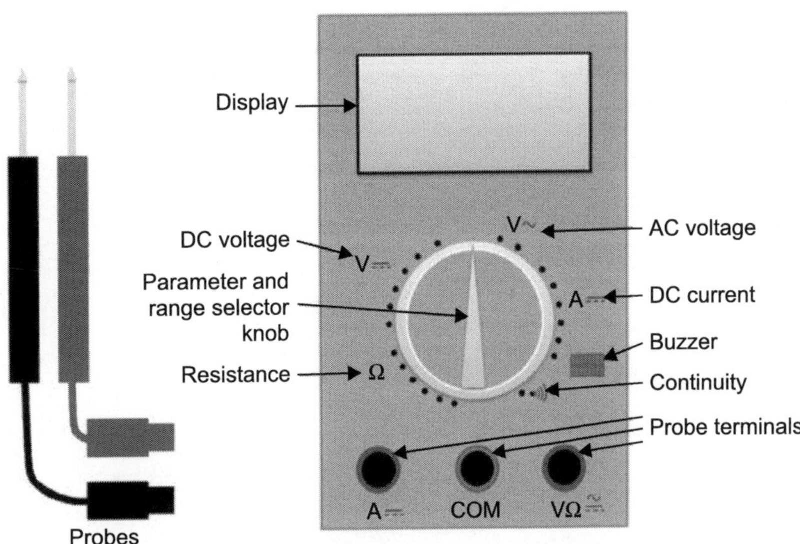

चित्र 1.9
एक साधारण मल्टीमीटर का प्रदर्शन।

1.9.2 मल्टीमीटर के उपयोग

एक साधारण मल्टीमीटर का उपयोग वोल्टेज, विद्युतधारा एवं प्रतिरोध मापने के लिये किया जा सकता है; एवं साथ ही इसका उपयोग छोटे सर्किट में त्रुटियों का पता लगाने एवं एक सर्किट में टूटे हुए तारों का पता लगाने के लिये भी किया जा सकता है। सामान्यतः एक आदर्श/स्टैण्डर्ड मल्टीमीटर निम्न विद्युतीय मात्राओं को माप सकता है :

1. DC वोल्टेज
2. AC वोल्टेज
3. DC विद्युतधारा
4. प्रतिरोध
5. निरंतरता या कंटीन्यूटी

निम्न अनुच्छेद में हम देखेंगे कि एक मल्टीमीटर का उपयोग करते हुए किस तरह इन मापदंडों को मापा जा सकता है।

1.9.3 DC वोल्टेज का मापन

दोनों (DC एवं AC) वोल्टेज का मान, वोल्टेज स्रोत (बैटरी, पीवी मॉड्यूल, सिंगल फेज AC पॉवर सप्लाई आदि) के सिरों से, वोल्टेज मीटर (वोल्टमीटर) या मल्टीमीटर (वोल्टेज मोड में) को जोड़ कर ज्ञात किया जा सकता है। एक विद्युतीय सर्किट के किन्हीं भी दो बिंदुओं के बीच वोल्टेज का मान पता किया जा सकता है, उन बिंदुओं को मल्टीमीटर के प्रोब से जोड़ कर।

एक मल्टीमीटर से वोल्टेज मापने के लिये, उसे वोल्टमीटर मोड में रखा जाना चाहिये, उदाहरण के लिये; मीटर का 'रेंज सिलेक्टर नॉब' चिन्ह वोल्ट या 'V' की ओर चिन्हित होना चाहिये। निम्न बिंदुओं के लिये, नॉब या प्रोब की स्थिति सही तरीके से रखने हेतु उपर्युक्त सावधानियां बरतना आवश्यक है :

- वोल्टेज स्तर की अपेक्षित रेंज
- वोल्टेज का AC या DC रूप
- AC या DC वोल्टेज मापन के लिये लाल प्रोब की स्थिति

इस प्रकार, किसी मापन के पहले ही 'रेंज सिलेक्टर नॉब' एवं प्रोब की स्थिति उपर्युक्त तरीके से चुनना आवश्यक है। चित्र 1.10 में एक वोल्टेज (वोल्टमीटर) मीटर का एक साधारण सर्किट से संयोजन दर्शाया गया है, जिसमें वोल्टेज स्रोत एवं उपकरण जुड़ा हुआ है एवं वोल्टेज का मापन किया गया है। जैसा कि चित्र में दिखाया गया है, यह याद रखा जाना चाहिये कि वोल्टेज के मापन के लिये, वोल्टमीटर या मल्टीमीटर (वोल्टेज मोड में) वोल्टेज स्रोत टर्मिनलों से समानांतर क्रम में जुड़ा होना चाहिये।

टिप्पणी 1: वोल्टेज की मापन प्रक्रिया के लिये 'रेंज सिलेक्टर नॉब' एवं प्रोब की स्थिति, सावधानीपूर्वक उपर्युक्त तरीके से चुनी जानी चाहिये।

टिप्पणी 2: वोल्टेज के मापन के लिये मल्टीमीटर, प्रोब स्रोत से समानांतर क्रम में जोड़ा जाना चाहिये या उन बिंदुओं के बीच में जिनका वोल्टेज मापा जाना है।

टिप्पणी 3: मल्टीमीटर का उपयोग करते हुए, विद्युतधारा या वोल्टेज को मापन करते समय, लाल प्रोब को धनात्मक सिरे या बिंदु से जोड़ना चाहिये एवं काले प्रोब को ऋणात्मक सिरे या बिंदु से जोड़ना चाहिये।

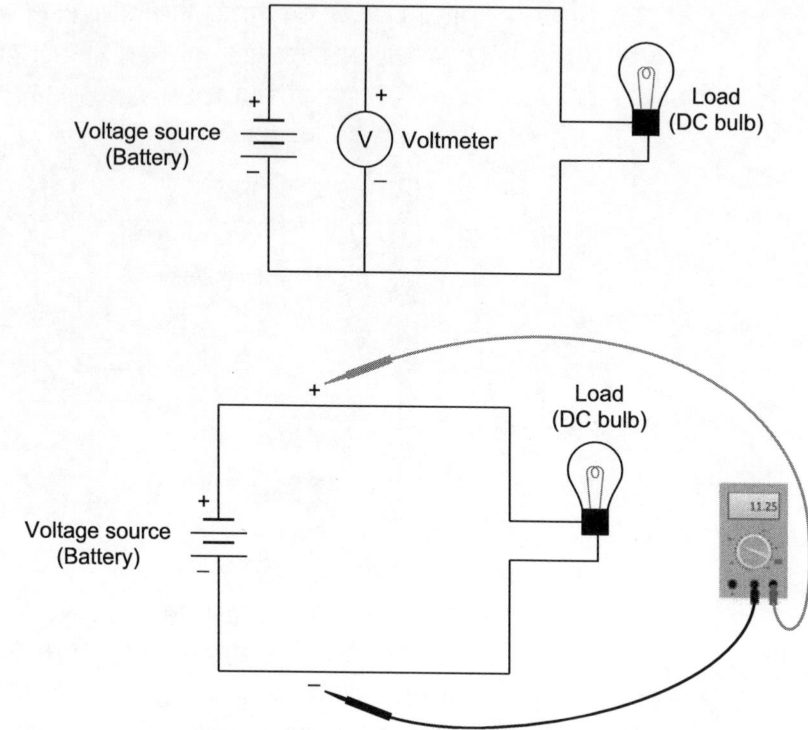

चित्र 1.10
एक वोल्टमीटर का उपयोग करते हुए वोल्टेज के मापन का रेखाचित्र।

चित्र 1.11
एक मल्टीमीटर का उपयोग करते हुए DC वोल्टेज का मापन।

टिप्पणी: वोल्टेज मापन के लिये मल्टीमीटर के प्रोब के सिरों की स्थिति एवं ध्रुवता का ध्यान रखना आवश्यक है।

1.9.4 AC वोल्टेज का मापन

एक मल्टीमीटर का उपयोग करते हुए AC वोल्टेज के मापन के लिये, सबसे पहले मल्टीमीटर में, रेंज सिलेक्टर नॉब से AC रूप (~) को चुना जाना आवश्यक है। साथ ही, लाल प्रोब की स्थिति को जांचना भी आवश्यक है जो कि मल्टीमीटर में वोल्टेज मोड पर होना चाहिये। लाल एवं काले प्रोब को सर्किट में, फेज एवं न्यूट्रल बिंदुओं से जोड़ना चाहिये जैसा कि चित्र 1.12 में दर्शाया गया है।

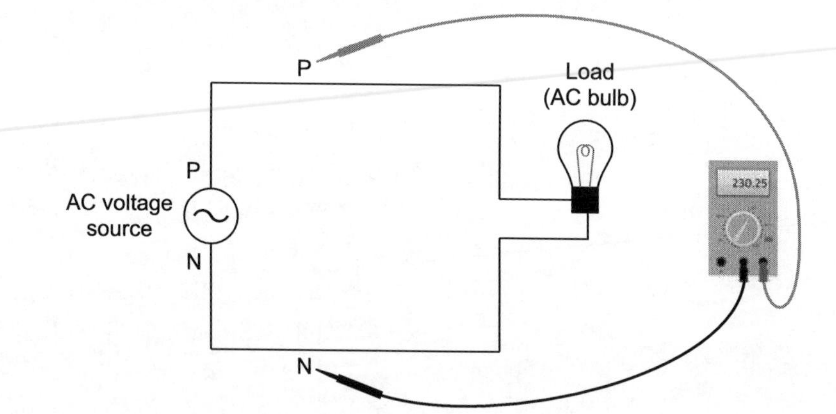

चित्र 1.12
मल्टीमीटर का उपयोग करते हुए AC वोल्टेज का मापन।

टिप्पणी: एक मल्टीमीटर का उपयोग करते हुए, AC वोल्टेज मापन में फेज को धनात्मक सिरा एवं न्यूट्रल को ऋणात्मक सिरा मानना चाहिये। साथ ही प्रोब एवं सिलेक्टर नॉब की स्थिति का ध्यान रखा जाना भी आवश्यक है।

1.9.5 DC विद्युतधारा का मापन

विद्युतधारा मीटर (एमीटर) या मल्टीमीटर (विद्युतधारा मोड में) को वोल्टेज स्रोतों (बैटरी, पीवी मॉड्यूल, सिंगल फेस पॉवर सप्लाई आदि) के सिरों से जोड़कर, विद्युतधारा दोनों (DC एवं AC) को मापा जा सकता है, बशर्ते, सर्किट में प्रतिरोध के उपर्युक्त मान या उपकरण के उपयोग से विद्युतधारा मान नियंत्रित हों (जैसा कि चित्र 1.13 में दर्शाया गया है)। विद्युतधारा या AC पॉवर स्रोत को मापने के लिये, मीटर को सीधे बैटरी से जोड़ना (बिना उपकरण के) खतरनाक हो सकता है, क्योंकि एमीटर मोड में एमीटर या मल्टीमीटर बहुत निम्न प्रतिरोध देते हैं एवं वोल्टेज स्रोत जैसे बैटरी, से एमीटर को सीधे जोड़ने से उसके सिरे शॉर्ट हो सकते हैं। इसका परिणाम होगा अधिक विद्युतधारा प्रवाहन, जो कि बैटरी के साथ–साथ एमीटर को भी नुकसान पहुंचा सकता है।

एमीटर को बैटरी या AC सप्लाई से सर्किट में बिना उपकरण के नहीं जोड़ा जाना चाहिये।

मल्टीमीटर के उपयोग से विद्युतधारा मापने के लिये, इसे विद्युतधारा मोड में रखना चाहिये, मीटर के 'रेंज सिलेक्टर नॉब' को चिन्ह एम्पियर या 'A' की ओर रखना चाहिये। निम्न बिंदुओं के लिये, नॉब या प्रोब को सही स्थिति में रखा जाना चाहिये :

- विद्युतधारा स्तर की आपेक्षित रेंज
- AC या DC विद्युतधारा
- AC या DC विद्युतधारा मापन के लिये लाल प्रोब की स्थिति

इसीलिये मापन के पहले 'रेंज सिलेक्टर नॉब' एवं प्रोब की स्थिति उपर्युक्त तरीके से चुनी जानी चाहिये। चित्र 1.13 में एक विद्युतधारा मीटर (एमीटर) का एक साधारण सर्किट संयोजन दर्शाता है, जिसमें वोल्टेज स्रोत एवं इससे जुड़ा उपकरण शामिल है। अतः जैसा कि चित्र में दर्शाया गया है, हमें यह याद रखना चाहिये कि विद्युतधारा के मापन के लिये, एमीटर या मल्टीमीटर (विद्युतधारा मोड में) को वोल्टेज स्रोत सिरों या उपकरण के साथ श्रेणी में जोड़ा जाना चाहिये। एमीटर से DC विद्युतधारा मापन को चित्र 1.13 में दर्शाया गया है एवं मल्टीमीटर से, DC विद्युतधारा के मापन को चित्र 1.14 में दर्शाया गया है।

चित्र 1.13
एक एमीटर का उपयोग करते हुए DC विद्युतधारा का मापन।

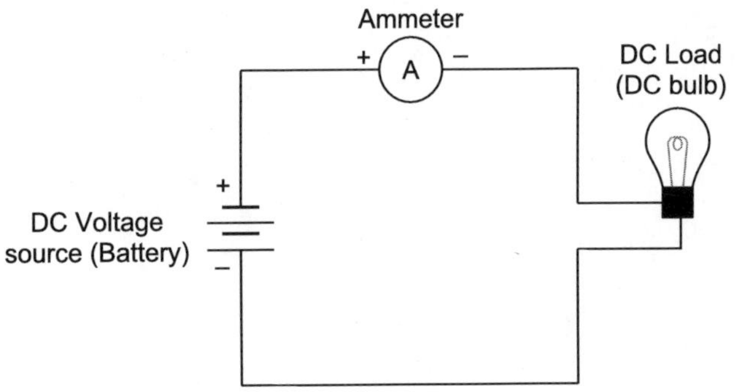

विद्युतधारा के मापन के लिये 'रेंज सिलेक्टर नॉब' की स्थिति एवं प्रोब की स्थिति को, मापन के पहले अच्छी तरह से चुना जाना चाहिये।

विद्युतधारा के मापन के लिये, मल्टीमीटर का प्रोब, स्रोत एवं उपकरण से श्रेणी में जुड़ा होना चाहिये।

चित्र 1.14
एक मल्टीमीटर का उपयोग करते हुए DC विद्युतधारा का मापन।

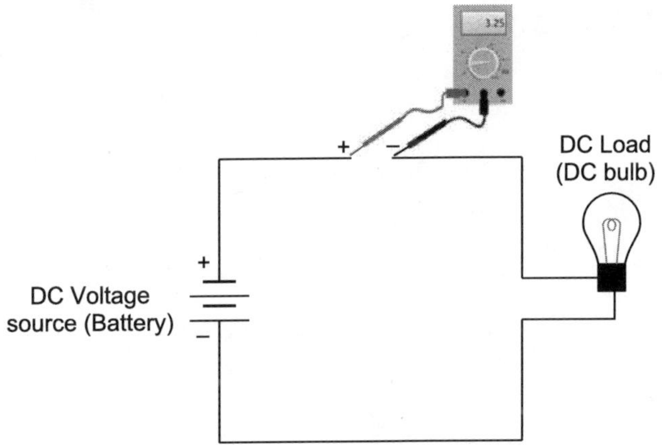

टिप्पणी: विद्युतधारा के मापन के लिये मल्टीमीटर के प्रोब टर्मिनल में प्रोब की स्थिति एवं ध्रुवता का ध्यान रखा जाना आवश्यक है।

DC *विद्युतधारा एवं वोल्टेज मापन में ऋणात्मक चिन्ह*

विद्युतधारा या वोल्टेज का मापन करते समय यदि लाल प्रोब ऋणात्मक सिरे से एवं काला प्रोब धनात्मक सिरे से जुड़ा है तब मल्टीमीटर ऋणात्मक चिन्ह के साथ रीडिंग दर्शाएगा।

सामान्यतः, एक मल्टीमीटर अपने प्रोब के द्वारा विद्युतधारा का प्रवाह ज्ञात कर लेता है, एवं वह तरीका जिसमें विद्युतधारा धनात्मक से ऋणात्मक सिरे की ओर प्रवाहित होती है, वह धनात्मक माना जाता है। वोल्टेज या विद्युतधारा मापने के लिये धनात्मक प्रोब (लाल प्रोब), को वोल्टेज स्रोत के धनात्मक सिरे से जोड़ा जाना चाहिये एवं काला प्रोब ऋणात्मक सिरे से जोड़ा जाना चाहिये। यदि सिरों को विपरीत तरीके से जोड़ा गया है, जैसे यदि मल्टीमीटर का धनात्मक सिरा वोल्टेज स्रोत के ऋणात्मक सिरे से जोड़ा गया है (वोल्टेज या विद्युतधारा मापन के लिये), तब मल्टीमीटर का स्क्रीन ऋणात्मक रीडिंग दर्शाएगा एवं वोल्टेज या विद्युतधारा के मान के आगे ऋणात्मक चिन्ह होगा। इसे चित्र 1.15 एवं चित्र 1.16 में सचित्र समझाया गया है।

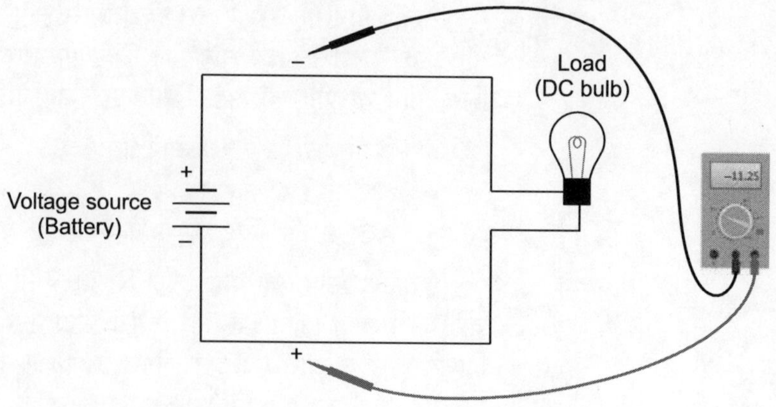

चित्र 1.15
वोल्टेज मापन के दौरान प्रोब को विपरीत सिरों से जोड़ने पर प्राप्त ऋणात्मक चिन्ह दर्शाता हुआ चित्र।

टिप्पणी : प्रोब के विपरीत सिरों पर जोड़ने पर, मापे गए वोल्टेज का ऋणात्मक मान (मल्टीमीटर के डिस्प्ले में) एवं ध्रुवता को देखें।

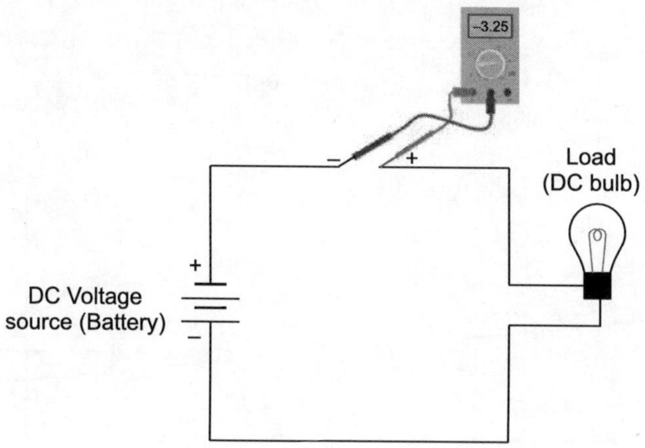

चित्र 1.16
विद्युतधारा मापन करते समय प्रोब को विपरीत रूपों में जोड़ने पर प्राप्त ऋणात्मक चिन्ह दर्शाता हुआ चित्र।

टिप्पणी : प्रोब के विपरीत सिरों पर जोड़ने पर, मापे गए विद्युतधारा का ऋणात्मक मान (मल्टीमीटर के डिस्प्ले में) एवं ध्रुवता को देखें।

1.9.6 AC विद्युतधारा का मापन

AC विद्युतधारा का मापन DC विद्युतधारा के मापन के ही समान है। एक सामान्य मल्टीमीटर में, AC विद्युतधारा के मापन के लिये एक विकल्प ढूंढना कठिन होता है। सैद्धांतिक रूप से DC एवं AC विद्युतधारा के मापन की प्रक्रिया में बहुत अंतर नहीं होता है। एक मल्टीमीटर का उपयोग करते हुए AC विद्युतधारा के मापन के लिये, मल्टीमीटर पर रेंज सिलेक्टर नॉब के द्वारा, AC रूप (~) का चयन करना आवश्यक है। इसके बाद, लाल प्रोब की स्थिति को जांचना भी आवश्यक है, जिसे मल्टीमीटर में विद्युतधारा मोड में रखा जाना आवश्यक है। लाल एवं काले प्रोब को फेज लाइन में जोड़ना होता है जिस तरीके से इसे धनात्मक लाइन में जोड़ा गया था (इसे श्रेणी में जोड़ा जाना चाहिये), ठीक वैसे जैसे कि DC विद्युतधारा मापन में होता है।

1.9.7 प्रतिरोध का मापन

विद्युत के क्षेत्र में प्रतिरोध मापन एक महत्वपूर्ण भाग है, क्योंकि प्रतिरोध वह मान है जिस पर विद्युतधारा का प्रवाह निर्भर करता है। किसी सर्किट में प्रतिरोध का मान ज्ञात करना जरूरी है या एक रेसिस्टर की प्रतिरोधकता मापना जिसे कि सर्किट में जोड़ा जाना है। इसलिये, प्रतिरोधकता के मापन के लिये सामान्य मल्टीमीटर उपलब्ध हैं, जिनमें प्रतिरोधकता मापन का विकल्प उपलब्ध रहता है।

मल्टीमीटर का उपयोग कर, प्रतिरोध के मापन के लिये, सबसे पहले रेंज सिलेक्टर नॉब को 'रेसिस्टेंस' मोडा या ओम मोड पर रखना चाहिये जो कि सामान्यतः मल्टीमीटर में Ω प्रतीक से दर्शाया जाता है। नॉब को उपर्युक्त स्थिति पर रखना चाहिये। प्रतिरेाधक या रेसिस्टर पर रंगों का कोड छपा होता है, रंगों के कोड को समझ कर प्रतिरोध की रेंज को समझा जा सकता है। जैसे कि प्रतिरोध को यदि विद्युतधारा प्रवाह की अनुपस्थिति में मापा जाता है, तो लाल या काले प्रोब की स्थिति का कोई महत्व नहीं है। चित्र 1.17 में एक 1 Ω रेसिस्टर के प्रतिरोध का मापन दर्शाया गया है।

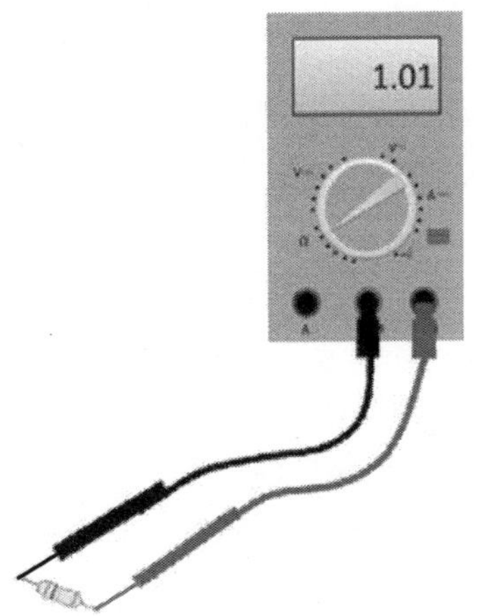

चित्र 17
एक मल्टीमीटर का उपयोग करते हुए प्रतिरोध का मापन।

1.9.8 विद्युतीय पॉवर का मापन

एक सर्किट में पॉवर, वोल्टेज एवं विद्युतधारा का उत्पाद होता है। यदि एक विद्युतीय सर्किट में, यदि वोल्टेज एवं विद्युतधारा का मान पता हो, तब निम्न सूत्र का उपयोग कर पॉवर ज्ञात की जा सकती है।

$$\text{पॉवर} = \text{वोल्टेज} \times \text{विद्युतधारा}$$

एमीटर एवं वोल्टमीटर का उपयोग करके हम विद्युतधारा एवं वोल्टेज का मान पता कर सकते हैं एवं उन मानों को गुणा करके हम एक सर्किट में पॉवर को माप सकते हैं। इसे चित्र 1.18 में दर्शाया गया है। चित्र 1.18 में दर्शाया गया है कि पॉवर ज्ञात करने के लिये, एमीटर एवं वोल्टमीटर विद्युतीय सर्किट में जुड़े हुए हैं। वोल्टमीटर एवं एमीटर को जोड़ने का तरीका याद रखें।

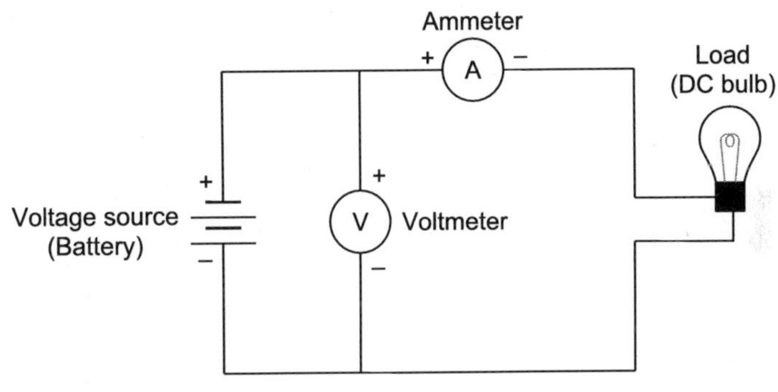

चित्र 1.18
एक इलेक्ट्रिकल सर्किट में पॉवर ज्ञात करने हेतु विद्युतधारा एवं वोल्टेज का मापन।

उपरोक्त विवरण से यह स्पष्ट है कि एक विद्युतीय सर्किट दो मल्टीमीटर का उपयोग कर, पॉवर को निम्न चरणों में मापा जा सकता है :

- सबसे पहले मल्टीमीटर का उपयोग कर विद्युतधारा का मान मापा जा सकता है, उपर्युक्त तरीके से 'रेंज सिलेक्टर नॉब' द्वारा, रेंज का चयन कर एवं प्रोब की स्थिति को ठीक तरह से चुन कर।
- वोल्टेज को अन्य मल्टीमीटर के उपयोग द्वारा मापा जा सकता है, 'रेंज सिलेक्टर नॉब' का उपयोग कर ठीक तरह से रेंज चुन कर एवं उपर्युक्त तरीके से प्रोब स्थिति को चुन कर।
- एक बार जब विद्युतधारा एवं वोल्टेज का मान ज्ञात होता है, तब पॉवर की गणना साधारण रूप से पॉवर के सूत्र का उपयोग करके की जा सकती है। (पॉवर = वोल्टेज × विद्युतधारा) याद रखें कि जिस तरह सर्किट में विद्युतधारा एवं वोल्टेज स्तर सर्किट समय के साथ परिवर्तित होंगे, उसी प्रकार से सर्किट में खपत होने वाली पॉवर भी समय के साथ परिवर्तित होगी।

दो मल्टीमीटर का उपयोग कर पॉवर के मापन करने के लिये कुछ गणनाओं की आवश्यकता होती है, परंतु पॉवर को सीधे मापना भी संभव है। ऐसे मीटर जो कि पॉवर के सीधे मापन के लिये

उपलब्ध हैं, "वॉटमीटर" कहलाते हैं। जिस तरह पॉवर की इकाई "वॉट" है, उसी तरह उसके मापन के लिये जो मीटर है, वह वॉटमीटर कहलाता है। एक वॉटमीटर एक विद्युतीय मीटर है, जो कि वास्तव में विद्युतधारा एवं वोल्टेज दोनों को उन्ही की इकाई में मापता है एवं पॉवर का मान देता है।

जैसा कि चित्र 1.19 दर्शाया गया है, वॉटमीटर को डॉटेड या बिंदुओं वाली रेखा में दर्शाया गया है, यह स्पष्ट रूप से देखा जा सकता है कि श्रेणी में जुड़ा वॉटमीटर कॉइल, विद्युतधारा को मापता है एवं समानांतर में वॉटमीटर कॉइल, सर्किट में वोल्टेज मापता है। चूंकि वॉटमीटर को दोनों विद्युतधारा एवं वोल्टेज मापना है इसलिये कम से कम तीन सिरे होने चाहिये। एक सिरा विद्युत–धारा मापन के लिये, एक वोल्टेज मापन के लिये एवं तीसरा सिरा एक कॉमन सिरे की तरह कार्य कर सकता है। सामान्यतः उपलब्ध वॉटमीटर में चार सिरे होते हैं जिन्हें मेन (M), लोड (L), कॉमन (C), एवं वोल्टेज (V) कहा जाता है। एवं पॉवर के मापन के लिये वॉटमीटर से तीन सिरे पाने के लिये, निश्चित रूप से सिरे M एवं C शॉर्ट होने चाहिये (जैसा कि चित्र 1.18 में दर्शाया गया है)

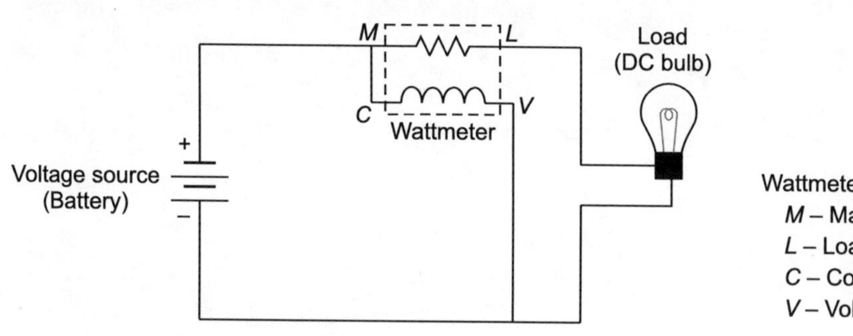

चित्र 1.19
एक इलेक्ट्रिकल सर्किट में वॉटमीटर का उपयोग करते हुए पॉवर का मापन।

टिप्पणी: एक वॉटमीटर में, पॉवर के मापन के लिये सिरे **M** एवं **C** शार्ट होने चाहिये।

चित्र 1.20 एक वॉटमीटर का रेखाचित्र है।

चित्र 1.20
एक वॉटमीटर।

1.9.9 विद्युतीय ऊर्जा का मापन

विद्युतीय ऊर्जा और कुछ नहीं, बल्कि एक उपकरण द्वारा एक समय विशेष में खपत की गई पॉवर है। पॉवर (वॉट में) एवं समय (घंटों में) का उत्पाद, उपकरण द्वारा खर्च की गई विद्युतीय ऊर्जा, वॉट–घंटा में देता है। इस प्रकार यदि, किसी विद्युतीय सर्किट में, पॉवर एवं समय ज्ञात हो, तब ऊर्जा सरल तरीके से निम्न सूत्र का उपयोग करके प्राप्त की जा सकती है।

$$\text{ऊर्जा} = \text{पॉवर} \times \text{समय}$$

ऊर्जा के मापन के लिये उपलब्ध मीटर को "ऊर्जा मीटर" कहा जाता है। मीटर को वॉट–घंटामीटर भी कहा जाता है।

हम पहले ही मल्टीमीटर का उपयोग कर पॉवर का मापन देख चुके हैं, इस प्राप्त की गई पॉवर के मान को समय से गुणा कर उपकरण द्वारा खपत की गई ऊर्जा का मान निकाला जा सकता है या पीवी मॉड्यूल द्वारा उत्पादित ऊर्जा या स्रोत जैसे बैटरी या पॉवर स्रोत द्वारा प्रदान की गई ऊर्जा। पॉवर को मापना एवं तब उसे पॉवर की अवधि से गुणा करके ऊर्जा का मान प्राप्त करने में कुछ गणनाएं करनी पड़ती हैं। बाजार में ऐसे ऊर्जा मीटर भी उपलबध हैं जो कि पूरी गणनाएं आंतरिक रूप से कर देते हैं एवं हमें ऊर्जा या वॉट–घंटा या किलो–वॉट–घंटा के रूप में आउटपुट देते हैं। आपने अपने घर में ऊर्जा मीटर देखा होगा। एक सामान्य घरेलू एक फेज का ऊर्जा मीटर चित्र 1.21 में दर्शाया गया है। इन दिनों डिजिटल ऊर्जा मीटर भी उपलब्ध हैं जो कि सौर पीवी संयंत्र सर्किट में उपयोग किए जा सकते हैं। ये ऊर्जा मीटर पीवी मॉड्यूल द्वारा निश्चित समय के दौरान उत्पादित ऊर्जा या एक निश्चित समय में उपकरण द्वारा खपत की गई ऊर्जा को माप सकते हैं।

चित्र 1.21
घरों में उपयोग किया जाने वाला ऊर्जा मीटर।

2

ऊर्जा एवं सौर फोटोवोल्टाइक ऊर्जा से परिचय

आज के आधुनिक युग में ऊर्जा हमारे दैनिक जीवन का अभिन्न अंग है। कोई भी व्यक्ति एक दिन भी ऊर्जा के किसी एक या अन्य रूप के उपयोग के बिना जीवन के बारे में नहीं सोच सकता। हम ऊर्जा का उपयोग खाना पकाने, घरों को ठंडा करने, एक स्थान से दूसरे स्थान तक जाने, सामानों की ढुलाई, टेलीविजन देखने, मोबाइल फोन के इस्तेमाल, उद्यागों में मशीनों को चलाने, पानी की पम्पिंग आदि में करते हैं। यह सूची अंतहीन है।

यह ऊर्जा जिसका हम उपयोग करते हैं, वह कहीं न कहीं से तो आती होगी। सामान्यतः यह ऊर्जा हम तक डीजल, पेट्रोल, कोयला, एल. पी. जी., सी. एन. जी., एवं विद्युत के रूप में पहुंचती है (अधिकांश ऊर्जा का उत्पादन कोयला से होता है)। ये सभी स्रोत प्रकृति में सीमित मात्रा में हैं एवं ये पर्यावरणीय प्रदूषण भी फैलाते हैं। भारत में प्रत्येक नागरिक को जरूरत के मुताबिक पर्याप्त ऊर्जा की पूर्ति नहीं हो सकती। ऊर्जा की आपूर्ति में भारी कमी है। भारत में कुल 5,90,000 गांव हैं एवं ग्रामीण भारत में 70 करोड़ लोग निवास करते हैं। ग्रामीण भारत के अधिकांश घरों में पर्याप्त ऊर्जा नहीं पहुंच पाती है जिससे कि आर्थिक एवं सामाजिक परिदृश्य पर भारत की प्रगति बाधित होती है। कारण है, या तो ऊर्जा पहुंचाने हेतु समुचित आधारभूत ढांचे की कमी या फिर पर्याप्त ईंधन का उपर्युक्त कीमत पर उपलब्ध न होना। इसीलिये आज नवीकरणीय ऊर्जा संसाधनों जैसे सौर विकिरण, वायु एवं जीवद्रव्य या बायोमास ऊर्जा के उपयोग हेतु निरंतर प्रयास किये जा रहे हैं। ये ऊर्जा संसाधन प्रचुर रूप में उपलब्ध हैं, इसका मतलब है कि आवश्यक ऊर्जा वहां उत्पादित की जा सकता है जहां उसकी जरूरत हो।

सौर फोटोवोल्टाइक (PV) तकनीक सौर ऊर्जा को सीधे विद्युत में रूपांतरित करती है, बिना अतिरिक्त ऊर्जा रूपांतरण के। भारत में सौर ऊर्जा प्रचुर मात्रा में उपलब्ध है। हमें प्रतिदिन 4 से 7 $kWh/m^2/day$ सौर विकिरण प्राप्त होते हैं। विकिरण की यह मात्रा सौर पीवी तकनीक का उपयोग कर इतने विद्युत उत्पादन के लिये पर्याप्त है, जो कि हमारी संपूर्ण विद्युत आवश्यकता की पूर्ति कर सके। महत्वपूर्ण बिंदु यह है कि सौर पीवी मॉड्यूल की स्थापना कर, ऊर्जा कहीं भी उत्पादित की जा सकती है, जहां भी उसकी आवश्यकता है। आवश्यक ऊर्जा आपूर्ति हेतु सौर पीवी तकनीक के महत्व को ध्यान में रखते हुए इस ट्रेनिंग मॉड्यूल में केवल सौर पीवी तकनीक पर जोर दिया गया है।

इस अध्याय में 'ऊर्जा' की संकल्पना के विषय में विस्तार में समझाया गया है, जिसमें ऊर्जा के विभिन्न रूप, ऊर्जा इकाईयां एवं ऊर्जा का रूपांतरण आदि शामिल हैं। ऊर्जा आवश्यकता का आंकलन अध्याय में आगे समझाया गया है| विद्युत ऊर्जा की आपूर्ति हेतु सौर पीवी तकनीक से

भारत के अनेक भागों में समुचित मात्रा में ऊर्जा प्राप्त नहीं हो पाती है।

परिचय दिया गया है। अंत में, संक्षिप्त में नवीकरणीय ऊर्जा के विषय में चर्चा की गई है जिसमें शामिल है सौर तापीय, वायु एवं जीवद्रव्य या बायोमास ऊर्जा तकनीकें।

2.1 ऊर्जा एवं इसके उपयोग की आधारभूत संकल्पनाएं

ऊर्जा एक अवधारणा है जिसकी सरल शब्दों में परिभाषा है ''किसी वस्तु के कार्य करने की क्षमता''। जब हम चलते हैं, तब हमारे शरीर द्वारा कार्य किया जाता है, जब एक पंखा चलता है तब वह भी कार्य करता है, एक वाहन भी गतिमान होने पर कार्य करता है, एक स्टोव द्वारा कार्य किया जाता है जब वह पानी गर्म करता है, एक घोड़ा भी कार्य करता है जब वह किसी को सवारी कराता है, इसी तरह एक बल्ब कमरे को प्रकाशित करने के दौरान कार्य करता है। इस तरह वे सभी वस्तुएं जिनमें कार्य करने की क्षमता होती हैं, उनमें ऊर्जा निहित होती है एवं कार्य करने के दौरान ये वस्तुएं ऊर्जा का स्थानांतरण करती हैं। उदाहरण के लिये, एक लकड़ी का टुकड़ा जला कर उससे पानी उबाला जा सकता है और भाप उत्पादित की जा सकती है। इस उत्पादित भाप का उपयोग किसी वस्तु को गति देने में किया जा सकता है (जैसे भाप से चलने वाला इंजन) । इस बात से सिद्ध होता है कि लकड़ी के टुकड़े में कुछ ऊर्जा निहित है।

2.1.1 ऊर्जा क्या है?

हम ऊर्जा का उपयोग कार्य पूरा करने में करते हैं। हमारे आस–पास ऐसे अनेकों उदाहरण मिल जाएंगे जिनसे पता चलता है कि हम ऊर्जा का उपयोग कर अपने कार्य पूरे करते हैं। बल्ब का उपयोग, पानी गर्म करना, खाना पकाना, वाहन चलाना, पंखा चलाना आदि उदाहरण ऊर्जा का उपयोग दर्शाते हैं। ऊर्जा के उपयोग से अपने कार्यों को पूरा करना हमारे आधुनिक जीवन की बुनियादी आवश्यकताओं में से एक बन गया है। ऊर्जा के उपयोग के बिना एक दिन भी जीवन संभव नहीं है। किसी भी जीव के लिये भोजन के रूप में ऊर्जा ग्रहण करना मौलिक आवश्यकता है। हमें अपने शरीर के लिये, शारीरिक एवं मानसिक कार्य करने हेतु ऊर्जा की आवश्यकता होती है। भोजन के रूप में ऊर्जा स्रोत हमें प्रकृति मां द्वारा प्रदत है। परंतु भोजन में निहित ऊर्जा के अतिरिक्त हम अनेक कार्यों को पूरा करने हेतु ऊर्जा का उपयोग करते हैं। इनमें से कुछ कार्य आवश्यक हैं हमारी जिंदगी सुचारू रूप से चलाने हेतु, जैसे भोजन पकाना, वहीं कुछ कार्य हमारी जिंदगी को आरामदायक बनाने हेतु जैसे एयर कंडीशनर व कूलर का उपयोग आदि। इस प्रकार यह स्पष्ट है कि ऊर्जा की आवश्यकता बहुत बड़े स्तर पर होती है जैसे परिवहन में, औद्योगिक अनुप्रयोगों में, कृषि कार्यों में, घरेलू स्तर पर, एवं कार्यालयों में।

हम किसी भी कार्य को पूरा करने हेतु ऊर्जा का उपयोग करते हैं।

2.1.2 ऊर्जा के रूप

ऊर्जा के अनेक रूप हो सकते हैं, जैसे तापीय ऊर्जा, विद्युत ऊर्जा, प्रकाश ऊर्जा आदि। तापीय ऊर्जा खाना पकाने, कोई चीज सुखाने में एवं गर्माहट प्राप्त करने में उपयोग होती है। विद्युत ऊर्जा का उपयोग पंखा, टी. वी., कूलर, पानी का पंप आदि चलाने में होता है। प्रकाश ऊर्जा का उपयोग हमारे कमरों को प्रकाशित करने में होता है। ऊर्जा के अन्य रूपों में निहित हैं रासायनिक ऊर्जा, विकिरण ऊर्जा (उदाहरण के लिये सौर ऊर्जा), नाभिकीय ऊर्जा, गुरुत्व ऊर्जा, गतिज ऊर्जा, स्थितिज ऊर्जा आदि। ये सभी ऊर्जा के रूप कार्य करने हेतु या तो सीधे उपयोग किए जाते हैं या हम ऊर्जा के एक रूप को दूसरे रूप में रूपांतरित कर कार्य पूरा करते हैं। उदाहरण के लिये जब हम वाहन चलाते हैं, पेट्रोल (या अन्य ईंधन) की रासायनिक ऊर्जा यांत्रिक ऊर्जा में परावर्तित होती है। इसी प्रकार जब हम पंखे का बटन दबाते हैं, विद्युत ऊर्जा यांत्रिक ऊर्जा में परिवर्तित होती है, जिससे हमें हवा मिलती है। इस प्रकार, ऊर्जा एक रूप से दूसरे रूप में परिवर्तित होती है और इस प्रक्रिया के दौरान हम अपना इच्छित कार्य कर लेते हैं।

पूर्व–औद्योगिक काल में ईंधन का मुख्य स्रोत जलाऊ लकड़ी थी। भाप इंजन के आविष्कार के पश्चात्, कोयला, ऊर्जा स्रोत के रूप में मुख्य पसंद बन गया। आंतरिक दहन इंजन (मोटर साइकिल एवं कार में उपयोग होने वाला) के आविष्कार के परिणामस्वरूप पेट्रोलियम उत्पादों (पेट्रोल, डीजल, प्राकृतिक गैस) को ऊर्जा आवश्यकताओं की पूर्ति हेतु उपयोग किया जाने लगा। जीवाश्म ईंधन जैसे कोयला, तेल एवं गैस आदि को सीधे जला कर तापन के लिये, ऊर्जा प्राप्त की जाती है।

पॉवर प्लांट्स में, जीवाश्म ईंधन को विद्युत में भी रूपांतरित किया जाता है एवं तब प्राप्त विद्युत को उद्योगों, कृषि कार्यों एवं घरों में विभिन्न कार्यों हेतु उपयोग किया जाता है।

विद्युत ऊर्जा, ऊर्जा के सबसे सुविधाजनक रूपों में से एक है। हमारे आस–पास अधिकांश उपकरण विद्युत ऊर्जा से चलाए जा सकते हैं। पंखा, टी वी, कम्प्यूटर, बल्ब, रेल, उद्योगों में मशीनें, पानी के पंप आदि विद्युत ऊर्जा के उपयोग के कुछ उदाहरण हैं। साथ ही खाना पकाना व तापन आदि भी विद्युत ऊर्जा के उपयोग से किया जा सकता है, यहां तक कि आज कारें भी विद्युत ऊर्जा से चल सकती हैं। इस तरह विद्युत ऊर्जा बहुआयामी है और हमारे दैनिक जीवन में आमतौर पर इस्तेमाल होने वाला ऊर्जा का रूप है। विद्युत ऊर्जा के इस बहुआयामी गुण का मुख्य कारण है इसके बहाव को नियंत्रित कर पाने की क्षमता, अधिकांशतः केवल एक बटन को बंद या चालू करके। साथ ही बिजली का संचरण एवं वितरण की प्रक्रिया साधारण है। ऊर्जा के अन्य रूपों जैसे कोयला, पेट्रोल, लकड़ी आदि का संचरण एवं वितरण कठिन प्रक्रिया है।

ऊर्जा के अनेक रूप हैं जिनका हम उपयोग करते हैं। कभी विद्युत ऊर्जा के रूप में, तो कभी तापीय ऊर्जा और कभी सौर विकिरण के रूप में ऊर्जा का उपयोग करते हैं।

सौर ऊर्जा का विद्युत ऊर्जा में परिवर्तन एवं उपयोग ही इस प्रशिक्षण मॉड्यूल का मुख्य विषय है। वर्तमान युग में, जहां ग्लोबल वॉर्मिंग बहुत बड़ी चिंता का विषय है और विद्युत ऊर्जा की मांग बढ़ती ही जा रही है, ऊर्जा के दोनों रूप सौर ऊर्जा एवं विद्युत ऊर्जा अत्यंत महत्वपूर्ण हैं। अतः उपरोक्त विषयों को ध्यान में रखते हुए यह मैनुअल अत्यंत उपयोगी है।

2.1.3 नवीकरणीय एवं अनवीकरणीय ऊर्जा के स्रोत

ऊर्जा के स्रोतों को मुख्यतः दो श्रेणियों में विभाजित किया जा सकता है; नवीकरणीय एवं अनवीकरणीय ऊर्जा स्रोत। दोनों ही स्रोत प्रकृति प्रदत्त हैं, परंतु वे उपलब्धता के दृष्टिकोण से अलग–अलग हैं।

प्राकृतिक ऊर्जा स्रोत जैसे कोयला, पेट्रोलियम, तेल एवं प्राकृतिक गैस आदि को प्राकृतिक प्रक्रिया से बनने में हजारों साल लगते हैं, अर्थात् इनके उत्पादन की दर धीमी है। आज इन संसाधनों की खपत की दर इनकी उत्पादन की दर की तुलना में कहीं ज्यादा है। ये ईंधन जिस गति से खत्म हो रहे हैं उसी गति से नया ईंधन उपलब्ध हो पाना संभव नहीं है। अतः, व्यावहारिक रूप से हम यह मान सकते हैं कि जीवाश्म ईंधन एक निश्चित मात्रा में उपलब्ध हैं एवं उनका निरंतर उपयोग का परिणाम होगा, पृथ्वी से उनका गायब हो जाना। इस तरह सीमित मात्रा में उपलब्धता के कारण जीवाश्म ईंधन को अनवीकरणीय ऊर्जा स्रोत माना जाता है।

ऐसे प्राकृतिक ऊर्जा स्रोत नवीकरणीय ऊर्जा स्रोत कहलाते हैं जो कि प्राकृतिक रूप से लगातार प्रस्थापित होते रहते हैं और वातावरण में लगातार विद्यमान रहते हैं। इन नवीकरणीय ऊर्जा स्रोतों में शामिल हैं सौर विकिरण, वायु, जीवद्रव्य, जल आदि। ये स्रोत निरंतर समयचक्र में उपलब्ध रहते हैं और इन्हें वर्ष के किसी भी चक्र में उपयोग किया जा सकता है। उदाहरण के लिये, सौर विकिरण ऊर्जा दिन–रात के चक्र में (24 घंटे के चक्र में) उपलब्ध रहते हैं। सौर ऊर्जा की जितनी चाहे मात्रा का उपयोग किया जा सकता है, इसकी अगले दिन की उपलब्धता को प्रभावित किये बिना, इसीलिये यह नवीकरणीय ऊर्जा स्रोत है। इसी प्रकार वायु ऊर्जा (वायु की गति) और जल या पन ऊर्जा (जल की गति) भी नवीकरणीय ऊर्जा स्रोत हैं, और इन्हें जितना चाहे उपयोग किया जा सकता है, बिना नष्ट किये। यदि जीवद्रव्य या बायोमास ऊर्जा (पौधों की ऊर्जा) की खपत एवं उनकी वृद्धि के बीच संतुलन बनाए रखा जाए तब जीवद्रव्य ऊर्जा को भी नवीकरणीय ऊर्जा माना जा सकता है।

ऊर्जा का एक स्रोत समाप्त होने वाला हो सकता है (जैसे कोयला) या न समाप्त होने वाला भी हो सकता है (जैसे सौर ऊर्जा)।

2.1.4 उपलब्ध सौर विकिरण ऊर्जा की मात्रा

पृथ्वी पर ऊर्जा का मुख्य स्रोत सूर्य है । सूर्य से पृथ्वी तक ऊर्जा विद्युत चुम्बकीय विकिरण के रूप में पहुंचती है। पृथ्वी पर सौर विकिरण ऊर्जा नवीकरणीय ऊर्जा के अन्य रूपों में परिवर्तित हो जाती है। पृथ्वी की सतह पर पहुंचने पर विकिरण ऊर्जा की कुछ मात्रा परावर्तित हो जाती है, कुछ वातावरण में अवशोषित हो जाती है, विकिरण का कुछ भाग पृथ्वी की सतह पर बिना किसी रूपांतरण के पहुंचता है, विकिरण ऊर्जा का कुछ भाग वायु ऊर्जा में, कुछ भाग जीवद्रव्य ऊर्जा में

और ऊर्जा का कुछ भाग पानी के वाष्पीकरण में उपयोग होता है जिससे बाद में वर्षा होती है इस प्रकार सौर ऊर्जा जल या पन ऊर्जा के रूप में भी उपलब्ध होती है।

पृथ्वी पर पहुंचने वाली ऊर्जा की मात्रा की बात की जाए तो वह उस मात्रा से कहीं अधिक है जो कि हम जीवाश्म ईंधन के उपयोग से पा रहे हैं। इसे तालिका 2.1 से समझा जा सकता है। वर्ष 2010 में, पूरी दुनिया की वार्षिक ऊर्जा खपत, सभी संभव स्रोंतों से जिसमें विद्युत, कोयला, गैस, डीज़ल, पेट्रोल, जीवद्रव्य या बायोमास आदि शामिल हैं, 580 एक्सा जूल थी (1 एक्सा जूल = 1 000 000 000 000 000 000 जूल) एवं कुल विद्युत की खपत लगभग 70 एक्सा जूल थी। वहीं उपलब्ध वार्षिक सौर ऊर्जा स्रोत 3,850,000 एक्सा जूल है जो कि हमारी वार्षिक खपत से कई हजार गुना ज्यादा है। अतः सैद्धांतिक रूप से सौर ऊर्जा अकेले ही पूरी दुनिया की ऊर्जा आवश्यकताओं की पूर्ति कर सकती है यदि किफायती तरीके से उपयोग की जाए। सौर फोटोवोल्टाइक तकनीक सौर विकिरण ऊर्जा को विद्युत ऊर्जा में बदलने का एक साधन है। सौर तापीय तकनीक सौर ऊर्जा को तापीय ऊर्जा के रूप में परिवर्तित करता है।

सौर ऊर्जा बहुत अधिक मात्र में उपलब्ध है जो कि पूरी दुनिया की ऊर्जा आवश्यकताओं की पूर्ति कर सकती है।

तालिका 2.1 वार्षिक रूप से उपलब्ध नवीकरणीय ऊर्जा एवं वार्षिक ऊर्जा आवश्यकता
(1 एक्सा जूल = 1 000 000 000 000 000 000 जूल ऊर्जा)

वार्षिक रूप से उपलब्ध नवीकरणीय ऊर्जा (एक्सा जूल में)	
सौर ऊर्जा	3,850,000
वायु ऊर्जा	2250
बायोमास या जीवद्रव्य ऊर्जा	3000
पूरी दुनिया की वार्षिक ऊर्जा खपत	
कुल ऊर्जा खपत (जीवद्रव्य या बायोमास, कोयला, डीज़ल, पेट्रोल, विद्युत आदि मिला कर)	580
विद्युत की खपत	70

2.1.5 ऊर्जा एवं इसकी इकाईयां

ऊर्जा की मात्रा को विभिन्न इकाईयों में दर्शाया जा सकता है। ऊर्जा की मूल इकाईयों में से एक है 'जूल' जिसे संक्षिप्त रूप में 'J' से दर्शाया जाता है। एक जूल ऊर्जा, खर्च की गई उस ऊर्जा (या किये गए कार्य) के बराबर है, जो एक न्यूटन शक्ति को एक मीटर तक ले जाने में खर्च होती है। विद्युत ऊर्जा के रूप में, एक जूल ऊर्जा, उस ऊर्जा के बराबर है जो कि एक वॉट प्रतिरोध को एक सेकंड के लिये चलाने में लगती है। एक जूल, ऊर्जा की बहुत कम मात्रा को दर्शाता है। उदाहरण के लिये एक 100 वॉट के बल्ब द्वारा एक घंटे में खर्च की गई ऊर्जा 3,60,000 जूल है। एक सामान्य व्यक्ति रोजाना जो भोजन करता है उसमें लगभग 10000 जूल ऊर्जा होती है।

जूल के अतिरिक्त, ऊर्जा की अन्य इकाईयां भी हैं जो कि हम अपने दैनिक जीवन में सुनते हैं। ऊर्जा की अन्य इकाईयां सामान्यतः ऊर्जा की अधिक मात्रा को दर्शाते हैं। उदाहरण के लिये, खाद्य पदार्थों की ऊर्जा को कैलोरी में दर्शाया जाता है और 1 कैलोरी, 4.182 जूल ऊर्जा के बराबर होती है। हमारा मासिक बिजली का बिल, हमारे द्वारा उपयोग की गई विद्युत की इकाईयों के पैमाने में दर्शाया जाता है। एक 'विद्युत ऊर्जा इकाई', 1 किलो–वॉट–घंटा (या kWh) के बराबर होती है और एक kWh, 3,600,000 जूल ऊर्जा के बराबर होता है । एक मीट्रिक टन क्रूड या कच्चे तेल की ऊर्जा को टन ऑफ ऑइल इक्वीवेलेंट से दर्शाया जाता है (ToE)।

ऊर्जा की अनेक इकाईयां हैं। 'जूल' और '**kWh**' इकाईयों को सामान्यतः विद्युत और सौर विकिरण ऊर्जा मापने के लिये उपयोग किया जाता है।

इकाई रूपांतरण कारक

विभिन्न ऊर्जा इकाईयां, विभिन्न स्थिरांकों के माध्यम से आपस में संबंधित होती हैं। तालिका 2.2 में विभिन्न ऊर्जा इकाईयों के बीच संबंध दर्शाया गया है। सामान्यतः बड़ी इकाईयों को दर्शाने हेतु इकाईयों में उपसर्ग (prefix) जोड़ा जाता है। उदाहरण के लिये जूल, ऊर्जा की एक छोटी मात्रा होती है, अतः जूल के ही रूप में ऊर्जा की बड़ी मात्रा को दर्शाने के लिये 'किलो' उपसर्ग को जूल

के आगे जोड़ दिया जाता है जिससे पता चलता है कि जो दर्शाता है, 1000 जूल या 1 किलो जूल बनाने के लिये कि, 1000 जोड़ा गया है। यह उसी तरह है, जैसे हम 1000 ग्राम वजन को 1 किलोग्राम के रूप में लिखते हैं। इसी प्रकार उपसर्ग मेगा दर्शाता है 1000,000 या कहा जा सकता है कि दस लाख को जोड़ा गया है दस लाख जूल या 1 मेगा जूल बनाने के लिये। साथ ही, यदि हम 1 मेगा जूल का 1000 से गुणा करें, तो हमें 1000 मेगा जूल मिलेंगे। संक्षिप्त में 1000 मेगा जूल को 1 गीगा जूल या 1 GJ लिखा जाता है। यहां गीगा का मान है 1,000,000,000 या एक हजार मिलियन।

उपरोक्त जानकारियों से हम समझ सकते हैं कि, 1 किलो जूल ऊर्जा, 1 जूल ऊर्जा से 1000 गुना ज्यादा है, 1 मेगा जूल ऊर्जा 1 किलो जूल ऊर्जा से 1000 गुना ज्यादा है एवं 1 गीगा जूल ऊर्जा 1 मेगा जूल ऊर्जा से 1000 गुना ज्यादा है। इसे निम्न प्रकार से समझाया जा सकता है :

1 kJ = 1000 J

1 MJ = 1000 kJ

1 GJ = 1000 MJ

उपरोक्त इकाई रूपांतरण कारक न केवल ऊर्जा इकाईयों के उपयोग में, वरन् वे अन्य इकाईयों जैसे शक्ति (पॉवर) की इकाईयों (वॉट) में भी उपयोगी हैं। इन इकाई रूपांतरण कारकों को पॉवर की इकाईयों के साथ उपयोग करने पर इस तरह लिख सकते हैं– W, kW, MW, ,Oka GW

ऊर्जा की इकाईयों के साथ उपर्युक्त उपसर्ग लगाकर ऊर्जा की बड़ी मात्रा को दर्शाया जा सकता है।

कुछ सामान्यतः उपयोग होने वाले उपसर्ग एवं उनके रूपांतरण कारक तालिका 2.2 में दिये गये हैं।

तालिका 2.2 सामान्यतः उपयोग होने वाले उपसर्ग, उनके मान, एवं अधिक मात्रा दर्शाने के लिये उनके प्रतीक

उपसर्ग	*उपसर्ग का मान*	*उपसर्ग लिखने का अन्य तरीका*	*प्रतीक*	*उदाहरण*
किलो	1000	10^3	k	1 किग्रा = 1000 ग्राम 1 किलो जूल = 1000 जूल
मेगा	1,000,000	10^6	M	1 मेगा जूल = 1,000,000 जूल 1 मेगा जूल = 1000 किलो जूल
गीगा	1,000,000,000	10^9	G	1 गीगा जूल = 1000 मेगा जूल 1 गीगा जूल = 1,000,000,000 जूल
टेरा	1,000,000,000,000	10^{12}	T	1 टेरा जूल = 1,000,000,000,000 जूल
पीटा	1,000,000,000,000,000	10^{15}	P	1 पीटा जूल = 1,000,000,000,000,000 जूल
एक्सा	1,000,000,000,000,000,000	10^{18}	E	1 एक्सा जूल = 1,000,000,000,000,000,000 जूल

विद्युत ऊर्जा की विभिन्न इकाईयां

इस प्रशिक्षण मॉड्यूल में हमारा विशेष ध्यान विद्युत ऊर्जा की ओर है। एक जूल विद्युत ऊर्जा, उस ऊर्जा के बराबर है, जो कि एक वॉट प्रतिरोध में एक सेकंड में खर्च की जाती है। उपरोक्त अध्ययन के पश्चात् हम ऊर्जा को निम्न तरीके से अभिव्यक्त कर सकते हैं :

ऊर्जा (जूल) = शक्ति (वॉट) × समय (सेकंड)

या

$$1\,J = 1\,W \times 1\,s \tag{2.1}$$

अतः यदि हम शक्ति (वॉट में) का समय (सेकंड में) से गुणा करें तो जूल में ऊर्जा प्राप्त होती है। वैकल्पिक रूप से शक्ति किलो–वॉट (kW) में और समय घंटे (h) में दर्शाया जा सकता है। इस तरह से किलो वॉट × घंटा भी ऊर्जा इकाई दर्शाते हैं।

हम जानते हैं कि 1 kW = 1000 Watt और 1 Hour = 3600 seconds

अतः $$1\ kW \times h = 1000\ W \times 3600\ s = 3,600,000\ Ws$$

समीकरण 2.1 से हम जानते हैं कि 1 Ws = 1 J

अतः $$1\ kWh = 3,600,000\ Ws = 3,600,000\ J = 3,600\ kJ$$

या उपसर्ग किलो को 1000 के लिये उपयोग कर हम निम्न तरह से लिख सकते हैं :

$$1\ kWh = 3,600,000\ J = 3,600\ kJ$$

इस तरह, ऊर्जा इकाई जूल को किलो वॉट घंटा में परिवर्तित किया जा सकता है या किलो वॉट घंटा को जूल में। ये दोनों इकाईयां सामान्यतः विद्युत एवं सौर विकिरण ऊर्जा को दर्शाने के लिये उपयोग की जाती हैं। ये इकाईयां एवं इनका एक–दूसरे में रूपांतरण अति महत्वपूर्ण है, इसीलिये इन्हें बहुत ध्यानपूर्वक एवं विस्तारपूर्वक समझने की आवश्यकता है।

एक किलो वॉट घंटा ऊर्जा (विद्युत की एक इकाई), समतुल्य है ऊर्जा के 3600 किलो जूल के।

सामान्य तौर पर उपयोग की जाने वाली विद्युत ऊर्जा इकाईयां एवं उनका एक–दूसरे में रूपांतरण तालिका 2.3 में दर्शाया गया है।

तालिका 2.3 ऊर्जा इकाईयां एवं उनका रूपांतरण

ऊर्जा इकाई	*समान ऊर्जा इकाईयां*
1 Joule	= 1 Ws (Watt-second)
1 Wh	= 3,600 Ws = 3,600 J
1 kWh (kilo-Watt-hour)	= 3,600 kJ = 3,600,000 J
1 kilo Joule (kJ)	= 1,000 J
1 Mega Joule (MJ)	= 1,000,000 J
1 Mega Joule (MJ)	= 278 kWh
1 Giga Joule (GJ)	= 1000 MJ

उदाहरण 2.1

एक 200 वॉट का पंखा प्रतिदिन 12 घंटों के लिये चलाया जाता है। एक दिन में यह कितनी विद्युत ऊर्जा खर्च करता है? अपना उत्तर kWh में दें।

हल

दिया गया है कि पंखे की शक्ति = 200 वॉट

पंखे के उपयोग के घंटे/प्रतिदिन में = 12 घंटे

अब, वॉट को घंटे से गुणा करके विद्युत ऊर्जा ज्ञात की जा सकती है।

अतः, विद्युत ऊर्जा है = वॉट × घंटे

= 200 × 12 = 2400 वॉट–घंटे या Wh

उत्तर किलो वॉट–घंटा में पूछा गया है। इसका मतलब है कि हमें किलो आगे जोड़ना होगा, जिसके लिये हमें सही उत्तर को 1000 से विभाजित करना चाहिये क्योंकि उपसर्ग किलो का मान है 1000।

= 2400 ÷ 1000 = 2.4 kWh

अतः उत्तर है 2.4 kWh

उदाहरण 2.2

मुंबई के एक घर में 130 यूनिट या इकाई (या 130 kWh) का बिजली का बिल आता है। जूल में बिजली के बिल की गणना करें।

हल

घर का मासिक बिल 130 यूनिट है = 130 kWh

तालिका 2.3 से हम kWh एवं जूल का रूपांतरण कारक देख सकते हैं।

1 kWh = 3,600,000 जूल

अतः

$$130 \text{ kWh} = 130 \times 3{,}600{,}000 \text{ J}$$
$$= 468{,}000{,}000 \text{ J}$$

वर्कशीट 2.1

ऊर्जा इकाईयों एवं एक इकाई से दूसरी इकाई में रूपांतरण, संबंधित तालिका 2.4 को भरें।

तालिका 2.4 ऊर्जा इकाईयां एवं एक इकाई से दूसरी इकाई में रूपांतरण

1 MJ	= .... kJ
10 kWh	= .... J
1000 J	= .... kWh
1 kWh	= .... Wh
.... kWh	= 10,000 kJ
1 MWh	= .... kWh
.... kJ	= .... MJ
.... kWh	= 5000 Wh
10 kWh	= .... units of electricity

वर्कशीट 2.2

विद्युत उपकरणों द्वारा खर्च की गई विद्युतीय ऊर्जा के आंकलन के आधार पर तालिका 2.5 को भरें।

तालिका 2.5 खपत की गई विद्युतीय ऊर्जा का आंकलन

उपकरण का प्रकार	उपकरण की शक्ति	उपकरण के दैनिक उपयोग के घंटे	खर्च की गई ऊर्जा
ट्यूब लाइट	40 वॉट	4 घंटे	= ....वॉट घंटा
ट्यूब लाइट	40 वॉट	........घंटे .	= 400 वॉट घंटा
पंखा 1	60 वॉट	12 घंटे	= .... वॉट घंटा
पंखा 2	30 वॉट	12 घंटे	= ....किलो वॉट घंटा
टीवी	150 वॉट	2 घंटे	= .... वॉट घंटा
कूलर	200 वॉट	10 घंटे	= ....किलो वॉट घंटा
कंप्यूटर	.... वॉट	2 घंटे	= 400 वॉट घंटा
एल ई डी लाइट	.... वॉट	.......घंटे	= 20 वॉट घंटा
ए सी	1.5 किलो वॉट	10 घंटे	= .... किलो वॉट घंटा
ए सी	1.5 किलो वॉट	........घंटे	= ....7.5 किलो वॉट घंटा
अन्य	....	10 घंटे	= 500 वॉट घंटा
अन्य	....	5 घंटे	= 10 किलो वॉट घंटा

जब हम किसी उपकरण के वॉटेज को उसके प्रतिदिन उपयोग के घंटों से गुणा करते हैं, तब हमें उपकरण द्वारा एक दिन में उपयोग की गई ऊर्जा की मात्रा ज्ञात हो जाती है।

2.1.6 पॉवर एवं इसकी इकाईयां

पॉवर, या शक्ति ऊर्जा के समान नहीं है। कई बार गलत धारणाओं के चलते लोग ऊर्जा एवं शक्ति को समान मानते हैं और इसी वजह से लोग इन दोनों अलग–अलग शब्दों को एक ही आशय के लिये इस्तेमाल करते हैं। इन दोनों में अंतर समझने के लिये सबसे अच्छी जगह हमारा अपना घर है। हम पूरे महीने खर्च की गई बिजली के लिये बिजली का बिल चुकाते हैं लेकिन जब हम उपकरणों की बात करें तब पॉवर के बारे में बात करते हैं जैसे 10 वॉट बल्ब, 50 वॉट बल्ब, 1000 वॉट का वॉटर हीटर आदि।

पॉवर, वह दर है जिससे हम ऊर्जा का उपयोग करते हैं। पॉवर की इकाई वॉट है व इसे संक्षिप्त रूप में 'w' से दर्शाया जाता है। जब एक जूल ऊर्जा एक सेकंड में खर्च की जाती है,

जब एक वॉट पॉवर की खपत कही जाती है। पॉवर की परिभाषा को निम्न समीकरण से दर्शाया जा सकता है :

पॉवर (वॉट) = ऊर्जा (जूल)/समय (सेकंड) (2.2)

या

पॉवर (वॉट) = ऊर्जा (वॉट–घंटा)/समय (घंटा) (2.3)

पॉवर को ऊर्जा उपयोग की दर के रूप में परिभाषित किया जा सकता है। कम समय में अधिक ऊर्जा का उपयोग अधिक पॉवर दर्शाता है, व अधिक समय में अधिक मात्रा में ऊर्जा का उपयोग कम पॉवर दर्शाता है। उपकरणों की पॉवर रेटिंग को वॉट या **W** में दर्शाता जाता है।

आइये हम दो सी एफ एल का उदाहरण लें; जिसमें से एक 20 वॉट की व दूसरी 10 वॉट की हैं। 20 वॉट की सी एफ एल की शक्ति की खपत 10 वॉट की सी एफ एल से दुगुनी है, यानि कि एक 20 वॉट की सी एफ एल, 10 वॉट की सी एफ एल की तुलना में दुगुनी ऊर्जा की खपत करती है। अतः यदि दोनों सी एफ एल एक घंटे के लिये उपयोग की जाएं, तो एक 10 वॉट की सी एफ एल की तुलना में (10 वॉट × एक घंटा = 10 वॉट–घंटा), 20 वॉट की सी एफ एल दुगुनी ऊर्जा का उपयोग करेगी (20 वॉट × एक घंटा = 20 वॉट–घंटा)। इस तरह से जब हम वॉट (पॉवर की इकाई) को घंटा (समय की इकाई) से गुणा करते हैं तो हमें ऊर्जा की इकाई प्राप्त होती है या जब हम ऊर्जा की इकाई को समय से भाग देते हैं तो हमें शक्ति की इकाई प्राप्त होती है।

व्यावहारिक रूप से, पॉवर प्लांट्स की क्षमताओं को **MW** (मेगा–वॉट = 10^6 वॉट) एवं ईंधनों जैसे पेट्रोल, डीज़ल, कोयला आदि में निहित ऊर्जा को **MJ** या **kWh** में दर्शाया जाता है। बिजली का बिल **kWh** में और हमारे उपकरणों की रेटिंग को वॉट में दर्शाया जाता है।

तालिका 2.6 पॉवर की विभिन्न इकाईयां एवं उनकी समतुल्य इकाईयां

पॉवर की इकाईयां	*समतुल्य इकाईयां*
1 वॉट	= 1 जूल-सेकंड = 1 **W**
1 किलो वॉट (**kW**)	= 1000 वॉट या 1000 **W**
1 मेगा वॉट (**MW**)	= 1,000,000 **W**
1 गीगा वॉट (**GW**)	= 1,000,000,000 **W**

पॉवर की इकाई में उपर्युक्त उपसर्ग जोड़कर उसकी अधिक मात्रा को दर्शाया जा सकता है।

उदाहरण 2.3

एक ट्यूब लाइट को 8 घंटे उपयोग करने पर 320 वॉट–घंटा विद्युत ऊर्जा की खपत होती है। ट्यूब लाइट की पॉवर रेटिंग का अनुमान लगाएं ?

हल

दी गई ट्यूब लाइट की ऊर्जा खपत = 320 वॉट–घंटा

ट्यूब लाइट के उपयोग के घंटे = 8 घंटे

पॉवर = ऊर्जा/समय

पॉवर = 320 वॉट–घंटा/8 घंटे = 40 वॉट

अतः ट्यूब लाइट की पॉवर रेटिंग है = 40 वॉट

वर्कशीट 2.3

पॉवर की विभिन्न इकाईयों एवं उसकी एक इकाई से अन्य इकाई में परिवर्तन संबंधित इस तालिका 2.7 को भरें।

तालिका 2.7 पॉवर इकाईयां एवं उनका रूपांतरण

1 kW	= .... W
1 MW	= .... kW
2.4 kW	= .... W
200 W	= .... kW
0.5 kW	= .... W
.... kW	= 5000 W
.... W	= 0.3 kW

2.2 ऊर्जा आवश्यकता का आंकलन

किसी ग्राहक के लिये सौर पीवी संयंत्र की रचना या संस्थापना करते समय एक प्रशिक्षु के पास जिस कुशलता का होना बहुत जरूरी है, वह है ग्राहक की ऊर्जा आवश्यकता का आंकलन कर पाने की क्षमता। एक ग्राहक को या तो घरेलू उपकरणों के लिये कम ऊर्जा की आवश्यकता होगी या फिर किन्हीं बड़े औद्योगिक अनुप्रयोगों हेतु अधिक ऊर्जा की आवश्यकता। किसी भी परिस्थिति के लिये, पीवी संयंत्र की स्थापना हेतु ऊर्जा आवश्यकता का आँकलन अत्यंत महत्वपूर्ण चरण है। किसी ग्रिडयुक्त पीवी संयंत्र (मेगा वॉट या MW की रेंज) में, एक पॉवर प्लांट से संभावित वार्षिक ऊर्जा उत्पादन का आंकलन किया जाता है।

उपरोक्त चर्चा के आधार पर, किसी दिये गए उपकरण हेतु एक निश्चित समय के लिये ऊर्जा आवश्यकता का आंकलन करना किसी के लिये भी आसान हो जाता है। ऊर्जा आवश्यकता का आंकलन दैनिक, मासिक या वार्षिक आधार पर निकाला जा सकता है।

अनुभाग 2.1.5 में चर्चा से यह ज्ञात होता है कि किसी उपकरण द्वारा खपत की गई ऊर्जा उसकी पॉवर रेटिंग (वॉट में) व उसके उपयोग के समय को गुणा (घंटे में) करने का परिणाम है। अतः ऊर्जा को वॉट–घंटा या Wh या kWh में दर्शाया जाता है। इस प्रकार ऊर्जा आवश्यकता का आंकलन करने के लिये किसी दिये गए क्षेत्र में उपयोग किये जाने वाले विभिन्न उपकरणों की पॉवर रेटिंग व उनके उपयोग के घंटों की जानकारी एकत्र करना आवश्यक है।

हमारे दैनिक जीवन में उपयोग होने वाले उपकरणों की पॉवर रेटिंग बहुत हद तक भिन्न-भिन्न हो सकती है; कुछ वॉट से कुछ किलोवॉट तक।

घरों व उद्योगों में उपयोग होने वाले उपकरणों पर हमेशा पॉवर रेटिंग अंकित रहती है। कुछ उपकरणों की पॉवर रेटिंग (वॉट में) तालिका 2.8 में दी गई है। परंतु हमें उपकरणों की वास्तविक शक्ति रेटिंग या जिसे नेम–प्लेट रेटिंग कहा जाता है, जानने की कोशिश करनी चाहिये।

तालिका 2.8 विद्युत उपकरणों की पॉवर रेटिंग

उपकरण का नाम	*उपलब्ध पॉवर रेटिंग (वॉट में)*
बल्ब	5 से 100
ट्यूब लाइट	30 से 50
सी एफ एल	3 से 30
छत वाला पंखा	30 से 70
एयर कंडीशनर (कमरे का)	1000 से 1500
एयर कंडीशनर (सेंट्रल)	2000 से 5000
सी डी प्लेयर	15 से 30
टीवी	60 से 300
लैपटॉप	50 से 75
डेस्कटॉप कंप्यूटर	80 से 200
प्रिंटर	100 से 250
कपड़े धोने की मशीन	500 से 1000
रेफ्रीजरेटर	50 से 300

अगला चरण है—उस प्रत्येक उपकरण के उपयोग के घंटे ज्ञात करना, जिसके लिये आप पीवी संयंत्र डिज़ाइन कर रहे हैं। ऐसा मानते हैं कि हम किसी व्यक्ति के लिये दैनिक ऊर्जा आवश्यकता का आंकलन करने की कोशिश कर रहे हैं। किसी उपकरण के दैनिक उपयोग के घंटों में भिन्नता हो सकती है। एक टी वी का उपयोग सप्ताह के किसी अन्य दिन की तुलना में रविवार को अधिक घंटों के लिये हो सकता है। इसीलिये व्यक्ति को भी उपयोग के दैनिक घंटों का औसत निकालने की कोशिश करनी चाहिये। इसी तरह किसी उपकरण के दैनिक उपयोग पर मौसम का प्रभाव भी पड़ता है। उदाहरण के लिये, एक कूलर का उपयोग गर्मी के मौसम में तो हो सकता है, परंतु सर्दियों में नहीं। अतः वार्षिक ऊर्जा खपत का आंकलन करते समय मौसम संबंधित कारक को भी ध्यान में रखना आवश्यक है।

वर्कशीट 2.4

नीचे तालिका 2.9 में दिये गए उपकरणों के दैनिक उपयोग के घंटों की जानकारी भरें।

तालिका 2.9 दैनिक उपयोग के घंटे

उपकरण का नाम	*दैनिक उपयोग (घंटों में)*
उद्दीप्त प्रकाश (बल्ब)	....
ट्यूब लाइट	....
सी एफ एल	....
छत वाला पंखा	....
एयर कंडीशनर	....
सी डी प्लेयर	....
टीवी	....
लेपटॉप	....
डेस्कटॉप कम्प्यूटर	....
प्रिंटर	....
कपड़े धोने की मशीन	....

2.2.1 दैनिक ऊर्जा व्यय

उपरोक्त दो जानकारियां एकत्र करने के पश्चात् (पॉवर रेटिंग व दैनिक उपयोग के घंटे), एक तालिका (तालिका 2.10 की तरह) बनाई जा सकती है जिसमें आप पॉवर रेटिंग व उपयोग के घंटे संबंधित जानकारियां भर सकते हैं। साथ ही, उसमें एक ही तरह के उपकरणों की संख्या जोड़ने के लिये एक स्तंभ (कॉलम) और बढ़ाया जा सकता है। उदाहरण के लिये किसी घर में बहुत से सी एफ एल व छत वाले पंखे हो सकते हैं। इसके बाद, पूरे घर के पंखों द्वारा खपत की गई कुल ऊर्जा की मात्रा को गणना हेतु, किसी एक पंखे द्वारा खपत की गई ऊर्जा की मात्रा को पंखों की संख्या से गुणा करने की जरूरत है। इसी प्रक्रिया को घर के अन्य उपकरण, जो कि संख्या में एक से ज्यादा हैं, के साथ दोहराने की जरूरत है। तालिका 2.10 में एक घर की कुल दैनिक ऊर्जा आवश्यकता आंकलन का उदाहरण दिया जा रहा है, जहां, 3 सी एफ एल, 2 छत वाले पंखे, 1 टी वी व 1 कम्प्यूटर का उपयोग होता है।

तालिका 2.10 किसी घर की दैनिक ऊर्जा आवश्यकता ज्ञात करने हेतु उदाहरण तालिका। यहां कॉलम की संख्या परिवर्तित हो सकती है, व्यावहारिक रूप से यह संख्या अपने ग्राहक की आवश्यकता के अनुसार बदली जा सकती है।

उपकरण का नाम	*पॉवर रेटिंग (घंटों में)*	*दैनिक उपयोग के औसत घंटे(घंटे/दिन में)*	*उपकरणों की संख्या (अंकों में)*	*दैनिक ऊर्जा आवश्यकता वॉट × घंटा × अंक में या Wh में*
सी एफ एल	12	6	3	216
पंखा	50	8	2	800
टी वी	150	2	1	300
कम्प्यूटर	250	3	1	750
....	....	....	....	....
....	....	....	....	....
घर की कुल दैनिक ऊर्जा आवश्यकता (वॉट घंटा/दिन)				2066

ऊर्जा खपत की गणना करना आसान है; सभी उपकरणों की पॉवर को, उनके उपयोग के घंटों से गुणा करो और सभी को जोड़ दो।

तालिका 2.10 के अनुसार दैनिक ऊर्जा आवश्यकता 2066 Wh है। यह दैनिक ऊर्जा आवश्यकता kWh के रूप में 2.066 kWh होगी। यदि आप एक सौर पीवी संयंत्र डिज़ाइन कर रहे हैं, तो संयंत्र घर को दैनिक ऊर्जा आवश्यकता पूरा करने वाला होना चाहिये।

वर्कशीट 2.5

किसी घर में कुछ विद्युत उपकरण दैनिक रूप से उपयोग होते हैं। उपकरणों की दैनिक ऊर्जा आवश्यकता एवं घर की कुल ऊर्जा आवश्यकता के आंकलन के अनुसार दी गई तालिका को भरें।

तालिका 2.11 विद्युत उपकरणों द्वारा दैनिक ऊर्जा खपत को भरें

उपकरण का नाम	*पॉवर रेटिंग (वॉट में)*	*दैनिक उपयोग के औसत घंटे (घंटे/दिन में)*	*उपकरणों की संख्या (अंकों में)*	*दैनिक ऊर्जा आवश्यकता (वॉट × घंटा × अंक में या वॉट घंटा में)*
सी एफ एल	12	....	5	....
पंखा	....	8	3	....
टी वी	....	2	....	....
कम्प्यूटर	50	....	1	....
वॉशिंग मशीन	....	....	....	....
घर की कुल दैनिक ऊर्जा आवश्यकता (वॉट घंटा/दिन)				....

2.2.2 मासिक ऊर्जा व्यय एवं बिजली का बिल

एक बार यदि आपको किसी उपकरण की दैनिक ऊर्जा आवश्यकता ज्ञात हो जाती है, तो मासिक ऊर्जा आवश्यकता ज्ञात करना आसान हो जाता है। मासिक ऊर्जा आवश्यकता, निकालने के लिये दैनिक ऊर्जा आवश्यकता को महीने के कुल दिनों की संख्या से गुणा करने की जरूरत होती है। अतः हम लिख सकते हैं कि :

मासिक ऊर्जा आवश्यकता = दैनिक ऊर्जा आवश्यकता × माह में दिनों की संख्या

तालिका 2.10 में दिये गए उदाहरण के लिये मासिक ऊर्जा आवश्यकता है :

2066 (किलो वॉट / घंटा / दिन) × 30 (दिन / माह)

= 61980 वॉट – घंटा या 61.98 किलो वॉट – घंटा / माह

बिजली का मूल्य या मासिक बिजली का बिल

बिजली की एक इकाई बराबर है, ऊर्जा के 1000 Wh या 1 kWh के। सामान्यतः किसी व्यक्ति विशेष को उसके द्वारा पूरे महीने में खपत की गई बिजली की इकाईयों की संख्या के आधार पर बिजली का बिल मिलता है। एक बार आपको अपने ग्राहक की मासिक ऊर्जा आवश्यकता का ज्ञान हो जाता है, और साथ ही यदि आप बिजली की एक इकाई (रू/किलो वॉट घंटा के रूप में) का मूल्य जानते हैं, तब आप एक निश्चित ऊर्जा मात्रा की खपत के लिये बिल की गणना कर सकते हैं। सरकार बिजली की एक इकाई या 1 kWh की कीमत घोषित करती है। वर्तमान में बिजली की एक इकाई की कीमत 2 से 8 रू/किलो वॉट घंटा या kWh के बीच होती है। यह कीमत कुछ बातों पर निर्भर करती है, जैसे कि कौन सा क्षेत्र है (घरेलू या औद्योगिक), और आप किस राज्य में रहते हैं। उपरोक्त चर्चा के पश्चात् कोई भी निम्न तरीके से मासिक बिजली के बिल की गणना कर सकता है :

> हमारा मासिक बिजली का बिल kWh के रूप में दिया जाता है (1 kWh = बिजली की 1 इकाई)।

मासिक बिजली का बिल = मासिक ऊर्जा आवश्यकता × बिजली की प्रति इकाई कीमत

उदाहरण 2.4

माना कि बिजली की कीमत है, ₹ 6/किलो वॉट – घंटा, तब तालिका 2.10 में दर्शाई गई ऊर्जा खपत के लिये मासिक बिजली के बिल की गणना करें।

हल

तालिका 2.10 से पता चलता है कि, दैनिक ऊर्जा आवश्यकता है = 2066 Wh = 2.066 kWh (या कह सकते हैं कि बिजली की 2.066 इकाईयों की हर रोज खपत होती है)

मासिक ऊर्जा आवश्यकता = दैनिक ऊर्जा आवश्यकता × माह में कुल दिनों की संख्या

= 2.066(kWh / दिन) × 30 (दिन / माह)

= 61.98 kWh प्रति माह या 61.98 बिजली की इकाइयों की प्रति माह खपत की गई

उदाहरण में दी गई बिजली की कीमत = ₹ 4/किलो वॉट घंटा
अतः बिजली का मासिक बिल है = 61.98 (किलो वॉट घंटा/माह) × 6 (₹/किलो वॉट घंटा)
= ₹ 371.88/माह

प्रश्न 2.1 वर्कशीट 2.5 में किये गए दैनिक ऊर्जा आंकलन के आधार पर, मासिक ऊर्जा आवश्यकता का आंकलन करें एवं मासिक बिजली के बिल का आंकलन भी करें, जब कि बिजली की कीमत 5 रू/किलो वॉट घंटा हो।

2.3 सौर फोटोवोल्टाइक (पीवी) रूपांतरण से प्राप्त ऊर्जा

एक सौर सेल, सौर फोटोवोल्टाइक (पीवी) तकनीक का मूलभूत खंड है। सौर सेल एक ऐसी युक्ति है जो कि सूर्य प्रकाश को बिना किसी मध्यम प्रक्रिया के सीधे विद्युत में रूपांतरित कर देता है। सौर सेल में ऊर्जा सौर विकिरणों के रूप में प्रवेश करती है एवं सौर सेलों से ऊर्जा का उत्पादन विद्युत के रूप में होता है। इस प्रकार से एक सौर सेल को विकिरण ऊर्जा से विद्युत ऊर्जा में रूपांतरण करती युक्ति को चित्र 2.1 में दर्शाया गया है।

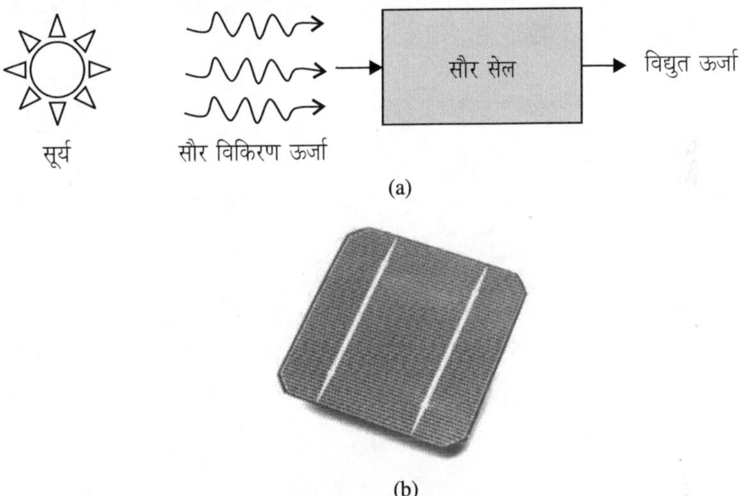

(a)

(b)

चित्र 2.1
(a) सौर सेल, विकिरण ऊर्जा को विद्युत ऊर्जा में रूपांतरित करने वाली युक्ति के रूप में, (b) एक सौर सेल का चित्र।

अनुभाग 2.1.4 में यह तर्क दिया गया है कि पृथ्वी की सतह पर पहुंचने वाली सौर विकिरणों के रूप में सौर ऊर्जा की मात्रा बहुत अधिक होती है; यह मात्रा हमारे द्वारा सभी संसाधनों से होने वाली ऊर्जा खपत की तुलना में कई हजार गुना ज्यादा होती है। सौर सेल का उपयोग करके सौर विकिरण ऊर्जा को विद्युत ऊर्जा में रूपांतरित किया जा सकता है, जो कि ऊर्जा का सबसे अधिक वांछित रूप है। अतः यदि हम बहुत अधिक सौर सेल का निर्माण करते हैं, तो हमारी ऊर्जा आवश्यकताओं को पूरा करने के लिये बिजली की बहुत अधिक मात्रा उत्पादित की जा सकती है। बहरहाल, सौर पीवी बिजली प्रदान करने वाला मुख्य स्रोत बन जाए उससे पहले, अभी बहुत सी चुनौतियां हैं जिनसे निपटने की आवश्यकता है।

सौर सेल सूर्यप्रकाश की ऊर्जा को विद्युत ऊर्जा में रूपांतरित कर देता है।

सौर सेल विभिन्न प्रकार की सामग्रियों से बना होता है। सौर सेल फेब्रिकेशन में उपयोग होने वाली सामग्री के प्रकार के आधार पर, किसी सौर सेल तकनीक का नाम निर्धारित होता है। इन सामग्रियों के प्रकार हैं, मोनो क्रिस्टिलीन सिलिकॉन, मल्टी–क्रिस्टिलीन सिलिकॉन, एमॉफ़र्स सिलिकॉन, कैल्शियम टेल्यूराइड आदि। अतः सौर सेल तकनीकों के नाम हैं मोनो क्रिस्टिलीन सिलिकॉन सेल, मल्टी क्रिस्टिलीन सिलिकॉन सौर सेल, एमॉफ़र्स सिलिकॉन सौर सेल, कैडमियम टेल्यूराइड सौर सेल आदि। सौर सेल के विषय में और अधिक चर्चा अध्याय 3 में की गई है।

2.3.1 सौर पीवी मॉड्यूल्स

यदि क्षेत्रफल की बात की जाए तो सौर सेल एक छोटी युक्ति है और एक अकेला सौर सेल हमारी विद्युत की आवश्यकता की मात्रा की तुलना में बहुत कम विद्युत उत्पादित करेगा। उदाहरण के लिये

एक एकल सौर सेल 6 से 10 वॉट घंटा तक की दैनिक विद्युत उत्पादित कर सकता है, जबकि हमारी दैनिक आवश्यकता कहीं अधिक है। अतः अधिक मात्रा में ऊर्जा उत्पादित करने हेतु अनेक सौर सेलों को जोड़ कर पीवी मॉड्यूल का रूप दिया जाता है। सौर सेलों की संख्या व उन्हें किस तरह जोड़ा गया है, ये दोनों बिंदु मॉड्यूल से प्राप्त होने वाली विद्युतधारा व वोल्टेज की मात्रा एवं प्रतिदिन उत्पादित होने वाली औसत ऊर्जा की मात्रा निर्धारित करते हैं। चित्र 2.2 में पीवी मॉड्यूल के रूप में सौर सेलों का कनेक्शन व पीवी मॉड्यूल का वास्तविक चित्र दर्शाया गया है।

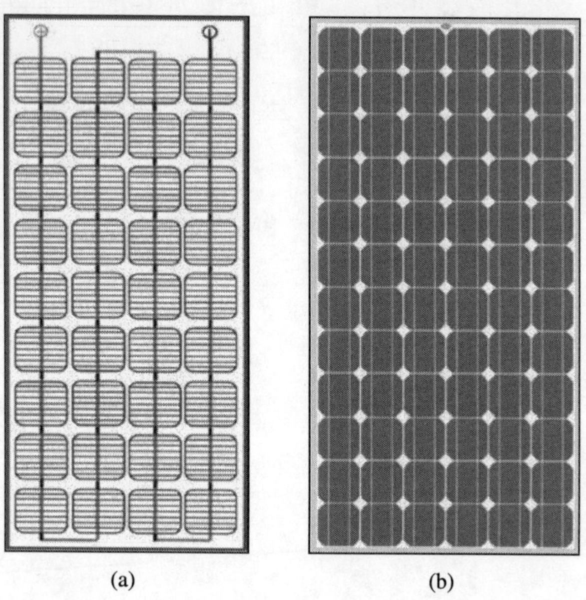

(a) (b)

चित्र 2.2
(a) सौर पीवी मॉड्यूल का योजनाबद्ध चित्र
(b) एक सौर पीवी मॉड्यूल का चित्र।

पीवी मॉड्यूल, पीवी संयंत्र के अत्यंत महत्वपूर्ण हिस्से हैं। पीवी मॉड्यूल की विशेषताएं समझना बहुत जरूरी है। पीवी मॉड्यूल की कुछ महत्वपूर्ण विशेषताएं नीचे दी गई है :

- एक सौर सेल पर जब सूर्य प्रकाश गिरता है तब यह विकिरण ऊर्जा को विद्युत ऊर्जा में रूपांतरित कर देता है। पीवी मॉड्यूल सौर सेलों को उपयोग कर बनाया जाता है, एक पीवी मॉड्यूल तभी विद्युत उत्पादित करता है जब इस पर सूर्य प्रकाश गिरता है। अतः उन घंटों में जब सूर्य प्रकाश न हो या रात में पीवी मॉड्यूल से ऊर्जा उत्पादन शून्य होता है।
- एक पीवी मॉड्यूल द्वारा उत्पादित विद्युत की मात्रा मॉड्यूल के आकार पर निर्भर करती है; मॉड्यूल का आकार जितना बड़ा होगा, उससे ऊर्जा का उत्पादन उतना ही अधिक होगा।
- पीवी मॉड्यूल को मुख्यतः उनकी पॉवर रेटिंग के संदर्भ में दर्शाया जाता है, जिसे 'पीक पॉवर रेटिंग' के रूप में जाना जाता है। शक्ति या पॉवर की इकाई वॉट है एवं 'पीक' पर विशेष जोर देने के लिये 'P' जोड़ा गया है। अतः एक पीवी मॉड्यूल की 'पीक पॉवर' का प्रतीक है 'W_p'। W_p रेटिंग, वह अधिकतम पॉवर रेटिंग है जो कि एक पीवी मॉड्यूल सबसे बेहतर परिस्थितियों में दे सकता है। उन परिस्थितियों को स्टेंडर्ड टेस्ट कंडीशन कहा जाता है (STC)। पीवी मॉड्यूल W_p रेटिंग में उपलब्ध होते हैं, 1 W_p से W_p 300 तक। सामान्य रूप से उपलब्ध पीवी मॉड्यूल की W_p रेटिंग है 3 W_p, 10 W_p, 18 W_p, 36 W_p, 50 W_p, 75 W_p, 150 W_p, 175 W_p, 220 W_p, 300 W_p आदि।
- पीवी मॉड्यूल से उत्पादित होने वाली विद्युत DC (डायरेक्ट करंट या विद्युतधारा) होती है। पारंपरिक रूप से हमें जो बिजली मिलती है वह AC (अल्टरनेटिंग करंट या विद्युतधारा) होती है। सभी विद्युत उपकरण जैसे टी वी, सी एफ एल, ट्यूब लाइट, रेफ्रीजरेटर, वॉशिंग मशीन आदि AC बिजली से चलते हैं। अतः यदि हम पीवी मॉड्यूल की विद्युत का उपयोग करना चाहते हैं तो पहले इसे AC बिजली में रूपांतरित करना पड़ेगा। एक अतिरिक्त युक्ति जिसे 'इन्वर्टर' कहा जाता है, का इस्तेमाल DC बिजली को

AC बिजली में रूपांतरित करने के लिये किया जाता है। इसका तात्पर्य है कि पीवी संयंत्र में हमें एक अतिरिक्त युक्ति का इस्तेमाल करने की आवश्यकता है।

- चूंकि पीवी मॉड्यूल केवल दिन के दौरान ही विद्युत उत्पादित कर सकता है, अतः रात्रि में उपयोग हेतु विद्युत ऊर्जा को बैटरी में संग्रहित करने की आवश्यकता है। पीवी मॉड्यूल से उत्पादित होने वाली DC बिजली का यह फायदा है कि बैटरी विद्युत का संग्रहण एवं आपूर्ति DC विद्युत के रूप में ही करती है। अनेक ऐसी युक्तियां हैं जो कि सीधे DC बिजली का उपयोग कर संचालित की जा सकती हैं जैसे कि एल ई डी (LED), DC पंखा, DC वॉटर पम्प आदि। साथ ही, अन्य युक्तियां जैसे मोबाइल फोन, कम्प्यूटर, रेफ्रीजरेटर आदि भी हैं। अतः, यदि हम DC उपकरणों का उपयोग कर रहे हैं तो इनवर्टर का उपयोग जरूरी नहीं है। परंतु DC उपकरणों का उपयोग बहुत अधिक नहीं किया जाता है।
- विभिन्न तरह के सौर सेलों की तरह ही सौर पीवी मॉड्यूल के अलग–अलग नाम होते हैं जो कि इस बात पर निर्भर करते हैं कि सौर पीवी मॉड्यूल बनाने में किस तरह सौर सेल का उपयोग किया जा रहा है। सामान्यतः उपलब्ध पीवी मॉड्यूल के नाम निम्न प्रकार से हैं; मोनो क्रिस्टिलीन सिलिकॉन सौर पीवी मॉड्यूल, मल्टी–क्रिस्टिलीन सिलिकॉन सौर पीवी मॉड्यूल, एमॉफ्र्स सिलिकॉन सौर पीवी मॉड्यूल, कैडमियम टेल्यूराइड सौर पीवी मॉड्यूल, CIGS सौर पीवी मॉड्यूल आदि। इन सभी प्रकार के सौर पीवी मॉड्यूल में से प्रत्येक के लिये पूरी दुनिया में बहुत से निर्माता हैं, परंतु मोनो–क्रिस्टिलीन सिलिकॉन सौर पीवी मॉड्यूल व मल्टी–क्रिस्टिलीन सिलिकॉन सौर पीवी मॉड्यूल ही सामान्यतः निर्मित व उपयोग किए जाते हैं।
- अधिक ऊर्जा उत्पादन के लिये, एक अकेले पीवी मॉड्यूल से अधिक ऊर्जा उत्पादित करने के लिये, बहुत से पीवी मॉड्यूल को आपस में जोड़ने की आवश्यकता है। पीवी मॉड्यूल का यह आपस में यह जुड़ाव 'पीवी मॉड्यूल अरे या पीवी मॉड्यूल श्रेणी' कहलाता है ।
- पीवी मॉड्यूल पीवी संयंत्र का महत्वपूर्ण भाग है एवं अध्याय 3 में सौर पीवी मॉड्यल्स के विषय में विस्तृत चर्चा की गई है।

> सौर पी वी मॉड्यूल में अनेक सेलों को आपस में जोड़ा जाता है। सौर पी वी मॉड्यूल अनेक वॉटेज रेटिंग में उपलब्ध हैं।

2.3.2 सौर पीवी संयंत्र

एक सौर पीवी संयंत्र का मुख्य कार्य है, आवश्यकता होने पर उपकरणों को विद्युत प्रदान करना या बड़े पीवी पॉवर प्लांट्स हों तो ग्रिड को विद्युत की आपूर्ति करना। इस बिंदु की अनुभाग 2.3.1 में चर्चा की जा चुकी है कि सौर पीवी मॉड्यूल्स तभी बिजली उत्पन्न करते हैं जबकि उन पर सूर्य प्रकाश पड़ता है एवं रात्रिकालीन उपयोगों के लिये बैटरी के रूप में विद्युत ऊर्जा का संग्रहण करने की आवश्यकता है, तब जब अन्य कोई आपूर्ति न हो। बैटरी के उपयोग की आवश्यकता तब भी है जबकि उपकरण की विद्युत आवश्यकता दिन में उत्पादित बिजली से भी अधिक हो। कुछ स्थानों पर पीवी मॉड्यूल्स, ग्रिड को सीधे विद्युत की आपूर्ति करता है, वहां बैटरी के उपयोग की जरूरत नहीं है। साथ ही, पीवी मॉड्यूल्स द्वारा उत्पादित बिजली DC होती हैं जबकि हमारे अधिकांश उपकरण AC प्रकृति के होते हैं, अतः सौर पीवी विद्युत को उपयोग करने के पूर्व, DC को AC में रूपांतरित करने की आवश्यकता होती है। इस प्रकार, उपरोक्त चर्चा से यह बात स्पष्ट है कि सौर पीवी विद्युत के उत्पादन एवं उपकरणों को प्रचुर विद्युत की आपूर्ति हेतु न केवल पीवी मॉड्यूल्स की आवश्यकता है, बल्कि, कई अन्य अवयव भी जरूरी हैं। अन्य अवयव निम्न प्रकार से हैं :

1. बैटरी (रात्रिकालीन उपयोगों के लिये विद्युत ऊर्जा के संग्रहण हेतु एवं उन परिस्थितियों के लिये जब बिजली की मांग बिजली के उत्पादन से अधिक हो), ग्रिड से जुड़े पीवी संयंत्र में बैटरियों की आवश्यकता नहीं होती है।
2. इनवर्टर – DC बिजली को AC बिजली में रूपांतरित करने हेतु, DC बिजली या तो पीवी मॉड्यूल से या बैटरी से मिल सकती है।

3. चार्ज कंट्रोलर – बैटरियों को अधिक चार्ज या आवेशित होने व अधिक डिस्चार्ज या अनावेशित होने से बचाने के लिये, ये दोनों ही बैटरियों की उम्र कम करते हैं।
4. मैक्सिमम पॉवर पॉइंट ट्रैकर (MPPT) – सौर पीवी मॉड्यूल से एक निश्चित सौर विकिरण निवेश या इनपुट होने पर अधिकतम उपलब्ध पॉवर प्राप्त करने के लिये। कई बार चार्ज कंट्रोलर या इनवर्टर (ग्रिड कनेक्शन होने पर) ही चार्ज कंट्रोलर पर एमपीपीटी का कार्य करते हैं।

कुछ पीवी संयंत्र होते हैं जो कि ग्रिड से जुड़े नहीं होते हैं (स्टैंडअलोन पीवी संयंत्र कहलाते हैं) एवं ऐसे पीवी संयंत्र भी होते हैं जो कि ग्रिड से जुड़े होते हैं (ग्रिड-कनेक्टेड पीवी संयंत्र कहलाते हैं) ।

पीवी मॉड्यूल व उससे जुड़े अन्य अवयव जो कि उपकरणों को विद्युत आपूर्ति करने हेतु पीवी मॉड्यूल से जोड़े जाते हैं, सम्मिलित रूप से 'सौर पीवी संयंत्र' कहलाते हैं। सौर पीवी संयंत्र अनेक प्रकार के हो सकते हैं (इसकी अगले अध्याय में चर्चा की गई है) यह ऊर्जा के उत्पादन के तरीके व उपयोग पर निर्भर करता है। मुख्यतः पीवी संयंत्र को तीन श्रेणियों में विभक्त किया जा सकता है :

1. स्टैंडअलोन सौर पीवी संयंत्र
2. ग्रिड–कनेक्टेड सौर पीवी संयंत्र
3. हाइब्रिड सौर पीवी संयंत्र

स्टैंडअलोन पीवी संयंत्र : ये संयंत्र अपने आप में आत्मनिर्भर हैं, इसका मतलब है कि किसी उपकरण हेतु बिजली की आपूर्ति करने के लिए, किसी अन्य ऊर्जा के स्रोत पर निर्भर नहीं है। स्टैंडअलोन पीवी संयंत्र के कुछ उदाहरण हैं, एक सौर लालटेन, एक सौर पीवी होम लाइटिंग सिस्टम, एक सौर पीवी वॉटर पम्पिंग सिस्टम आदि। चूंकि स्टैंडअलोन पीवी संयंत्र किसी अन्य ऊर्जा स्रोत पर निर्भर नहीं है, अतः वे सदैव ऊर्जा संग्रहित करने के लिये उपयोगी हैं, विशेषतः बैटरियों के रूप में। और चूंकि बैटरियों का उपयोग किया जाता है यह महत्वपूर्ण है कि सुरक्षित इलेक्ट्रॉनिक्स का उपयोग किया जाए। साथ ही, पीवी मॉड्यूल एवं बैटरी से DC विद्युत के रूपांतरण हेतु, इन्वर्टर का उपयोग करना होगा। एक स्टैंडअलोन पीवी संयंत्र एवं संयंत्र में ऊर्जा के प्रवाह को चित्र 2.3 (तीरों से चिन्हित किया गया है) में दर्शाया गया है।

एक स्टैंडअलोन पीवी संयंत्र रात्रिकालीन उपयोग हेतु बैटरी में ऊर्जा संग्रहित करता है तब जब सूर्य प्रकाश बिल्कुल नहीं होता।

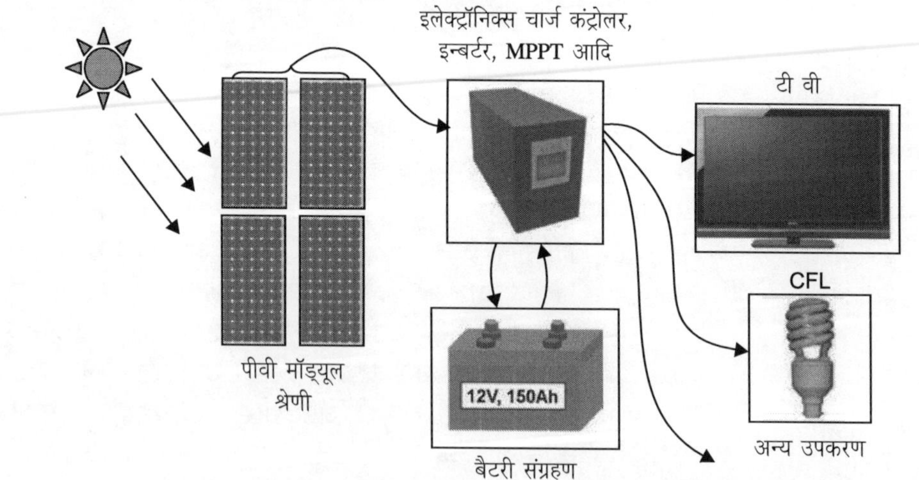

चित्र 2.3
बैटरी संग्रहण, इलेक्ट्रॉनिक्स एवं उपकरणों के साथ स्टैंडअलोन सौर पीवी संयंत्र।

ग्रिड-कनेक्टेड सौर पीवी संयंत्र: नाम के अनुसार, एक ग्रिड–कनेक्टेड सौर पीवी संयंत्र पास में ही उपलब्ध विद्युत ग्रिड से जुड़ा होता है। इस तरह उत्पादित बिजली ग्रिड में एकत्र हो जाती है। इसमें बैटरी का उपयोग नही होता। परंतु ग्रिड में जाने के पूर्व सौर पीवी मॉड्यूल द्वारा उत्पादित DC बिजली को AC बिजली में रूपांतरित करना आवश्यक है। चित्र 2.4 में एक ग्रिड–कनेक्टेड सौर पीवी संयंत्र दिखाया गया है। इस प्रकार का पीवी प्रणाली विन्यास भारत में बड़े स्तर (मेगा वॉट स्तर) वाले सौर पीवी पॉवर प्लांट्स के लिये उपयोग किए जाते हैं। इलेक्ट्रिसिटी ग्रिड का वोल्टेज व आवृति निश्चित होती है इसीलिये पीवी विद्युत को तभी ग्रिड में पहुंचाया जा सकता है जब सही

एक ग्रिड से जुड़ा हुआ पीवी संयंत्र बैटरी में ऊर्जा संग्रहित नहीं करता है, यह सूर्यप्रकाश न होने की स्थिति में ग्रिड से बिजली लेता है।

पॉवर या शक्ति के मान रखे जाएं। उदाहरण के लिये पीवी उत्पादित विद्युत को सही वोल्टेज व आवृति स्तर पर लाना। अतः ग्रिड–कनेक्टेड सौर पीवी संयंत्र में इनवर्टर न केवल DC विद्युत धारा को AC विद्युतधारा में रूपांतरित करने का कार्य करता है बल्कि ग्रिड सिन्क्रोनाइजेशन का कार्य भी करता है जो कि उत्पादित पीवी विद्युत को उपर्युक्त वोल्टेज व आवृति पर लाने से संबंधित है।

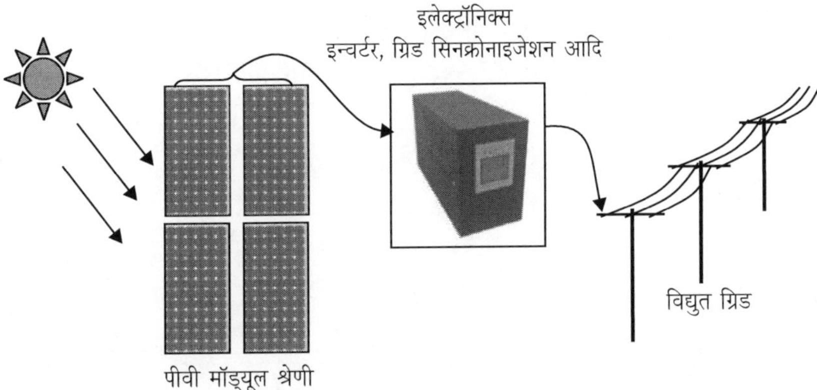

चित्र 2.4
विद्युत ग्रिड से जुड़ा पीवी संयंत्र।

हाइब्रिड सौर पीवी संयंत्र : कई बार सौर पीवी मॉड्यूल या ग्रिड में एक सहायक ऊर्जा स्रोत जैसे डीज़ल, जनरेटर का उपयोग किया जाता है। यह तब करना आवश्यक है जबकि सौर पीवी संयंत्र इस तरह डिजाइन नहीं किये गए हैं कि वे उपकरण को आवश्यक पूरी ऊर्जा की आपूर्ति कर सकें (संभवतः कीमत के कारण)। एक सौर पीवी संयंत्र में इस तरह सहायक स्रोत के उपयोग को कहा जाता है 'हाइब्रिड सौर पीवी संयंत्र'।

2.3.3 सौर फोटोवोल्टाइक ऊर्जा रूपांतरण के लाभ एवं चुनौतियां

किसी भी अन्य तकनीक की तरह, सौर पीवी तकनीक के भी कुछ धनात्मक व कुछ ऋणात्मक बिंदु या कुछ लाभ व चुनौतियां हैं। इन बिंदुओं की निम्न रूप से चर्चा की गई :

लाभ

- *प्रचुर मात्रा का स्रोत :* सौर सेल में इनपुट या निवेश सौर विकिरण के रूप में होता है, जो कि नवीकरणीय ऊर्जा स्रोत है। सौर विकिरण ऊर्जा बहुत अधिक मात्रा में उपलब्ध है, वह प्रचुर है। भविष्य में हमें कभी भी सौर विकिरण ऊर्जा की कमी का सामना नहीं करना पड़ेगा। विश्व पहले से ही जीवाश्म ईंधन स्रोतों की कमी से जूझ रहा है।
- *पर्यावरणीय सौम्य :* सौर विकिरण ऊर्जा से विद्युत ऊर्जा के रूपांतरण में किसी भी प्रदूषण करने वाले उत्पाद का उत्सर्जन नहीं होता है, इसीलिये यह पर्यावरण को उस तरह कोई नुकसान नही पहुंचाता, जिस तरह डीजल, पेट्रोल व कोयले के उपयोग से निकलने वाले धुंए से होता है।
- *विकेंद्रीकृत विद्युत उत्पादन :* चूंकि सौर विकिरण ऊर्जा सब तरफ उपलब्ध है, अतः सौर पीवी विद्युत कहीं भी उत्पादित की जा सकती यानि कि विकेंद्रीकृत रूप में, एवं कम मात्रा में आवश्यकतानुसार भी। यह कोयले पर आधारित पॉवर प्लांट्स से उलट है जहां विद्युत केवल केंद्रीकृत रूप में अधिक मात्रा में उत्पादित की जा सकती है। विकेंद्रीकृत विद्युत उत्पादन में विद्युत के कम संचरण के कारण कम हानि होती है। सौर पीवी तकनीक में, कोई भी एक छोटी सौर लालटेन ले सकता है, घर में प्रकाश करने के लिये सौर पीवी संयंत्र हो सकता है, वॉटर पंप चलाने के लिये सौर पीवी संयंत्र हो सकता है या एक पूरे गांव को प्रकाशित करने के लिये भी सौर पीवी संयंत्र हो सकता है, यहां तक कि ग्रिड में मेगा वॉट पॉवर पहुंचाने के लिये भी हो सकता है।
- *मॉड्यूलर इम्प्लीमेंटेशन :* सौर पीवी तकनीक का स्थापन मॉड्यूलर भी हो सकता है। सौर पीवी संयंत्र का आकार विद्युत की बढ़ी आवश्यकता के अनुसार बढ़ाया जा सकता है।

सौर सेल इनपुट ईंधन के रूप में सूर्यप्रकाश का उपयोग करता है, जो कि प्रचुर मात्रा में है, सतत् रूप से उपलब्ध है और पर्यावरण के लिये अनुकूल ऊर्जा स्रोत है।

डीज़ल जनरेटर या कोयला आधारित पॉवर प्लांट्स में, एक बार जिस आकार का लगा दिया जाता है उसे बदला नहीं जा सकता। साथ ही विद्युत की आवश्यकता बढ़ने पर दूसरा डीज़ल जनरेटर खरीदना पड़ता है या दूसरा कोयला आधारित प्लांट लगाना पड़ेगा।

चुनौतियां

सैद्धांतिक रूप से सौर पीवी हमारी संपूर्ण ऊर्जा आवश्यकता की पूर्ति हेतु विद्युत उत्पादित कर सकता है। परंतु सौर पीवी तकनीक का उपयोग व्यापक रूप से करने के क्रम में कुछ महत्वपूर्ण चुनातियों का सामना करने हेतु उपाय आवश्यक हैं। ये चुनौतियां निम्न रूप से सूचीबद्ध की गई हैं :

- *पीवी विद्युत की लागत/मूल्य :* आधुनिक जीवन की अधिक मात्रा में ऊर्जा की आवश्यकताओं को पूरा करने के लिये पारंपरिक ऊर्जा स्रोत हमेशा से ही लागत प्रभावी या वाजिब दाम वाले रहे हैं। सौर पीवी से विद्युत उत्पादित करना सबसे अधिक महंगा है। लेकिन सौर पीवी विद्युत की लागत तेजी से घट रही है, सौर पीवी विद्युत को सभी के लिये किफायती बनाने हेतु अभी भी लागत को और घटाने की ज़रूरत है।
- *ऊर्जा का उतार–चढ़ाव :* कोयला पॉवर प्लांट्स में, कंपनियां लगातार बदलने वाली ऊर्जा मांग को पूरा करने के लिये आसानी से कोयले के भंडार संचित कर सकती हैं। जबकि सौर विकिरण ऊर्जा को भविष्य में ऊर्जा प्रदान करने हेतु संचित नहीं किया जा सकता। सौर विकिरण रात में उपलब्ध नहीं होते, जबकि रात में विद्युत की आवश्यकता होती है। साथ ही, दिन में उच्चतम विकिरण उपलब्ध होने पर भी यह जरूरी नहीं है कि वह उच्चतम विद्युत मांग को पूरा कर सके। अतः प्रभावी ऊर्जा संचय व उसे बहुत ही अच्छे तरीके से आवश्यकतानुसार पाने के लिये एक तकनीक की आवश्यकता है।
- *स्थान पर निर्भरता :* एक जीवाश्म ईंधन पर आधारित पॉवर प्लांट्स को कहीं भी स्थापित किया जा सकता है, आवश्यकता केवल इस बात की है कि उस स्थान तक रेलवे ट्रैक या पाइपलाइन पहुंचना चाहिये, जिससे कोयला या गैस वहां तक लाये सकें। इसके उलट, सौर पीवी विद्युत उत्पादन सौर विकिरण की उपलब्धता पर निर्भर है। सौर विकिरणों की उपलब्धता स्थान के अनुसार बदलती है। कुछ स्थानों पर यह अधिक होती है व कुछ पर कम। अतः सौर पीवी विद्युत उत्पादन उस स्थान पर भी निर्भर करता है जहां संयंत्र को स्थापित किया जाना है।

विद्युत उत्पादन के लिये पी वी तकनीक के इस्तेमाल में एक ही चुनौती है वह है पीवी संयंत्र की कीमत को नीचे लाकर किफायती मूल्य पर लाना जिसे सभी उपयोग कर सकें।

2.4 अन्य नवीकरणीय ऊर्जा तकनीकें

नवीकरणीय ऊर्जा को उपयोगी ऊर्जा में बदलने के लिये, सौर फोटोवोल्टाइक एक जरिया है। ऐसी अन्य तकनीकें भी हैं जो कि नवीकरणीय ऊर्जा तकनीकें जैसे सौर विकिरण, वायु ऊर्जा आदि को रूपांतरित करते हैं। अनेक लोग नवीकरणीय ऊर्जा तकनीकों पर कार्य कर रहे हैं एवं ऊर्जा उत्पादन के लिये अनेक प्रतिष्ठान हैं जो कि विभिन्न प्रकार के नवीकरणीय ऊर्जा स्रोतों का उपयोग करते हैं। अन्य नवीकरणीय ऊर्जा तकनीकों के विषय में इस मॉड्यूल में विस्तृत चर्चा करना हमारे लिये संभव नहीं है परंतु संपूर्ण जानकारी के लिये, निम्न अनुच्छेदों में इन तकनीकों के विषय में संक्षिप्त रूप से चर्चा की गई है।

2.4.1 सौर तापीय ऊर्जा

सौर ऊर्जा तकनीकों की दो श्रेणियां हैं; एक है सौर पीवी तकनीक (जिसके लिये ही मुख्यतः ये पुस्तक समर्पित है) एवं दूसरी है सौर तापीय तकनीक। सौर तापीय तकनीक में सौर विकिरण ऊर्जा, तापीय ऊर्जा में रूपांतरित हो जाती है जबकि सौर पीवी तकनीकों में सौर विकिरण ऊर्जा सीधे विद्युत ऊर्जा में रूपांतरित हो जाती है।

सौर पीवी तकनीक के अतिरिक्त, अनेक अन्य नवीकरणीय ऊर्जा तकनीकें हैं जो कि नवीकरणीय ऊर्जा स्रोतों का उपयोग करती हैं।

सौर तापीय तकनीक में एक युक्ति जिसे सौर संग्राहक कहा जाता है, का उपयोग सौर विकिरण को तापीय ऊर्जा में रूपांतरित करने के लिये किया जाता है। विभिन्न प्रकार के सौर संग्राहकों से सूर्यप्रकाश एकत्र किया जाता है जो कि ताप प्रदान करते हैं। इस ताप का फिर विभिन्न अनुप्रयोगों में उपयोग किया जाता है जैसे घरों में उपयोग के लिये पानी गर्म करना (नहाने, कपड़े

धोने आदि के लिये)। पानी 50–60 डिग्री सेंटीग्रेड तक गर्म हो जाता है। ऐसे अनुप्रयोग जहां उच्च तापमान की आवश्यकता है (100 डिग्री सेंटीग्रेड से ज्यादा) वहां विशेष प्रकार के सौर संग्राहक, जिन्हें सकेंद्रण संग्राहक कहा जाता है, का उपयोग करते हैं। संकेंद्रण संग्राहक अधिक क्षेत्रफल से प्रकाश एकत्रित करते हैं और उसे छोटे से क्षेत्र में संकेंद्रित कर देते हैं। इस प्रकाश संकेंद्रण के कारण उच्च तापमान (कुछ सौ से 1000 डिग्री सेंटीग्रेड तक) प्राप्त हो जाता है। सौर तापीय तकनीकें, औद्योगिक अनुप्रयोगों जैसे भाप उत्पादन के लिये, जो कि उद्योगों में विभिन्न प्रक्रियाओं में आवश्यक होता है, के लिये भी उपयोग हो सकता है।

संकेंद्रण सौर तापीय ऊर्जा के महत्वपूर्ण अनुप्रयोगों में से एक है, विद्युत उत्पादन। तकनीक को सामान्यतः संकेंद्रण सौर तापीय पॉवर तकनीक (Concentrator Solar Thermal Power/CSP) के नाम से जाना जाता है। विद्युत उत्पादन के लिये सीएसपी प्लांट्स, कोयला आधारित पॉवर प्लांट्स की तरह ही हैं, एक अंतर के सिवाय, वह यह है कि सीएसपी तकनीक में सौर विकिरण के उपयोग से भाप उत्पादन होता है जबकि कोयला आधारित पॉवर प्लांट्स में कोयला जला कर भाप उत्पादित की जाती है। इसके अतिरिक्त भाप आधारित पॉवर उत्पादन की सारी प्रक्रियाएं समान होती हैं। भाप का उपयोग टर्बाइन को घुमाने में होता है जो कि विद्युत उत्पादन के लिये विद्युत जनरेटर को घुमाती है। बड़े मेगा वॉट स्केल सीएसपी सौर तापीय पॉवर प्लांट्स दुनिया में कई स्थानों पर निर्मित किये गए हैं। 2010 में दुनिया भर में स्थापित सौर तापीय पॉवर प्लांट्स की विद्युत उत्पादन की क्षमता 190 GW (तापीय शक्ति) है। नई एवं नवीकरणीय ऊर्जा मंत्रालय द्वारा 2010 में शुरू किये गए जवाहर लाल राष्ट्रीय नेहरू सौर मिशन (Jawaharlal National Nehru Solar Mission/ JNNSM) के अंतर्गत सौर तापीय पॉवर प्लांट्स बड़े स्तर पर स्थापित किए जाएंगे।

2.4.2 वायु ऊर्जा

एक गतिमान वस्तु में उसकी गति के कारण ऊर्जा निहित होती है जिसे गतिज ऊर्जा कहते हैं। इसी प्रकार पृथ्वी के चारों ओर वायु या हवा के बहाव में ऊर्जा निहित होती है। बहती हुई वायु की गतिज ऊर्जा वायु ऊर्जा कहलाती है। हमारे पर्यावरण में वायु का बहाव मुख्यतः पृथ्वी की सतह को सूर्य द्वारा असमान रूप से गर्म करने से होता है। अतः वायु ऊर्जा अप्रत्यक्ष रूप से सूर्य की ही ऊर्जा होती है। वायु ऊर्जा में नवीकरणीय एवं प्रदूषण मुक्त ऊर्जा का स्रोत बनने की अच्छी संभावना है। पृथ्वी पर गिरने वाली सौर ऊर्जा का लगभग 1 से 3 प्रतिशत वायु ऊर्जा में रूपांतरित हो जाता है। प्रकाश संश्लेषण प्रक्रिया द्वारा सूर्य ऊर्जा से जीवद्रव्य ऊर्जा बनने की गति की तुलना में सूर्य ऊर्जा से वायु ऊर्जा बनने की गति लगभग 50 से 100 गुना अधिक है। हालांकि, सौर विकिरण ऊर्जा के समान, वायु ऊर्जा भी प्रकृति में घुलनशील है एवं इसकी उपलब्धता एक दिन में और एक पूरे मौसम से अन्य किसी मौसम में बदलती रहती है।

वायु ऊर्जा को अनेक तरीकों से इस्तेमाल किया जा सकता है। सालों पहले से वायु ऊर्जा का उपयोग जहाजों को तैराने में किया जाता रहा है। वायु में निहित ऊर्जा को, पवन चक्कियों द्वारा उपयोगी ऊर्जा में रूपांतरित किया जा सकता है। वायु ऊर्जा को पिसाई या वॉटर पंपिंग के लिये यांत्रिक ऊर्जा में रूपांतरित किया जा सकता है। वैकल्पिक रूप से पवन ऊर्जा को विद्युत ऊर्जा (जो कि ऊर्जा का सबसे वांछित रूप है) में रूपांतरित किया जा सकता है, वायु ऊर्जा को यांत्रिक ऊर्जा में रूपांतरित कर (विन्ड टर्बाइन की घूर्णन गति), जो कि बाद में जनरेटर के उपयोग द्वारा विद्युत ऊर्जा में रूपांतरित की जा सकती है। पवन ऊर्जा के महत्वपूर्ण उपयोगों में से है विद्युत ऊर्जा का उत्पादन एवं एक हद तक वॉटर पम्पिंग के लिये।

पवन ऊर्जा से विद्युत ऊर्जा का रूपांतरण सबसे अधिक सफल नवीकरणीय ऊर्जा तकनीकों में से एक है। दुनिया के कई हिस्से जहां वायु स्रोत प्रचुर हैं, में यह पहले ही किफायती साबित हो चुका है। पूरी दुनिया में, विद्युत ऊर्जा उत्पादन के लिये बहुत अधिक मात्रा में विन्ड मशीनों की स्थापना की जा चुकी है। 2010 में पूरी दुनिया में स्थापित विन्ड मशीनों की क्षमता लगभग 200,000 मेगा वॉट है। भारत में विन्ड मशीन की यह क्षमता लगभग 13000 मेगा वॉट है।

2.4.3 जीवद्रव्य या बायोमास ऊर्जा

बायोमास या जीवद्रव्य से तात्पर्य है जीवन की प्रक्रियाओं से उत्पादित जैविक पदार्थ। इसके अंतर्गत पादप व जीवों दोनों से उत्पादित पदार्थ आते हैं। रासायनिक जीवद्रव्य के अंतर्गत वे पदार्थ आते हैं जिनमें हाइड्रोजन, कार्बन व ऑक्सीजन शामिल हों। हम जीवद्रव्य विभिन्न स्रोतों से निकालते हैं जैसे पौधे, पेड़, फसलें, वनों के व्यर्थ पदार्थ, घरों से निकलने वाला कचरा, व लकड़ी। जीवद्रव्य का हमारी ऊर्जा आवश्यकताओं में योगदान भोजन एवं लकड़ी के रूप में होता है। ऐसी अनेक अन्य आवश्यकताएं हैं जिनकी पूर्ति जीवद्रव्य द्वारा होती है जैसे छत बनाना, जानवरों का चारा, मिट्टी के पोषक पदार्थ आदि। आदिकाल में पृथ्वी पर मानव ताप के लिये अपने घरों में लकड़ी जलाते थे यानि तब से ही मानव आवश्यकताओं की पूर्ति के लिये यह ऊर्जा का स्रोत रही है।

बायोमास या जीवद्रव्य सूर्य प्रकाश की उपस्थिति में ही बढ़ता है। अतः बायोमास को 'कार्बनिक पदार्थ में संचित सौर ऊर्जा' कहा जा सकता है। जैसे पेड़ व पौधे बढ़ते हैं, प्रकाश–संश्लेषण प्रक्रिया वातावरण की कार्बनडाईऑक्साइड को कार्बोहाइड्रेट (शर्करा, स्टार्च, सेल्यूलोज़) में रूपांतरित करने हेतु सूर्य की ऊर्जा का उपयोग करती है। प्रकाश संश्लेषण की प्रक्रिया को निम्न तरह से लिखा जा सकता है :

$$6\ CO_2\ (\text{गैस}) + 6\ H_2O\ (\text{तरल}) + \text{प्रकाश} \rightarrow C_6H_{12}O_6\ (\text{ठोस}) + 6O_2\ (\text{गैस})$$

सभ्यता की शुरूआत के समय से ही समाज के विकास में बायोमास का व्यापक रूप से उपयोग होने लगा था। विकासशील देशों में अब भी बहुत से लोग अपने दैनिक जीवन के लिये बायोमॉस के उपयोग पर निर्भर हैं। वे इसे भोजन के लिये उपयोग करते हैं, और आय स्रोत के रूप में ईंधन के लिये भी। यह आंकलन लगाया गया है कि दुनिया की कुल ऊर्जा आवश्यकता का लगभग 14 प्रतिशत पूरा करने में बायोमास का योगदान होता है। अनेक विकासशील देशों में कुल ऊर्जा आवश्यकता में यह योगदान 90 प्रतिशत जितना अधिक भी है। नवीकरणीय ऊर्जा स्रोत के रूप में, बायोमॉस विभिन्न रूपों में ऊर्जा आवश्यकताओं की पूर्ति कर सकता है, बशर्ते बायोमॉस के उत्पादन व खपत के बीच एक संतुलन बना रहे।

ऊर्जा जैव अपघटनीय पदार्थों जैसे पौधों, पत्तियों, गोबर आदि से भी उत्पादित की जा सकती है। इन पदार्थों में उच्च मात्रा में हाइड्रोकार्बन होता है एवं ये जलाए जाने पर ऊर्जा मुक्त करते हैं। बायोमास ऊर्जा का मुख्य कार्य है ईंधन का उत्पादन जो कि खाना पकाने व साथ–साथ परिवहन के लिये गाड़ियों में भी काम आता है। बायोडीज़ल महत्वपूर्ण बायोमास उत्पादों में से एक है। बायोमास से मिलने वाली कुकिंग या खाना पकाने वाली गैस, भी ऊर्जा का एक महत्वपूर्ण स्रोत है। एक प्रक्रिया जिसे गैसीफिकेशन कहते हैं, का उपयोग कर बायोमास को ईंधन गैस में रूपांतरित किया जा सकता है, जो कि इंजन में डीज़ल के स्थान पर उपयोग की जा सकती है।

2.4.4 हाइड्रो या पन ऊर्जा

एक वस्तु जिसे ऊंचाई पर रखा जाता है उसमें कुछ ऊर्जा निहित होती है, जिसे स्थितिज ऊर्जा कहा जाता है, चूंकि एक गिरती हुई वस्तु कुछ ऊर्जा प्रदान कर सकती है। उदाहरण के लिये हाइड्रो पॉवर प्लांट्स में निश्चित ऊंचाई से गिरने वाले पानी की ऊर्जा को उपयोग कर विद्युत ऊर्जा उत्पादित की जाती है। ऊंचाई से गिरने वाले पानी में कुछ स्थितिज ऊर्जा संचित होती है। यह ऊर्जा तत्पश्चात् विद्युत उत्पादन हेतु हाइड्रो टर्बाइन को घुमाने के लिये उपयोग की जाती है। बड़े पैमाने पर हाइड्रो प्रोजेक्ट में जलग्रहण क्षेत्रों में पानी संचित करने के लिये बड़े टैंकों या बांधों का उपयोग किया जाता है। यह पानी मुक्त रूप से पाइप या चैनल के द्वारा वॉटर टर्बाइन तक बहने दिया जाता है जो कि टैंक के एकदम तले पर रखा होता है। तब पानी की स्थितिज ऊर्जा का उपयोग विद्युत उत्पादन के लिये किया जाता है। पूरी दुनिया में इस प्रणाली द्वारा बड़ी मात्रा में विद्युत उत्पादित की जाती है। दुनिया में स्थापित हाइड्रो पॉवर प्लांट की कुल क्षमता लगभग 800,000 मेगा वॉट है। भारत में भी पनबिजली के लिये स्थापित क्षमता लगभगग 40,000 मेगा वॉट है।

छोटी धाराओं, नदियों व नहरों में बहते हुए पानी की ऊर्जा को गतिज ऊर्जा कहा जाता है (बहती हुई वायु की ऊर्जा के समान)। पवन ऊर्जा तकनीक की तरह, पानी की गतिज ऊर्जा को

भी विद्युत में रूपांतरित किया जा सकता है। पानी के बहाव के रास्ते में एक छोटा वॉटर टर्बाइन रखा जाता है। टर्बाइन पानी की गतिज ऊर्जा को विद्युत ऊर्जा में रूपांतरित कर देता है। कम क्षमता वाले वॉटर टर्बाइन भी उपलब्ध हैं जो कि कुछ किलो वॉट से कुछ टन किलो वॉट वाले हो सकते हैं। अतः जहां भी बहता हुआ पानी है वहां कुछ विद्युत ऊर्जा उत्पादित की जा सकती है।

2.4.5 भूतापीय ऊर्जा

पृथ्वी एक बड़ा गोला है। इस गोले की सतह ठंडी है परंतु इसका केंद्र बहुत गर्म है। पृथ्वी का केंद्र प्लाज़्मा (पिघले हुए पदार्थ के रूप में) होता है जहां पर अत्यंत उच्च तापमान लगभग 5000 डिग्री सेल्सियस होता है। जबकि पृथ्वी की सतह का तापमान 100 डिग्री सेंटीग्रेड से कम होता है। इस तापांतर के कारण पृथ्वी के केंद्र से सतह की ओर तापमान का प्रवाह होता है। संवहन के कारण होने वाले ताप प्रवाह को ताप व विद्युत उत्पादन के लिये उपयोग कर सकते हैं। पृथ्वी में उत्पन्न होने वाले ताप के रूपांतरण के लिये विशेष तरह के हीट एक्सचेंजर का उपयोग किया जाता है जिससे वह अंत में विद्युत उत्पादन या भाप उत्पादन के लिये ताप उत्पादन जैसे अनुप्रयोग में काम आ सके।

संदर्भ ग्रंथ

www.kajul.org (This website gives introduction about energy at beginners level)
www.ren21.net/gsr (This website gives globle renewable energy status report for 2011)

3

सौर सेल

सौर सेल एक अर्द्धचालक युक्ति है, जो सूर्यप्रकाश की ऊर्जा को सीधे विद्युत ऊर्जा में रूपांतरित करती है, यानि कि बिना किसी माध्यम के। यह सौर फोटोवोल्टाइक (PV) तकनीक का मूलभूत खंड होता है। अनेक सौर सेलों को आपस में जोड़ने पर सौर पीवी मॉड्यूल बनता है। अनेक सौर पीवी मॉड्यूल को आपस में जोड़कर पीवी सरणी बनाई जाती है, जो कि शक्ति या पॉवर के छोटे उपयोगों के साथ–साथ बड़े उपयोगों में भी काम आती है। यहां, सौर सेल की कार्यप्रणाली समझना अत्यंत आवश्यक है। इसके अलावा यह भी समझना आवश्यक है कि, सौर सेल की पहचान किस तरह की जाए, उसके मापदंड क्या हैं, एक सौर सेल कितनी शक्ति उत्पादित कर सकता है एवं किस तरह उत्पादित शक्ति सौर सेल पर गिरने वाले प्रकाश की मात्रा पर निर्भर करती है, आदि। इस अध्याय में मुख्यतः सौर सेल संबंधित मूलभूत बिंदुओं की समझ, उसके मापदंड एवं मापदंडों के साथ–साथ, आस–पास की परिस्थितियों में परिवर्तन, किस तरह विभिन्न तकनीकों वाले सौर सेल के प्रदर्शन को प्रभावित करते हैं, आदि पर ध्यान केंद्रित किया गया है।

3.1 किसी भी पारंपरिक विद्युत स्रोत से सौर सेल किस प्रकार बेहतर हैं ?

पारंपरिक रूप से विद्युत का उत्पादन, कोयले की ऊर्जा, पन ऊर्जा, या नाभिकीय ऊर्जा आदि से किया जाता है। ऊर्जा उत्पादन के लिये, सामान्यतः कोयले की ऊर्जा का उपयोग किया जाता है। भारत में लगभग 55 प्रतिशत विद्युत, कोयले की ऊर्जा से उत्पादित की जाती है। एक कोयला आधारित पॉवर प्लांट जो कि चित्र 3.1 में दर्शाया गया है, में कोयले की उपयोगी ऊर्जा का विद्युत ऊर्जा में रूपांतरण अनेक चरणों में होता है। पॉवर प्लांट की कार्यविधि कोयले के जलने से शुरू होकर, जनरेटर द्वारा विद्युत के उत्पादन पर खत्म होती है। इस पूरी प्रक्रिया के अंत में कोयले की ऊर्जा का केवल कुछ अंश ही हमारे उपकरणों को चलाने में काम आता है। कोयले की अधिकांश ऊर्जा, रूपांतरण प्रक्रिया में व पॉवर प्लांट से बिजली के हमारे घर तक पहुंचने की प्रक्रिया में नष्ट हो जाती है। कोयला आधारित पॉवर प्लांट ऊर्जा की बर्बादी के साथ–साथ पर्यावरणीय प्रदूषण भी फैलाता है। महत्वपूर्ण बात यह भी है कि, कोयला एक ईंधन के रूप में प्रचुर मात्रा में उपलब्ध नहीं है, जिसका मतलब है कि, शीघ्र ही या कुछ वर्षों बाद कोयले की कमी का हमें सामना करना है। इस वास्तविकता को ध्यान में रखते हुए हमें ऊर्जा के वैकल्पिक स्रोतों की ओर कदम बढ़ाना चाहिये।

विद्युत उत्पादन करने के सबसे आधुनिक तरीकों में से एक है, सौर सेल या सौर फोटोवोल्टाइक (PV) का उपयोग करना; एक ऐसी तकनीक है जो कि सूर्यप्रकाश को विद्युत में रूपांतरित करती है। हाल ही के दिनों में सौर सेल एवं इसकी तकनीकों ने इंजीनियरों, शोधकर्ताओं, उद्योगों एवं सरकार का ध्यान खींचा है। इस अध्याय में हम सौर सेल पर ध्यान केंद्रित करेंगे। आइये देखें, सौर सेल क्या है ? इससे विद्युतधारा कैसे उत्पादित होती है एवं इसके उपयोग क्या हैं ?

पारंपरिक ऊर्जा रूपांतरण प्रक्रिया में, ईंधन (जैसे कोयला, डीज़ल, पानी आदि) की ऊर्जा को विद्युत में रूपांतरित करने की प्रक्रिया में अनेक चरण होते हैं।

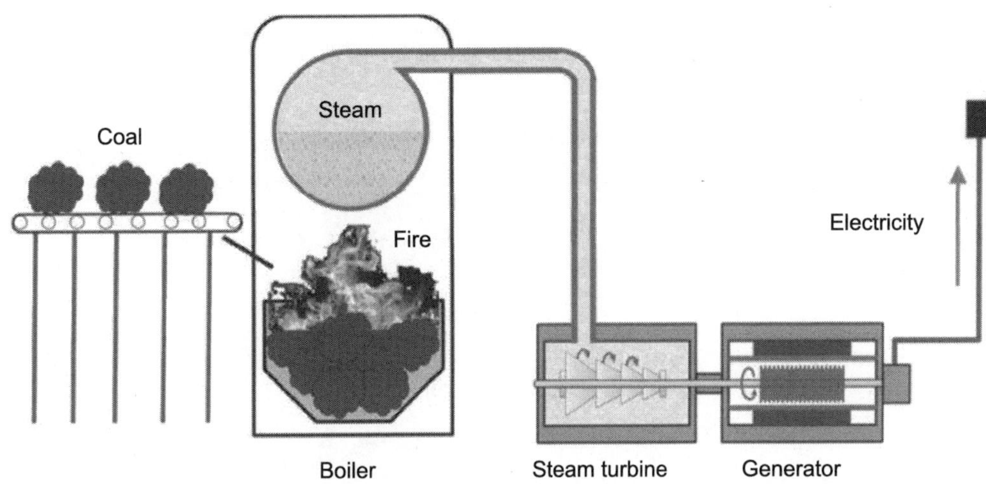

चित्र 3.1
कोयले के उपयोग से विद्युत उत्पादित करता हुआ एक कोयला आधारित पॉवर प्लांट।

3.2 सौर सेल क्या है?

एक सौर सेल, सूर्यप्रकाश को सीधे विद्युत में रूपांतरित करता है, बिना किसी मध्यवर्ती रूपांतरण चरण के।

सौर सेल एक अर्द्धचालक युक्ति है, जो कि सूर्यप्रकाश को सीधे विद्युत में रूपांतरित करती है। एक सौर सेल फोटोवोल्टाइक प्रभाव द्वारा सूर्यप्रकाश को सीधे विद्युत में रूपांतरित करती है। इसीलिये, वे सौर फोटोवोल्टाइक सेल कहलाते हैं। एक व्यावसायिक सिलिकॉन सौर सेल चित्र 3.2 में दर्शाया गया है।

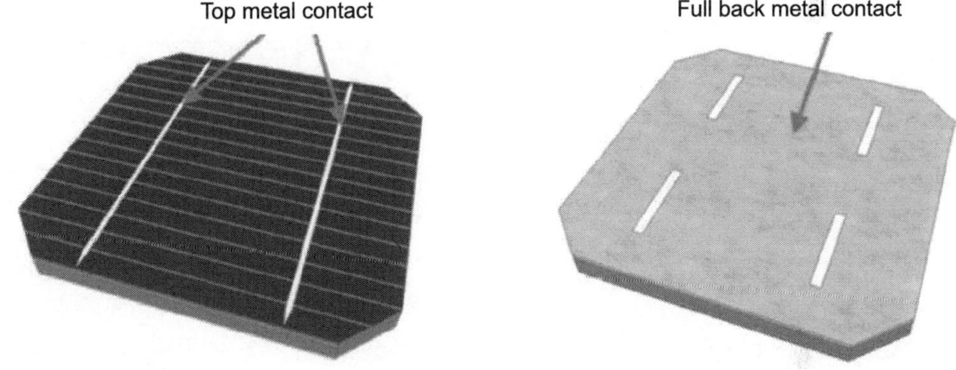

चित्र 3.2
एक सौर सेल का सामने व पीछे का चित्र।

जब एक सौर सेल पर सूर्यप्रकाश गिरता है, तब वह अपने टर्मिनलों या सिरों पर विद्युतधारा व वोल्टेज उत्पादित करता है। एक सौर सेल द्वारा उत्पादित विद्युत की मात्रा उस पर गिरने वाले सूर्यप्रकाश की मात्रा पर निर्भर करती है। सौर सेल द्वारा उत्पादित विद्युत, प्रकाश की तीव्रता (मात्रा), सेल के क्षेत्रफल, व सेल पर प्रकाश किस कोण पर गिर रहा है, आदि पर निर्भर करती है। सूर्यप्रकाश की तीव्रता जितनी अधिक होगी, सौर सेल द्वारा उतनी ही अधिक विद्युत उत्पादित होगी। यदि सौर सेल का क्षेत्रफल बढ़ा दिया जाए, तो उसके द्वारा उत्पादित विद्युतधारा बढ़ जाएगी। सौर सेल द्वारा उत्पादित विद्युतशक्ति अधिकतम होगी यदि सूर्यप्रकाश सौर सेल के सामने वाले भाग पर लम्बवत् गिरता है।

सौर सेल एक दो टर्मिनलयुक्त/सिरे वाली पॉवर या शक्ति उत्पादित करने वाली युक्ति है, जिसमें एक धनात्मक (एनोड) टर्मिनल एवं दूसरा ऋणात्मक टर्मिनल (कैथोड) है।

सभी सौर सेलों में एक लक्षण समान होता है चाहे वे किसी भी तकनीक व सामग्रीयुक्त हों, वह ये कि सभी में केवल दो टर्मिनल या सिरे (धनात्मक एवं ऋणात्मक टर्मिनल), आउटपुट के रूप में होते हैं। सौर सेल में सामान्यतः सामने या सबसे ऊपर/फ्रंट कांटेक्ट (सामने का संपर्क स्थान) होता है, एमीटर आधारित जंक्शन या p-n जंक्शन बीच में होता है एवं सबसे नीचे की ओर बैक कांटेक्ट (पीछे का संपर्क स्थान) होता है। एमीटर–आधारित जंक्शन पर धनात्मक व ऋणात्मक आवेश अलग–अलग होते हैं। किसी विद्युत उपकरण को विद्युत पहुंचाने के लिये, इसके सिरों को एक सौर सेल या सौर मॉड्यूल या सौर पैनल के फ्रंट एवं बैक कांटेक्ट से जोड़ा जाता है, जैसा कि चित्र 3.3 में दर्शाया गया है।

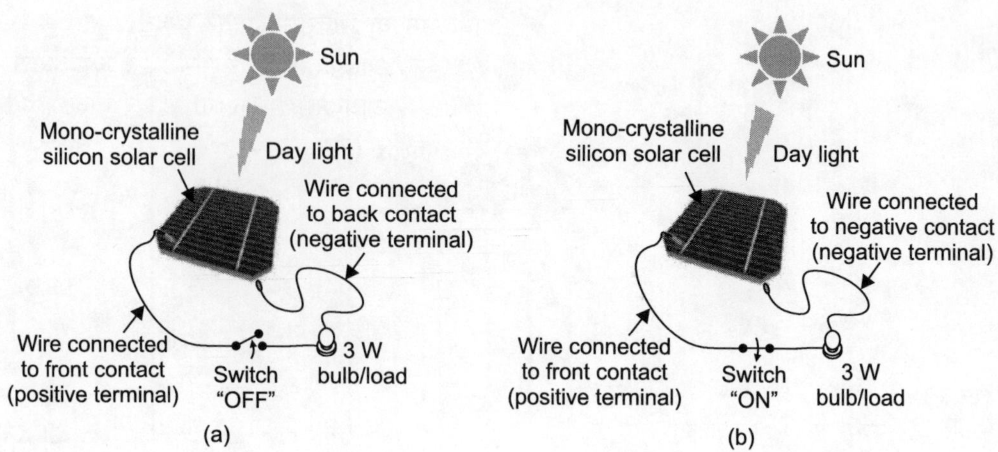

चित्र 3.3
दिन में प्रकाश को विद्युत में रूपांतरित करता सौर सेल; सामने व पीछे के टर्मिनल टॉर्च बल्ब से जुड़े हुए, (अ) स्विच बंद है और (ब) स्विच चालू है।

3.3 सौर सेल किस प्रकार विद्युत उत्पादित करता है?

पृथ्वी पर गिरने वाला सूर्यप्रकाश, वास्तव में फोटॉन या ऊर्जा की छोटी–छोटी पोटली होती हैं। फोटॉन की प्रत्येक पोटली में एक निश्चित मात्रा में ऊर्जा होती है। सौर स्पेक्ट्रम में विभिन्न मात्रा में ऊर्जायुक्त अनेक फोटॉन होते हैं। विद्युत के उत्पादन के लिये जरूरी है कि सौर सेल इन फोटॉनों का अवशोषण करें। फोटॉन का अवशोषण, उसकी ऊर्जा पर और सौर सेल की अर्द्धचालक सामग्री के बैंड–गैप ऊर्जा पर निर्भर करता है। फोटॉन ऊर्जा व सेल की अर्द्धचालक सामग्री की बैंड–गैप ऊर्जा को इलेक्ट्रॉन–वोल्ट (eV) में दर्शाया जाता है। इलेक्ट्रॉन–वोल्ट, ऊर्जा की एक इकाई है।

एक सौर सेल किस प्रकार कार्य करता है, उसे निम्न प्रकार से समझा जा सकता है :

1. सूर्यप्रकाश के फोटॉन, जो सौर सेल के सामने के सिरे पर गिरते हैं, वे अर्द्धचालक सामग्री द्वारा अवशोषित कर लिये जाते हैं।
2. इस प्रक्रिया में मुक्त ''इलेक्ट्रॉन–होल'' युग्म उत्पादित होते हैं। इलेक्ट्रॉन को ऋणात्मक आवेश माना जाता है और होल्स को धनात्मक आवेश। जब सौर सेल उपकरण से जुड़ा होता है। एक जंक्शन के पास इलेक्ट्रॉन व होल्स एक दूसरे से अलग–अलग रहते हैं। होल्स धनात्मक सिरे या टर्मिनल (एनोड) पर एकत्रित होते हैं एवं इलेक्ट्रॉन ऋणात्मक सिरे या टर्मिनल (कैथोड) पर। ऋणात्मक व धनात्मक आवेशों के अलग होने से विद्युतीय विभव या पोटेंशियल बन जाता है। सिरों या टर्मिनलों पर विद्युतीय विभव के मान में अंतर होने के कारण हमें सिरों पर वोल्टेज मिलता है।
3. सौर सेल के सिरों पर विकसित हुए वोल्टेज का उपयोग सर्किट में विद्युतधारा या करंट पहुंचाने के लिये किया जाता है। सर्किट में विद्युतधारा DC या डायरेक्ट करंट/विद्युतधारा होगा।

इस प्रकार से, दिन में जब सीधा प्रकाश गिरता है, तब सौर सेल द्वारा, DC विद्युत–उपकरणों को सीधे चलाया जा सकता है। यहां, उत्पादित विद्युत गिरने वाले प्रकाश की मात्रा के समानुपाती होती है। अतः, एक दिन के दौरान उत्पादित होने वाली विद्युत की मात्रा स्थिर नहीं होती। विद्युतधारा का उत्पादन कई अन्य मापदंडों पर भी निर्भर करता है। आगे आने वाले अनुभाग में हम देखेंगे कि, उत्पादित विद्युतधारा की मात्रा एकसमान या स्थिर क्यों नहीं होती है ?

3.4 सौर सेलों के मापदंड

एक सौर सेल, सूर्यप्रकाश को विद्युत में रूपांतरित करता है। सौर सेलों के कुछ मापदंडों से यह निर्धारित होता है कि, एक सौर सेल कितनी अच्छी तरह से सूर्यप्रकाश को विद्युत में रूपांतरित करता है। सौर सेलों के अनेक मापदंड हैं जो कि सूर्यप्रकाश की विद्युत में रूपांतरण प्रक्रिया को प्रभावित करते हैं। सौर सेल मापदंडों की सूची निम्नानुसार है :

- शॉर्ट सर्किट करंट (I_{sc})
- ओपन सर्किट वोल्टेज (V_{oc})

- अधिकतम या मैक्सिमम पॉवर पॉइंट
- मैक्सिमम/अधिकतम पॉवर पॉइंट पर विद्युतधारा (I_m)
- मैक्सिमम/अधिकतम पॉवर पॉइंट पर वोल्टेज (V_m)
- फिल फैक्टर (FF)
- दक्षता (η)

एक सौर सेल के विद्युतधारा–वोल्टेज वक्र (*I-V* curve) द्वारा इन मापदंडों को सबसे अच्छी तरह समझा जा सकता है। नीचे दर्शाए गए चित्र 3.4 में *I-V* वक्र चिन्हित किया गया है। Y–अक्ष को विद्युतधारा अक्ष व X–अक्ष को वोल्टेज अक्ष चिन्हित किया गया है।

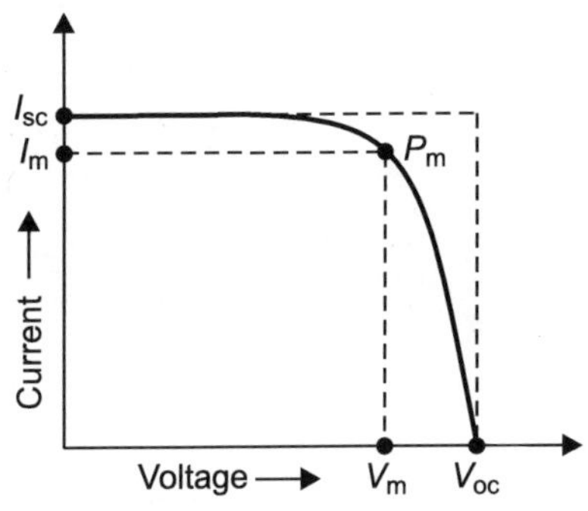

चित्र 3.4
सौर सेल के *I-V* वक्र एवं उसके मापदंडों का योजनाबद्ध चित्र।

चित्र 3.4 में सौर सेल मापदंड समझाए गए हैं। सामान्यतः निर्माणकर्ता या वैज्ञानिक द्वारा मानक परीक्षण शर्तों (standard test conditions—STC) पर, सेल मापदंडों का मान निश्चित किया जाता है। मानक परीक्षण शर्तें हैं, 1000 W/m^2 सौर विकिरण निवेश या इनपुट एवं 25 °C का ऑपरेटिंग तापमान।

- *शॉर्ट सर्किट करंट* (I_{sc}) : यह वह, अधिकतम विद्युतधारा मान है, जो कि एक सौर सेल उत्पन्न कर सकता है। I_{sc} का मान जितना अधिक होगा सेल उतना ही अच्छा होगा। इसे एम्पियर (A) या मिली–एम्पियर (mA) में मापा जाता है। इस अधिकतम विद्युतधारा का मान, सेल तकनीक, सेल क्षेत्रफल, सेल पर गिरने वाले सौर विकिरण की मात्रा एवं सौर विकिरण का सेल से कोण आदि पर निर्भर करता है। I_{sc} को सौर सेल के क्षेत्रफल (A) से विभाजित करने पर विद्युतधारा का घनत्व प्राप्त होता है। विद्युतधारा के घनत्व को सामान्यतः प्रतीक, 'J' से दर्शाया जाता है, अतः शॉर्ट सर्किट करंट घनत्व J_{sc} है, I_{sc}/A।
- *ओपन सर्किट वोल्टेज* (V_{oc}) : यह वह अधिकतम वोल्टेज है, जो कि एक सौर सेल उत्पन्न कर सकता है। V_{oc} जितना अधिक होगा, सेल उतना ही बेहतर होगा। इसे वोल्ट (V) में मापा जाता है या कभी–कभी मिली–वोल्ट (mV) में। इस अधिकतम ओपन सर्किट वोल्टेज का मान, मुख्यतः सेल तकनीक व ऑपरेटिंग तापमान पर निर्भर करता है।
- *अधिकतम या मैक्सिमम पॉवर पॉइंट* (P_m या P_{max}) : यह वह अधिकतम पॉवर या शक्ति है, जो कि एक सौर सेल, मानक परीक्षण शर्तों (STC) पर उत्पादित करता है। इसे वॉट में दर्शाया जाता है (W)। चूंकि यह अधिकतम या उच्चतम (पीक) शक्ति है, इसे कभी–कभी W_{peak} से या W_P से भी दर्शाया जाता है। एक सौर सेल विद्युतधारा व वोल्टेज के विभिन्न संयोजनों पर कार्य कर सकता है। परंतु, एक सौर सेल अधिकतम पॉवर तभी उत्पादित करेगा, जब वह विद्युतधारा व वोल्टेज के एक निश्चित मान पर कार्य करता है। चित्र 3.4 में अधिकतम पॉवर पॉइंट को P_m से चिन्हित किया गया है। सामान्यतः सौर सेल के *I-V* वक्र में अधिकतम पॉवर पॉइंट उसके 'knee' या 'bend' या झुकाव पर होता है। P_m को निम्न रूप से दर्शाया जाता है :

$$P_m \text{ या } P_{max} = I_m \times V_m$$

- *अधिकतम पॉवर पॉइंट पर विद्युतधारा* (I_m) : यह वह विद्युतधारा है जो कि एक सौर सेल, अधिकतम पॉवर पॉइंट पर उत्पादित करती है। I_m का मान हमेशा I_{sc} से कम होगा। इसे A या mA में दर्शाया जाता है।
- *अधिकतम पॉवर पॉइंट पर वोल्टेज* (V_m) : यह सौर सेल द्वारा उत्पादित वह वोल्टेज है, जो कि अधिकतम पॉवर पॉइंट पर उत्पादित करेगा। V_m का मान सदैव V_{oc} से कम रहेगा। इसे V या mV में दर्शाया जाता है।
- *फिल फैक्टर* (*FF*) : जैसा कि नाम से स्पष्ट है FF में, I_m-V_m आयत द्वारा घेरे गए क्षेत्रफल का, I_{sc}-V_{oc} आयत द्वारा घेरे गए क्षेत्रफल के साथ अनुपात होता है (दोनों को चित्र 3.4 में बिंदु वाली रेखा द्वारा दर्शाया गया है)। यह *I-V* वक्र की आयतनुमा संरचना दर्शाता है। FF जितना अधिक होगा सेल उतना ही बेहतर होगा। सेल के FF को प्रतिशत (%) के रूप में दर्शाया जाता है। आयात *I-V* वक्र वाला सेल बेहतर सेल होता है।

$$\text{FF} = \frac{I_m ' V_m}{I_{sc} ' V_{oc}} \quad \text{या} \quad \text{FF} = \frac{P_m}{I_{sc} \times V_{oc}}$$

यहां P_{max} या P_m को I_{sc}, V_{oc} एवं FF के साथ निम्न तरीके से भी अभिव्यक्त किया जा सकता है :

$$P_m = I_{sc} \times V_{oc} \times \text{FF}$$

- *दक्षता* (η) : सौर सेल दक्षता को इस तरह परिभाषित किया गया है, अधिकतम आउटपुट पॉवर (P_m or P_{max}) विभाजित इनपुट पॉवर (P_{in})। सेल की दक्षता प्रतिशत (%) में दर्शाई जाती है, इसका तात्पर्य यह है कि, इतना प्रतिशत इनपुट या निवेशित विकिरण पॉवर विद्युत पॉवर में रूपांतरित हो चुकी है। STC के लिये P_{in} , का मान 1000 W/m^2 माना गया है। यह निवेशित/इनपुट पॉवर, पॉवर घनत्व (पॉवर विभाजित क्षेत्रफल) है, अतः STC पर P_{in} का उपयोग करते हुए दक्षता की गणना करने हेतु हमें सौर सेल क्षेत्रफल का गुणा करना होगा। तब दक्षता को निम्न रूप से लिखा जा सकता है :

$$\eta = \frac{P_m}{P_{in}} = \frac{I_{sc} \times V_{oc} \times \text{FF}}{P_{in} \times A}$$

एक सौर सेल का प्रदर्शन इसके मापदंडों पर निर्भर करता है या सेल के मापदंड ही, सौर सेल का सूर्यप्रकाश में प्रदर्शन निर्धारित करते हैं, खासकर यह कि दी गई परिस्थितियों में यह कितनी शक्ति उत्पादित करता है।

आइये देखें कि, सौर सेल मापदंडों के संभावित मान क्या हैं और ये मान किस तरह विभिन्न सौर सेल तकनीकों पर निर्भर करते हैं।

वर्कशीट 3.1

नीचे दी गई तालिका में विभिन्न सौर सेल मापदंड व उनकी वे इकाईयां भरें जिनसे उन्हें दर्शाया गया है।

तालिका 3.1 सौर सेल के मापदंड एवं उनकी इकाईयां

क्र.सं.	*मापदंड के नाम*	*मापदंड की इकाई*
1		
2		
3		
4		
5		
6		
7		

उदाहरण 3.1

एक सौर सेल जिसका क्षेत्रफल 100 cm^2 है का मानक परीक्षण शर्तों (STC) पर विद्युतधारा घनत्व 35 mA/cm^2 दिया गया है। सौर सेल की विद्युतधारा आउटपुट बताएं।

हल

सबसे पहले हम निम्न रूप से दिये गए विद्युतधारा घनत्व के लिये सूत्र लिखेंगे :

$$\text{(विद्युतधारा घनत्व) / Current density } (J_{sc}) = \frac{I_{sc}}{A} (mA/ cm^2)$$

यहां,

J_{sc} = (विद्युतधारा घनत्व) (mA/cm^2)
I_{sc} = (Output current) /आउटपुट विद्युतधारा (mA)
A = (Area)/(क्षेत्रफल) (cm^2)

दिया गया है,

$$J_{sc} = 35 \text{ mA/cm}^2$$

अतः सौर सेल की विद्युतधारा को इस तरह लिखा जाएगा,

$$\text{आउटपुट विद्युतधारा } (I_{sc}) = J_{sc} \times A \text{ (mA)}$$

सौर सेल का दिया गया क्षेत्रफल 100 cm^2 है
तब,

$$\text{आउटपुट विद्युतधारा } (I_{sc}) = 35 \text{ mA/cm}^2 \times 100 \text{ cm}^2 = 3500 \text{ mA या } 3.5 \text{ A}$$

इसी प्रकार, हम सौर सेल क्षेत्रफल के विभिन्न मानों के लिये आउटपुट विद्युतधारा की गणना करते हैं।

उदाहरण 3.2

एक सौर सेल अधिकतम पॉवर पॉइंट पर 0.6 A विद्युतधारा व 0.5 V वोल्टेज देता है। सौर सेल का अधिकतम पॉवर पॉइंट क्या है ?

हल

सबसे पहले हम सौर सेल के अधिकतम पॉवर पॉइंट का निम्न प्रकार से सूत्र लिखते हैं :

$$P_m \text{ या } P_{max} = I_m \times V_m$$

दिया गया है कि,

$$I_m = 0.6 \text{ A}$$
$$V_m = 0.5 \text{ V}$$

अधिकतम पॉवर पॉइंट, $P_m = 0.6 \text{ A} \times 0.5 \text{ V} = 0.3 \text{ W}$

उदाहरण 3.3

एक सौर सेल जिसका क्षेत्रफल 100 वर्ग सेमी. है वह अधिकतम पॉवर पॉइंट पर 3.1 एम्पियर की विद्युतधारा देता है व STC पर 0.5 वोल्ट का अधिकतम पॉवर पॉइंट पर वोल्टेज देता है। सेल 3.5 एम्पियर शॉर्ट सर्किट विद्युतधारा देता है एवं 0.5 वोल्ट ओपन सर्किट वोल्टेज देता है। सौर सेल का अधिकतम पॉवर पॉइंट क्या है? और साथ ही सेल की दक्षता ज्ञात करें ?

हल

सबसे पहले हम निम्न प्रकार से सौर सेल के अधिकतम पॉवर पॉइंट का सूत्र लिखते हैं :

$$P_m \text{ या } P_{max} = I_m \times V_m$$

दिया गया है कि,

$$I_{sc} = 3.5 \text{ A}$$
$$I_m = 3.1 \text{ A}$$
$$V_{oc} = 0.6 \text{ V}$$
$$V_m = 0.5 \text{ V}$$

अधिकतम पॉवर पॉइंट, $P_m = 3.1 \text{ A} \times 0.5 \text{ V} = 1.55 \text{ W}$

अब हम सौर सेल की दक्षता का निम्न प्रकार से सूत्र लिखेंगे :

$$\eta = \frac{P_{max}}{P_{in} \times A}$$

यहां,

η = (%) प्रतिशत में दक्षता

P_{max} = (W) वॉट में आउटपुट शक्ति

P_{in} = (W/m^2) प्रति इकाई क्षेत्रफल में प्रकाश इनपुट शक्ति

A = (m^2) सौर सेल का क्षेत्रफल वर्ग मीटर में

η = ?

हम जानते हैं कि, $P_m = 1.55$ W and at STC $P_{in} = 1000$ W/m^2

सौर सेल के *I-V* वक्र से, सौर सेल के सभी मापदंड ज्ञात किए जा सकते हैं।

सबसे पहले, हम वर्ग सेंटीमीटर में मान को 10000 से विभाजित करके, क्षेत्रफल इकाई को वर्ग सेंटीमीटर से वर्ग मीटर में रूपांतरित करेंगे।

$$A = 100\ \text{cm}^2 = 100 \times 10^{-4}\ \text{m}^2 = 0.01\ \text{m}^2$$

अब, वह संख्या जोड़ेंगे जिससे सेल की दक्षता की गणना कर सकें।

$$\eta = \frac{P_{max}}{P_{in} \times A} = \frac{1.55\ \text{Watt}}{1000\ \frac{W}{m^2} \times 0.01\ \text{m}^2} \times 100 = 15.5\%$$

सौर सेल की दक्षता है 15.5 प्रतिशत।

उदाहरण 3.4

नीचे दिये गए सौर सेल के लाक्षणिक वक्र को देख कर, फिल फैक्टर ज्ञात करें।

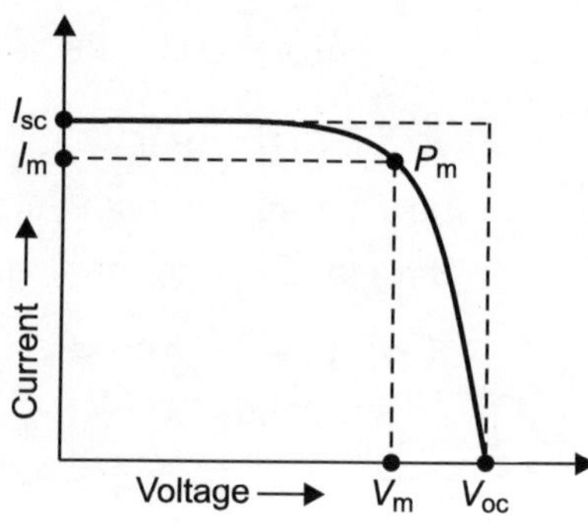

हल

शॉर्ट सर्किट विद्युतधारा (I_{sc}) = 0.45 A

ओपन सर्किट वोल्टेज (V_{oc}) = 0.7 V

अधिकतम पॉवर पॉइंट पर विद्युतधारा (I_m) = 0.40 A

अधिकतम पॉवर पॉइंट पर वोल्टेज (V_m) = 0.5 V

अब,

अधिकतम पॉवर पॉइंट, P_m या $P_{max} = I_m \times V_m = 0.40 \times 0.5 = 0.2$ W

फिल फैक्टर $FF = \frac{I_m \times V_m}{I_{sc} \times V_{oc}}$ या $FF = \frac{P_m}{I_{sc} \times V_{oc}} = [0.2 / (0.45 \times 0.7)] \times 100 = 63.49\%$

टिप्पणी : FF मान को 'प्रतिशत' में दर्शाने के लिये 100 से गुणा किया गया है।

उदाहरण 3.5

अधिकतम पॉवर पॉइंट पर एक सौर सेल जिसका क्षेत्रफल 25 वर्ग सेंटीमीटर है वह 0.85 एम्पियर विद्युतधारा व 0.55 वोल्ट वोल्टेज देता है। शॉर्ट सर्किट विद्युतधारा 0.9 एम्पियर व ओपन सर्किट वोल्टेज 0.65 वोल्ट है। सौर सेल का फिल फैक्टर, अधिकतम पॉवर पॉइंट व दक्षता क्या है ? STC को भी ध्यान में रखें?

हल

शॉर्ट सर्किट विद्युतधारा (I_{sc}) = 0.9 A

ओपन सर्किट वोल्टेज (V_{oc}) = 0.65 V

अधिकतम पॉवर बिंदु पर विद्युतधारा (I_m) = 0.85 A
अधिकतम पॉवर बिंदु पर वोल्टेज (V_m) = 0.55 V
प्रकाश का इनपुट पॉवर (W/m^2) = 1000 W/m^2

$$\text{क्षेत्रफल} = A = 25\ cm^2 = 25 \times 10^{-4}\ m^2 = 0.0025\ m^2$$

अब,

$$\text{अधिकतम पॉवर बिंदु } P_m \text{ या } P_{max} = I_m \times V_m\ 0.85 \times 0.55 = 0.465\ W$$

$$\text{फिल फैक्टर, FF} = \frac{I_m \times V_m}{I_{sc} \times V_{oc}} \text{ या FF} = \frac{P_m}{I_{sc} \times V_{oc}} = \frac{0.465}{0.9 \times 0.65} \times 100 = 79.48\%$$

$$\text{दक्षता, } \eta = \frac{P_{max}}{P_{in} \times A} = \frac{0.465}{1000 \times 0.0025} \times 100 = 18.6\%$$

टिप्पणी: प्रतिशत' में FF एवं दक्षता को दर्शाने हेतु दोनों स्थितियों में 100 से गुणा किया गया है।

उदाहरण 3.6 एक सौर सेल जिसका फिल फैक्टर (FF) 60 प्रतिशत है, STC पर अधिकतम पॉवर बिंदु/पॉइंट पर 2.5 A एम्पियर विद्युतधारा देता है। यह सेल 3 एम्पियर शॉर्ट सर्किट विद्युतधारा व 0.5 वोल्ट ओपन सर्किट वोल्टेज देता है। सौर सेल का अधिकतम पॉवर बिंदु पर वोल्टेज क्या है ?

हल दिया गया है कि,

$$I_{sc} = 3\ A$$
$$I_m = 2.5\ A$$
$$V_{oc} = 0.5\ V$$
$$V_m = ?$$
$$FF = 60\%$$

सबसे पहले हम एक सौर सेल के फिल फैक्टर का निम्न प्रकार से सूत्र लिखेंगे :

$$\text{फिल फैक्टर, FF} = \frac{I_m \times V_m}{I_{sc} \times V_{oc}}$$

यहां,

I_{sc} = शार्ट सर्किट विद्युतधारा (A)
I_m = अधिकतम पॉवर बिंदु/पॉइंट पर विद्युतधारा (A)
V_{oc} = ओपन सर्किट वोल्टेज (V)
V_m = अधिकतम पॉवर पॉइंट पर वोल्टेज (V)
FF = फिल फैक्टर (%)

हम जानते हैं, FF = 60%

सबसे पहले, हम प्रतिशत में FF को 100 से विभाजित करके फिल फैक्टर को प्रतिशत से दशमलव में रूपांतरित करेंगे,

$$FF = \frac{60\%}{100} = 0.6$$

पहले हम एक सौर सेल के V_m का मान ज्ञात करने के लिये फिर से फिल फैक्टर के लिये सूत्र लिखेंगे, जो कि निम्न प्रकार से अभिव्यक्त किया गया है :

$$\text{अधिकतम पॉवर पॉइंट पर वोल्टेज, } V_m = FF \times \frac{I_{sc} \times V_{oc}}{I_m}$$

अब, संख्या को रखकर हम अधिकतम पॉवर पॉइंट पर वोल्टेज की गणना कर सकते हैं :

$$V_m = FF \times \frac{I_{sc} \times V_{oc}}{I_m} = 0.6 \times \frac{3 \times 0.5}{2.5} = 0.36\ V$$

अतः, अधिकतम पॉवर पॉइंट पर वोल्टेज 0.36 V है।

उदाहरण 3.7 एक सौर सेल जिसका फिल फैक्टर 68 प्रतिशत है वह अधिकतम पॉवर पॉइंट STC पर 0.6 वोल्ट वोल्टेज देता है। सेल, 3 एम्पियर शॉर्ट सर्किट विद्युतधारा व 0.7 वोल्ट ओपन सर्किट वोल्टेज देता है। सौर सेल का अधिकतम पॉवर पॉइंट पर विद्युतधारा का मान क्या है?

हल दिया गया है कि,

$$I_{sc} = 3\text{ A}$$
$$I_m = ?$$
$$V_{oc} = 0.7\text{ V}$$
$$V_m = 0.6\text{ V}$$
$$\text{FF} = 68\%$$

सबसे पहले हम एक सौर सेल के फिल फैक्टर के लिये सूत्र लिखेंगे जो कि निम्न रूप से अभिव्यक्त किया गया है :

$$\text{फिल फैक्टर (FF)} = \frac{I_m \times V_m}{I_{sc} \times V_{oc}}$$

यहां,

I_{sc} = शॉर्ट सर्किट विद्युतधारा (A)
I_m = अधिकतम पॉवर पॉइंट पर विद्युतधारा (A)
V_{oc} = ओपन सर्किट वोल्टेज (V)
V_m = अधिकतम पॉवर पॉइंट पर वोल्टेज (V)
FF = फिल फैक्टर (%)

हम जानते हैं कि, FF = 68 %

सबसे पहले, हम फिल फैक्टर (FF) के प्रतिशत में मान को 100 से विभाजित करके फिल फैक्टर को प्रतिशत से दशमलव में रूपांतरित करेंगे।

$$\text{FF} = \frac{68}{100} = 0.68$$

पहले हम I_m का मान प्राप्त करने के लिये एक सौर सेल के फिल फैक्टर के सूत्र को फिर से लिखेंगे जो कि नीचे दिया गया है :

$$\text{अधिकतम पॉवर पॉइंट पर विद्युतधारा, } I_m = \text{FF} \times \frac{I_{sc} \times V_{oc}}{V_m}$$

अब, संख्या को सूत्र में लिख कर हम अधिकतम पॉवर पॉइंट पर विद्युतधारा की गणना कर सकते हैं।

$$I_m = \text{FF} \times \frac{I_{sc} \times V_{oc}}{V_m} = 0.68 \times \frac{3 \times 0.7}{0.6} = 2.38\text{ A}$$

अतः, अधिकतम पॉवर पॉइंट पर विद्युतधारा 2.38 A है।

उदाहरण 3.8 एक सौर सेल का अधिकतम पॉवर पॉइंट 0.3 W है। STC पर अधिकतम पॉवर पॉइंट पर सेल का वोल्टेज 0.65 वोल्ट है। सौर सेल का अधिकतम पॉवर पॉइंट पर विद्युतधारा का मान क्या है ?

हल यह दिया गया है कि,

$$P_m = 0.3\text{ W}$$
$$I_m = ?$$
$$V_m = 0.65\text{ V}$$

पहले हम एक सौर सेल के अधिकतम पॉवर पॉइंट के लिये सूत्र लिखेंगे जो कि निम्न अभिव्यक्ति द्वारा दर्शाया गया है :

अधिकतम पॉवर पॉइंट, $P_m = I_m \times V_m$

यहां,

P_m = अधिकतम पॉवर पॉइंट (W)

I_m = अधिकतम पॉवर पॉइंट पर विद्युतधारा (A)

V_m = ओपन सर्किट वोल्टेज (V)

पहले हम I_m का मान ज्ञात करने के लिये एक सौर सेल के अधिकतम पॉवर पॉइंट P_m के लिये सूत्र फिर से लिखेंगे, जो कि निम्न रूप से अभिव्यक्त किया गया है :

अधिकतम पॉवर पॉइंट पर विद्युतधारा, $I_m = \frac{P_m}{V_m}$

वर्कशीट 3.2

STC के तहत् एक सौर सेल के कार्य करने के दौरान विभिन्न बिंदुओं पर विद्युतधारा व वोल्टेज को मापा गया है। ये मान नीचे तालिका 3.2 में दिये गए हैं। इस सौर सेल के लिये उस अधिकतम पॉवर या शक्ति के मान की गणना करें जिसे सेल से प्राप्त किया जा सकता है।

शॉर्ट सर्किट से ओपन सर्किट परिस्थितियों में विभिन्न विद्युतधारा-वोल्टेज डाटा बिंदुओं को माप कर सौर सेल मापदंड ज्ञात किए जा सकते हैं।

तालिका 3.2 STC के तहत एक सौर सेल के संचालन के विभिन्न बिंदुओं पर विद्युतधारा एवं वोल्टेज का मान

क्र.सं.	*विद्युतधारा* I (A)	*वोल्टेज* V (V)	*पॉवर* P (W) = $I \times V$
1	0.00	0.58	
2	0.01	0.58	
3	0.39	0.57	
4	0.79	0.57	
5	1.19	0.56	
6	1.58	0.55	
7	1.99	0.54	
8	2.39	0.53	
9	2.79	0.52	
10	3.19	0.51	
11	3.58	0.46	
12	4.33	0.00	

वर्कशीट 3.3

विभिन्न ऑपरेटिंग बिंदुओं पर एक सौर सेल की विद्युतधारा व वोल्टेज का मान वर्कशीट 3.2 में दिया गया है। I-V डाटा का उपयोग कर सौर सेल के मापदंडों का आंकलन करें एवं नीचे तालिका 3.3 में मान भरें।

तालिका 3.3 तालिका 3.2 के अनुसार विभिन्न सौर सेल मापदंड ज्ञात करने में समस्याएं

क्र.सं.	*मापदंड*	*तालिका 3.2 से रीडिंग या गणना*	*मान*
1	शॉर्ट सर्किट विद्युतधारा (I_{sc}),	विद्युतधारा का मान जब वोल्टेज शून्य हो	
2	ओपन सर्किट वोल्टेज (V_{oc}),	वोल्टेज का मान जब विद्युतधारा का मान शून्य हो	
3	अधिकतम पॉवर पॉइंट, P_m	अधिकतम पॉवर का मान	
4	अधिकतम पॉवर पॉइंट पर विद्युतधारा (I_m)	अधिकतम पॉवर पॉइंट पर विद्युतधारा का मान	

(क्रमशः)

तालिका 3.3 तालिका 3.2 के अनुसार विभिन्न सौर सेल मापदंड ज्ञात करने में समस्याएं (*क्रमशः*)

क्र.सं.	*मापदंड*	*तालिका 3.2 से रीडिंग या गणना*	*मान*
5	अधिकतम पॉवर पॉइंट पर वोल्टेज का मान (V_m)	अधिकतम पॉवर पॉइंट पर वोल्टेज	
6	फिल फैक्टर (FF)	$= \dfrac{I_m \times V_m}{I_{sc} \times V_{oc}}$	
7	दक्षता	$= \dfrac{V_{oc} \times I_{sc} \times FF}{P_{in} \times A}$	

वर्कशीट 3.4

एक सौर सेल के *I–V* विशेषताएं नीचे दी गई हैं। खाली स्थान भरें।

क्र.सं.	*विद्युतधारा* *I* (A)	*वोल्टेज* *V* (V)	*पॉवर* *P* (Watt)
1	0.00	0.58	---
2	0.01	0.58	---
3	0.39	---	0.22
4	0.79	0.57	---
5	1.19	0.56	---
6	---	0.55	0.88
7	1.99	0.54	---
8	2.39	0.53	---
9	2.79	---	1a47
10	3.19	0.51	---
11	---	0.46	1a65
12	4.33	---	---

3.5 सौर सेल तकनीकें

बाजार में सौर सेल की बहुत अधिक किस्में उपलब्ध हैं। ये सेल विभिन्न सामग्रियों से बने होते हैं। किसी सौर सेल की तकनीक विशेष का नाम, उस तकनीक विशेष में उपयोग की जाने वाली सामग्रियों के नाम पर निर्भर करता है। विभिन्न प्रकार के सेलों में उपयोग होने वाली सामग्रियों के गुण अलग–अलग होते हैं। इसीलिये, विभिन्न प्रकार के सौर सेल के मापदंडों के मान भिन्न–भिन्न होते हैं जैसे दक्षता (η), शॉर्ट सर्किट विद्युतधारा घनत्व (J_{sc}), ओपन सर्किट वोल्टेज (V_{oc}) व फिल फैक्टर (FF) आदि। औद्योगिक सौर सेलों की तकनीकें, सामग्रियां व दक्षता नीचे तालिका 3.4 में दर्शाए गए हैं। आमतौर पर उपलब्ध सौर सेल उनके η, A, J_{sc}, ,V_{oc}, FF के साथ नीचे तालिका 3.5 में दिये गए हैं।

औद्योगिक रूप से अनेक सौर सेल तकनीकें बाजार में उपलब्ध हैं। किसी तकनीक का नाम, सौर सेलों को बनाने वाली सामग्रियों पर निर्भर करता है।

तालिका 3.4 औद्योगिक सौर सेल तकनीक, सामग्री व दक्षता

सौर फोटोवोल्टाइक तकनीकें	*सौर सेल का प्रकार*	*उपयोग की गई सामग्रियां*	*दक्षता* (η)
क्रिस्टिलीन सिलिकॉन (c-SI) सौर सेल	मोनो-क्रिस्टिलीन सिलिकॉन	मोनो-क्रिस्टिलीन सिलिकॉन	14 – 16%
	पॉली या मल्टी-क्रिस्टिलीन SI (mc-SI)	मल्टी-क्रिस्टिलीन सिलिकॉन	14 – 16 %
थिन फिल्म सौर सेल	एमॉफ्र्स SI (a-SI)	एमाफ्र्स सिलिकॉन	6 – 9 %
	कैडमियम टैल्यूराइड (CdTe)	कैडमियम एवं टैल्यूरियम	8 –11 %
	कॉपर-इंडियम-गैलियम-सेलेनाइड (CIGS)	कॉपर, इंडियम, गैलियम, सेलेनियम	8 – 11 %
मल्टी-जंक्शन सौर सेल	GaInP /GaAs/Ge गैलियम इंडियम फॉस्फाइड	गैलियम (Ga), आर्सेनिक (Ar), इंडियम (In), फॉस्फोरस (P), जर्मेनियम (Ge)	30 – 35 %

तालिका 3.5 उपलब्ध सेल क्षेत्रफलों के साथ, औद्योगिक रूप से उपलब्ध विभिन्न सौर सेलों के मापदंड (η, J_{sc}, V_{oc} एवं FF)

सौर सेल प्रकार	दक्षता (η)	सेल का क्षेत्रफल (A)	आउटपुट वोल्टेज (V_{oc})	आउटपुट विद्युतधारा (J_{sc})	फिल फैक्टर (FF)
मोनो-क्रिस्टिलीन सिलिकॉन	14 – 17%	5 - 156 cm^2	0.55 to 0.68 V	30 – 38 mA/cm^2	70 to 78 %
पॉली या मल्टी-क्रिस्टिलीन Si (mc-Si)	14 – 16%	5- 156 cm^2	0.55 to 0.65 V	30 – 35 mA/cm^2	70 to 76 %
एमॉर्फ्स Si (a-Si)	6 – 9%	5 - 200 cm^2	0.70 to 1.1 V	8 –15 mA/cm^2	60 to 70 %
कैडमियम टैल्यूराइड (CdTe)	8 –11%	5 – 200 cm^2	0.80 to 1.0 V	15 – 25 mA/cm^2	60 to 70 %
कॉपर-इंडियम-गैलियम-सेलेनाइड (CIGS)	8 – 11%	5 – 200 cm^2	0.50 to 0.7 V	20 – 30 mA/cm^2	60 to 70 %
गैलियम इंडियम फॉस्फाइड/ गैलियम आर्सेनाइड/जर्मेनियम (GaInP /GaAs/Ge)	30 – 35%	1- 4 cm^2	1.0 to 2.5 V	15 to 35 mA/ cm^2	70 to 85 %

किसी सौर सेल की दक्षता न केवल तकनीक पर वरन् निर्माणकर्ता पर भी निर्भर करती है

3.6 एक सौर सेल द्वारा उत्पादित विद्युत को प्रभावित करने वाले कारक

सौर सेलों द्वारा उत्पादित पॉवर को प्रभावित करने वाले मुख्यतः 5 कारक हैं। वे निम्न प्रकार से हैं :

- रूपांतरण दक्षता (η)
- प्रकाश की मात्रा (P_{in})
- सौर सेल का क्षेत्रफल (A) एवं
- वह कोण जिस पर प्रकाश गिरता है (θ)
- ऑपरेटिंग तापमान (T)

3.6.1 रूपांतरण दक्षता का प्रभाव (η)

एक सौर सेल पर गिरने वाले कुल प्रकाश में से प्रकाश का केवल कुछ अंश ही सौर सेल द्वारा विद्युत ऊर्जा में रूपांतरित हो पाता है। उत्पादित विद्युत ऊर्जा व निवेशित या इनपुट प्रकाश ऊर्जा के अनुपात को सौर सेलों की रूपांतरण दक्षता कहते हैं सौर सेल की रूपांतरण दक्षता का मान निश्चित होता है, जो कि सामग्री व निर्माण की प्रक्रिया पर निर्भर करती है। एक बार दी गई सौर सामग्री से यदि सौर सेल बन जाता है, तो उसका रूपांतरण मान स्थिर हो जाता है और इसे बदला नहीं जा सकता।

एक सौर सेल की दक्षता को अधिकतम शक्ति के रूप में दर्शाया जाता है, जो कि एक सौर सेल, इनपुट या निवेशित सौर विकिरण पर उत्पादित करता है। सौर सेल का अधिकतम पॉवर आउटपुट (P_{max} या P_{out}) सेल के सिरों पर विकसित वोल्टेज व उसको दी गई विद्युतधारा पर निर्भर करता है। सेल का क्षेत्रफल भी पॉवर आउटपुट को प्रभावित करता है। यदि तात्कालिक सौर विकिरण या पॉवर घनत्व P_{in} है, तब सौर सेल की दक्षता (η) के लिये अभिव्यक्ति निम्न है

$$\eta = \frac{P_{out}}{P_{in} \times A} \text{ या } P_{out} = P_{in} \times \eta \times A$$

दी गई इनपुट शक्ति के लिये, आउटपुट पॉवर का मान सौर सेल की रूपांतरण क्षमता व सौर सेल के क्षेत्रफल से निर्धारित होता है। उच्च दक्षता मान वाला सौर सेल हमेशा बेहतर प्रदर्शन करेगा। सौर सेल की इकाई प्रतिशत (%) है, पॉवर आउटपुट P_{out} की इकाई वॉट है, व पॉवर इनपुट (P_{in}) की इकाई सामान्यतः वॉट है तथा सेल के क्षेत्रफल की इकाई m^2 या cm^2 है। सौर सेल की दक्षता मानक परीक्षण शर्तों (STC) के तहत दी गई है एवं (STC) के तहत इनपुट पॉवर घनत्व, P_{in} 1000 W/m^2 या 0.1 W/cm^2 है।

अधिक दक्ष सौर सेल समान क्षेत्रफल के लिये अधिक पॉवर उत्पादित करता है।

$$\eta = \frac{P_{out}}{P_{in} \times A} \text{ या } P_{out} = P_{in} \times \eta \times A$$

उदाहरण 3.9 एक सौर सेल की आउटपुट पॉवर का आंकलन करें, यदि उसकी दक्षता 30, 24, 19, 16, व 12 प्रतिशत है, इनपुट पॉवर घनत्व 1000 W/m^2 है व सौर सेल का क्षेत्रफल 100 cm^2 है।

हल सबसे पहले हम एक सौर सेल की दक्षता का सूत्र निम्न प्रकार से लिखेंगे :

$$\eta = \frac{P_{out}}{P_{in} \times A} \text{ या } P_{out} = P_{in} \times \eta \times A$$

यहां,

η = दक्षता प्रतिशत में (%)
P_{out} या P_{max} = वॉट में आउटपुट पॉवर (W)
P_{in} = प्रकाश इनपुट पॉवर प्रति इकाई क्षेत्रफल में Watt/metre^2 (W/m^2)
A = सौर सेल क्षेत्रफल वर्ग मीटर में (m^2)
η = 30%, 24%, 19%, 16%, 12%
P_{in} = 1000 W/m^2
A = 100 cm^2
P_{max} = ?

सबसे पहले, हम क्षेत्रफल को वर्ग सेंटीमीटर (cm^2) से वर्ग मीटर (m^2) में रूपांतरित करेंगे।

सेल का क्षेत्रफल दिया गया है $A = 100\ cm^2 = 100 \times 10^{-4}\ m^2$

अब हम, उस सौर सेल का प्रश्न हल करेंगे जिसकी दक्षता 30% है

उपरोक्त सूत्र निम्न तरह से लिखा जा सकता है:

$$P_{max} = \eta \times P_{in} \times A$$

अब हम दिये गए मान सूत्र में लिखेंगे जिससे हमें प्राप्त होगा :

$$P_{max} = \frac{30}{100} \times 1000 \times 100 \times 10^{-4} = 3\ W$$

समान क्षेत्रफल के लिये दुगुनी दक्षता वाला सौर सेल दुगुनी पॉवर आउटपुट देगा।

इसी तरह, हम नीचे दी गई तालिका में अन्य दक्षताओं के लिये भी आउटपुट पॉवर की गणना करेंगे।

η (%)	P_{in}(w/m^2)	A(cm^2)	A(m^2)	η/100	$P_{max} = \frac{\eta}{100} \times P_{in} \times A(W)$
30	1000	100	0.01	0.30	3
24	1000	100	0.01	0.24	2.4
19	1000	100	0.01	0.19	1.9
16	1000	100	0.01	0.16	1.6
12	1000	100	0.01	0.12	1.2

उपरोक्त तालिका से यह स्पष्ट है कि जब एक सौर सेल की दक्षता घटती है तो उत्पादित आउटपुट पॉवर भी घटता है। सौर सेल का आउटपुट पॉवर सीधे सौर सेल की दक्षता पर निर्भर करता है, चित्र 3.5 में दर्शाया गया है।

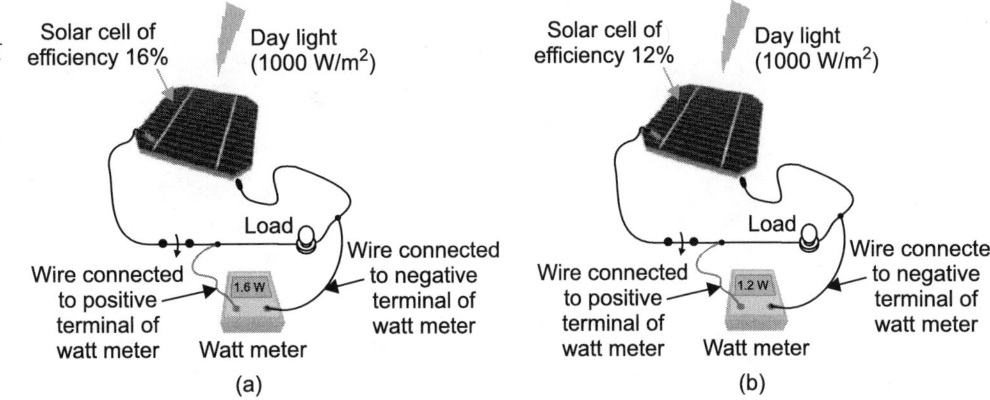

चित्र 3.5
100 क्षेत्रफल वाले सौर सेल के आउटपुट पॉवर पर रूपांतरण दक्षता का प्रभाव।

3.6.2 इनपुट प्रकाश की मात्रा में परिवर्तन (P_{in})

हमें यह ध्यान रखना चाहिये कि सूर्यप्रकाश (सूर्यप्रकाश की तीव्रता) की मात्रा जो कि सौर सेल पर गिर रही है उसकी मात्रा सुबह से शाम तक परिवर्तित होती रहती है। सौर सेल की विद्युतधारा व वोल्टेज आउटपुट उस पर गिरने वाली सूर्यप्रकाश की मात्रा पर निर्भर करता है। सौर सेल द्वारा उत्पादित विद्युतधारा उस पर गिरने वाले प्रकाश के समानुपाती होता है। माना कि एक सौर सेल 1000 W/m^2 सौर विकिरण इनपुट से, 1 A एम्पियर विद्युतधारा उत्पादित करता है, तब 500 W/m^2 इनपुट सौर विकिरण से सेल केवल 1/2 A आधा एम्पियर विद्युतधारा उत्पादित करेगा (क्योंकि इनपुट विकिरण आधा है)। चूंकि सौर सेल पर गिरने वाले सूर्यप्रकाश की मात्रा सुबह से दोपहर तक बढ़ती है, इसलिये एक सौर सेल की विद्युतधारा आउटपुट भी सुबह से दोपहर तक बढ़ता है। दोपहर से शाम तक सौर सेल पर गिरने वाले सूर्यप्रकाश की मात्रा घटती है, अतः सौर सेल का विद्युतधारा आउटपुट भी दोपहर से शाम होने पर घटता है। एक सौर सेल का वोल्टेज आउटपुट प्रकाश की मात्रा के परिवर्तन से बहुत प्रभावित नहीं होता है। यदि एक सौर सेल दोपहर के वक्त 1 V वोल्टेज उत्पादित करता है, इसका वोल्टेज सुबह या शाम के घंटों में लगभग समान ही रहेगा।

सौर सेल की विद्युतधारा आउटपुट सौर विकिरण की मात्रा के समानुपाती होती है परंतु वोल्टेज तुलनात्मक रूप से प्रकाश की तीव्रता में परिवर्तन से उतना प्रभावित नहीं होता। इसीलिये, सौर सेल द्वारा उत्पादित पॉवर (विद्युतधारा × वोल्टेज) उस पर गिरने वाले सूर्यप्रकाश के समानुपाती होता है। सौर सेलों द्वारा उत्पादित पॉवर की मात्रा (यह स्थिर नहीं रहती है) दिन भर बदलती रहती है। अतः, एक सौर सेल उच्च पॉवर देता है जब प्रकाश की तीव्रता उच्च होती है। इसी प्रकार, कम पॉवर उत्पादित होती है जब प्रकाश की तीव्रता निम्न होती है।

> अधिक मात्रा में प्रकाश गिरने का मतलब है अधिक मात्रा में पॉवर का उत्पादन, कम मात्रा में प्रकाश गिरने का मतलब है पॉवर का निम्न मात्रा में उत्पादित होना।

उदाहरण 3.10

सौर सेल जिसकी दक्षता 16% है उसकी आउटपुट पॉवर की गणना करें। जबकि इनपुट पॉवर 1000, 800, 600, व 400 W/m^2 है व सौर सेल का क्षेत्रफल 100 cm^2 है ।

हल

सबसे पहले हम सौर सेल की दक्षता का सूत्र निम्न प्रकार से लिखेंगे :

$$\eta = \frac{P_{max}}{P_{in} \times A}$$

यहां,

η = प्रतिशत में दक्षता (%)
P_{max} = वॉट में आउटपुट पॉवर (W)
P_{in} = प्रकाश इनपुट क्षेत्रफल प्रति इकाई क्षेत्रफल में वॉट प्रति वर्ग मीटर में (W/m^2)
A = सौर सेल क्षेत्रफल वर्ग मीटर में (m^2)
η = 16%
P_{in} = 1000, 800, 600, 400 W/m^2
P_{max} = ?

यह दिया गया है कि सौर सेल की दक्षता 16% है व सेल क्षेत्रफल $A = 100\ \text{cm}^2$ है,

सबसे पहले, हम क्षेत्रफल की इकाई को वर्ग सेंटीमीटर (cm^2) से वर्ग मीटर (m^2) में रूपांतरित करेंगे, वर्ग सेंटीमीटर में क्षेत्रफल को 10000 से विभाजित करके।

$$A = 100\ \text{cm}^2 = 100 \times 10^{-4}\ \text{m}^2$$

अब हम आगे प्रश्न हल करेंगे, प्रकाश इनपुट पॉवर = $1000\ \text{W/m}^2$

उपरोक्त समीकरण को इस प्रकार से लिखा जा सकता है :

$$P_{\max} = \eta \times P_{\text{in}} \times A$$

समीकरण में मान रखने पर हमें प्राप्त होगा :

$$P_{\max} = \frac{16}{100} \times 1000 \times 100 \times 10^{-4} = 1.6\ \text{W}$$

इसी प्रकार से, नीचे दी गई तालिका में अन्य दक्षताओं की आउटपुट पॉवर की हम गणना कर सकते हैं :

एक सौर सेल दुगुनी इनपुट प्रकाश पॉवर से, दुगुनी विद्युत शक्ति उत्पादित करता है, समान क्षेत्रफल के लिये।

η (%)	$P_{\text{in}}(\text{w/m}^2)$	$A(\text{cm}^2)$	$A(\text{m}^2)$	$\eta/100$	$P_{\max} = \frac{\eta}{100} \times P_{\text{in}} \times A\,(\text{W})$
16	1000	100	0.01	0.16	1.60
16	800	100	0.01	0.16	1.28
16	600	100	0.01	0.16	0.96
16	400	100	0.01	0.16	0.64

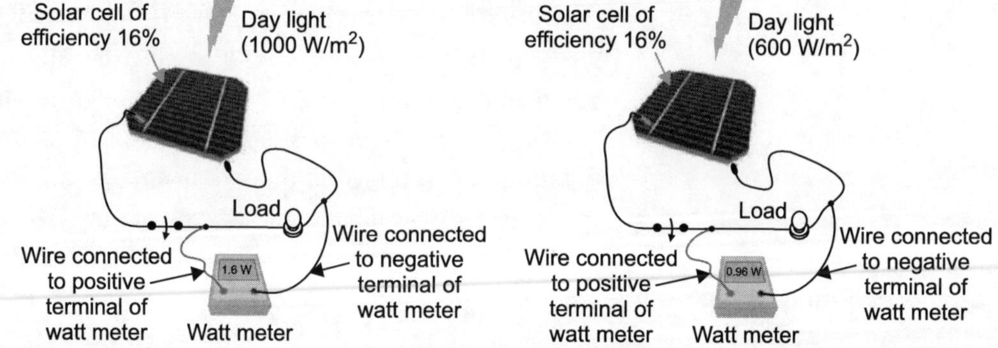

चित्र 3.6
$100\ \text{cm}^2$ क्षेत्रफल व 16% दक्षता वाले सौर सेल पर गिरने वाले प्रकाश की मात्रा का आउटपुट पॉवर पर प्रभाव।

चित्र 3.6 में दर्शाया गया है कि एक सौर सेल पर गिरने वाले सूर्यप्रकाश की मात्रा से उसके द्वारा उत्पादित पॉवर प्रभावित होती है। उपरोक्त तालिका से यह स्पष्ट है, कि जब एक सौर सेल पर गिरने वाले सूर्यप्रकाश की मात्रा घटती है, तो इसके द्वारा उत्पादित पॉवर भी घटती है।

3.6.3 सौर सेल क्षेत्रफल में परिवर्तन (A)

एक सौर सेल की अधिकतम आउटपुट विद्युतधारा (I_{sc} या शॉर्ट सर्किट विद्युतधारा) सेल के क्षेत्रफल पर निर्भर करती है। विद्युतधारा आउटपुट सेल के क्षेत्रफल के समानुपाती है। अतः, जब सौर सेल क्षेत्रफल अधिक होगा, तब इसके द्वारा उत्पादित विद्युतधारा की मात्रा भी अधिक होगी। इसी प्रकार से, कम मात्रा में विद्युतधारा उत्पादित होगी जब सेल का क्षेत्रफल कम होगा। एक दिए गए इनपुट सूर्यप्रकाश के लिये यदि $100\ \text{cm}^2$ का सेल 2 A विद्युतधारा उत्पादित करता है तब एक $200\ \text{cm}^2$ का सेल 4 A विद्युतधारा उत्पादित करेगा, और एक $50\ \text{cm}^2$ का सेल 1 A विद्युतधारा उत्पादित करेगा, जबकि इनपुट सूर्यप्रकाश की तीव्रता समान होगी। जब हम उत्पादित विद्युतधारा को सौर सेल के क्षेत्रफल से विभाजित करेंगे, तब हमें प्रति इकाई क्षेत्रफल विद्युतधारा प्राप्त होगी, जिसे विद्युतधारा घनत्व भी कहा जाता है। विद्युतधारा घनत्व को A/cm^2 या mA/cm^2 इकाईयों से दर्शाया जाता है। सौर सेल का विद्युतधारा घनत्व क्षेत्रफल पर निर्भर नहीं करता है एवं एक दी गई सूर्यप्रकाश तीव्रता के लिये सौर सेल की विद्युतधारा घनत्व भी स्थिर नहीं है।

एक सौर सेल का विद्युतधारा घनत्व हमेशा तय या स्थिर रहता है। बड़ा सौर सेल यानि अधिक विद्युतधारा, छोटा सौर सेल यानि कम विद्युतधारा।

सौर सेल का आउटपुट वोल्टेज सौर सेल के क्षेत्रफल के बदलने के साथ नहीं बदलता है। आउटपुट वोल्टेज का सेल के क्षेत्रफल से कोई संबंध नहीं है। अतः, दी गई इनपुट सूर्यप्रकाश तीव्रता के लिये, यदि एक 100 cm^2 का सेल 0.5 V उत्पादित करता है, तब 100 cm^2 का सेल, 200 cm^2 या 50 cm^2 या 10 cm^2 आदि भी समान 0.5 V उत्पादित करेंगे।

उदाहरण 3.11

20, 30, 50, 80, व 100 cm^2 क्षेत्रफल वाले सौर सेलों के लिये आउटपुट विद्युतधारा के मान की गणना करें, जबकि सेल का विद्युतधारा घनत्व 35 mA/cm^2 है?

हल

एक सौर सेल का विद्युतधारा घनत्व यानि, उसकी विद्युतधारा विभाजित सेल क्षेत्रफल। विद्युतधारा घनत्व नीचे दिये गए समीकरण से दर्शाया जा सकता है,

$$\text{Current density } (J_{sc}) = \frac{I_{sc}}{A} \ (\text{mA/cm}^2)$$

यहां, $J_{sc} = 35 \text{ mA/cm}^2$

अतः, सौर सेल विद्युतधारा को निम्न प्रकार से दर्शाया जा सकता है :

$$\text{आउटपुट विद्युतधारा } (I_{sc}) = J_{sc} \times A (\text{mA})$$

अब, सौर सेल का क्षेत्रफल यदि 20 cm^2 है, तब

$$\text{आउटपुट विद्युतधारा } (I_{sc} = 35 \text{ mA/cm}^2 \times 20 \text{ cm}^2 = 700 \text{ mA})$$

इसी प्रकार से, हम नीचे दी गई तालिका में विभिन्न सौर सेल क्षेत्रफल वाले सौर सेल के लिये आउटपुट विद्युतधारा की गणना करते हैं।

विद्युतधारा घनत्व $J_{sc}(mA/cm_2)$	*सौर सेल क्षेत्रफल* A (cm^2)	*आउटपुट विद्युतधारा* $I_{sc} = J_{sc} \times A$ (mA)	*आउटपुट विद्युतधारा* I_{sc} (A)
35	20	700	0.70
35	30	1050	1.05
35	50	1750	1.75
35	80	2800	2.80
35	100	3500	3.50

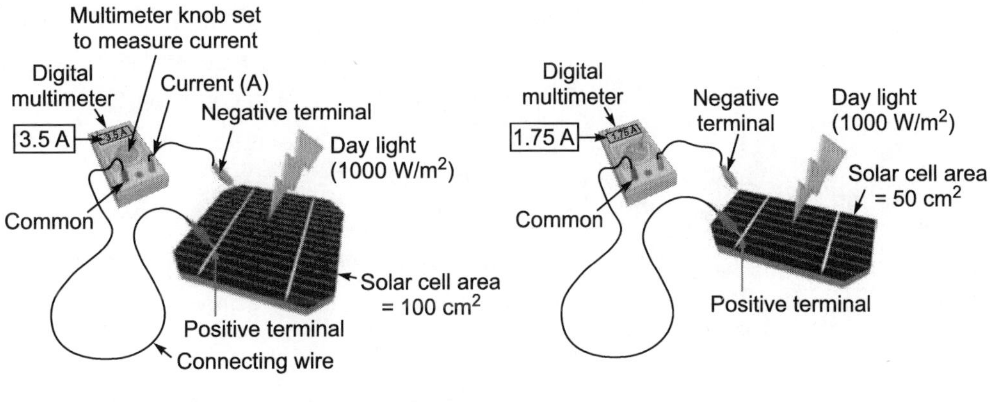

चित्र 3.7
समान दक्षता व समान प्रकाश तीव्रता वाले सौर सेल की विद्युतधारा आउटपुट पर सेल क्षेत्रफल का प्रभाव।

अतः, उपरोक्त तालिका से स्पष्ट है कि एक सौर सेल के क्षेत्रफल बढ़ने के साथ–साथ आउटपुट विद्युतधारा की मात्रा भी बढ़ जाती है। चित्र 3.7 में सौर सेल द्वारा उत्पादित विद्युतधारा पर सौर सेल क्षेत्रफल का प्रभाव दर्शाया गया है।

3.6.4 सौर सेल पर गिरन वाले प्रकाश के कोण में परिवर्तन (θ)

सौर सेल पर गिरने वाले सूर्यप्रकाश का सेल से बनने वाला कोण, सेल के आउटपुट पॉवर को बहुत अधिक प्रभावित करता है। सौर सेल अधिकतम् पॉवर (दी गई प्रकाश तीव्रता के लिये) तब उत्पादित करता है, जब सूर्यप्रकाश सौर सेल के लम्बवत् गिरता है। जब सौर प्रकाश सौर सेल के लम्बवत् नहीं होता है, यह हमेशा अधिकतम संभावित पॉवर आउटपुट से कम आउटपुट पॉवर देता

है। ऐसा इसीलिये है, क्योंकि जब प्रकाश किसी कोण पर गिरता है, तब सौर सेल पर गिरने वाले प्रकाश का कुछ भाग परावर्तित हो जाता है। अतः, सौर सेल द्वारा उपयोग किये जाने वाले वास्तविक प्रकाश की मात्रा उस पर गिरने वाले प्रकाश की मात्रा से कम होता है। इसीलिये, जैसा कि चित्र 3.8 में दर्शाया गया है, जब सौर सेल पर प्रकाश लम्बवत् नहीं गिरता है तब उत्पादित आउटपुट पॉवर की मात्रा कम होती है। इसीलिये हमें एक सौर सेल या मॉड्यूल को इस तरह स्थापित करने की कोशिश करनी चाहिये कि अधिकांश समय सूर्य प्रकाश लगभग लम्बवत् हो, खासकर दोपहर के समय में जब सूर्य प्रकाश की तीव्रता अधिक होती है।

सौर सेल पर गिरने वाला लम्बवत् प्रकाश अधिकतम आउटपुट पॉवर देता है।

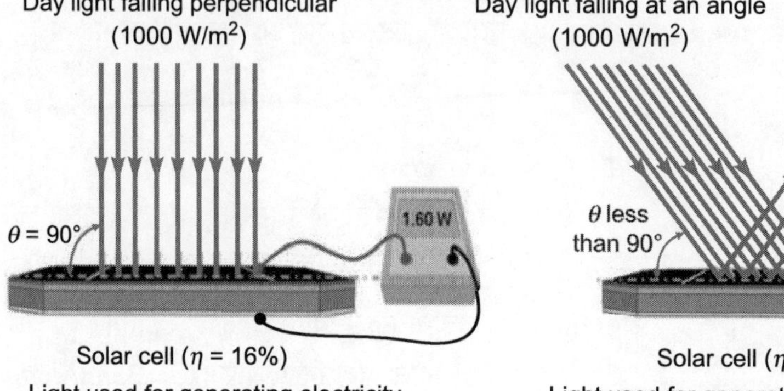

चित्र 3.8
सौर सेलों पर गिरने वाले सूर्य प्रकाश के कोण का सेलों के आउटपुट पॉवर पर प्रभाव।

किसी भी सौर सेल का आउटपुट वोल्टेज हमेशा स्थिर होता है। यह सौर सेल क्षेत्रफल, सौर सेल पर गिरने वाले सूर्य प्रकाश की मात्रा व कोण पर निर्भर करता है।

3.6.5 सौर सेल संचालन/ऑपरेटिंग के तापमान में परिवर्तन (T)

किसी सौर सेल का आउटपुट वोल्टेज, शक्ति या पॉवर व दक्षता आदि की रेटिंग मानक परीक्षण शर्तों (STC = 1000 W/m^2 and 25°C) पर दी जाती हैं। सेल का आउटपुट वोल्टेज, सेल दक्षता व आउटपुट पॉवर सेल के तापमान पर निर्भर करता है। व्यावहारिक उपयोग में एक सेल का तापमान 25°C से भिन्न हो सकता है। सेल का तापमान, उसके आस–पास के तापमान की वजह से परिवर्तित होता है और व्यावहारिक रूप सौर सेल कांच में बंद या कैप्स्युलेटेड किए जाते हैं जिसके परिणामस्वरूप सौर सेलों में तापमान पैदा होता है। इनकैप्स्युलेशन के कारण भी सौर सेल का तापमान बढ़ता है। आदर्श संचालन तापमान (standard operating temperature) में परिवर्तन से आउटपुट वोल्टेज, दक्षता व पॉवर पर सीधा असर पड़ता है। सामान्यतः, जब एक सौर सेल 25°C से ज्यादा पर कार्य करता है; तब आउटपुट वोल्टेज, सेल दक्षता व सौर सेल की आउटपुट पॉवर घटती है।

एक सौर सेल के लिये, उच्च तापमान का मतलब है कम पॉवर आउटपुट। एक सिलिकॉन सौर सेल के लिये प्रति डिग्री सेंटीग्रेड तापमान के बढ़ने पर वोल्टेज का मान 2.3 mV से घटता है।

तापमान के घटने के साथ–साथ वोल्टेज, पॉवर और दक्षता आदि के घटने वाला गुण, भिन्न–भिन्न सेलों के साथ बदलता है। एक क्रिस्टिलीन सिलिकॉन सौर सेल के लिये, 25°C से 1°C तापमान बढ़ने पर, वोल्टेज, पॉवर व दक्षता आदि के घटते मान को नीचे तालिका 3.6 में दर्शाया गया है।

तालिका 3.6 25°C के मानक परीक्षण परिस्थिति से प्रति डिग्री सेलसियस तापमान बढ़ने पर क्रिस्टिलीन सिलिकॉन सौर सेल के मापदंडों का घटना

क्रिस्टिलीन सिलिकॉन सौर सेल के पैमाने	*25°C के मानक परीक्षण परिस्थिति (STC) से प्रति डिग्री सेल तापमान बढ़ने पर घटाव*
वोल्टेज	–0.0023V या –2.3 mV
पॉवर	–0.45%
दक्षता	–0.45%

4

सौर पीवी मॉड्यूल

एक सौर पीवी मॉड्यूल सौर सेलों का समूह है जो कि श्रेणी में जुड़े होते हैं। सौर सेलों का यह संयोजन एक एकल सौर सेल की तुलना में अधिक पॉवर प्रदान करता है। पीवी मॉड्यूल 3 वॉट से 300 वॉट की रेंज में उपलब्ध होते हैं। वे पॉवर उत्पादन हेतु इकाई के रूप में पीवी संयंत्र का आधारभूत खंड बनाते हैं। इसके बाद अनेक पीवी मॉड्यूल्स को आपस में जोड़कर हम बहुत अधिक मात्रा में, मेगा वॉट (**MW**) की रेंज में, पॉवर उत्पादित कर सकते हैं। एक पीवी मॉड्यूल कैसे बनता है यह समझना अत्यंत आवश्यक है। इस अध्याय में पीवी मॉड्यूल डिजाइन करना, इसके विभिन्न मापदंड, पीवी मॉड्यूल के मापदंडों की गणना व मापन आदि की चर्चा की गई है। एक पीवी मॉड्यूल का आउटपुट उसके आसपास के वातावरण, तापमान एवं सौर विकिरणों की तीव्रता आदि पर निर्भर करता है। आसपास के वातावरण में परिवर्तन के साथ–साथ पीवी मॉड्यूल के पॉवर में होने वाले परिवर्तन के विषय में भी चर्चा की गई है।

4.1 एक सौर पीवी मॉड्यूल क्या है?

एक एकल सौर सेल बहुत कम मात्रा में पॉवर उत्पादित करता है एवं वह मात्रा सेल के क्षेत्रफल पर निर्भर करती है। एक एकल सौर सेल एक वॉट के एक अंश (जैसे 0.1 वॉट) के बराबर मान से कुछ वॉट (जैसे 2 से 3 वॉट) की रेंज में पॉवर उत्पादित करेगा। परंतु व्यावहारिक रूप से हमारे विद्युत उपकरणों जैसे पंखा, टीवी, रेफ्रिजरेटर आदि की पॉवर आवश्यकता कई सौ वॉट की रेंज में होती है व कभी–कभी यह 1000 वॉट या किलो वॉट (**kW**) से भी अधिक होती है। जब हम ग्रिड विद्युत या पारंपरिक पॉवर प्लांट्स की बात करते हैं तब यह रेंज करोड़ों वॉट या मेगा वॉट की होती है। इसीलिये एक एकल सौर सेल का घर की वास्तविक आवश्यकताओं को पूरा करने में या विद्युत ग्रिड को बिजली आपूर्ति करने में कोई महत्व नहीं है। हमें सौर पीवी पॉवर की अधिक मात्रा में आवश्यकता होती है, अनेक वॉट, किलो वॉट में या मेगा वॉट में। उच्च पॉवर आवश्यकताओं की पूर्ति करने के लिये, अनेक सौर सेल आपस में जोड़े जाते हैं जिससे एक सौर पीवी मॉड्यूल निर्मित होता है। इस प्रकार से एक सौर पीवी मॉड्यूल वह युक्ति है जो कि एकल सौर सेल की तुलना में अधिक पॉवर की आपूर्ति कर सकता है।

चित्र 4.1 में एक एकल सौर सेल को दर्शाया गया है। इसमें एक क्रिस्टिलीन सिलिकॉन सौर सेल का आकार दर्शाया गया है, जिसमें रेखाएं बनी हुई हैं, जो कि ऊपरी संपर्क स्थान की धातु रेखाएं दर्शाती हैं। सेल में दो टर्मिनल या सिरे दिख रहे हैं, एक धनात्मक टर्मिनल एवं एक ऋणात्मक टर्मिनल। जब सौर सेल पर प्रकाश गिरता है, तब इन दो टर्मिनलों पर वोल्टेज उत्पादित होता है। पीवी मॉड्यूल में बहुत से सेल आपस में जुड़े होते हैं। ये सेल श्रेणी क्रम में जुड़े होते हैं,

> एक सौर पीवी मॉड्यूल एक युक्ति है, जिसमें अनेक सौर सेल आपस में जुड़े हुए हैं, जो कि एक एकल सौर सेल से अधिक पॉवर उत्पादित करते हैं।

जहां एक सेल का धनात्मक टर्मिनल अगले सेल के ऋणात्मक टर्मिनल से जुड़ा होता है एवं यही क्रम दोहराते हुए एक सौर सेलों की श्रृंखला या एक सौर पीवी मॉड्यूल बनाया जाता है (चित्र 4.2 में दर्शाया गया है)।

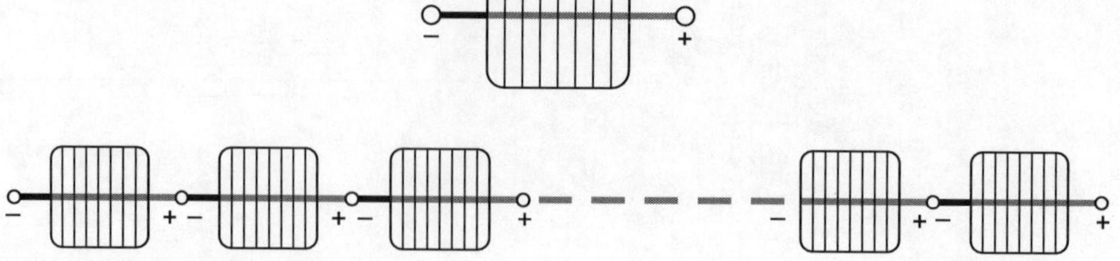

चित्र 4.1
एक एकल सौर सेल।

चित्र 4.2
एक एकल सेलों की श्रृंखला या पीवी मॉड्यूल जहां अनेक सेल आपस में जुड़े हुए हैं।

श्रेणी में संयोजित सेलों की सरणी का वोल्टेज

सेलों को श्रेणी में जोड़ने पर हमें सौर सेलों की एक सरणी प्राप्त होती है। सौर सेलों की सरणी के भी दो सिरे होंगे। जब हम सेलों को श्रेणी में जोड़ते हैं तब सौर सेलों के वोल्टेज का योग होता है, अतः पीवी सरणी (पीवी मॉड्यूल) के सिरे पर उच्च वोल्टेज होगा, और यह श्रेणी में जुड़े सभी सौर सेलों के वोल्टेज मान के योग के बराबर होगा। माना कि एक चालू सौर सेल के (चित्र 4.3 में दर्शाया गया है) सिरों पर वोल्टेज 0.5 V है, एवं श्रेणी में दो एकसमान सौर सेलों को जोड़ा गया है, अतः दो सौर सेलों के सिरे पर वोल्टेज का मान होगा $0.5 + 0.5 = 1$ V। यदि सरणी में 6 सेल जोड़े गये हैं, तब 6 सेलों की श्रेणी के सिरों पर वोल्टेज होगा $0.5 \times 6 = 3$ V (चित्र 4.3 में दर्शाया गया है)। यदि 36 सौर सेल श्रेणी में जोड़े गए हैं, तब 36 सेलों की श्रेणी के सिरे पर वोल्टेज या पीवी सरणी का मान होगा $0.5 \times 38 = 18$ V।

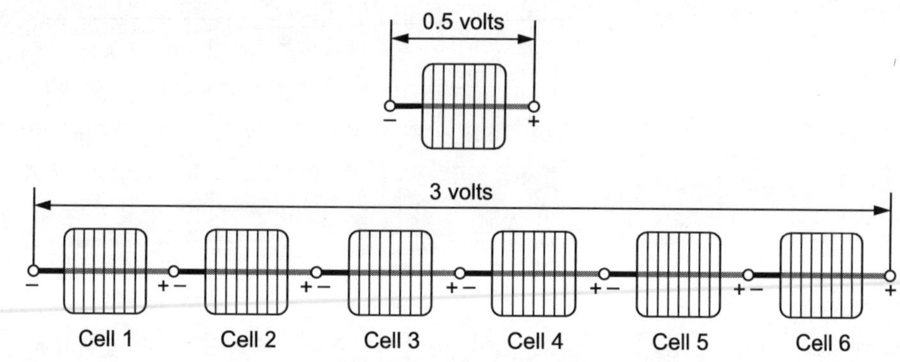

चित्र 4.3
एकल सेल एवं श्रेणी में 6 सेल।

उदाहरण 4.1

एक चालू सौर सेल के सिरों पर वोल्टेज 0.75 वोल्ट है। एक पीवी मॉड्यूल जिसमें 28 सेल श्रेणी में जुड़े हुए हैं, के सिरे पर वोल्टेज कितना होगा ?

हल

दिया गया है कि चालू स्थिति में पृथक सेल के सिरों का वोल्टेज 0.75 वोल्ट है।

श्रेणी में जुड़े हुए सेलों की संख्या = 28

28 सेलों की पीवी सरणी या मॉड्यूल के सिरे पर वोल्टेज $= 28 \times 0.75 = 21$ Volt

टिप्पणी : जब हम सेलों को श्रेणी में जोड़ते हैं तब उनके वोल्टेज का योग होता है और विद्युतधारा या करंट का मान लगभग उतना ही रहता है जितना कि एक पृथक सेल का और जब हम सेलों को समानांतर रूप से जोड़ते हैं तब विद्युतधारा का योग हो जाता है व वोल्टेज लगभग उतना ही रहता है जितना कि एकल सेल का।

जब सौर सेल श्रेणी में जुड़े होते हैं तब प्रत्येक सेल के वोल्टेज का योग हो जाता है जबकि विद्युतधारा या करंट श्रेणी में जुड़े सेलों का उतना ही रहता है जितना कि एकल सेल का।

4.2 पीवी मॉड्यूल की रेटिंग

एक सौर पीवी मॉड्यूल के मापदंड (V_{oc}, I_{sc}, W_p) निर्माता द्वारा, स्टैंडर्ड/मानक (25°C) तापमान परिस्थितियों एवं सौर विकिरण (1000 W/m^2) में मापे जाते हैं, फिर उन्हें अंकित किया जाता है। ये परीक्षण परिस्थितियों का मानक परीक्षण (STC–standard test conditions) परिस्थितियां कहलाती हैं। STC की परीक्षण या टेस्ट परिस्थितियों को विस्तृत रूप से तालिका 4.1 में दर्शाया गया है।

तालिका 4.1 मानक परीक्षण परिस्थितियों के अंतर्गत पीवी मॉड्यूल के परीक्षण मापदंड।

परीक्षण मापदंड	*मान*	*टिप्पणी*
इनपुट सौर विकिरण	1000 W/m^2	उन परिस्थितियों में मान, जब सौर विकिरण पृथ्वी के वायुमंडल से होते हुए 1.5 गुना यात्रा तय करे। अतः यह 1.5 एअर मॉस विकिरण मान कहलाता है, जिसे AM 1.5 वैश्विक या ग्लोबल सौर विकिरण भी कहा जाता है।
तापमान	25°C	यह पीवी मॉड्यूल में सेल का तापमान है न कि पीवी मॉड्यूल की सतह का तापमान। सामान्यतः पीवी मॉड्यूल में सेल का तापमान पीवी मॉड्यूल सतह के तापमान से कहीं अधिक होता है।
वायु गति	1 meter/second	वायु का प्रवाह पीवी मॉड्यूल को ठंडा करता है इसीलिये वायु गति को भी निर्दिष्ट किया जाता है।

एक पीवी मॉड्यूल के सबसे महत्वपूर्ण मापदंडों में से एक है इसका पीक आउट पॉवर या उच्चतम आउटपुट पॉवर । सौर पीवी मॉड्यूल्स को उनके उच्चतम् पॉवर आउटपुट (W_p) के रूप में दर्शाया जाता है। यह मॉड्यूल को उपयोग करने वाले व्यक्ति के लिये अत्यंत महत्वपूर्ण बिंदु है। W_p निर्माणकर्ताओं द्वारा आदर्श मानक परिस्थितियों STC के तहत निर्धारित किया जाता है। STC के तहत की गई मॉड्यूल रेटिंग को निर्माणकर्ताओं एवं उपयोगकर्ताओं द्वारा व्यापक रूप से स्वीकार गया है।

STC से विचलन

STC में विशेष रूप से बताई गई परिस्थितियां हर समय प्राप्त नहीं होती हैं। ऐसा मुख्यतः दो कारणों से होता है; सौर विकिरण का वास्तविक प्रदीप्तिकरण या चमकना सामान्यतः 1000 W/m^2 से कम होता है एवं व्यावहारिक रूप से मॉड्यूल जब कार्य करता है उसका तापमान STC में निर्देशित 25°C तापमान से अधिक होता है। इन दोनों कारणों की वजह से STC के तहत अपेक्षित पॉवर आउटपुट की तुलना में मॉड्यूल से निम्न पॉवर आउटपुट प्राप्त होती है। अनुभाग 4.3 में इनपुट सौर विकिरण एवं तापमान में विभिन्नता के कारण पीवी मॉड्यूल की पॉवर आउटपुट में होने वाले परिवर्तन की चर्चा की गई है।

4.3 आदर्श/स्टैंडर्ड पीवी मॉड्यूल मापदंड

एक पीवी मॉड्यूल अनेक सेलों को आपस में जोड़कर बनाया जाता है। एवं पीवी मॉड्यूल की विद्युतीय प्रकृति पीवी सेल के ही समान होती है, अतः पीवी मॉड्यूल के मापदंड भी सौर सेल के मापदंड के ही समान होंगे। अध्याय 3 में सौर सेल मापदंडों के विषय में चर्चा की गई है, जिसके अंतर्गत आते हैं—ओपन सर्किट वोल्टेज (V_{oc}), शॉर्ट सर्किट विद्युतधारा (I_{sc}), अधिकतम पॉवर बिंदु या मैक्सिमम पॉवर पॉइंट (P_m), अधिकतम पॉवर बिंदु पर वोल्टेज (V_m), अधिकतम पॉवर बिंदु पर विद्युतधारा (I_m), फिल फैक्टर (FF) एवं सेल की दक्षता (η)। एक सौर पीवी मॉड्यूल के भी यही मापदंड हैं। अधिकांशतः उपरोक्त सारे मापदंड निर्माणकर्ता द्वारा मॉड्यूल की वर्कशीट में निर्दिष्ट या अंकित किए जाते हैं। पीवी मॉड्यूल्स के ये विद्युतीय मापदंड विद्युतधारा–वोल्टेज वक्र या *I-V* वक्र एवं पॉवर–वोल्टेज वक्र या *P-V* वक्र की मदद से समझाए गए हैं।

4.3.1 SPV मॉड्यूल की *I-V* एवं *P-V* विशेषताएं

एक एसपीवी (SPV) मॉड्यूल की *I-V* विशेषताएं असल में विद्युतधारा (*I*) एवं वोल्टेज (*V*) के बीच का ग्राफ है जिसमें विद्युतधारा एवं वोल्टेज के विभिन्न मान क्रमशः Y–अक्ष एवं X–अक्ष पर दर्शाए जाते हैं। चित्र 4.4 में एक पीवी मॉड्यूल का *I-V* वक्र दर्शाया गया है। एक *P-V* वक्र, एक पीवी मॉड्यूल के पॉवर या शक्ति को Y–अक्ष पर व वोल्टेज को X–अक्ष पर चिन्हित किया गया ग्राफ है। चित्र 4.4 में एक पीवी मॉड्यूल का *P-V* वक्र दर्शाया गया है।

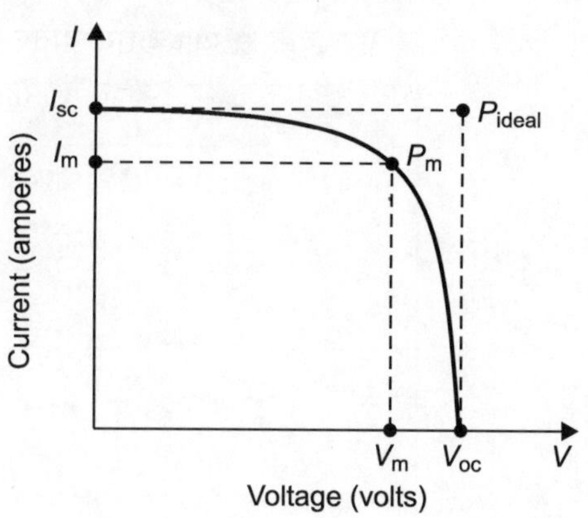

चित्र 4.4
एक सौर पीवी मॉड्यूल का *I-V* वक्र।

शॉर्ट सर्किट विद्युतधारा (I_{sc})

यह वह अधिकतम विद्युतधारा है, जो कि एक सौर पीवी मॉड्यूल उत्पादित कर सकता है। यह हमें तब प्राप्त होती है जब एक पीवी मॉड्यूल के दो सिरों को जोड़ दिया जाता है या उनकी शॉर्टिंग कर दी जाती है, इसीलिये इसे शॉर्ट सर्किट विद्युतधारा कहा जाता है। एक दिये गए मॉड्यूल के सौर सेल का क्षेत्रफल जितना अधिक होगा उतना ही अधिक पीवी मॉड्यूल का I_{sc} होगा। इसे एम्पियर (A) में मापा जाता है। अधिकतम विद्युतधारा का यह मान पीवी मॉड्यूल तकनीक, पीवी मॉड्यूल क्षेत्रफल, पीवी मॉड्यूल पर पड़ने वाले सौर विकिरण की मात्रा, सूर्यप्रकाश की किरणों के साथ पीवी मॉड्यूल के बनने वाले कोण आदि पर निर्भर करता है। अनेकों बार विद्युतधारा घनत्व दिया जाता है न कि विद्युतधारा। I_{sc} को सौर पीवी मॉड्यूल के क्षेत्रफल से विभाजित करने पर विद्युतधारा घनत्व प्राप्त होता है। विद्युतधारा घनत्व को सामान्यतः प्रतीक, '*J*' से दर्शाया जाता है, अतः शॉर्ट सर्किट विद्युतधारा घनत्व, J_{sc} को I_{sc}/A से दर्शाया जा सकता है।

शॉर्ट सर्किट विद्युतधारा वह अधिकतम विद्युतधारा है, जो कि एक सौर पीवी मॉड्यूल **STC** के तहत उत्पादित कर सकता है।

ओपन सर्किट वोल्टेज (V_{oc})

यह वह अधिकतम वोल्टेज है जो कि सौर पीवी मॉड्यूल उत्पादित कर सकता है। यह तब प्राप्त होता है जब कि पीवी मॉड्यूल के दोनों सिरे खुले छोड़ दिये जाते हैं, इसीलिये इसे ओपन सर्किट वोल्टेज कहा जाता है। एक पीवी मॉड्यूल विशेष में दिये गए सेलों की संख्या के लिये, V_{oc} का मान जितना अधिक होगा पीवी मॉड्यूल उतना ही अच्छा होगा। इसे वोल्ट (V) में मापा जाता है। ओपन सर्किट वोल्टेज का अधिकतम मान मुख्यतः पीवी मॉड्यूल तकनीक एवं ऑपरेटिंग तापमान पर निर्भर करता है।

ओपन सर्किट वोल्टेज वह अधिकतम वोल्टेज है, जो कि **STC** के तहत एक सौर पीवी मॉड्यूल उत्पादित कर सकता है।

अधिकतम शक्ति या पॉवर बिंदु (P_m या P_{max})

यह वह अधिकतम पॉवर है, जो कि एक सौर पीवी मॉड्यूल STC के तहत उत्पादित करता है। एक दिये गए पीवी मॉड्यूल के विभिन्न आयामों या लक्ष्यों की पूर्ति हेतु, जितना अधिक P_m होगा पीवी मॉड्यूल उतना ही बेहतर होगा। इसे वॉट (W) में दर्शाया जाता है। चूंकि यह अधिकतम या उच्चतम शक्ति है, इसे कभी–कभी W_{peak} या W_p से भी दर्शाया जाता है। एक सौर पीवी मॉड्यूल विद्युतधारा एवं वोल्टेज के अनेक संयोजनों पर कार्य कर सकता है। परंतु एक सौर पीवी मॉड्यूल तभी अधिकतम पॉवर उत्पादित करेगा जब कि वह एक निश्चित विद्युतधारा एवं वोल्टेज पर कार्य कर रहा हो। इसे चित्र 4.5 में दर्शाए पीवी मॉड्यूल के *P-V* वक्र से समझा जा सकता है। चित्र 4.5 में मॉड्यूल के *I-V* वक्र में पॉवर के अक्ष को विद्युतधारा अक्ष के संदर्भ में दर्शाया गया है (चित्र 4.5)। तुलना हेतु P-V वक्र में मॉड्यूल के *I-V* वक्र को डॉटेड रेखा में दर्शाया गया है। चित्र 4.5 से पता चलता है कि कम वोल्टेज पर एक पीवी मॉड्यूल का पॉवर आउटपुट कम होता है। जैसे जैसे वोल्टेज बढ़ता है पॉवर आउटपुट भी बढ़ता है एवं एक उच्चतम मान पर पहुंच जाता है पीवी मॉड्यूल के I_m एवं V_m की तुलना में। इस अधिकतम पॉवर बिंदु को चित्र 4.5 में P_m से चिन्हित किया गया है। यदि एक पीवी मॉड्यूल V_m से अधिक वोल्टेज पर काम करता है, तब मॉड्यूल का आउटपुट पॉवर फिर से घट जाता है (विद्युतधारा के घटने के कारण) एवं ओपन सर्किट वोल्टेज (V_{oc}) पर पीवी मॉड्यूल पॉवर घट कर शून्य हो जाता है। सामान्यतः सौर पीवी मॉड्यूल

अधिकतम पॉवर या शक्ति बिंदु वह अधिकतम शक्ति है, जो कि एक सौर पीवी मॉड्यूल **STC** के तहत उत्पादित कर सकता है। उच्चतम शक्ति को W_p के रूप में लिखा जाता है।

के एक वक्र में अधिकतम पॉवर पॉइंट *I-V* वक्र के 'knee' या 'घुमाव' पर स्थित होता है। P_m को निम्न प्रकार से अभिव्यक्त किया जा सकता है :

$$P_m \text{ या } P_{max} = I_m \times V_m \qquad (4.1)$$

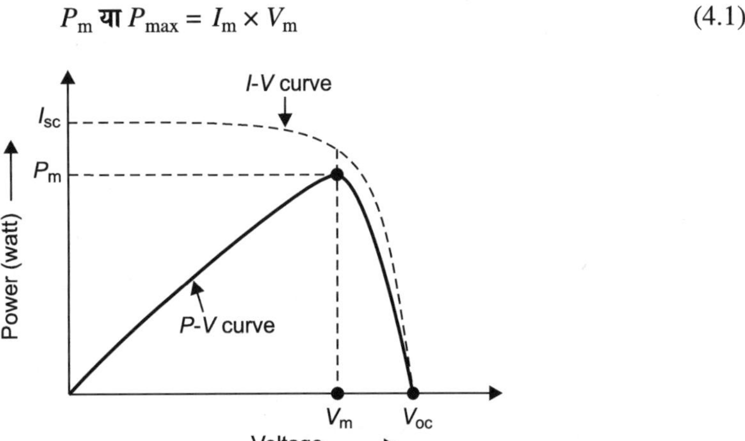

चित्र 4.5
एक सौर पीवी मॉड्यूल का *P-V* वक्र। तुलनात्मक अध्ययन के लिये *I-V* वक्र को समान ग्राफ में ही डॉटेड रेखा में भी दर्शाया गया है। एक सौर पीवी मॉड्यूल को P_m (वोल्टेज एवं विद्युतधारा के अनुसार) पर कार्य करना चाहिये।

कृपया यह ध्यान रखें कि W_p या P_m या P_{max} अधिकतम पॉवर आउटपुट है, जो कि मानक परीक्षण परिस्थितियों के तहत प्राप्त होता है। अधिकतम पीवी मॉड्यूल पॉवर आउटपुट P_{max} तभी प्राप्त होता है जब कि सौर पीवी मॉड्यूल निश्चित विद्युतधारा (I_m) एवं वोल्टेज (V_m) पर मानक परीक्षण परिस्थितियों के तहत कार्य करता है एवं तब, जब सौर विकिरण 1000 W/m^2 हों। यदि पीवी मॉड्यूल विद्युतधारा एवं वोल्टेज के अन्य किसी संयोजन पर कार्य करता है तो हमें (जैसा कि चित्र 4.2 में दर्शाया गया है) पीवी मॉड्यूल से अधिकतम पॉवर आउटपुट प्राप्त नहीं होगा। इसी प्रकार से, सौर विकिरणों के किसी अन्य मान की स्थिति में STC के अतिरिक्त (1000 W/m^2 से कम सौर विकिरण मान होने पर) विद्युतधारा एवं वोल्टेज का केवल एक संयोजन होगा जिस पर पीवी मॉड्यूल आउटपुट पॉवर अधिकतम होगा (परंतु STC के तहत W_p से कम)। इस प्रकार, प्रत्येक इनपुट या निवेशित सौर विकिरण परिस्थिति के लिये, एक अधिकतम पॉवर बिंदु होता है, न कि केवल STC परिस्थितियों के लिये।

अधिकतम पॉवर पॉइंट पर विद्युतधारा (I_m)

यह सौर पीवी मॉड्यूल द्वारा उत्पादित वह विद्युतधारा है, जब वह अधिकतम पॉवर पॉइंट पर कार्य करता है। इस विद्युतधारा या I_m को कभी–कभी I_{mp} या I_{mpp} भी लिखा जाता है। I_m हमेशा I_{sc} से कम ही होगा। इसका मान A या एम्पियर के रूप में दिया जाता है। सामान्यतः I_m मॉड्यूल के I_{sc} के लगभग 90 से 95 प्रतिशत के बराबर होता है।

अधिकतम पॉवर पॉइंट पर वोल्टेज (V_m)

यह सौर पीवी मॉड्यूल द्वारा उत्पादित वह वोल्टेज है, जब वह अधिकतम पॉवर पॉइंट पर कार्य करता है। V_m का मान हमेशा V_{oc} से कम रहेगा। कभी–कभी V_m को V_{mp} या V_{mpp} भी लिखा जाता है। यह *V* के रूप में दर्शाया जाता है। सामान्यतः V_m का मान पीवी मॉड्यूल के V_{oc} के लगभग 80 से 85 प्रतिशत के बराबर होता है।

फिल फैक्टर (FF)

जैसा कि नाम से स्पष्ट है FF से तात्पर्य है, I_m-V_m आयत द्वारा संरक्षित या घेरे गए क्षेत्रफल एवं I_{sc}-V_{oc} आयत द्वारा संरक्षित क्षेत्रफल के बीच का अनुपात (दोनों को चित्र 4.5 में डॉटेड रेखा से दर्शाया गया है), समझने हेतु नीचे दिये गए सूत्र पर ध्यान दें। यह *I-V* वक्र का घन या स्क्वायर मान दर्शाता है। FF का मान जितना अधिक होगा पीवी मॉड्यूल उतना ही बेहतर होगा। पीवी मॉड्यूल के FF मान को प्रतिशत (%) में दर्शाया जाता है। घन के आकार के *I-V* वक्र वाला पीवी मॉड्यूल बेहतर होता है।

$$\text{FF} = \frac{I_m \times V_m}{I_{sc} \times V_{oc}} \quad \text{या} \quad \text{FF} = \frac{P_m}{I_{sc} \times V_{oc}} \tag{4.2}$$

यहां P_{max} या P_m को I_{sc}, V_{oc} एवं FF के रूप में भी निम्न प्रकार से दर्शाया जाता है :

$$P_m = I_{sc} \times V_{oc} \times \text{FF} \tag{4.3}$$

दक्षता (η)

सौर पीवी मॉड्यूल की दक्षता की परिभाषा है, अधिकतम आउटपुट पॉवर (P_m या P_{max}) विभाजित इनपुट पॉवर (P_{in})। पीवी मॉड्यूल की दक्षता को प्रतिशत (%) में दर्शाया जाता है, इसका तात्पर्य है कि विकिरण या इनपुट पॉवर का यह प्रतिशत विद्युतीय पॉवर या शक्ति में रूपांतरित हो जाता है। STC के तहत P_{in} को 1000 W/m^2 माना गया है। यह इनपुट पॉवर, पॉवर घनत्व है (पॉवर विभाजित क्षेत्रफल), अतः P_{in} का STC के तहत उपयोग करते हुए दक्षता की गणना करने हेतु हमें सौर पीवी मॉड्यूल क्षेत्रफल का गुणा करना होगा। इस प्रकार दक्षता को निम्न प्रकार से लिखा जा सकता है :

> पीवी मॉड्यूल दक्षता प्रति इकाई क्षेत्रफल से पॉवर आउटपुट निश्चित करता है। उच्च दक्षता का तात्पर्य है समान क्षेत्रफल से उच्च पॉवर आउटपुट।

$$\eta = \frac{P_m}{P_{in}} = \frac{I_{sc} \times V_{oc} \times \text{FF}}{P_{in} \times A} \tag{4.4}$$

एक मॉड्यूल निर्माता उपरोक्त मॉड्यूल मापदंडों में से अधिकांश की जानकारी अपनी डाटाशीट में देते हैं।

उदाहरण 4.2

36 सौर सेलों को श्रेणी में जोड़ कर, एक 155 cm^2 का सौर पीवी मॉड्यूल बनाया गया है। आदर्श मानक परिस्थितियों (STC) पर सेलों का विद्युतधारा घनत्व 35 mA/cm^2 है। STC पर मॉड्यूल द्वारा अधिकतम उत्पादित विद्युतधारा का मान ज्ञात करें।

हल

सभी सौर सेल श्रेणी में जुड़े हुए हैं, अतः एक सेल द्वारा उत्पादित विद्युतधारा, वह विद्युतधारा होगी जो कि 36 सौर सेलों की श्रृंखला में प्रवाहित हो रही है, एवं वही पीवी मॉड्यूल की विद्युतधारा होगी। अतः मॉड्यूल की विद्युतधारा की गणना करने हेतु, हमें एक सौर सेल की अधिकतम विद्युतधारा (STC पर I_{sc}) की गणना करनी होगी।

एक सौर सेल के विद्युतधारा घनत्व (Current density) को निम्न प्रकार से अभिव्यक्त किया गया है :

$$\text{Current density } (J_{sc}) = \frac{I_{sc}}{\text{A}} \, (\text{A/m}^2)$$

यहां,

J_{sc} = विद्युतधारा घनत्व (A/m^2)
I_{sc} = आउटपुट विद्युतधारा (A)
A = क्षेत्रफल (cm^2)

दिया गया है, J_{sc} = 35 mA/cm^2, एवं सेल का क्षेत्रफल है 155 cm^2
अतः, सौर सेल की विद्युतधारा को निम्न तरीके से लिखा जा सकता है,

$$\text{Output Current } (I_{sc}) = J_{sc} \times \text{A} = 0.035 \frac{\text{A}}{\text{cm}^2} \times 155 \text{ cm}^2 = 5.42 \text{ A}$$

इस प्रकार STC पर अधिकतम पीवी मॉड्यूल विद्युतधारा, I_{sc} होगी 5.41 A।

उदाहरण 4.3

एक छोटा पीवी मॉड्यूल जिसका क्षेत्रफल 0.094 m^2 है वह अधिकतम शक्ति या पॉवर बिंदु पर STC के तहत् 0.71 A विद्युतधारा एवं 16.5 V वोल्टेज प्रदान करता है। इस छोटे पीवी मॉड्यूल का अधिकतम पॉवर पॉइंट या बिंदु क्या है? साथ ही दक्षता भी ज्ञात करें।

हल

सबसे पहले हम एक सौर सेल के अधिकतम पॉवर बिंदु के लिये निम्न सूत्र लिखते हैं :

$$P_m \text{ या } P_{max} = I_m \times V_m$$

दिया गया है, $I_m = 0.71$ A

$V_m = 16.5$ V

अधिकतम पॉवर बिंदु, $P_m = 0.71 \text{ A} \times 16.5 \text{ V} = 11.71 \text{ W}$

अब हम एक सौर सेल की दक्षता के लिये निम्न सूत्र लिखते हैं :

$$\eta = \frac{P_{max}}{P_{in} \times A}$$

यहां,

η = प्रतिशत में दक्षता (%)

P_{max} = वॉट में आउटपुट पॉवर या शक्ति (W)

P_{in} = प्रति इकाई क्षेत्रफल में प्रकाश इनपुट पॉवर 1000 वॉट/मीटर (W/m^2)

A = मीटर में सौर सेल क्षेत्रफल (m^2)

η = ?

हम जानते हैं कि, $P_m = 10.06$ W एवं STC पर $P_{in} = 1000 \text{ W/m}^2$

अब हम दक्षता को ज्ञात करेंगे,

$$\eta = \frac{P_{max}}{P_{in} \times A}$$

$$\eta = \left[\frac{11.71}{(1000 \times 0.0945)}\right] \times 100 = 12.39\%$$

टिप्पणी : ध्यान रखें, हमें प्रतिशत में परिणाम ज्ञात करने के लिय FF एवं दक्षता को 100 से गुणा करना होगा।

I-V वक्र द्वारा पीवी मॉड्यूल मापदंड ज्ञात करना

उपरोक्त अंश में *I-V* एवं *P-V* वक्रों का उपयोग करते हुए सौर पीवी मॉड्यूल के मापदंडों को परिभाषित किया गया है। अतः यदि हमारे पास एक पीवी मॉड्यूल का पूर्णरूप से मापित *I-V* वक्र है तब हम पीवी मॉड्यूल के सभी मापदंड ज्ञात करने में सक्षम होंगे। एक 0.1 वर्ग मीटर क्षेत्रफल वाले क्रिस्टिलीन सिलिका पीवी मॉड्यूल का मापित *I-V* वक्र चित्र 4.6 में दर्शाया गया है एवं मापित डाटा बिंदु (P_1, P_2, P_3, P_4, P_5) तालिका 4.2 में दिए गए हैं।

एक पीवी मॉड्यूल के *I-V* वक्र से पीवी मॉड्यूल के मापदंड ज्ञात किए जा सकते हैं।

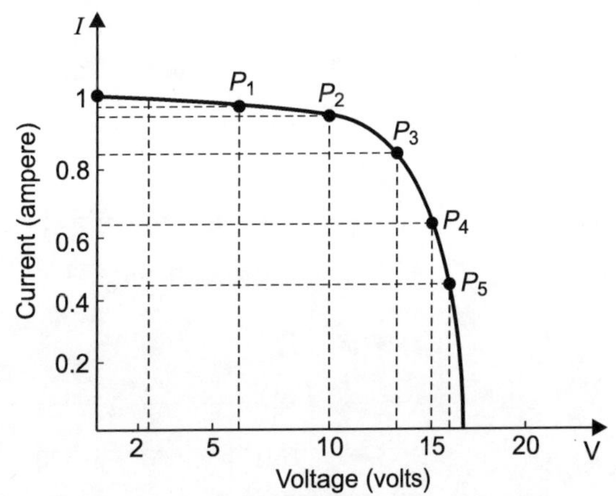

चित्र 4.6
एक 0.1 वर्ग मीटर वाले सौर पीवी मॉड्यूल का मापित *I-V* वक्र।

तालिका 4.2 एक पीवी मॉड्यूल के विद्युतधारा-वोल्टेज डाटा बिंदु

क्र.सं.	*विद्युतधारा (A)*	*वोल्टेज (V)*	*पॉवर (W)*
1	1	2.5	$P_1 = 2.4$
2	0.9	6	$P_2 = 5.4$
3	0.85	13.5	$P_3 = 11.475$
4	0.65	15	$P_4 = 9.75$
5	0.45	16	$P_5 = 7.2$

चित्र 4.6 एवं तालिका 4.2 से सौर पीवी मॉड्यूल के मुख्य मापदंडों का आंकलन करें।

- *शॉर्ट सर्किट विद्युतधारा* (I_{sc}) : 0 V (short circuit) पर मॉड्यूल की विद्युतधारा 1 A है (चित्र 4.6) से, अतः $I_{sc} = 1$ A
- *ओपन सर्किट वोल्टेज* (V_{oc}) : 0 A पर (open circuit) मॉड्यूल का वोल्टेज लगभग 18 वोल्ट है, अतः $V_{oc} = 18$ V
- *अधिकतम पॉवर पॉइंट* (P_m) : तालिका 4.1 से, अधिकतम पॉवर या शक्ति का मान 11.47 वॉट होगा।
- *अधिकतम पॉवर पॉइंट पर विद्युतधारा* (I_m) : तालिका 4.2 से, अधिकतम पॉवर पॉइंट पर विद्युतधारा है 0.85 A
- *अधिकतम पॉवर पॉइंट पर वोल्टेज* (V_m) : तालिका 4.2 से, अधिकतम पॉवर पॉइंट पर वोल्टेज है 13.5 V
- *फिल फैक्टर* (*FF*) : यह FF की अभिव्यक्ति के द्वारा आंकलित किया जा सकता है :

$$\text{FF} = \frac{I_m \times V_m}{I_{sc} \times V_{oc}}$$

$$= \frac{0.85 \times 13.5}{1 \times 18} = 63.4\%$$

- दक्षता (η): इसकी गणना निम्न सूत्र के उपयोग से की जा सकती है :

$$\eta = \frac{P_m}{P_{in}} = \frac{I_{sc} \times V_{oc} \times \text{FF}}{P_{in} \times A}$$

यहां STC के अनुरूप, P_{in} इनपुट पॉवर है जो कि 1000 W/m^2 है। अतः उपरोक्त सूत्र में मापदंड भरने पर हमें प्राप्त होता है।

$$\eta = \frac{1 \times 18 \times 63.4}{1000 \times 0.1} = 11.41\%$$

इस प्रकार से पीवी मॉड्यूल के *I-V* वक्र द्वारा कोई भी इसके संपूर्ण मापदंड ज्ञात कर सकता है।

वर्कशीट 4.1

चित्र 4.6 में दिये गए पीवी मॉड्यूल के V_{oc}, फिल फैक्टर एवं दक्षता के मान पर टिप्पणी करें (चाहे मान आपकी उम्मीद के अनुरूप हों, उससे कम या उससे ज्यादा, आदि।)

टिप्पणियां:

___

___

___

___

4.3.2 मॉड्यूल में सेलों की संख्या

सन् 1980 में मॉड्यूल निर्माण प्रौद्योगिकी को बहुत अधिक विकसित किया गया था। उस समय ऐसी बैटरियों को आवेशित करने हेतु पीवी मॉड्यूल को डिजाइन किया गया था, जो कि 12 वोल्ट का टर्मिनल वोल्टेज दें। अतः, मॉड्यूल की आवश्यकताओं में से एक है, दैनिक रूप से जितने सूर्य विकिरण प्राप्त हों उसी मात्रा में ही 12 वोल्ट की बैटरी को आवेशित करने हेतु पर्याप्त वोल्टेज प्रदान करना। अब वोल्टेज का स्रोत बैटरी को आवेशित तभी कर सकता है, जब वोल्टेज के स्रोत का मान बैटरी के वोल्टेज से अधिक हो। इसका तात्पर्य है कि मॉड्यूल का वोल्टेज, दैनिक विकिरण परिस्थितियों में बैटरी के वोल्टेज से अधिक होना चाहिये। सामान्यतः यह उम्मीद की जाती है कि पीवी मॉड्यूल लगभग 15 वोल्ट (या इसके आसपास का मान) तो दे ही, वह भी सभी संचालनकारी या ऑपरेटिंग परिस्थितियों में, यानि कि चाहे वह कम सौर विकिरण (जैसे कि सुबह एवं शाम) हों या उच्च तापमान (जैसे गर्मियों में)।

पीवी मॉड्यूल्स एवं पीवी संयंत्र में उपयोग होने वाली अन्य युक्तियां 12 वोल्ट के विभिन्न गुणकों जैसे 12 V, 24 V, 36 V (बैटरी वोल्टेज स्तर) एवं 15 V, 30 V, 45 V आदि के अनुरूप होते हैं।

12 वोल्ट बैटरी के लिये पीवी मॉड्यूल का डिजाइन मानक माना जाता है। बड़े पॉवर मॉड्यूल जैसे 24 वोल्ट बैटरी (श्रेणी में दो बैटरियां), 36 वोल्ट बैटरी (श्रेणी में तीन बैटरियां), आदि के लिये मॉड्यूल डिजाइन किये जाते हैं, हम कह सकते हैं कि पीवी मॉड्यूल इस तरह डिजाइन किये गए हैं कि वे 12 वोल्ट के गुणित बैटरी स्तर का वोल्टेज प्रदान कर सकें जैसे 12 V, 24 V, 36 V, 48 V आदि। यहां ध्यान रखने योग्य बिंदु यह है कि 12 V बैटरी के लिये पीवी मॉड्यूल का वोल्टेज (V_m) स्तर 15 V के लगभग एवं 24 V बैटरी वोल्टेज स्तर हेतु पीवी मॉड्यूल वोल्टेज लगभग 30 V होना चाहिये। इसी प्रकार से 36 V बैटरी वोल्टेज हेतु पीवी मॉड्यूल वोल्टेज लगभग 45 V होना चाहिये। एक अन्य ध्यान रखने योग्य बिंदु यह है कि जब हम मॉड्यूल के वोल्टेज स्तर की बात करते हैं, तब यह अधिकतम पॉवर पॉइंट पर मॉड्यूल का वोल्टेज होता है। तालिका 4.3 में बैटरियों के संभव वोल्टेज स्तर एवं उसी के अनुसार पीवी मॉड्यूल के वोल्टेज स्तर को दर्शाया गया है। यह ध्यान में रखते हुए, पीवी संयंत्र में उपयोग की गई अन्य इलेक्ट्रॉनिक युक्तियां भी समान वोल्टेज स्तर पर रखी जाती हैं। उदाहरण के लिये, चार्ज कंट्रोलर, एमपीपीटी एवं इनवर्टर इस तरह से डिजाइन किए गए हैं कि वे 12 वोल्ट के गुणित मान में इनपुट वोल्टेज ले सकें जैसे 12 V, 24 V, 36 V आदि बैटरी वोल्टेज स्तर या 15 V, 30 V, 45 V आदि पीवी मॉड्यूल वोल्टेज स्तर (V_m)।

तालिका 4.3 बैटरियों के संयोजन के लिये वोल्टेज स्तर एवं उसी के अनुरूप पीवी मॉड्यूल्स के संयोजन में आवश्यक वोल्टेज स्तर (V_m)

बैटरी वोल्टेज (एकल बैटरी या बैटरियों की श्रेणी में संयोजन)	*अनुरूप पीवी मॉड्यूल वोल्टेज स्तर, अधिकतम पॉवर पॉइंट परिस्थिति में (एकल मॉड्यूल या मॉड्यूल का श्रेणी संयोजन)*
12 V	15 V
24 V	30 V
36 V	45 V
48 V	60 V

चूंकि एकल सौर सेल कम वोल्टेज प्रदान करता है, एवं एक बैटरी को आवेशित करने हेतु उच्च पीवी मॉड्यूल वोल्टेज की आवश्यकता होती है अतः अनेक सौर सेलों को श्रेणी में जोड़ा जाता है। जैसा कि पहले बताया जा चुका है कि विभिन्न प्रौद्योगिकियों या तकनीकों से सौर पीवी सेल बनाए जाते हैं। प्रत्येक प्रौद्योगिकी में श्रेणी में जुड़ने वाले सेलों की संख्या महत्वपूर्ण बिंदु है। 'एक पीवी

मॉड्यूल में कितने सेल श्रेणी में जुड़ने हैं इसका निर्धारण सेल के V_{oc} से होता है। अध्याय 3 में तालिका 3.4 में विभिन्न सौर सेल प्रौद्योगिकियों के लिये एक एकल सौर सेल का V_{oc} मान दिया गया है।

एक क्रिस्टिलीन सिलिकॉन सौर सेल प्रौद्योगिकी में, 12 वोल्ट की बैटरी को आवेशित करने के लिये 36 सौर सेलों को श्रेणी में जोड़ने की आवश्यकता होती है। श्रेणी में 36 सेल क्यों ? बाजार में उपलब्ध सिलिकॉन सौर सेल का 25°C पर V_m मान सामान्यतः 0.5 वोल्ट होता है। हम यह भी जानते हैं कि परिचालन या ऑपरेशनल तापमान के बढ़ने पर (STC द्वारा निदेर्शित 25°C से ज्यादा) वोल्टेज (V_m व V_{oc}) घटता है। कैप्सूलेशन के अंदर सौर सेल जब उच्च तापमान पर कार्य करता है तो इसका परिणाम होता है लगभग 0.08 V के वोल्टेज की हानि (जैसा कि अध्याय 3 में चर्चा की गई है)।

अतः सेल के सिरों पर उपलब्ध या टर्मिनल वोल्टेज V_m है

V_m (STC) – उच्च तापमान के कारण वोल्टेज की हानि

$$0.50 - 0.08 = 0.42 \text{ V}$$

हमें सभी परिस्थितियों में लगभग 15 वोल्ट का आउटपुट वोल्टेज चाहिये, एवं प्रत्येक सौर सेल हमें लगभग 0.42 वोल्ट देगा। अब श्रेणी में जोड़ने हेतु सेलों की संख्या की गणना करने के लिये, आवश्यक वोल्टेज को एक सेल से संभावित ऑपरेटिंग वोल्टेज से विभाजित करना होगा।

पीवी मॉड्यूल में श्रेणी में जोड़े जाने वाले सेलों की संख्या मॉड्यूल के आउटपुट वोल्टेज आवश्यकता पर निर्भर करती है। आदर्श रूप में एक पीवी मॉड्यूल, कम से कम उतना आउटपुट वोल्टेज प्रदान करे जो कि एक 12 वोल्ट की बैटरी (या अन्य बैटरी) को आवेशित करने हेतु पर्याप्त हो, वह भी सभी ऑपरेटिंग या संचालनकारी परिस्थितियों में।

श्रेणी में सेलों की संख्या = 15/0.42 = 35.71 या लगभग 36 सेल।

यह ध्यान रखें कि एक मॉड्यूल में सेलों की संख्या, V_m एवं तापमान के कारण वोल्टेज की हानि पर निर्भर करती है, एवं ये दोनों कारक सेल प्रौद्योगिकी पर निर्भर करते हैं। अतः किसी प्रौद्योगिकी विशेष के साथ वांछित वोल्टेज पाने के लिये श्रेणी में जोड़े जाने वाले सेलों की संख्या परिवर्तित हो सकती है। यदि V_m (STC) उच्च है तब हमें श्रेणी में कम संख्या में सौर सेलों की आवश्यकता होगी एवं यदि V_m (STC) कम है तब हमें वांछित ऑपरेटिंग वोल्टेज प्राप्त करने के लिये श्रेणी में अधिक संख्या में सौर सेलों को जोड़ने की आवश्यकता होगी।

चित्र 4.7 में एक आदर्श क्रिस्टिलीन सिलिकॉन पीवी मॉड्यूल जिसमें 36 सेल श्रेणी में जुड़े हुए हैं, का योजनाबद्ध आरेख एवं वास्तविक चित्र दर्शाया गया है। चित्र 4.8 में मॉड्यूल के प्रतीक दर्शाए गए हैं एवं यह चित्र धनात्मक एवं ऋणात्मक सिरे, उच्चतम पॉवर, एवं उच्चतम पॉवर पर विद्युतधारा एवं वोल्टेज दर्शाता है।

इस प्रकार से किसी भी पीवी प्रौद्योगिकी एवं किसी भी पीवी मॉड्यूल वोल्टेज की आवश्यकता के लिये हम श्रेणी में जोड़े जाने वाले सेलों की संख्या की गणना कर सकते हैं।

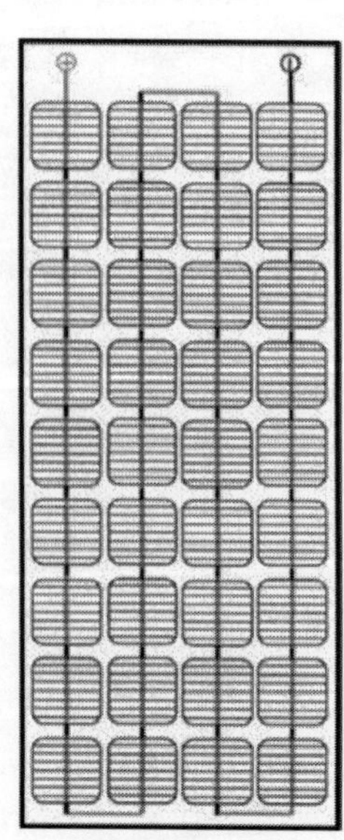

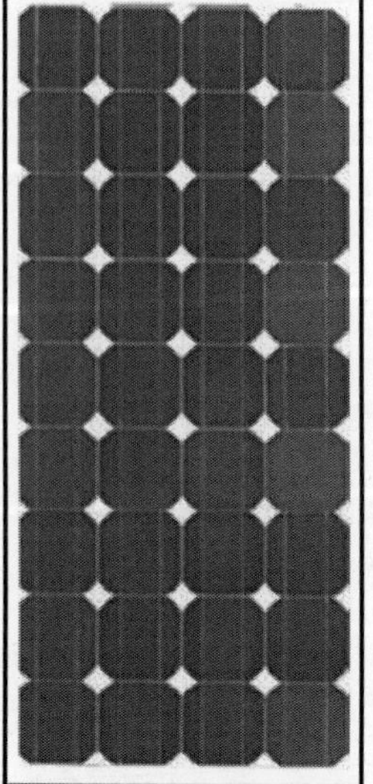

चित्र 4.7
एक क्रिस्टिलीन सिलिकॉन पीवी मॉड्यूल का योजनाबद्ध आरेख एवं वास्तविक फोटोग्राफ जिसमें श्रेणी में 36 सेल जुड़े हुए हैं।

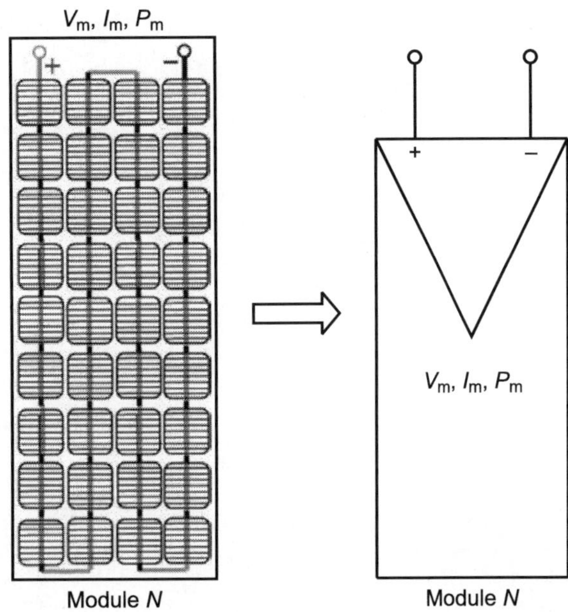

चित्र 4.8
आदर्श मॉड्यूल प्रतिरूप।

वर्तमान में, 6 वोल्ट एवं 3 वोल्ट की बैटरियों को आवेशित करने हेतु भी सौर पीवी मॉड्यूल्स उपलब्ध हैं। चूंकि बैटरी के सिरों का वोल्टेज कम होता है, मॉड्यूल वोल्टेज आवश्यकता भी कम होगी एवं सेलों की संख्या जो कि श्रेणी में जोड़े जाने हैं, की संख्या भी कम होगी।

एक मॉड्यूल में सेलों की संख्या की गणना या डिजाइन करने की कार्यप्रणाली

इस प्रकार, एक पीवी मॉड्यूल में सेलों की संख्या की गणना करने के लिये, हम निम्नांकित चरणों का उपयोग कर सकते हैं।

प्रथम चरण : दी गई प्रौद्योगिकी के लिये एक सौर सेल का V_m (STC पर) ज्ञात करें।

टिप्पणी : यदि V_m नहीं दिया गया है, तब इसे V_{oc} की मदद से निकाला जा सकता है); पीवी मॉड्यूल मापदंड V_m एवं V_{oc} के विषय में आगे चर्चा की गई है।

दितीय चरण : आपॅरेटिंग या संचालनकारी परिस्थितियों में वोल्टेज की हानि (V_m की हानि) ज्ञात करें।

सौर सेल वोल्टेज तापमान के साथ घटता है। एक पीवी मॉड्यूल में श्रेणी में जुड़ने वाले सेलों की संख्या ज्ञात करने के लिये वोल्टेज की हानि को ध्यान में रखना आवश्यक है।

तृतीय चरण : संचालनकारी परिस्थितियों में उपलब्ध वोल्टेज = V_m (STC)–वोल्टेज की हानि।

चतुर्थ चरण : आवश्यक पीवी मॉड्यूल वोल्टेज लिखें।

पंचम चरण : श्रेणी में जुड़ने वाले सेलों की संख्या ज्ञात करने के लिये, आवश्यक मॉड्यूल वोल्टेज को उपलब्ध संचालनकारी/ऑपरेटिंग वोल्टेज से विभाजित करें।

उदाहरण 4.4

एक 12 वोल्ट की बैटरी आवेशित करने के लिये एक नई सौर सेल प्रौद्योगिकीयुक्त पीवी मॉड्यूल डिजाइन करना है। STC के तहत् नई प्रौद्योगिकी के सेल का V_{oc} एवं V_m क्रमशः 0.09 एवं 0.08 है। प्रति डिग्री सेंटीग्रेड तापमान बढ़ने पर सेल का वोल्टेज 1 mV से घटता है। यदि संचालन के दौरान तापमान 60 डिग्री सेंटीग्रेड है, तो इस पीवी मॉड्यूल में कितने सेल श्रेणी में जुड़ने चाहिये। इस नई प्रौद्योगिकी के साथ पीवी मॉड्यूल का रेखाचित्र भी बनाएं।

हल

आइये ऊपर दी गई प्रणाली के अनुसार सेलों की संख्या की गणना करें :

मापदंड निम्नांकित हैं :

नए सौर सेल का V_m = 0.80 वोल्ट

बैटरी वोल्टेज = 12 वोल्ट

सेल का संचालनकारी तापमान = 60°C

प्रति डिग्री सेंटीग्रेड वोल्टेज की हानि = 1 mV या 0.001 V

प्रथम चरण : दी गई प्रौद्योगिकी के लिये एक सौर सेल का V_m ज्ञात करें (STC पर)

$$V_m\,(STC) = 0.8\ V$$

टिप्पणी : यदि V_m नहीं दिया गया है तो भी V_{oc} का उपयोग कर इसका आंकलन किया जा सकता है, सभी प्रौद्योगिकियों के लिये V_m, V_{oc} का लगभग 80 से 85 प्रतिशत होता है।

द्वितीय चरण : संचालनकारी/ऑपरेटिंग परिस्थितियों में वोल्टेज की हानि (V_m की हानि) ज्ञात करें। STC के अनुसार तापमान 25°C है, जबकि सेल 60°C पर कार्य कर रहा है, यानि सेल संचालित है 60 – 25 = 35°C STC से अधिक तापमान पर।

प्रति डिग्री सेंटीग्रेड तापमान बढ़ने पर वोल्टेज की हानि है, 0.001 V

अतः 35°C तापमान बढ़ने पर वोल्टेज की हानि है = 0.001 × 35 = 0.035 वोल्ट

तृतीय चरण : संचालनकारी परिस्थितियों में उपलब्ध वोल्टेज = V_m (STC) – वोल्टेज की हानि

संचालनकारी परिस्थितियों में उपलब्ध वोल्टेज = 0.8 – 0.035 = 0.765 V

चतुर्थ चरण : आवश्यक पीवी मॉड्यूल वोल्टेज लिखें।

एक 12 V की बैटरी को आवेशित करने के लिये डिजाइन किए गए पीवी मॉड्यूल द्वारा, सभी संचालनकारी परिस्थितियों में लगभग 14 से 15 V आपूर्ति की जानी चाहिये।

बैटरी जिसे आवेशित किया जाना है वह 12 V है, अतः सभी संचालनकारी परिस्थितियों में पीवी मॉड्यूल वोल्टेज 15 V होना चाहिये।

आवश्यक पीवी मॉड्यूल वोल्टेज = 15 V

पंचम चरण : श्रेणी में जुड़ने वाले सेलों की संख्या ज्ञात करने हेतु आवश्यक मॉड्यूल वोल्टेज को उपलब्ध ऑपरेटिंग या संचालनकारी वोल्टेज से विभाजित करें।

श्रेणी में जोड़े जाने वाले नए प्रकार के सेलों की संख्या है :

$$= \frac{15}{0.765} = 19.6 \text{ या लगभग 20 सेल}$$

एक पीवी मॉड्यूल जो कि विभिन्न प्रौद्योगिकियों वाले सौर सेलों से मिलकर बना है, उसमें समान वोल्टेज आउटपुट स्तर प्राप्त करने के लिये श्रेणी (क्रिस्टिलीन Si PV मॉड्यूल से तुलना करने पर) में भिन्न-भिन्न संख्या में सेल जुड़े होते हैं।

अतः सभी ऑपरेटिंग या संचालनकारी परिस्थितियों में 12 वोल्ट की बैटरी को आवेशित करने हेतु पर्याप्त वोल्टेज प्राप्त करने के लिये 20 नए प्रकार के सेलों को श्रेणी में जोड़ा जाना आवश्यक है। (नीचे रिक्त स्थान में श्रेणी में जुड़े 20 सेलों का रेखाचित्र बनाएं)

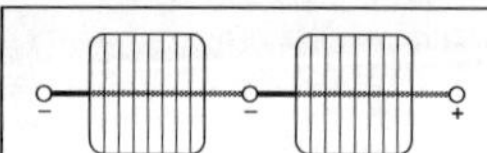

उदाहरण 4.5

एक निर्माता, आधुनिक तकनीक वाली सिलिकॉन सेल प्रौद्योगिकी का उपयोग कर रहा है जिसका STC पर V_{oc}, 0.620 V एवं V_m, 0.510 V है। संचालनकारी परिस्थितियों में सेल का तापमान 60 डिग्री सेंटीग्रेड तक पहुंच जाता है। मॉड्यूल को ग्रिड से जुड़े पीवी प्लांट से जोड़ने के लिये डिजाइन किया गया है। यदि मॉड्यूल का आवश्यक ऑपरेटिंग वोल्टेज 13.5 वोल्ट है, तब श्रेणी में जोड़े जाने वाले सेलों की संख्या का आंकलन करें।

हल

दी गई प्रणाली के अनुसार सेलों की संख्या का आंकलन करें :

मापदंड के निम्नांकित तथ्य दिए गए हैं :

नए सौर सेल का V_m = 0.510 वोल्ट

सेल ऑपरेटिंग तापमान = 60°C

क्रिस्टिलीन सिलिकॉन सेल में प्रति डिग्री सेंटीग्रेड वोल्टेज की हानि = 0.0023 वोल्ट

प्रथम चरण : दी गई प्रौद्यागिकी के लिये एक सौर सेल का V_m (STC पर) ज्ञात करे :

$$V_m \text{ (STC पर)} = 0.510 \text{ V}$$

टिप्पणी : यदि V_m नहीं दिया गया है तब V_{oc} का उपयोग कर इसका आंकलन किया जा सकता है, सभी प्रौद्योगिकियों के लिये V_m, V_{oc} का लगभग 80 से 85 प्रतिशत होता है।

द्वितीय चरण : संचालनकारी परिस्थितियों में वोल्टेज की हानि (V_m की हानि) ज्ञात करें।

STC के अनुसार तापमान 25°C है, सेल 60°C पर संचालित है, अतः सेल संचालित है 60 – 25 = 35°C अधिक तापमान पर।

प्रति डिग्री सेंटीग्रेड तापमान बढ़ने पर वोल्टेज की हानि है, 0.0023 V

अतः 35°C तापमान बढ़ने पर वोल्टेज की हानि है = 0.023 × 35 = 0.080 V

तृतीय चरण : संचालनकारी परिस्थितियों में उपलब्ध वोल्टेज = V_m (STC) – वोल्टेज की हानि

संचालनकारी परिस्थितियों में उपलब्ध वोल्टेज = 0.510 – 0-080 = 0.430 V

चतुर्थ चरण : आवश्यक पीवी मॉड्यूल वोल्टेज लिखें।

आवश्यक पीवी मॉड्यूल वोल्टेज = 13.5 V (दिया गया है)

पंचम चरण : श्रेणी में जुड़ने वाले सेलों की संख्या ज्ञात करने हेतु आवश्यक मॉड्यूल वोल्टेज को उपलब्ध ऑपरेटिंग या संचालनकारी वोल्टेज से विभाजित करें।

श्रेणी में जोड़े जाने वाले नए प्रकार के सेलों की संख्या है

$$\frac{13.5}{0.430} = 31.39 \text{ या लगभग 32 सेल}$$

इस प्रकार इस उदाहरण में पर्याप्त वोल्टेज प्राप्त करने हेतु केवल 32 सेलों को श्रेणी में जोड़ने की आवश्यकता है।

एक क्रिस्टिलीन सिलिकॉन पीवी मॉड्यूल में 12 V बैटरियों के लिये 32 से 36 सेल श्रेणी में जुड़े होंगे, एवं 24 V बैटरी के आवेशन या चार्जिंग स्तर के लिये लगभग 60 से 72 सेल होंगे।

टिप्पणी : कभी–कभी जब हमें एक पीवी मॉड्यूल से उच्च वोल्टेज आउटपुट जैसे 15 वोल्ट या उससे अधिक की आवश्यकता होती है, तब हमें श्रेणी में और अधिक सेलों को जोड़ना होगा। जब हमें कम आउटपुट वोल्टेज की आवश्यकता होती है तब हम श्रेणी में कम सेल जोड़ते हैं। वर्तमान में उच्च पॉवर मॉड्यूल (100 W_p से अधिक) जिसमें 60 से 70 सेल श्रेणी में जुड़े होते हैं, भी मार्केट में उपलब्ध हैं। कभी–कभी कम वॉटेज (<10 W_p) वाले मॉड्यूल भी होते हैं जिसमें श्रेणी में केवल 18 सेल जुड़े होते हैं।

4.3.3 एक पीवी मॉड्यूल के वॉटेज का आंकलन या उसे डिजाइन करना

एक पीवी मॉड्यूल को उपयोग करने की दृष्टि से उसका सबसे महत्वपूर्ण मापदंड उसका वॉटेज है। जब कोई व्यक्ति एक पीवी मॉड्यूल बाजार से खरीदता है तब उस पीवी मॉड्यूल वॉटेज के मान के ऊपर निर्भर करता है, जो कि वह मॉड्यूल उत्पन्न कर सकता है। सामान्यतः पीवी मॉड्यूल का आउटपुट पॉवर, सौर विकिरण तीव्रता के साथ परिवर्तित होता है, जो कि पूरे दिन परिवर्तित होता रहता है, अतः सभी निर्माणकर्ता पीवी मॉड्यूल का पॉवर आउटपुट एक निश्चित परिस्थिति में निर्धारित करते हैं, जिसे कि मानक परीक्षण परिस्थिति (STC) कहा जाता है। STC से तात्पर्य है 1000 W/m^2 सौर विकिरण एवं 25°C सेल तापमान की परिस्थिति। इन परिस्थितियों में, यदि पीवी मॉड्यूल अधिकतम पॉवर पॉइंट पर कार्य कर रहा है, तब मॉड्यूल की आउटपुट पॉवर 'पीक पॉवर' कहलाती है जिसे Watt_{peak} या W_p भी लिखा जाता है। सामान्यतः सौर विकिरण तीव्रता 1000 W/m^2 से कम होती है एवं संचालन के दौरान सेल का तापमान 25°C से अधिक होता है; ये दोनों प्रभाव मॉड्यूल का पॉवर आउटपुट घटाते हैं। इस प्रकार, लगभग सभी संचालनकारी परिस्थितियों में पीवी मॉड्यूल का वास्तविक आउटपुट पॉवर निर्माणकर्ता द्वारा दिया गया चिन्हित पीक पॉवर या W_p से कम होता है। फिर भी, उदाहरण यह है कि एक पीवी मॉड्यूल का पीक पॉवर या W_p का आंकलन किस तरह किया जाए ?

एक पीवी मॉड्यूल का वॉटेज उच्चतम पॉवर परिस्थितियों में उसके विद्युतधारा एवं वोल्टेज पर निर्भर करता है ।

एक पीवी मॉड्यूल का आउटपुट पॉवर उस वोल्टेज एवं विद्युतधारा पर निर्भर करता है जिस पर वह मॉड्यूल कार्य कर रहा है। जैसा कि पहले चर्चा की जा चुकी है, यदि मॉड्यूल विद्युतधारा I_m एवं वोल्टेज V_m पर कार्य करता है तो पीवी मॉड्यूल द्वारा उत्पादित पॉवर (P_m)

अधिकतम होती है। मॉड्यूल के V_m के आंकलन के विषय में पहले ही इस अध्याय के अनुभाग 4.3.1 में चर्चा की जा चुकी है। आइये अब हम एक पीवी मॉड्यूल के I_m का आंकलन करना सीखें। सौर सेल के अध्याय में, यह उल्लेख किया गया है कि एक सौर सेल द्वारा उत्पादित विद्युतधारा, सेल के क्षेत्रफल पर निर्भर करती है। कम क्षेत्रफल वाला सौर सेल कम विद्युतधारा उत्पादित करेगा एवं अधिक क्षेत्रफल वाला अधिक। एक अन्य मापदंड है जिसे विद्युतधारा घनत्व कहा जाता है, यह है विद्युतधारा मान विभाजित क्षेत्रफल मान। यह सेल के क्षेत्रफल से प्रभावित नहीं होता है। अध्याय 3 की, तालिका 3.4 में, विभिन्न प्रौद्योगिकियों वाले सौर सेलों के लिये विद्युतधारा घनत्व दिया गया है। उदाहरण के लिये, क्रिस्टिलीन सिलिकॉन सौर सेल तकनीक में, औद्योगिक सेलों के लिये विद्युतधारा घनत्व 30 से 35 mA/cm^2 (STC के तहत्) की सीमा में होता है। एवं सौर सेल का आकार छोटे 5 cm^2 के सेल से बड़े 225 cm^2 के सेल तक परिवर्तित हो सकता है। बहरहाल दी गई प्रौद्योगिकी के लिये सेल का क्षेत्रफल एवं विद्युतधारा घनत्व पहले से ही ज्ञात होने पर, हम एक सेल का STC के तहत विद्युतधारा का आंकलन कर सकते हैं, वह है $J_{sc} \times A$ एवं यह विद्युतधारा और कुछ नहीं बल्कि I_{sc} होगा।

एक सौर सेल द्वारा उत्पादित कुल विद्युतधारा का मान, सेल के विद्युतधारा घनत्व को उसके क्षेत्रफल से गुणा करने पर प्राप्त किया जा सकता है। विद्युतधारा घनत्व का मान एक प्रौद्योगिकी विशेष एवं निर्माणकर्ता पर निर्भर करता है। समान प्रौद्योगिकी वाले सेलों के लिये, अधिक क्षेत्रफल वाले सेल अधिक विद्युतधारा उत्पादित करते हैं।

चूंकि मॉड्यूल में सेल श्रेणी में जुड़े होते हैं, इसीलिये सामान्यतः 12 वोल्ट के संचालन के लिये डिजाइन किए गए मॉड्यूल में, एकल सौर सेल द्वारा उत्पादित की गई विद्युतधारा ही पीवी मॉड्यूल की विद्युतधारा होती है। अतः यदि एक अधिक क्षेत्रफल वाला सेल 5 A (I_{sc}) विद्युतधारा उत्पादित कर रहा है, और 36 समरूप सेल श्रेणी में जुड़े हुए हैं, तब पीवी मॉड्यूल का I_{sc} मान भी 5 A ही होगा।

उदाहरण 4.6

एक क्रिस्टिलीन सिलिकॉन सौर सेल निर्माणकर्ता अपने सौर सेलों से 33 mA/cm^2 विद्युतधारा घनत्व की गारंटी देता है। यदि सेल का क्षेत्रफल 144 cm^2 है, तब सौर सेल के I_{sc} का आंकलन करें।

हल

दिया गया है कि :

सेल का क्षेत्रफल है = 144 cm^2

विद्युतधारा घनत्व J_{sc} है = 33 mA/cm^2 या 0.033 A/cm^2

इसीलिये,

$$I_{sc} = J_{sc} \times A$$

$$= 33\,\frac{mA}{cm^2} \times 144\ cm^2$$

$$= 0.033\frac{mA}{cm^2} \times 144\ cm^2 = 4.75\ A$$

उदाहरण 4.7

एक कैडमियम टेल्यूराइड सौर सेल निर्माणकर्ता अपने सौर सेल से 25 mA/cm^2 विद्युतधारा घनत्व की गारंटी देता है। यदि सेल का क्षेत्रफल 100 cm^2 है, तब सौर सेल के I_{sc} का आंकलन करें।

हल

उपरोक्त गणना के द्वारा मॉड्यूल के I_{sc} का आंकलन किया जा सकता है। परंतु मॉड्यूल के P_m की गणना करने हेतु, हमें I_m का आंकलन करने की आवश्यकता है। सामान्यतः I_m मॉड्यूल के I_{sc} के 90 से 95 प्रतिशत के बराबर होता है। एवं सामान्यतः V_m पीवी मॉड्यूल के V_{oc} के 80 से 85 प्रतिशत के बराबर होता है।

उदाहरण 4.8

अनुभाग 4.1 में उल्लिखित एक सेल ऐसे सौर पीवी मॉड्यूल को बनाने में उपयोग होता है, जिसमें 36 सेल श्रेणी में जुड़े होते हैं। पीवी मॉड्यूल का V_m, 15 वोल्ट है, मॉड्यूल के P_m का आंकलन करें।

हल

यह दिया गया है कि :

मॉड्यूल का V_m है : 15 वोल्ट

एक सेल का I_{sc}: 4.75 A

यह मानते हुए कि $I_m = 95\%$ of $I_{sc} = 0.95 \times 4.75 = 4.51$ A

इस प्रकार मॉड्यूल का P_m होगा :

$$P_m = I_m \times V_m = 4.51 \times 15$$

$$= 67.7 \text{ वॉट}$$

वर्कशीट 4.2

तालिका 4.4 में कुछ पीवी मॉड्यूल मापदंड दिए गए हैं। अन्य पीवी मॉड्यूल मापदंडों का आंकलन करके खाली स्थान भरें। माना कि $V_m = 0.85 \times V_{oc}$ एवं $I_m = 0.93 \times I_{sc}$। सारे मापदंड STC के तहत दिए गए हैं।

तालिका 4.4 पीवी मॉड्यूल मापदंड

V_{oc} (Volts)	V_m (Volts)	I_{sc} (Amp)	I_m (Amp)	Cell area (cm^2)	P_m (Watt)
21	–	5.0	–	145	–
–	13.5	2.0	–	55	–
–	14.5	–	0.8	30	–
19	–	–	1.5	50	–
–	14.2	–	3.2	100	–
–	15	5.7	–	160	–

प्रश्न 4.1 चित्र 4.9 में पीवी मॉड्यूल का वक्र दर्शाया गया है। इसे ध्यान से समझें एवं नीचे दी गई तालिका में पीवी मॉड्यूल के मुख्य मापदंड ग्राफ से नोट करें। मापदंडों की उपर्युक्त इकाईयां भी लिखें।

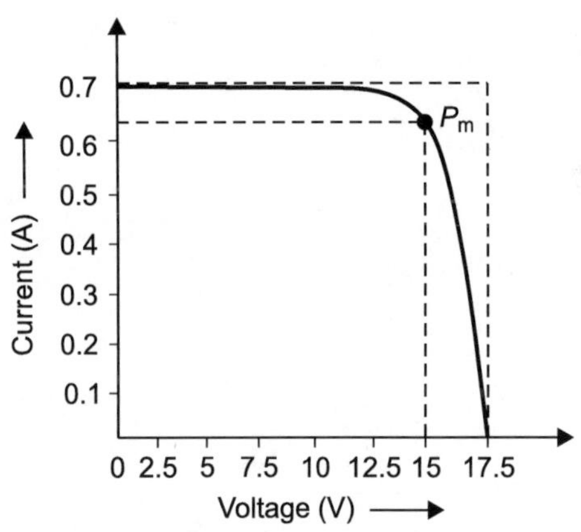

चित्र 4.9
एक पीवी मॉड्यूल का *I-V* वक्र।

तालिका 4.5 उदाहरण 4.1 की तालिका

क्र.सं.	*मापदंड*	*तालिका 3.2 से की गई गणना*	*मापदंडों का मान*	*मापदंडों की इकाई*
1	शॉर्ट सर्किट विद्युतधारा (I_{sc})	विद्युतधारा का मान जब वोल्टेज शून्य हो		
2	ओपन सर्किट वोल्टेज (V_{oc})	वोल्टेज का मान जब विद्युतधारा शून्य हो		
3	अधिकतम पॉवर या शक्ति बिंदु P_m	अधिकतम पॉवर का मान		
4	अधिकतम पॉवर पॉइंट पर विद्युतधारा (I_m)	अधिकतम पॉवर बिंदु पर विद्युतधारा का मान		
5	अधिकतम पॉवर या शक्ति बिंदु पर वोल्टेज (V_m)	अधिकतम पॉवर बिंदु पर वोल्टेज का मान		
6	फिल फैक्टर (FF)	$= \frac{I_m \times V_m}{I_{sc} \times V_{oc}}$		
7	दक्षता	$= \frac{V_{oc} \times I_{sc} \times FF}{P_{in} \times A}$		

वर्कशीट 4.3

एक पीवी मॉड्यूल की विद्युतधारा एवं वोल्टेज को विभिन्न संचालनकारी/ऑपरेटिंग बिंदुओं पर मापा गया है। उस पॉवर या शक्ति का आंकलन करें जो कि प्रत्येक संचालनकारी बिंदुओं पर उत्पादित किया जा सकता है। इन गणनाओं का उपयोग करते हुए नीचे तालिका में सौर पीवी मॉड्यूल मापदंडों को भरें।

तालिका 4.6 रिक्त स्थानों को भरें

क्र.सं.	*विद्युतधारा* I (A)	*वोल्टेज* V (V)	*पॉवर* P (W) $= I \times V$
1	0	37.72	_
2	0.25	37.58	_
3	0.44	37.15	_
4	0.46	37.04	_
5	0.53	36.77	_
6	0.6	36.53	_
7	0.69	35.97	_
8	0.86	35.02	_
9	1.06	33.77	_
10	1.37	29.32	_
11	1.48	16.73	_
12	1.50	0	_

सौर पीवी मॉड्यूल मापदंडों को विद्युतधारा-वोल्टेज बिंदुओं की तालिका से ज्ञात किया जा सकता है, जो कि शॉर्ट सर्किट परिस्थिति एवं ओपन सर्किट परिस्थिति के बीच मापा जाता है।

उपरोक्त तालिका में दिए गए मापित *I-V* बिंदुओं का उपयोग कर पीवी मॉड्यूल के मापदंडों को भरें।

तालिका 4.7 पीवी मॉड्यूल के मापदंड

क्र.सं.	*मापदंड*	*मापदंडों के मान*	*मापदंड की इकाई*
1	शॉर्ट सर्किट विद्युतधारा (I_{sc})		
2	ओपन सर्किट वोल्टेज (V_{oc})		
3	अधिकतम पॉवर पॉइंट P_m		
4	अधिकतम पॉवर बिंदु पर विद्युतधारा (I_m)		
5	अधिकतम पॉवर बिंदु पर वोल्टेज (V_m)		
6	फिल फैक्टर (FF)		
7	दक्षता		

4.4 एक सौर पीवी मॉड्यूल द्वारा उत्पादित विद्युत को प्रभावित करने वाले कारक

आइये अब चर्चा करें कि, किस तरह एक पीवी मॉड्यूल का पॉवर आउटपुट उसके आसपास की परिस्थितियों जैसे तापमान, सौर विकिरण, सूर्य किरणों के कोण आदि के परिवर्तित होने पर बदलता है। पीवी मॉड्यूल के आउटपुट का आसपास की परिस्थितियों के साथ परिवर्तित होने वाले कारण को समझना आवश्यक है। यह पीवी मॉड्यूल के उपयोग से होने वाले संभावित विद्युत उत्पादन का एवं दी गई परिस्थितियों में पीवी संयंत्र के संभावित कार्य निष्पादन का आंकलन करने में उपयोगी होगा।

सौर मॉड्यूल द्वारा उत्पादित पॉवर को प्रभावित करने वाले पांच सामान्य कारक हैं। इन कारकों की सूची नीचे दी गई है एवं इनके विषय में आगे आने वाले अनुभागों में चर्चा की गई है :

1. रूपांतरण दक्षता (η)
2. प्रकाश की मात्रा (P_{in})
3. संचालनकारी तापमान (T)
4. सौर सेल का क्षेत्रफल (A)
5. वह कोण जिस पर प्रकाश गिरता है (θ)

4.4.1 रूपांतरण दक्षता का प्रभाव (η)

मॉड्यूल में अनेक सेल होते हैं जो कि आपस में श्रेणी या समानांतर क्रम में जुड़े होते हैं। एक सौर सेल पर पड़ने वाली प्रकाश ऊर्जा के कुछ अंश को विद्युतीय ऊर्जा में रूपांतरित हो जाती है। इसी प्रकार से, एक पीवी मॉड्यूल भी इस पर पड़ने वाले कुल प्रकाश के कुछ भाग को विद्युतीय ऊर्जा में रूपांतरित कर देता है। उत्पादित विद्युत ऊर्जा एवं इनपुट प्रकाश ऊर्जा के बीच बनने वाले अनुपात को पीवी मॉड्यूल का रूपांतरण दक्षता कहा जाता है। मॉड्यूल की दक्षता हमेशा उसमें उपयोग होने वाले सौर सेलों की दक्षता से कम होती है।

पीवी मॉड्यूल में उपयोग किए जाने वाले सौर सेल पूरी तरह समरूप हों यह जरूरी नहीं है, इसका तात्पर्य है कि यह आवश्यक नहीं है कि सभी सौर सेलों के संपूर्ण मापदंड पूरी तरह समान हों। पीवी मॉड्यूल में उपयोग होने वाले सौर सेलों के इन अंतरों का परिणाम है, उन्हें मॉड्यूल में जोड़े जाने पर कम पॉवर उत्पादन (सारे सेलों के अलग–अलग कार्य करने पर प्राप्त स्थिति की तुलना में, जैसा कि अनुभाग 4.1 में वर्णित है)। साथ ही, मॉड्यूल का क्षेत्रफल हमेशा प्रत्येक सेल के क्षेत्रफलों के योग से अधिक होता है क्योंकि सेलों के बीच का या स्पेसिंग क्षेत्रफल का मान भी जोड़ा जाता है (चित्र 4.10 में दर्शाया गया है)। क्षेत्रफल का मान, जिसका उपयोग दक्षता की गणना हेतु किया जाता है, वह रूपांतरण दक्षता को प्रभावित करता है। मॉड्यूल की रूपांतरण दक्षता निर्भर करती है, मुख्यतः उपयोग किए जाने वाले सौर सेल एवं उन्हें आपस में जोड़ने वाली प्रणाली पर। एक मॉड्यूल में, सेल श्रेणी या समानांतर संयोजन में आपस में जोड़े जा सकते हैं। एक बार जब मॉड्यूल तैयार कर लिया जाता है, इसकी दक्षता का मान स्थिर हो जाता है एवं सामान्यतः यह परिवर्तित नहीं होता है।

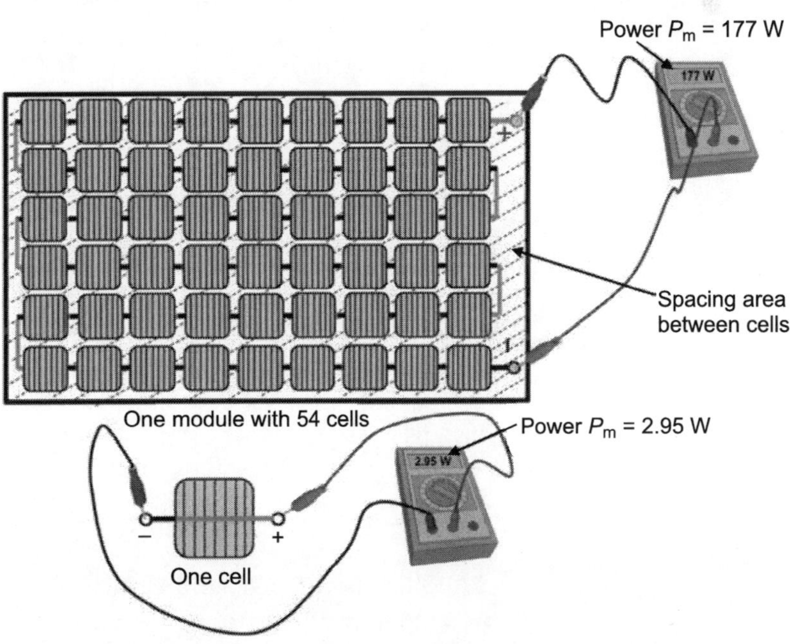

चित्र 4.10
सौर सेल क्षेत्रफल एवं एक मॉड्यूल में सेलों के बीच का स्थान या स्पेसिंग।

एक मॉड्यूल की दक्षता वह अधिकतम पॉवर (P_{max}) या पीक (उच्चतम) पॉवर (P_m) होती है, जो कि एक मॉड्यूल दिए गए इनपुट सौर विकिरणों के लिये उत्पादित कर सकता है। मॉड्यूल का

P_{max} आउटपुट या P_m, आउटपुट मॉड्यूल के सिरों पर विकसित वोल्टेज एवं उस विद्युतधारा जो यह सप्लाई कर सकता है, पर निर्भर करता है। एक मॉड्यूल में, सेलों के आपस में जुड़ने का तरीका आउटपुट पॉवर को बहुत अधिक प्रभावित करता है। यदि तात्क्षणिक सौर विकिरण या पॉवर घनत्व P_{in} है, तब मॉड्यूल की दक्षता (η) के लिये अभिव्यक्ति निम्न प्रकार से दी जा सकती है :

$$\eta = \frac{P_m}{P_{in} \times A} \quad \text{या} \quad P_m = P_{in} \times \eta \times A \tag{4.5}$$

इनपुट पॉवर के मान विशेष के लिये, आउटपुट पॉवर का मान, मॉड्यूल के रूपांतरण दक्षता एवं मॉड्यूल के क्षेत्रफल पर निर्भर होता है। उच्च दक्षता मान वाले मॉड्यूल हमेशा ही बेहतर प्रदर्शन करते हैं। सौर सेल के समान ही, मॉड्यूल की दक्षता की इकाई प्रतिशत (%) है, P_m की इकाई वॉट है, P_{in} की इकाई W/m^2 या W/cm^2 एवं मॉड्यूल के क्षेत्रफल की इकाई m^2 या cm^2 में है। मॉड्यूल की दक्षता, मानक परीक्षण परिस्थिति (STC–standard test condition) के लिये दी जाती है एवं STC के तहत इनपुट पॉवर घनत्व P_{in} का मान 1000 W/m^2 या 0.1 W/cm^2 लिया जाता है।

उदाहरण 4.9

एक मॉड्यूल से आउटपुट पॉवर की गणना कीजिये यदि उसकी दक्षता 22, 17, 16 एवं 12% है, इनपुट पॉवर घनत्व 1000 W/m^2 है एवं मॉड्यूल का क्षेत्रफल 58.7 इंच × 39.0 इंच है।

हल

सबसे पहले हम एक सौर सेल की दक्षता के लिये निम्न तरह से सूत्र लिखेंगे :

$$\eta = \frac{P_m}{P_{in} \times A} (\%)$$

यहां,

η = प्रतिशत में दक्षता (%)

P_m या P_{max} = वॉट में आउटपुट पॉवर (W)

P_m = प्रति इकाई क्षेत्रफल में प्रकाश इनपुट पॉवर या शक्ति Watt/metre² (W/m^2) में

A = सौर सेल क्षेत्रफल मीटर² (m^2) में

η = 22, 17, 16, 12%

P_{in} = 1000 W/m^2

A = 58.7 × 39.0 इंच²

P_m = ?

सबसे पहले, हम सेल के क्षेत्रफल को इंच² से मीटर² में रूपांतरित करते हैं।
हम जानते हैं कि, 1 इंच = 0.0254 मीटर
58.7 इंच = 1.49 मीटर एवं 30.0 इंच = 0.99 मीटर
अतः, मॉड्यूल का क्षेत्रफल (A) = 1.49 × 0.99 = 1.475 m^2
अब, हम सौर सेल की दक्षता 22% के लिये हल करेंगे
उपरोक्त सूत्र इस तरह लिखा जा सकता है,

$$P_m = \eta \times P_{in} \times A$$

हम क्रमशः मान इस सूत्र में लिखते हैं और पाते हैं,

$$P_m = \left(\frac{22}{100}\right) \times 1000 \times 1.475 = 324.5 \text{ W}$$

इसी प्रकार से, नीचे दर्शाई गई तालिका की तरह हम तालिका के रूप में अन्य दक्षताओं के लिये आउटपुट पॉवर की गणना कर सकते हैं।

तालिका 4.8 उदाहरण 4.9 हेतु तालिका

η (%)	P_{in} (W/m^2)	A (inch^2)	A (m^2)	η/100	$P_m = \frac{\eta}{100} \times P_{in} \times A$ (W)
22	1000	2289.3	1.475	0.22	324.50
17	1000	2289.3	1.475	0.19	250.75
16	1000	2289.3	1.475	0.16	236.00
12	1000	2289.3	1.475	0.12	177.00

उपरोक्त तालिका से यह स्पष्ट है कि जब एक मॉड्यूल की दक्षता घटती है तब उत्पादित आउटपुट पॉवर भी घटती है। मॉड्यूल की आउटपुट पॉवर सीधे मॉड्यूल की दक्षता पर निर्भर करती है जैसा कि चित्र 4.11 में दर्शाया गया है।

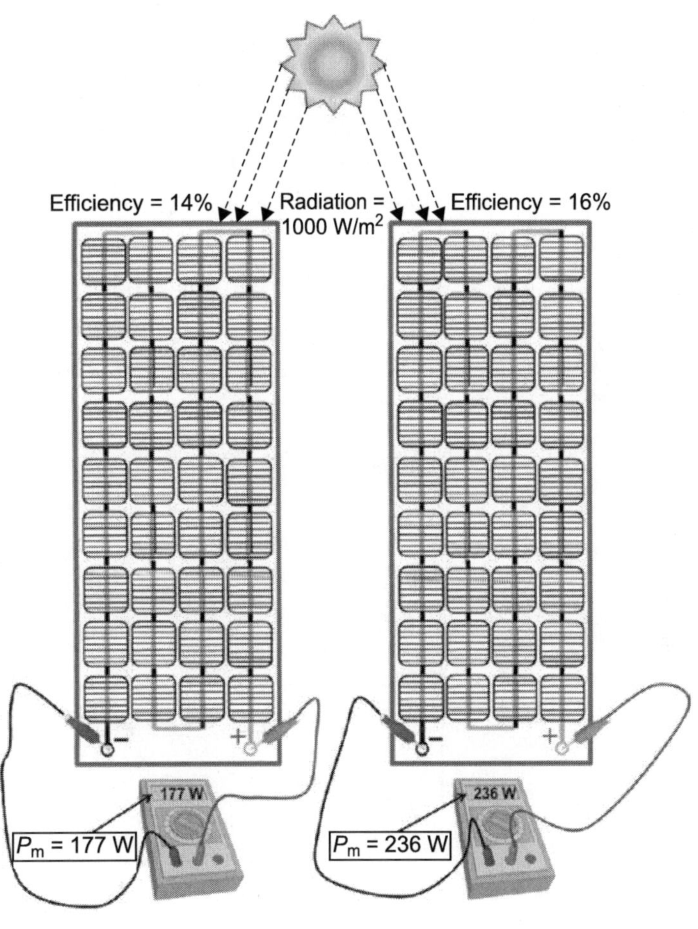

चित्र 4.11

1.475 वर्ग मीटर (m^2) क्षेत्रफल वाले मॉड्यूल की आउटपुट पॉवर पर मॉड्यूल रूपांतरण दक्षता का प्रभाव।

4.4.2 इनपुट प्रकाश की मात्रा में परिवर्तन (P_{in})

ध्यान रखने योग्य बात यह है कि, सौर पीवी मॉड्यूल पर पड़ने वाले प्रकाश (सूर्य प्रकाश की तीव्रता) की मात्रा सुबह से शाम तक परिवर्तित होती रहती है। एक सौर सेल की विद्युतधारा एवं वोल्टेज आउटपुट उस पर पड़ने वाले प्रकाश की मात्रा पर निर्भर करता है। सौर पीवी द्वारा उत्पादित विद्युतधारा उस पर पड़ने वाले प्रकाश की मात्रा के समानुपाती होती है। माना कि एक सौर पीवी मॉड्यूल 1000 W/m^2 इनपुट सौर विकिरण में 5 A विद्युतधारा उत्पादित करता है, तब 500 W/m^2 इनपुट सौर विकिरण से पीवी मॉड्यूल केवल 2.5 A विद्युतधारा उत्पादित करेगा (क्योंकि इनपुट विकिरण का मान आधा है)। जैसे कि सौर पीवी मॉड्यूल पर पड़ने वाले सौर प्रकाश की मात्रा सुबह से दोपहर तक बढ़ती रहती है, वैसे ही एक सौर पीवी मॉड्यूल की विद्युतधारा आउटपुट भी सुबह से दोपहर तक बढ़ता जाता है। दोपहर से शाम तक सौर पीवी मॉड्यूल पर पड़ने वाले सूर्य प्रकाश

की मात्रा घटती है, और इसीलिये एक सौर पीवी मॉड्यूल की विद्युतधारा आउटपुट भी दोपहर से शाम तक घटती है। एक सौर पीवी मॉड्यूल का आउटपुट वोल्टेज प्रकाश की मात्रा के परिवर्तन होने से बहुत अधिक प्रभावित नहीं होता है। यदि एक सौर पीवी मॉड्यूल दोपहर के वक्त 20 वोल्ट उत्पादित करता है, तो इसका वोल्टेज सुबह व शाम के घंटों में भी लगभग समान रहता है।

सौर पीवी मॉड्यूल की विद्युतधारा आउटपुट, सौर विकिरण की मात्रा के आनुपातिक होता है एवं वोल्टेज अपेक्षाकृत रूप से सूर्य प्रकाश की तीव्रता से प्रभावित नहीं होता है। अतः, सौर पीवी मॉड्यूल द्वारा उत्पादित पॉवर या शक्ति (पॉवर = विद्युतधारा × वोल्टेज) उस पर पड़ने वाले प्रकाश की मात्रा के आनुपातिक होती है। एक सौर पीवी मॉड्यूल द्वारा उत्पादित पॉवर की मात्रा पूरे दिन परिवर्तित होती रहती है (यह स्थिर नहीं होती है)। इसीलिये, एक सौर पीवी मॉड्यूल पर पड़ने वाले प्रकाश की तीव्रता उच्च होने पर वह उच्च पॉवर प्रदान करता है। इसी प्रकार से, वह कम पॉवर उत्पादित करेगा, जब इस पर पड़ने वाले प्रकाश की तीव्रता निम्न हो। नीचे चित्र 4.12 में 75 W_p (या 75 W_{max} या 75 W_m) के पीवी मॉड्यूल का उदाहरण दर्शाया गया है। 75 W_p पीवी मॉड्यूल का विभिन्न इनपुट सौर विकिरण तीव्रता मानों के लिये, संभावित पॉवर आउटपुट दिया गया है, साथ ही STC के तहत भी पीवी मॉड्यूल पॉवर आउटपुट भी दिया गया है। चित्र 4.12 में समान पीवी मॉड्यूल की *I-V* विशेषताएं, 25°C तापमान एवं विभिन्न सौर विकिरण तीव्रता (1000 W/m^2, 800 W/m^2, 600 W/m^2, 400 W/m^2 एवं 200 W/m^2) के लिये दर्शाए गए हैं। कृपया यह ध्यान रखें कि तालिका 4.9 एवं चित्र 4.12 में जो विभिन्न सौर विकिरण मान के लिये पॉवर आउटपुट दिया गया है, वह उस परिस्थिति विशेष में पीक या उच्चतम पॉवर आउटपुट है। चित्र 4.12 में पीक पॉवर या अधिकतम पॉवर पॉइंट 'X' द्वारा दर्शाया गया है। एक पीवी मॉड्यूल का वास्तविक पॉवर आउटपुट अधिकतम पॉवर पॉइंट से कम हो सकता है, यदि पीवी मॉड्यूल अधिकतम पॉवर बिंदु के अनुसार विद्युतधारा व वोल्टेज पर कार्य नहीं कर रहा हो (जैसा कि अनुभाग 3.2.1 में चर्चा की गई है)।

एक सौर पीवी मॉड्यूल पर, अधिक मात्रा में प्रकाश का पड़ना मतलब अधिक उत्पादित पॉवर, कम मात्रा में प्रकाश का पड़ना मतलब कम उत्पादित पॉवर।

तालिका 4.9 एक 75 W_p पीवी मॉड्यूल द्वारा विभिन्न सौर विकिरण तीव्रता के अंतर्गत संभावित पॉवर आउटपुट। पीवी मॉड्यूल का तापमान सभी परिस्थितियों में स्थिर माना गया है।

इनपुट प्रकाश की मात्र या सूर्यप्रकाश तीव्रता, P_{in} (W/m^2)	*एक पीवी मॉड्यूल की उच्चतम या पीक पॉवर आउटपुट,* W_p (Watt)
1000 (STC)	75 (STC)
800	60
600	45
400	30
200	15

एक सौर पीवी मॉड्यूल दुगुनी इनपुट प्रकाश पॉवर के साथ, दुगुनी विद्युतीय पॉवर आउटपुट उत्पादित करेगा।

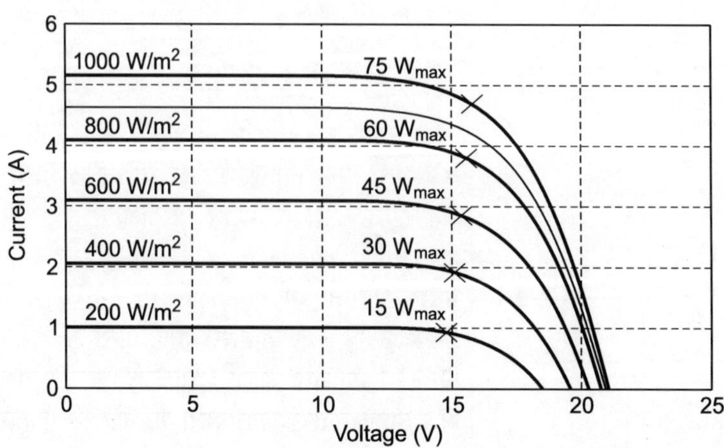

चित्र 4.12
एक 75 W_p (STC परिस्थिति) पीवी मॉड्यूल की, विभिन्न इनपुट सौर तीव्रताओं के तहत *I-V* विशेषताएं । विभिन्न सौर विकिरण तीव्रताओं में मॉड्यूल के उच्चतम या पीक पॉवर भी वर्णित किए गए हैं।

उदाहरण 4.10

एक पीवी मॉड्यूल का STC के तहत W_p रेटिंग 230 W_p (या 230 W_{max}) है। पीवी मॉड्यूल का आउटपुट पॉवर क्या होगा, यदि सौर विकिरण तीव्रता केवल 400 W/m^2 हो? यह मानें कि, दोनों परिस्थितियों में सेलों के मॉड्यूल का तापमान समान रहता है।

हल

यह दिया गया है कि पीक या उच्चतम पॉवर रेटिंग 230 W_p है।

दी गई सौर विकिरण परिस्थिति STC है, जो कि 1000 W/m^2 इनपुट पॉवर के बराबर है।

अब, हम जानते हैं कि इनपुट सूर्य प्रकाश तीव्रता के साथ पीवी आउटपुट पॉवर रैखिक रूप से परिवर्तित होता है (जबकि सेल का तापमान स्थिर हो, जो कि दिया गया है)। इस प्रकार से 1000 W/m^2 इनपुट पॉवर पर; पीक पॉवर आउटपुट 230 Wp है; तब 1000 W/m^2 इनपुट पॉवर पर; पीक पॉवर आउटपुट होगी :

$$= \frac{230 \text{ W}_p}{1000 \text{ W/m}^2} \times 400 \text{ W/m}^2$$
$$= 92 \text{ W}_p$$

उदाहरण 4.11

एक सौर पीवी मॉड्यूल का 300 W/m^2 एवं 700 W/m^2 पर अधिकतम पॉवर आउटपुट क्रमशः 42 वॉट एवं 98 वॉट है। STC के तहत पीवी मॉड्यूल का W_p रेटिंग क्या होगा? यह मानें कि दोनों परिस्थितियों में सेलों के मॉड्यूल का तापमान समान है।

हल

यह दिया गया है कि :

300 W/m^2 पर अधिकतम पॉवर आउटपुट 42 वॉट है, एवं

700 W/m^2 पर अधिकतम पॉवर आउटपुट 98 वॉट है

चूंकि सेल का तापमान स्थिर है, तब किसी भी सौर विकिरण परिस्थिति में पीवी मॉड्यूल का अधिकतम पॉवर आउटपुट सौर विकिरण पॉवर इनपुट पर निर्भर करेगा।

हमें STC के तहत पीवी मॉड्यूल का उच्चतम या पीक पॉवर आउटपुट निकालने की आवश्यकता है, अर्थात् 1000 W/m^2 सौर विकिरण परिस्थिति में।

हम लिख सकते हैं,

300 W/m^2 इनपुट पॉवर पर; पीक या उच्चतम पॉवर आउटपुट है 42 W_p;

तब 1000 W/m^2 इनपुट पॉवर पर; पीक आउटपुट पॉवर होगी

$$\frac{42 \text{ W}_p}{300 \text{ W/m}^2} \times 1000 \text{ W/m}^2$$
$$= 140 \text{ W}_p$$

साथ ही, हम लिख सकते हैं,

700 W/m^2 इनपुट पॉवर पर; पीक या उच्चतम पॉवर आउटपुट है 98 W_p;

तब 1000 W/m^2 इनपुट पॉवर पर; पीक आउटपुट पॉवर होगी :

$$\frac{98 \text{ W}_p}{700 \text{ W/m}^2} \times 1000 \text{ W/m}^2$$
$$= 140 \text{ W}_p$$

4.4.3 पीवी मॉड्यूल तापमान में परिवर्तन का प्रभाव

सौर पीवी मॉड्यूल का आउटपुट वोल्टेज, पॉवर एवं दक्षता रेटिंग आदि, मानक परीक्षण परिस्थिति पर दिए गए हैं। पीवी मॉड्यूल आउटपुट वोल्टेज, पीवी मॉड्यूल दक्षता एवं आउटपुट पॉवर आदि, पीवी मॉड्यूल में सेल के तापमान पर निर्भर करता है। व्यावहारिक अनुप्रयोगों में पीवी माड्यूलों में सौर सेलों का संचालनकारी या ऑपरेटिंग तापमान 25°C से भिन्न हो सकता है। सेल का तापमान

वातावरण के तापमान के कारण परिवर्तित हो सकता है। अनेक स्थितियों में वातावरण का तापमान STC के 25°C तापमान से ज्यादा होता है। साथ ही, सामान्यतः, एक पीवी मॉड्यूल में सेल कांच के कवर द्वारा चारों तरफ से बंद रहता है। कांच के कवर के कारण ग्रीन हाउस प्रभाव उत्पन्न होता है, जिसका परिणाम होता है सौर सेलों का गर्म होना एवं उनके तापमान में वृद्धि। आदर्श संचालनकारी तापमान का परिवर्तन, एक पीवी मॉड्यूल के आउटपुट वोल्टेज को सीधे प्रभावित करता है। पीवी मॉड्यूल में सेल का तापमान बढ़ने के साथ, पीवी मॉड्यूल का वोल्टेज आउटपुट घटता है, जिसका परिणाम होता है पीवी मॉड्यूल दक्षता एवं पीवी मॉड्यूल आउटपुट पॉवर का घटना।

तालिका 4.6 में सेल के ऑपरेटिंग तापमान (या पीवी मॉड्यूल मापदंडों का तापमान गुणांक) के बढ़ने के साथ पीवी मॉड्यूल के मापदंडों में होने वाले परिवर्तन को दर्शाया गया है। विभिन्न तापमानों पर मॉड्यूल आउटपुट के विभिन्न मान। पीवी मॉड्यूल की शॉर्ट सर्किट विद्युतधारा, सेल के तापमान के साथ साथ बढ़ती है, जबकि अन्य मापदंड जैसे ओपन सर्किट वोल्टेज, दक्षता एवं आउटपुट पॉवर पीवी मॉड्यूल में सेल का तापमान बढ़ने के साथ घटते हैं। तालिका 4.10 में क्रिस्टिलीन सिलिकॉन, कैडमियम टेल्यूराइड एवं एमॉर्फ्स सिलिकॉन के तापमान के साथ मापदंडों के मान में परिवर्तन को वर्णित किया गया है।

सामान्यतः पीवी मॉड्यूल के महत्वपूर्ण मापदंडों में से एक है उसका W_p रेटिंग। व्यावहारिक परिस्थितियों में, सेल ऑपरेटिंग तापमान, STC तापमान से अधिक होने की वजह से, मॉड्यूल का वास्तविक अधिकतम आउटपुट पॉवर STC मान से कम होता है। मॉड्यूल मापदंड के तापमान गुणांक का उपयोग कर, तापमान के बढ़ने के साथ मापदंड के मान में परिवर्तन का आंकलन किया जा सकता है। इस प्रकार से, यदि हम पॉवर का तापमान गुणांक जानते हैं, तब हम यह गणना कर सकते हैं कि वास्तविक जीवन में संचालनकारी परिस्थितियों में एक पीवी मॉड्यूल के उच्चतम पॉवर आउटपुट में कितनी गिरावट होगी।

मापदंडों के तापमान गुणांक STC पर मापदंडों के प्रतिशत के रूप में दिये गए हैं। अतः तापमान के बढ़ने के कारण STC मान की तुलना में मापदंडों के मान ज्ञात करने के लिये निम्न सूत्र लिखे जा सकते हैं :

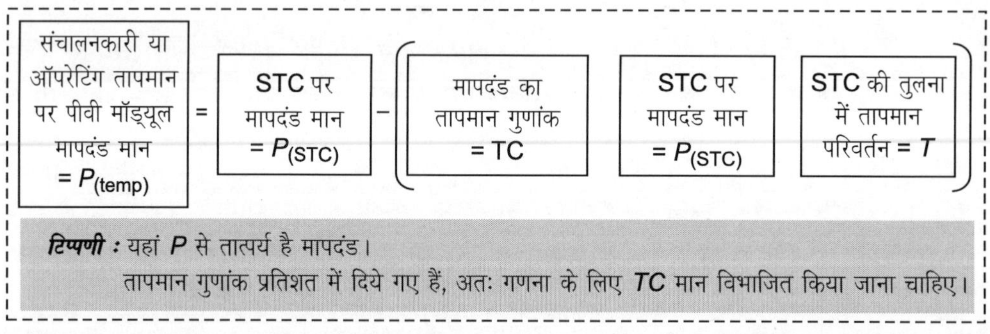

सूत्र के रूप में हम इस तरह लिख सकते हैं :

$$P_{(temp)} = P_{(STC)} - TC \times P_{(STC)} \times \Delta T$$

एक सौर पीवी मॉड्यूल के लिये, उच्च तापमान से तात्पर्य है निम्न पॉवर आउटपुट। एक क्रिस्टिलीन सिलिकॉन पीवी मॉड्यूल के लिये आउटपुट वोल्टेज प्रति डिग्री सेंटीग्रेड तापमान बढ़ने पर 0.35% से घटता है।

उपरोक्त सूत्रों का उपयोग करते हुए हम दिये गए सेल ऑपरेटिंग तापमान के लिये किसी मापदंड में होने वाले परिवर्तन को ज्ञात कर सकते हैं। उपरोक्त सूत्र किसी भी मापदंड के लिये लिखा जा सकता है। उदाहरण के लिये पीवी मॉड्यूल में सेल का तापमान बढ़ने की वजह से अधिकतम मॉड्यूल–वोल्टेज में परिवर्तन सूत्र निम्न प्रकार से दिया जा सकता है :

$$V_{m,(temp)} = V_{m,(STC)} - TC_{voltage} \times V_{m,(STC)} \times \Delta T$$

एवं पीवी मॉड्यूल में सेल तापमान बढ़ने से मॉड्यूल के अधिकतम पॉवर आउटपुट में होने वाले परिवर्तन को निम्न प्रकार से दर्शाया जा सकता है :

$$P_{max,(temp)} = P_{max,(STC)} - TC_{(power)} \times P_{max,(STC)} \times \Delta T$$

तालिका 4.10 विभिन्न तापमान पर मॉड्यूल के आउटपुट के विभिन्न मान

क्र.सं.	*तापमान (°C)*	*वॉटेज (वॉट)*
1	25 (STC)	75-00
2	30	73-3
3	40	69-9
4	50	66-6
5	60	63-2
6	70	59-8

वर्कशीट 4.4

एक क्रिस्टिलीन सिलिकॉन सौर सेल का अधिकतम रेटेड या अंकित पॉवर पॉइंट 75 W_p है। 45°C, 55°C, व 65°C सेल ऑपरेटिंग तापमान पर अधिकतम पॉवर आउटपुट की गणना करें। क्रिस्टिलीन सिलिकॉन सेल के लिये प्रति डिग्री सेल तापमान में बढ़ने पर अधिकतम पॉवर घटने का मान है, –0.45%/°C। तालिका 4.11 भरें।

निम्न सूत्र का उपयोग करें :

सेल ऑपरेटिंग तापमान (वॉट) पर वास्तविक P_{max}

$$P_{max,(temp)} = P_{max,(STC)} - TC_{(power)} \times P_{max,(STC)} \times \Delta T$$

तालिका 4.11 तापमान में परिवर्तन के कारण मॉड्यूल के वॉटेज में परिवर्तन

ऑपरेटिंग सेल तापमान (°C)	STC *सेल तापमान* (°C)	ΔT (°C)	$P_{max(STC)}$ (*वॉट*)	TC	$TC_{power} \times P_{max(STC)} \times \Delta T$ (*वॉट*)	$P_{max,(temp)}$ (*वॉट*)
45	25	20	–	–0.45%	–	–
55	–	–	75	–	–	64.87
65	–	–	–	–0.45%	–	–

उदाहरण 4.12

एक क्रिस्टिलीन सिलिकॉन सौर पीवी मॉड्यूल का STC पर अधिकतम पॉवर पॉइंट पर वोल्टेज 17 V है। यदि पीवी मॉड्यूल ऑपरेटिंग तापमान 60°C हो तो वोल्टेज क्या होगा? तालिका 4.10 देखें।

हल

यह दिया गया है कि पीवी मॉड्यूल एक क्रिस्टिलीन सिलिकॉन पीवी मॉड्यूल है,

STC पर पीवी मॉड्यूल का अधिकतम पॉवर पॉइंट पर वोल्टेज है; $V_{m,(STC)} = 17$ V

STC पर पीवी मॉड्यूल का तापमान है 25°C

पीवी मॉड्यूल का ऑपरेटिंग या संचालनकारी तापमान जिस पर V_m की गणना की जानी है वह 60°C है, अतः हमें $V_{m,}(60°C)$ की गणना करने की आवश्यकता है।

ऑपरेटिंग पीवी मॉड्यूल तापमान एवं STC तापमान में अंतर है, $\Delta T = 60 - 25 = 35$°C.

अब, तालिका 4.10 को ध्यान में रखते हुए, मानक परीक्षण परिस्थिति (STC) के तापमान (25°C) की तुलना में, पीवी मॉड्यूल का तापमान, प्रति डिग्री सेंटीग्रेड बढ़ने पर वोल्टेज की हानि है, –0.35%

अब तापमान के बढ़ने पर वोल्टेज परिवर्तन का सूत्र उपयोग करने पर,

$$V_{m,(temp)} = V_{m,(STC)} - TC_{voltage} \times V_{m,(STC)} \times \Delta T$$

$$= 17 - \frac{0.35}{100} \times 17 \times 35 = 17 - 2.08 = 14.91 \text{ V}$$

4.4.4 पीवी मॉड्यूल के क्षेत्रफल में परिवर्तन (A)

सामान्यतः अधिक क्षेत्रफल वाले मॉड्यूल कम क्षेत्रफल वाले मॉड्यूल की तुलना में अधिक पॉवर देते हैं। इस बिंदु को समझना महत्वपूर्ण है? जब हम कहते हैं कि एक मॉड्यूल का क्षेत्रफल बढ़ गया है या घट गया है, तब उसका तात्पर्य है कि एक मॉड्यूल में सेलों की संख्या बढ़ने या घटने पर उसका क्षेत्रफल बढ़ा या घटा है। उदाहरण के लिये एक मॉड्यूल में 36 सेल हैं एवं प्रत्येक सेल

का क्षेत्रफल 156 cm^2 है तब 36 सेलों का कुल क्षेत्रफल है $36 \times 156 = 562$ $cm^2 = 0.562$ m^2। अब, यदि समान मॉड्यूल में सेलों की संख्या बढ़ गई है, जैसे 72 सेल तब सेलों का कुल क्षेत्रफल होगा 1.12 m^2 (यानि 0.562 m^2 का दुगुना)।

अब हमें यह समझने की जरूरत है कि, मॉड्यूल के क्षेत्रफल में होने वाला परिवर्तन किस तरह मॉड्यूल के अधिकतम पॉवर आउटपुट (P_m) से संबंधित है। इस अध्याय के अनुभाग 4.3.3 में हमने यह सीखा है कि एक मॉड्यूल का अधिकतम पॉवर आउटपुट, अधिकतम आउटपुट विद्युतधारा (I_m) एवं अधिकतम आउटपुट वोल्टेज (V_m) पर निर्भर करता है। उदाहरण के लिये STC पर मॉड्यूल का क्षेत्रफल है, 1.475 m^2 जिसमें V_m= 26 V एवं I_m = 6.73 A होने पर वह P_m = 175 W देगा, एवं वह मॉड्यूल जिसका क्षेत्रफल है 2.950 m^2 जिसमें V_m= 52 V एवं I_m= 6.73 A है वह P_m = 350 W देगा। यहां इनपुट सूर्यप्रकाश एक समान तीव्रता में है (चित्र 4.13 में दर्शाया गया है)।

एक मॉड्यूल में अधिक संख्या में सेलों के होने का मतलब है, मॉड्यूल का अधिक क्षेत्रफल; एक मॉड्यूल में कम संख्या में सेलों के होने का मतलब है, मॉड्यूल का कम क्षेत्रफल।

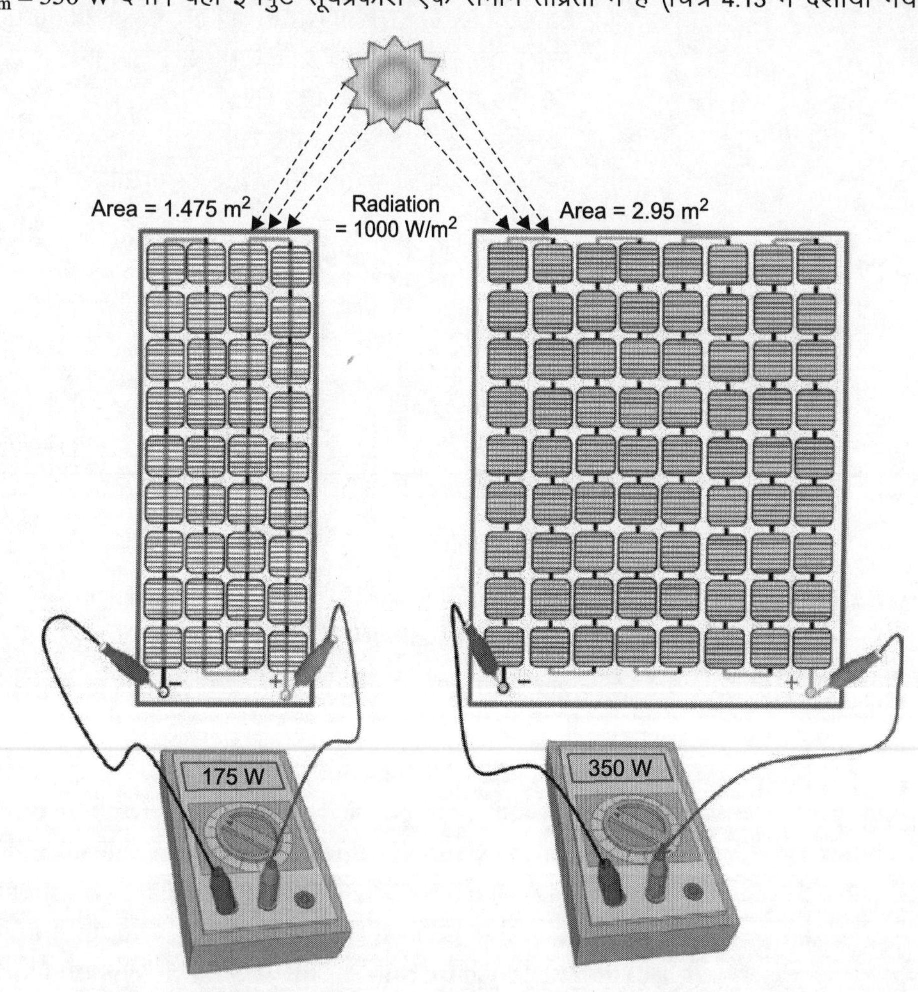

चित्र 4.13
समान प्रकाश तीव्रता एवं दक्षता वाले मॉड्यूल के आउटपुट विद्युतधारा पर मॉड्यूल के क्षेत्रफल का प्रभाव।

उपरोक्त उदाहरण से प्रश्न उठता है कि मॉड्यूल का क्षेत्रफल बढ़ने पर आउटपुट वोल्टेज एवं आउटपुट पॉवर दुगुने क्यों हो जाते हैं ? ऐसा इसलिये है क्योंकि मॉड्यूल के V_m एवं I_m सेलों की श्रेणी या समानांतर क्रम में आपस में जुड़ने के तरीकों पर निर्भर करते हैं। जब सेलों की एक श्रृंखला श्रेणीक्रम में जोड़ी जाती है, तब वोल्टेज का योग होता है एवं विद्युतधारा मान स्थिर रहता है (जैसे, सेलों की एकल श्रृंखला की विद्युतधारा)। जब सेलों की श्रृंखला समानांतर रूप में जुड़ी होती हैं, तब विद्युतधारा के मान का योग होता है एवं वोल्टेज मान स्थिर रहता है (जैसे कि सेलों की एकल श्रृंखला का वोल्टेज)। अतः, जब एक मॉड्यूल में सेलों की श्रृंखला आपस में श्रेणी में जुड़ी होती हैं, तब उच्च वोल्टेज आउटपुट प्राप्त होता है।

जब एक मॉड्यूल में सेलों की श्रृंखला समानांतर रूप से आपस में जुड़ी होती हैं, आउटपुट विद्युतधारा का उच्च मान प्राप्त होता है। आइये हम एक मॉड्यूल के विषय में समझें, जिसका क्षेत्रफल 2.95 cm^2 है जिसमें 1.475 m^2 क्षेत्रफल वाली दो इकाईयां हैं जिसमें कि सेल आपस में श्रेणी क्रम में जुड़े हुए हैं जो कि STC (P_m = 175 W) पर (चित्र 4.13 में दर्शाया गया है), V_m = 26 V एवं I_m = 6.73 A प्रदान करते हैं। ये 1.475 m^2 वाली इकाईयां आपस में समानांतर क्रम में जुड़ी हुई हैं जो STC (P_m = 350 W) पर V_m = 26 V एवं उच्च विद्युतधारा I_m = 13.46 A, देते हैं जैसा कि चित्र 4.14 में दर्शाया गया है। अतः व्यावहारिक अनुप्रयोगों में, यह मायने नहीं रखता है कि सेल या सेलों की श्रृंखला एक मॉड्यूल में किस तरह से जुड़ी हुई है। यहां, एक मॉड्यूल में क्षेत्रफल का परिवर्तन मुख्यतः उसमें सेलों की संख्या घटने या बढ़ने से होता है। यह समझना महत्वपूर्ण है कि मॉड्यूल के क्षेत्रफल में परिवर्तन के साथ, मॉड्यूल की आउटपुट पॉवर भी परिवर्तित होती है।

अधिक मॉड्यूल क्षेत्रफल मतलब उच्च पॉवर; कम मॉड्यूल क्षेत्रफल मतलब निम्न पॉवर।

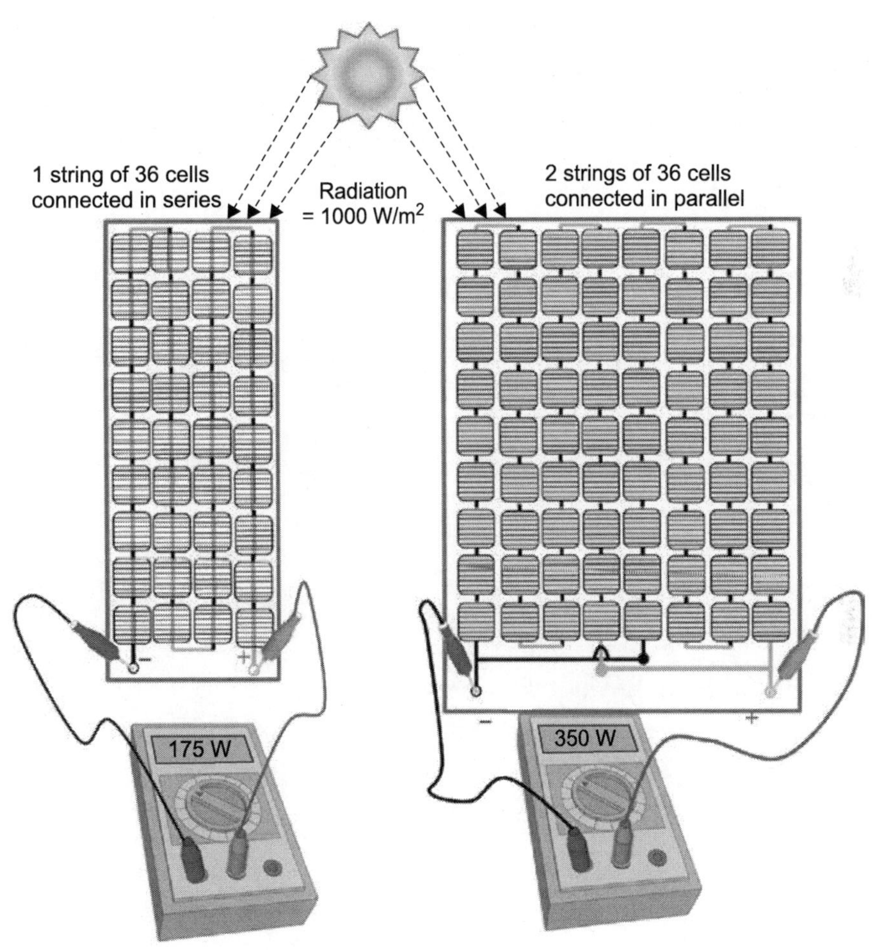

चित्र 4.14
(a) एकल श्रृंखला वाले सेल युक्त मॉड्यूल एवं (b) समानांतर क्रम में जुड़ी दो श्रृंखलाओं में सेलों से युक्त मॉड्यूल।

तालिका 4.12 औद्योगिक रूप से उपलब्ध विभिन्न वॉटेज वाले मॉड्यूलों की STC पर तुलना, क्रमशः A, I_m, V_m एवं n के साथ

	मॉड्यूल 1	*मॉड्यूल 2*	*मॉड्यूल 3*	*मॉड्यूल 4*
पॉवर (P_m)	115 W_p	175 W_p	230 W_p	230 W_p
क्षेत्रफल (A)	0.882 m^2	1.476 m^2	1.646 m^2	1.646 m^2
अधिकतम विद्युतधारा (I_m)	6.76 A	6.73 A	7.93 A	13.64 A
अधिकतम वोल्टेज (V_m)	17 V	26 V	29 V	17 V
सेलों की संख्या (n)	36	54	60	72

उपरोक्त तालिका 4.13 में यह देखा जा सकता है कि जैस–जैसे मॉड्यूल का क्षेत्रफल (मॉड्यूल में सेलों की सख्या) बढ़ता है वैसे ही मॉड्यूल का पॉवर मान भी बढ़ता है।

4.4.5 पीवी मॉड्यूल पर पड़ने वाले प्रकाश के कोण में परिवर्तन (θ)

अध्याय 3 में वर्णित सौर सेलों के समान; मॉड्यूल पर पड़ने वाले सूर्यप्रकाश का मॉड्यूल के साथ कोण आउटपुट पॉवर को बहुत अधिक प्रभावित करता है। मॉड्यूल तब अधिकतम पॉवर उत्पादित करता है (दी गई प्रकाश तीव्रता के लिये) जब सूर्यप्रकाश मॉड्यूल की सतह के लम्बवत् पड़ता है। जब प्रकाश मॉड्यूल पर लम्बवत् नहीं पड़ता है, तब वह हमेशा अधिकतम संभावित आउटपुट से कम आउटपुट पॉवर देता है। ऐसा इसलिये है क्योंकि जब प्रकाश किसी कोण पर पड़ता है, तब मॉड्यूल पर पड़ने वाले प्रकाश का कुछ अंश परावर्तित हो जाता है। अतः, एक मॉड्यूल द्वारा उपयोग किया जाने वाला वास्तविक प्रकाश उस पर पड़ने वाले प्रकाश से कम होता है। इसीलिये, जब प्रकाश मॉड्यूल पर लम्बवत् न पड़ रहा हो तब उत्पादित आउटपुट पॉवर कम होता है जैसा कि चित्र 4.15 में दर्शाया गया है। इसी वजह से हमें मॉड्यूल को कुछ इस प्रकार स्थापित करना चाहिये (मॉड्यूल के झुकाव का कोण) जिससे अधिकांश समय सूर्यप्रकाश लम्बवत् के समीप ही रहे, खासकर दोपहर के समय जब सूर्यप्रकाश की तीव्रता उच्च होती है।

मॉड्यूल पर पड़ने वाला लम्बवत् प्रकाश अधिकतम आउटपुट पॉवर देता है।

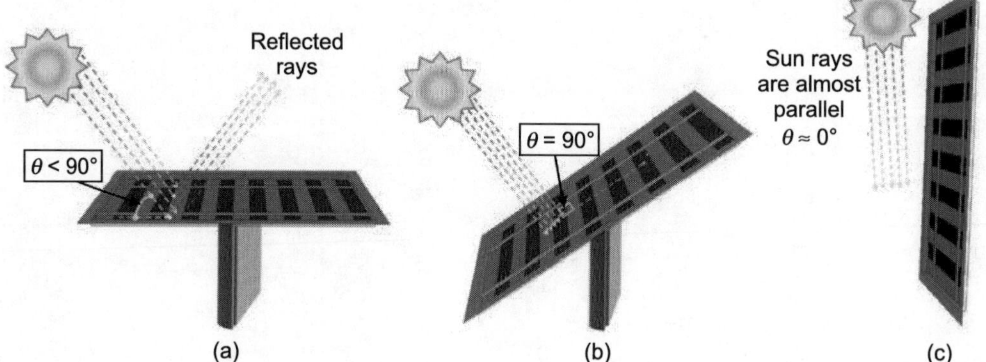

चित्र 4.15
मॉड्यूल के आउटपुट पॉवर पर पड़ने वाले सूर्य प्रकाश के कोण का प्रभाव (a) प्रकाश 90° से कम कोण पर है, (b) प्रकाश 90° कोण पर है, एवं (c) प्रकाश समानांतर पड़ रहा है।

4.5 मॉड्यूल के मापदंडों को मापना

अनुभाग 4.3 में जो सौर सेल मापदंड वर्णित हैं, उन्हें कुछ पहले से मापित मापदंडों के आधार पर मापा जा सकता है या उनकी गणना की जा सकती है। कुछ मापदंडों को मापने वाली युक्तियों का उपयोग कर मापा जा सकता है जैसे ओपन सर्किट एवं अधिकतम वोल्टेज, शॉर्ट सर्किट एवं अधिकतम विद्युतधारा एवं साथ ही वे मापदंड जिनकी गणना पहले से ही मापित मापदंडों के उपयोग से की जा सकती है वे हैं—फिल फैक्टर, अधिकतम पॉवर पॉइंट एवं दक्षता। मॉड्यूल मापदंडों को मापने के लिये निम्न उपकरणों की आवश्यकता होती है :

1. एमीटर या एक मल्टीमीटर
2. वोल्टमीटर या एक मल्टीमीटर
3. रियोस्टाट
4. कनेक्टिंग वायर या जोड़ने वाले तार

4.5.1 V_{oc} एवं I_{sc} को मापना

ओपन सर्किट वोल्टेज (V_{oc}) एवं शॉर्ट सर्किट विद्युतधारा (I_{sc}) को सीधे मल्टीमीटर से भी मापा जा सकता है। V_{oc}, को मापने के लिये मल्टीमीटर को वोल्टमीटर मोड में या एक वोल्टमीटर को भी उपयोग किया जा सकता है। I_{sc} को मापने के लिये एक मल्टीमीटर को DC विद्युतधारा या करंट मोड में या फिर एक एमीटर के उपयोग से भी मापा जा सकता है।

V_{oc} का मापन

जब आप एक मॉड्यूल का V_{oc} या ओपन सर्किट वोल्टेज माप रहे हों, तब मॉड्यूल से कोई भी विद्युत उपकरण जुड़ा नहीं होना चाहिये, वह ओपन सर्किट मोड में होना चाहिये। V_{oc} को मापने के

लिये सबसे पहले मल्टीमीटर नॉब को वोल्टेज मापन में सेट करना चाहिये एवं दिये गए मॉड्यूल के अनुरूप वोल्टेज को सेट करना चाहिये (सामान्यतः 6 V, 12 V, 24 V आदि)। तत्पश्चात् जैसा कि चित्र 4.16 में दिखाया गया है, मल्टीमीटर/वोल्टमीटर के दोनों सिरों को SPV मॉड्यूल के दोनों सिरों से सीधा जोड़ देना चाहिये। यह निश्चित करें कि मल्टीमीटर एवं मॉड्यूल के समान ध्रुवता वाले सिरे आपस में जुड़े हैं। इस प्रबंध में मल्टीमीटर/वोल्टमीटर द्वारा दिया गया परिणाम या रीडिंग दिये गए SPV मॉड्यूल का ओपन सर्किट वोल्टेज होता है। यदि मीटर में परिणाम के साथ ऋणात्मक चिन्ह दिख रहा है, तो यह सूचित करता है कि मॉड्यूल एवं मीटर के सही ध्रुव वाले सिरे आपस में नहीं जुड़े हैं तब कनेक्शन को उल्टा करें एवं फिर से मापन करें।

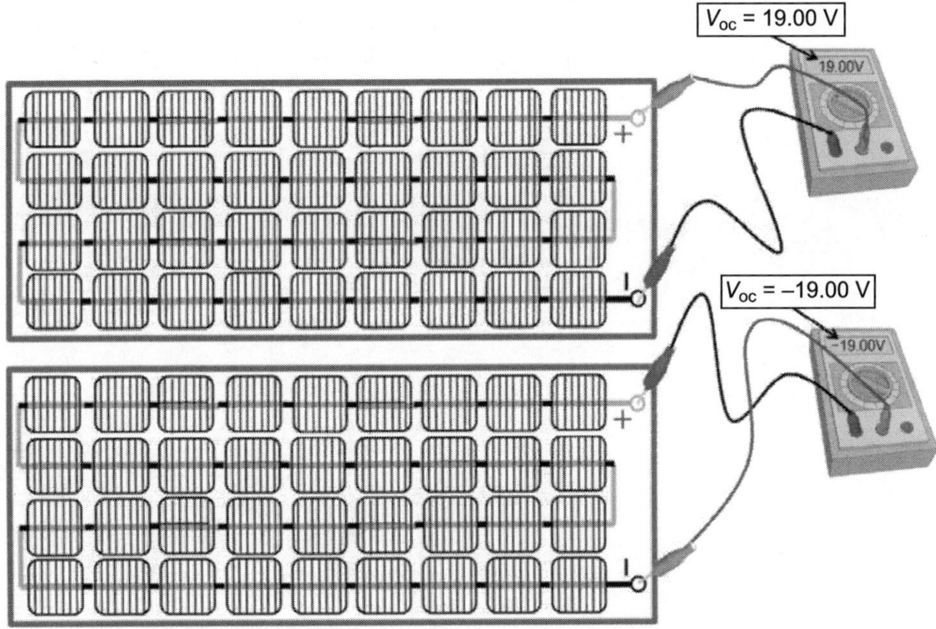

चित्र 4.16
ओपन सर्किट वोल्टेज के मापन के लिये मल्टी-मीटर का सौर पीवी मॉड्यूल में कनेक्शन।

मल्टीमीटर के उपयोग से ओपन सर्किट वोल्टेज एवं शॉर्ट सर्किट विद्युतधारा का मापन आसान है।

I_{sc} मापन

जब आप एक मॉड्यूल का I_{sc} या शॉर्ट सर्किट विद्युतधारा माप रहे हों, उस वक्त मॉड्यूल से कोई भी उपकरण जुड़ा नहीं होना चाहिये, वह शॉर्ट सर्किट मोड में होना चाहिये। I_{sc} को मापने के लिये एक मल्टीमीटर का उपयोग करते समय सबसे पहले मल्टीमीटर के प्रोब्स को मल्टीमीटर में दिये गए विद्युतधारा मापन स्लॉट में डालना चाहिये, एवं तब मल्टीमीटर नॉब को मॉड्यूल की रेटिंग के अनुसार उपर्युक्त रेंज (0.1 A से 10 A की रेंज) में सेट करना चाहिये। तब मल्टीमीटर/एमीटर के विपरीत ध्रुवता वाले सिरे एवं SPV मॉड्यूल को सीधे जोड़ना चाहिये जैसा कि चित्र 4.17 में दर्शाया गया है, इस स्थिति में मल्टीमीटर/एमीटर द्वारा दर्शाई गई रीडिंग दिये गए SPV मॉड्यूल की शॉर्ट सर्किट विद्युतधारा होती है। यदि रीडिंग के साथ मीटर ऋणात्मक चिन्ह दर्शा रहा है, तो यह दर्शाता है कि मॉड्यूल एवं मीटर के सिरे उपर्युक्त ध्रुवता के साथ नहीं जुड़े हैं। उस कनेक्शन को उल्टा करें एवं फिर से मापन करें।

I-V वक्र को मापना (V_m एवं I_m)

किसी भी सौर पीवी मॉड्यूल का प्रयोगशाला में प्रदर्शन व उपयोग करते समय कार्यक्षेत्र में प्रदर्शन को मापने हेतु यह मापन बहुत ही उपयोगी है। इस मापन में दो मल्टीमीटर या एक वोल्टमीटर व एक एमीटर एवं एक रियोस्टाट की आवश्यकता होती है। जिसे चित्र 4.18 में दर्शाया गया है, उसी तरह विद्युतीय कनेक्शन बनाएं। *I–V* वक्र के मापन के लिये सौर पीवी मॉड्यूल रियोस्टाट से श्रृंखला में जुड़ा होना चाहिये जैसे सौर पीवी मॉड्यूल का ऋणात्मक रियोस्टाट के एक सिरे से एवं रियोस्टाट का दूसरा सिरा मल्टीमीटर/एमीटर के धनात्मक सिरे से जुड़ा होना चाहिये। मल्टीमीटर/एमीटर का ऋणात्मक सिरा SPV मॉड्यूल के धनात्मक सिरे से जुड़ा होना चाहिये।

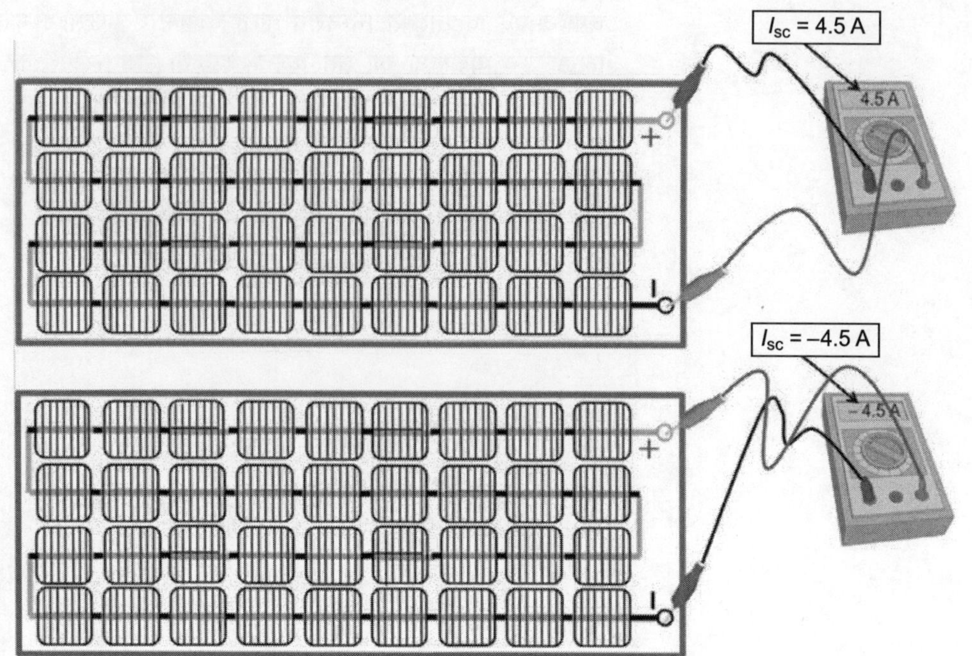

चित्र 4.17
शॉर्ट सर्किट विद्युतधारा (I_{sc}) मापने के लिये सौर पीवी मॉड्यूल से एमीटर कनेक्शन।

मल्टीमीटर के उपयोग से ओपन सर्किट वोल्टेज एवं शार्ट सर्किट विद्युतधारा का मापन आसान है।

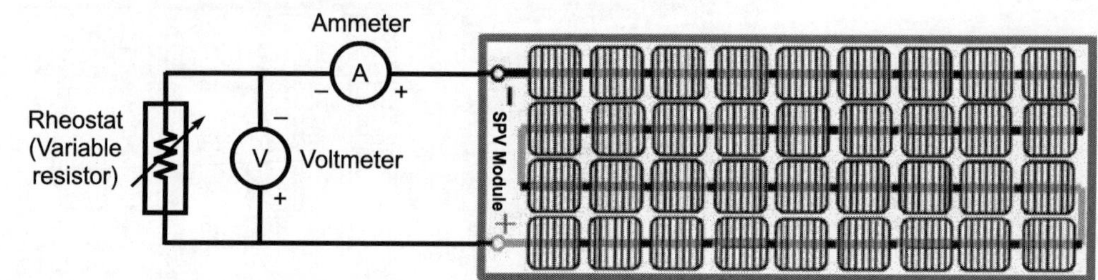

चित्र 4.18
I-V मापन के लिये कनेक्शन रेखाचित्र।

वोल्टेज मापन के लिये वोल्टमीटर या मल्टीमीटर SPV मॉड्यूल से सीधा जुड़ा होता है। यदि, गलती से, वोल्टमीटर एवं एमीटर के धनात्मक एवं ऋणात्मक सिरे सही तरीके से न जुड़े हों, तब कोई समस्या नहीं है, केवल यह अंतर आएगा कि मीटर परिणामों को ऋणात्मक चिन्ह के साथ दर्शाएगा। यदि परिणामों के चिन्ह ऋणात्मक हों तो कनेक्शन में परिवर्तन करें।

एक पीवी मॉड्यूल एवं इसके मापदंडों के संपूर्ण विद्युतधारा-वोल्टेज विशेषताओं को दो मल्टीमीटर एवं रियोस्टाट के उपयोग से मापा जा सकता है।

कनेक्शन जोड़ने के बाद, अब आप मापन करने के लिये तैयार हैं। परिणामों को लिखने के लिये, तालिका 4.14 की तरह तालिका बनाएं। तीन कॉलम के साथ तालिका बनाएं, एक क्रमांक के लिये, एक वोल्टेज लिखने के लिये एवं तीसरा विद्युतधारा परिणाम लिखने के लिये। एक अतिरिक्त कॉलम रिक्त रखना चाहिये पॉवर (विद्युतधारा × वोल्टेज) की गणना हेतु। सारे कनेक्शन हो जाने के पश्चात्, मापन शुरू करने के लिये, रियोस्टाट को एक तरफ सरकाएं जहां वोल्टेज अधिकतम होना

तालिका 4.13 पीवी मॉड्यूल के *I-V* वक्र मापन से विद्युतधारा एवं वोल्टेज के मान लिखने के लिये तालिका

क्र.सं.	*विद्युतधारा* (A)	*वोल्टेज* (V)	*पॉवर* (W) = *विद्युतधारा × वोल्टेज* .
1			
2			
3			
4			
5			
–			
–			
–			

चाहिये एवं विद्युतधारा निम्नतम होनी चाहिये एवं उसी क्षण की विद्युतधारा एवं वोल्टेज के परिणाम लिखें, इन परिणामों को तालिका में लिखें। अब, रियोस्टाट को थोड़ा सा सरकाएं, विद्युतधारा एवं वोल्टेज के मान परिवर्तित होंगे। फिर से परिणामों को लिखें। रियोस्टाट को थोड़ा–थोड़ा सरकाते रहें (एवं परिणाम लिखते रहें) जब तक कि रियोस्टाट का नॉब दूसरे सिरे तक न पहुंच जाए।

मॉड्यूल मापदंड के परिणाम लिखना एवं गणना करना

वक्र के मापित डाटा बिंदु द्वारा, पीवी मॉड्यूल से संबंधित सभी मापदंडों की गणना की जा सकती है। नीचे दी गई तालिका 4.14 में परिणाम भरकर के एवं तालिका 4.13 का उपयोग करके कोई भी पीवी मॉड्यूल की तालिका बना सकता है।

तालिका 4.14 मॉड्यूल मापदंड की गणना

क्र.सं.	*मापदंड*	*तालिका 4.13 से परिणाम या गणना*	*मान*
1	शॉर्ट सर्किट विद्युतधारा (I_{sc})	विद्युतधारा का मान जब वोल्टेज शून्य हो	
2	ओपन सर्किट वोल्टेज (V_{oc})	वोल्टेज का मान जब विद्युतधारा शून्य हो	
3	अधिकतम पॉवर पॉइंट (P_m)	अधिकतम पॉवर पॉइंट का मान	
3	अधिकतम पॉवर पॉइंट पर विद्युतधारा (I_m)	अधिकतम पॉवर पॉइंट पर विद्युतधारा का मान	
4	अधिकतम पॉवर पॉइंट पर वोल्टेज (V_m)	अधिकतम पॉवर पॉइंट पर वोल्टेज का मान	
5	फिल फैक्टर (FF)	$= \frac{I_m \times V_m}{I_{sc} \times V_{oc}}$	
6	दक्षता	$= \frac{V_{oc} \times I_{sc} \times FF}{P_{in} \times A}$	

टिप्पणी: लगभग सभी तकनीकों के लिये I_m सामान्यतः, I_{sc} का 90 से 95 प्रतिशत होता है एवं सामान्यतः V_m, V_{oc} का 80 से 85 प्रतिशत होता है।

उदाहरण 4.13

नीचे दर्शाए गए मॉड्यूल में श्रेणी में जुड़े हुए सेलों की संख्या की गणना करें एवं ओपन सर्किट वोल्टेज (V_{oc}) की गणना करें और अधिकतम पॉवर बिंदु पर वोल्टेज (V_m) ज्ञात करें। यह दिया गया है कि एक एकल सेल का ओपन सर्किट वोल्टेज 0.6 V है।

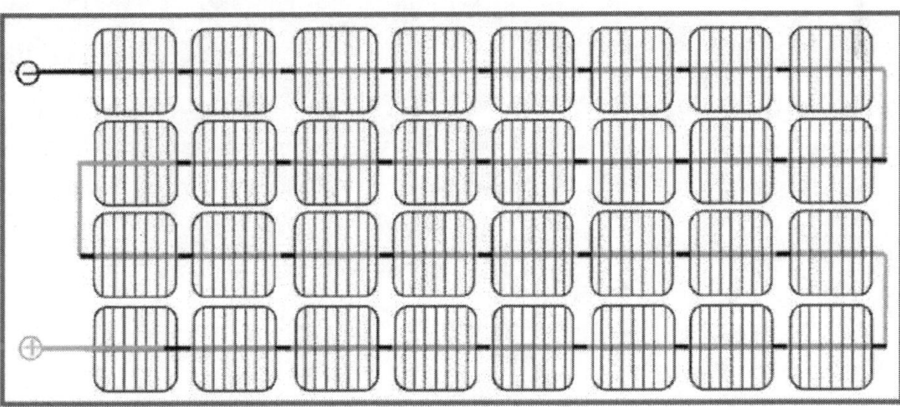

चित्र 4.19
उदाहरण 4.14 के लिये पीवी मॉड्यूल में श्रेणी में जुड़े सेल।

हल

सेलों की संख्या जो कि श्रेणी में जोड़े जाने हैं (n) = ____________

कुल श्रेणी ओपन सर्किट वोल्टेज (V_{oc}) = (एकल सेल) V_{oc} × श्रेणी में सेलों की संख्या

V_{oc} (मॉड्यूल) = ____________ × ____________

V_{oc} (मॉड्यूल) = ____________ वोल्ट

V_m सामान्यतः V_{oc} का 80 से 85 प्रतिशत होता है।

अतः यह मानें कि V_m = ____________ V_{oc} = ____________ V

अतः, V_m (मॉड्यूल) = ____________ वोल्ट

4.5.2 उच्च वॉटेज मॉड्यूल

आमतौर पर क्रिस्टिलीन सिलिकॉन सेल तकनीक सबसे अधिक उपयोग की जाने वाली तकनीक है। इस तकनीक के लिये अधिक क्षेत्रफल वाले सौर सेल उपलब्ध हैं जो कि 12.5×12.5 cm^2 या 15×15 cm^2 के आकार में हो सकते हैं। इन आकारों के सेल खासकर उन सभी मॉड्यूलों में उपयोग होते हैं, जो कि ग्रिड–कनेक्टेड पीवी प्लांट्स में होते हैं। इस क्षेत्रफल से अधिक क्षेत्रफल वाले क्रिस्टिलीन सिलिकॉन सेल उपलब्ध नहीं हैं। ये मॉड्यूल कितनी उच्चतम पॉवर या W_p प्रदान कर सकते हैं ? यदि हम प्रति मॉड्यूल से और अधिक पॉवर चाहते हैं, तो हमें क्या करना होगा ?

हम अब जानते हैं कि, पीवी मॉड्यूल सभी ऑपरेटिंग परिस्थितियों के तहत लगभग 15 वोल्ट (V_m) उत्पादित करने के लिये डिजाइन किए गए हैं। एवं यह वोल्टेज प्राप्त करने के लिये 32 से 36 सेल श्रेणी में जुड़े होते हैं (पृथक सेल के V_m एवं ऑपरेटिंग तापमान पर निर्भर हुए)। सेलों द्वारा उत्पादित की गई विद्युतधारा, क्षेत्रफल एवं विद्युतधारा घनत्व पर निर्भर करती है। औद्योगिक रूप से उपलब्ध क्रिस्टिलीन सिलिकॉन सौर सेल का विद्युतधारा घनत्व लगभग 30 से 35 mA/cm^2 है। यहां आंकलन के लिये हम 35 mA/cm^2 लेते हैं, जो कि तुलनात्मक रूप से थोड़ा ज्यादा मान है। तब अधिक क्षेत्रफल वाले सौर सेल के मॉड्यूल से अधिकतम संभावित शॉर्ट सर्किट (I_{sc}) विद्युतधारा है

$$I_{sc} = J_{sc}\,(\text{mA/cm}^2) \times \text{Area}\,(\text{cm}^2) = 35 \times 12.5 \times 12.5 = 5468 \text{ mA} = 5.46 \text{ A}$$

$$I_{sc} = J_{sc}\,(\text{mA/cm}^2) \times \text{Area}\,(\text{cm}^2) = 35 \times 15 \times 15 = 7875 \text{ mA} = 7.87 \text{ A}$$

हम जानते हैं कि I_m सामान्यतः, I_{sc} का 90 से 95 प्रतिशत होता है, माना कि यहां गणना हेतु 90 प्रतिशत है।

$$I_m = 0.09 \times I_{sc}$$

$$I_m = 0.90 \times 5.46 = 4.91 \text{ A (for } 12.5 \times 12.5 \text{ cm}^2 \text{ सेल)}$$

$$I_m = 0.90 \times 7.87 = 7.08 \text{ A (for } 15 \times 15 \text{ cm}^2 \text{ सेल)}$$

इन दो प्रकार के सेलों को उपयोग करके हम जो अधिकतम वॉटेज पाते हैं, वह है

$$W_p = I_m \times V_m$$

$$W_p = 4.91 \times 15 = 73.65 \text{ वॉट}$$

$$W_p = 7.08 \times 15 = 106.2 \text{ वॉट}$$

यहां सबसे अच्छी गुणवत्ता वाले, उपलब्ध क्रिस्टिलीन सिलिकॉन सेल तकनीक व अधिक क्षेत्रफल वाले सौर सेल का उपयोग करने पर, अधिकतम संभावित वॉटेज जो संभव है वह है, 73.65 वॉट (15 V, 4.91 A, 12.5×12.5 cm^2 सेल) एवं 106.2 वॉट (15 V, 7.87 A, 15×15 cm^2 सेल)।

ऊपर डिजाइन किए गए मॉड्यूल को 12 संयंत्र वोल्टेज के लिये उपयोग किया जा सकता है। उच्च वोल्टेज प्राप्त करने के लिये दो या अधिक मॉड्यूल श्रेणी में जोड़े जा सकते हैं। अधिक विद्युतधारा प्राप्त करने के लिये, दो या अधिक मॉड्यूल को समानांतर क्रम में जोड़ा जाता है। इस प्रकार से श्रेणी एवं समानांतर क्रम में संयोजन करके एक पीवी संयंत्र का वोल्टेज एवं विद्युतधारा व साथ ही एक पीवी संयंत्र का पॉवर भी बढ़ाया जा सकता है।

इस अनुभाग में हमने क्रिस्टिलीन सिलिकॉन पीवी मॉड्यूल का पॉवर आउटपुट की जितनी गणना की है, क्या हम उस मान से पॉवर आउटपुट और अधिक बढ़ा सकते हैं ? जवाब है हां! एक एकल सौर सेल लगभग 0.5 V, V_m प्रदान करता है, अनेक पृथक सेलों को श्रेणी में जोडकर 15 वोल्ट (V_m) का मॉड्यूल प्राप्त किया जाता है। हम इसी तर्क का आगे विस्तार कर सकते हैं। उच्च वोल्टेज मॉड्यूल (15 वोल्ट से अधिक) अधिक संख्या में सेलों को श्रेणी में जोड़ कर डिजाइन किए जा सकते हैं, इस स्थिति में यदि क्रिस्टिलीन सिलिकॉन सेल तकनीक की बात की जाए तो सामान्यतः 30 से 36 सेलों से भी अधिक सेल संयोजित किए जाते हैं। अतः अधिक सेलों को श्रेणी में जोड़ कर हम उच्च वोल्टेज प्राप्त कर सकते हैं एवं, मॉड्यूल से उच्च पॉवर भी प्राप्त

उच्च वॉटेज वाले पीवी मॉड्यूल, 100 W_p से अधिक, क्षेत्रफल वाले सौर सेल एवं श्रेणी में अधिक संख्या में सेल होते हैं।

कर सकते हैं। इसी प्रकार से यदि हम अधिक सेल या सेलों की श्रृंखला को समानांतर तरीके से जोड़ते हैं तो हम अधिक विद्युतधारा प्राप्त कर सकते हैं एवं इस तरीके से मॉड्यूल से अधिक पॉवर प्राप्त कर सकते हैं।

उदाहरण 4.14

एक सौर पीवी मॉड्यूल डिजाइन करें जो कि अधिकतम पॉवर पॉइंट पर V_m 30 V (STC) वोल्टेज प्रदान करे, एवं 28.5 V (ऑपरेटिंग परिस्थितियों के तहत, 55°C सेल तापमान)। ऐसे सेलों का उपयोग करें जिनमें 0.62 V ओपन सर्किट वोल्टेज हो, एवं प्रति डिग्री सेंटीग्रेड तापमान बढ़ने पर 0.002 V, V_m का मान घटता हो।

हल

हम मॉड्यूल में आवश्यक सेलों की संख्या का आंकलन करने के लिये पदानुसार विधि का उपयोग कर सकते हैं (अनुभाग 5.1 की तरह)।

प्रथम चरण : दी गई तकनीक के लिये एक सौर सेल का V_m (STC) ज्ञात करें।

V_m (STC) दिया नहीं गया है; हम V_{oc} मान का उपयोग कर V_m का आंकलन कर सकते हैं।

V_m, V_{oc} का 80 से 85 प्रतिशत है। माना कि $V_m = 0.80 \times V_{oc}$

$$V_m\,(\text{cell}) = 0.80 \times V_{oc}\,(\text{cell}) = 0.80 \times 0.62 = 0.496 \text{ V}$$

द्वितीय चरण : ऑपरेटिंग परिस्थितियों के तहत वोल्टेज की हानि (V_m की हानि) ज्ञात करें।

STC के अनुरूप तापमान 25°C है, सेल 60°C पर कार्य कर रही है, अतः सेल कार्य कर रही है 55°C – 25°C = 30°C STC से अधिक मान पर।

प्रति डिग्री सेंटीग्रेड तापमान बढ़ने पर वोल्टेज की हानि है, 0.002 V

अतः, 35 डिग्री सेंटीग्रेड तापमान बढ़ने के कारण वोल्टेज की हानि है = 0.002 × 30 = 0.06 वोल्ट

तृतीय चरण : संचालनकारी परिस्थितियों में उपलब्ध वोल्टेज = V_m (STC) – वोल्टेज की हानि

संचालनकारी परिस्थितियों में उपलब्ध वोल्टेज = 0.496 – 0.06 = 0.49 V

चतुर्थ चरण : आवश्यक पीवी मॉड्यूल वोल्टेज लिखें:

आवश्यक पीवी मॉड्यूल वोल्टेज = 28.5 V (दिया गया है)

पंचम चरण : श्रेणी में जुड़े सेलों की संख्या ज्ञात करने के लिये आवश्यक मॉड्यूल वोल्टेज को उपलब्ध ऑपरेटिंग वोल्टेज से विभाजित करें।

श्रेणी में जोड़े जाने वाले नए प्रकार के सेलों की संख्या :

$$= \frac{28.5}{0.49} = 58.16 \text{ या लगभग 59 सेल।}$$

सामान्यतः अधिक पॉवर वाले औद्योगिक रूप से उपलब्ध पीवी मॉड्यूल में श्रेणी में 60 सेल जुड़े होते हैं जैसा कि नीचे चित्र 4.20 में दर्शाया गया है।

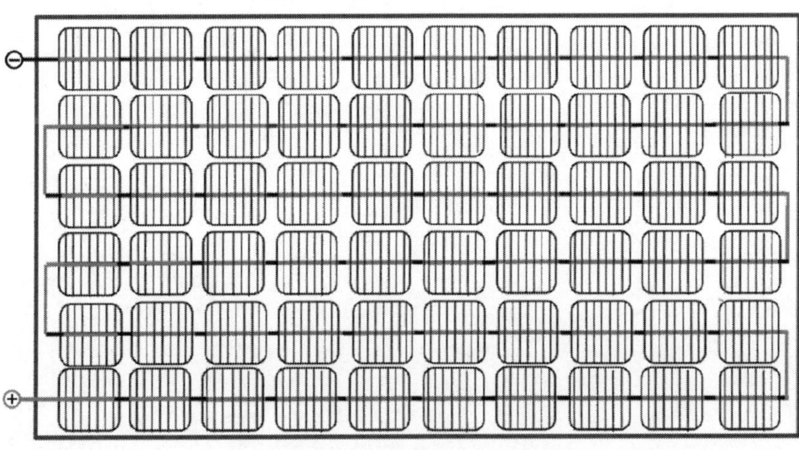

चित्र 4.20
उच्च ओपन सर्किट वोल्टेज सौर पीवी मॉड्यूल।

बड़े मॉड्यूल से उत्पादित अधिकतम पॉवर की मात्रा?

आइये अब यह गणना करें कि STC के तहत ये मॉड्यूल जिनमें 60 सेल श्रेणी (जैसा कि चित्र 4.20 में दर्शाया गया है) में जुड़े हुए हैं, वे कितनी पॉवर उत्पादित कर सकते हैं। यह मानते हुए कि 30 वोल्ट का V_m (STC) एवं दो आकार के सौर सेल के I_m का समान मान है (जैसा कि पूर्व गणनाओं में दर्शाया गया है) :

$$I_m = 4.91 \text{ A (for } 12.5 \times 12.5 \text{ cm}^2 \text{ सेल), एवं}$$

$$I_m = 0.90 \times 7.87 = 7.08 \text{ A (for } 15 \times 15 \text{ cm}^2 \text{ सेल)}$$

इस प्रकार से सौर पीवी मॉड्यूल का उच्चतम पॉवर आउटपुट होगा :

$$W_p = 4.91 \times 147.3 = 723.24 \text{ वॉट}$$

$$W_p = 7.08 \times 212.4 = 1503.79 \text{ वॉट}$$

सौर सेल के आकार पर निर्भर करते हुए, एकल पीवी मॉड्यूल का उपयोग करते हुए अधिक पॉवर उत्पादित की जा सकती है। फिर से, अधिक पॉवर की आवश्यकता पर निर्भर करते हुए (जैसा कि बड़े पीवी प्लांट्स में), ये मॉड्यूल फिर से श्रेणी में एवं समानांतर क्रम में जोड़े जा सकते हैं, अधिक पॉवर आउटपुट प्राप्त करने के लिये। चूंकि इन मॉड्यूल का पॉवर आउटपुट अधिक है, इसलिये दी गई पॉवर आउटपुट के लिये कम कनेक्शन या संयोजन की आवश्यकता होगी। इस प्रकार के बड़े पीवी मॉड्यूल सामान्यतः MW स्केल के पीवी पॉवर प्लांट्स या कई MW आकारों के प्लांट्स में उपयोग होते हैं।

उदाहरण 4.15

एक SPV उच्च पॉवर मॉड्यूल का क्षेत्रफल 1.62 m^2 है एवं यह अधिकतम पॉवर पॉइंट पर 7.83 A विद्युतधारा देता है और इसका अधिकतम पॉवर पॉइंट पर वोल्टेज 29.4 V है। मॉड्यूल की शॉर्ट सर्किट विद्युतधारा 8.52 A है एवं ओपन सर्किट वोल्टेज 36.7 V है। फिल फैक्टर क्या है, अधिकतम पॉवर पॉइंट एवं सौर सेल की दक्षता निकालें ? STC को ध्यान में रखें।

हल

मॉड्यूल के निम्न मापदंड दिए गए हैं :

शॉर्ट सर्किट विद्युतधारा (I_{sc}) = 8.52 A
ओपन सर्किट वोल्टेज (V_{oc}) = 36.7 V
अधिकतम पॉवर पॉइंट पर विद्युतधारा (I_m) = 7.83 A
अधिकतम पॉवर पॉइंट पर वोल्टेज (V_m) = 29.4 V
प्रकाश इनपुट पॉवर (W/m^2) = 1000 W/m^2
क्षेत्रफल (m^2) = 1.62 m^2

अब,
अधिकतम पॉवर पॉइंट,

$$P_m \text{ या } P_{max} = I_m \times V_m = (8.52 \times 29.4) = 250.48 \text{ वॉट}$$

फिल फैक्टर,

$$FF = \frac{I_m \times V_m}{I_{sc} \times V_{oc}}$$

या

$$FF = \frac{P_m}{I_{sc} \times V_{oc}} = \left[\frac{250.48}{(8.52 \times 36.7)}\right] \times 100 = 80.106\%$$

दक्षता,

$$\eta = \frac{P_{max}}{P_{in} \times A} = \left[\frac{250.48}{(1000 \times 1.62)}\right] \times 100 = 15.46\%$$

टिप्पणी : हमें प्रतिशत में परिणाम प्राप्त करने के लिये FF एवं दक्षता को 100 से गुणा करना होगा।

उदाहरण 4.16

एक SPV मॉड्यूल जिसका कुल क्षेत्रफल 1.646 m^2 है एवं जो कि अधिकतम पॉवर पॉइंट पर 8.08 A विद्युतधारा व 29.72 V वोल्टेज देता है। मॉड्यूल का शॉर्ट सर्किट विद्युतधारा 8.48 A है एवं ओपन सर्किट वोल्टेज 37.34 V है। सौर सेल का फिल फैक्टर, अधिकतम पॉवर पॉइंट एवं दक्षता क्या है ? STC का ध्यान रखें।

हल

मॉड्यल के निम्न मापदंड दिए गए हैं :

शॉर्ट सर्किट विद्युतधारा (I_{sc}) = 8.48 A
ओपन सर्किट वोल्टेज (V_{oc}) = 37.34 V
अधिकतम पॉवर पॉइंट पर विद्युतधारा (I_m) = 8.08 A
अधिकतम पॉवर पॉइंट पर वोल्टेज (V_m) = 29.72 V
प्रकाश इनपुट पॉवर (W/m^2) = 1000 W/m^2
क्षेत्रफल (m^2) = 1.646 m^2

अब,
अधिकतम पॉवर पॉइंट

$$P_m \text{ या } P_{max} = I_m \times V_m = (8.08 \times 29.72) = 240.13 \text{ वॉट}$$

याद रखें कि मॉड्यूल का पॉवर बहुत अधिक है, 240.1 W_p। आजकल इस तरह के मॉड्यूल बाजार में उपलब्ध हैं।

फिल फैक्टर,

$$FF = \frac{I_m \times V_m}{I_{sc} \times V_{oc}} \text{ या } FF = \frac{P_m}{I_{sc} \times V_{oc}} = \left[\frac{240.13}{(8.48 \times 37.34)}\right] \times 100 = 75.83\%$$

दक्षता,

$$\eta = \frac{P_{max}}{P_{in} \times A} = \left[\frac{240.13}{(1000 \times 1.646)}\right] \times 100 = 14.58\%$$

टिप्पणी : हमें FF एवं दक्षता को 100 से गुणा करना होगा, प्रतिशत में परिणाम पाने हेतु।

बायपास डायोड

एक सौर पीवी मॉड्यूल में, लगभग सभी स्थितियों में, सभी सौर सेल, जो कि प्रकृति में समान होते हैं, श्रेणी में जोड़े जाते हैं। जब एक पीवी मॉड्यूल पर प्रकाश पड़ता है तब सभी सौर सेलों में कुछ विद्युतधारा उत्पादित होती है, जो कि पीवी मॉड्यूल में प्रवाहित होती है। अब, कुछ कारणों से यदि सौर सेलों में से किसी एक पर छाया आती है (एक सेल पर कोई प्रकाश नहीं पड़ता), तब एक सेल द्वारा उत्पादित विद्युतधारा अन्य सेलों द्वारा उत्पादित विद्युतधारा से कम होगी। चूंकि सेल श्रेणी में जुड़े होते हैं तब छाया में आने वाले सौर सेल (कम विद्युतधारा या कोई विद्युतधारा नहीं) उस विद्युतधारा को रोकेंगे जो कि छाया में न आने वाले सौर सेल द्वारा पूरी तरह उत्पादित की जा रही है। इस परिस्थिति में छाया वाला सौर सेल अन्य सेलों के लिये एक भार बन जाएगा, एवं अन्य सेलों द्वारा उत्पादित पॉवर छाया वाले सौर सेलों में नष्ट हो जाएगी। इस कारण से छाया वाले सौर सेल बहुत अधिक गर्म हो जाते हैं, पीवी मॉड्यूल में हॉट स्पॉट बना देते हैं। बहुत खराब स्थितियों में ये हॉट स्पॉट कभी–कभी पीवी मॉड्यूल में कांच के कवर को तोड़ भी देते हैं, इससे आग भी लग सकती है। अतः एक पीवी मॉड्यूल में छाया की वजह से स्थानीय गर्माहट पैदा होने से बचना जरूरी है।

पीवी मॉड्यूल में श्रेणी में संयोजित सेलों में होने वाले स्थानीय तपन या हॉट स्पॉट के विनाशकारी प्रभाव से बचने के लिये बायपास डायोड का उपयोग किया जाता है। एक डायोड, जिसे बायपास डायोड कहते हैं, वह सौर सेल के साथ समानांतर क्रम में जुड़ा होता है एवं एक सौर सेल से विपरीत ध्रुवता में जुड़ा होता है जैसा कि चित्र 4.21 में दर्शाया गया है। अतः, सामान्य परिस्थितियों में (जब कोई छाया न हो) बायपास डायोड रिवर्स बायस तरीके से कार्य करता है,

पीवी मॉड्यूल में हॉट स्पॉट के बनने एवं किसी अन्य क्षति को रोकने के लिये समानांतर क्रम में बायपास डायोड जोड़े जाते हैं।

प्रभावी रूप ओपन सर्किट में। परंतु यदि एक श्रेणी में जुड़े सेल पर कोई छाया पड़ रही हो, तब इस पर रिवर्स बायस प्रदर्शित होगा। यह रिवर्स बायस बायपास डायोड के लिये फॉरवर्ड बायस वोल्टेज की तरह कार्य करेगा चूंकि यह विपरीत ध्रुवता के साथ जुड़ा है। इस प्रकार से बायपास डायोड विद्युतधारा ले जाएगा, न कि छाया में आया हुआ सेल (तात्पर्य है छाया में आए सेल से विद्युतधारा को आगे निकालना)। विद्युतधारा को बायपासिंग करते हुए, सौर सेल तपन एवं पीवी मॉड्यूल स्थायी रूप से होने वाले नुकसान से बच जाता है।

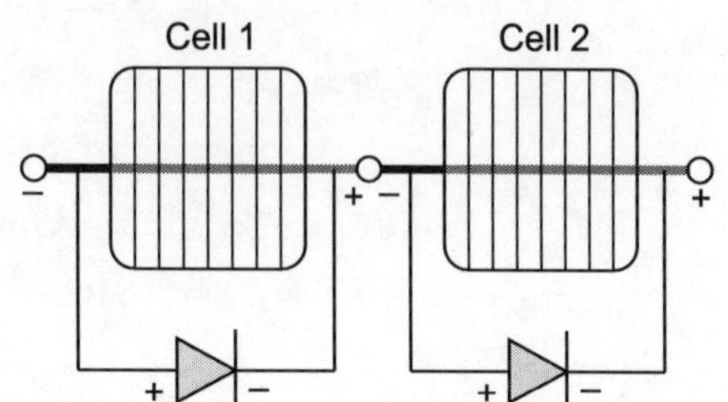

चित्र 4.21
समानांतर क्रम में, परंतु सौर सेलों से विपरीत ध्रुवता में जुड़ा हुआ एक डायोड।

आदर्श रूप में सौर पीवी मॉड्यूल में प्रत्येक सौर सेल के लिये एक डायोड होना चाहिये, परंतु व्यावहारिक रूप में, मूल्य संबंधी कारक के कारण, पीवी मॉड्यूल में कुछ बायपास डायोड जुड़े होते हैं। सामान्यतः यह सुझाव दिया जाता है कि, प्रत्येक 10–15 सेलों की श्रेणी के लिये कम से कम एक डायोड होना चाहिये। यह कनेक्शन चित्र 4.22 में दर्शाया गया है।

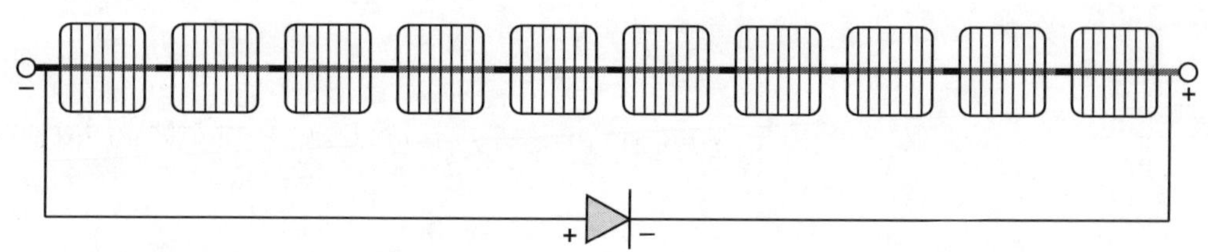

चित्र 4.22
एक बायपास डायोड के साथ 10 सेल श्रेणी में जुड़े हुए।

ब्लॉकिंग डायोड

स्टैंडअलोन पीवी संयंत्रों में, पीवी मॉड्यूल या तो दिन के समय में उपकरणों को विद्युत सप्लाई करने के काम आते हैं या फिर एक बैटरी को चार्ज करने में। दिन के समय में पीवी मॉड्यूल में ऊर्जा उत्पादित होकर एवं बैटरी में सप्लाई कर दी जाती है। सूर्यप्रकाश न होने की स्थिति जैसे कि रात में, SPV मॉड्यूल ऊर्जा उत्पादित करना बंद कर देते हैं। रात के समय में आवेशित बैटरियां SPV मॉड्यूल को बिजली की आपूर्ति करना शुरू कर देते हैं। यह ऊर्जा की हानि है एवं इससे बचना चाहिये। बैटरी से सौर पीवी मॉड्यूल को होने वाले विद्युतधारा प्रवाह को रोकने के लिये एक डायोड, जिसे ब्लॉकिंग डायोड कहा जाता है, का उपयोग किया जाता है। इस प्रकार ब्लॉकिंग डायोड उस प्रक्रिया को रोकता है जिसमें बैटरी की डिस्चार्जिंग SPV मॉड्यूल में होती है। चित्र 4.23 में एक सौर पीवी मॉड्यूल के साथ ब्लॉकिंग डायोड का संयोजन दिखाया गया है।

पीवी मॉड्यूल से विद्युतधारा के रिवर्स प्रवाह को रोकने के लिये पीवी संयंत्र में ब्लॉकिंग डायोड जोड़े जाते हैं।

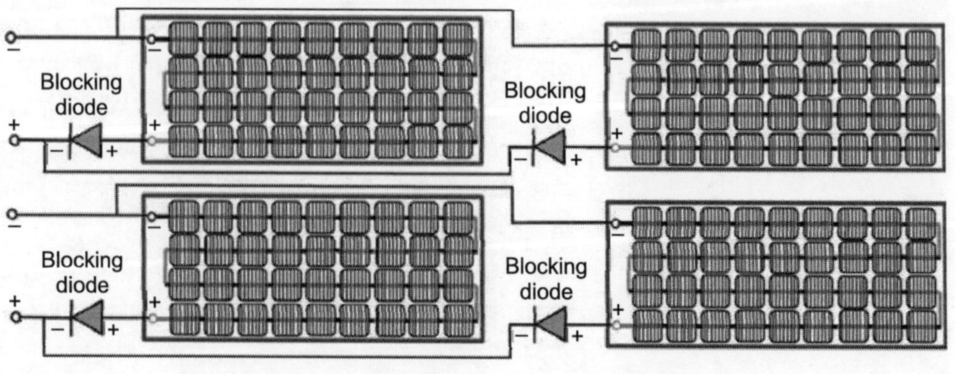

चित्र 4.23
रिवर्स विद्युतधारा प्रवाह रोकने हेतु SPV मॉड्यूल के साथ ब्लॉकिंग डायोड।

डायोड की पहचान किस प्रकार की जाए ?

डायोड दिखने में बेलनाकार होते हैं जिन पर चमकीला रिंग होता है एवं अन्य भाग काले रंग का होता है। डायोड में दो पिन होते हैं, जिनमें एक धनात्मक एवं अन्य ऋणात्मक होता है। चमकीला रिंग जैसा कि चित्र 4.24 में दिखाया गया है, ऋणात्मक सिरे को दर्शाता है एवं अन्य सिरा धनात्मक होता है।

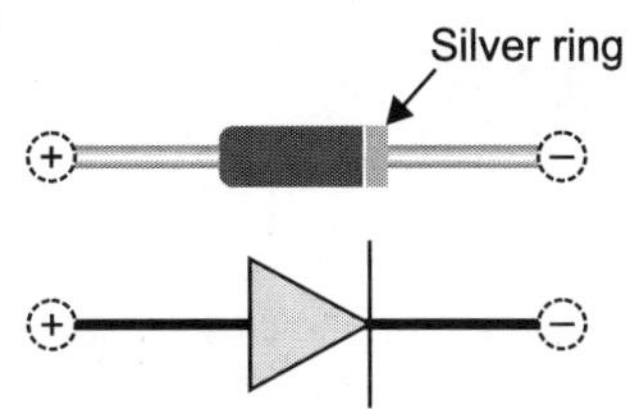

चित्र 4.24
डायोड का रेखाचित्र।

डायोड की रेटिंग

विभिन्न मॉड्यूलों/सेलों में बायपास एवं ब्लॉकिंग के लिये उपयोग किये जाने वाले डायोड भिन्न–भिन्न होते हैं एवं वे मॉड्यूलों की विद्युतधारा एवं वोल्टेज की रेटिंग पर निर्भर करते हैं। डायोड की विभिन्न रेटिंग उपलब्ध हैं। बायपास डायोड, जो कि श्रेणी में जुड़े 16–19 सेलों के लिये उपयोग किया जाता है, की रेटिंग शृंखला में जुड़े सेलों से प्रवाहित होने वाली कुल विद्युतधारा होती है। इसका मतलब है कि एक 36 सेलों वाले मॉड्यूल में 2 बायपास डायोड एवं 72 सेलों वाले मॉड्यूल में 4 बायपास डायोड होते हैं। सामान्यतः बायपास डायोड की रेटिंग 5–10 एम्पियर एवं 30–50 वोल्ट की होती है (यह इस बात पर निर्भर करता है कि श्रेणी में कितनी संख्या में सेल जुड़े हुए हैं एवं उनकी विद्युतधारा व वोल्टेज का मान क्या है)। ब्लॉकिंग डायोड की रेटिंग सरणी विद्युतधारा एवं वोल्टेज पर निर्भर करती है क्योंकि इन डायोड का मुख्य कार्य है, रात के समय जब मॉड्यूल कोई विद्युतधारा उत्पादित नहीं करते तब, बैटरी से आने वाली विद्युतधारा को रोकना। SPV सरणी के लिये, ब्लॉकिंग डायोड की रेटिंग निम्न विद्युतधारा जैसे 10 एम्पियर की रेंज से लेकर 100 एम्पियर की रेंज में विद्युतधारा।

5

सौर पीवी मॉड्यूल सरणी

किसी उपकरण को चलाने के लिये एक एकल सेल पर्याप्त पॉवर (वोल्टेज एवं विद्युतधारा) उत्पादित नहीं कर सकता एवं इसी कारण एक पीवी मॉड्यूल बनाया जाता है जिसे बनाने हेतु अनेक सेल आपस में जोड़े जाते हैं। पीवी मॉड्यूल 3 W_p से 300 W_p वॉटेज तक की रेटिंग में उपलब्ध होते हैं। एक पीवी मॉड्यूल के अनेक लाक्षणिक गुण होते हैं जैसे I_{sc}, V_{oc}, I_m, V_m, W_p (P_{max} या P_m), FF एवं η। व्यावहारिक अनुप्रयोगों में उपयोग होने वाले मुख्य मापदंड हैं—I_m, V_m और P_m। मॉड्यूल दिखाते समय, मॉड्यूल का एक प्रतिनिधित्व प्रतीक चित्र दर्शाया जाता है। एक पीवी मॉड्यूल का प्रतीक निम्न रूप से दिखाया गया है :

चित्र 5.1
एक पीवी मॉड्यूल का योजनाबद्ध रेखाचित्र (मॉड्यूल के मापदंड वर्णित किए भी जा सकते हैं और नहीं भी)।

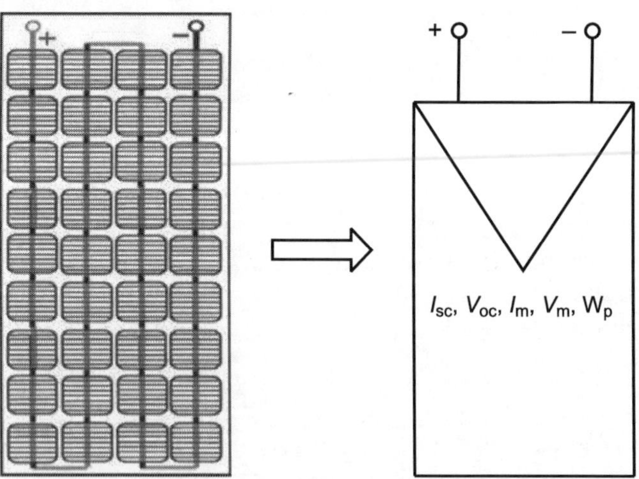

व्यावहारिक रूप से अनेकों बार हमें अधिक मात्रा में पॉवर की आवश्यकता होती है, जैसे कई सौ वॉट, kW एवं MW में। अधिक पॉवर उत्पादन हेतु (एक एकल पीवी मॉड्यूल की अपेक्षा बड़े मॉड्यूल की आवश्यकता होगी), इन सौर पीवी मॉड्यूलों को श्रेणी में एवं/या समानांतर क्रम में जोड़ा जाता है।

पीवी मॉड्यूल श्रृंखला : जब अनेक पीवी मॉड्यूल श्रेणी में जोड़े जाते हैं, तब संयोजित पीवी मॉड्यूल की एकल श्रेणी, पीवी मॉड्यूल श्रृंखला कहलाती है। पीवी मॉड्यूल के श्रेणी संयोजन का उपयोग पीवी संयंत्र में वोल्टेज बढ़ाने में किया जाता है। चित्र 5.2 में श्रेणी में संयोजित पीवी मॉड्यूल या एक पीवी मॉड्यूल श्रृंखला का योजनाबद्ध रेखाचित्र दर्शाया गया है।

एक पीवी पॉवर प्लांट में श्रेणी में संयोजित पीवी मॉड्यूलों को पीवी मॉड्यूल श्रृंखला कहते हैं।

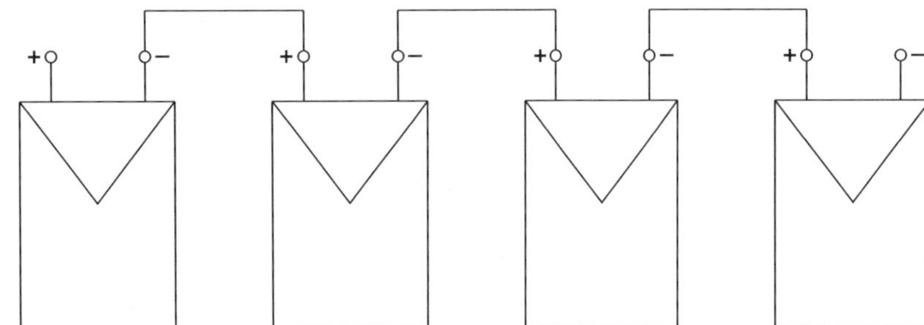

चित्र 5.2
श्रेणी में संयोजित पीवी मॉड्यूल या एक पीवी मॉड्यूल श्रृंखला का योजनाबद्ध रेखाचित्र।

पीवी मॉड्यूल सरणी : पीवी संयंत्र में विद्युतधारा बढ़ाने के लिये, पृथक रूप से पीवी मॉड्यूल या पीवी मॉड्यूल श्रृंखला को समानांतर क्रम में जोड़ा जाता है। ऐसे पीवी मॉड्यूल की श्रेणी एवं समानांतर क्रम संयुक्त रूप से 'सौर पीवी सरणी' कहलाते हैं। यहां ध्यान रखें कि पीवी मॉड्यूल की दोनों श्रेणी एवं समानांतर क्रम में पीवी मॉड्यूलों की पॉवर का सदैव योगदान होगा।

एक सौर पीवी सरणी, पीवी मॉड्यूलों की श्रेणी एवं समानांतर क्रम में संयोजन होता है।

चित्र 5.3 में एक सौर पीवी सरणी का योजनाबद्ध चित्र दर्शाया गया है एवं चित्र 5.4 में एक स्थापित सौर पीवी सरणी का फोटोग्राफ दर्शाया गया है। जब मॉड्यूलों की संख्या श्रेणी में संयोजित होती है एवं/या समानांतर क्रम में तब पीवी मॉड्यूल के प्रतीक (चित्र 5.3) को मॉड्यूलों के प्रदर्शन के लिये उपयोग किया जा सकता है।

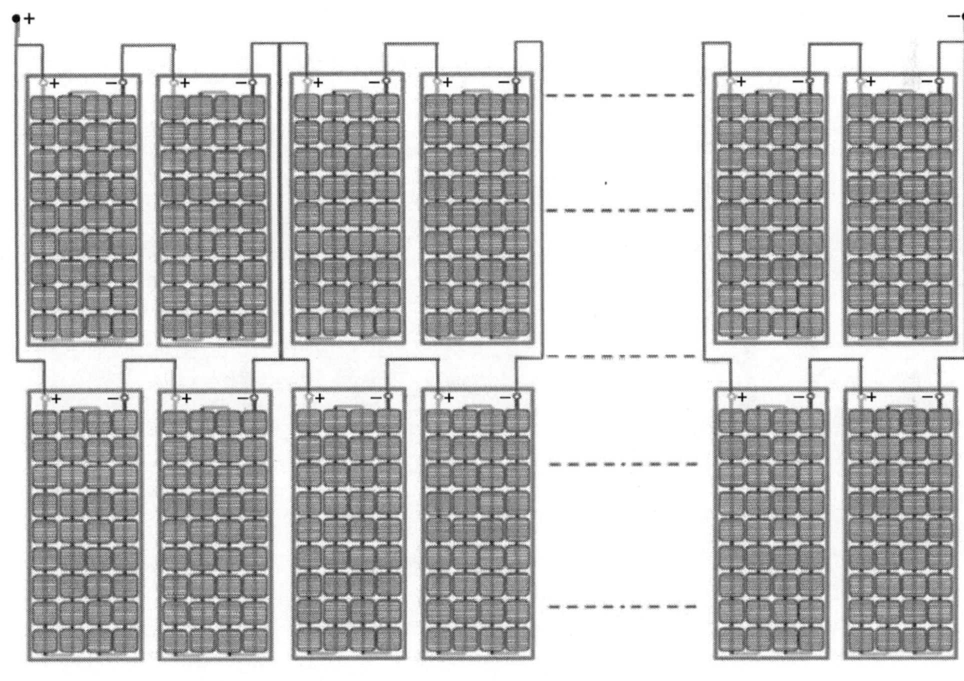

चित्र 5.3
सौर पीवी क्रम का एक व्यवस्थित रेखाचित्र।

एक एकल पीवी मॉड्यूल जितनी पॉवर उत्पादित कर सकता है उससे ज्यादा पॉवर आउटपुट के लिये, अनेक पीवी मॉड्यूल श्रेणी या समानांतर पीवी सरणी के रूप में क्रमशः में जुड़े होते हैं।

चित्र 5.4
एक सौर पीवी क्रम का फोटो।

5.1 मॉड्यूलों का श्रेणी में कनेक्शन

क्या आपको अध्याय 4 से यह याद है, कि एक पीवी मॉड्यूल में सौर सेल श्रेणी में क्यों जोड़े जाते हैं ? यदि आप याद करें, सेलों को श्रेणी में जोड़ने का मुख्य कारण है एक निश्चित स्तर तक पीवी मॉड्यूल का आउटपुट वोल्टेज बढ़ाना, उदाहरण के लिये अधिकतम पॉवर पॉइंट पर 15 V तक। सामान्यतः मॉड्यूलों का आदर्श अधिकतम वोल्टेज है 15 V, 30 V एवं 45 V। कभी–कभी संभावनाएं यह भी होती हैं कि पीवी संयंत्र में वोल्टेज की आवश्यकता, एक एकल पीवी मॉड्यूल जितनी उत्पादित करता है, उससे भी अधिक हो। अतः, उस स्थिति में जब पीवी संयंत्र (एक पीवी पॉवर प्लांट एवं स्टैंडअलोन पीवी संयंत्र) की वोल्टेज आवश्यकता एक एकल पीवी मॉड्यूल द्वारा प्रदान किए गए वोल्टेज से अधिक हो, तब दो या अधिक पीवी मॉड्यूल्स श्रेणी में जोड़े जाते हैं। पीवी मॉडयूलों का श्रेणी संयोजन एक पीवी मॉड्यूल में सौर सेलों के श्रेणी संयोजन के समान है। याद रखें कि पीवी मॉड्यूलों का श्रेणी संयोजन तैयार करने में, न केवल पीवी मॉड्यूल का वोल्टेज बढ़ता है बल्कि कुल उत्पादित पॉवर भी बढ़ती है।

श्रेणी में जुड़े पीवी मॉड्यूलों के वोल्टेज का योग होता है।

चित्र 5.5 की तरह पीवी मॉड्यूलों का श्रेणी संयोजन पीवी मॉड्यूलों के विपरीत ध्रुवता वाले सिरों को आपस में जोड़ कर प्राप्त किया जाता है। एक मॉड्यूल का ऋणात्मक सिरा अन्य मॉड्यूल के धनात्मक सिरे से जोड़ा जाता है। जब V_{oc1} एवं V_{oc2} ओपन सर्किट वोल्टेज वाले दो मॉड्यूलों को श्रेणी में जोड़ा जाता है, तब श्रेणी संयोजन का वोल्टेज दोनों वोल्टेज मानों का योग होता है, जो $V_{oc1} + V_{oc2}$ है (जैसा कि चित्र 5.5(a) में दर्शाया गया है)। यहां ओपन सर्किट वोल्टेज का वर्णन किया गया है। श्रेणी में संयोजित पीवी मॉड्यूलों के वोल्टेज के योग की संकल्पना अन्य वोल्टेज पर भी लागू होती है, जैसे–अधिकतम पॉवर पॉइंट पर वोल्टेज, V_m। तालिका 5.1 में श्रेणी में संयोजित दो पीवी मॉड्यूलों का उदाहरण दिया गया है।

जब पीवी मॉड्यूल श्रेणी में संयोजित होते हैं तब श्रेणी में जुड़े पीवी मॉड्यूलों का वोल्टेज पृथक–पृथक पीवी मॉड्यूलों के वोल्टेजों का योग होता है।

तालिका 5.1 दो श्रेणियों में संयोजित पीवी मॉड्यूलों के ओपन सर्किट वोल्टेजों के योग का उदाहरण (***टिप्पणी :*** विद्युतधारा का संयोजन, एकल मॉड्यूल के समान ही होता है)

मॉड्यूल 1 का ओपन सर्किट वोल्टेज	V_{oc1}	18 V
मॉड्यूल 2 का ओपन सर्किट वोल्टेज	V_{oc2}	18 V
श्रेणी में संयोजित मॉड्यूलों का ओपन सर्किट वोल्टेज	V_{oc2}	$= V_{oc1} + V_{oc2}$ $= 18 + 18 = 36$ V

पीवी मॉड्यूलों का श्रेणी संयोजन, एक मॉड्यूल के धनात्मक सिरे को दूसरे मॉड्यूल के ऋणात्मक सिरे से जोड़ कर प्राप्त किया जा सकता है।

इसी प्रकार से (तालिका 5.1 के समान) अधिकतम पॉवर पॉइंट पर पीवी मॉड्यलों का वोल्टेज, V_m, भी जोड़ा जा सकता है।

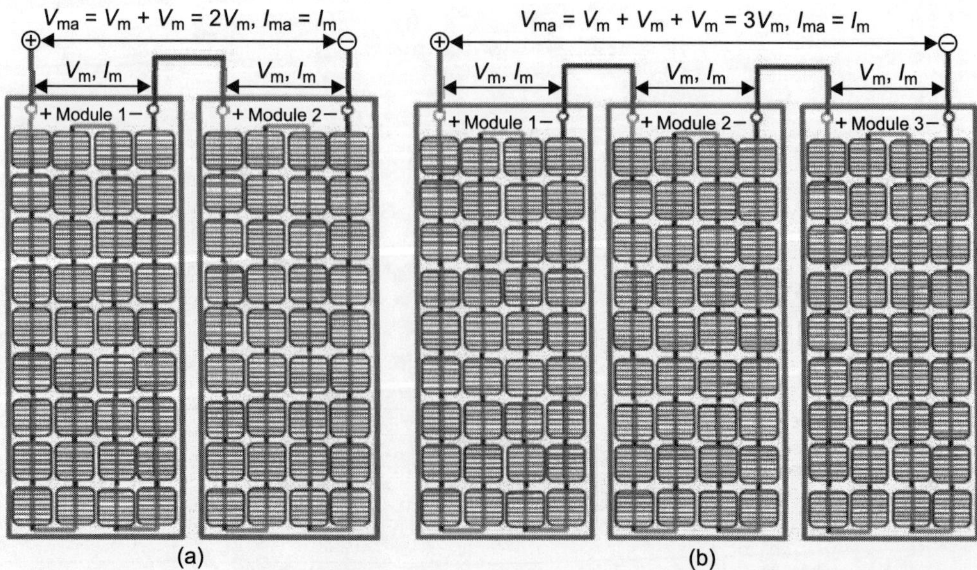

चित्र 5.5
(a) दो मॉड्यूलों एवं (b) तीन मॉड्यूलों का श्रेणी संयोजन।

जब V_{oc1}, V_{oc2} एवं V_{oc3} वाले ओपन सर्किट के साथ तीन मॉड्यूल श्रेणी में जोड़े जाते हैं, तब श्रेणी संयोजन का कुल वोल्टेज तीनों वोल्टेज मानों का योग होगा, $V_{oc1} + V_{oc2} + V_{oc3}$ (जैसा कि चित्र 5.5(b) में दर्शाया गया है)।

वर्कशीट 5.1

श्रेणी में संयोजित तीन पीवी मॉड्यूलों का कुल ओपन सर्किट वोल्टेज निकालें। अलग–अलग मॉड्यूलों का ओपन सर्किट वोल्टेज दर्शाया गया है।

तालिका 5.2 ओपन सर्किट वोल्टेज मॉड्यूल

मॉड्यूल 1 का ओपन सर्किट वोल्टेज	V_{oc1}	18 V
मॉड्यूल 2 का ओपन सर्किट वोल्टेज	V_{oc2}	17.5 V
मॉड्यूल 3 का ओपन सर्किट वोल्टेज	V_{oc3}	17.9 V
श्रेणी में संयोजित मॉड्यूलों का ओपन सर्किट वोल्टेज	V_{oc}	$= V_{oc1} + V_{oc2} + V_{oc3} = 18 +$ ____ + _____ = ______ V

5.1.1 श्रेणी में आवश्यक पीवी मॉड्यूलों की संख्या एवं उनकी कुल पॉवर का आंकलन

ऊपर दिए गए अनुभागों में यह उल्लिखित है कि वोल्टेज बढ़ाने के लिये पीवी मॉड्यूलों को श्रेणी में जोड़ा जाता है। पीवी मॉड्यूल का श्रेणी संयोजन 'पीवी मॉड्यूल श्रृंखला' कहलाता है या यदि एक पीवी संयंत्र में मॉड्यूल केवल श्रेणी में संयोजित हैं तब पीवी मॉड्यूलों के इस श्रेणी संयोजन को 'पीवी मॉड्यूल सरणी' कहा जा सकता है। श्रेणी संयोजन में पीवी मॉड्यूलों के वोल्टेज का योग हो जाता है, जबकि श्रेणी संयोजित मॉड्यूलों की विद्युतधारा उतनी ही रहती है जितनी किसी पृथक मॉड्यूल की। यह माना जाता है कि सभी मॉड्यूल एक समान या समरूप हैं, जिनमें समरूप मापदंड होते हैं जैसे V_{oc}, V_m, I_{sc} एवं I_m।

आइये अब हम यह गणना करें कि यदि हमें वोल्टेज आवश्यकता ज्ञात हो तो पीवी मॉड्यूलों के क्रम की वोल्टेज आवश्यकता यदि हमें ज्ञात हो तो, हमें श्रेणी में कितने मॉड्यूल जोड़ने होंगे। साथ ही हमें यह गणना करने में सक्षम होना चाहिये कि श्रेणी में संयोजित पीवी मॉड्यूलों द्वारा कितनी पॉवर उत्पादित होती है। यह अभ्यास चार चरणों किया जा सकता है।

प्रथम चरण : श्रेणी संयोजित पीवी मॉड्यूलों की वोल्टेज आवश्यकता लिखें

चूंकि पीवी मॉड्यूलों को श्रेणी में जोड़ने का मुख्य कारण है क्रम का वोल्टेज बढ़ाना। निम्न प्रकार से यह लिखना चाहिये कि पीवी मॉड्यूल क्रम से कितने वोल्टेज की आवश्यकता है ?

पीवी मॉड्यूल मापदंड	प्रतीक	मान	इकाई
पीवी मॉड्यूल सरणी का ओपन सर्किट वोल्टेज	V_{oca}		वोल्ट
अधिकतम पॉवर पॉइंट पर पीवी मॉड्यूल सरणी	V_{ma}		वोल्ट

द्वितीय चरण : एक पीवी मॉड्यूल के मापदंड लिखें, जिसे श्रेणी में जोड़ा जाना है

चूंकि संचालन में, यह अपेक्षित है कि एक पीवी मॉड्यूल अधिकतम पॉवर पॉइंट परिस्थिति में संचालित हो, अतः दिए गए पीवी मॉड्यूल का अधिकतम पॉवर पॉइंट पर विद्युतधारा एवं वोल्टेज,

पीवी मॉड्यूल मापदंड	प्रतीक	मान	इकाई
मॉड्यूल का ओपन सर्किट वोल्टेज	V_{oc}		वोल्ट
पीवी मॉड्यूल का शॉर्ट सर्किट विद्युतधारा	I_{sc}		एम्पियर
अधिकतम पॉवर बिंदु पर वोल्टेज	V_m		वोल्ट
अधिकतम पॉवर बिंदु पर विद्युतधारा	I_m		एम्पियर
पीवी मॉड्यूल का अधिकतम पॉवर	P_m		वॉट

जो कि V_m एवं I_m है नोट किया जाना चाहिये। पीवी मॉड्यूल की अन्य जानकारियां जैसे V_{oc}, I_{sc} एवं P_m को भी निम्न तालिका से नोट किया जा सकता है।

तृतीय चरण : श्रेणी में जोड़े जाने वाले पीवी मॉड्यूलों की संख्या का आंकलन

श्रेणी में जोड़े जाने वाले पीवी मॉड्यूलों की संख्या ज्ञात करने के लिये, कुल सरणी वोल्टेज को पृथक मॉड्यूल के वोल्टेज से विभाजित करना होता है। चूंकि वास्तविक रूप से यह माना जाता है कि पीवी मॉड्यूल अधिकतम पॉवर पॉइंट परिस्थितियों के तहत् कार्य करेंगे, V_{ma} एवं V_m (सरणी मॉड्यूल वोल्टेज एवं अधिकतम पॉवर पॉइंट पर मॉड्यूल वोल्टेज का अनुपात) का अनुपात निम्न प्रकार से लिया जाना चाहिये।

पीवी मॉड्यूल मापदंड	प्रतीक	मान	इकाई
अधिकतम पॉवर पॉइंट पर आवश्यक पीवी सरणी वोल्टेज	V_{ma}		वोल्ट
एकल पीवी मॉड्यूल का अधिकतम पॉवर पॉइंट पर वोल्टेज	V_m		वोल्ट
श्रेणी में पीवी मॉड्यूलों की संख्या	$N_s = \frac{V_{ma}}{V_m}$		संख्या
पीवी क्रम की अधिकतम पॉवर पॉइंट पर विद्युतधारा	$I_{ma} = I_m$		

श्रेणी में जुड़ने वाले पीवी मॉड्यूलों की संख्या इस बात पर निर्भर करती है कि एक पीवी मॉड्यूल श्रृंखला से कितनी वोल्टेज की आवश्यकता है।

यदि V_{ma} एवं V_m के बीच का अनुपात पूर्णांक नहीं है, तब अगला पूर्णांक माना जा सकता है। उदाहरण के लिये यदि अनुपात 3.5 है, अब हम जानते हैं कि मॉड्यूलों की संख्या 3.5 नहीं हो सकती, यह या तो 3 या 4 होगी। अतः, इस स्थिति में, अगली पूर्णांक संख्या 4 लेनी होगी। साथ ही यह नोट करें कि उपरोक्त तालिका में पीवी सरणी की अधिकतम पॉवर पॉइंट पर विद्युतधारा उतनी ही होगी जितनी कि एक पृथक पीवी मॉड्यूल की विद्युतधारा, $I_{ma} = I_m$।

इस चरण में अधिकतम पॉवर पॉइंट पर वोल्टेज के मान का उपयोग करते हुए श्रेणी में जोड़े जाने वाले मॉड्यूलों की संख्या ज्ञात करने के लिये गणनाएं की गई हैं, परंतु पीवी मॉड्यूलों के ओपन सर्किट वोल्टेज का उपयोग करके भी समान गणनाएं की जा सकती हैं। यहां यह ध्यान रखें कि एक पीवी मॉड्यूल का अधिकतम पॉवर पॉइंट पर वोल्टेज सामान्यतः ओपन सक्रिट वोल्टेज के 75 से 85 प्रतिशत की सीमा में होता है।

एक पीवी मॉड्यूल श्रृंखला की विद्युतधारा उतनी ही होती है जितनी कि एक श्रृंखला में पृथक पीवी मॉड्यूल की, यहां यह माना जाता है कि सभी पीवी मॉड्यूल समरूप हैं।

चतुर्थ चरण : श्रेणी में संयोजित पीवी मॉड्यूलों के कुल पॉवर का आंकलन

श्रेणी में संयोजित पीवी मॉड्यूलों की पीवी सरणी की कुल पॉवर, पृथक–पृथक पीवी मॉड्यूलों के अधिकतम पॉवर का योग होता है। अतः, N_s PV पीवी मॉड्यूल यदि श्रेणी में संयोजित हैं एवं एक

तालिका 5.3 पीवी मॉड्यूल सरणी की गणना

पीवी मॉड्यूल मापदंड	प्रतीक	मान	इकाई
अधिकतम पॉवर पॉइंट पर पीवी सरणी वोल्टेज (वास्तविक पीवी वोल्टेज नोट करें, यह आवश्यक वोल्टेज से अधिक भी हो सकता है, क्योंकि हमें V_{ma}/V_m का पूर्णांक माना होता है)	$V_{ma} = V_m \times N_s$		वोल्ट
अधिकतम पॉवर पॉइंट पर पीवी सरणी विद्युतधारा	I_{ma}		वोल्ट
एकल पीवी मॉड्यूल की अधिकतम पॉवर	P_m		वॉट
श्रेणी में पीवी मॉड्यूलों की संख्या	N_s		संख्या
पीवी मॉड्यूल सरणी की अधिकतम पॉवर#	$P_{ma} = P_m \times N_s$ $= V_m \times I_m \times N_s$ या $P_{ma} = V_{ma} \times I_{ma}$		वॉट

याद रखें कि तृतीय चरण में N_s मान का सन्निकट मान या एप्रॉक्सिमेशन के कारण अगला उच्च पूर्णांक मान लिया जाता है जिसके कारण V_{ma} का मान प्रथम चरण में नोट किए गए प्रारंभिक इच्छित मान, से अधिक होगा।

पीवी मॉड्यूल का अधिकतम पॉवर P_m, है तब पीवी सरणी का कुल पॉवर आउटपुट (P_{ma}) होगा $N_s \times P_m$। अतः पीवी मॉड्यूलों को श्रेणी में जोड़ने पर न केवल वोल्टेज बल्कि श्रेणी में संयोजित सभी पीवी मॉड्यूलों की कुल पॉवर भी बढ़ जाती है, यह श्रेणी में जुड़े पीवी मॉड्यूलों की संख्या पर निर्भर करता है। पीवी सरणी पॉवर आउटपुट को, अधिकतम पॉवर पॉइंट पर, पीवी सरणी वोल्टेज एवं विद्युतधारा, जो कि V_{ma} एवं I_{ma} है, से भी आंकलित किया जा सकता है। पीवी सरणी पॉवर, V_{ma} एवं I_{ma} का उत्पाद है, जो कि $P_{ma} = V_{ma} \times I_{ma}$ है। इसे निम्न तरीके से तालिका में लिखा जा सकता है।

उदाहरण 5.1

श्रेणी में जोड़ने हेतु कुल मॉड्यूलों की संख्या की गणना करें, जिससे कि सरणी का ओपन सर्किट वोल्टेज 40 वॉट मिले एवं/या 32 वोल्ट अधिकतम पॉवर पॉइंट वोल्टेज मिले। संयोजन के लिये उपलब्ध मॉड्यूलों के मापदंड निम्न प्रकार से हैं:

$$V_{oc} = 20 \text{ V}, V_m = 16 \text{ V}, I_{sc} = 4 \text{ A और } I_m = 3 \text{ A}$$

हल

प्रथम चरण : श्रेणी संयोजित पीवी मॉड्यूलों की वोल्टेज आवश्यकता नोट करें

पीवी मॉड्यूल मापदंड	*प्रतीक*	*मान*	*इकाई*
पीवी मॉड्यूल सरणी का ओपन सर्किट वोल्टेज	V_{oca}	40	वोल्ट
अधिकतम पॉवर पॉइंट पर पीवी मॉड्यूल सरणी	V_{ma}	32	वोल्ट

द्वितीय चरण : एक पीवी मॉड्यूल के मापदंड नोट करें जिसे श्रेणी में जोड़ा जाना है

पीवी मॉड्यूल मापदंड	*प्रतीक*	*मान*	*इकाई*
मॉड्यूल का ओपन सर्किट वोल्टेज	V_{oc}	20	वोल्ट
पीवी मॉड्यूल की शॉर्ट सर्किट विद्युतधारा	I_{sc}	4	एम्पियर
अधिकतम पॉवर पॉइंट पर वोल्टेज	V_m	16	वोल्ट
अधिकतम पॉवर पॉइंट पर विद्युतधारा	I_m	3	एम्पियर
पीवी मॉड्यूल की अधिकतम पॉवर	$P_m = V_m \times I_m$	48	वॉट

तृतीय चरण : श्रेणी में जोड़े जाने वाले पीवी मॉड्यूलों की संख्या का आंकलन

पीवी मॉड्यूल मापदंड	*प्रतीक*	*मान*	*इकाई*
अधिकतम पॉवर पॉइंट पर आवश्यक पीवी सरणी वोल्टेज	V_{ma}	32	वोल्ट
एकल पीवी मॉड्यूल का अधिकतम पॉवर पॉइंट पर वोल्टेज	V_m	16	वोल्ट
श्रेणी में पीवी मॉड्यूलों की संख्या	$N_s = \frac{V_{ma}}{V_m}$	$= \frac{32}{16} = 2$	संख्या
पीवी सरणी की अधिकतम पॉवर पॉइंट पर विद्युतधारा	$I_{ma} = I_m$	3	एम्पियर

चतर्थ चरण : श्रेणी में संयोजित पीवी मॉड्यूलों की कुल पॉवर का आंकलन

पीवी मॉड्यूल मापदंड	*प्रतीक*	*मान*	*इकाई*
अधिकतम पॉवर पॉइंट पर पीवी सरणी वोल्टेज	V_{ma}	32	वोल्ट
अधिकतम पॉवर पॉइंट पर पीवी सरणी विद्युतधारा	I_{ma}	3	एम्पियर
एकल पीवी मॉड्यूल की अधिकतम पॉवर	P_m	48	वॉट
श्रेणी में पीवी मॉड्यूलों की संख्या N_s	N_s	2	संख्या

पीवी मॉड्यूल मापदंड	प्रतीक	मान	इकाई
पीवी मॉड्यूल सरणी की अधिकतम पॉवर	$P_{ma} = P_m \times N_s$ या $P_{ma} = V_{ma} \times I_{ma}$ या $P_{ma} = V_m \times I_m \times N_s$	$= 48 \times 2$ या $= 32 \times 3$ या $= 16 \times 3 \times 2$ $= 96$	वॉट

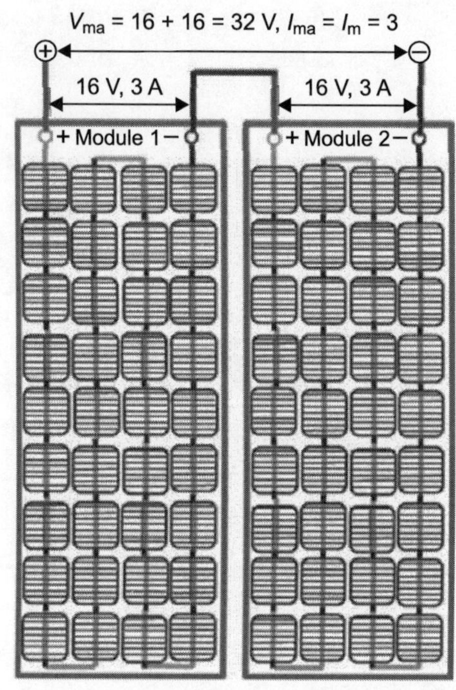

श्रेणी में संयोजित पीवी मॉड्यूलों की कुल संख्या की कुल पॉवर पृथक-पृथक पीवी मॉड्यूल की पॉवर का योग होता है, यहां यह माना जाता है कि सभी मॉड्यूल समरूप होते हैं।

चित्र 5.6
सरणी निर्मित करने हेतु श्रेणी में संयोजित दो मॉड्यूल।

उदाहरण 5.2

अधिकतम पॉवर पॉइंट वोल्टेज 70 V प्राप्त करने के लिये श्रेणी में संयोजित करने हेतु मॉड्यूलों की कुल संख्या की गणना करें। संयोजन के लिये उपलब्ध मॉड्यूलों के निम्न मापदंड हैं।

$$V_{oc} = 20\text{ V}, V_m = 15\text{ V}, I_{sc} = 5\text{ A और } I_m = 3.5\text{ A}$$

हल

प्रथम चरण : श्रेणी में संयोजित पीवी मॉड्यूलों की कुल वोल्टेज आवश्यकता नोट करें

पीवी मॉड्यूल मापदंड	प्रतीक	मान	इकाई
पीवी मॉड्यूल सरणी का ओपन सर्किट वोल्टेज	V_{oca}	(नहीं दिया गया है)	वोल्ट
अधिकतम पॉवर पॉइंट पर पीवी मॉड्यूल सरणी	V_{ma}	70	वोल्ट

द्वितीय चरण : श्रेणी में जोड़े जाने वाले पीवी मॉड्यूल के मापदंड नोट करें

पीवी मॉड्यूल मापदंड	प्रतीक	मान	इकाई
मॉड्यूल का ओपन सर्किट वोल्टेज	V_{oc}	20	वोल्ट
पीवी मॉड्यूल की शॉर्ट सर्किट विद्युतधारा	I_{sc}	5	एम्पियर
अधिकतम पॉवर पॉइंट पर वोल्टेज	V_m	15	वोल्ट
अधिकतम पॉवर पॉइंट पर विद्युतधारा	I_m	3.5	एम्पियर
पीवी मॉड्यूल की अधिकतम पॉवर	$P_m = V_m \times I_m$	52.5	वॉट

तृतीय चरण : श्रेणी में जोड़े जाने के लिये पीवी मॉड्यूलों की संख्या का आंकलन

पीवी मॉड्यूल मापदंड	प्रतीक	मान	इकाई
अधिकतम पॉवर पॉइंट पर आवश्यक पीवी सरणी वोल्टेज	V_{ma}	70	वोल्ट
अधिकतम पॉवर पॉइंट पर एकल पीवी मॉड्यूल का वोल्टेज	V_m	15	वोल्ट
श्रेणी में पीवी मॉड्यूलों की संख्या N_s	$N_s = \frac{V_{ma}}{V_m}$	$= \frac{70}{15}$ $= 4.66$ ≈ 5	4.66 मॉड्यूलों को श्रेणी में नहीं जोड़ा जा सकता, हमें 5 मॉड्यूलों को संयोजित करना होगा
पीवी सरणी का अधिकतम पॉवर पॉइंट पर विद्युतधारा	$I_{ma} = I_m$	3.5	एम्पियर

चतुर्थ चरण : श्रेणी में संयोजित पीवी मॉड्यूलों की कुल पॉवर का आंकलन

पीवी मॉड्यूल मापदंड	प्रतीक	मान	इकाई
अधिकतम पॉवर पॉइंट पर पीवी सरणी वोल्टेज (यहां ध्यान दें कि डिजाइन किए गए सरणी का वोल्टेज, 75 वोल्ट, आवश्यक वोल्टेज 70 वोल्ट से अधिक है)	$V_{ma} = V_m \times N_s$	$15 \times 5 = 75$	वोल्ट
अधिकतम पॉवर पॉइंट पर पीवी सरणी विद्युतधारा	I_{ma}	15	वोल्ट
एकल पीवी मॉड्यूल की अधिकतम पॉवर	P_m	52.5	वॉट
श्रेणी में पीवी मॉड्यूलों की संख्या N_s	N_s	5	संख्या
पीवी मॉड्यूल सरणी की अधिकतम पॉवर	$P_{ma} = P_m \times N_s$ या $P_{ma} = V_{ma} * I_{ma}$ या $P_{ma} = V_m \times I_m \times N_s$	52.5×5 या 75×3.5 या $15 \times 3.5 \times 5 = 262.5$	वॉट

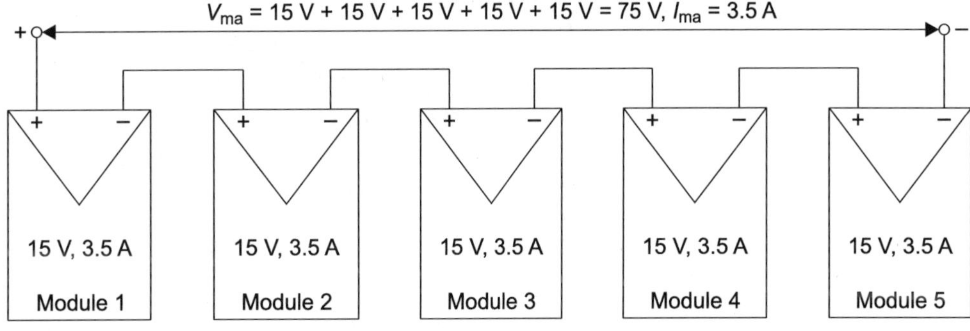

चित्र 5.7
श्रेणी में संयोजित समरूप मॉड्यूल्स (एक पीवी मॉड्यूल श्रृंखला)।

उदाहरण 5.3

एक 1 MW क्षमता वाले पीवी पॉवर प्लांट में, बहुत अधिक संख्या में पीवी मॉड्यूल श्रेणी में संयोजित होते हैं इस तरह के प्लांट में, 1 MW का इनवर्टर 600 V से 800 V रेंज का इनपुट वोल्टेज ले सकता है। 700 V का अधिकतम पॉवर पॉइंट पर वोल्टेज प्राप्त करने के लिये एक एकल श्रेणी (पीवी मॉड्यूल श्रृंखला) में पीवी मॉड्यूलों की संख्या ज्ञात करें। साथ ही इस तरह की एक पीवी मॉड्यूल श्रृंखला कितनी उच्चतम पॉवर की आपूर्ति कर पाएगी, इसका आंकलन भी करें। उपयोग होने वाले पीवी मॉड्यूलों के मापदंड निम्न प्रकार से $V_{oc} = 36$ V, $V_m = 30$ V, $I_{sc} = 8.2$ A और $I_m = 7.4$ A।

हल

प्रथम चरण : श्रेणी में संयोजित पीवी मॉड्यूलों की वोल्टेज आवश्यकता ज्ञात करें

पीवी मॉड्यूल मापदंड	*प्रतीक*	*मान*	*इकाई*
पीवी मॉड्यूल सरणी का ओपन सर्किट वोल्टेज	V_{oca}	(दिया नहीं गया है)	वोल्ट
अधिकतम पॉवर पॉइंट पर पीवी मॉड्यूल सरणी	V_{ma}	700	वोल्ट

द्वितीय चरण : श्रेणी में जोड़े जाने वाले एक पीवी मॉड्यूल के मापदंड नोट करें

पीवी मॉड्यूल मापदंड	*प्रतीक*	*मान*	*इकाई*
मॉड्यूल का ओपन सर्किट वोल्टेज	V_{oc}	36	वोल्ट
पीवी मॉड्यूल का शॉर्ट सर्किट विद्युतधारा	I_{sc}	8.2	एम्पियर
अधिकतम पॉवर पॉइंट पर वोल्टेज	V_m	30	वोल्ट
अधिकतम पॉवर पॉइंट पर विद्युतधारा	I_m	7.4	एम्पियर
पीवी मॉड्यूल की अधिकतम पॉवर	$P_m = V_m \times I_m$	30×7.4 $= 222$	वॉट

तृतीय चरण : श्रेणी में जोड़े जाने वाले पीवी मॉड्यूलों की संख्या का आंकलन करें

पीवी मॉड्यूल मापदंड	*प्रतीक*	*मान*	*इकाई*
अधिकतम पॉवर पॉइंट पर आवश्यक पीवी सरणी वोल्टेज	V_{ma}	700	वोल्ट
एकल पीवी मॉड्यूल का अधिकतम पॉवर पॉइंट पर वोल्टेज	V_m	30	वोल्ट
श्रेणी में पीवी मॉड्यूलों की संख्या	$N_s = \frac{V_{ma}}{V_m}$	$700 \div 30$ $= 23.333$ ≈ 24	23.33 मॉड्यूल श्रेणी में नहीं जोड़े जा सकते, हमें 24 मॉड्यूल जोड़ने होंगे।
अधिकतम पॉवर पॉइंट पर पीवी सरणी की विद्युतधारा	$I_{ma} = I_m$	7.4	एम्पियर

चतुर्थ चरण : पीवी में संयोजित पीवी मॉड्यूलों की कुल पॉवर का आंकलन

पीवी मॉड्यूल मापदंड	*प्रतीक*	*मान*	*इकाई*
अधिकतम पॉवर पॉइंट पर पीवी सरणी का वोल्टेज (यहां ध्यान दें कि डिजाइन किए गए सरणी का वोल्टेज-75 वोल्ट, आवश्यक वोल्टेज 70 वेाल्ट से अधिक है)	$V_{ma} = V_m \times N_s$	30×24 $= 720$	वोल्ट
अधिकतम पॉवर पॉइंट पर पीवी सरणी विद्युतधारा	I_{ma}	7-4	वोल्ट
एकल पीवी मॉड्यूल की अधिकतम पॉवर	P_m	222	वॉट
श्रेणी में पीवी मॉड्यूलों की संख्या N_s	N_s	24	संख्या
पीवी मॉड्यूल सरणी की अधिकतम पॉवर	$P_{ma} = P_m \times N_s$ या $P_{ma} = V_{ma} \times I_{ma}$ या $P_{ma} = V_m \times I_m \times N_s$	222×24 या 720×7.4 या $30 \times 7.4 \times 24$ $= 5328$	वॉट

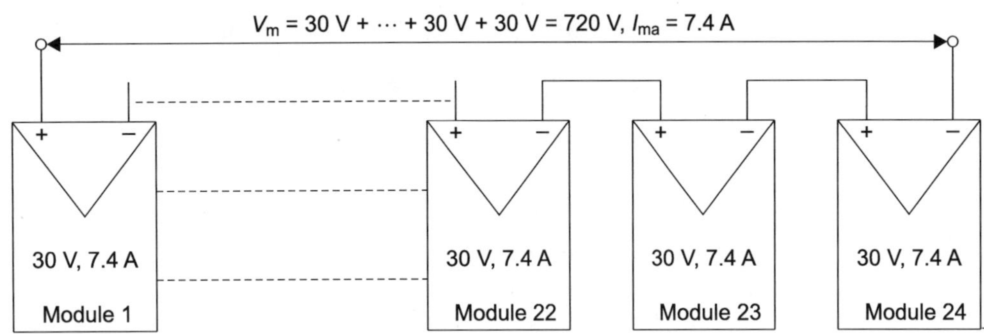

चित्र 5.8 श्रेणी में संयोजित 24 मॉड्यूल (एक पीवी मॉड्यूल श्रृंखला)।

वर्कशीट 5.2

1 MW क्षमता वाले एक पीवी पॉवर प्लांट में, पीवी मॉड्यूलों की बहुत अधिक संख्या श्रेणी में संयोजित है। इस तरह के प्लांट में, 1 MW का इनवर्टर 400 V से 500 V की रेंज में वोल्टेज ले सकता है। 450 V के अधिकतम पॉवर पॉइंट पर वोल्टेज प्राप्त करने के लिये एक एकल श्रेणी में जोड़े जाने वाले मॉड्यूलों (पीवी मॉड्यूल श्रृंखला) की संख्या डिजाइन करें। साथ ही इस तरह की पीवी मॉड्यूल श्रृंखला कितनी उच्चतम पॉवर की आपूर्ति करेगा यह भी आंकलन करें। उपयोग किए जाने वाले पीवी मॉड्यूलों के मापदंड निम्न प्रकार से हैं :

$$V_{oc} = 45 \text{ V}, V_m = 35 \text{ V}, I_{sc} = 8.2 \text{ A और } I_m = 7.8 \text{ A}$$

प्रथम चरण : श्रेणी में संयोजित पीवी मॉड्यूलों के वोल्टेज आवश्यकता को नोट करें

पीवी मॉड्यूल मापदंड	*प्रतीक*	*मान*	*इकाई*
पीवी मॉड्यूल सरणी का ओपन सर्किट वोल्टेज	V_{oca}	नहीं दिया गया है	वोल्ट
अधिकतम पॉवर पॉइंट पर पीवी मॉड्यूल सरणी	V_{ma}	450	वोल्ट

द्वितीय चरण : श्रेणी में जोड़े जाने वाले एक पीवी मॉड्यूल के मापदंड लिखें

पीवी मॉड्यूल मापदंड	*प्रतीक*	*मान*	*इकाई*
मॉड्यूल का ओपन सर्किट वोल्टेज	V_{oc}		वोल्ट
पीवी मॉड्यूल की शॉर्ट सर्किट विद्युतधारा	I_{sc}		एम्पियर
अधिकतम पॉवर पॉइंट पर वोल्टेज	V_m		वोल्ट
अधिकतम पॉवर पॉइंट पर विद्युतधारा	I_m		एम्पियर
पीवी मॉड्यूल की अधिकतम पॉवर	$P_m = V_m \times I_m$	_____ × _____ = _______	वॉट

तृतीय चरण : श्रेणी में जोड़े जाने वाले पीवी मॉड्यूलों की संख्या का आंकलन

पीवी मॉड्यूल मापदंड	*प्रतीक*	*मान*	*इकाई*
अधिकतम पॉवर पॉइंट पर पीवी सरणी आवश्यक वोल्टेज	V_{ma}		वोल्ट
अधिकतम पॉवर पॉइंट पर एकल पीवी मॉड्यूल का वोल्टेज	V_m		वोल्ट
श्रेणी में पीवी मॉड्यूलों की संख्या N_s	$N_s = \frac{V_{ma}}{V_m}$	= _____ ÷ _____ = _______ ≈ _______	श्रेणी में 23.33 मॉड्यूल नहीं जोड़े जा सकते अतः हमें 24 मॉड्यूल जोड़ने होंगे
पीवी सरणी के अधिकतम पॉवर पॉइंट पर विद्युतधारा	$I_{ma} = I_m$		एम्पियर

चतुर्थ चरण : श्रेणी में संयोजित पीवी मॉड्यूलों की कुल पॉवर का आंकलन

पीवी मॉड्यूल मापदंड	*प्रतीक*	*मान*	*इकाई*
अधिकतम पॉवर पॉइंट पर पीवी सरणी वोल्टेज (यहां ध्यान दें कि डिजाइन किए गए सरणी का वोल्टेज, 75 वोल्ट, आवश्यक वोल्टेज 70 वोल्ट से अधिक है)	$V_{ma} = V_m \times N_s$	___ × ___ = ______	वोल्ट
अधिकतम पॉवर पॉइंट पर पीवी सरणी विद्युतधारा	I_{ma}		एम्पियर
एकल पीवी मॉड्यूल की अधिकतम पॉवर	P_m		वॉट
श्रेणी में मॉड्यूलों की संख्या N_s	N_s		संख्या
पीवी मॉड्यूल सरणी की अधिकतम पॉवर	$P_{ma} = P_m \times N_s$ या $P_{ma} = V_{ma} \times I_{ma}$ या $P_{ma} = V_m \times I_m \times N_s$	= ____ × ____ या = ___ × ___ या = __ × __ × __ = _______	वॉट

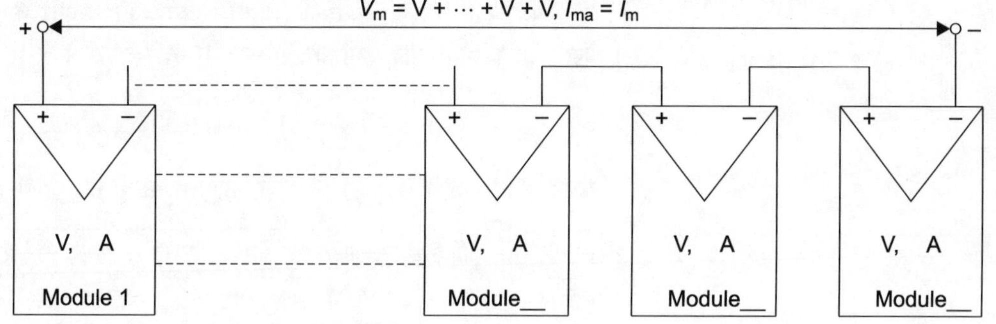

चित्र 5.9
श्रेणी में संयोजित मॉड्यूलों की संख्या (एक पीवी मॉड्यूल श्रृंखला)।

5.1.2 श्रेणी में संयोजित पीवी मॉड्यूलों के वोल्टेज में असंतुलन

एक पीवी मॉड्यूल का अधिकतम पॉवर या उच्चतम पॉवर आउटपुट (STC के तहत), अधिकतम पॉवर पॉइंट पर विद्युतधारा (I_m) एवं अधिकतम पॉवर पॉइंट पर वोल्टेज (V_m) का परिणाम है। जब पीवी मॉड्यूल आपस में नहीं जुड़े होते हैं, तब पीवी मॉड्यूलों के द्वारा उत्पादित कुल उच्चतम विद्युतधारा, पृथक–पृथक मॉड्यूलों द्वारा उत्पादित पॉवर का योग होती है। तालिका 5.4 में तीन पृथक पीवी मॉड्यूलों द्वारा उत्पादित कुल पॉवर दी गई है।

तालिका 5.4 पीवी मॉड्यूल द्वारा उत्पादित कुल पॉवर जब वह स्वतंत्र रूप से कार्य कर रहा हो, यानि कि एक दूसरे से कोई संयोजन न हो (STC परिस्थितियों के तहत्)

	V_m (V)	I_m (A)	P_m (Watt) = $V_m \times I_m$
मॉड्यूल 1	17	5.1	86.7
मॉड्यूल 2	16.5	5.1	84.15
मॉड्यूल 3	16.3	5.1	83.13
तीन मॉड्यूलों द्वारा उत्पादित कुल वॉटेज जब वे एक दूसरे से जुड़े न हों			253.98 वॉट

आइये अब हम एक उदाहरण लें जो तालिका 5.4 में वर्णित तीन पीवी मॉड्यूल्स श्रेणी में संयोजित हैं। श्रेणी संयोजन में केवल वोल्टेज का योग होता है परंतु इस संयोजन में विद्युतधारा समान रहती है, बशर्ते यदि सभी मॉड्यूल में समरूप या एकसमान विद्युतधारा मान हो। तालिका 5.4 में दिए गए उदाहरण में, सभी पीवी मॉड्यूलों में 5.1 A का I_m होता है। अतः विद्युतधारा, जब तीन मॉड्यूल श्रेणी में संयोजित हों तब भी 5.1 A होगा। तालिका 5.5 में तीन श्रेणी संयोजित पीवी मॉड्यूलों के P_m की गणना का उदाहरण दिया गया है। तीन श्रेणी संयोजित पीवी मॉड्यूलों की कुल पॉवर आउटपुट की तुलना करें (तालिका 5.5) पृथक–पृथक तीन पीवी मॉड्यूलों की पॉवर

आउटपुट से। कोई भी देख सकता है कि तीन श्रेणी संयोजित पीवी मॉड्यूलों के V_m में अतंर श्रेणी संयोजित पीवी मॉड्यूलों के कुल पॉवर आउटपुट को प्रभावित नहीं करता है। परंतु श्रेणी संयोजित पीवी मॉड्यूलों की विद्युतधारा का अंतर, श्रेणी संयोजित पीवी मॉड्यूलों की पॉवर आउटपुट को अवश्य प्रभावित करता है (जैसा कि अनुभाग 5.1.3 में चर्चा की गई है)।

श्रेणी में संयोजित पीवी मॉड्यूलों के वोल्टेज में असमानता कोई बड़ी समस्या नहीं है, परंतु विद्युतधारा में असमानता समस्या है।

श्रेणी संयोजित पीवी मॉड्यूलों के वोल्टेज का अंतर संयोजन की कुल पॉवर उत्पादन क्षमता को प्रभावित नहीं करता है।

तालिका 5.5 एकसमान विद्युतधारा मान के साथ श्रेणी में संयोजित तीन पीवी मॉड्यूलों के P_m की गणना

	V_m (V)	I_m (A)	P_m (Watt)
मॉड्यूल 1	17	5.1	86.7
मॉड्यूल 2	16.5	5.1	84.15
मॉड्यूल 3	16.3	5.1	83.13
	श्रेणी संयोजन का कुल वोल्टेज	श्रेणी संयोजन की कुल विद्युतधारा	श्रेणी संयोजन की कुल पॉवर
	49.8	5.1	49.8 × 5.1= 253.9 वॉट
तीन पीवी मॉड्यूलों द्वारा उत्पादित कुल वॉटेज जब वे आपस में श्रेणी में संयोजित हैं			

5.1.3 श्रेणी में संयोजित पीवी मॉड्यूलों की विद्युतधारा में असमानता

श्रेणी के संयोजन में केवल वोल्टेज का योग होता है परंतु विद्युतधारा का मान परिवर्तित नहीं होता है, बशर्ते सभी मॉड्यूलों में विद्युतधारा का मान समान हो। यदि पीवी मॉड्यूलों की विद्युत उत्पादन क्षमता समान न हो, तब श्रेणी में संयोजित मॉड्यूलों में प्रवाहित होने वाली विद्युतधारा उस मॉड्यूल की विद्युतधारा के बराबर होगी जिसकी विद्युतधारा उत्पादन क्षमता निम्नतम हो। अतः, श्रेणी में संयोजित मॉड्यूलों में निम्नतम विद्युतधारा उत्पादन क्षमतायुक्त मॉड्यूल ही विद्युतधारा का मान निश्चित करता है। उदाहरण के लिये, यदि तीन मॉड्यूल हैं जिनमें I_m का मान 5.1 A, 4.9 A एवं 5.0 A है, तब इन मॉड्यूलों के श्रेणी संयोजन का मान 4.9 A होगा (जो कि तीनों विद्युतधाराओं में निम्नतम है)। विद्युतधारा की इस असमानता की वजह से, तीनों मॉड्यूलों के श्रेणी संयोजन से पॉवर उत्पादन कम होगा उस स्थिति की तुलना में जब तीनों मॉड्यूल स्वतंत्रता से कार्य कर रहे हों। तालिका 5.6 में श्रेणी संयोजित पीवी मॉड्यूलों की असमानता एवं उसके कुल पॉवर उत्पादन पर प्रभाव दिया गया है। यह ध्यान दिया जा सकता है कि तीन स्वतंत्र मॉड्यूलों की पॉवर उत्पादन क्षमता 249.05 वॉट है परंतु जब वे श्रेणी में संयोजित हैं, तब संयोजन की पॉवर उत्पादन क्षमता घटकर 244.02 वॉट हो जाती है। इस पॉवर उत्पादन हानि के कारण, यह सलाह दी जाती है कि विभिन्न मान वाले पीवी मॉड्यूलों को श्रेणी में नहीं जोड़ा जाना चाहिये।

विभिन्न I_m मान वाले पीवी मॉड्यूल श्रेणी में जोड़े नहीं जाने चाहिये। इसका परिणाम है पॉवर आउटपुट में हानि।

तालिका 5.6 पीवी मॉड्यूलों द्वारा उत्पादित कुल पॉवर जब वे आपस में श्रेणी में संयोजित होते हैं (STC परिस्थिति के तहत)

	V_m (V)	I_m (A)	P_m (Watt)
मॉड्यूल 1	17	5.1	86.7
मॉड्यूल 2	16.5	4.9	80.85
मॉड्यूल 3	16.3	5.0	81.5
	मॉड्यूलों की कुल पॉवर जब वे श्रेणी में न संयोजित हों		249.05 वॉट
	श्रेणी संयोजन का कुल वोल्टेज	श्रेणी संयोजन की कुल विद्युतधारा	श्रेणी संयोजन की कुल पॉवर
	49.8	4.9	49.8 × 4.9 = 244.02 वॉट
तीन पीवी मॉड्यूलों द्वारा उत्पादित कुल वॉटेज जब वे आपस में श्रेणी में संयोजित हों।			244.02 वॉट

5.2 समानांतर रूप में मॉड्यूलों का संयोजन

जब सौर पीवी संयंत्र की पॉवर आवश्यकता उपलब्ध एकल मॉड्यूल पॉवर की तुलना में उच्च हो, तब सौर पीवी मॉड्यूल श्रेणी या समानांतर क्रम में संयोजित होते हैं। पीवी मॉड्यूल के श्रेणी संयोजन की चर्चा पहले ही की जा चुकी है। कभी–कभी पीवी मॉड्यूलों के श्रेणी संयोजन की तुलना में, पॉवर आउटपुट बढ़ाने के लिये समानांतर संयोजन किया जाता है। पीवी मॉड्यूलों के समानांतर संयोजन में, संयोजन का वोल्टेज पृथक मॉड्यूल वोल्टेज की तरह समान ही रहता है बशर्ते सभी मॉड्यूलों का एकसमान वोल्टेज हो जबकि समानांतर संयोजन में विद्युतधारा का मान सभी पीवी मॉड्यूलों के विद्युतधारा मान का योग होता है। समानांतर क्रम समान ध्रुवों को आपस में जोड़ कर प्राप्त किया जाता है। इस प्रकार से, एक मॉड्यूल का धनात्मक सिरा दूसरे मॉड्यूल के धनात्मक सिरे से जोड़ा जाता है एवं इसी प्रकार से एक मॉड्यूल का ऋणात्मक सिरा दूसरे मॉड्यूल के ऋणात्मक सिरे से जोड़ा जाता है। चित्र 4.4 में पीवी मॉड्यूलों का समानांतर संयोजन दर्शाया गया है।

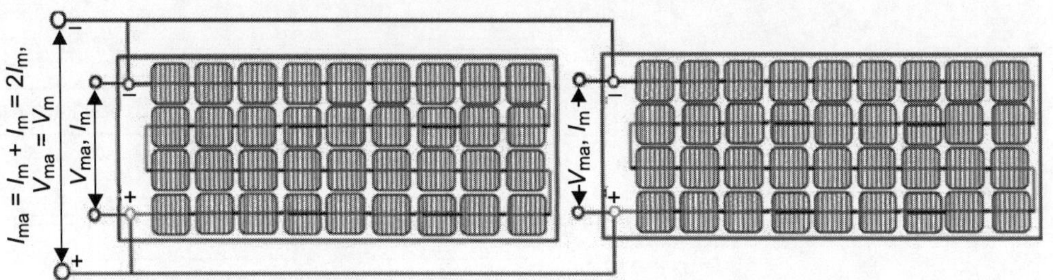

चित्र 5.10
समानांतर संयोजन में दो मॉड्यूल।

जैसा कि चित्र 5.10 में दर्शाया गया है, समान ध्रुवता वाले दो मॉड्यूलों को आपस में जोड़कर समानांतर संयोजन बनाया जाता है (धनात्मक सिरे से धनात्मक सिरा एवं ऋणात्मक सिरे से ऋणात्मक सिरा)। समानांतर संयोजन में प्रत्येक मॉड्यूल की स्वतंत्र विद्युतधारा मान का योग होता है। माना कि दो पीवी मॉड्यूलों का शॉर्ट सर्किट विद्युतधारा I_{sc1} एवं I_{sc2} है, तब समानांतर संयोजन की कुल विद्युतधारा $I_{sc1} + I_{sc2}$ होगी । जैसे–जैसे मॉड्यूलों की संख्या बढ़ती जाती है विद्युतधारा का मान भी जुड़ता जाता है परंतु वोल्टेज समान रहता है। तालिका 5.7 में दो मॉड्यूलों के समानांतर संयोजन का उदाहरण दिया गया है जिसमें प्रत्येक की विद्युतधारा 2 A है। ऊपर दिया गया वर्णन शॉर्ट सर्किट विद्युतधारा के लिये है, परंतु यह पीवी मॉड्यूल के किसी भी अन्य विद्युतधारा घटक के भी लिये लागू होता है। अतः अधिकतम पॉवर पॉइंट पर दो पीवी मॉड्यूलों की विद्युतधारा है I_{m1} एवं I_{m2}, तब अधिकतम पॉवर पॉइंट पर समानांतर संयोजन की कुल विद्युतधारा $I_{m1}+I_{m2}$ होगी।

पीवी मॉड्यूल के समानांतर संयोजन में विद्युतधारा का योग होता है जबकि संयोजन का वोल्टेज एक एकल पीवी मॉड्यूल की तरह समान ही बना रहता है।

> पीवी संयंत्रों में उच्च विद्युतधारा प्राप्त करने के लिये पीवी मॉड्यूल समानांतर क्रम में जोड़े जाते हैं। समानांतर संयोजन में मॉड्यूल की विद्युतधारा का मान जुड़ता जाता है।

तालिका 5.7 विद्युतधारा के योग, का उदाहरण जब पीवी मॉड्यूल समानांतर रूप में जुड़े होते हैं
(***टिप्पणी :*** संयोजन का वोल्टेज एक एकल मॉड्यूल के समान ही रहता है)

मॉड्यूल 1 की शॉर्ट सर्किट विद्युतधारा	I_{sc1}	2 A
मॉड्यूल 2 की शॉर्ट सर्किट विद्युतधारा	I_{sc2}	2 A
श्रेणी में जुड़े मॉड्यूलों की शॉर्ट सर्किट विद्युतधारा	I_{sc}	$I_{sc1} + I_{sc2}$ $= 2 + 2$ $= 4$ A

> विभिन्न वॉटेज वाले पीवी मॉड्यूलों को आपस में श्रेणी या समानांतर क्रम में नहीं जोड़ा जाना चाहिये।

उदाहरण 5.4

चित्र 5.11 में दर्शाये गए समानांतर क्रम में जुड़े तीन पीवी मॉड्यूलों का विद्युतधारा मान क्या होगा ?

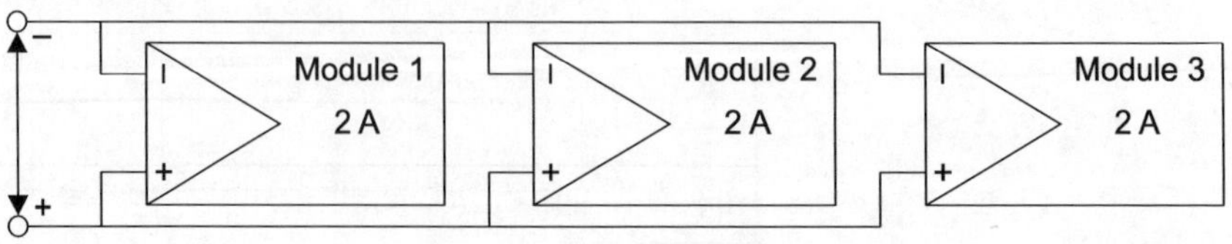

चित्र 5.11
समानांतर क्रम में तीन मॉड्यूल।

हल

चित्र 5.11 में सभी मॉड्यूलों के धनात्मक सिरे आपस में एवं सभी मॉड्यूलों के ऋणात्मक सिरे आपस में जुड़े हुए हैं। इससे यह पता चलता है कि पीवी मॉड्यूल समानांतर विन्यास में जुड़े हुए हैं।

यह दिया गया है कि सभी पीवी मॉड्यूल द्वारा उत्पादित विद्युतधारा 2 A है। अब समानांतर क्रम में संयोजन की कुल विद्युतधारा स्वतंत्र पीवी मॉड्यूलों की विद्युतधारा का योग होता है। अतः संयोजन की कुल विद्युतधारा होगी :

$$\text{मॉड्यूल } 1 + \text{मॉड्यूल } 2 + \text{मॉड्यूल } 3$$
$$= 2 + 2 + 2 = 6\text{ A}$$

वर्कशीट 5.3

अधिकतम पॉवर पॉइंट पर कुल विद्युतधारा I_m, ज्ञात करें, जहां तीन पीवी मॉड्यूलों का समानांतर संयोजन हो। अधिकतम पॉवर पॉइंट पर स्वतंत्र मॉड्यूलों की विद्युतधारा नीचे तालिका में दी गई है।

तालिका 5.8 अधिकतम पॉवर पॉइंट पर विद्युतधारा

मॉड्यूल 1 की अधिकतम पॉवर पॉइंट पर विद्युतधारा	I_{m1}	7.8 A
मॉड्यूल 2 की अधिकतम पॉवर पॉइंट पर विद्युतधारा	I_{m2}	7.7 A
मॉड्यूल 3 की अधिकतम पॉवर पॉइंट पर विद्युतधारा	I_{m3}	7.9 A
समानांतर संयोजन में जुड़े पीवी मॉड्यूलों की अधिकतम पॉवर पॉइंट पर विद्युतधारा	I_m	$I_{sc1} + I_{sc2} + I_{sc3}$ = ____ + ____ + ____ = ______ A

5.2.1 समानांतर विन्यास में पीवी मॉड्यूलों द्वारा उत्पादित विद्युतधारा

समानांतर विन्यास में जुड़े पीवी मॉड्यूल की कुल पॉवर पृथक-पृथक पीवी मॉड्यूलों की पॉवर का योग होता है, यहां यह माना जाता है कि सभी मॉड्यूल समरूप हैं।

एक पीवी मॉड्यूल का P_m (STC के तहत) अधिकतम पॉवर पॉइंट पर विद्युतधारा का उत्पादन (I_m) एवं अधिकतम पॉवर पॉइंट पर वोल्टेज (V_m) का उत्पाद है। जब पीवी मॉड्यूल आपस में न जुड़े हों, तब पीवी मॉड्यूलों द्वारा उत्पादित उच्चतम पॉवर पृथक–पृथक पीवी मॉड्यूलों द्वारा उत्पादित उच्चतम पॉवर का योग होता है। तालिका 5.9 में तीन स्वतंत्र मॉड्यूलों (जिनका V_m समान परंतु I_m भिन्न–भिन्न हो) द्वारा उत्पादित कुल पॉवर का उदाहरण दिया गया है। तीन पृथक–पृथक पीवी मॉड्यूलों द्वारा उत्पादित कुल पॉवर 255 वॉट होता है। जब ये मॉड्यूल समानांतर क्रम में जुड़े होते हैं, तब समानांतर संयोजन का V_m समान होता है जिस तरह किसी एक पृथक पीवी मॉड्यूल का V_m होता है, जो कि 17 V है (तालिका 5.9)। अब समानांतर क्रम का कुल I_m, प्रत्येक पीवी मॉड्यूल के I_m का योग होगा, जो कि 15 A है (तालिका 5.9)। पीवी मॉड्यूल के समानांतर संयोजन द्वारा उत्पादित पीवी मॉड्यूल की कुल पॉवर 255 वॉट है, जो कि पृथक–पृथक मॉड्यूलों द्वारा उत्पादित पॉवर के समान है। इससे यह इंगित होता है कि समानांतर संयोजन बनाने के दौरान मॉड्यूलों का वोल्टेज समान रहना चाहिये, एवं विद्युतधारा में भिन्नता स्वीकार्य है।

तालिका 5.9 तीन पृथक-पृथक पीवी मॉड्यूलों एवं समान पीवी मॉड्यूलों के समानांतर क्रम में संयोजन के द्वारा (STC परिस्थितियों में) उत्पादित कुल पॉवर।

	V_m (V)	I_m (A)	P_m (Watt) = $V_m \times I_m$
मॉड्यूल 1	17	5.1	86.7
मॉड्यूल 2	17	4.9	83.3
मॉड्यूल 3	17	5	85
	वे एक दूसरे से जुड़े न हों सभी मॉड्यूलों की कुल पॉवर		255.0 वॉट
	समानांतर संयोजन का कुल वोल्टेज	समानांतर संयोजन की कुल विद्युतधारा	श्रेणी संयोजन की कुल पॉवर
	17	15	17 × 15 = 255.0 वॉट
तीन पीवी मॉड्यूलों द्वारा उत्पादित कुल वॉटेज जब वे एक दूसरे से समानांतर विन्यास में जुड़े हों			255.0 Watt

5.2.2 समानांतर विन्यास में जोड़े जाने वाले पीवी मॉड्यूलों की संख्या का आंकलन एवं उनकी कुल पॉवर

जब पीवी मॉड्यूल समानांतर विन्यास में जोड़े जाते हैं तब स्वतंत्र पीवी मॉड्यूलों की विद्युतधारा का योग होता जाता है जबकि वोल्टेज समान ही रहता है। अतः, पीवी मॉड्यूलों के समानांतर संयोजन का मुख्य उद्देश्य है संयोजन की विद्युतधारा बढ़ाना। पीवी सरणी में या तो स्वतंत्र पीवी मॉड्यूल समानांतर रूप से जोड़े जा सकते हैं या फिर पीवी मॉड्यूल श्रृंखला (श्रेणी में संयोजित पीवी मॉड्यूल) को समानांतर में जोड़ा जा सकता है। इस अंश में हम पीवी मॉड्यूलों की संख्या की गणना करना सीखेंगे या यदि पीवी संयंत्र की कुल विद्युतधारा की आवश्यकता ज्ञात हो तब समानांतर में जोड़े जाने वाले पीवी मॉड्यूल श्रृंखला की गणना किस तरह की जाए। साथ ही हमें यह आंकलन करना आना चाहिये कि समानांतर क्रम में जुड़े पीवी मॉड्यूल कुल कितनी पॉवर उत्पादित करेंगे। यहां यह माना गया है कि सभी पीवी मॉड्यूल समरूप हैं, जिनके समान मापदंड हैं जैसे V_{oc}, V_m, I_{sc} एवं I_m। यह अभ्यास निम्न चरणों में किया जा सकता है।

प्रथम चरण : समानांतर विन्यास में जुड़े पीवी मॉड्यूलों या पीवी सरणी की विद्युतधारा की आवश्यकता नोट करें

चूंकि मुख्य विचार है पीवी मॉड्यूल सरणी बनाने एवं पीवी सरणी की विद्युतधारा बढ़ाने के लिये पीवी मॉड्यूलों या पीवी मॉड्यूल श्रृंखला को समानांतर रूप में जोड़ना। निम्न प्रकार से यह नोट किया जाना चाहिये कि पीवी मॉड्यूल सरणी से कितनी विद्युतधारा की आवश्यकता है।

पीवी मॉड्यूल मापदंड	*प्रतीक*	*मान*	*इकाई*
पीवी मॉड्यूल सरणी की शॉर्ट सर्किट विद्युतधारा	I_{sca}		एम्पियर
पीवी मॉड्यूल सरणी का अधिकतम पॉवर पॉइंट पर विद्युतधारा	I_{ma}		एम्पियर

द्वितीय चरण : एक पीवी मॉड्यूल या पीवी मॉड्यूल श्रृंखला के मापदंड नोट करें, जिन्हें कि समानांतर रूप में जोड़ा जाना है :

चूंकि संचालन में, यह अपेक्षित है कि एक पीवी मॉड्यूल या पीवी मॉड्यूल श्रृंखला अधिकतम पॉवर पॉइंट परिस्थितियों के तहत कार्य करे, अतः अधिकतम पॉवर पॉइंट पर उपलब्ध पीवी मॉड्यूल या पीवी मॉड्यूल श्रृंखला के विद्युतधारा एवं वोल्टेज नोट किए जाने चाहिये जो कि V_m एवं I_m हैं। अन्य पीवी मॉड्यूल संबंधित जानकारी जैसे V_{oc}, I_{sc} एवं P_m आदि भी निम्न तालिका में नोट किए जा सकते हैं।

पीवी मॉड्यूल या श्रृंखला के मापदंड	*प्रतीक*	*मान*	*इकाई*
मॉड्यूल या श्रृंखला का ओपन सर्किट वोल्टेज	V_{oc}		वोल्ट
पीवी मॉड्यूल या श्रृंखला की शॉर्ट सर्किट विद्युतधारा	I_{sc}		एम्पियर
अधिकतम पॉवर पॉइंट पर वोल्टेज	V_m		वोल्ट
अधिकतम पॉवर पॉइंट पर विद्युतधारा	I_m		एम्पियर
पीवी मॉड्यूल या श्रृंखला की अधिकतम पॉवर	$P_m = V_m \times I_m$		वॉट

तृतीय चरण : समानांतर रूप में जोड़े जाने वाले पीवी मॉड्यूलों या श्रृंखला की संख्या का आंकलन

समानांतर रूप में जोड़े जाने वाले पीवी मॉड्यूलों की संख्या ज्ञात करने के लिये, सरणी की कुल विद्युतधारा (I_{ma}) को पृथक–पृथक मॉड्यूल या मॉड्यूल श्रृंखला की विद्युतधारा (I_{ma}) से विभाजित किया जाता है। चूंकि व्यावहारिक रूप से यह अपेक्षित होता है कि पीवी मॉड्यूल अधिकतम पॉवर पॉइंट परिस्थितियों के तहत कार्य करेंगे, I_{ma} एवं I_m का अनुपात (अधिकतम पॉवर पॉइंट पर पीवी क्रम विद्युतधारा का मॉड्यूल विद्युतधारा के साथ) निम्न प्रकार से लिया जाना चाहिये।

पीवी मॉड्यूल या श्रृंखला के मापदंड	प्रतीक	मान	इकाई
अधिकतम पॉवर पॉइंट पर आवश्यक पीवी सरणी की विद्युतधारा	I_{ma}		एम्पियर
एकल पीवी मॉड्यूल या पीवी मॉड्यूल श्रृंखला का अधिकतम पॉवर पॉइंट पर विद्युतधारा	I_m		एम्पियर
समानांतर रूप से जोड़ने हेतु पीवी मॉड्यूलों की संख्या, N_p	$N_p \times \frac{I_{ma}}{I_m}$		संख्या
पीवी सरणी का अधिकतम पॉवर पॉइंट पर वोल्टेज	$V_{ma} = V_m$		वोल्ट

यदि I_{ma} एवं I_m का अनुपात पूर्णांक नहीं है, अतः अगला पूर्णांक लिया जा सकता है। उदाहरण के लिये यदि अनुपात है 4 : 7, तब हम जानते हैं कि समानांतर रूप में मॉड्यूलों की संख्या 4 : 7 नहीं हो सकती, यह 4 या 5 होगी। अतः, इस परिस्थिति में, अगली पूर्णांक संख्या जो कि 5 है ली जानी चाहिये। इसका मतलब है कि मॉड्यूलों की संख्या या पीवी श्रृंखला जो कि समानांतर रूप में जोड़ी जानी है वह 5 है।

समानांतर रूप में जुड़ने वाले पीवी मॉड्यूलों की संख्या ज्ञात की जाती है, समानांतर संयोजन से वांछित विद्युतधारा को पृथक पीवी मॉड्यूल की विद्युतधारा से विभाजित करके।

समानांतर संयोजन में पीवी सरणी का वोल्टेज, उतना ही रहता है जैसे कि किसी पृथक पीवी मॉड्यूल या पीवी मॉड्यूल श्रृंखला का। अतः यहां ध्यान दें कि उपरोक्त तालिका में अधिकतम पॉवर पॉइंट पर पीवी सरणी का वोल्टेज उतना ही रहता है जितना कि किसी पृथक पीवी मॉड्यूल या श्रृंखला का, $V_{ma} = V_m$।

इस चरण में समानांतर क्रम में जोड़े जाने वाले मॉड्यूलों की संख्या ज्ञात करने के लिये अधिकतम पॉवर पॉइंट पर विद्युतधारा का उपयोग किया जाता है, परंतु पीवी मॉड्यूलों की शॉर्ट सर्किट विद्युतधारा को उपयोग करके भी समान गणना की जा सकती है। कृपया यह नोट करें कि अधिकतम पॉवर पॉइंट पर मॉड्यूल की विद्युतधारा सामान्यतः शॉर्ट सर्किट बिंदु के 85 से 95 प्रतिशत के बीच होती है।

चतुर्थ चरण : श्रेणी में संयोजित पीवी मॉड्यूलों की कुल पॉवर का आंकलन

समानांतर रूप में संयोजित पीवी मॉड्यूलों की सरणी का कुल पॉवर पृथक–पृथक पीवी मॉड्यूलों की अधिकतम पॉवर का योग होता है या समानांतर रूप में संयोजित पीवी मॉड्यूल श्रृंखला की कुल पॉवर पृथक–पृथक पीवी मॉड्यूल श्रृंखला की अधिकतम पॉवर के बराबर होता है। अतः, यदि समानांतर रूप में N_p पीवी मॉड्यूल या श्रृंखला संयोजित है एवं यदि एक पीवी मॉड्यूल या श्रृंखला की अधिकतम पॉवर P_m है, तब पीवी सरणी की कुल पॉवर आउटपुट होगी $P_{ma} = N_p \times P_m$। पीवी सरणी पॉवर आउटपुट को पीवी सरणी के अधिकतम पॉवर पॉइंट पर वोल्टेज एवं विद्युतधारा से भी आंकलित किया जा सकता है, जो कि V_{ma} एवं I_{ma} है। पीवी मॉड्यूल सरणी पॉवर V_{ma} एवं I_{ma} का उत्पाद है, जो कि $P_{ma} = V_{ma} \times I_{ma}$ है। इसे निम्न प्रकार से तालिका के रूप में लिखा जा सकता है।

पीवी मॉड्यूल मापदंड	प्रतीक	मान	इकाई
अधिकतम पॉवर पॉइंट पर पीवी सरणी वोल्टेज	$V_{ma} = V_m$		वोल्ट
अधिकतम पॉवर पॉइंट पर पीवी सरणी विद्युतधारा#	$I_{ma} = N_p \times I_m$		एम्पियर
एकल पीवी मॉड्यूल की अधिकतम पॉवर	P_m		वॉट
समानांतर रूप से जोड़े जाने वाले पीवी मॉड्यूलों की संख्या, N_p	N_p		संख्या
पीवी मॉड्यूल सरणी की अधिकतम पॉवर	$P_{ma} = P_m \times N_p$ या $= V_m \times I_m \times N_p$ या $= V_{ma} \times I_{ma}$		वॉट

ध्यान रखें कि तृतीय चरण में N_p मान का अगले उच्च पूर्णांक की ओर सन्निकटिकरण के कारण, I_{ma} का मान प्रथम चरण में प्रारंभिक चाहे गए मान की अपेक्षा उच्च होगा।

उदाहरण 5.5

उन SPV मॉड्यूलों की संख्या का आंकलन करें जिन्हें उच्चतम पॉवर पॉइंट पर 42 A विद्युतधारा प्राप्त करने के लिये समानांतर रूप से जोड़ा जाना है। संयंत्र की वोल्टेज आवश्यकता 16 वोल्ट है। मॉड्यूल जिन्हें जोड़ा जाना है उनके मापदंड हैं $V_m = 16V$, $I_m = 7$ A, $V_{oc} = 20$ V, $I_{sc} = 8.5$ A।

हल

प्रथम चरण : पीवी सरणी या समानांतर रूप से संयोजित पीवी मॉड्यूलों की विद्युतधारा की आवश्यकता नोट करें

पीवी मॉड्यूल मापदंड	*प्रतीक*	*मान*	*इकाई*
पीवी मॉड्यूल सरणी की शॉर्ट सर्किट विद्युतधारा	I_{sca}	(दिया नहीं गया है)	एम्पियर
पीवी मॉड्यूल सरणी के अधिकतम पॉवर पॉइंट पर विद्युतधारा	I_{ma}	42	एम्पियर

द्वितीय चरण : एक पीवी मॉड्यूल या पीवी मॉड्यूल श्रृंखला जिन्हें समानांतर रूप में जोड़ा जाना है, के मापदंड नोट करें

पीवी मॉड्यूल या पीवी मॉड्यूल श्रृंखला मापदंड	*प्रतीक*	*मान*	*इकाई*
मॉड्यूल या श्रृंखला का ओपन सर्किट वोल्टेज	V_{oc}	20	वोल्ट
पीवी मॉड्यूल या श्रृंखला की शॉर्ट सर्किट विद्युतधारा	I_{sc}	8.5	एम्पियर
अधिकतम पॉवर पॉइंट पर वोल्टेज	V_m	16	वोल्ट
अधिकतम पॉवर पॉइंट पर विद्युतधारा	I_m	7	एम्पियर
पीवी मॉड्यूल या श्रृंखला की अधिकतम पॉवर	$P_m = V_m \times I_m$	$7 \times 16 = 112$	वॉट

तृतीय चरण : समानांतर रूप में जोड़े जाने वाले पीवी मॉड्यूलों या श्रृंखला का आंकलन

पीवी मॉड्यूल मापदंड	*प्रतीक*	*मान*	*इकाई*
अधिकतम पॉवर पॉइंट पर आवश्यक पीवी सरणी विद्युतधारा	I_{ma}	42	एम्पियर
एकल पीवी मॉड्यूल या पीवी मॉड्यूल श्रृंखला का अधिकतम पॉवर पॉइंट पर विद्युतधारा	I_m	7	एम्पियर
समानांतर रूप में पीवी मॉड्यूलों की संख्या	$N_p = \frac{I_{ma}}{I_m}$	$= 42 \div 7$ $= 6$	संख्या
पीवी सरणी का अधिकतम पॉवर पॉइंट पर वोल्टेज	$V_{ma} = V_m$	16	वोल्ट

चतुर्थ चरण : श्रेणी में संयोजित पीवी मॉड्यूलों की कुल पॉवर का आंकलन

पीवी मॉड्यूल मापदंड	*प्रतीक*	*मान*	*इकाई*
अधिकतम पॉवर पॉइंट पर पीवी सरणी वोल्टेज	$V_{ma} = V_m$	16	वोल्ट
अधिकतम पॉवर पॉइंट पर पीवी सरणी विद्युतधारा	$I_{ma} = N_p \times I_m$	$= 6 \times 7 = 42$	एम्पियर
एकल पीवी मॉड्यूल की अधिकतम पॉवर	P_m	112	वॉट
समानांतर रूप से जोड़े जाने वाले पीवी मॉड्यूलों की संख्या	N_p	6	संख्या
पीवी मॉड्यूल सरणी की अधिकतम पॉवर	$P_{ma} = P_m \times N_p$ या $= V_m \times I_m \times N_p$ या $= V_{ma} \times I_{ma}$	$= 112 \times 6$ $= 16 \times 7 \times 6$ $= 16 \times 42$ $= 672$	वॉट

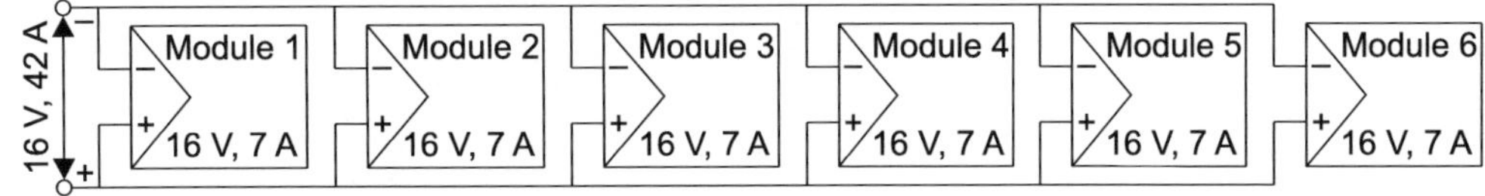

चित्र 5.12
समानांतर संयोजन में जुड़े 6 मॉड्यूल।

वर्कशीट 5.4

क्रमशः 40 V एवं 60 A के वोल्टेज एवं विद्युतधारा आवश्यकता के लिये समानांतर एवं श्रेणी संयोजन में जोड़े जाने वाले मॉड्यूलों की संख्या ज्ञात करें (अधिकतम पॉवर पॉइंट पर)। इस पॉवर प्लांट के लिये उपलब्ध मॉड्यूलों के मापदंड हैं $V_m = 40$ V, $I_m = 6$ A। साथ ही पॉवर प्लांट की कुल पॉवर रेटिंग भी ज्ञात करें।

प्रथम चरण : पीवी सरणी या समानांतर रूप से संयोजित पीवी मॉड्यूलों की विद्युतधारा की आवश्यकता नोट करें

पीवी मॉड्यूल मापदंड	*प्रतीक*	*मान*	*इकाई*
पीवी मॉड्यूल सरणी का शॉर्ट सर्किट विद्युतधारा	I_{sca}	(दिया नही गया है)	एम्पियर
पीवी मॉड्यूल सरणी के का अधिकतम पॉवर पॉइंट पर विद्युतधारा	I_{ma}	60	एम्पियर

द्वितीय चरण 2 : एक पीवी मॉड्यूल या पीवी मॉड्यूल श्रृंखला जिन्हें समानांतर रूप में जोड़ा जाना है, के मापदंड नोट करें

पीवी मॉड्यूल या पीवी मॉड्यूल श्रृंखला मापदंड	*प्रतीक*	*मान*	*इकाई*
मॉड्यूल या श्रृंखला का ओपन सर्किट वोल्टेज	V_{oc}		वोल्ट
पीवी मॉड्यूल या श्रृंखला का शॉर्ट सर्किट विद्युतधारा	I_{sc}		एम्पियर
अधिकतम पॉवर पॉइंट पर वोल्टेज	V_m		वोल्ट
अधिकतम पॉवर पॉइंट पर विद्युतधारा	I_m		एम्पियर
पीवी मॉड्यूल या श्रृंखला की अधिकतम पॉवर	$P_m = V_m \times I_m$	= ___ × ___ = _________	वॉट

तृतीय चरण : समानांतर रूप में जोड़े जाने वाले पीवी मॉड्यूलों या श्रृंखला का आंकलन

पीवी मॉड्यूल मापदंड	*प्रतीक*	*मान*	*इकाई*
अधिकतम पॉवर पॉइंट पर आवश्यक पीवी सरणी विद्युतधारा	I_{ma}		एम्पियर
एकल पीवी मॉड्यूल या पीवी मॉड्यूल श्रृंखला का अधिकतम पॉवर पॉइंट पर विद्युतधारा	I_m		एम्पियर
समानांतर रूप में पीवी मॉड्यूलों की संख्या	$N_p = \frac{I_{ma}}{I_m}$	= ____ ÷ ____ = ______ ≈ ______	संख्या
पीवी सरणी का अधिकतम पॉवर पॉइंट पर वोल्टेज	$V_{ma} = V_m$	35	वोल्ट

चतुर्थ चरण : श्रेणी में संयोजित पीवी मॉड्यूलों की कुल पॉवर का आंकलन

पीवी मॉड्यूल मापदंड	*प्रतीक*	*मान*	*इकाई*
अधिकतम पॉवर पॉइंट पर पीवी सरणी वोल्टेज	$V_{ma} = V_m$		वोल्ट
अधिकतम पॉवर पॉइंट पर पीवी सरणी विद्युतधारा	$I_{ma} = N_p \times I_m$	= _____ × _____ = ______	एम्पियर
एकल पीवी मॉड्यूल की अधिकतम पॉवर	P_m		वॉट

पीवी मॉड्यूल मापदंड	*प्रतीक*	*मान*	*इकाई*
समानांतर रूप से जोड़े जाने वाले पीवी मॉड्यूलों की संख्या	N_p		संख्या
पीवी मॉड्यूल सरणी की अधिकतम पॉवर	$P_{ma} = P_m \times N_p$ या $= V_m \times I_m \times N_p$ या $= V_{ma} \times I_{ma}$	= _____ ×_____ = ____ × ____ × ____ = ____ × ____ = ______	वॉट

चित्र 5.13
समानांतर संयोजन में जोड़े गए मॉड्यूलों की संख्या (पाठक स्वयं इस चित्र को बनाएं)।

उदाहरण 5.6

अधिकतम पॉवर पॉइंट विद्युतधारा 96 A की प्राप्ति के लिये मॉड्यूलों की आवश्यक संख्या का आंकलन करें, जब अधिकतम वोल्टेज 35 V हो। उपलब्ध मॉड्यूलों के निम्न मापदंड हैं।

$$V_{oc} = 40 \text{ V}, V_m = 36 \text{ V}, I_{sc} = 8.5 \text{ A}, I_m = 7.5 \text{ A}$$

साथ ही डिजाइन किए गए प्लांट की कुल पॉवर ज्ञात करें।

हल

प्रथम चरण : समानांतर रूप से जुड़े पीवी मॉड्यूल या पीवी सरणी की आवश्यक विद्युतधारा नोट करें

पीवी मॉड्यूल मापदंड	*प्रतीक*	*मान*	*इकाई*
पीवी मॉड्यूल सरणी की शॉर्ट सर्किट विद्युतधारा	I_{sca}	(दिया नहीं गया है)	एम्पियर
पीवी मॉड्यूल सरणी की अधिकतम पॉवर पॉइंट पर विद्युतधारा	I_{ma}	96	एम्पियर

द्वितीय चरण : एक पीवी मॉड्यूल या पीवी मॉड्यूल श्रृंखला जो कि समानांतर क्रम में जुड़े हुए हैं, के मापदंड नोट करें

पीवी मॉड्यूल या पीवी मॉड्यूल श्रृंखला मापदंड	*प्रतीक*	*मान*	*इकाई*
मॉड्यूल या श्रृंखला का ओपन सर्किट वोल्टेज	V_{oc}	40	वोल्ट
पीवी मॉड्यूल या श्रृंखला की शॉर्ट सर्किट विद्युतधारा	I_{sc}	8.5	एम्पियर
अधिकतम पॉवर पॉइंट पर वोल्टेज	V_m	36	वोल्ट
अधिकतम पॉवर पॉइंट पर विद्युतधारा	I_m	7.5	एम्पियर
पीवी मॉड्यूल या श्रृंखला का अधिकतम पॉवर	$P_m = V_m \times I_m$	$= 36 \times 7.5 = 270$	वॉट

तृतीय चरण : समानांतर रूप में जुड़े पीवी मॉड्यूलों या श्रृंखला का आंकलन

पीवी मॉड्यूल मापदंड	*प्रतीक*	*मान*	*इकाई*
अधिकतम पॉवर पॉइंट पर आवश्यक पीवी सरणी विद्युतधारा	I_{ma}	95	एम्पियर
एकल पीवी मॉड्यूल या पीवी मॉड्यूल श्रृंखला का अधिकतम पॉवर पॉइंट पर विद्युतधारा	I_m	7.5	एम्पियर

पीवी मॉड्यूल मापदंड	प्रतीक	मान	इकाई
समानांतर में जोड़े जाने वाले पीवी मॉड्यूलों की संख्या, N_p	$N_p = \frac{I_{ma}}{I_m}$	= 96 ÷ 7.5 = 12.8 ≈ 13	संख्या
पीवी सरणी का अधिकतम पॉवर पॉइंट पर वोल्टेज	$V_{ma} = V_m$	36	वोल्ट

चतुर्थ चरण : श्रेणी में संयोजित पीवी मॉड्यूलों के कुल पॉवर का आंकलन

पीवी मॉड्यूल मापदंड	प्रतीक	मान	इकाई
अधिकतम पॉवर पॉइंट पर पीवी सरणी वोल्टेज	$V_{ma} = V_m$	36	वोल्ट
अधिकतम पॉवर पॉइंट पर पीवी सरणी विद्युतधारा	$I_{ma} = N_p \times I_m$	= 13 × 7.5 = 97.5	एम्पियर
एकल पीवी मॉड्यूल की अधिकतम पॉवर	P_m	270	वॉट
समानांतर क्रम में जोड़े जाने वाले पीवी मॉड्यूलों की संख्या, N_p	N_p	13	संख्या
पीवी मॉड्यूल सरणी की अधिकतम पॉवर	$P_{ma} = P_m \times N_p$ या $= V_m \times I_m \times N_p$ या $= V_{ma} \times I_{ma}$	= 270 × 13 = 36 × 7.5 × 13 = 36 × 97.5 = 3510	वॉट

वर्कशीट 5.5

100 A की विद्युतधारा की आवश्यकता पूर्ण करने के लिये समानांतर सरणी में जोड़ने हेतु मॉड्यूलों की संख्या का आंकलन करें। संयंत्र की वोल्टेज आवश्यकता 35 वोल्ट है। संयोजित किए जाने वाले मॉड्यूलों के मापदंड हैं– $V_m = 36$ V, $I_m = 8$ A, $V_{oc} = 45$ V, $I_{sc} = 8.75$ A।

प्रथम चरण : समानांतर क्रम में जुड़े पीवी मॉड्यूलों या पीवी सरणी की विद्युतधारा आवश्यकता नोट करें

पीवी मॉड्यूल मापदंड	प्रतीक	मान	इकाई
पीवी मॉड्यूल सरणी की शॉर्ट सर्किट विद्युतधारा	I_{sca}	(दिया नहीं गया है)	एम्पियर
पीवी मॉड्यूल सरणी का अधिकतम पॉवर पॉइंट पर विद्युतधारा	I_{ma}	100	एम्पियर

द्वितीय चरण : एक पीवी मॉड्यूल या पीवी मॉड्यूल श्रृंखला जिन्हें समानांतर क्रम में जोड़ा जाना है, उनके मापदंड नोट करें

पीवी मॉड्यूल या पीवी मॉड्यूल श्रृंखला मापदंड	प्रतीक	मान	इकाई
मॉड्यूल या श्रृंखला का ओपन सर्किट वोल्टेज	V_{oc}		वोल्ट
पीवी मॉड्यूल या श्रृंखला का शॉर्ट सर्किट विद्युतधारा	I_{sc}		एम्पियर
अधिकतम पॉवर पॉइंट पर वोल्टेज	V_m		वोल्ट
अधिकतम पॉवर पॉइंट पर विद्युतधारा	I_m		एम्पियर
पीवी मॉड्यूल या श्रृंखला की अधिकतम पॉवर	$P_m = V_m \times I_m$	= ____ × ___ = ________	वॉट

तृतीय चरण : समानांतर क्रम में जोड़े जाने वाले पीवी मॉड्यूलों या श्रृंखला की संख्या का आंकलन

पीवी मॉड्यूल मापदंड	*प्रतीक*	*मान*	*इकाई*
अधिकतम पॉवर पॉइंट पर आवश्यक पीवी सरणी विद्युतधारा	I_{ma}	100	एम्पियर
एकल पीवी मॉड्यूल या पीवी मॉड्यूल श्रृंखला का अधिकतम पॉवर पॉइंट पर विद्युतधारा	I_m	8	एम्पियर
समानांतर क्रम में जोड़ने हेतु पीवी मॉड्यूलों की संख्या	$N_p = \frac{I_{ma}}{I_m}$	= _____ ÷ _____ = _____ ≈ _____	संख्या
पीवी सरणी का अधिकतम पॉवर पॉइंट पर वोल्टेज	$V_{ma} = V_m$		वोल्ट

चतुर्थ चरण : श्रेणी में संयोजित पीवी मॉड्यूलों की कुल पॉवर का आंकलन

पीवी मॉड्यूल मापदंड	*प्रतीक*	*मान*	*इकाई*
अधिकतम पॉवर पॉइंट पर पीवी सरणी वोल्टेज	$V_{ma} = V_m$		वोल्ट
अधिकतम पॉवर पॉइंट पर पीवी सरणी विद्युतधारा	$I_{ma} = N_p \times I_m$	= _____ × _____ = _____	एम्पियर
एकल पीवी मॉड्यूल की अधिकतम पॉवर	P_m		वॉट
समानांतर में जोड़े जाने वाले पीवी मॉड्यूलों की संख्या	N_p		संख्या
पीवी मॉड्यूल सरणी की अधिकतम पॉवर	$P_{ma} = P_m \times N_p$ या $= V_m \times I_m \times N_p$ या $= V_{ma} \times I_{ma}$	= _____ × _____ = ____ × ____ × ____ = _____ × _____ = _____	वॉट

4.3.2 समानांतर क्रम में जुड़े मॉड्यूलों के वोल्टेज में असंतुलन

यह बताया जा चुका है कि समानांतर क्रम में संयोजित पीवी मॉड्यूलों का वोल्टेज, एक एकल मॉड्यूल के वोल्टेज के बराबर होता है, यदि मॉड्यूलों का वोल्टेज समरूप हो। यदि पीवी मॉड्यूल के वोल्टेजों में कोई अंतर होता है, तब समानांतर संयोजन का वोल्टेज उस पीवी मॉड्यूल द्वारा निश्चित किया जाता है जिसका वोल्टेज निम्नतम हो। सामान्यतः समानांतर रूप में संयोजित मॉड्यूलों के वोल्टेजों में अंतर उतना गंभीर नहीं होता है जितना कि श्रेणी संयोजन में मॉड्यूलों की विद्युतधारा में होता है। सामान्य रूप से, एवं व्यावहारिक रूप से, विभिन्न पॉवर रेटिंग (यानि विभिन्न विद्युतधारा एवं वोल्टेज रेटिंग) वाले पीवी मॉड्यूलों की श्रेणी या समानांतर संयोजन में सावधानी बरतना आवश्यक है। या, यदि विभिन्न पॉवर रेटिंग वाले पीवी मॉड्यूलों को आपस में जोड़ने की आवश्यकता है, तब श्रेणी संयोजन में समान विद्युतधारा रेटिंग वाले पीवी मॉड्यूलों को जोड़ने की व समानांतर संयोजन में समान वोल्टेज रेटिंग वाले पीवी मॉड्यूलों को जोड़ने की कोशिश की जानी चाहिये।

> समानांतर रूप से संयोजित पीवी मॉड्यूलों के विद्युतधारा मान का बेमेल होना कोई बड़ा मुद्दा नहीं है, लेकिन वोल्टेज का बेमेल होना है।

5.3 मॉड्यूलों का श्रेणी एवं समानांतर रूप में संयोजन (मिश्रित संयोजन)

जब पीवी पॉवर आवश्यकता कुछ सौ वॉट से अधिक हो, तब पीवी मॉड्यूलों को श्रेणी व समानांतर दोनों ही संयोजनों में जोड़ने की आवश्यकता होती है। साथ ही, जब हमें अधिक मात्रा में पॉवर के उत्पादन की आवश्यकता है, जैसे कि सौर पीवी मेगा वॉट स्केल पॉवर प्लांट्स में, तब पीवी मॉड्यूल दोनों श्रेणियों एवं समानांतर विन्यास में जोड़े जाते हैं, विद्युतधारा व वोल्टेज दोनों ही बढ़ाने के लिये। यहां आप याद रखें कि पीवी मॉड्यूलों का श्रेणी संयोजन वोल्टेज का स्तर बढ़ाता है जबकि पीवी मॉड्यूलों का समानांतर संयोजन विद्युतधारा का स्तर बढ़ाता है। सामान्यतः बड़े पीवी पॉवर प्लांट्स में, अनेक पीवी मॉड्यूलों को श्रेणी में जोड़ा जाता है। श्रेणी में संयोजित पीवी मॉड्यूलों को पीवी मॉड्यूल "श्रृंखला" कहा जाता है। पीवी संयंत्र में, श्रेणी (श्रृंखला) में जोड़े गए पीवी मॉड्यूलों की

एक पीवी संयंत्र में, श्रेणी संयोजन के कारण वोल्टेज बढ़ता है, समानांतर संयोजन के कारण विद्युतधारा बढ़ती है, एवं दोनों श्रेणियों एवं समानांतर संयोजन के कारण पॉवर बढ़ती है।

संख्या संयंत्र के वोल्टेज के अनुसार होती है। एवं तब समानांतर रूप से बहुत सारी पीवी मॉड्यूल श्रृंखलाएं आपस में जोड़ी जाती हैं। चित्र 5.15 में पीवी मॉड्यूलों की श्रेणी एवं समानांतर संयोजन का उदाहरण दिया गया है।

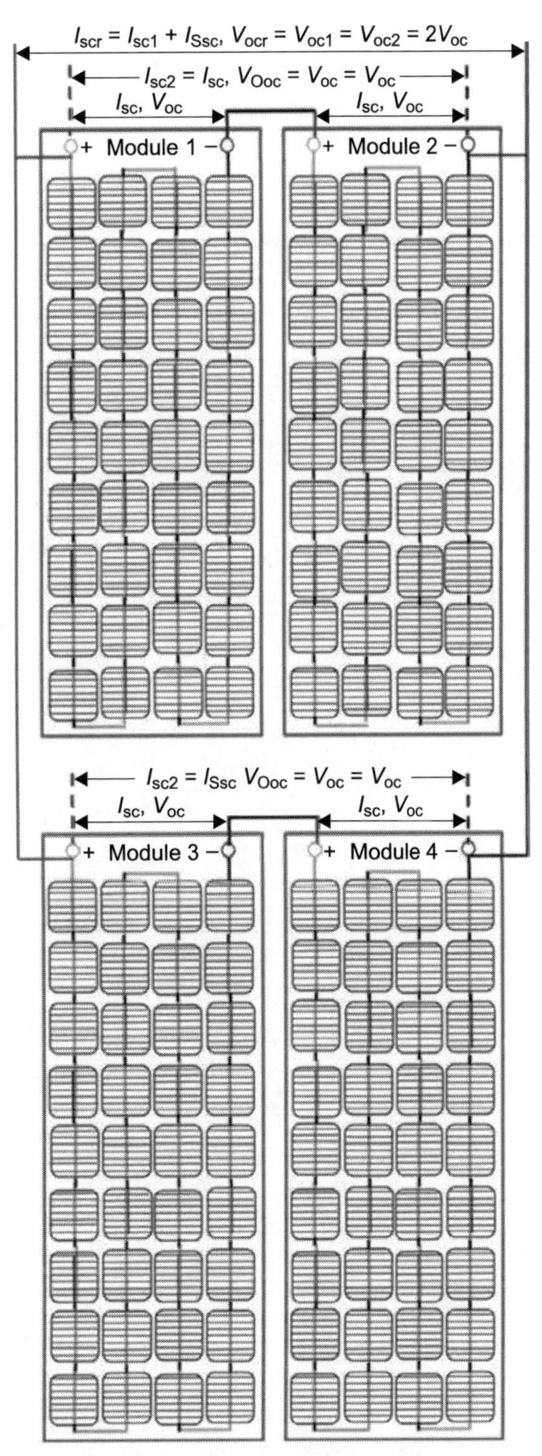

चित्र 5.15
पीवी मॉड्यूलों की श्रेणी एवं समानांतर संयोजन।

चित्र 5.15 में, चार समरूप पीवी मॉड्यूलों का संयोजन दर्शाया गया है, प्रत्येक पीवी मॉड्यूल में I_{sc} की शॉर्ट सर्किट विद्युतधारा एवं V_{oc} का ओपन सर्किट वोल्टेज है। चित्र 5.15 को ध्यान से देखने पर हम पाएंगे कि दो पीवी मॉड्यूल श्रेणी में जुड़े हुए हैं (एक पीवी मॉड्यूल श्रृंखला), एवं इस तरह की दो श्रृंखलाएं समानांतर रूप से जुड़ी हुई हैं। पीवी मॉड्यूलों के श्रेणी संयोजन में, वोल्टेज का योग हो जाता है जबकि विद्युतधारा का मान समान रहता है एवं पीवी मॉड्यूलों के समानांतर

संयोजन में विद्युतधारा के मान का योग होता जाता है एवं वोल्टेज समान रहता है। इस स्थिति में, मॉड्यूल 1 एवं मॉड्यूल 2 चित्र 5.15 में मॉड्यूल श्रेणी में जुड़े हुए हैं, आइये इसे श्रृंखला 1 बुलाते हैं । इसी तरह से मॉड्यूल 3 एवं मॉड्यूल 4 भी श्रेणी में संयोजित हैं, आइये इसे श्रृंखला 2 बुलाते हैं। चूंकि सभी पीवी मॉड्यूल समरूप हैं, श्रृंखला 1 का ओपन सर्किट वोल्टेज (V_{oc1}) एवं श्रृंखला 1 का शॉर्ट सर्किट विद्युतधारा (I_{sc1}) क्रमशः $2 \times V_{oc}$ एवं I_{sc} होंगे (तालिका 5.10 देखें)। इसी प्रकार से पीवी मॉड्यूल श्रृंखला 2 का ओपन सर्किट वोल्टेज $2 \times V_{oc}$ होगा जबकि शॉर्ट सर्किट विद्युतधारा I_{sc} होगी।

अब पीवी मॉड्यूल श्रृंखला 1 एवं श्रृंखला 2 समानांतर रूप से जुड़े हैं (पीवी मॉड्यूलों की यह श्रेणी एवं समानांतर मिश्रण पीवी मॉड्यूल सरणी कहलाता है)। समानांतर संयोजन में वोल्टेज समान बना रहता है जबकि विद्युतधारा मान जुड़ता जाता है। जैसा कि तालिका 5.10 में दिया गया है, चूंकि दोनों पीवी श्रृंखलाओं का ओपन सर्किट वोल्टेज समान है ($V_{oc1} = 2V_{oc}$, and $V_{oc2} = 2\ V_{oc}$), पीवी मॉड्यूल सरणी का ओपन सर्किट वोल्टेज है, $V_{ocr} = V_{oc1} = V_{oc2} = 2V_{oc}$। श्रृंखला 1 का $I_{sc1} = I_{sc}$ शॉर्ट सर्किट वोल्टेज $I_{sc2} = I_{sc}$ है एवं श्रृंखला 2 का है। अतः पीवी मॉड्यूल सरणी का शॉर्ट सर्किट विद्युतधारा, I_{scr}, जहां दोनों श्रृंखला समानांतर रूप से जुड़ी हैं $I_{sc1} + I_{sc2} = I_{sc} + I_{sc} = 2\ I_{sc}$। पीवी मॉड्यूल क्रम की इस स्थिति में, सरणी का ओपन सर्किट वोल्टेज $2\ V_{oc}$ होगा एवं सरणी का शॉर्ट सर्किट विद्युतधारा $2\ I_{sc}$ होगी।

उच्च पॉवर पीवी संयंत्र में, पीवी मॉड्यूल श्रेणी में जुड़े होते हैं एवं ऐसी कई श्रेणियां समानांतर क्रम में जुड़ी होती हैं।

तालिका 5.10 : पीवी मॉड्यूलों की श्रेणी एवं समानांतर संयोजन के योग के उदाहरण
(***टिप्पणी :*** श्रेणी संयोजन में वोल्टेज जुड़ता है एवं समानांतर संयोजन में विद्युतधारा का योग होता है।)

चार समरूप पीवी मॉड्यूलों के इस उदाहरण में (मॉड्यूल 1, मॉड्यूल 2, मॉड्यूल 3, एवं मॉड्यूल 4) V_{oc} के ओपन सर्किट वोल्टेज एवं I_{sc} शॉर्ट सर्किट विद्युतधारा का उपयोग किया गया है।	
पीवी मॉड्यूलों का ओपन सर्किट वोल्टेज	V_{oc}
पीवी मॉड्यूलों का शॉर्ट सर्किट वोल्टेज	I_{sc}
मॉड्यूल 1 एवं मॉड्यूल 2 श्रेणी में संयोजित हैं (श्रृंखला 1) (वोल्टेज का योग होता जाता है एवं विद्युतधारा समान रहती है)	
पीवी मॉड्यूल श्रृंखला 1 का ओपन सर्किट वोल्टेज, V_{oc1}	$V_{oc1} = V_{oc} + V_{oc} = 2\ V_{oc}$
पीवी मॉड्यूल श्रृंखला 1 का शॉर्ट सर्किट विद्युतधारा, I_{sc1}	$I_{sc1} = I_{sc}$
मॉड्यूल 3 एवं मॉड्यूल 4 श्रेणी में संयोजित हैं (श्रृंखला 2)	
पीवी मॉड्यूल श्रृंखला 2 का ओपन सर्किट वोल्टेज, V_{oc2}	$V_{oc2} = V_{oc} + V_{oc} = 2\ V_{oc}$
पीवी मॉड्यूल श्रृंखला 2 का शॉर्ट सर्किट विद्युतधारा, I_{sc2}	$I_{sc2} = I_{sc}$
पीवी मॉड्यूल श्रृंखला 1 एवं श्रृंखला 2 समानांतर क्रम में संयोजित होते हैं (वोल्टेज समान रहता है परंतु विद्युतधारा का योग होता जाता है) इस संयोजन को सरणी कहते हैं।	
पीवी मॉड्यूल सरणी का ओपन सर्किट वोल्टेज, V_{ocr}	$V_{ocr} = V_{oc1} = V_{oc2} = 2\ V_{oc}$
पीवी मॉड्यूल सरणी की शॉर्ट सर्किट विद्युतधारा, I_{scr}	$I_{scr} = I_{sc1} + I_{sc2} = I_{sc} + I_{sc} = 2\ I_{sc}$

इसी प्रकार से श्रेणी या समानांतर क्रम में जुड़े पीवी मॉड्यूलों के किसी भी संयोजन की विद्युतधारा एवं वोल्टेज को प्राप्त किया जा सकता है। व्यावहारिक रूप से पीवी मॉड्यूल ओपन सर्किट एवं शॉर्ट सर्किट पर संचालित नहीं होते हैं, परंतु वे अधिकतम पॉवर पॉइंट के तहत कार्य

करते हैं। अतः, गणना हेतु, अधिकतम पॉवर पॉइंट पर विद्युतधारा (I_m) एवं अधिकतम पॉवर पॉइंट पर वोल्टेज (V_m) लिये जाने चाहिये।

5.3.1 श्रेणी एवं समानांतर रूप में जोड़े जाने वाले मॉड्यूलों की संख्या का आंकलन एवं उनकी कुल पॉवर

पीवी मॉड्यूलों की श्रेणी एवं समानांतर संयोजन बनाने का उद्देश्य है, उनकी सरणी बनाने हेतु, विद्युतधारा बढ़ाना साथ ही साथ संयोजन से अधिक पॉवर प्राप्त करने हेतु वोल्टेज बढ़ाना। एक पीवी मॉड्यूल सरणी में, अधिक वोल्टेज प्राप्त करने के लिये मॉड्यूल श्रेणी में जुड़े होते हैं (मॉड्यूल श्रृंखला बनाने के लिये), या अधिक विद्युतधारा प्राप्त करने के लिये मॉड्यूल श्रृंखला समानांतर क्रम में जुड़ी होती है। दोनों ही श्रेणी व समानांतर संयोजन से संपूर्ण संयोजन का पॉवर आउटपुट बढ़ जाता है।

जब भी पीवी पॉवर की आवश्यकता एक पृथक पीवी मॉड्यूल द्वारा उत्पादित पॉवर आउटपुट से अधिक होती है तब पीवी सरणी का निर्माण आवश्यक हो जाता है। पृथक पीवी मॉड्यूल कुछ वॉट से कुछ सौ वॉट की रेंज में उपलब्ध होते हैं। आजकल पीवी सरणी घरेलू अनुप्रयोगों हेतु स्थापित की जाती हैं जबकि पॉवर की आवश्यकता कुछ सौ वॉट से कुछ किलो वॉट की रेंज में होती है। पीवी पॉवर प्लांट्स कुछ सौ किलो वॉट kW से कई मेगा वॉट (MW) की रेंज में स्थापित किये जाते हैं। इस अनुभाग में हम श्रेणी एवं समानांतर क्रम में जोड़े जाने वाले पीवी मॉड्यूलों की संख्या की गणना करना सीखेंगे जिससे कि पीवी मॉड्यूल सरणी से चाहा गया पॉवर आउटपुट प्राप्त कर सकें। यहां यह माना जाता है कि सभी पीवी मॉड्यूल समरूप हैं, जिनके एकसमान मापदंड हैं जैसे V_{oc}, V_m, I_{sc} एवं I_m। श्रेणी एवं समानांतर क्रम में जोड़े जाने वाले पीवी मॉड्यूलों की संख्या का आंकलन निम्न चरणों में किया जा सकता है :

प्रथम चरण : पीवी मॉड्यूल क्रम का वोल्टेज, विद्युतधारा, एवं पॉवर की आवश्यकता नोट करें

पीवी मॉड्यूल सरणी में पीवी मॉड्यूलों को श्रेणी या समानांतर में जोड़ने का उद्देश्य होता है पीवी मॉड्यूल क्रम का वोल्टेज, विद्युतधारा, एवं पॉवर बढ़ाना। सरणी से चाही गई पॉवर, P_{ma}, नोट की जानी चाहिये। यदि सरणी से चाही गई विद्युतधारा (I_{ma}) एवं चाहा गया वोल्टेज (V_{ma}) दिया गया है, तब इसे नोट करें या फिर यदि केवल एक मापदंड दिया गया है (विद्युतधारा या वोल्टेज) तब $P_{ma} = I_{ma} \times V_{ma}$ सूत्र के द्वारा अन्य मापदंडों की गणना की जा सकती है। ये सभी मापदंड, पॉवर, वोल्टेज एवं विद्युतधारा आदि अधिकतम पॉवर पॉइंट परिस्थितियों में माने जाते हैं।

पीवी मॉड्यूल मापदंड	*प्रतीक*	*मान*	*इकाई*
पीवी सरणी पॉवर आवश्यकता उच्चतम पॉवर या अधिकतम पॉवर पॉइंट	P_{ma}		वॉट
उच्च पॉवर पर पीवी मॉड्यूल सरणी का ओपन सर्किट वोल्टेज	V_{ma} या $= \frac{P_{ma}}{I_{ma}}$		वोल्ट
उच्च पॉवर पर पीवी मॉड्यूल सरणी विद्युतधारा	I_{ma} या $= \frac{P_{ma}}{V_{ma}}$		एम्पियर

द्वितीय चरण : पीवी क्रम में जोड़े जाने वाले पीवी मॉड्यूल के मापदंड नोट करें

चूंकि संचालन में, यह उम्मीद की जाती है कि एक पीवी मॉड्यूल अधिकतम पॉवर पॉइंट परिस्थिति के तहत संचालित होता है, अतः अधिकतम पॉवर पॉइंट पर पीवी मॉड्यूल जिसे कि पीवी सरणी से जोड़ा जाना है के विद्युतधारा एवं वोल्टेज, जो कि I_m एवं V_m है को नोट किया जाना चाहिये। अन्य पीवी मॉड्यूल जानकारियां जैसे कि V_{oc}, I_{sc} एवं P_m आदि को भी निम्न तालिका में नोट किया जा सकता है।

पीवी मॉड्यूल मापदंड	प्रतीक	मान	इकाई
मॉड्यूल का ओपन सर्किट वोल्टेज	V_{oc}		वोल्ट
पीवी मॉड्यूल का शॉर्ट सर्किट वोल्टेज	I_{sc}		वोल्ट
अधिकतम पॉवर पॉइंट पर वोल्टेज	V_m		वोल्ट
अधिकतम पॉवर पॉइंट पर विद्युतधारा	I_m		एम्पियर
पीवी मॉड्यूल की अधिकतम पॉवर	$P_m = V_m \times I_m$		वॉट

तृतीय चरण : श्रेणी एवं समानांतर में जोड़े जाने वाले पीवी मॉड्यूलों की संख्या का आंकलन

श्रेणी में जोड़े जाने वाले पीवी मॉड्यूलों की संख्या ज्ञात करने के लिये (वोल्टेज का योग), कुल सरणी वोल्टेज को पृथक मॉड्यूल के वोल्टेज से विभाजित किया जाता है एवं, समानांतर में (विद्युत धारा का योग) पीवी मॉड्यूलों या पीवी मॉड्यूल श्रृंखला की संख्या ज्ञात करने के लिये, पीवी सरणी विद्युतधारा को पृथक पीवी मॉड्यूलों या पीवी मॉड्यूल श्रृंखला की विद्युतधारा से विभाजित किया जाना चाहिये। सभी मापदंड अधिकतम पॉवर पॉइंट के तहत लिये जाते हैं क्योंकि पीवी सरणी को आदर्श रूप में अधिकतम पॉवर पॉइंट परिस्थितियों के तहत कार्य करना चाहिये।

पीवी मॉड्यूल मापदंड	प्रतीक	मान	इकाई
अधिकतम पॉवर पॉइंट पर आवश्यक पीवी सरणी वोल्टेज	V_{ma}		वोल्ट
एकल पीवी मॉड्यूल या पीवी मॉड्यूल श्रृंखला का अधिकतम पॉवर पॉइंट पर वोल्टेज	V_m		वोल्ट
श्रेणी में पीवी मॉड्यूलों की संख्या, N_s	$N_s = \frac{V_{ma}}{V_m}$		संख्या
पीवी सरणी का अधिकतम पॉवर पॉइंट पर विद्युतधारा	I_{ma}		एम्पियर
पीवी मॉड्यूल या पीवी श्रृंखला का अधिकतम पॉवर पॉइंट पर विद्युतधारा	I_m		एम्पियर
श्रेणी में पीवी मॉड्यूलों की संख्या, N_p	$N_p = \frac{I_{ma}}{I_m}$		संख्या

N_s एवं N_p का मान एक पूर्णांक होना चाहिये। यदि आंकलित किये गए अनुपात का मान पूर्णांक नहीं है तब अगला उच्च पूर्णांक मान को जा सकता है। अतः यदि N_s 3.7 है, तब अगला उच्च पूर्णांक मान, जो कि 4 है, लिया जाना चाहिये। इसका तात्पर्य है कि श्रेणी में 4 पीवी मॉड्यूलों को जोड़ा जा सकता है। यदि N_p 6.7 है, तब अगला उच्च पूर्णांक 7 होगा। इसका मतलब है कि 7 पीवी मॉड्यूलों या पीवी मॉड्यूल श्रृंखला को समानांतर में जोड़ा जाना चाहिये । इन परिस्थितियों में, पीवी मॉड्यूल सरणी दोनों विद्युतधारा एवं वोल्टेज आवश्यकताओं को पूरा करेगी।

इस पद में श्रेणी में जोड़े जाने वाले पीवी मॉड्यूलों की संख्या ज्ञात करने हेतु की गई गणना को अधिकतम पॉवर पॉइंट पर वोल्टेज का उपयोग कर के उपयोग किया गया है, परंतु समान गणना ओपन सर्किट वोल्टेज का उपयोग करके भी की जा सकती है। साथ ही, समानांतर रूप में जोड़े जाने वाले मॉड्यूलों या मॉड्यूल श्रृंखला ज्ञात करने के लिये अधिकतम पॉवर पॉइंट पर विद्युतधारा का उपयोग किया जा सकता है, परंतु समान गणनाएं पीवी मॉड्यूल के शॉर्ट सर्किट विद्युतधारा के उपयोग से भी की जा सकती है। कृपया ध्यान दें कि एक पीवी मॉड्यूल का अधिकतम पॉवर पॉइंट पर वोल्टेज ओपन सर्किट का सामान्यतः 75 से 85 प्रतिशत के बीच में होता है। और, अधिकतम पॉवर पॉइंट पर मॉड्यूल की विद्युतधारा शॉर्ट सर्किट बिंदु पर सामान्यतः 85 से 95 प्रतिशत के बीच में होती है।

चतुर्थ चरण : श्रेणी पीवी मॉड्यूल सरणी की कुल पॉवर की गणना करना

सामान्यतः श्रेणी या समानांतर में पीवी मॉड्यूलों की संख्या डिजाइन करने के पहले कुल पीवी सरणी पॉवर जिसके लिये हमें डिजाइन करना है वह हम जानते हैं। अतः, इस डिजाइन को पुनः जांचने करने के लिये इस पद का उपयोग किया गया है। पीवी सरणी की कुल पॉवर, जहां पीवी मॉड्यूल श्रेणी में व समानांतर क्रम में जुड़े हुए हैं, वह पीवी सरणी में जुड़े सभी पीवी मॉड्यूल की पॉवर का योग होती है। श्रेणी संयोजन में, मॉड्यूल के वोल्टेज एवं पॉवर का योग हो जाता है एवं, समानांतर क्रम में, पीवी मॉड्यूल की पॉवर व विद्युतधारा का योग हो जाता है।

अतः, यदि N_s पीवी मॉड्यूल श्रेणी में जुड़े हुए हैं एवं इस तरह की N_p श्रेणियां समानांतर क्रम में जुड़ी हुई हैं, तब पीवी सरणी में जुड़े पीवी मॉड्यूलों की कुल संख्या है $N_s \times N_p$। अब, यदि एक पीवी मॉड्यूल की अधिकतम पॉवर P_m है, तब पीवी सरणी की कुल पॉवर आउटपुट (P_{ma}), $N_s \times N_p \times P_m$ होगी। यहां यह माना गया है कि श्रेणी एवं समानांतर क्रम में जुड़े सभी पीवी मॉड्यूल एकसमान हैं। पीवी सरणी का पॉवर आउटपुट भी सरणी के अधिकतम पॉवर पॉइंट पर वोल्टेज एवं विद्युतधारा से आंकलित किया जा सकता है, जो कि V_{ma} एवं I_{ma} है। पीवी मॉड्यूल सरणी का पॉवर V_{ma} एवं I_{ma} का उत्पाद होता है जो कि $P_{ma} = V_{ma} \times I_{ma}$ है। इसे निम्न प्रकार से तालिका के रूप में भी लिखा जा सकता है :

पीवी मॉड्यूल मापदंड	*प्रतीक*	*मान*	*इकाई*
श्रेणी में पीवी मॉड्यूलों की संख्या, N_s	N_s		संख्या
समानांतर में पीवी मॉड्यूलों या मॉड्यूल श्रृंखला की संख्या, N_p	N_p		संख्या
अधिकतम पॉवर पॉइंट पर पीवी सरणी वोल्टेज का नया मान #	$V_{ma} = V_m \times N_s$		वोल्ट
अधिकतम पॉवर पॉइंट पर पीवी सरणी विद्युतधारा का नया मान #	$I_{ma} = I_m \times N_p$		वोल्ट
एकल पीवी मॉड्यूल की अधिकतम पॉवर	$P_m = V_m \times I_m$		वॉट
पीवी मॉड्यूल सरणी की अधिकतम पॉवर #	$P_{ma} = P_m \times N_s \times N_p$ $= V_m \times I_m \times N_s \times N_p$ या $P_{ma} = V_{ma} \times I_{ma}$		वॉट

पीवी मॉड्यूलों की उपर्युक्त संख्या को श्रेणी में एवं पीवी मॉड्यूल श्रेणियों की उपर्युक्ता संख्या को समानांतर में डिजाइन करके, बड़े पॉवर पीवी प्लांट्स को डिजाइन किया जा सकता है।

याद रखें कि N_s एवं N_p अनुपात को अगले उच्च पूर्णांक मान में रूपांतरित करने के कारण, I_{ma} एवं V_{ma} का नया आंकलित मान उपरोक्त तालिका में चाहे गए I_{ma} एवं V_{ma} के मान से अधिक होगा जो कि प्रथम चरण में भी दर्शाया गया है। परिणामस्वरूप चाहे गए पीवी सरणी पॉवर जिसके लिये डिजाइन किया गया है की अपेक्षा आंकलित किए गए पीवी सरणी पॉवर का मान अधिक होगा।

उदाहरण 5.7

पॉवर उत्पादन की निम्न आवश्यकताओं हेतु एक सौर पीवी संयंत्र डिजाइन करने हेतु जोड़े जाने वाले पीवी मॉड्यूलों की संख्या का आंकलन करें :

पॉवर = 10 kW, पीक पॉवर पर वोल्टेज = 200 V, पीक पॉवर पर विद्युतधारा = 50 A

इस प्लांट के लिये उपलब्ध पीवी मॉड्यूलों में निम्न मापदंड होते हैं:

$$V_m = 35 \text{ V}, I_m = 8.5 \text{ A}$$

संख्याओं को फिर से आंकलित करें।

पीवी मॉड्यूलों की संख्या की गणना करने के पश्चात्, संयंत्र की वास्तविक उच्चतम पॉवर की गणना करें।

हल

चूंकि पृथक पीवी मॉड्यूलों के उच्चतम वोल्टेज एवं विद्युतधारा की अपेक्षा आवश्यकता अधिक की है, अतः चाहे गए वोल्टेज को प्राप्त करने के लिये पीवी मॉड्यूलों को श्रेणी में जोड़ना आवश्यक

है पृथक मॉड्यूल वोल्टेज से उच्च वोल्टेज एवं चाही गई विद्युतधारा को प्राप्त करने के लिये पीवी मॉड्यूल श्रृंखला को समानांतर में जोड़ना आवश्यक है पृथक मॉड्यूल विद्युतधारा से उच्च। श्रेणी एवं समानांतर क्रम में जोड़ने के लिये पीवी मॉड्यूलों की संख्या का आंकलन करने हेतु निम्न प्रक्रिया अपनाई जा सकती है :

प्रथम चरण : पीवी सरणी की वोल्टेज, विद्युतधारा एवं पॉवर आवश्यकता को नोट करें

पीवी मॉड्यूल मापदंड	*प्रतीक*	*मान*	*इकाई*
पीवी सरणी पॉवर आवश्यकता (उच्चतम या अधिकतम पॉवर पॉइंट)	P_{ma}	10000	वॉट
उच्चतम पॉवर पर पीवी मॉड्यूल सरणी ओपन सर्किट वोल्टेज (यहां यह मान दिया गया है परंतु यदि I_{ma} ज्ञात हो तो इसे आंकलित भी किया जा सकता है)	V_{ma} या $= \frac{P_{ma}}{I_{ma}}$	$=10000 \div 50$ $= 200$	वोल्ट
उच्चतम पॉवर पर पीवी मॉड्यूल सरणी विद्युतधारा (यहां यह मान दिया गया है परंतु यदि V_{ma} ज्ञात हो तो इसे आंकलित भी किया जा सकता है)	I_{ma} या $= \frac{P_{ma}}{V_{ma}}$	$= 10000 \div 200$ $= 50$	एम्पियर

द्वितीय चरण : पीवी सरणी में जोड़े जाने वाले एक पीवी मॉड्यूल के मापदंड नोट करें

पीवी मॉड्यूल मापदंड	*प्रतीक*	*मान*	*इकाई*
मॉड्यूल का ओपन सर्किट वोल्टेज	V_{oc}	(दिया नहीं गया है)	वोल्ट
पीवी मॉड्यूल की शॉर्ट सर्किट विद्युतधारा	I_{sc}	(दिया नहीं गया है)	एम्पियर
अधिकतम पॉवर पॉइंट पर वोल्टेज	V_m	35	वोल्ट
अधिकतम पॉवर पॉइंट पर विद्युतधारा	I_m	8.5	एम्पियर
पीवी मॉड्यूल की अधिकतम पॉवर	$P_m = V_m \times I_m$	$= 35 \times 8.5$ $= 297.5$	वॉट

तृतीय चरण : श्रेणी एवं समानांतर क्रम में जोड़े जाने वाले पीवी मॉड्यूलों की संख्या का आंकलन

पीवी मॉड्यूल मापदंड	*प्रतीक*	*मान*	*इकाई*
अधिकतम पॉवर पॉइंट पर पीवी सरणी वोल्टेज	V_{ma}	200	वोल्ट
अधिकतम पॉवर पॉइंट पर एकल पीवी मॉड्यूल या पीवी श्रृंखला का वोल्टेज	V_m	35	वोल्ट
श्रेणी में पीवी मॉड्यूलों की संख्या, N_s	$N_s = \frac{V_{ma}}{V_m}$	$= 200 \div 35$ $= 5.71$ ≈ 6	संख्या
पीवी सरणी की अधिकतम पॉवर पॉइंट पर विद्युतधारा	I_{ma}	50	एम्पियर
अधिकतम पॉवर पॉइंट पर पीवी मॉड्यूल या श्रृंखला की विद्युतधारा	I_m	8.5	एम्पियर
श्रेणी में पीवी मॉड्यूलों की संख्या, N_p	$N_p = \frac{I_{ma}}{I_m}$	$= 50 \div 8.5$ $= 5.88$ ≈ 6	संख्या

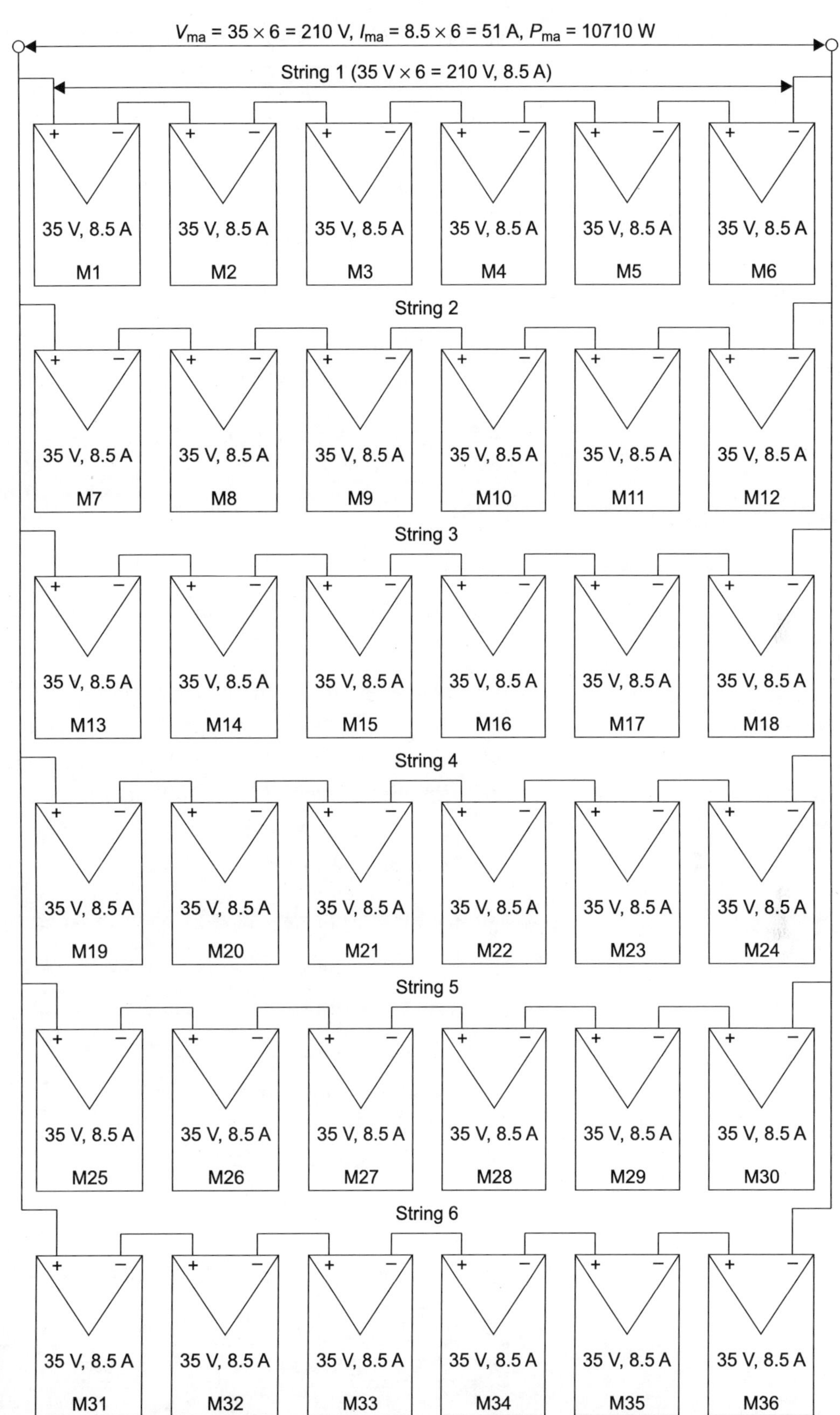

चित्र 5.16
श्रेणी में 6 मॉड्यूल एवं समानांतर क्रम में इस तरह की 6 पीवी मॉड्यूल श्रृंखला।

MW आकार के पॉवर प्लांट में अनेक पीवी मॉड्यूल श्रेणी (पीवी मॉड्यूल श्रृंखला) में एवं इसी तरह की अनेक श्रृंखला समानांतर में जुड़ी होती हैं।

चतुर्थ चरण : श्रेणी पीवी मॉड्यूल सरणी की कुल पॉवर का आंकलन

पीवी मॉड्यूल मापदंड	*प्रतीक*	*मान*	*इकाई*
श्रेणी में पीवी मॉड्यूलों की संख्या, N_s	N_s	7	संख्या
समानांतर में पीवी मॉड्यूलों या श्रृंखला की संख्या, $N_s N_p$	N_p	6	संख्या
अधिकतम पॉवर पॉइंट पर पीवी सरणी वोल्टेज का नया मान	$V_{ma} = V_m \times N_s$	= 35 × 6 = 210	वोल्ट
अधिकतम पॉवर पॉइंट पर पीवी सरणी विद्युतधारा का नया मान	$I_{ma} = I_m \times N_p$	= 8.5 × 6 = 51	एम्पियर
एकल पीवी मॉड्यूल की अधिकतम पॉवर	$P_m = V_m \times I_m$	= 35 × 8.5 = 297.5	वॉट
पीवी मॉड्यूल सरणी की अधिकतम पॉवर	$P_{ma} = P_m \times N_s \times N_p$ या $= V_m \times I_m \times N_s \times N_p$ या $= V_{ma} \times I_{ma}$	= 297.5 × 6 × 6 या = 3 × 8.5 × 6 × 6 या = 210 × 51 = 10710	वॉट

वर्कशीट 5.6

एक ग्रिड कनेक्टेड पीवी पॉवर प्लांट की स्थापना की गई है जिसमें ग्रिड टाइड इनवर्टर के द्वारा पीवी मॉड्यूलों को ग्रिड से जोड़ा गया है। इन्वर्टर संचालन के लिये वोल्टेज रेंज 300–400 V है एवं इन्वर्टर जो अधिकतम विद्युतधारा ले सकता है वह 150 A है। ऐसे इन्वर्टर के लिये एक सौर पीवी संयंत्र डिजाइन करें जो कि 350 V के अधिकतम वोल्टेज एवं 150 A विद्युतधारा पर कार्य कर सके। इसके लिये उपलब्ध मॉड्यूलों में $V_m = 40$ V, $I_m = 9$ A है। साथ ही संयंत्र की अंतिम पॉवर का आंकलन करें।

प्रथम चरण : पीवी मॉड्यूल सरणी की वोल्टेज, विद्युतधारा एवं पॉवर आवश्यकता नोट करें

पीवी मॉड्यूल मापदंड	*प्रतीक*	*मान*	*इकाई*
पीवी सरणी पॉवर आवश्यकता (उच्चतम या अधिकतम पॉवर)	P_{ma} या $= I_{ma} \times V_{ma}$	= 350 × 150 = 52500	वॉट
अधिकतम पॉवर पर पीवी सरणी ओपन सर्किट वोल्टेज	V_{ma} या $= \frac{P_{ma}}{I_{ma}}$	= 52500 ÷ 150 = 350	वोल्ट
उच्चतम पॉवर पर पीवी सरणी विद्युतधारा	I_{ma} या $= \frac{P_{ma}}{V_{ma}}$	= 52500 ÷ 350 = 150	एम्पियर

द्वितीय चरण : पीवी सरणी में जोड़े जाने वाले पीवी मॉड्यूल के मापदंड नोट करें

पीवी मॉड्यूल मापदंड	*प्रतीक*	*मान*	*इकाई*
मॉड्यूल का ओपन सर्किट वोल्टेज	V_{oc}	(दिया नहीं गया है)	वोल्ट
पीवी मॉड्यूल की शॉर्ट सर्किट विद्युतधारा	I_{sc}	(दिया नहीं गया है)	एम्पियर
अधिकतम पॉवर पॉइंट पर वोल्टेज	V_m	40	वोल्ट
अधिकतम पॉवर पॉइंट पर विद्युतधारा	I_m	9	एम्पियर
पीवी मॉड्यूल की अधिकतम पॉवर	$P_m = V_m \times I_m$	= 40 × 9 = 360	वॉट

तृतीय चरण : श्रेणी एवं समानांतर में जोड़े जाने वाले पीवी मॉड्यूलों की संख्या का आंकलन

पीवी मॉड्यूल मापदंड	*प्रतीक*	*मान*	*इकाई*
अधिकतम पॉवर पॉइंट पर आवश्यक पीवी सरणी वोल्टेज	V_{ma}		वोल्ट
एकल पीवी मॉड्यूल या पीवी मॉड्यूल श्रृंखला का अधिकतम पॉवर पॉइंट पर वोल्टेज	V_m		वोल्ट
श्रेणी में पीवी मॉड्यूलों की संख्या, N_s	$N_s = \frac{V_{ma}}{V_m}$	= ___ ÷ ___ = ______	संख्या
अधिकतम पॉवर पॉइंट पर पीवी सरणी की विद्युतधारा	I_{ma}		एम्पियर
पीवी मॉड्यूल या पीवी मॉड्यूल श्रृंखला की अधिकतम पॉवर पॉइंट पर विद्युतधारा	I_m		एम्पियर
श्रेणी में पीवी मॉड्यूलों की संख्या, N_p	$N_p = \frac{I_{ma}}{I_m}$	= ___ ÷ ___ = ______ ≈ ______	संख्या

चतुर्थ चरण : श्रेणी पीवी मॉड्यूल सरणी की कुल पॉवर का आंकलन

पीवी मॉड्यूल मापदंड	*प्रतीक*	*मान*	*इकाई*
श्रेणी में पीवी मॉड्यूलों की संख्या, N_s	N_s		संख्या
समानांतर में पीवी मॉड्यूल या पीवी मॉड्यूल श्रृंखला की संख्या, N_p	N_p		संख्या
अधिकतम पॉवर पॉइंट पर पीवी सरणी वोल्टेज का नया मान	$V_{ma} = V_m \times N_s$	= ______ × ______ = ______	वोल्ट
अधिकतम पॉवर पॉइंट पर पीवी सरणी विद्युतधारा का नया मान	$I_{ma} = I_m \times N_p$	= _____ × _____ = _____	एम्पियर
एकल पीवी मॉड्यूल की अधिकतम पॉवर	$P_m = V_m \times I_m$	= _____ × _____ = _____	वॉट
पीवी मॉड्यूल सरणी की अधिकतम पॉवर	$P_{ma} = P_m \times N_s \times N_p$ या $= V_m \times I_m \times N_s \times N_p$ या $= V_{ma} \times I_{ma}$	= ___ × ___ × ___ या = ___ × ___ × ___ × ___ या = _____ × ______ = ________	वॉट

उदाहरण 5.8

एक 1 MW क्षमता के पीवी पॉवर प्लांट में बहुत अधिक संख्या में पीवी मॉड्यूलों को श्रेणी एवं समानांतर क्रम में जोड़ने की आवश्यकता होती है। 1 MWp PV प्लांट के लिये श्रेणी एवं समानांतर क्रम में जोड़ने के लिये पीवी मॉड्यूलों की संख्या डिजाइन करें। पीवी पॉवर प्लांट में अधिकतम पॉवर पॉइंट पर मनचाहा वोल्टेज 700 V है। प्लांट के उच्चतम पॉवर पॉइंट पर विद्युतधारा का आंकलन करें। उच्चतम पॉवर का आंकलन करें जो कि इस तरह के एक पीवी मॉड्यूल श्रृंखला द्वारा दी जा सके। उपयोग किए जाने वाले पीवी मॉड्यूलों के मापदंड निम्न प्रकार से हैं :

$$V_{oc} = 44 \text{ V}, V_m = 32 \text{ V}, I_{sc} = 8.5 \text{ A एवं } I_m = 7.5 \text{ A}।$$

हल

प्रथम चरण : पीवी मॉड्यूल सरणी के वोल्टेज, विद्युतधारा एवं पॉवर आवश्यकता का आंकलन करें

पीवी मॉड्यूल मापदंड	प्रतीक	मान	इकाई
पीवी सरणी पॉवर आवश्यकता (उच्चतम या अधिकतम पॉवर पॉइंट)	P_{ma} या $= I_{ma} \times V_{ma}$	1000,000	वॉट
उच्चतम पॉवर पॉइंट पर पीवी सरणी ओपन सर्किट वोल्टेज	V_{ma} या $= \frac{P_{ma}}{I_{ma}}$	700	वोल्ट
उच्चतम पॉवर पर पीवी मॉड्यूल सरणी विद्युतधारा	I_{ma} या $= \frac{P_{ma}}{V_{ma}}$	= 1000000 ÷ 700 = 1428.57 ≈ 1429	एम्पियर

द्वितीय चरण : पीवी सरणी में जोड़े जाने वाले पीवी मॉड्यूल के मापदंड नोट करें

पीवी मॉड्यूल मापदंड	प्रतीक	मान	इकाई
मॉड्यूल का ओपन सर्किट वोल्टेज	V_{oc}	(दिया नहीं गया है)	वोल्ट
पीवी मॉड्यूल का शॉर्ट सर्किट विद्युतधारा	I_{sc}	(दिया नहीं गया है)	एम्पियर
अधिकतम पॉवर पॉइंट पर वोल्टेज	V_m	32	वोल्ट
अधिकतम पॉवर पॉइंट पर विद्युतधारा	I_m	7.5	एम्पियर
पीवी मॉड्यूल की अधिकतम पॉवर	$P_m = V_m \times I_m$	= 32 × 7.5 = 240	वॉट

तृतीय चरण : श्रेणी एवं समानांतर में जोड़े जाने वाले पीवी मॉड्यूलों की संख्या का आंकलन

पीवी मॉड्यूल मापदंड	प्रतीक	मान	इकाई
अधिकतम पॉवर पॉइंट पर आवश्यक पीवी सरणी वोल्टेज	V_{ma}	700	वोल्ट
एकल पीवी मॉड्यूल या श्रृंखला का अधिकतम पॉवर पॉइंट पर वोल्टेज	V_m	32	वोल्ट
श्रेणी में मॉड्यूलों की संख्या, N_s	$N_s = \frac{V_{ma}}{V_m}$	= 700 ÷ 32 = 21.875 ≈ 22	संख्या
अधिकतम पॉवर पॉइंट पर पीवी सरणी की विद्युतधारा	I_{ma}	1429	एम्पियर
अधिकतम पॉवर पॉइंट पर पीवी मॉड्यूल या श्रृंखला की विद्युतधारा	I_m	7.5	एम्पियर
श्रेणी में पीवी मॉड्यूलों की संख्या, N_p	$N_p = \frac{I_{ma}}{I_m}$	=1429 ÷ 7.5 = 190.53 ≈ 191	संख्या

चतुर्थ चरण : श्रेणी पीवी मॉड्यूल सरणी की कुल पॉवर का आंकलन

पीवी मॉड्यूल मापदंड	प्रतीक	मान	इकाई
श्रेणी में मॉड्यूलों की संख्या, N_s	N_s	22	संख्या
समानांतर में पीवी मॉड्यूलों या मॉड्यूल श्रृंखला की संख्या, N_p	N_p	191	संख्या
अधिकतम पॉवर पॉइंट पर पीवी सरणी वोल्टेज का नया मान	$V_{ma} = V_m \times N_s$	= 32 × 22 = 704	वोल्ट
अधिकतम पॉवर पॉइंट पर पीवी सरणी विद्युतधारा का नया मान	$I_{ma} = I_m \times N_p$	= 7.5 × 191 = 1432.5	एम्पियर

पीवी मॉड्यूल मापदंड	प्रतीक	मान	इकाई
एकल पीवी मॉड्यूल की अधिकतम पॉवर	$P_m = V_m \times I_m$	$= 32 \times 7.5$ $= 240$	वॉट
पीवी मॉड्यूल सरणी की अधिकतम पॉवर	$P_{ma} = P_m \times N_s \times N_p$ या $= V_m \times I_m \times N_s \times N_p$ या $= V_{ma} \times I_{ma}$	$= 240 \times 22 \times 191$ या $=32 \times 7.5 \times 22 \times 191$ या $= 704 \times 1432.5$ $= 1008480$	वॉट

वर्कशीट 5.7

1 MW क्षमतायुक्त एक पीवी पॉवर प्लांट में, बहुत अधिक संख्या में पीवी मॉड्यूल श्रेणी एवं समानांतर संयोजन में जुड़े होते हैं। इस प्रकार के प्लांट में, 1 MW का इन्वर्टर 500 V से 700 V की रेंज में इनपुट वोल्टेज ले सकता है। अधिकतम पॉवर पॉइंट पर 600 V वोल्टेज प्राप्त करने के लिये एक एकल श्रेणी (पीवी मॉड्यूल श्रृंखला) में जोड़ने हेतु पीवी मॉड्यूलों की संख्या ज्ञात करो। साथ ही इस तरह के एक पीवी मॉड्यूल श्रृंखला द्वारा दी जाने वाली उच्चतम पॉवर के मान की गणना करो। यहां उपयोग किए जाने वाले पीवी मॉड्यूलों के मापदंड हैं : $V_{oc} = 44$ V, $V_m = 35$ V, $I_{sc} = 8$ एवं $I_m = 7$ A।

प्रथम चरण : पीवी मॉड्यूल सरणी की वोल्टेज, विद्युतधारा एवं पॉवर आवश्यकता नोट करें

पीवी मॉड्यूल मापदंड	प्रतीक	मान	इकाई
पीवी सरणी पॉवर आवश्यकता (उच्चतम पॉवर या अधिकतम पॉवर)	P_{ma} या $= I_{ma} \times V_{ma}$	10,00,000	वॉट
उच्चतम पॉवर पर पीवी मॉड्यूल सरणी ओपन सर्किट वोल्टेज	V_{ma} या $= \frac{P_{ma}}{I_{ma}}$	600	वोल्ट
उच्चतम पॉवर पर पीवी मॉड्यूल सरणी विद्युतधारा	I_{ma} या $= \frac{P_{ma}}{V_{ma}}$	=______ ÷ ____ =________ ≈ _______	एम्पियर

द्वितीय चरण : पीवी सरणी में जोड़े जाने वाले एक पीवी मॉड्यूल के मापदंड नोट करें

पीवी मॉड्यूल मापदंड	प्रतीक	मान	इकाई
पीवी मॉड्यूल का ओपन सर्किट वोल्टेज	V_{oc}	(दिया नहीं गया है)	वोल्ट
पीवी मॉड्यूल की शॉर्ट सर्किट विद्युतधारा	I_{sc}	(दिया नहीं गया है)	एम्पियर
अधिकतम पॉवर पॉइंट पर वोल्टेज	V_m	35	वोल्ट
अधिकतम पॉवर पॉइंट पर विद्युतधारा	I_m	7	एम्पियर
पीवी मॉड्यूल का अधिकतम पॉवर	$P_m = V_m \times I_m$	= _____ × ____ = __________	वॉट

तृतीय चरण : श्रेणी एवं समानांतर में जोड़े जाने वाले पीवी मॉड्यूलों की संख्या का आंकलन

पीवी मॉड्यूल मापदंड	*प्रतीक*	*मान*	*इकाई*
अधिकतम पॉवर पॉइंट पर आवश्यक पीवी सरणी वोल्टेज	V_{ma}	600	वोल्ट
अधिकतम पॉवर पॉइंट पर एकल पीवी मॉड्यूल या पीवी श्रृंखला का वोल्टेज	V_m		वोल्ट
श्रेणी में पीवी मॉड्यूलों की संख्या, N_s	$N_s = \frac{V_{ma}}{V_m}$	= ____ ÷ ___ = ____ ≈ ______	संख्या
अधिकतम पॉवर पॉइंट पर पीवी सरणी विद्युतधारा	I_{ma}		एम्पियर
अधिकतम पॉवर पॉइंट पर पीवी मॉड्यूल या श्रृंखला की विद्युतधारा	I_m		एम्पियर
श्रेणी में पीवी मॉड्यूलों की संख्या	$N_p = \frac{I_{ma}}{I_m}$	= ____ ÷ ____ = _______ ≈ _______	संख्या

चतुर्थ चरण : श्रेणी पीवी मॉड्यूल सरणी की कुल पॉवर का आंकलन

पीवी मॉड्यूल मापदंड	*प्रतीक*	*मान*	*इकाई*
श्रेणी में पीवी मॉड्यूलों की संख्या, N_s	N_s		संख्या
समानांतर में पीवी मॉड्यूलों या श्रृंखला की संख्या, N_p	N_p		संख्या
अधिकतम पॉवर पॉइंट पर पीवी सरणी वोल्टेज का नया मान	$V_{ma} = V_m \times N_s$	= _____ × _____ = _____	वोल्ट
अधिकतम पॉवर पॉइंट पर पीवी सरणी विद्युतधारा का नया मान	$I_{ma} = I_m \times N_p$	= _____ × _____ = ________	एम्पियर
एकल पीवी मॉड्यूल की अधिकतम पॉवर	$P_m = V_m \times I_m$	= _____ × _____ = _____	वॉट
पीवी मॉड्यूल सरणी की अधिकतम पॉवर	$P_{ma} = P_m \times N_s \times N_p$ या $= V_m \times I_m \times N_s \times N_p$ या $= V_{ma} \times I_{ma}$	= ____ × ____ × ____ या = ___ × ___ × ___ × ___ या = ______ × ______ = _________	वॉट

6 बैटरी संबंधित मूल बिंदु

बैटरी, विद्युत ऊर्जा के संग्रहण हेतु एक माध्यम है एवं, स्टैंडअलोन सौर पीवी संयंत्र का एक बहुत ही महत्वपूर्ण एवं नाजुक भाग होती है। बैटरी अत्यंत महत्वपूर्ण है क्योंकि बिना ऊर्जा संग्रहण के, सूर्य प्रकाश न होने की स्थिति में, सौर पीवी संयंत्र उपकरणों को विद्युत प्रदान नहीं कर पाएगा। स्टैंडअलोन संयंत्र में, सूर्यप्रकाश के न होने पर, उन विशेष घंटों में अपने उपकरणों को संचालित करने के लिये हमें विद्युत ऊर्जा की आवश्यकता होती है। जबकि ग्रिड कनेक्टेड पीवी संयंत्रों में, हमें ऊर्जा के संग्रहण की आवश्यकता नहीं होती है। एक ग्रिड, यदि काम कर रहा है, तब जिस समय ऊर्जा की आवश्यकता हो वह प्रदान कर सकता है। स्टैंडअलोन पीवी संयंत्रों में, बैटरियां बहुत नाजुक होती हैं एवं उनका दुरुपयोग या अनुकूल उपयोग के बिना उनकी जिंदगी घट सकती है। इन दिनों, जब सौर पीवी मॉड्यूलों की कीमत घटती जा रही है; तब बैटरी की कीमत पूरे सौर पीवी संयंत्र की कीमत का महत्वपूर्ण भाग बन गई है। अतः, मूल्य के दृष्टिकोण से भी बैटरियां सौर पीवी संयंत्रों में महत्वपूर्ण हो गई हैं। सौर पीवी संयंत्र में बैटरियों के महत्व के कारण ही, यहां बैटरियों के विषय में तकनीकी एवं व्यावहारिक बिंदु विस्तार से दिये जा रहे हैं।

6.1 बैटरियों के विषय में कुछ मूल बिंदु

एक बैटरी का मूल उद्देश्य होता है, आवेशों को संग्रहित करना एवं उसे सप्लाई करना तब, जब उसे किसी उपकरण या अनुप्रयोग में उपयोग किया जा रहा हो।

हमारे दैनिक जीवन में हम कई चीजों जैसे टॉर्च, कैल्कुलेटर, मोबाइल, फोन, रेडियो, इलेक्ट्रॉनिक वॉच आदि का बारंबार उपयोग करते हैं। ये सभी पोर्टेबल इलेक्टॉनिक युक्तियां हैं एवं इनके संचालन में ऊर्जा की लगातार आपूर्ति की आवश्यकता है। DC या डायरेक्ट विद्युतधारा आपूर्ति इन युक्तियों को चलाने के लिये आवश्यक है। AC या अल्टरनेटिंग विद्युतधारा आपूर्ति जो कि पारंपरिक रूप से उपलब्ध है, उसे इन युक्तियों में सीधे उपयोग में नहीं लाया जा सकता। इन युक्तियों को पॉवर पहुंचाने के लिये, एक ऐसी युक्ति जिसमें विद्युत ऊर्जा संग्रहित हो, का उपयोग किया जाता है। ये युक्तियां जिनमें विद्युत ऊर्जा या आवेश संग्रहित हो, को बैटरी कहा जाता है। बैटरियों में संग्रहित आवेशों का उपयोग उपकरणों को ऊर्जा की आवश्यकता होने पर किया जा सकता है। एक बैटरी विद्युत ऊर्जा या आवेशों को रासायनिक ऊर्जा के रूप में संग्रहित करती है। जब एक बैटरी का उपयोग किया जाता है, तब संग्रहित रासायनिक ऊर्जा विद्युत ऊर्जा में रूपांतरित हो जाती है।

इसे समझने हेतु उदाहरण के रूप में हम बैटरी को ऊर्जा संग्राहक माध्यम के रूप में एवं पानी के टैंक को पानी के संग्रहण के माध्यम के रूप में ले सकते हैं। हम सभी जानते हैं कि पानी के टैंक को अधिक मात्रा में पानी संग्रहित करने के लिये उपयोग किया जाता है एवं हम टैंक से पानी का जब भी चाहें उपयोग कर सकते हैं। पानी के संग्राहक टैंक अनेक आकारों में उपलब्ध हैं जैसे बेलनाकार, आयतफलकीय एवं इनमें विभिन्न मात्रा में पानी संग्रहित किया जा सकता है जैसे

500 लीटर, 1000 लीटर, 10,000 लीटर आदि। संग्रहित किये जाने वाले पानी की मात्रा ही पानी के टैंक के आकार को सुनिश्चित करती है। इसी प्रकार से, विद्युत ऊर्जा की आवश्यकता के अनुसार, बैटरी का आकार (आवेश संग्रहण क्षमता) एवं इसके सिरों का वोल्टेज निर्धारित होता है।

बैटरी, दो सिरों या टर्मिनलयुक्त युक्ति है। एक सिरा धनात्मक एवं दूसरा सिरा ऋणात्मक कहलाता है। आवेशित स्थिति में, दोनों सिरों के बीच वोल्टेज का अंतर होता है। इस वोल्टेज के अंतर के कारण ही किसी उपकरण को इससे जोड़ने पर यह विद्युतधारा प्रवाहित करता है। बैटरी से एक युक्ति की आपूर्ति के लिये; एक बैटरी के धनात्मक एवं ऋणात्मक सिरों को युक्ति के सिरों से जोड़ दिया जाता है।

स्टैंडअलोन पीवी संयंत्रों में बैटरियां रीढ़ की तरह होती हैं।

किस प्रकार की बैटरी का उपयोग किया जाना है, वह युक्ति विशेष के उपयोग पर आधारित होता है। बैटरियां विभिन्न प्रकार की होती हैं; विभिन्न आकृति, आकार, वोल्टेज एवं संग्रहण क्षमता युक्त होती हैं। केवल एक ही बार उपयोग की जाने वाली (नॉन–रिचार्जेबल) एवं कई बार उपयोग की जा सकने वाली/मल्टीपल टाइम यूस (रिचार्जेबल) बैटरियां। बैटरी खरीदने या चयन करने के दौरान; बैटरियों की पहचान अनेकों लक्षणों के द्वारा की जाती है जैसे कि बैटरी का प्रकार, वोल्टेज क्षमता, चार्जिंग–डिस्चार्जिंग चक्र एवं शेल्फ–लाइफ (इन सभी बिंदुओं की आगे विस्तार से चर्चा की गई है)। टॉर्च, कैल्कुलेटर, रेडियो, मोबाइल फोन, आदि में उपयोग की जाने वाली बैटरियां कम वोल्टेज एवं कम क्षमता वाली होती हैं। अन्य उपयोगों जैसे टीवी, पंखे, ट्यूब लाइट, मोटर, कार, ट्रेन, स्टैंडअलोन पॉवर सप्लाई आदि; में उच्च वोल्टेज एवं उच्च क्षमता वाली बैटरियों का उपयोग किया जाता है।

6.1.1 रिचार्जेबल बैटरियां

सौर पीवी संयंत्रों में उपयोग की जाने वाली बैटरियों में बारंबार चार्जिंग या आवेशों को फिर से भरने की आवश्यकता होती है। इसे फिर से एक सादृश्य से समझा जा सकता है, जैसे हमारे घर के पानी के टैंक को बारंबार भरना। हमारे घरों एवं व्यावसायिक इमारतों में पानी के टैंकों को निश्चित समयांतराल पर भरने की आवश्यकता होती है। पानी के उपयोग के अनुसार, टैंक में पानी का स्तर घटता है एवं कुछ समय उपयोग के बाद टैंक खाली हो जाता है। किसी भी प्रकार की परेशानी से बचने के लिये पानी का टैंक खाली होते ही भरा जाना आवश्यक है। पानी के टैंक से पानी खत्म होने व टैंक को फिर से भरने की यह प्रकिया बारंबार दोहराई जाती है, लगभग रोजाना।

जिस प्रकार पानी का टैंक पानी संग्रहित करता है, उसी तरह बैटरियों को भी आवेश संग्रहित करने वाला 'आवेशों का टैंक' माना जा सकता है।

पानी के टैंक की तरह ही, बैटरियां भी विद्युतीय आवेश या विद्युत ऊर्जा को संग्रहित करने वाला टैंक होता है। इस प्रकार से बैटरियां 'आवेश संग्रहण टैंक' होती हैं। साथ ही, पानी के टैंक के खाली होने व फिर से भरने की प्रक्रिया की तरह ही, बैटरियों की विद्युतीय ऊर्जा भी खाली हो जाती है (उपयोग के दौरान) जिसे फिर से भरा जाना जरूरी है। बैटरियों में विद्युत ऊर्जा के भरे जाने की इस प्रकिया को तकनीकी रूप से 'चार्जिंग' कहा जाता है। वास्तव में चार्जिंग की प्रक्रिया के दौरान बैटरी को बाहर से सप्लाई की गई विद्युत ऊर्जा रासायनिक ऊर्जा में रूपांतरित हो जाती है। बैटरियों में विद्युत ऊर्जा की खपत होने की प्रकिया को तकनीकी रूप से ''डिस्चार्जिंग'' कहा जाता है। डिस्चार्जिंग की प्रकिया के दौरान बैटरियों में संग्रहित रासायनिक ऊर्जा विद्युत ऊर्जा में रूपांतरित हो जाती है, जो कि उपकरणों को सप्लाई की जाती है। इस प्रकार से बैटरियों के संचालन में दो प्रकियाएं होती हैं; चार्जिंग एवं डिस्चार्जिंग। एकल चार्जिंग एवं एकल डिस्चार्जिंग प्रक्रिया एक साथ एक चार्जिंग–डिस्चार्जिंग चक्र कहलाता है।

एक बैटरी में एक बार का चार्जिंग एवं डिस्चार्जिंग, एक चार्जिंग चक्र के बराबर होता है।

कुछ बैटरियों में बारंबार चार्जिंग–डिस्चार्जिंग चक्र की गुंजाइश होती है, जबकि अन्य में नहीं होती। ऐसी बैटरियां जिनमें बारंबार चार्जिंग–डिस्चार्जिंग चक्र संभव हैं वे 'रिचार्जेबल बैटरियां' कहलाती हैं। सौर पीवी संयंत्रों में चार्जेबल बैटरियां बहुत अधिक उपयोग की जाती हैं। पीवी संयंत्र में बैटरियां विद्युत ऊर्जा के संग्रहण एवं निरंतर विद्युतधारा की आपूर्ति में महत्वपूर्ण भूमिका निभाती हैं एवं इन पर सूर्य की उपस्थिति/अनुपस्थिति एवं मौसम परिवर्तन का कोई फर्क नहीं पड़ता है। बैटरी के बिना 'स्टैंडअलोन सौर पीवी संयंत्रों' के विषय में सोचना भी कठिन है।

बैटरियां जिनमें बारंबार चार्जिंग-डिस्चार्जिंग की गुंजाइश होती है वे 'रिचार्जेबल बैटरियां' कहलाती हैं।

6.2
बैटरियां किस प्रकार कार्य करती हैं ?

सामान्यतः, एक बैटरी दो या अधिक विद्युतरासायनिक सेल इकाईयों (वोल्टाइक सेलों) से मिल कर बनी होती हैं, जो कि श्रेणी या समानांतर संयोजन में जुड़ी होती हैं। ये इकाईयां विद्युतरासायनिक सेल कहलाती हैं क्योंकि ये विद्युतीय एवं रासायनिक ऊर्जा पर कार्य करती हैं। विद्युतरासायनिक सेल, सामान्यतः, सेल ही कहलाते हैं। एक विद्युतरासायनिक सेल की एक एकल इकाई में दो अर्द्ध–सेल पाए जाते हैं जैसा कि चित्र 6.1 में दर्शाया गया है। प्रत्येक अर्द्ध–सेल में एक इलेक्ट्रोड एवं एक इलेक्ट्रोलाइट पाया जाता है। दोनों अर्द्ध–सेल आपस में सॉल्ट ब्रिज द्वारा विद्युतीय रूप से जुड़े होते हैं। दोनों अर्द्ध–सेलों में, इलेक्ट्रोड विभिन्न धातुओं से बने होते हैं। प्रत्येक अर्द्ध–सेल में, धातु के इलेक्ट्रोड पर एक रासायनिक क्रिया होती है। सेल के संचालन में दो रासायनिक क्रियाएं शामिल होती हैं।

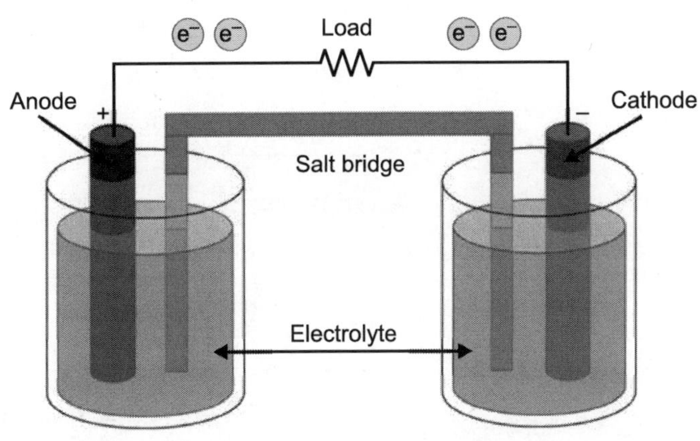

चित्र 6.1
एक विद्युतरासायनिक सेल की एकल इकाई।

एक ऑक्सीडेशन क्रिया एवं दूसरी अपघटन या रिडक्शन क्रिया, जिसे रिडॉक्स क्रिया कहा जाता है जो कि रासायनिक ऊर्जा को विद्युत ऊर्जा में रूपांतरित करती है जैसा कि चित्र 6.1 में दर्शाया गया है। ऑक्सीडेशन एक प्रक्रिया है जिसमें इलेक्ट्रॉन की हानि होती है या वे मुक्त होते हैं, एवं रिडक्शन या अपघटन एक प्रकिया है जिसमें इलेक्ट्रॉन ग्रहण किये जाते हैं या प्राप्त होते हैं एवं दोनों को निम्न रूप से अभिव्यक्त किया जा सकता है :

Oxidation: Reductant $\times$ Product + e^- (इलेक्ट्रॉनों की हानि)

Reduction: Oxidant + $e^- \times$ Product (इलेक्ट्रॉन प्राप्त करना)

6.2.1
बैटरियों की चार्जिंग एवं डिस्चार्जिंग

ऑक्सीडेशन एवं रिडक्शन क्रियाएं, चार्जिंग एवं डिस्चार्जिंग दोनों के दौरान होती हैं। चार्जिंग के दौरान, ऑक्सीडेशन क्रिया ऋणात्मक सिरे (कैथोड) पर होती है एवं रिडक्शन क्रिया धनात्मक सिरे (एनोड) पर होती है एवं डिस्चार्जिंग के दौरान ठीक उल्टी प्रक्रिया होती है (चित्र 6.2)। एक चार्जिंग प्रक्रिया व उसके बाद होने वाली डिस्चार्जिंग प्रक्रिया एक साथ एक चार्जिंग–डिस्चार्जिंग चक्र कहलाता है।

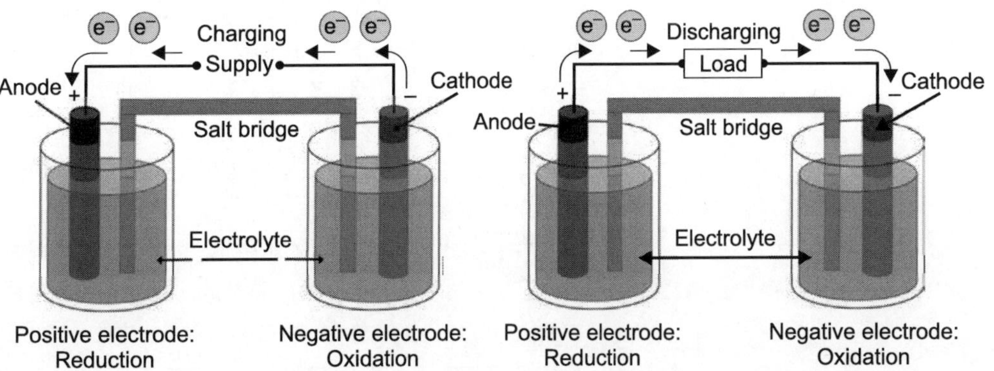

चित्र 6.2
यह चित्र एक विद्युतरासायनिक सेल में चार्जिंग एवं डिस्चार्जिंग प्रक्रिया दर्शाता है।

चार्जिंग एवं डिस्चार्जिंग प्रक्रिया के दौरान दोनों धनात्मक एवं ऋणात्मक इलेक्ट्रोड पर रासायनिक क्रियाएं होती हैं।

जब एक बैटरी अपने अधिकतम स्तर तक आवेशों से भर जाती है, तब इसे पूरी तरह चार्ज या आवेशित कहा जाता है। जब आवेश पूरी तरह उपयोग कर लिये गए हों या खत्म हो गए हों, तब बैटरी को पूरी तरह डिस्चार्ज कहा जाता है।

6.2.2 एक बैटरी सेल के अवयव

पूर्व भाग में की गई चर्चा से यह स्पष्ट है कि, एक बैटरी के चलने या चार्जिंग–डिस्चार्जिंग में एनोड (धनात्मक इलेक्ट्रोड), कैथोड (ऋणात्मक इलेक्ट्रोड), इलेक्ट्रोलाइट एवं सॉल्ट ब्रिज (चित्र 6.2) की आवश्यकता होती है। इनमें से प्रत्येक अवयव की भूमिका की नीचे संक्षिप्त रूप में चर्चा की गई है।

1. **एनोड :** इसे सामान्यतः धनात्मक सिरा या धनात्मक नोड या धनात्मक लेड कहा जाता है। यह ही वह इलेक्ट्रोड है जो कि बाहरी सर्किट को इलेक्ट्रॉन प्रदान करता है, जिसके परिणामस्वरूप डिस्चार्जिंग प्रक्रिया के दौरान इलेक्ट्रोड ऑक्सीडाइज हो जाता है।
2. **कैथोड :** इसे सामान्यतः ऋणात्मक सिरा या ऋणात्मक नोड या ऋणात्मक लेड कहा जाता है। यह वह इलेक्ट्रोड है जो कि बाहरी सर्किट से इलेक्ट्रॉन प्राप्त करता है, जिसके परिणामस्वरूप डिस्चार्जिंग क्रिया के दौरान इलेक्ट्रोड का अपघटन हो जाता है।
3. **इलेक्ट्रोलाइट :** यह वह माध्यम है जो कि एनोड व कैथोड के बीच चालकता प्रदान करता है। यह कहा जा सकता है कि, इलेक्ट्रोलाइट वह माध्यम है जिससे होते हुए एक बैटरी में आंतरिक रूप से विद्युतधारा का प्रवाह होता रहता है। एक इलेक्ट्रोलाइट एक तरल होता है, पानी की तरह या घुलित लवणों के साथ अन्य विलायक, अम्ल या क्षार।
4. **सॉल्ट ब्रिज :** यह एक छिद्रित सामग्री होती है जो कि दो इलेक्ट्रोड को जोड़े रखता है एवं साथ ही एक दूसरे से पृथक भी रखता है; अन्यथा रासायनिक क्रिया रुक जाएगी। इसे विभाजक कहा जाता है।

एनोड, कैथोड, इलेक्ट्रोलाइट एवं विभाजक आदि एक बैटरी के चार महत्वपूर्ण अवयव हैं।

6.3 बैटरियों के प्रकार

बाजार में विभिन्न प्रकार के उपयोगों के लिये विभन्न प्रकार की बैटरियां उपलब्ध हैं। प्रत्येक प्रकार की बैटरी एक उपयोग विशेष के लिये बनी होती है। बैटरी को बनाने वाली सामग्री के रसायन से बैटरी को पहचाना जाता है। बैटरियों को मुख्यतः दो श्रेणियों में बांटा जा सकता है :

1. नॉन–रिचार्जेबल बैटरियां या प्राथमिक/प्राइमरी बैटरियां, एवं
2. रिचार्जेबल बैटरियां या द्वितीयक/सेकंडरी बैटरियां

6.3.1 नॉन-रिचार्जेबल बैटरियां

नॉन रिचार्जेबल बैटरियों में विद्युतरासायनिक क्रियाएं प्रतिवर्ती नहीं होती हैं। इस प्रकार की बैटरियां एक बार के उपयोग के लिये बनाई जाती हैं एवं एक बार डिस्चार्ज होने के बाद इन्हें दुबारा चार्ज नहीं किया जा सकता।

नॉन रिचार्जेबल बैटरियां सबसे अधिक सुविधाजनक, सरल, उपयोग में आसान एवं कम रखरखाव की आवश्यकता वाली होती हैं। इस प्रकार की बैटरियां पोर्टेबल या छोटी होती हैं एवं ये विभिन्न माप एवं आकृति में बनाई जाती हैं। माप को सामान्यतः A, AA, AAA, C, D, आदि से जाना जाता है एवं इस प्रकार की बैटरियों की आकृतियां विभिन्न प्रकार की होती हैं जैसे सिक्के के आकार की, बेलनाकार, आयतफलकीय आदि। ये बैटरियां मुख्यतः रेडियो, खिलौनों, टॉर्च आदि में उपयोग की जाती हैं। इन बैटरियों की अधिक शेल्फ लाइफ, उपर्युक्त मूल्य, ऊर्जा एवं अच्छा पॉवर घनत्व होता है। सामान्यतः ये बैटरियां कम क्षमता, विशेष रूप से 20 Ah (Amp-hour) से नीचे की क्षमता में पाई जाती हैं। इन बैटरियों को विभिन्न तापमान सीमा में चलाया जा सकता है –40°C से 70°C ।

नॉन–रिचार्जेबल बैटरी का सबसे आम उदाहरण, जिंक क्लोराइड बैटरी है जिसे आमतौर पर पेंसिल सेल के नाम से जाना जाता है (चित्र 6.3 में दर्शाया गया है)। यह बैटरी केवल एक बार उपयोग की जा सकती है एवं इसे रिचार्ज नहीं किया जा सकता। नॉन–रिचार्जेबल बैटरियों के अन्य उदाहरण हैं, मैग्नीशियम सेल, एल्युमिनियम सेल, एल्कलाइन–मैंगनीज डाइऑक्साइड सेल, मर्क्यूरिक ऑक्साइड सेल आदि। ये सभी विभिन्न अनुप्रयोगों के लिये उपयोग किये जाते हैं। सौर

पीवी संयंत्र में जिस बैटरी की आवश्यकता होती है उसे निरंतर रूप से चार्ज एवं डिस्चार्ज किए जाने की जरूरत होती है, अतः नॉन–रिचार्जेबल बैटरियों को स्टैंडअलोन सौर पीवी संयंत्रों में उपयोग नहीं किया जाता।

चित्र 6.3
1.5 V (AA) जिंक क्लोराइड बैटरी।

6.3.2 रिचार्जेबल बैटरियां (द्वितीयक बैटरी)

बैटरियां जिनमें रासायनिक ऊर्जा का विद्युत ऊर्जा में रूपांतरण (डिस्चार्जिंग) एवं प्रतिवर्ती प्रक्रिया यानि विद्युत ऊर्जा का रासायनिक ऊर्जा में रूपांतरण (डिस्चार्जिंग) होता है वे रिचार्जेबल या सेकंडरी बैटरी कहलाती हैं।

रिचार्जेबल बैटरियां दुनिया में सबसे अधिक उपयोग की जाने वाली बैटरियां हैं। ये विभिन्न अनुप्रयोगों जैसे वाहनों में स्टार्टिंग, लाइटनिंग, एवं इग्नीशन (SLI) स्टैंडबाय पॉवर सप्लाई, इलेक्टॉनिक उपकरणों जैसे डीवीडी प्लेयर में, मोबाइल फोन में, कैमरा, कैमकॉर्डर, लैपटॉपर आदि में उपयोग किये जाते हैं। बाजार में विभिन्न चार्ज संग्रहण क्षमतायुक्त बैटरियां उपलब्ध हैं एवं इन्हें आसानी से लिया जा सकता है।

आमतौर पर उपलब्ध रिचार्जेबल बैटरियों की नीचे सूची दी गई हैं एवं उन्हे चित्र 6.4 में दर्शाया गया है :

- लेड एसिड
- निकल कैडमियम (NiCd)
- निकल मैटल हाइड्राइड (NiMH)
- लीथियम आयन (Li-ion), एवं
- लीथियम आयन पॉलीमर (Li-ion polymer)

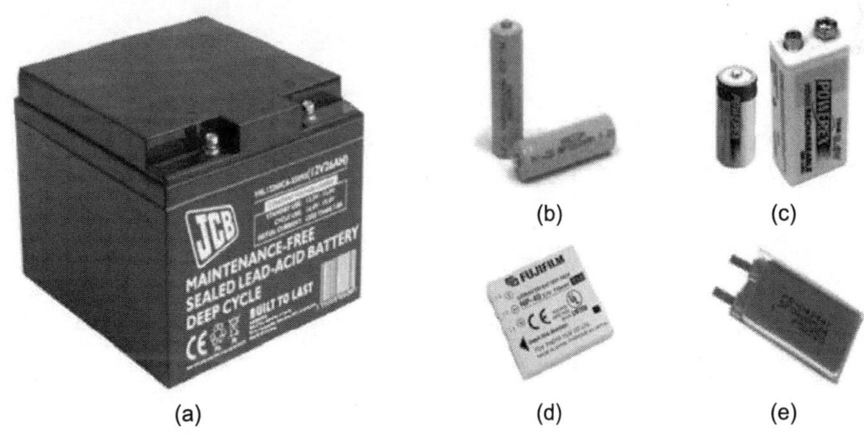

चित्र 6.4
विभिन्न प्रकार की बैटरियों के फोटोग्राफ (a) लेड एसिड (b) NiCd (c) NiMH (d) Li-ion (e) Li-ion पॉलीमर बैटरी।

हम देख सकते हैं चित्र 6.4 में, प्रत्येक बैटरी का माप भिन्न है। एक बैटरी का भौतिक आकार भी इसकी ऊर्जा संग्रहण या आवेश संग्रहण क्षमता दर्शाता है। कम आवेश संग्रहण वाली बैटरियां माप में छोटी होती हैं एवं अधिक आवेश संग्रहण क्षमता वाली बैटरियां माप में बड़ी होती हैं। लेड–एसिड बैटरियां सामान्यतः माप में बड़ी होती हैं जिसका मतलब है कि वे अधिक मात्रा में आवेश संग्रहित कर सकती हैं। इसी कारण से लेड–एसिड बैटरियां सौर पीवी अनुप्रयोगों में सामान्यतः उपयोग की जाती हैं। लेड–एसिड बैटरियां ही वास्तव में सबसे अधिक उपयोग की जाने वाली रिचार्जेबल बैटरियां हैं जो कि अधिक मात्रा में ऊर्जा संग्रहण के लिये उपयोग की जाती हैं। वे भी सौर पीवी अनुप्रयोगों के लिये सबसे अधिक उपयोग की जाती हैं।

सौर पीवी संयंत्रों में रिचार्जेबल बैटरियां उपयोग की जाती हैं।

6.4 बैटरियों के मापदंड

हमें सौर पीवी संयंत्र के उपयोग हेतु उपर्युक्त बैटरी का चयन करना चाहिये। यह चयन बैटरियों के विभिन्न लक्षणों द्वारा सुनिश्चित होता है, जो कि दी गई आवश्यकता के अनुसार हो। बैटरियों के लक्षण बैटरी मापदंडों के सेट द्वारा सुनिश्चित होते हैं। ये मापदंड हैं आवेशों की संग्रहण क्षमता, सिरों का वोल्टेज, वह दर जिस पर बैटरियां चार्ज या डिस्चार्ज होती हैं, बैटरी का मूल्य, बैटरी के पूरे जीवन काल में होने वाले चार्जिंग–डिस्चार्जिंग चक्रों की संख्या आदि। व्यावहारिक रूप से ये मापदंड बैटरी के प्रदर्शन को प्रभावित करते हैं। बैटरियों के डिजाइन, इन्हें लगाने के तरीके एवं बैटरी या बैटरियों के समूह (बैटरी बैंक कहलाते हैं) के रखरखाव के तरीके आदि समझने के लिये, बैटरी के मापदंडों को जानना एवं समझना अत्यंत आवश्यक है। आदर्श रूप में हम चाहेंगे कि हमारी बैटरी कई वर्षों तक कार्य करे एवं सभी परिस्थितियों में हमें आवश्यक ऊर्जा प्रदान करें। प्रत्येक बैटरी के कवर पर निर्माणकर्ता या मैन्यूफैक्चरर द्वारा महत्वपूर्ण मापदंड निर्देशित किए जाते हैं। निर्माणकर्ता द्वारा दिये गए मापदंडों के मान के आधार पर, बैटरी का चयन किया जा सकता है। इस अनुभाग में बैटरी संबंधित अनेक मापदंडों की चर्चा की गई है।

एक बैटरी के लिये निर्माणकर्ता द्वारा निर्दिष्ट मानक मापदंड निम्न प्रकार से हैं :

- बैटरी टर्मिनल या सिरों का वोल्टेज (वोल्ट में)
- आवेश संग्रहण क्षमता (कूलम्ब या एम्पियर 'घंटा या Ah)
- डिस्चार्ज की गहराई (प्रतिशत में)
- उपयोगी चार्जिंग–डिस्चार्जिंग चक्रों की संख्या (संख्या में)
- जीवन चक्र (वर्षों में)
- स्वतः या सेल्फ डिस्चार्ज (% में), आदि।

6.4.1 बैटरी टर्मिनल या सिरों का वोल्टेज (V)

बैटरियां अपने सिरों पर जुड़े उपकरणों/युक्तियों को विद्युतधारा प्रवाहित करके, उन्हें विद्युत ऊर्जा की आपूर्ति करती हैं। बैटरी से उपकरण को विद्युत ऊर्जा का स्थानांतरण तभी संभव है जब कि दोनों सिरों के बीच वोल्टेज का अंतर हो। अतः, बैटरी के सिरे का वोल्टेज इसके दो इलेक्ट्रोडों के बीच के वोल्टेज का अंतर होता है।

बैटरी के सिरों के बीच का वोल्टेज का अंतर ही विद्युतधारा प्रवाहन का कारण होता है। एक दिये गए अनुप्रयोग के लिये, सिरों का उपर्युक्त वोल्टेज का उपलब्ध होना आवश्यक है अन्यथा युक्ति कार्य नहीं करेगी। उदाहरण के लिये कभी आपको 1.5 वोल्ट की आपूर्ति की आवश्यकता है, कभी 3 वोल्ट, कभी 6 वोल्ट तो कभी 12 वोल्ट। कुछ युक्तियों में उच्च वोल्टेज की आवश्यकता हो सकती है। अतः, बैटरी के चयन को सुनिश्चित करने के लिये बैटरी का टर्मिनल वोल्टेज एक महत्वपूर्ण मापदंड है।

सौर पीवी संयंत्रों में अनुप्रयोगों के लिये बैटरियां हैं जो कि 6 वोल्ट से 12 वोल्ट रेटिंग में उपलब्ध हैं। प्रत्येक बैटरी सेलों की बनी होती है। सामान्यतः सेल का वोल्टेज इतना अधिक नहीं होता कि वह आवश्यक 6 या 12 वोल्ट दे सके। इसीलिये अधिक वोल्टेज प्रदान करने के लिये अनेक सेल आपस में श्रेणी में जुड़े होते हैं। एक 12 वोल्ट की लेड–एसिड बैटरी में 6 सेल आपस में जुड़े होते हैं।

बैटरी का टर्मिनल वोल्टेज बैटरी की अवस्था के साथ बदल जाता है। टर्मिनल वोल्टेज बढ़ जाता है जब बैटरी चार्ज हो जाती है, टर्मिनल वोल्टेज घट जाता है जब बैटरी डिस्चार्ज हो जाती है। यह बिंदु कई अन्य परिस्थितियों पर भी निर्भर करता है।

6.4.2 बैटरी-ओपन सर्किट वोल्टेज एवं टर्मिनल वोल्टेज

जब एक बैटरी पूरी तरह चार्ज होती है एवं कोई विद्युतधारा प्रवाहित नहीं हो रही हो, तब उसका टर्मिनल वोल्टेज अधिकतम होता है। किसी विद्युतधारा प्रवाह के न होने की स्थिति ओपन सर्किट के समान है। अतः बैटरी के अधिकतम टर्मिनल वोल्टेज को बैटरी के ओपन सर्किट वोल्टेज या V_o माना जा सकता है। इसे e.m.f. भी कहा जाता है या इलेक्ट्रोमोटिव फोर्स ऑफ बैटरी या V_{emf}।

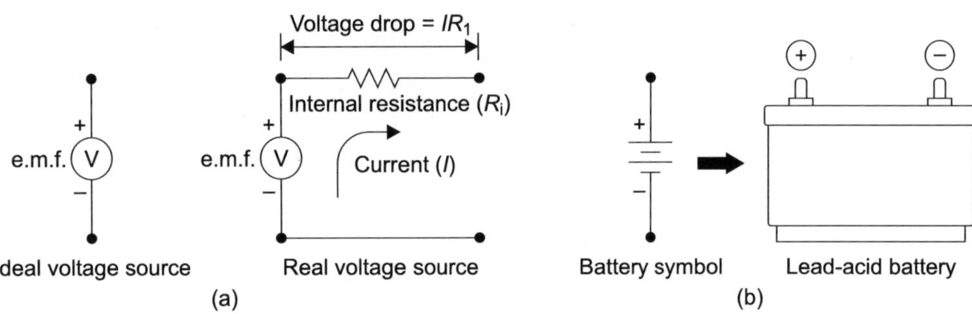

चित्र 6.5
(a) आदर्श DC स्रोत एवं व्यावहारिक DC स्रोत के बीच अंतर (b) सर्किट डायग्राम में लेड-एसिड बैटरी के लिये बैटरी प्रतीक।

जब बैटरी से विद्युतधारा बहती है, तब इसका टर्मिनल वोल्टेज सामान्यतः ओपन सर्किट वोल्टेज से कम होता है, V_o। ऐसा बैटरी के आंतरिक प्रतिरोध की वजह से होता है। प्रतिरोध की वजह से बैटरी के अंदर कुछ वोल्टेज घटता है। इस घटे हुए वोल्टेज का मान, बैटरी से बहने वाली विद्युतधारा गुणित बैटरी का आंतरिक प्रतिरोध होता है या यह $I \times R_i$ के बराबर होता है (जैसा कि चित्र 6.5 (a) में दर्शाया गया है)। बैटरी एवं इलेक्ट्रिकल सर्किट डायग्राम में उपयोग किये गए इसके प्रतीक को चित्र 6.5 (b) में दर्शाया गया है। अतः, जब विद्युतधारा प्रवाहित हो रही है तब वास्तविक उपलब्ध टर्मिनल वोल्टेज ओपन सर्किट बैटरी वोल्टेज (V_o) एवं बैटरी के आंतरिक वोल्टेज गिरावट के बीच का अंतर $I \times R_i$ होता है। वोल्टेज की यह गिरावट $I \times R_i$ बैटरी के अंदर होता है। इस प्रकार से बैटरी का टर्मिनल वोल्टेज को निम्न प्रकार से लिखा जा सकता है :

$$\mathrm{V}_{\text{battery}} = V_o - (I \times R_i) \tag{6.1}$$

यहां, $\mathrm{V}_{\text{battery}}$ = बैटरी वोल्टेज या टर्मिनल वोल्टेज (वोल्ट); V_o = ओपन सर्किट वोल्टेज (वोल्ट); I = विद्युतधारा प्रवाह जब उपकरण एक बैटरी से जुड़ा हो (एम्पियर); R_i = बैटरी का आंतरिक प्रतिरोध (ओम्स)।

> एक बैटरी में उपयोग के दौरान, आंतरिक प्रतिरोध की वजह से, ओपन सर्किट वोल्टेज उसके टर्मिनल वोल्टेज की तुलना में अधिक होता है।

बैटरी का आंतरिक प्रतिरोध अनेक कारकों की वजह से होता है। एक बैटरी अनेक सेलों से बनी होती है; कारक जैसे सेलों के बीच संपर्क, मैटल प्लेट से/इलेक्ट्रोड एवं सॉल्ट ब्रिज/सेपरेटर के साथ–साथ इलेक्ट्रोलाइट भी कुछ आंतरिक प्रतिरोध पैदा करता है। चित्र 6.6 में जब विद्युतधारा प्रवाहित हो रही हो, तब बैटरी के ओपन सर्किट वोल्टेज एव टर्मिनल वोल्टेज, का रेखाचित्र दिया गया है।

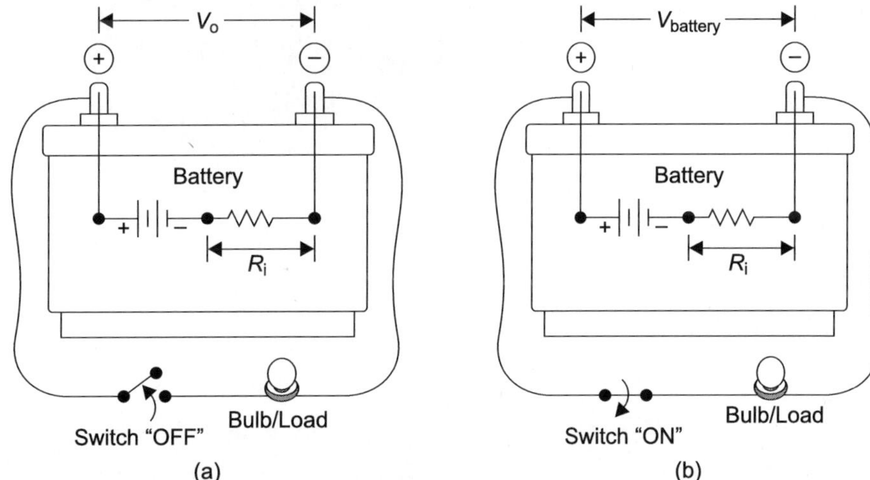

चित्र 6.6
बैटरी के सिरों पर वोल्टेज का मापन : (a) टर्मिनल वोल्टेज के V_o रूप में जब कोई उपकरण न जुड़ा हो एवं (b) टर्मिनल वोल्टेज $\mathrm{V}_{\text{battery}}$ के रूप में जब उपकरण जुड़ा हो।

उदाहरण 6.1

एक बैटरी का आंतरिक प्रतिरोध (R_i),0.6 Ω है एवं ओपन सर्किट वोल्टेज (V_o), 14 V है। इसका टर्मिनल पोटेंशियल अंतर या उत्पन्न वोल्टेज ($\mathrm{V}_{\text{battery}}$) क्या है, यदि यह विद्युतधारा (I) प्रदान करता है (a) 5A (b) 10A एवं (c) 20A ?

हल

V_o(V)	$R_i(\Omega)$	I(A)	$V_{battery} = V_o - IR_i$ (V)
14	0.6	5	11
14	0.6	10	8
14	0.6	20	—

उपरोक्त उदाहरण से देखा जा सकता है कि, बैटरी का आंतरिक प्रतिरोध बहुत कम होना चाहिये। अन्यथा जब बैटरी से अधिक विद्युतधारा प्रवाह होता है, तब बैटरी के अंदर उल्लेखनीय रूप से वोल्टेज गिरता है एवं उपकरण को उपलब्ध वास्तविक टर्मिनल वोल्टेज की मात्रा बहुत कम होती है।

6.4.3 बैटरी के टर्मिनल वोल्टेज के लिये पारिभाषिक शब्द

बैटरी के वोल्टेज से संबंधित विभिन्न शब्दावली होती हैं जैसे, ओपन सर्किट वोल्टेज, नॉमिनल या ऑपरेटिंग वोल्टेज एवं कट–ऑफ वोल्टेज, इन सभी को संक्षिप्त रूप में यहां समझाया गया है :

ओपन सर्किट वोल्टेज को सैद्धांतिक वोल्टेज भी कहा जाता है क्योंकि, यह बैटरी के आउटपुट सिरों पर अधिकतम संभावित वोल्टेज है तब, जबकि सर्किट ओपन या खुला हो।

नॉमिनल टर्मिनल वोल्टेज या ऑपरेटिंग वोल्टेज, वास्तविक वोल्टेज है जो कि बैटरी के आउटपुट सिरों पर उपलब्ध होता है जिन पर उपकरण कार्य करते हैं। उपलब्ध आदर्श बैटरी नॉमिनल वोल्टेज हैं, 1.5 V, 3 V, 6 V, 12 V, 24 V, 48 V एवं आदि।

कट–ऑफ वोल्टेज ऐसा वोल्टेज मान है जिस पर उपकरण कार्य कर सकता है एवं जिसके नीचे आने पर उसे ओवर–डिस्चार्ज या अधिक डिस्चार्ज से बचाने के लिये बैटरी को उपकरण से हटा देना चाहिये।

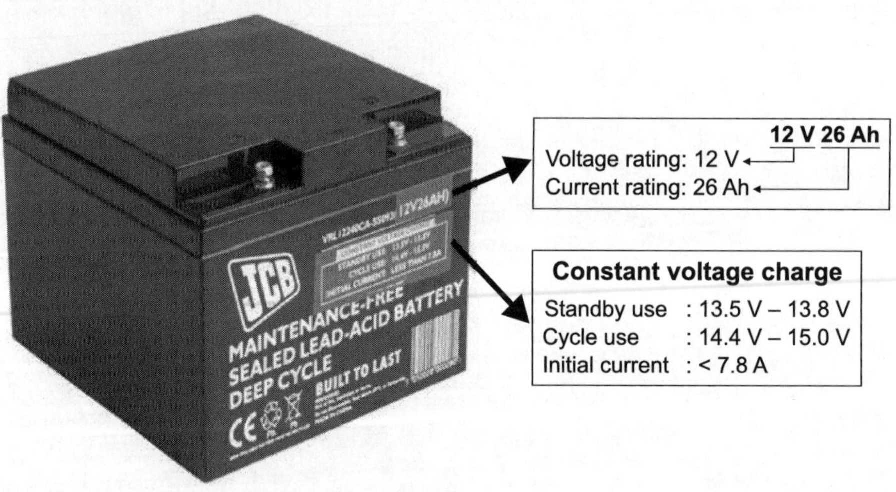

चित्र 6.7
सीलबंद लेड-एसिड बैटरी के वोल्टेज एवं क्षमता रेटिंग।

6.4.4 बैटरी संग्रहण क्षमता (C)

एक बैटरी की क्षमता से तात्पर्य उसके आवेशों को संग्रहित करने की क्षमता से होता है। यह विद्युतधारा (एम्पियर में) एवं समय (घंटों में निश्चित समय) का उत्पाद होता है, Ampere × Hour (Ah)। एक एम्पियर–घंटा (Ah) आवेशों की वह मात्रा है जो कि एक एम्पियर (A) की स्थिर विद्युतधारा को एक घंटे के लिये उपयोग करने पर प्राप्त होती है। इस पूरे अध्याय में हम बैटरी की क्षमता को एम्पियर–घंटा में दर्शाएंगें। एक बैटरी की क्षमता को नीचे दिये गए सूत्र से अभिव्यक्त किया जा सकता है :

$$\text{Capacity (C)} = \text{Current (A)} \times \text{Hour (h)} \quad (6.2)$$

नॉन–रिचार्जेबल बैटरियों की क्षमता सामान्यतः कुछ mAh (milli-Ah) से अनेक Ah के बीच परिवर्तित होती है। रिचार्जेबल बैटरियों की क्षमता कुछ Ah से हजारों Ah तक परिवर्तित होती है।

बैटरियों की क्षमता तापमान पर निर्भर करती है। समान बैटरी की भिन्न तापमान पर भिन्न क्षमता हो सकती है। क्षमता को 25°°C की आदर्श परीक्षण क्षमता पर निर्दिष्ट किया गया है। अतः,

बैटरी की क्षमता को Ah के रूप में दर्शाया जाता है। बड़ी बैटरियों में Ah क्षमता अधिक होती है।

जहां पर बैटरी को लगाना या स्थापना करना है, वहां पर मापित क्षमता का मान निर्माणकर्ताओं द्वारा दिये गए मान से भिन्न हो सकता है, उस स्थान विशेष पर तापमान के परिवर्तन की वजह से। इसीलिये, किसी उद्देश्य के लिये बैटरी का चयन करते समय, उस स्थान के तापमान को ध्यान में रखा जाना आवश्यक है।

बैटरी का आवेश या चार्ज संग्रहण क्षमता एवं टर्मिनल वोल्टेज जानने के पश्चात् हम बैटरी के विषय में कुछ अन्य जानकारियां प्राप्त कर सकते हैं।

बैटरी कितनी मात्रा में विद्युतधारा की आपूर्ति कर सकती है? हमें यह सदैव ध्यान रखना चाहिये, कि व्यावहारिक रूप से ऐसा कोई स्रोत नही है जो कि असीमित मात्रा में विद्युतधारा की आपूर्ति कर सके। इसी प्रकार बैटरी एक युक्ति है जो कि केवल एक निश्चित मात्रा में विद्युतधारा प्रदान कर सकती है। एक बैटरी कितनी विद्युतधारा प्रदान कर सकती है यह जानने में, उसकी निर्दिष्ट क्षमता रेटिंग मदद करती है, यदि विद्युतधारा उपयोग करने का समयांतराल (या डिस्चार्ज का समयांतराल) दिया गया हो। उपयोग की गई विद्युतधारा को लिखा जा सकता है :

$$\text{Current(I)} = \frac{\text{Capacity(Ah)}}{\text{Discharge duration(h)}} \text{(Amperes)} \tag{6.3}$$

उपरोक्त अभिव्यक्ति से पता चलता है कि, एक दी गई बैटरी क्षमता के लिये, यदि डिस्चार्ज समयांतराल लंबा है तब हमें बैटरी से कम विद्युतधारा प्राप्त होगी, परंतु यदि हमारा डिस्चार्ज समयांतराल कम हो तब हमें बैटरी से अधिक विद्युतधारा प्राप्त हो सकती है। यह एक पानी के टैंक के समान है, एक निर्धारित क्षमता वाले पानी के टैंक से, यदि हम पानी धीरे–धीरे निकालते हैं, तब हम लंबे समय के लिये पानी का उपयोग कर सकते हैं, परंतु यदि हम पानी तेजी से निकालते हैं तब टैंक जल्दी ही खाली हो जाएगा। अतः, कम डिस्चार्ज समयांतराल का चयन करके, अधिक मात्रा में विद्युतधारा प्राप्त करना संभव है। परंतु बैटरी से अधिक मात्रा में विद्युतधारा के उपयोग से बचना चाहिये। क्योंकि अधिक मात्रा में विद्युतधारा लेने से बैटरी में आंतरिक प्रतिरोध की वजह से, अधिक मात्रा में वोल्टेज गिरेगा एवं बैटरी के बाहर टर्मिनल वोल्टेज भी घटेगा।

यहां, प्रश्न यह है, अधिक विद्युतधारा कितनी हो ? सामान्यतः सौर पीवी संयंत्रों के लिये उपयोग की जाने वाली बैटरियों में डिस्चार्ज समयांतराल 10 से 20 घंटा है। इस डिस्चार्ज समयांतराल को ध्यान में रखते हुए, उपयोग किए गए विद्युतधारा के परिमाण को सामान्य विद्युतधारा माना जाएगा। एक बैटरी से ली गई विद्युतधारा की मात्रा को विस्तृत रूप में अनुभाग 6.4.5 एवं 6.4.6 में समझाया गया है।

उदाहरण 6.2

एक 100 Ah क्षमता वाली बैटरी एक स्थिति में 20 घंटों में डिस्चार्ज होती है व दूसरी स्थिति में 5 घंटों में डिस्चार्ज हो जाती है। इन दोनों स्थितियों में बैटरी से ली जा सकने वाली विद्युतधारा की मात्रा का आंकलन कीजिये।

हल

स्थिति-1

दी गई क्षमता 100 Ah एवं डिस्चार्ज समयांतराल 20 घंटे

बैटरी 1 द्वारा उत्पादित विद्युतधारा $\frac{\text{Capacity(Ah)}}{\text{Discharge duration (h)}} = \frac{100\text{ Ah}}{20\text{ h}} = 5\text{ A}$

स्थिति-2

दी गई क्षमता = 100Ah एवं डिस्चार्ज समयांतराल = 5 घंटे

बैटरी 2 द्वारा उत्पादित विद्युतधारा = $\frac{\text{Capacity(Ah)}}{\text{Discharge duration (h)}} = \frac{100\text{ Ah}}{5\text{ h}} = 20\text{ A}$

इसीलिये, स्थिति-1 में बैटरी द्वारा उत्पादित विद्युतधारा 5 A होगी एवं स्थिति-2 में 20 A होगी।

वर्कशीट 6.1

क्षमता, डिस्चार्ज दर एवं बैटरी की विद्युतधारा पर आधारित निम्न वर्कशीट को भरें।

विद्युतधारा	*डिस्चार्ज समयांतराल*	*उत्पादित/उपलब्ध विद्युतधारा*
50 Ah	10 hr	5 …………
120 Ah	…….. hr	4 A
250 ………	20 hr	12500 mA
……………	12 hr	30 A
450 Ah	15 hr	……………
1200 mAh	……. Hr	10 A

बैटरी में कितनी ऊर्जा संग्रहित होती है? यदि हमें बैटरी का टर्मिनल वोल्टेज एवं इसकी चार्ज संग्रहण क्षमता ज्ञात हो, तो हम यह जान सकते हैं कि बैटरी में कितनी विद्युत ऊर्जा संग्रहित है। विद्युत ऊर्जा, आवेश क्षमता एवं वोल्टेज के उत्पाद के रूप में मापी जाती है। अतः बैटरी में संग्रहित ऊर्जा को निम्न रूप में अभिव्यक्त किया जा सकता है :

$$\text{Energy Watt–Hour} = \text{Capacity (Ah)} \times \text{Volltage (V)} \quad (6.4)$$

उपरोक्त अभिव्यक्ति से पता चलता है कि अधिक क्षमतायुक्त बैटरी एवं उच्च टर्मिनल वोल्टेज युक्त बैटरी अधिक मात्रा में विद्युत ऊर्जा का संग्रहण करती है।

बैटरी में संग्रहित ऊर्जा उसके टर्मिनल वोल्टेज एवं h क्षमता का उत्पाद होती है।

बैटरी की पॉवर क्या होती है? किसी भी युक्ति का पॉवर उसके वोल्टेज एवं विद्युतधारा के उत्पाद के रूप में परिभाषित किया जाता है। यदि हम बैटरी के टर्मिनल वोल्टेज को डिस्चार्ज विद्युतधारा से गुणा करें तो बैटरी की पॉवर प्राप्त होगी। अतः, बैटरी पॉवर को निम्न प्रकार से लिखा जा सकता है :

$$\text{Battery power (Watt)} = \text{Terminal Voltage (V)} \times \text{Current drawn (A)} \quad (6.5)$$

उदाहरण 6.3

यदि हमारे पास 12 वोल्ट की बैटरी है जिसकी क्षमता 500 है तब बैटरी की पॉवर एवं बैटरी में संग्रहित ऊर्जा की मात्रा की गणना करें ?

हल

यह दिया गया है कि :

बैटरी टर्मिनल वोल्टेज (V) = 12 V

बैटरी क्षमता (C) = 500 Ah

बैटरी का डिस्चार्ज समयांतराल नहीं दिया गया है, यहां, हम मानते हैं कि बैटरी का डिस्चार्ज समयांतराल 10 घंटे है।

चूंकि बैटरी 10 घंटों में डिस्चार्ज होती है, बैटरी से प्राप्त विद्युतधारा है :

$$\text{डिस्चार्ज विद्युतधारा} = \frac{\text{Capacity(Ah)}}{\text{Discharge duration (h)}} = \frac{500\ \text{Ah}}{10\ \text{h}} = 50\ \text{A}$$

अब बैटरी के पॉवर आंकलन के लिये, हम लिख सकते हैं:

$$\begin{aligned}\text{Power} &= \text{Voltage (V)} \times \text{Current (A)}\\ &= 12 \times 50 = 600\ \text{Watt}\end{aligned}$$

अतः बैटरी की पॉवर 600 वॉट है।

बैटरी में संग्रहित ऊर्जा को निम्न प्रकार से अभिव्यक्त किया जा सकता है :

$$\text{Energy} = \text{Voltage (V)} \times \text{Capacity (C)}$$

इसलिये,

$$\text{Energy} = 12\text{ V} \times 500\text{ Ah} = 6000\text{ Wh} = 6\text{ kWh}$$

अतः, बैटरी में संग्रहित ऊर्जा है 6 kWh।

वर्कशीट 6.2

वोल्टेज, क्षमता, डिस्चार्ज दर, विद्युतधारा, पॉवर एवं एक बैटरी की ऊर्जा पर आधारित निम्न वर्कशीट को भरें।

बैटरी वोल्टेज	*क्षमता*	*डिस्चार्ज समयांतराल*	*उत्पादित विद्युतधारा*	*बैटरी की पॉवर*	*बैटरी में संग्रहित ऊर्जा*
6 V	1.2 Ah	6 hr	……… A	……….W	……….. kWh
6 V	1200 mAh	6 hr	……… mA	…..… mW	……….. kWh
…….. V	…….. Ah	……… hr	100 A	600 W	12 kWh
12 V	120 Ah	……… hr	……… A	180 W	……….. kWh
12 V	…….. Ah	10 hr	50 A	……….W	……….. kWh
…….. V	…….. Ah	15 hr	60 A	720 W	……….. kWh
24 V	…….. Ah	……… hr	30 A	……….W	10.8 kWh

6.4.5 चार्ज या आवेश की अवस्था (SoC State of charge) एवं डिस्चार्ज की गहराई (DoD Depth of Discharge)

डिस्चार्ज की गहराई: व्यावहारिक रूप से बैटरी में संग्रहित आवेशों की संपूर्ण मात्रा को किसी उपकरण को चलाने हेतु उपयोग नही किया जा सकता। कुल संग्रहित आवेशों का केवल कुछ प्रतिशत ही उपयोग किया जा सकता है। कुल आवेश का वह प्रतिशत जो कि उपकरण को चलाने में उपयोग किया जा सकता है उसे डिस्चार्ज की गहराई कहा जाता है। 50 प्रतिशत DoD का मतलब है कि कुल संग्रहित आवेशों का केवल 50 प्रतिशत ही उपयोग किया जा सकता है। 70 प्रतिशत DoD से तात्पर्य है कि कुल संग्रहित आवेशों में से 70 प्रतिशत आवेश उपयोग किये जा सकते हैं। सामान्यतः, सौर पीवी संयंत्रों में उपयोग की जाने वाली बैटरियों का DoD उच्च होना चाहिये। इसीलिये पीवी अनुप्रयोगों में गहरी डिस्चार्ज बैटरियां ही उपयोग की जाती हैं। व्यावहारिक रूप में ऐसी कोई बैटरी नहीं होती जिसका DoD 100 प्रतिशत हो। सामान्यतः SLI (स्टार्टिंग, लाइटनिंग, एवं इग्नीशन, उदाहरण के लिये हमारी कार बैटरियों में) में DOD कम होता है, लगभग 10 से 20 प्रतिशत। सौर पीवी अनुप्रयोगों के लिये उपयोग की जाने वाली बैटरियों का उच्च DoD होता है, लगभग 50 प्रतिशत। Li-ion बैटरियों में DoD 80 से 90 प्रतिशत होता है।

जैसे–जैसे बैटरियों का डिस्चार्ज गहराई मान बढ़ता है (इसके संग्रहित आवेशों के उपयोग के कारण), बैटरी का टर्मिनल वोल्टेज घटता है। पूर्ण आवेशित बैटरी का टर्मिनल वोल्टेज, डिस्चार्ज बैटरी की तुलना में उच्च होता है। नीचे दर्शाई गई तालिका 6.1 से विभिन्न DoD स्तरों पर वोल्टेज स्तर पता चलता है।

तालिका 6.1 12 V एवं 6 V की लेड-एसिड बैटरी के लिये ओपन सर्किट वोल्टेज के साथ डिस्चार्ज गहराई

12 V *बैटरी के लिये ओपन सर्किट वोल्टेज*	6 V *बैटरी के लिये ओपन सर्किट वोल्टेज*	*अनुमानित* DoD (%)
12.65 V	6.32 V	0%
12.45 V	6.22 V	25%
12.24 V	6.12 V	50%
12.06 V	6.03 V	75%
11.89 V	6.00 V	100%

निर्माणकर्ता बैटरियों का अनुमानित DoD स्तर विशेष रूप से निर्दिष्ट करते हैं। बैटरी को नुकसान से बचाने के लिये बैटरी को निर्माणकर्ता द्वारा बताए DoD स्तर से अधिक डिस्चार्ज नहीं होना चाहिये। यदि बैटरियां उनके DoD रेटिंग से नीचे स्तर तक डिस्चार्ज हो जाती हैं, तब बैटरियों का जीवनकाल बहुत तेजी से खत्म हो जाता है। तात्पर्य है कि, यदि बैटरी का जीवनकाल 3 वर्ष हैं एवं यह लगातार इसके DoD स्तर से नीचे डिस्चार्ज होती जा रही है, तब हो सकता है कि बैटरी केवल 6 महीनों तक ही चले। व्यावहारिक रूप से उपयोगों के लिये यह बेहतर है कि किसी बैटरी विशेष हेतु, निर्माणकर्ताओं द्वारा निर्देशित DoD स्तर से, बैटरी को 50 प्रतिशत तक ही ले जाया जाए। DoD की सहनीय सीमा एक बैटरी की चार्जिंग/डिस्चार्जिंग दक्षता से निर्धारित होती है। नीचे तालिका 6.2 में विभिन्न प्रकार की बैटरियों का वह DoD स्तर दिया गया है, जहां तक डिस्चार्ज किया जा सकता है।

डिस्चार्ज की गहराई, आवेशों की वह मात्रा है जो कि एक बैटरी से (प्रतिशत में) निकाल ली गई है या उपयोग की गई है।

तालिका 6.2 विभिन्न प्रकार की बैटरियों के DoD के सहनीय स्तर

बैटरी का प्रकार	*सहनीय* DoD (%)
Lead-acid	70-90
Nickel Cadmium	70-90
Nickel Metal Hydride	60-70
Li ion	80-90
Li polymer	90-98

चार्ज की अवस्था : रिचार्जेबल बैटरियों को फिर से उपयोग करने के लिये बारंबार चार्ज करना पड़ता है। इस प्रकार की बैटरियों के लिये चार्जिंग का समय, चार्ज स्तर के वर्तमान मान से या चार्ज की वर्तमान अवस्था से (SoC State of Charge) निर्धारित किया जा सकता है। SoC या चार्ज का स्तर, चार्ज की वह मात्रा है जो कि उस समय बैटरी में संग्रहित है। अतः यदि बैटरी में कुल आवेश संग्रहण क्षमता का 60 प्रतिशत अभी भी है तब बैटरी का SoC, 60 प्रतिशत है।

SoC को दर्शाने का एक अन्य तरीका DoD है। DoD, SoC के विपरीत होता है। दोनों DoD एवं SoC को प्रतिशत मान में अभिव्यक्त किया जाता है। वर्तमान SoC मान को 100 प्रतिशत से घटाने पर DoD का वर्तमान मान ज्ञात हो जाता है। इसे निम्न प्रकार से भी लिखा जा सकता है :

$$\text{DoD}(\%) = 100\% - \text{SoC}(\%)$$

or

$$\text{SoC}(\%) = 100\% - \text{DoD}(\%)$$

उदाहरण के लिये, माना कि कुछ समय उपयोग के पश्चात् बैटरी का SoC, 70 प्रतिशत है, तब इसका वर्तमान DoD = 100% – 70% = 30% होगा। जैसे–जैसे हम बैटरी का उपयोग जारी रखते हैं इसका DoD प्रतिशत बढ़ता है एवं SoC घटता है।

चित्र 6.8 SoC एवं DoD के विभिन्न स्तर का रेखाचित्र दर्शाया गया है।

यह पहले भी चर्चा की गई है कि जैसे–जैसे SoC घटता है, बैटरी का ओपन सर्किट वोल्टेज एवं टर्मिनल वोल्टेज घटता है। या, अन्य शब्दों में, उच्च SoC के लिये बैटरी का टर्मिनल वोल्टेज उच्च होगा एवं निम्न SoC के लिये बैटरी में निम्न टर्मिनल वोल्टेज होगा। अतः, जब एक पूरी तरह चार्ज बैटरी का उपयोग एक उपकरण को चार्ज की आपूर्ति करने हेतु किया जाता है, या जैसे जैसे बैटरी में संग्रहित चार्ज की मात्रा घटती है, इसका टर्मिनल वोल्टेज भी घटता जाता है। इस प्रकार से, डिस्चार्ज की किसी भी अवस्था में, यदि हम टर्मिनल वोल्टेज का मापन करें तब हम एक बैटरी

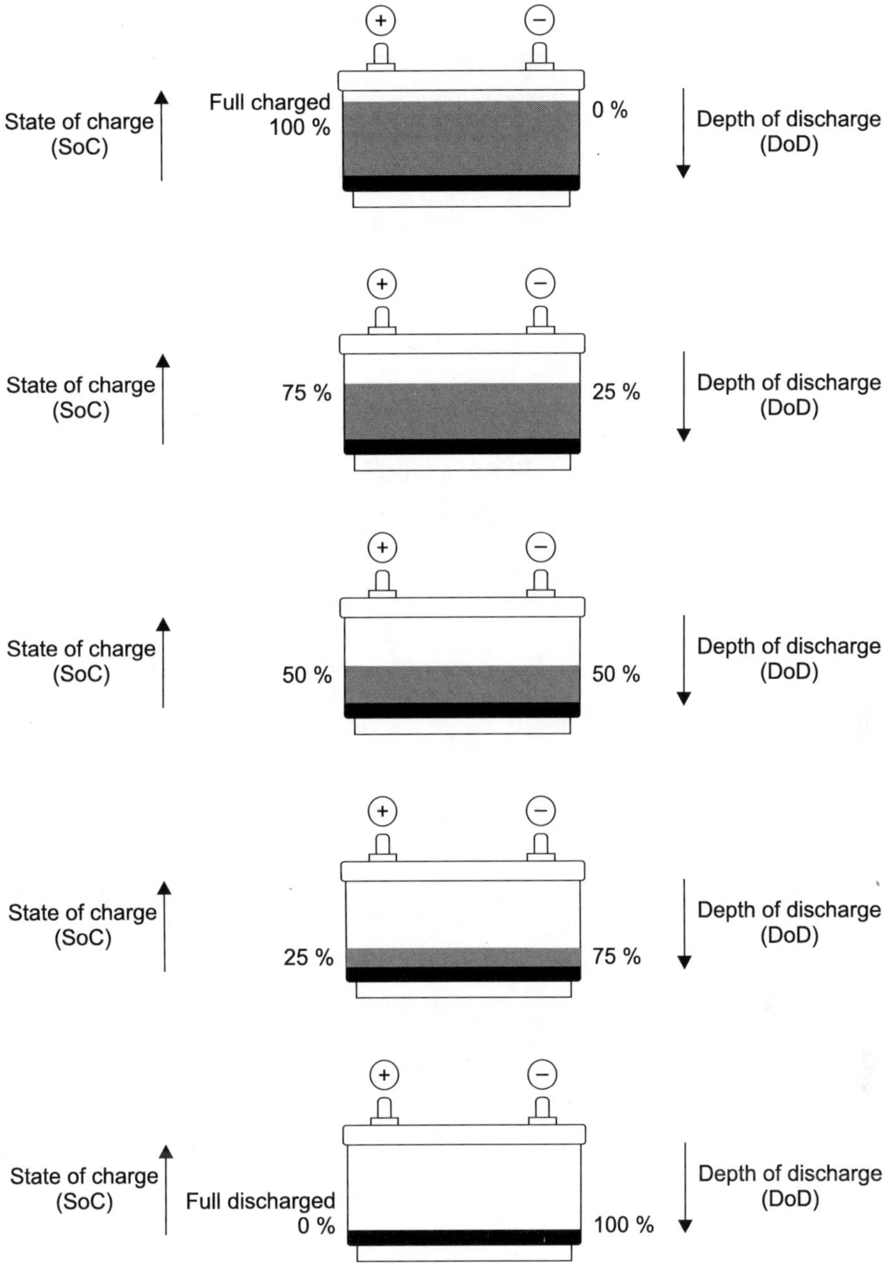

State of charge (SoC)
Full charged 100 %
0 %
Depth of discharge (DoD)
State of charge (SoC)
75 %
25 %
Depth of discharge (DoD)
State of charge (SoC)
50 %
50 %
Depth of discharge (DoD)
State of charge (SoC)
25 %
75 %
Depth of discharge (DoD)
State of charge (SoC)
Full discharged 0 %
100 %
Depth of discharge (DoD)

चित्र 6.8
चार्ज एवं डिस्चार्ज की अवस्था का रेखाचित्र प्रदर्शन।

> चार्ज की अवस्था, चार्ज की उस मात्रा को इंगित करती है (प्रतिशत में) जो कि अभी भी बैटरी में है।

की चार्ज की अवस्था का आंकलन कर सकते हैं। एक लेड–एसिड बैटरी के लिये, चित्र 6.9 में ओपन सर्किट वोल्टेज एवं SoC के बीच संबंध दिया गया है।

Open circuit voltage (Volts)
13
12.5
12
11.5
11
10.5
10
0%
20%
40%
60%
80%
100%

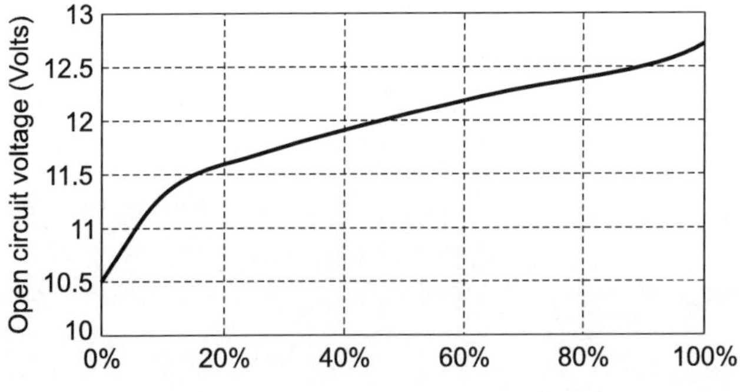

चित्र 6.9
एक लेड-एसिड बैटरी की चार्ज की अवस्था (SoC) एवं ओपन सर्किट वोल्टेज के बीच संबंध।

6.4.6 चार्ज/डिस्चार्जिंग दर या C रेटिंग

यह पहले ही चर्चा की जा चुकी है कि बैटरी का टर्मिनल वोल्टेज (जब विद्युतधारा ली जा चुकी है) ओपन सर्किट वोल्टेज (जब बैटरी से कोई विद्युतधारा नहीं ली गई है) से कम होता है, जिसका कारण है बैटरी के आंतरिक प्रतिरोध से गिरने वाला वोल्टेज। आंतरिक प्रतिरोध की वजह से गिरने वाला वोल्टेज है $I \times R_i$। बैटरी से ली जाने वाली अधिक विद्युतधारा की वजह से अधिक वोल्टेज गिरता है, जिसका मतलब है कि उपकरण विशेष के लिये कम टर्मिनल वोल्टेज का उपलब्ध होना। उच्च दर पर बैटरी का डिस्चार्ज होना सुरक्षित नहीं होता है (बैटरी से उपकरण को उच्च विद्युतधारा का प्रवाह)। इसी प्रकार से बैटरी का उच्च दर पर चार्ज या आवेशित होना भी सुरक्षित नहीं होता है (बैटरी की ओर उच्च विद्युतधारा का प्रवाह)। बैटरी से ली गई विद्युतधारा की मात्रा (डिस्चार्ज विद्युतधारा) बैटरी के बैक अप समय या उसकी सर्विस लाइफ के लिये महत्वपूर्ण भूमिका निभाती है। जैसे हम उपकरण की ओर विद्युतधारा की मात्रा बढ़ाते हैं तब बैटरी बहुत तीव्र गति से डिस्चार्ज होती है (जैसा कि चित्र 6.10 में देखा गया है)। बैटरी की अति डिस्चार्जिंग का परिणाम है बैटरी की क्षमता एवं जिंदगी का घटना साथ ही यह बैटरी में तकनीकी खामियां भी पैदा करता है।

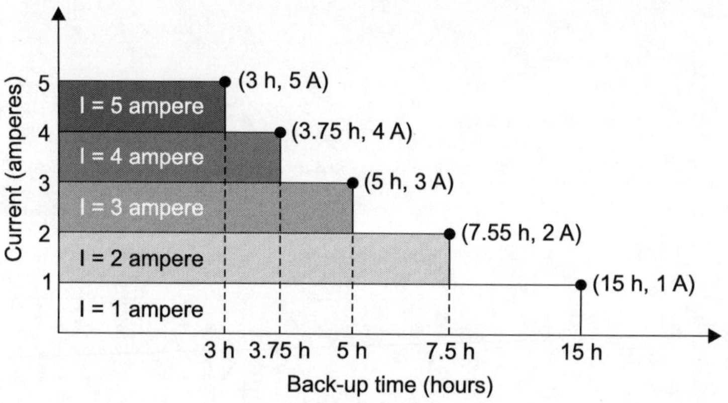

चित्र 6.10
एक 15 Ah बैटरी (माना कि उसका DoD, 100 प्रतिशत है) के लिये समय के साथ संभावित बैटरी डिस्चार्ज विशेषताएं।

बैटरी के एक चक्र से तात्पर्य है, एक चार्जिंग एवं एक डिस्चार्जिंग चक्र। सामान्यतः एक लेड एसिड बैटरी का जीवन काल 500–800 चक्रों के बराबर होता है। सामान्यतः निर्माणकर्ता अधिकतम चार्जिंग–डिस्चार्जिंग विद्युतधारा एवं वोल्टेज का मान देते हैं। बैटरी को तीन तरीकों से चार्ज किया जा सकता है :

1. स्थिर वोल्टेज
2. स्थिर विद्युतधारा या
3. दोनों।

लेड एसिड बैटरी को इन तीनों विधियों द्वारा चार्ज किया जा सकता है। बैटरियों की सही तरीके से चार्जिंग उनका जीवन काल बढ़ा देती है। अच्छे चार्ज कंट्रोलर में चार्जिंग तकनीक अंदर ही निर्मित होती है। अतः बैटरी के अच्छे जीवन काल के लिये उपर्युक्त चार्ज कंट्रोलर का उपयोग किया जाना चाहिये।

बैटरी के उचित चार्जिंग/डिस्चार्जिंग को सुनिश्चित करने के लिये, निर्माणकर्ता C रेटिंग के रूप में चार्जिंग/डिस्चार्जिंग विद्युतधारा दर को विशेष रूप से दर्शाते हैं। C रेटिंग से यह पता चलता है कि एक बैटरी विशेष कितने घंटों में चार्ज या डिस्चार्ज हो जानी चाहिये। बैटरी क्षमता (Ah) को बैटरी के पूरी तरह चार्ज होने के लिये (या 100 प्रतिशत SoC प्राप्त करने के लिये) सुझाए गए घंटों की संख्या से विभाजित करने पर C रेटिंग का मान ज्ञात होता है या बैटरी के पूर्ण सहनीय DoD तक पहुंचने के लिये। C रेटिंग को निम्न प्रकार से अभिव्यक्त किया जाता है :

$$\text{C rating (Amperes)} = \frac{\text{Capacity (C)}}{\text{No. of hours for full charge or discharge } (t)} \tag{6.6}$$

यहां, क्षमता (C) एम्पियर–घंटा (Ah) में है, एवं पूर्ण चार्ज या पूर्ण सहनीय डिस्चार्ज के लिये समय (t) घंटों (h) में है।

माना जाता है कि बैटरी की क्षमता (C) एवं पूर्ण चार्जिंग या डिस्चार्जिंग के लिये समय 1 घंटा है तब C रेटिंग C/1 होगी या 1C। इसी प्रकार से, यदि $t = 10$ घंटे तब C रेटिंग C/1 होगी C/10।

उदाहरण 6.4

एक बैटरी की क्षमता 100 Ah है। बैटरी का 1, 2, 5, 10 एवं 100 घंटे चार्जिंग के लिये C रेटिंग निर्धारित करें ?

हल

C रेटिंग दी गई है,

$$\text{C rating} = \frac{\text{Capacity (C)}}{\text{No. of hours for full charge or discharge } (t)} \text{(Amperes)}$$

कुल बैटरी क्षमता (Ah)	*चार्जिंग में लगने वाला समय घंटों में, t (घंटे)*	*आवश्यक विद्युतधारा (A)*	*C रेटिंग*
100	1	100/1 =100	C
100	2	100/2 = 50	C/2
100	5	100 /5 = 20	C/5
100	10	100/10 = 10	C/10
100	20	100/20 = 5	C/20
100	100	100/100 = 1	C/100

एक निर्माणकर्ता द्वारा निर्दिष्ट C रेटिंग के अनुसार ही बैटरी चार्ज या डिस्चार्ज होनी चाहिये।

उपरोक्त उदाहरण में चार्जिंग के विभिन्न घंटों के लिये C रेटिंग प्राप्त की गई है। ऊपर तालिका में दिये गए उदाहरण से; यह देखा जा सकता है कि पूर्ण चार्जिंग या डिस्चार्जिंग के लिये घंटों की संख्या जितनी अधिक होगी उतनी ही विद्युत की चार्जिंग/डिस्चार्जिंग दर कम होगी। सामान्यतः बैटरी की तीव्र डिस्चार्जिंग बैटरी के लिये अच्छी नहीं होती जब तक कि इसे तीव्र डिस्चार्जिंग के लिये डिजाइन न किया गया हो। यह बैटरी का जीवनकाल घटाता है। एक C/10 बैटरी, C/5 या C/2 रेटिंग के साथ चार्ज या डिस्चार्ज नहीं होनी चाहिये।

वर्कशीट 6.3

एक बैटरी के C रेटिंग पर निम्न वर्कशीट को भरें।

कुल बैटरी क्षमता (Ah)	*चार्जिंग के घंटों की संख्या, घंटे t (घंटे)*	*आवश्यक विद्युतधारा (A)*	*C रेटिंग*
…………	1	120	C
120	2	…………….	…………….
120	…………….	…………….	C/5
120	…………….	10	…………….
120	…………….	…………….	0.05C

6.4.7 बैटरी की दक्षता

किसी भी रिचार्जेबल बैटरी के लिये चार्जिंग वोल्टेज, डिस्चार्जिंग वोल्टेज से अधिक होता है। चार्जिंग वोल्टेज, बैटरी e.m.f. व बैटरी के आंतरिक प्रतिरोध के कारण घटे वोल्टेज, के बीच का अंतर होता है। बैटरी के आंतरिक प्रतिरोध के कारण, डिस्चार्जिंग ऊर्जा सदैव चार्जिंग ऊर्जा से कम होती है। एक लेड–एसिड बैटरी चार्ज स्थानांतरण में 80 से 90 प्रतिशत दक्ष होती है। चार्ज स्थानांतरण दक्षता को निम्न प्रकार से अभिव्यक्त किया गया है :

$$\text{Ampere-Hour/Charge transfer efficiency} = \frac{\text{Discharged energy (Ah)} \times 100\%}{\text{Charging energy (Ah)}} \quad (6.7)$$

एक बैटरी की ऊर्जा दक्षता की गणना करने के लिये वॉट–घंटों के रूप में निम्न अभिव्यक्ति दी गई है। इसे वॉट–घंटा दक्षता भी कहा जाता है।

$$\text{Watt-Hour/Energy efficiency} = \frac{\text{Discharged energy (Whr)} \times 100\%}{\text{Charging energy (Whr)}} \qquad (6.8)$$

एक लेड–एसिड बैटरी की ऊर्जा दक्षता 65 से 70 प्रतिशत तक होती है। सौर पॉवर में आवश्यक गणनाओं हेतु चार्ज स्थानांतरण दक्षता/एम्पियर–घंटा दक्षता अत्यंत उपयोगी है क्योंकि एम्पियर–घंटे सामान्यतः पैनल सरणी की गणना के लिये उपयोग होते हैं बैटरी बैंक को चार्ज करने के लिये।

उदाहरण 6.5

एक डिस्चार्ज की हुई 12 V की बैटरी को 12 पर 10 घंटों के लिये चार्ज किया जाता है, तब औसत चार्जिंग टर्मिनल या सिरों का वोल्टेज 14.5 V है। जब इस बैटरी को एक उपकरण से जोड़ा जाता है 10 A की विद्युतधारा 10 घंटों तक प्राप्त करने के लिये जब कि औसत टर्मिनल वोल्टेज 12 V हो। एम्पियर–घंटा एवं वॉट–घंटा दक्षता की गणना करें।

हल

एक डिस्चार्ज की हुई 12 V की बैटरी 12 A पर 10 घंटों के लिये चार्ज की जाती है, औसत टर्मिनल चार्जिंग वोल्टेज 14.5 V है।

बैटरी को एक उपकरण से जोड़ा गया है; एक 12 V के औसत टर्मिनल वोल्टेज पर बैटरी 10 A की विद्युतधारा 10 घंटों के लिये प्रदान करती है।

अब, गणनाओं के लिये नीचे दी गई तालिका में निम्न अभिव्यक्तियों का उपयोग किया जाता है :

$$\text{Amp-Hour efficiency (\%)} = \frac{\text{Discharging current (A)} \times \text{Discharging time (hr)} \times 100}{\text{Charging current (A)} \times \text{Charging time (hr)}}$$

$$\text{Watt-Hour efficiency (\%)} = \frac{\text{Discharging voltage (V)} \times \text{Discharging current (A)} \times \text{Discharging time (hr)} \times 100}{\text{Charging voltage (V)} \times \text{Charging current (A)} \times \text{Charging time (hr)}}$$

$$\text{Amp-Hour Efficiency (\%)} = \frac{10 \times 10}{12 \times 10} \times 100 = 83.3\%$$

$$\text{Watt-Hour Efficiency (\%)} = \frac{12 \times 10 \times 10}{14.5 \times 12 \times 10} \times 100 = 68.9\%$$

टिप्पणी : बैटरी का आंतरिक प्रतिरोध सदैव दक्षता को प्रभावित करता है एवं इस तरह से चार्जिंग एवं डिस्चार्जिंग दर को भी प्रभावित करता है।

वर्कशीट 6.4

एम्पियर–घंटा, में बैटरी की दक्षता पर आधारित निम्न वर्कशीट को भरें।

क्र. सं.	*चार्जिंग विद्युतधारा (A)*	*चार्जिंग समय (hr)*	*डिस्चार्ज समय (hr)*	*डिस्चार्ज विद्युतधारा (A)*	*एम्पियर-घंटा दक्षता (%)*
1	7	5	3	8	....
2	10	....	9	12	75
3	12	9	15	....	60
4	....	8	6	10	68

6.4.8 ऑपरेटिंग या संचालनकारी तापमान

बैटरी का संचालनकारी तापमान उन कारकों में से एक है जो कि बैटरी के प्रदर्शन को प्रभावित करते हैं। जैसे ही तापमान घटता है सेल की रासायनिक प्रक्रिया एवं आंतरिक प्रतिरोध बढ़ जाता है जिसके परिणामस्वरूप बैटरी की वोल्टेज एवं विद्युतधारा क्षमता घटती है। जैसे–जैसे तापमान घटता है, न केवल बैटरी की क्षमता घटती है बल्कि बैटरी का आंतरिक प्रतिरोध भी बढ़ जाता है, जिसका परिणाम होता है उपलब्ध टर्मिनल वोल्टेज का घटना। एक लेड–एसिड बैटरी का संचालनकारी तापमान रेंज –15°C to + 60°C है। यह ध्यान रखें कि बैटरी की रेटिंग 25°C के लिये दी गई हैं।

जब एक 100 Ah बैटरी 25°C तापमान पर डिस्चार्ज होती है वह उसकी अधिकतम क्षमता प्रदान करेगी, परंतु जब समान बैटरी 20°C तापमान पर कार्य करेगी वह कम क्षमता दर्शाएगी, 25°C तापमान पर दर्शाई गई क्षमता की तुलना में। जैसे–जैसे तापमान घटता जाता है वैसे ही बैटरी की क्षमता भी घटती है। एक बैटरी की क्षमता का घटना उसकी SoC से इंगित होता है। यदि एक बैटरी का SoC समान चार्जिंग अवस्था के साथ दो भिन्न तापमानों पर मापा गया हो, माना कि 40°C एवं 20°C, तब दोनों स्थितियों में बैटरी SoC का भिन्न मान दर्शाएगी, जैसा कि चित्र 5.11 में दर्शाया गया है। 40°C तापमान पर बैटरी उच्च SoC दर्शाएगी 20°C की तुलना में। एक SPV संयंत्र डिजाइन करते समय यह बिंदु ध्यान में रखा जाना आवश्यक है। बैटरी की क्षमता उच्च तापमान पर भी घट सकती है रासायनिक क्रियाओं के नष्ट होने के कारण। सामान्यतः, सबसे अच्छा बैटरी प्रदर्शन 20°C से 40°C तापमान पर प्राप्त होता है।

एक बैटरी की चार्ज प्रदान करने की क्षमता तापमान पर निर्भर करती है। उच्च तापमान पर बैटरी कम तापमान की अपेक्षा अधिक चार्ज प्रदान कर सकती है।

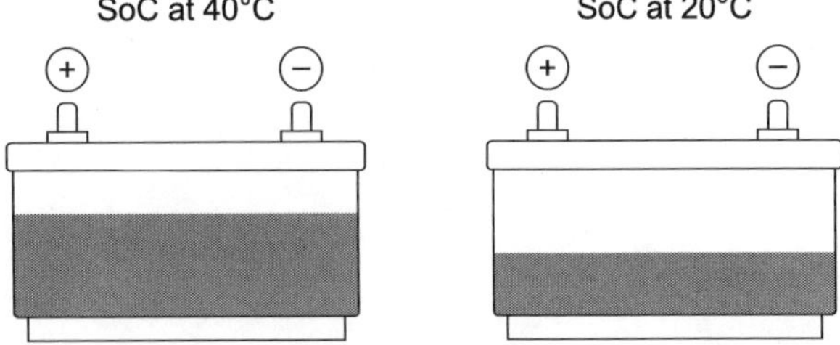

चित्र 6.11
समान क्षमता के लिये 40°C एवं 20°C पर रीडिंग में भिन्नता।

6.4.9 जीवन चक्र

बैटरी का एक चार्जिंग एवं डिस्चार्जिंग चक्र बैटरी का एक चक्र कहलाता है। एक बैटरी को अनिश्चित संख्या की चार्ज–डिस्चार्ज चक्रों के लिये उपयोग नहीं किया जा सकता। प्रत्येक चार्ज–डिस्चार्ज चक्र के साथ बैटरी की क्षमता थोड़ी–सी कम हो जाती है। इस प्रकार, बैटरियों को केवल कुछ निश्चित संख्या में चक्रों के लिये उपयोग किया जा सकता है जिनकी मात्रा, बैटरी को बनाने में उपयोग की गई सामग्री एवं तकनीक पर निर्भर करती है। एक बैटरी के चार्ज–डिस्चार्ज चक्रों की संख्या को बैटरी का जीवन चक्र कहा जाता है। इस जीवन चक्र में निश्चित समय के पूरे होने के पश्चात् बैटरी क्षमता, स्वीकार्य स्तर से भी कम होने लगती है।

प्रत्येक चार्ज–डिस्चार्ज चक्र के पश्चात् बैटरी की क्षमता कुछ मात्रा में घट जाती है। एक निश्चित उपयोग के पश्चात्, बैटरी की क्षमता शुरूआती क्षमता से 80% तक घट जाती है। एक बैटरी का जीवन चक्र चार्जिंग एवं डिस्चार्जिंग चक्रों के रूप में परिभाषित किया जाता है जिसके पश्चात् इसकी क्षमता इसकी शुरूआती नॉमिनल क्षमता से 80% नीचे पहुंच जाती है। यदि बैटरी को दैनिक रूप से चार्ज एवं डिस्चार्ज किया जाता है तब एक चक्र एक दिन के बराबर होता है, एवं एक साल बराबर है 365 चक्रों के। इस प्रकार से बैटरी के जीवन चक्र को चक्रों की संख्या या संचालन के वर्षों की संख्या के रूप में दर्शाया जा सकता है।

नॉन–रिचार्जेबल बैटरियों का जीवन चक्र एक ही चक्र होता है क्योंकि केवल एक बार ही रासायनिक ऊर्जा को विद्युत में परिवर्तित किया जा सकता है। रिचार्जेबल बैटरियों के जीवन चक्र 500 से 1500 चक्रों के बराबर होते हैं। बैटरियों के प्रदर्शन में गिरावट का कारण होता है इसकी उम्र का ज्यादा होना जिसमें शामिल है प्लेट्स से सक्रिय सामग्रियों का गिरना। जिसके कारण बैटरी के प्रदर्शन में क्रमिक रूप से गिरावट होती है।

एक बैटरी के जीवन चक्र को उसके द्वारा प्रदान किये जाने वाले चार्ज-डिस्चार्ज चक्रों के रूप में दर्शाया जा सकता है।

DoD, एक बैटरी के जीवन चक्र को सीधे प्रभावित करता है। यदि बैटरियां निम्नतम DoD सीमा से भी नीचे स्तर तक डिस्चार्ज हो जाती हैं, तब बैटरी को एक खतरा पैदा हो जाता है; बैटरियों को रिचार्ज किये जाने से उनका नुकसान हो सकता है। इस प्रकार से इन बैटरियों का जीवन चक्र छोटा हो जाता है। जैसे–जैसे DoD बढ़ता है बैटरी का जीवन चक्र तेजी से घटता है। उदाहरण के लिये, एक लेड–एसिड बैटरी यदि रोज केवल 10% डिस्चार्ज होती है एवं फिर से चार्ज की जाती है, तब बैटरी 5 साल तक कार्य कर सकती है। परंतु यदि समान बैटरी रोज 30% डिस्चार्ज होती है तब इसके केवल 3 वर्ष तक कार्य करने की संभावना है। एवं यदि समान बैटरी रोज 80% तक डिस्चार्ज होती है, तब यह हो सकता है कि केवल एक वर्ष से कम समय के लिये कार्य करे। स्वीकार्य सीमा बैटरी सामग्री एवं इसके दो इलेक्ट्रोड या प्लेट, एनोड एवं कैथोड के निर्माण आदि पर निर्भर करती है। चित्र 6.12 में एक लेड एसिड बैटरी का जीवन दिया गया है इसके DoD के कार्य के रूप में। इस चित्र में बैटरी का जीवन चार्ज एवं डिस्चार्ज के चक्रों की संख्या के रूप में दिया गया है। चित्र से यह स्पष्ट है कि यदि हम अपनी बैटरी को दैनिक रूप से अधिक डिस्चार्ज करते हैं तब बैटरी का जीवन काल कम हो जाता है।

बैटरियों का जीवन छोटा होता है यदि हम उन्हें दैनिक रूप से बहुत अधिक डिस्चार्ज करते हैं एवं इनका जीवन लंबा होता है यदि हम इन्हें कम गहराई तक डिस्चार्ज करते हैं।

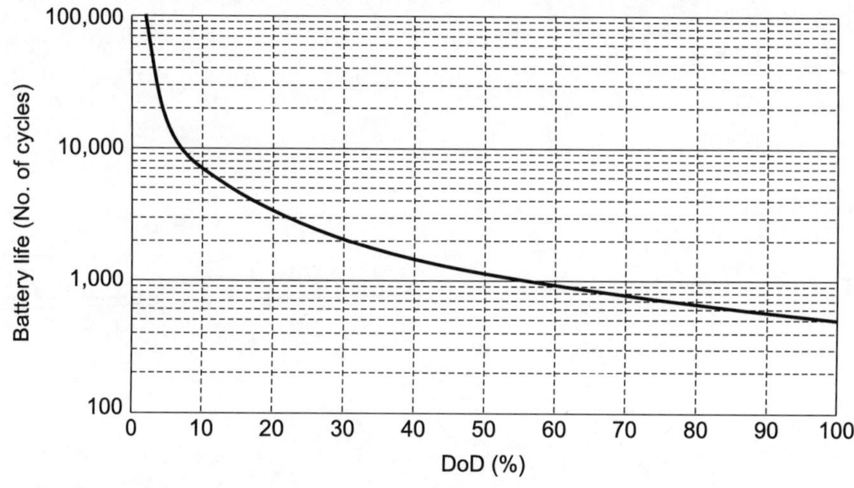

चित्र 6.12
लेड एसिड बैटरी के लिये DoD के साथ बैटरी जीवनकाल (चक्रों की संख्या के रूप में)। अन्य बैटरियों में भी समान स्थिति लागू होती है परंतु वक्र का स्तर भिन्न होता है।

लेड एसिड बैटरियां विभिन्न इलेक्ट्रोड डिजाइनों में उपलब्ध हैं। बैटरी का जीवनकाल डिजाइन पर भी निर्भर करता है। नीचे तालिका 6.3 में विभिन्न इलेक्ट्रोड डिजाइनों के लिये लेड–एसिड बैटरी के DoD एवं संभव जीवन काल दिया गया है।

तालिका 6.3 25°C तापमान पर विभिन्न DoD के लिये लेड-एसिड बैटरियों के संभव जीवनकाल एवं इलेक्ट्रोड डिजाइन

क्र.सं.	*डिस्चार्ज की गहराई (%)*	*जीवनकाल*			
		थिन प्लेट बैटरी (वर्ष)	*थिक प्लेट बैटरी (वर्ष)*	*सीलबंद जेल बैटरी (वर्ष)*	*ट्यूब्युलर बैटरी (वर्ष)*
1	10	3 – 4	5 – 7	6 – 8	>10
2	20	2 – 3	4 – 5	5 – 6	8 –10
3	30	1.5 – 2	3 – 4	4 – 5	5 – 6
4	50	6 महीने – 1 वर्ष	1 – 2	2 – 3	3 – 4
5	80	2 महीने	3 – 4 महीने	1 – 2	1.5 – 2

6.4.10 स्वतः डिस्चार्ज/शेल्फ लाइफ

स्वतः डिस्चार्ज उन आवेशों की खपत है जो कि तब होता है जब बैटरी एक लंबे समय तक उपयोग न की जाए या शेल्फ या अलमारी में रखी हुई हो। स्वतः डिस्चार्ज का कारण है सेल के अंदर होने वाली विद्युत रासायनिक प्रक्रियाएं। स्वतः डिस्चार्ज एक छोटे बाह्य उपकरण को बैटरी से जोड़ने

जैसा है। बैटरियों का स्वतः डिस्चार्ज जितना हो सके, कम होना चाहिये। बैटरी का तापमान बढ़ने के साथ–साथ बैटरी की स्वतः डिस्चार्ज दर भी बढ़ती जाती है। अतः, स्वतः डिस्चार्ज को कम करने के लिये यह सुझाव दिया जाता है कि बैटरियों को कम तापमान पर रखा जाए। एक बैटरी का स्वतः डिस्चार्ज बैटरी के रसायन से सीधे प्रभावित होता है। बैटरी में संग्रहित होने वाले चार्ज का समयांतराल बैटरी के रसायन पर निर्भर करता है। Li-ion सेल यदि लगभग 30°°C तापमान पर संग्रहित किये जाते हैं तो वे तीन महीने के अंदर अपना 25% संग्रहित चार्ज खो देते हैं, लेड–एसिड बैटरी संग्रहित चार्ज का 50% लगभग 3 से 4 महीने में खो देंगे जबकि Ni-Cd बैटरी समान चार्ज केवल 6 सप्ताह में खो देंगे।

बैटरियां जब उपयोग में नही होती हैं तो वे अपने आप ही डिस्चार्ज हो जाती हैं।

6.5 विभिन्न रिचार्जेबल बैटरियों की तुलना

पीवी संयंत्र को ध्यान में रखते हुए, हम मुख्यतः लक्षणों, अवयवों एवं लेड–एसिड बैटरी से संबंधित अन्य जानकारियों के विषय में सोचेंगे। वोल्टेज का मान (e.m.f.), दक्षता, स्वतः डिस्चार्ज, चक्रों की संख्या एवं रिचार्जेबल बैटरियों के जीवनकाल आदि नीचे तालिका 6.4 में दर्शाए गए हैं।

तालिका 6.4 एक रिचार्जेबल सेल के मान

क्र.सं.	*प्रकार*	*प्रति सेल वोल्टेज (वोल्ट)*	*दक्षता चार्ज/ डिस्चार्ज (प्रतिशत)*	*स्वतः डिस्चार्ज (प्रतिशत/ माह)*	*चक्र (#)*	*जीवन (वर्ष)*
1	Lead Acid	2.1	70-92	3 – 4	500-800	2 to 3
2	Nickel Cadmium	1.2	70-90	20	1500	3 to 5
3	Nickel Metal Hydride	1.2	60-70	30	500 – 1000	2 to 4
4	Lithium Ion	3.6	80-90	5 – 10	1200	3 to 4
5	Lithium Ion Polymer	3.7	80-90	5 – 10	500 – 1000	2 to 4

6.6 बैटरी का चयन कैसे किया जाए ?

दी गई आवश्यकता की पूर्ति के लिये, बैटरी चुनने के लिये विभिन्न श्रेणियां एवं बैटरियों के प्रकार जानना ही पर्याप्त नहीं है। एक बैटरी का चयन बैटरी के मापदंड देखकर किया जाता है। वोल्टेज रेटिंग, विद्युतधारा रेटिंग, क्षमता रेटिंग, चार्जिंग–डिस्चार्जिंग चक्रों की संख्या एवं स्वतः जीवन के मापदंड मान अलग–अलग बैटरियों में अलग–अलग होता है। ये मान निर्माणकर्ताओं के अनुसार भी बदलते हैं। अतः, एक अनुप्रयोग विशेष हेतु बैटरी को खरीदने एवं उपयोग करने के पहले उपर्युक्त बैटरी की पहचान करने के लिये हमें बैटरी के मापदंडों की अच्छी समझ होनी चाहिये।

बाजार में अनेक प्रकार की बैटरियां उपलब्ध हैं। एक सौर पीवी संयंत्र जिसमें बैटरी का उपयोग हो, को डिजाइन करते समय, एक समस्या जो हमेशा सामने आती है वह है अनेक उपलब्ध बैटरियों में से एक उपर्युक्त बैटरी का चयन। इस समस्या से सुलझा जा सकता है निम्नतम आवश्यकताओं, परिस्थितियों एवं सीमाओं की सूची निम्न प्रकार से बनाकर :

6.6.1 बैटरी के प्रकार

अनुप्रयोग के अनुसार बैटरी का चयन किया जाता है। उदाहरण के लिये पोर्टेबल युक्तियों में प्राथमिक बैटरियों का उपयोग किया जाता है जो कि बहुत कम विद्युतधारा पर कार्य करती हैं जैसे कि इलेक्ट्रॉनिक घड़ी, टॉर्च, रेडियो आदि। प्राथमिक बैटरियां केवल एक बार उपयोग होती हैं। ये सस्ती होती हैं एवं आसानी से नष्ट की जा सकती हैं। कुछ अनुप्रयोगों में युक्तियों को चलाने के लिये उच्च विद्युतधारा की आवश्यकता होती है। इस तरह की परिस्थितियों में द्वितीयक बैटरियां या रिचार्जेबल बैटरियां उपयोग की जाती हैं, ये उच्च विद्युतधारा प्रदान करती हैं क्योंकि उनमें उच्च क्षमता होती हैं एवं उन्हें अनेक बार रिचार्ज किया जा सकता है। रिचार्जेबल बैटरियां महंगी होती हैं अन्य प्राथमिक बैटरियों की तुलना में, परंतु लंबे समय तक उपयोग के लिये ये वाजिब होती हैं।

6.6.2 वोल्टेज एवं विद्युतधारा

एक बैटरी का चयन, उसे जिस उपकरण में जोड़ा जाना है उसके वोल्टेज एवं आवश्यक विद्युतधारा के अनुसार किया जाना चाहिये। इसकी चर्चा अध्याय 7 में विस्तार से की गई है।

6.6.3 आवश्यक तापमान

बैटरियों को एक निश्चित तापमान पर कार्य करने के लिये डिजाइन किया जाता है, सामान्यतः लगभग 25°C पर। व्यावहारिक रूप में, वातावरण का तापमान या जो तापमान पहले से है वह भिन्न हो सकता है। कभी–कभी वातावरण का तापमान 45°C के ऊपर भी हो सकता है एवं कभी–कभी यह ऋणात्मक या जमा देने वाला यानि 0°C के नीचे हो सकता है। बैटरी की आउटपुट विद्युतधारा एवं इसकी क्षमता तापमान पर निर्भर करती है। उच्च तापमान पर बैटरियां अधिक विद्युतधारा प्रदान कर सकती हैं कम तापमान की तुलना में। कम तापमान पर, जैसे 20°C के नीचे, बैटरी में रासायनिक प्रक्रियाएं धीमी पड़ जाती हैं एवं बैटरी केवल निम्न विद्युतधारा प्रदान कर सकती हैं न कि डिजाइन किए गए मान के बराबर। उच्च तापमान पर बैटरी उच्च विद्युतधारा प्रदान कर सकती हैं परंतु इसका जीवन काल घट जाता है। बहुत अधिक तापमान पर कुछ बैटरियां खतरा पैदा कर सकती हैं, उनमें विस्फोट हो सकता है या आग लग सकती है। इसीलिये, बैटरी के संचालनकारी तापमान के अनुसार, दिये गए अनुप्रयोग के लिये उपर्युक्त बैटरी का चयन करना आवश्यक है। निर्माणकर्ता की डाटाशीट सुरक्षित संचालनकारी तापमान के बारे में एवं दी गई बैटरी की क्षमता एवं विद्युतधारा किस तरह परिवर्तित होती हैं, जानकारी प्रदान करते हैं।

6.6.4 शेल्फ जीवन

बैटरियों का शेल्फ जीवन स्वतः–डिस्चार्ज की दर से सीधे प्रभावित होता है। स्वतः डिस्चार्ज हमेशा होता रहता है भले ही बैटरी का उपयोग न हो रहा हो। जिसका परिणाम है बैटरी का रिक्त हो जाना। कुछ प्रकार की बैटरियों में स्वतः–डिस्चार्ज दर धीमी होती है जैसे कि अधिकांश लीथियम बैटरियों में, वहीं कुछ निकेल मेटल हाइड्राइड बैटरियां प्रति दिन अपनी क्षमता का 4% खो देती हैं।

6.6.5 चार्ज-डिस्चार्ज चक्र (यदि रिचार्जेबल हो)

एक बैटरी के चार्ज–डिस्चार्ज चक्रों की संख्या बैटरी के प्रकार पर निर्भर करती है। सामान्यतः रिचार्जेबल अनुप्रयोगों के लिये वह बैटरी चुननी चाहिये जिसमें अधिक संख्या में चार्ज–डिस्चार्ज चक्र हों। उदाहरण के लिये, स्टैंडअलोन पीवी संयंत्रों में अधिक संख्या वाले चार्ज–डिस्चार्ज चक्रों युक्त बैटरी का चयन करना चाहिये।

6.6.6 मूल्य

मूल्य, चुनी गई बैटरी के प्रकार एवं विभिन्न निर्माणकर्ताओं द्वारा निर्धारित मूल्य पर निर्भर करता है। साथ ही, यह बैटरी की विशेषताओं पर भी निर्भर करता है। सामान्यतः रखरखाव मुक्त एवं आधुनिक तकनीक युक्त बैटरियां महंगी होती हैं। बैटरी की आवश्यकताओं को कम से कम करके उसके मूल्य को घटाने की कोशिश की जाती है। कुछ परिस्थितियां ऐसी होती हैं जिनमें हम चाहते हैं कि संयंत्र हर परिस्थिति में कार्य करे, तब बैटरी का आकार बड़ा रखा जाता है। इन परिस्थितियों में बैटरी के मूल्य को महत्व नहीं दिया जाता बल्कि भरोसेमंद संयंत्र प्रदर्शन को महत्व दिया जाता है। परंतु यदि संयंत्र की आवश्यकता कुछ विशेष न हो तब हमें संयंत्र में बैटरी के खर्चे को कम से कम रखने की कोशिश करनी चाहिये।

6.6.7 उपलब्धता

बैटरी का चयन करने के पहले हमें बाजार में इसकी उपलब्धता भी ज्ञात कर लेनी चाहिये। संयंत्र के रखरखाव में आने वाली परेशानियों से बचने के लिये ऐसी बैटरी का चयन करना चाहिये जो कि बाजार में आसानी से उपलब्ध हो। यदि संयंत्र में ऐसी बैटरी का उपयोग किया गया है जो कि बहुत कम या मुश्किल से उपलब्ध होती हो, तब संयंत्र में उसे बदलते समय या खरीदते समय समस्याएं सामने आएंगी। अतः, एक बैटरी जो कि आसानी से उपलब्ध है, लाने–ले जाने में आसान हो एवं जो कि अंदरूनी इलाकों में भी लाई जा सकती हो, को चुना जाना चाहिये।

6.7 फोटोवोल्टाइक (PV) संयंत्रों के लिये बैटरियां

पीवी संयंत्रों में उपयोग की जाने वाली बैटरियों का रिचार्जेबल होना आवश्यक है, जो कि गहराई तक डिस्चार्ज हों, इनका जीवनकाल अधिक होना चाहिये, रखरखाव आसान एवं उच्च क्षमता व निम्न स्वतः डिस्चार्ज दर होनी चाहिये। लेड–एसिड बैटरियां रिचार्जेबल होती हैं, इनकी क्षमताएं 1 से 12000 Ah के बीच है, इनके चार्ज–डिस्चार्ज चक्र 500 से 800 होते हैं एवं इनका जीवनकाल 2 से 3 वर्ष होता है। अधिक तापमान सीमा के लिये लेड एसिड बैटरी बहुत अच्छा प्रदर्शन करती हैं, –15°°°°C से +60°°C। लेड–एसिड बैटरियों को बदलना एवं रखरखाव करना सरल होता है। इन सभी कारणों से लेड–एसिड बैटरियां पीवी अनुप्रयोगों के लिये उपर्युक्त होती हैं। लेड–एसिड बैटरियों के अनेक प्रकार उपलब्ध हैं। सामान्यतः, लेड–एसिड बैटरियों को दो श्रेणियों में विभाजित किया जा सकता है :

- लिक्विड या तरल वेंटेड
- सील्ड या VRLA (Valve Regulated Lead Acid) – वॉल्व रेग्युलेटेड लेड एसिड। ये दो प्रकार के होते है :
  - (a) एबसॉर्ब्ड ग्लास मैट बैटरी (AGM—Absorbed glass mat)
  - (b) जैल बैटरी (gel cell)

6.7.1 लिक्विड वेंटेड

लिक्विड वेंटेड बैटरियां सामान्यतः ऑटोमोबाइल में उपयोग की जाती हैं। जब बैटरी चार्ज एवं डिस्चार्ज होती है। तब रासायनिक क्रियाओं के कारण हाइड्रोजन एवं ऑक्सीजन गैस पैदा होती है। चार्जिंग–डिस्चार्जिंग चक्र के दौरान उत्पादित गैस बैटरी के बाहर हो जानी चाहिये। गैस के बाहर निकलने की प्रक्रिया में, बैटरी से कुछ पानी की हानि होती है। पानी की इस हानि के बाद बैटरी में पानी की कमी पूरी की जानी आवश्यक है अन्यथा बैटरी सूख जाएगी एवं ठीक से काम नहीं करेगी। इसीलिये इस तरह की बैटरियों के लिये कुछ रखरखाव जैसे पानी का लगातार भरना आवश्यक है।

सावधानी: हाइड्रोजन बहुत विस्फोटक होती है। बैटरी के पास आग या लपट कतई नहीं होनी चाहिये। अतः इसे पीवी अनुप्रयोगों में प्रधानता नहीं दी जाती है।

6.7.2 सीलबंद या वॉल्व रेग्युलेटेड लेड एसिड (VRLA–Valve Regulated Lead Acid)

सीलबंद या वॉल्व रेग्युलेटेड लेड एसिड बैटरियों (VRLA) में ऐसा कोई ढक्कन नहीं होता जहां से चार्ज–डिस्चार्ज चक्र के दौरान उत्पादित गैस बाहर निकल सके जैसे कि लिक्विड वेंटेड बैटरियों में निकल जाती हैं। VRLA बैटरियां इस तरह से डिजाइन की जाती हैं कि बैटरी में उत्पादित हाइड्रोजन एवं ऑक्सीजन फिर से संयोजित होकर पानी बना सकें। बैटरी के अन्दर के दबाव को नियंत्रित करने के लिये इस बैटरी में वॉल्व दिया जाता है। चूंकि चार्ज–डिस्चार्ज चक्र के दौरान कोई पानी की हानि नहीं होती है, इसीलिये इसमें दुबारा पानी भरने की आवश्यकता नहीं होती है। ये रखरखाव नहीं मांगती हैं। सीलबंद बैटरियों में इलेक्ट्रोलाइट या अम्ल होता है जो कि या तो जैल के रूप में या फिर स्पांज की तरह के एक ग्लास मेट में डाल कर रखा जाता है। इनके पूरी तरह लिक्विड–टाइट होने के फायदे/नुकसान दोनों हैं। इन्हें किसी भी स्थिति, घुमाव वाले स्थान पर या उल्टा सीधा कैसा भी संचालित किया जा सकता है, एवं इनमें से अम्ल का रिसाव नहीं होगा।

अपनी विशेषताओं के कारण पीवी अनुप्रयोगों में जैल बैटरी का सर्वाधिक उपयोग होता है।

एब्सार्ब्ड ग्लास मैट (AGM) *बैटरी*

इस प्रकार की बैटरी में रेशेदार सिलिका ग्लास मैट का उपयोग इलेक्ट्रोलाइट मिलाने के लिये किया जाता है। यह अर्द्ध ठोस (जैल) इलेक्ट्रोलाइट निर्मित करता है जिसमें रिक्त पॉकेट या स्थान भी बन जाते हैं जो कि गैस जैसे चार्जिंग प्रक्रिया के दौरान उत्पन्न हुई हाइड्रोजन के पुनःमिश्रण में मदद करते हैं।

जेल बैटरी

जैल बैटरी भी एब्सॉर्ब्ड ग्लास मैट बैटरी के ही समान होती है। इनमें केवल एक अंतर है वह है कि जैल बैटरी में रेशेदार सिलिका ग्लास के स्थान पर सिलिका जैल का उपयोग होता है।

6.8 लेड एसिड बैटरियों की डिजाइन

लेड एसिड बैटरियों का निर्माण अनुप्रयोग की आवश्यकताओं पर निर्भर करता है। आवश्यकताएं विभिन्न प्रकार की हो सकती हैं, जैसे कि चार्जिंग एवं डिस्चार्जिंग चक्रों की अधिक संख्या (लंबा जीवन), प्रत्येक चक्र में गहराई तक डिस्चार्ज की क्षमता (उच्च) एवं उच्च विद्युतधारा आपूर्ति क्षमता। एक डिजाइन से दूसरे डिजाइन में भिन्नता रखने वाले विशिष्ट लक्षण होते हैं उनके इलेक्ट्रोड या प्लेट की संरचना (जहां रासायनिक क्रियाएं बैटरियों में होती हैं)। पीवी संयंत्र में बैटरियां जल्दी–जल्दी चार्ज एवं डिस्चार्ज होती हैं। पीवी संयंत्रों के लिये चुनी जाने वाली बैटरियां ऐसी होनी चाहिये कि वे अधिक संख्या में चार्जिंग–डिस्चार्जिंग चक्रों की आवश्यकता को पूर्ण कर सकें। इसीलिये सीलबंद लेड एसिड डीप साइकल बैटरी, पीवी संयंत्र के लिये उपर्युक्त चयन है एवं ये इन संयंत्रों में सबसे अधिक उपयोग की जाती हैं। डीप साइकल बैटरी गहराई से डिस्चार्ज हो सकती हैं जिससे उनकी क्षमता का पूर्ण उपयोग हो जाता है (जैसे कि इसकी क्षमता का ~50%)।

इलेक्ट्रोड डिज़ाइन

एक लेड एसिड बैटरी में निम्न अवयव होते हैं, इलेक्ट्रोड, इलेक्ट्रोलाइट, सेपरेटर एवं पॉलीप्रोपिलिन मोनोब्लॉक केसिंग। इन बैटरियों के निर्माण के लिये दो मुख्य तकनीकें, फ्लैट–प्लेट डिज़ाइन एवं ट्यूब्यूलर इलेक्ट्रोड ड़िजाइन का उपयोग किया जाता है।

बैटरी की चार्ज संग्रहण क्षमता इलेक्ट्रोड पर उपलब्ध सक्रिय सामग्री पर निर्भर करती है एवं बैटरी की अधिकतम विद्युतधारा आपूर्ति इलेक्ट्रोड पर होने वाली रासायनिक क्रियाओं की दर पर निर्भर करती है। इलेक्ट्रोड का अधिक क्षेत्रफल उस पर अधिक रासायनिक क्रियाएं होने देता है एवं इससे विद्युतधारा की आपूर्ति क्षमता बढ़ती है। इसीलिये एक बैटरी जिसे SLI (starting, lighting and ignition) के लिये उपयोग किया जा रहा है, जहां कम समय के लिये अधिक विद्युतधारा आवश्यक है, वहां फ्लैट–प्लेट डिजाइन इलेक्ट्रोड का उपयोग किया जाता है। चित्र 6.13(a) में दर्शाया गया है। अधिक क्षमता की आवश्यकता वाली परिस्थिति में, इलेक्ट्रोड पर सक्रिय सामग्री की अधिक मात्रा की आवश्यकता होती है, यहां पर इलेक्ट्रोड मोटे बनाए जाते हैं। साथ ही, जब हम बैटरी को गहराई के स्तर (गहराई तक डिस्चार्ज होने वाली बैटरियां) तक डिस्चार्ज करते हैं, तब इलेक्ट्रोड पर सक्रिय सामग्री ढीली पड़ जाती है एवं इलेक्ट्रोड से गिर जाती है जिससे बैटरी की क्षमता कम हो जाती है। चार्ज डिस्चार्ज चक्रों के दौरान डीप डिस्चार्ज बैटरी में इलेक्ट्रोड से सक्रिय सामग्री के गिरने से बचने के लिये ट्यूब्यूलर इलेक्ट्रोड डिजाइन वाली बैटरी का उपयोग किया जाता है।

इलेक्ट्रोड का आकार एवं आकृति अनुप्रयोग पर निर्भर करता है। कार बैटरी के लिये फ्लैट इलेक्ट्रोड डिजाइन का उपयोग किया जाता है एवं पीवी अनुप्रयोगों के लिये ट्युबुलर इलेक्ट्रोड डिजाइन का उपयोग किया जाता है।

स्टार्टिंग, लाइटनिंग एवं इग्नीशन (SLI) आदि के लिये उपयोग की जाने वाली लेड–एसिड बैटरियों के लिये फ्लैट–प्लेट डिजाइनों का बहुत अधिक उपयोग किया जाता है। डीप डिस्चार्ज चक्र के लिये उपयोग की जाने वाली बैटरियों में ट्यूब्युलर डिजाइन का उपयोग किया जाता है। 20–30 ट्यूब को कनेक्टर बस से जोड़कर ट्यूब्युलर पॉजिटिव प्लेट बनाई जाती हैं जैसा कि चित्र 6.13 (b) में दर्शाया गया है। निर्माण के चरण इलेक्ट्रोड डिजाइन के अतिरिक्त सभी बैटरियों के लिये लगभग समान होते हैं।

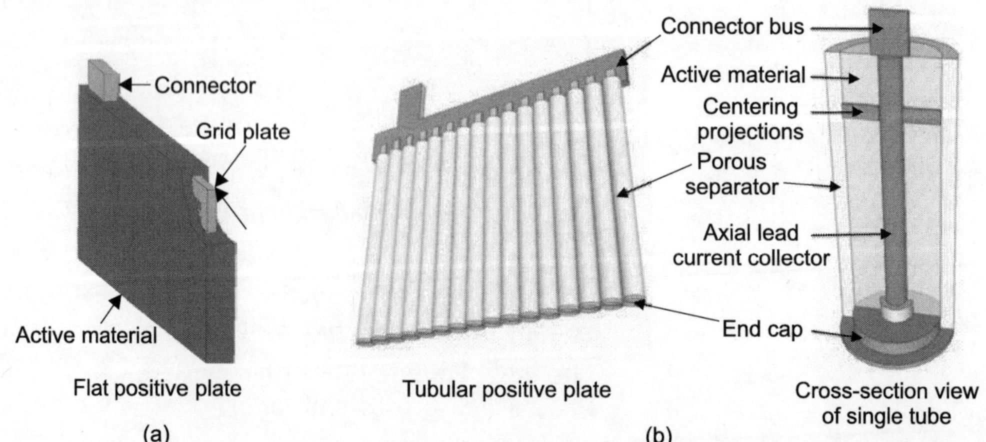

चित्र 6.13
(a) एक फ्लैट पॉजिटिव प्लेट एवं (b) एकल ट्यूब के क्रॉस सेक्शन दृश्य के साथ ट्यूब्युलर पॉजिटिव प्लेट।

इलेक्ट्रिकल डिजाइन

लेड–एसिड बैटरियां सामान्यतः 6 V, 12 V एवं 24 V की रेटिंग में आती हैं। चित्र 6.14 एक 12 V लेड एसिड कॉन्फीगरेशन दर्शाता है; बैटरी में छह सेल श्रेणी में जुड़े होते हैं। प्रत्येक सेल का e.m.f. 2 V एवं क्षमता 1 C है। श्रृंखला में जुड़ने से वोल्टेज 12 V एवं 1 C क्षमता प्रदान करते हैं।

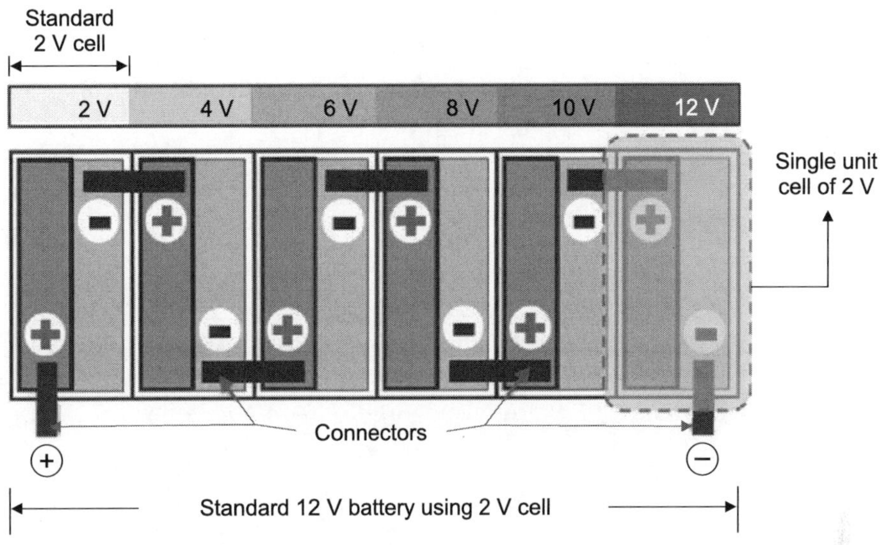

चित्र 6.14
एक 12 V सीलबंद लेड-एसिड बैटरी का रेखाचित्र जिसमें छह 2 V सेल श्रेणी संयोजन में हैं।

6.8.1 सेल किस प्रकार निर्मित किये जाते हैं?

बैटरी निर्माण चरणों के लिये, हम 12 वोल्ट बैटरी का उदाहरण लेते हैं। बैटरी निर्माण प्रक्रिया में लगभग 7 चरण हैं जो कि यहां दिए गए हैं :

1. धनात्मक या ऋणात्क ग्रिड की कास्टिंग या ढलाई
2. ग्रिड पर सक्रिय सामग्री (पेस्टिंग) लगाना
3. धनात्मक प्लेट को माइक्रोपोरस सेपरेटर से ढंकना
4. धनात्मक एवं ऋणात्मक प्लेट को संयोजित करना
5. प्लेट सेट को व्यवस्थित करके प्लेट ब्लॉक निर्मित करना
6. सेल निर्मित करना एवं अम्लीय तरल भरना
7. बैटरी को अंतिम रूप देना : प्रारंभिक आवेशों को निकालना, तकनीकी एवं विद्युतीय पैमानों का परीक्षण करना, वेंट को बंद करना, लेबल व अन्य संबंधित जानकारियों को सावधानीपूर्वक साफ करना एवं चिपकाना।

यह ध्यान रखना आवश्यक है कि प्रक्रिया में विभिन्न चरणों की संख्या भिन्न हो सकती है एवं यह निर्माणकर्ता द्वारा अपनाई गई विधि पर निर्भर करती है। बैटरी के निर्माण की प्रक्रिया को विस्तार में निम्न प्रकार से दिया गया है :

चरण 1 कास्टिंग ग्रिड : सबसे पहले, धनात्मक ग्रिड की कास्टिंग मेल्टिंग या पिघलने की प्रक्रिया का उपयोग कर एवं ऋणात्मक ग्रिड की विस्तारित धातु या धातु की चादरों का उपयोग कर कास्टिंग की जाती है। ग्रिड का उद्देश्य होता है सक्रिय पदार्थों को संभालना एवं सक्रिय पदार्थ व सिरों के बीच विद्युत संचालन करना (चित्र 6.15 देखें)।

चरण 2 ग्रिड पर सक्रिय सामग्री लगाना : दूसरा बिंदु है, धनात्मक प्लेट पर सक्रिय पदार्थ के रूप में लेड ऑक्साइड की एक परत लगाना। ऋणात्मक प्लेट पर धातु लेड की एक पर्त सक्रिय पर्त के रूप में लगाना। यहां सीमेंटेशन प्रक्रिया के द्वारा सक्रिय पदार्थ को तकनीकी (संरचनात्मक) मजबूती प्राप्त हो जाती है (चित्र 6.15 देखें)।

सक्रिय सामग्री प्रीकर्सर को बनाने में लेड ऑक्साइड, सल्फ्यूरिक एसिड एवं पानी की अनेक बार मिक्सिंग व क्योरिंग होती है। क्योरिंग एक प्रक्रिया है जो कि मिश्रण या पेस्ट को चिपकने वाले छिद्रदार सामग्री के रूप में बना देती है। यह पेस्ट एवं ग्रिड के बीच में एक बंधन निर्मित करता है। पेस्टिंग प्रक्रिया के अंत में हमें धनात्मक एवं ऋणात्मक प्लेट प्राप्त होती हैं।

चरण 3 सेपरेटर या विभाजक लगाना : धनात्मक प्लेट्स को सेपरेटर में एक सूक्ष्मछिद्रित ढक्कन या कवर के साथ डाला जाता है। सेपरेटर प्रत्येक धनात्मक प्लेट को एक लिफाफे की तरह ढंक लेता है जिससे कि यह ऋणात्मक प्लेट के संपर्क में न आए एवं आंतरिक शॉर्ट सर्किट पैदा न करे (चित्र 6.15 देखें)।

चरण 4 प्लेट सेट का निर्माण : सूक्ष्मछिद्रित सेपरेटर के साथ धनात्मक प्लेट एवं ऋणात्मक प्लेट को एक साथ व्यवस्थित करने पर एक एकल प्लेट सेट की इकाई प्राप्त होती है (चित्र 6.15 देखें)।

चरण 5 प्लेट ब्लॉक का निर्माण : अनेक प्लेट सेटों को एक साथ एक समूह में रखा जाता है। तब एक समूह में सभी धनात्मक प्लेटों को एक दूसरे से एक छोटी पट्टी से जोड़ दिया जाता है जो कि धनात्मक प्लेट पैक निर्मित करती हैं। इसी प्रकार से, एक समूह में सभी ऋणात्मक प्लेटों को आपस में एक छोटी पट्टी से जोड़ दिया जाता है जो कि एक ऋणात्मक प्लेट पैक निर्मित करती हैं। एक समूह में सेट की संख्या निर्भर करती है उस इकाई सेल की क्षमता पर जिसे बनाना है। एक धनात्मक प्लेट पैक एवं एक ऋणात्मक प्लेट पैक मिलाकर एक इकाई प्लेट ब्लॉक निर्मित करते हैं (चित्र 5.15 देखें)। एक सेल में केवल एक प्लेट ब्लॉक होता है। एक प्लेट ब्लॉक में प्लेट पैक में सेल कनेक्टर्स होते हैं जो कि सेल टर्मिनल की तरह कार्य करते हैं।

चरण 6 बैटरी निर्मित करने के लिये सेलों को जोड़ना : प्लेट ब्लॉक को एक छह कक्षों युक्त पॉलीप्रोपिलीन मोनोब्लॉक में रखा जाता है। प्रत्येक कक्ष में एक प्लेट ब्लॉक को ऊर्ध्व रूप में रखा जाता है जो कि एक 2 V की इकाई सेल निर्मित करती है। प्रत्येक सेल में एक धनात्मक एवं एक ऋणात्मक सेल कनेक्टर होता है। जैसा कि चित्र 5.15 में दर्शाया गया है, एक सेल के लाल एवं पीले रंग के सेल कनेक्टर क्रमशः सेल के धनात्मक एवं ऋणात्मक टर्मिनल की तरह कार्य करते हैं। चित्र 5.14 में 2 V सेल श्रेणी में जुड़े हुए हैं एवं इन्हें उपरोक्त सेक्शन में समझाया गया है। पहले सेल का मुक्त सिरा एवं श्रेणी में जुड़े सेलों का अंतिग रोज एफ बैटरी के टर्मिनल निर्मित करते हैं। एक 12 V बैटरी 6 सेलों से मिलकर बनी होती है। इस चरण के अंत में सेलों को एक इलेक्ट्रोलाइट से भर दिया जाता है जो कि एक सल्फ्यूरिक एसिड का घोल होता है (35% सल्फ्यूरिक एसिड एवं 65% पानी का घोल)। इस एसिडिक घोल में विद्युतरासायनिक क्रियाओं के लिये आवश्यक आयन उपस्थित होते हैं। प्लेट ब्लॉक एसिडिक घोल में पूरी तरह डूबे होते हैं (चित्र 6.15 देखें)।

चरण 7 बैटरी को संचालन में लाना : सबसे पहले बैटरी चार्ज की जाती है तब यांत्रिक एवं विद्युतीय परीक्षण किए जाते हैं। इसका तात्पर्य है कि जब हम एक नई बैटरी खरीदते हैं, यह पूरी तरह चार्ज स्थिति में हम तक आती है। प्रत्येक बैटरी को यह देखने एवं गारंटी के लिये कि वह सही व भरोसेमंद तरीके से कार्य कर रही है, उसे अनेक जटिल यांत्रिक एवं विद्युतीय परीक्षणों से गुजारा जाता है। ढक्कनों को वेल्डिंग कर के सीलबंद किया जाता है जिससे यह सुनिश्चित हो जाता है कि जटिल परिस्थितियों में भी इलेक्ट्रोलाइट बाहर न आ पाए। इस चरण के पश्चात्, बाहरी सतहों को अच्छी तरह साफ किया जाता है जिससे कि संपर्कों एवं कनेक्शन आदि के विद्युतीय फैलाव व जंग आदि से बचाव हो सके। अंत में, बैटरी पर कंपनी के लेबल व अन्य जानकारियां लगा दी जाती हैं एवं उसे रखने के लिये सामान व्यवस्थित करने के साथ ही प्रक्रिया का अंत हो जाता है। बैटरी के साथ उपयोग करने के निर्देश एवं रिमूवेबल कांटेक्ट प्रोटेक्टर आदि भी दिए जाते हैं।

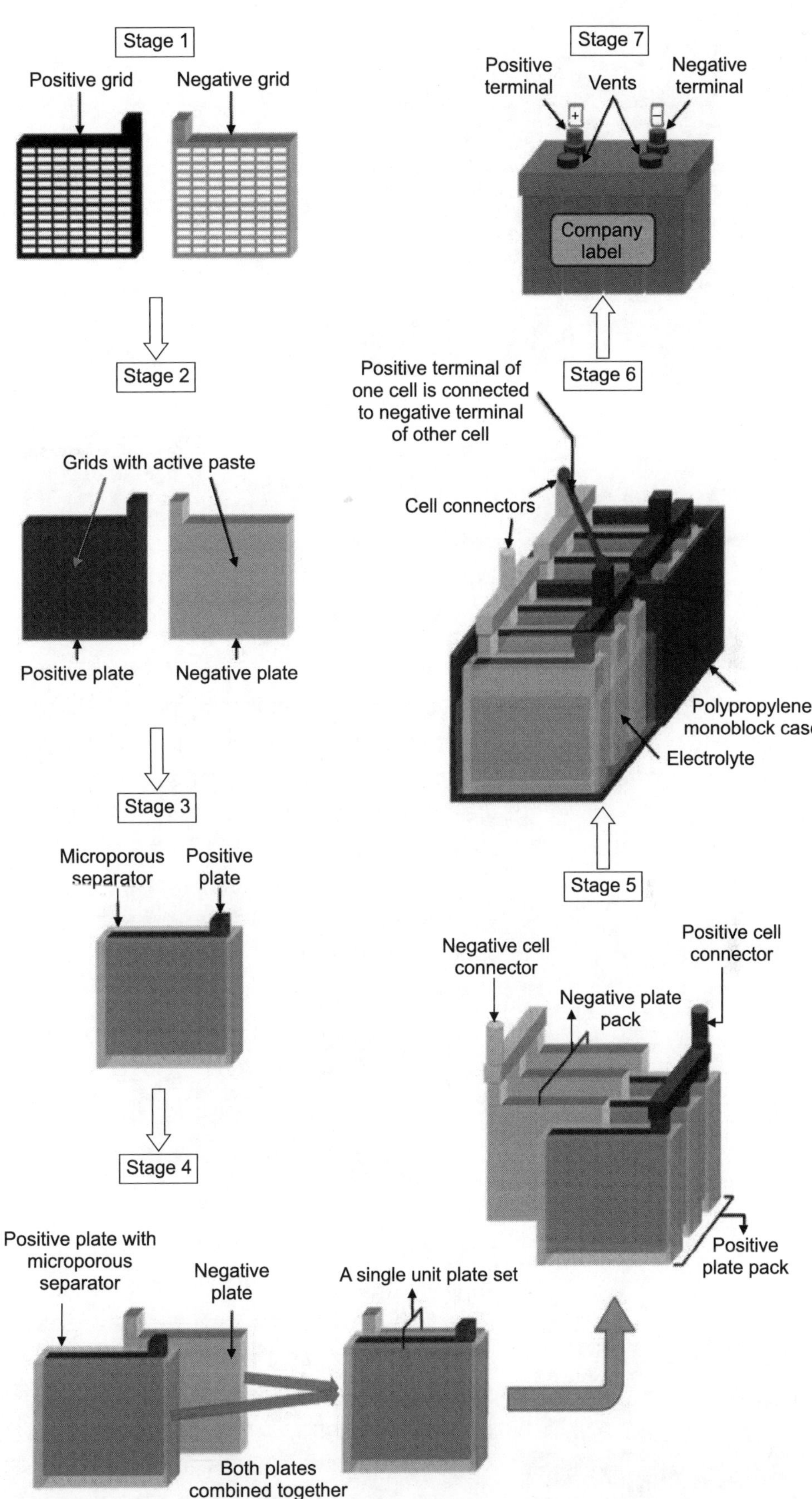

चित्र 5.15
बैटरी डिजाइन के सभी चरणों के रेखाबद्ध चित्र।

7

सौर पीवी संयंत्रों में बैटरियों का अनुप्रयोग

सौर संयंत्र दो प्रकार के होते हैं; ग्रिड से जुड़े हुए एवं स्टैंडअलोन पीवी संयंत्र। जब सूर्य प्रकाश न हो तब स्टैंडअलोन पीवी संयंत्र में विद्युत का कोई स्रोत नहीं होता है। इसीलिये अंधेरे के समय में उपकरणों को पॉवर देने के लिये ऊर्जा संग्रहित करने हेतु एक माध्यम की आवश्यकता होती है। अतः स्टैंडअलोन पीवी संयंत्रों में ऊर्जा संग्रहित करने के लिये बैटरियों का उपयोग किया जाता है। पॉवर की आवश्यकताओं एवं बैटरी के मापदंडों के अनुसार, स्टैंडअलोन पीवी संयंत्र में बैटरियां श्रेणी में, समानांतर में एवं मिश्रित संयोजन में जोड़ी जा सकती हैं। विद्युत ऊर्जा के संग्रहण के लिये बैटरियों का ये संयोजन बैटरी सरणी कहलाता है। व्यावहारिक अनुप्रयोगों में जो मुख्य मापदंड उपयोग होते हैं, वे हैं, वोल्टेज एवं एम्पियर–घंटा। अधिक संख्या में बैटरियां दर्शाते समय, बैटरी के प्रतिनिधित्व प्रतीक का उपयोग किया जाता है। बैटरी का प्रतीक निम्न प्रकार से दर्शाया जाता है।

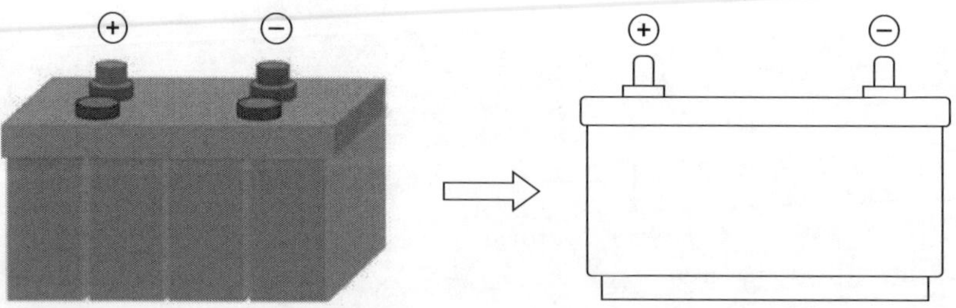

चित्र 7.1
एक बैटरी का योजनाबद्ध रेखाचित्र।

7.1 बैटरियों को आपस में क्यों जोड़ा जाए?

पीवी संयंत्र की उच्च वोल्टेज या उच्च विद्युतधारा या दोनों की मांग को पूरा करने के लिये बैटरियां आपस में श्रेणी एवं समानांतर क्रम में जुड़ी होती हैं।

हमारे सौर संयंत्रों में अनेक परिस्थितियों में, विद्युतधारा एवं वोल्टेज की आवश्यकता उस आपूर्ति से अधिक होती है जो कि एक एकल बैटरी कर सकती है। इसीलिये पीवी संयंत्र की उच्च वोल्टेज या उच्च विद्युतधारा या दोनों की पूर्ति करने के लिये, हमें अनेक बैटरियां आपस में जोड़ने की आवश्यकता होती है। आपस में जोड़ी जाने वाली बैटरियों की संख्या एक पीवी संयंत्र में चाही गई वोल्टेज एवं विद्युतधारा की मात्रा पर निर्भर करती है।

जब बैटरियां श्रेणी में जोड़ी जाती हैं तब वोल्टेज की मात्रा बढ़ जाती है परंतु विद्युतधारा समान बनी रहती है। जब बैटरियां आपस में समानांतर में जुड़ी होती हैं तब विद्युतधारा की मात्रा बढ़ जाती है परंतु वोल्टेज समान बना रहता है। बैटरियों के सभी संयोजनों में चाहे वे श्रेणी हों या समानांतर, बैटरियों की कुल ऊर्जा का हमेशा योग हो जाता है।

बैटरियों को श्रेणी या समानांतर क्रम में जोड़ने के लिये, यह सुझाव दिया जाता है कि सभी बैटरियां जिन्हें आपस में जोड़ा जाना है उन्हें समान रेटिंग का होना चाहिये, जैसे समान टर्मिनल वोल्टेज एवं समान क्षमता का। बैटरियों की श्रेणी एवं समानांतर संयोजन समझने के लिये आइये हम मानें कि एक स्टैंडर्ड लेड–एसिड बैटरी है जिसका वोल्टेज है, 12 *V* एवं चार्ज क्षमता 150 Ah है। यह बैटरी चित्र 7.2 में दर्शाई गई है। हमेशा याद रखें कि बैटरी की चार्ज क्षमता (C), विद्युतधारा (एम्पियर में) गुणित समय (घंटे में) के (1 Ampere × 1 Hour = 1 Ah) के बराबर है।

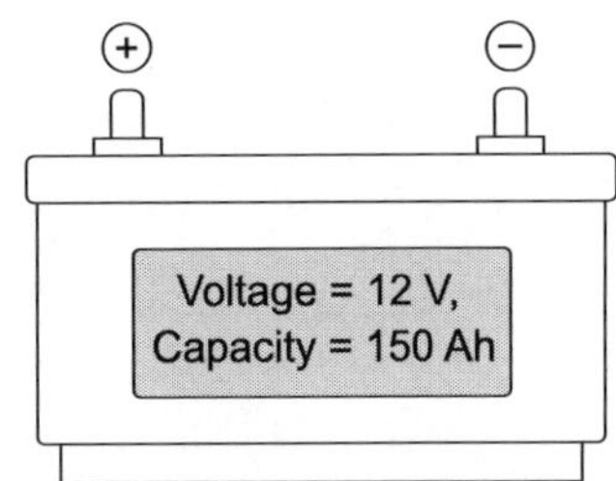

चित्र 7.2
एक एकल 12 V, 150 Ah सीलबंद लेड-एसिड बैटरी को दर्शाया गया है।

उदाहरण 7.1

माना कि एक बैटरी का वोल्टेज 12 V एवं चार्ज क्षमता 150 Ah है। यदि यह बैटरी 5 घंटों में डिस्चार्ज होती है तो इसके द्वारा प्रदान की गई विद्युतधारा की मात्रा निकालिये ?

हल

$$\text{विद्युतधारा} = \frac{\text{Capacity(Ah)}}{\text{Discharge(h)}} = \frac{150\text{ Ah}}{5\text{ h}} = 30\text{ A}$$ विद्युतधारा 5 घंटों के लिये

बैटरी के संयोजन को तीन प्रकारों में विभाजित किया जा सकता है श्रेणी संयोजन, समानांतर संयोजन एवं मिश्रित संयोजन। बैटरियों की श्रेणी एवं समानांतर संयोजन के सम्मिश्रण को बैटरी सरणी कहा जा सकता है।

7.1.1 बैटरियों का श्रेणी संयोजन

एक सौर पीवी संयंत्र में जब पीवी संयंत्र में वोल्टेज की आवश्यकता एक एकल बैटरी के टर्मिनल या सिरों के वोल्टेज से अधिक हो तब, बैटरियां आपस में श्रेणी में जुड़ जाती हैं। श्रेणी संयोजन में, एक बैटरी का ऋणात्मक सिरा दूसरी बैटरी के धनात्मक सिरे से जुड़ा होता है। श्रेणी में पहली बैटरी का धनात्मक सिरा एवं अंतिम बैटरी का ऋणात्मक सिरे का उपयोग अधिक वोल्टेज प्राप्त करने के लिये किया जाता है। इस तरह के संयोजन में प्रत्येक बैटरी का वोल्टेज जुड़ जाता है। इस प्रकार से, बैटरियों का श्रेणी संयोजन वोल्टेज बढ़ा देता है। चित्र 7.3 में बैटरियों का श्रेणी संयोजन दर्शाया गया है।

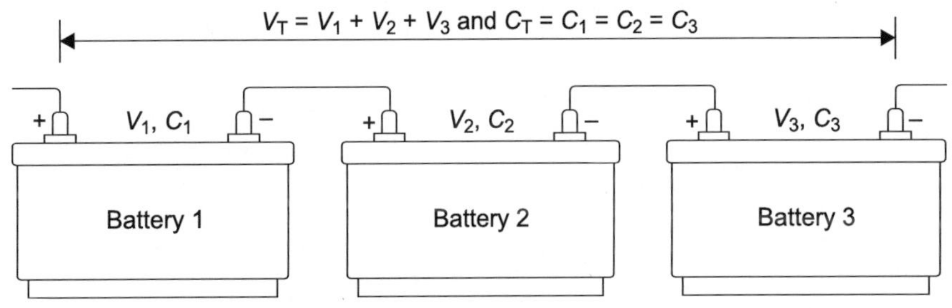

चित्र 7.3
बैटरियों के श्रेणी संयोजन का योजनाबद्ध प्रदर्शन।

आइये मानते हैं कि तीन बैटरियां जिनका टर्मिनल वोल्टेज V_1, V_2 एवं V_3 है ये आपस में श्रेणी में संयोजित हैं। श्रेणी संयोजन में एक बैटरी का ऋणात्मक सिरा दूसरी बैटरी के धनात्मक सिरे से जुड़ा होता है जैसा कि चित्र 7.3 में दर्शाया गया है। नीचे तालिका 7.1 में श्रेणी में संयोजित बैटरियों के वोल्टेज का योग दिया गया है। आदर्श रूप में यह आवश्यक है कि श्रेणी में संयोजित सभी बैटरियों के टर्मिनल वोल्टेज समान हों। याद रखें कि जब बैटरियां श्रेणी में संयोजित हों तब सभी बैटरियों में समान विद्युतधारा का प्रवाह होना चाहिये। इसीलिये श्रेणी में संयोजित बैटरियों की विद्युतधारा समान बनी रहती है परंतु वोल्टेज बढ़ता है।

श्रेणी में संयोजित बैटरियों में, वोल्टेज का योग होता है।
बैटरियां श्रेणी में तब संयोजित की जाती हैं, जब पीवी संयंत्र में आवश्यक वोल्टेज, एकल बैटरी के टर्मिनल वोल्टेज से अधिक होता है।

तालिका 7.1 तीने श्रेणियों के क्रम में संयोजित बैटरियों के वोल्टेज के योग का उदाहरण

बैटरी 1 का टर्मिनल वोल्टेज	V_1	12.2 V
बैटरी 2 का टर्मिनल वोल्टेज	V_2	12.0 V
बैटरी 3 का टर्मिनल वोल्टेज	V_3	12.1 V
श्रेणी संयोजित बैटरियों का कुल टर्मिनल वोल्टेज	V_{total}	$= V_1 + V_2 + V_3$ = 12.2 + ___ + ____ = ______ V

श्रेणी में बैटरियों की चार्ज क्षमता : अध्याय 6 से हम जानते हैं कि, एक बैटरी की क्षमता को एम्पियर–घंटा (Ah) के रूप में दर्शाया जाता है, जो कि विद्युतधारा (A) गुणित डिस्चार्ज दर (hr) का परिणाम है। चूंकि, बैटरियां श्रेणी में संयोजित होती हैं; वह विद्युतधारा जो कि श्रेणी संयोजित बैटरियों में प्रवाहित होती है उसका मान एक एकल बैटरी के ही समान होता है। इस वजह से श्रेणी संयोजित बैटरियों की चार्ज क्षमता एकल बैटरी की चार्ज क्षमता के ही समान होती है।

7.2 श्रेणी में आवश्यक बैटरियों की संख्या का आंकलन

एक एकल बैटरी के वोल्टेज की तुलना में एक विशेष अधिक मान का वोल्टेज प्राप्त करने के लिये श्रेणी संयोजन में आवश्यक बैटरियों की संख्या का आंकलन किया जा सकता है। माना कि एक बैटरी जिसका वोल्टेज 12 V एवं क्षमता 150 Ah है तब 24 V वोल्टेज प्राप्त करने के लिये आवश्यक बैटरियों की संख्या बराबर होगी आवश्यक वोल्टेज विभाजित एकल बैटरी वोल्टेज, यहां 2 बैटरियों की आवश्यकता है जैसा कि तालिका 7.2 में दर्शाया गया है। चित्र 7.4 में 24 V प्राप्त करने के लिये दो बैटरियों का श्रेणी में संयोजन दर्शाया गया है।

तालिका 7.2 एक दिए गए आउटपुट वोल्टेज हेतु श्रेणी संयोजन में आवश्यक बैटरियों की संख्या का आंकलन

मापदंड	*प्रतीक*	*मन*	*इकाई*
आवश्यक बैटरी सरणी वोल्टेज	V_{series}	24	वोल्ट
एक एकल बैटरी का टर्मिनल वोल्टेज (यहां माना गया है कि श्रेणी में सभी बैटरियां एकसमान हैं)	V	12	वोल्ट
एकल बैटरी Ah का मान	Ah	150	एम्पियर-घंटा
श्रेणी में जोड़ी जाने वाली बैटरियों की संख्या, N_s	$N_S = \frac{V_{series}}{V}$	$\frac{24}{12} = 2$	संख्या
श्रेणी संयोजित बैटरियों Ah का मान	$Ah_{series} = Ah$	150	एम्पियर-घंटा

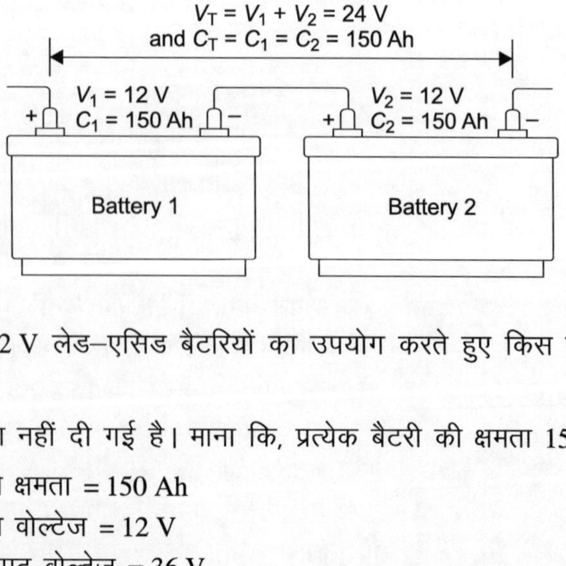

चित्र 7.4
यह चित्र दर्शाता है कि दो श्रेणी संयोजित बैटरियां 24 V देती हैं?

उदाहरण 7.2

एक सौर संयंत्र में 12 V लेड–एसिड बैटरियों का उपयोग करते हुए किस तरह हम 36 V प्राप्त कर सकते हैं ?

हल

यहां, बैटरी की क्षमता नहीं दी गई है। माना कि, प्रत्येक बैटरी की क्षमता 150 Ah के बराबर है।

प्रत्येक बैटरी की क्षमता = 150 Ah
प्रत्येक बैटरी का वोल्टेज = 12 V
आवश्यक आउटपुट वोल्टेज = 36 V

हम जानते हैं कि बैटरियों को श्रेणी में जोड़ने पर उच्च वोल्टेज प्राप्त होता है। साथ ही, श्रेणी में प्रत्येक बैटरी का वोल्टेज का योग होता है।

अतः, हमें आवश्यक वोल्टेज के मान को पृथक या एकल बैटरी के वोल्टेज से विभाजित करना चाहिये। इस तरह से आवश्यक बैटरियों की संख्या $= \frac{36 \text{ V}}{12 \text{ V}} = 3$ बैटरियां।

श्रेणी में संयोजित तीन बैटरियों का वोल्टेज = 12 V + 12 V + 12 V = 36 V

श्रेणी में संयोजित बैटरियों के लिये, क्षमता समान रहती है जो कि एक एकल बैटरी की क्षमता के बराबर होती है। अतः, श्रेणी में संयोजित तीन बैटरियों का वोल्टेज = 150 Ah

चित्र 7.5 में 36 V वोल्टेज प्राप्त करने के लिये तीन 12 V बैटरियों का श्रेणी संयोजन दर्शाया गया है।

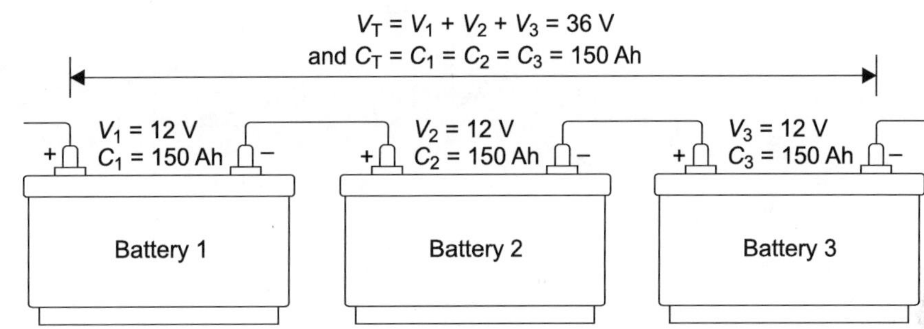

चित्र 7.5
तीन लेड-एसिड 12 वोल्ट बैटरियों का श्रेणी संयोजन दर्शाता है।

स्पष्टीकरण 7.1 उपरोक्त उदाहरण 7.2 के समान, 48 V वोल्टेज प्राप्त करने के लिये, चार 12 V की चार बैटरियां श्रेणी संयोजन में जोड़ी गई हैं (चित्र 7.6 में दर्शाया गया है)। बैटरियों को एक शृंखला में जोड़ने पर वोल्टेज (48 V) बढ़ जाता है परंतु क्षमता समान बनी रहती (150 Ah) है।

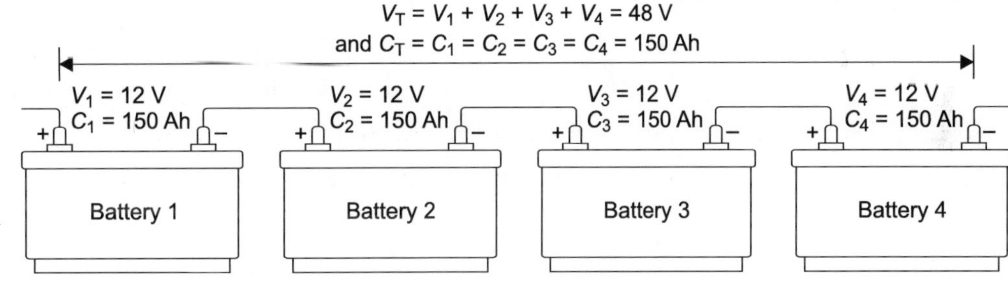

चित्र 7.6
चार 12 वोल्ट लेड-एसिड बैटरियों का श्रेणी संयोजन दर्शाता है।

उपरोक्त हल किए हुए उदाहरणों से हमें श्रेणी में संयोजित बैटरियों का आंकलन करने का विचार प्राप्त होता है।

7.3 श्रेणी में संयोजित बैटरियों में संग्रहित कुल ऊर्जा का आंकलन

सामान्यतः विद्युत ऊर्जा की खपत को किलोवॉट–घंटा (kWh) के रूप में दर्शाया जाता है। इसीलिये, बैटरी शृंखला में संग्रहित ऊर्जा का आंकलन निम्न प्रकार से किया जाना चाहिये जिससे कि विद्युत ऊर्जा के उपयोग के विषय में जानकारी ज्ञात हो सके :

आइये हम मानते हैं कि 12 V, 150 Ah की तीन बैटरियां हैं, जो कि श्रेणी में संयोजित हैं तब बैटरी में संग्रहित ऊर्जा को इस प्रकार दिया गया है,

ऊर्जा = तीनों बैटरियों के वोल्टेज का योग एवं एक बैटरी की क्षमता

यहां, $C_T = C_1 = C_2 = C_3 = 150$ Ah एवं

$V_1 = V_2 = V_3 = 12$ V

अतः, श्रेणी में संयोजित बैटरी का कुल वोल्टेज $= V_T$

$= V_1 + V_2 + V_3$

$= 12 + 12 + 12 = 36$ V

इसीलिये, बैटरी सरणी में श्रेणी में संयोजित बैटरी में संग्रहित ऊर्जा

$= V_T$

$= V_1 + V_2 + V_3$

$=12 + 12 + 12 = 36$ V

तालिका 7.3 में दर्शाई गई प्रक्रिया के अनुसार एक बैटरी शृंखला में ऊर्जा का आंकलन सरल तालिका के रूप में भी किया जा सकता है।

तालिका 7.3 श्रेणी संयोजित बैटरी शृंखला में कुल संग्रहित ऊर्जा की गणना

श्रेणी संयोजन में बैटरियों की संख्या N_S	*प्रत्येक बैटरी का वोल्टेज* $V_{battery}$ (V)	*h घंटों में प्रत्येक बैटरी की क्षमता* C_T (Ah)	*कुल वोल्टेज* V_T (V)	*कुल ऊर्जा किलोवॉट-घंटा ऊर्जा* (kWh)
3	12	150	$N_S \times V_{battery}$ = 3 × 12 = 36	$V_T \times C_T$ = 36 × 150 = 5400 Wh = 5.4 kWh
4	24	500	_____	_____

7.4 श्रेणी में संयोजित बैटरी सरणी से अधिकतम पॉवर का आंकलन

बैटरी की पॉवर का आंकलन यह सुनिश्चित करने के लिये किया जाता है कि उससे जुड़े उपकरण को कितनी विद्युत पॉवर या शक्ति की आपूर्ति हो रही है। श्रेणी में संयोजित बैटरियों की शृंखला की पॉवर का आंकलन वॉट या किलोवॉट में निम्न प्रकार से किया जा सकता है :

गणनाओं हेतु एक बैटरी के निम्न लाक्षणिक पैमाने दिए गए हैं :

प्रत्येक बैटरी का वोल्टेज = 12 V

10 घंटे पर प्रत्येक बैटरी की क्षमता = 150 Ah

हम मानते हैं कि तीनों बैटरियां श्रेणी में संयोजित हैं

यहां, एक बैटरी द्वारा प्रदान की गई विद्युतधारा ($I_{battery}$) = क्षमता / रेटिंग घंटा

= 150/10 = 15A

अब, 3 बैटरियों की श्रेणी में संयोजित शृंखला की पॉवर

= बैटरियों की संख्या (N_S) × कुल वोल्टेज (V_T) × एक बैटरी द्वारा प्रदान की गई विद्युतधारा ($I_{battery}$)

= 3 × 12 × 15 = 540 W = 0.54 kW

नीचे दर्शाई गई तालिका 7.4 के अनुसार गणनाएं सरल तालिका के रूप में भी की जा सकती हैं :

तालिका 7.4 श्रेणी संयोजन के लिये बैटरियों की सरणी की पॉवर का आंकलन

श्रेणी संयोजन में बैटरियों की संख्या N_S	*प्रत्येक बैटरी का वोल्टेज* $V_{battery}$ *(V)*	*h घंटों पर प्रत्येक बैटरी की क्षमता* C_T (Ah)	*रेटिंग घंटा* (hr)	*दिए गए रेटेड घंटे के लिये एक बैटरी की विद्युतधारा* $I_{battery}$(A)	*कुल वोल्टेज* V_T (V)	*कुल पॉवर किलोवॉट* (kW)
3	12	150	10	C_T/hr = 150/10 = 15	$N_S \times V_{battery}$ = 3 × 12 = 36	$V_T \times I_{battery}$ = 36 × 15 = 540 W = 0.5 kW
4	24	500	20		_____	_____

यहां, नीचे तालिका 7.5 में श्रेणी में संयोजित बैटरियों की विभिन्न संख्या के लिये आंकलित मान दिया गया है, बैटरी के मापदंड 10 hr पर 12 V, 150 Ah हैं एवं प्रत्येक कॉलम की आखिरी पंक्ति रिक्त छोड़ी गई है जो कि विद्यार्थियों द्वारा भरी जानी है।

तालिका 7.5 श्रेणी में संयोजित 2, 3, 6, 9 एवं 10 बैटरियों के मापदंड

N_S	$V_T(V)$	$I_{battery}$ (A)	*Power* (kW)	*Energy* (kW)
2	24	15	0.36	3.6
3	36	15	0.54	5.4
6	72	15	_____	10.8
9	108	15	1.62	16.2
10	_____	____	_____	_____

7.5 समानांतर संयोजन

जब पीवी संयंत्र में क्षमता आवश्यकता एक पृथक बैटरी की क्षमता से अधिक होती है तब बैटरियां आपस में समानांतर क्रम में जुड़ी होती हैं।

जब अधिक विद्युतधारा की आवश्यकता हो तब बैटरियों को समानांतर क्रम में जोड़ा जाता है। समानांतर संयोजन में एक बिंदु पर समान तरह के सिरे आपस में जुड़े होते हैं। सभी बैटरियों के धनात्मक सिरे एक बिंदु पर आपस में जुड़े होते हैं। इसी प्रकार से, सभी बैटरियों के ऋणात्मक सिरे आपस में एक बिंदु पर जुड़े होते हैं। इस प्रकार के संयोजन में प्रत्येक बैटरी की क्षमता का योग होता है। अतः, बैटरियों को एक शंट (समानांतर) में जोड़ने पर बैटरी की क्षमता बढ़ जाती है परंतु वोल्टेज समान बना रहता है जो कि एक एकल बैटरी के वोल्टेज के बराबर होता है। चित्र 7.7 में बैटरियों का समानांतर संयोजन दर्शाया गया है।

समानांतर क्रम में जुड़ी हुई बैटरियों में, क्षमता का योग होता है।

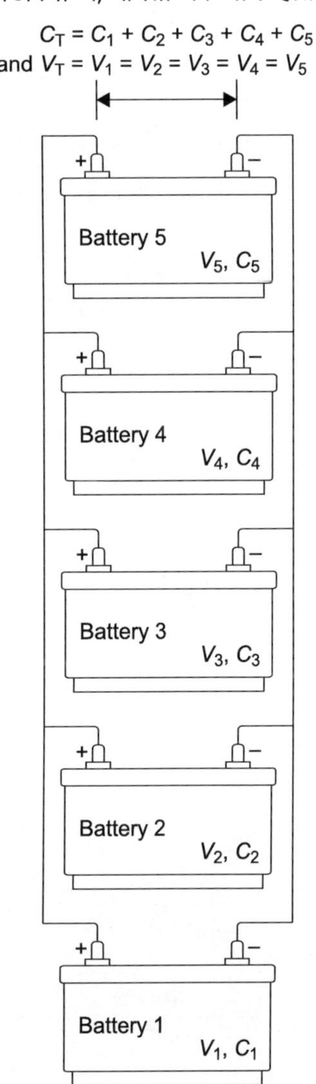

चित्र 7.7
बैटरियों के समानांतर संयोजन का योजनाबद्ध प्रदर्शन।

माना कि पांच बैटरियां हैं जिनकी क्षमता C_1, C_2, C_3, C_4 एवं C_5 है एवं वे आपस में समानांतर क्रम में जुड़ी हुई हैं। समानांतर क्रम में एक बैटरी का धनात्मक सिरा दूसरी बैटरी के धनात्मक सिरे से जुड़ा होता है एवं ऋणात्मक सिरा दूसरी बैटरी के ऋणात्मक सिरे से जुड़ा होता है जैसा कि चित्र 7.7 में दर्शाया गया है। नीचे दर्शाई तालिका 7.7 में समानांतर रूप में संयोजित बैटरियों की क्षमता का योग दर्शाया गया है। आदर्श रूप में यह जरूरी है कि समानांतर में जुड़ी सभी बैटरियों का वोल्टेज समान हो। याद रखें कि जब बैटरियां समानांतर क्रम में जुड़ी हों, सभी बैटरियों के लिये वोल्टेज का मान समान है। अतः, समानांतर रूप से जुड़ी सभी बैटरियों का कुल वोल्टेज समान बना रहता है जबकि क्षमता बढ़ जाती है।

तालिका 7.6 समानांतर क्रम में जुड़ी पांच बैटरियों की क्षमता के योग का उदाहरण

बैटरी 1 की क्षमता	C_1	150 Ah
बैटरी 2 की क्षमता	C_2	300 Ah
बैटरी 3 की क्षमता	C_3	500 Ah
बैटरी 4 की क्षमता	C_4	200 Ah
बैटरी 5 की क्षमता	C_5	150 Ah
समानांतर क्रम में संयोजित बैटरियों की कुल क्षमता	C_{total}	$= C_1 + C_2 + C_3 + C_4 + C_5$ = 150 + ___ + ____+ ___ + ____ = ________ Ah

समानांतर क्रम में बैटरियों का वोल्टेज : चूंकि, बैटरियां समानांतर रूप से जुड़ी होती हैं; समानांतर क्रम में प्रत्येक बैटरी का वोल्टेज ड्रॉप एक एकल बैटरी के समान ही होता है। इस वजह से समानांतर रूप से संयोजित बैटरियों का वोल्टेज उतना ही होता है जितना कि एक एकल बैटरी का।

7.6 समानांतर क्रम में आवश्यक बैटरियों की संख्या का आंकलन

एक एकल बैटरी की क्षमता से अधिक, बैटरी क्षमता पाने के लिये समानांतर संयोजन में आवश्यक बैटरियों की संख्या का आंकलन किया जा सकता है। माना कि एक बैटरी का वोल्टेज 10 घंटे की रेटिंग पर, 12 V एवं क्षमता 150 Ah हो तब 300 Ah क्षमता प्राप्त करने के लिये आवश्यक बैटरियों की संख्या बराबर होगी, आवश्यक क्षमता विभाजित एकल बैटरी की क्षमता, जो कि 2 बैटरियां हैं जैसा कि तालिका 7.7 में दर्शाया गया है। दो बैटरियों को समानांतर क्रम में जोड़ कर हमें 300 Ah क्षमता वाली बैटरियों की सरणी प्राप्त होती है जैसा कि चित्र 7.8 में दर्शाया गया है।

तालिका 7.7 एक दी गई आउटपुट क्षमता के लिये समानांतर संयोजन के लिये आवश्यक बैटरियों की संख्या का आंकलन

मापदंड	*प्रतीक*	*मान*	*इकाई*
आवश्यक बैटरी श्रृंखला क्षमता	$Ah_{Parallel}$	300	एम्पियर-घंटा
एक एकल बैटरी का टर्मिनल वोल्टेज (यह मानते हुए कि समानांतर क्रम में सभी बैटरियां एकसमान हैं)	V	12	वोल्ट
एकल बैटरी Ah की क्षमता	Ah	150	एम्पियर-घंटा
समानांतर क्रम में संयोजित की जाने वाली बैटरियों की संख्या, N_P	$N_P = \frac{Ah_{Parallel}}{Ah}$	$\frac{300}{150} = 2$	संख्या
श्रेणी संयोजित बैटरियों की Ah क्षमता	$Ah_{Parallel} = N_P \times Ah$	300	एम्पियर-घंटा

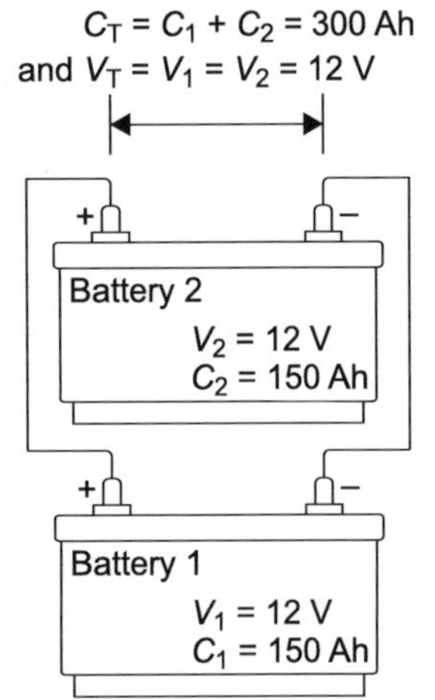

चित्र 7.8
दो लेड-एसिड 150 Ah बैटरियों का समानांतर संयोजन दर्शाता है।

उदाहरण 7.8

150 Ah वाली 12 V लेड–एसिड बैटरियों का उपयोग करके हम किस तरह 450 Ah क्षमता प्राप्त कर सकते हैं ?

हल

प्रत्येक बैटरी की क्षमता = 150 Ah, प्रत्येक बैटरी का वोल्टेज = 12 V एवं

आवश्यक आउटपुट क्षमता = 450 Ah

हमेशा याद रखें, क्षमता (C) = 1 Ampere × 1 Hour (Ah)

हम जानते हैं कि बैटरियों को समानांतर क्रम में जोड़ने पर उच्च विद्युतधारा या अन्य शब्दों में उच्च क्षमता प्राप्त होती है। साथ ही, समानांतर में प्रत्येक बैटरी की क्षमता का योग होता है।

अब, आवश्यक बैटरियों की संख्या = कुल आवश्यक क्षमता/एक बैटरी की क्षमता

= 450 Ah/150 Ah = 3 बैटरियां

समानांतर क्रम में जुड़ी दो बैटरियों की क्षमता = 150 Ah + 150 Ah + 150 Ah

= 450 Ah

समानांतर क्रम में जुड़ी बैटरियों के लिये, वोल्टेज समान बना रहता है जो कि एक एकल बैटरी के वोल्टेज के बराबर है। अतः, समानांतर क्रम में जुड़ी इन बैटरियों का वोल्टेज = $V = V_1 = V_2 = V_3 = 12$ V। इसीलिये, हम तीन 12 V, 150 Ah बैटरियों को समानांतर क्रम में जोड़ते हैं 12 V, 450 Ah की उच्च क्षमता प्राप्त करने के लिये (चित्र 7.9 में दर्शाया गया है)।

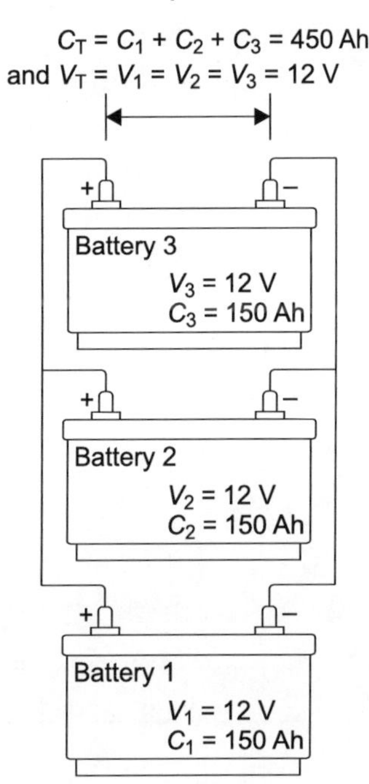

चित्र 7.9
तीन लेड-एसिड 150 Ah बैटरियों का समानांतर संयोजन दर्शाता है।

स्पष्टीकरण 7.2 उपरोक्त उदाहरण के ही समान, जब 150 Ah वाली चार 12 V बैटरियां समानांतर रूप में जोड़ी जाती हैं, 12 V वोल्टेज एवं 600 Ah जितनी उच्च क्षमता प्राप्त होती है चित्र 7.10 में दर्शाया गया है।

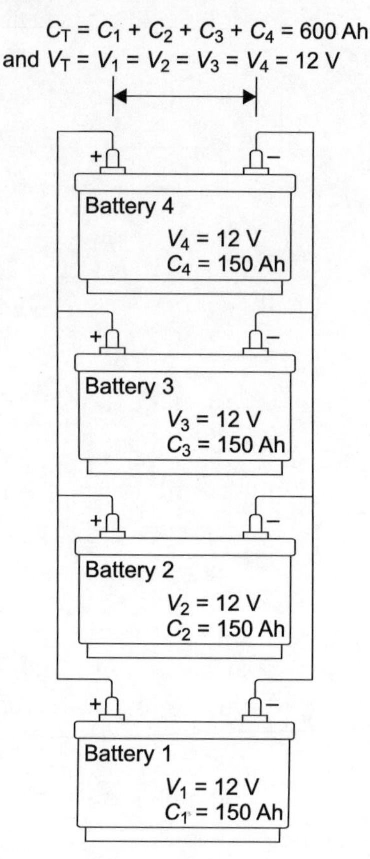

चित्र 7.10
चार लेड-एसिड 150 Ah बैटरियों का समानांतर संयोजन दर्शाता है।

उपरोक्त हल किये हुए उदाहरण समानांतर रूप से जुड़ी बैटरियों के लिये गणना करने की समझ प्रदान करते हैं।

7.7 समानांतर क्रम में जुड़ी बैटरियों की शृंखला में संग्रहित कुल ऊर्जा का आंकलन

समानांतर रूप से जुड़ी बैटरियों के लिये, बैटरियों की शृंखला में संग्रहीत ऊर्जा को निम्न प्रकार से आंकलित किया जा सकता है :

आइये, हम मानते हैं कि 12 V, 150 Ah की तीन बैटरियां हैं जो कि समानांतर रूप से जुड़ी हुई हैं तब बैटरी में संग्रहित ऊर्जा को निम्न प्रकार से आंकलित किया जा सकता है,

ऊर्जा = तीनों बैटरियों की क्षमताओं के योग का परिणाम एवं एक बैटरी की क्षमता

यहां, $C_1 = C_2 = C_3 = 150$ Ah एवं

$$V_T = V_1 = V_2 = V_3 = 12 \text{ V}$$

अतः, समानांतर रूप से संयोजित बैटरियों में कुल क्षमता $= C_T$

$$= C_1 + C_2 + C_3$$
$$= 150 + 150 + 150 = 450 \text{ Ah}$$

इसीलिये, समानांतर रूप से जुड़ी बैटरी सरणी में संग्रहित ऊर्जा $= V_T \times C_T$

$$= 12 \times 450 = 5400$$
$$= 5.4 \text{ kWh}$$

एक बैटरी सरणी में संग्रहित ऊर्जा की गणना नीचे दर्शाई गई तालिका 7.8 की तरह सरल रूप में भी की जा सकती है।

तालिका 7.8 समानांतर क्रम में संयोजित बैटरी सरणी की कुल ऊर्जा का आंकलन

समानांतर संयोजन में बैटरियों की संख्या N_P	*प्रत्येक बैटरी का वोल्टेज* V_T (V)	*h घंटों पर प्रत्येक बैटरी की क्षमता* (Ah)	*कुल क्षमता* C_T (Ah)	*कुल ऊर्जा किलोवॉट-घंटा* Energy (kWh)
3	12	150	$N_P \times C_T$ = 3 × 150 = 450	$V_T \times C_T$ = 36 × 150 = 5400 Wh = 5.4 kWh
4	24	500	....	....

7.8 समानांतर रूप से संयोजित बैटरियों की पॉवर का आंकलन ?

समानांतर क्रम में जुड़ी बैटरियों की सरणी की पॉवर की गणना वॉट या किलोवॉट के रूप में निम्न प्रकार से की जाती है :

गणना हेतु माना कि बैटरी की लाक्षणिक विशेषताएं निम्न प्रकार से हैं :

प्रत्येक बैटरी का वोल्टेज = 12 V

10 घंटे पर प्रत्येक बैटरी की क्षमता = 150 Ah

माना कि तीनों बैटरियां श्रेणी में जुड़ी हुई हैं।

यहां, एक बैटरी द्वारा प्रदान की गई विद्युतधारा ($I_{Battery}$) = क्षमता / रेटिंग घंटा

= 150/10 = 15A

चूंकि, समानांतर संयोजन में बैटरी की विद्युतधारा का योग होता है,

समानांतर क्रम में जुड़ी बैटरियों द्वारा प्रदान की गई कुल विद्युतधारा (I_T)

= बैटरियों की संख्या (N_P) × एक एकल बैटरी द्वारा प्रदान की गई विद्युतधारा

= 3 × 15 = 45A

अब, समानांतर रूप में जुड़ी तीन बैटरियों की पॉवर

= बैटरियों की संख्या (N_P) × एकल बैटरी का वोल्टेज समानांतर क्रम में जुड़ी बैटरियों द्वारा प्रदान की गई कुल विद्युतधारा (I_T) = 3 × 12 × 15 = 540 W = 0.54 kW

नीचे दर्शाई गई तालिका 7.9 की तरह गणनाएं सरल तालिका के रूप में भी की जा सकती है।

तालिका 7.9 समानांतर संयोजन के लिये बैटरियों की श्रृंखला की पॉवर की गणना

समानांतर संयोजन में बैटरियों की संख्या N_P	*प्रत्येक बैटरी का वोल्टेज* $V_{Battery}$ (V)	*h घंटों पर प्रत्येक बैटरी की क्षमता* (Ah)	*रेटिंग घंटा* (hr)	*दिए गए रेटेड घंटे के लिये एक बैटरी की विद्युतधारा* $I_{battery}$(A)	*कुल विद्युतधारा* I_T (A)	*कुल पॉवर किलोवॉट* (kW)
3	12	150	10	Ah/hr =150/10=15	$N_P \times I_{battery}$ =3 × 15 =45	$V_{battery} \times I_T$ = 12 × 45 = 540 W =0.5 kW
4	24	500	20		________	________

तालिका 7.10 समानांतर क्रम में जुड़े 2, 3, 6, 9, एवं 10 बैटरियों के मापदंड

N_P	V_T (V)	C_T (Ah)	I_T (A)	Power (kW)	Energy (kWh)
2	12	300	30	0.36	3.6
3	12	450	45	0.54	5.4
6	12	900	90	1.08	10.8
9	12	1350	135	1.62	16.2
10	12	....	....	....	....

यहां, तालिका 7.10 में समानांतर रूप से जुड़ी विभिन्न संख्याओं में बैटरियों के लिये गणना कर मान दिये गए हैं, यहां बैटरी का वोल्टेज 12 V एवं 10 घंटों पर क्षमता 150 Ah है। प्रत्येक कॉलम की आखिरी पंक्ति रिक्त छोड़ी गई है जो कि विद्यार्थी द्वारा भरी जानी है।

7.9 मिश्रित संयोजन

मिश्रित प्रकार के संयोजन में दोनों श्रेणी एवं समानांतर संयोजनों का एक साथ उपयोग किया जाता है। इस प्रकार के संयोजन का उपयोग तब होता है जब उपलब्ध बैटरी के स्टैंडर्ड मान की अपेक्षा, दोनों वोल्टेज एवं विद्युतधारा/क्षमता आवश्यकता दोनों ही बढ़ जाते हैं। वोल्टेज आवश्यकता के अनुसार बैटरियों की संख्या की गणना कर उन्हें श्रेणी में जोड़ा जाता है एवं विद्युतधारा/क्षमता की आवश्यकता के अनुसार इस प्रकार की प्रत्येक श्रेणी संयोजनों की संख्या का आंकलन कर उन्हें समानांतर क्रम में जोड़ा जाता है। चित्र 7.11 में बैटरियों का मिश्रित संयोजन दर्शाया गया है।

मिश्रित प्रकार के संयोजन में, उपयोग की गई कुल बैटरियों की संख्या बराबर है, श्रेणी में बैटरियों की संख्या एवं समानांतर में बैटरियों की कुल संख्या के।
बैटरियों के मिश्रित संयोजन में उच्च वोल्टेज एवं उच्च क्षमता प्राप्त होती है।

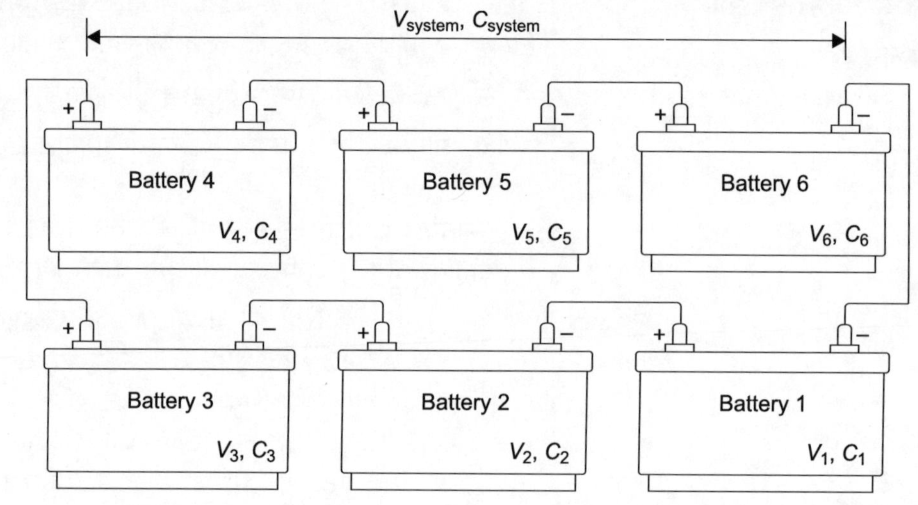

चित्र 7.11
बैटरियों के मिश्रित संयोजन का रेखाबद्ध चित्र।

7.10 मिश्रित संयोजन में जोड़ी जाने वाली बैटरियों की संख्या का आंकलन

मिश्रित संयोजन में जोड़े जाने वाली बैटरियों की संख्या के आंकलन के लिये की जाने वाली गणना के लिये, आइये हम एक बैटरी संयंत्र की डिजाइन का उदाहरण लें जिसकी वोल्टेज आवश्यकता 24 वोल्ट एवं क्षमता 300 Ah है। यहां उपयोग की गई बैटरियों के विशेष लाक्षणिक गुण हैं, वोल्टेज = 12 V, क्षमता = 150 Ah एवं डिस्चार्ज दर = 10 घंटा

सबसे पहले आवश्यकताओं के मान की सूची इस तरह बनाएं,

वोल्टेज आवश्यकता (V_{System}) = 24 V, एवं आवश्यक क्षमता (C_{System}) = 900 Ah

अब, उपर दी गई उपलब्ध बैटरी के आदर्श मान की सूची बनाएं।

स्टैंडर्ड मान या आदर्श मान हैं वोल्टेज ($V_{Battery}$) = 12 V,
एवं क्षमता ($C_{Battery}$) = 150 Ah

हम जानते हैं कि श्रेणी संयोजन में वोल्टेज का योग होता है एवं समानांतर संयोजन में क्षमता का योग होता है।

अतः, आवश्यक वोल्टेज प्राप्त करने के लिये बैटरियों की संख्या

$$24\text{ V } (N_S) = \frac{V_{System}}{V_{Battery}} = \frac{24\text{ V}}{12\text{ V}} = 2 \text{ बैटरियां}$$

आवश्यक कुल वोल्टेज (V_T V)	आदर्श उपलब्ध बैटरी (V_B V)	आवश्यक बैटरियों की संख्या (N =)	पूर्णांक में संख्या (N_S)	कुल उपलब्ध वोल्टेज (V_T)
24	12	24/12 = 2	2	2 × 12 = 24 V

इसी प्रकार से,

आवश्यक क्षमता के लिये आवश्यक बैटरियों की संख्या 300 Ah (N_P) = $\frac{C_{System}}{C_{Battery}}$

$$= \frac{300 \text{ Ah}}{150 \text{ Ah}} = 2 \text{ बैटरियां}$$

आवश्यक कुल क्षमता (C_s Ah)	आदर्श उपलब्ध बैटरी (C_B Ah)	आवश्यक बैटरियों की संख्या (N=)	पूर्णांक में संख्या (N_P)	कुल उपलब्ध क्षमता (C_s)
300	150	300/150 = 2	2	2 × 150 = 300 Ah

इसीलिये,

उपरोक्त बैटरी संयंत्र बनाने के लिये मिश्रित प्रकार के संयोजन में आवश्यक बैटरियों की कुल संख्या (*N*)

= (श्रेणी संयोजन में बैटरियों की संख्या) × (समानांतर संयोजन में बैटरियों की संख्या)

= $N_S \times N_P = 2 \times 2 = 4$ बैटरियां

संयंत्र वोल्टेज V_s (वोल्ट)	उपलब्ध बैटरी वोल्टेज V_{Batt}(Volts)	श्रेणी में कितनी बैटरियां हैं ($N_s = V_s/V_{Batt}$)	समानांतर क्रम में बैटरियों की संख्या ($N_p = N/N_s$)
24	12	24/12 = 2	4/2 = 2

अब, नीचे चित्र 7.12 में दर्शाए अनुसार बैटरियां संयोजित हैं।

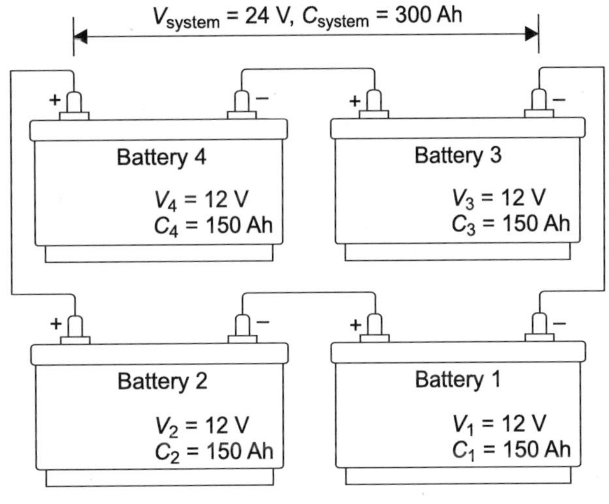

चित्र 7.12
चार 12 V, 150 Ah सीलबंद लेड-एसिड बैटरियों का 24 V वोल्टेज एवं 300 Ah क्षमता पाने के लिये मिश्रित संयोजन दर्शाता है।

उदाहरण 7.4

24 वोल्ट एवं 900 Ah क्षमता की आवश्यकता के लिये बैटरी संयंत्र को डिजाइन करें। उपलब्ध बैटरी के विशेष लक्षण हैं 12 V वोल्टेज एवं 150 Ah क्षमता (C) ।

हल

सबसे पहले आवश्यकता के मानों की सूची बनाएं :

आवश्यक वोल्टेज (V_{System}) = 24 V एवं आवश्यक क्षमता (C_{System}) = 900 Ah

अब, उपलब्ध ऊपर दी गई बैटरी के स्टैंडर्ड मानों की सूची बनाएं।

स्टैंडर्ड मान हैं वोल्टेज ($V_{Battery}$) = 12 V एवं क्षमता ($C_{Battery}$) = 150 Ah

यहां, हम उपयोग करते हैं $1C = 150$ Ah

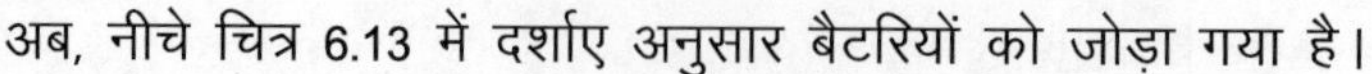

अब, नीचे चित्र 6.13 में दर्शाए अनुसार बैटरियों को जोड़ा गया है।

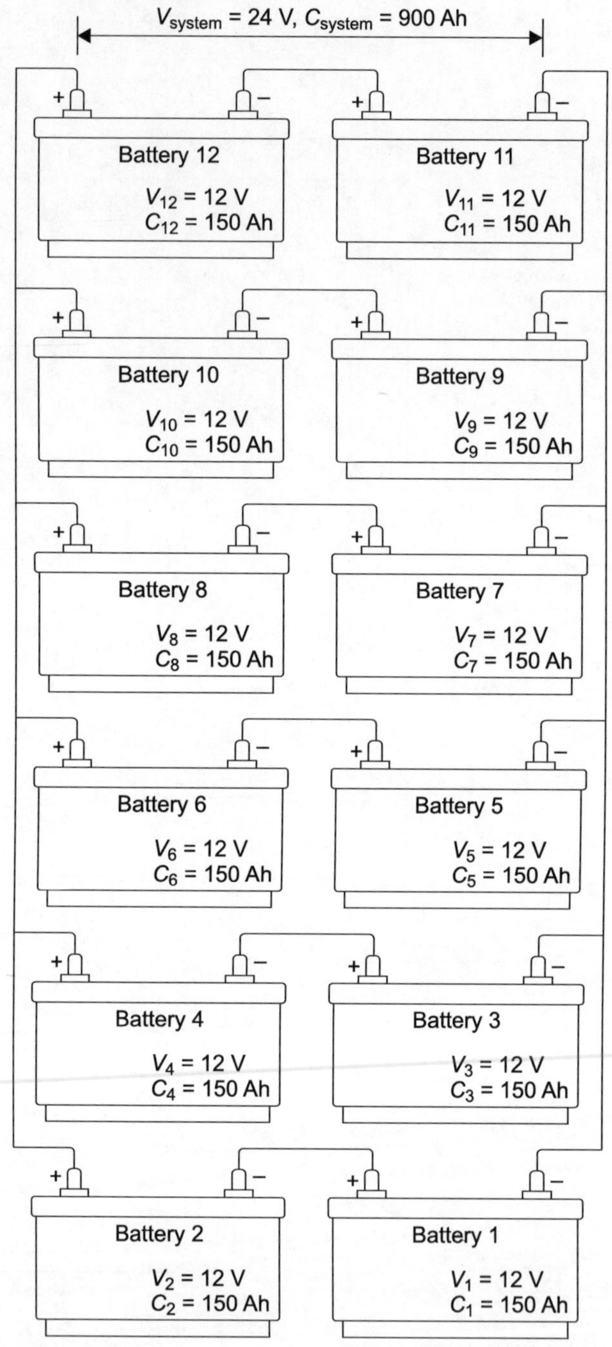

चित्र 7.13
24 V वोल्टेज एवं 900 Ah क्षमता प्राप्त करने के लिये, 12 V, 150 Ah के बारह सीलबंद लेड-एसिड बैटरी के मिश्रित संयोजन को दर्शाता है।

हम जानते हैं कि श्रेणी संयोजन में वोल्टेज का योग होता है एवं समानांतर संयोजन में क्षमता का योग होता है,

$$\text{आवश्यक बैटरियों की संख्या 24 V } (N_S) = \frac{V_{\text{System}}}{V_{\text{Battery}}}$$

$$= \frac{24\text{ V}}{12\text{ V}} = 2 \text{ बैटरियां}$$

कुल आवश्यक वोल्टेज (V_s V)	*उपलब्ध स्टैंडर्ड बैटरी* (V_B V)	*आवश्यक बैटरियों की संख्या (N=)*	*पूर्णांक में संख्या* (N_S)	*कुल उपलब्ध वोल्टेज* (V_s)
24	12	24/12 = 2	2	2 × 12 = 24 V

इसी प्रकार से,

$$900 \text{ Ah के लिये आवश्यक बैटरियों की संख्या } 900 \text{ Ah } (N_P) = \frac{C_{System}}{C_{Battery}}$$

$$= \frac{900 \text{ Ah}}{150 \text{ Ah}} = 6 \text{ बैटरियां}$$

कुल आवश्यक क्षमता (C_s Ah)	*उपलब्ध स्टैंडर्ड बैटरी (C_B Ah)*	*आवश्यक बैटरियों की संख्या (N=)*	*पूर्णांक में संख्या (N)*	*कुल उपलब्ध क्षमता (C_s)*
900	150	900/150 = 6	6	6 × 150 = 900 Ah

अतः,

उपरोक्त बैटरी संयंत्र बनाने के लिये मिश्रित तरह के संयोजन में आवश्यक बैटरियों की संख्या,
= (श्रेणी संयोजन में बैटरियों की संख्या) × (समानांतर संयोजन में बैटरियों की संख्या)
$= N_S \times N_P = 2 \times 6 = 12$ बैटरियां

संयंत्र वोल्टेज V_s (वोल्ट)	*उपलब्ध बैटरी वोल्टेज V_{Batt}(Volts)*	*श्रेणी में कितनी बैटरियां हैं ($N_s = V_s / V_{batt}$)*	*समानांतर क्रम में बैटरियों की संख्या ($N_p = N/N_s$)*
24	12	24/12 = 2	12/2 = 6

उपरोक्त हल किये हुए उदाहरणों से हमें मिश्रित प्रकार में बैटरियां जोड़ने के लिये गणना करने हेतु विचार प्राप्त होता है। इस भाग में, नीचे दर्शाई तालिका 7.11 के अनुसार गणनाएं आगे सरल रूप में की गई हैं।

तालिका 7.11 मिश्रित संयोजनयुक्त बैटरी सरणी के लिये अभिव्यक्ति एवं गणनाओं के साथ विभिन्न मापदंडों के लिये उपयोग होने वाले नोटेशन

	नोटेशन	*सूत्र*	*दिया गया मान*	*आंकलित मान*	*इकाइयां*
श्रेणी में संयोजित बैटरियों की संख्या	n		3		
समानांतर क्रम में संयोजित बैटरियों की संख्या	m		9		
प्रत्येक बैटरी का वोल्टेज	$V_{battery}$		12		V
h घंटों में प्रत्येक बैटरी की क्षमता	$C_{battery}$		150		Ah
डिस्चार्ज दर	h		10		h
क्षमता के अनुसार प्रत्येक बैटरी द्वारा उत्पादित विद्युतधारा	$I_{battery}$	$C_{battery} / h$		15	A
बैटरियों की कुल संख्या	N	$n \times m$		27	
संयोजित बैटरियों का कुल वोल्टेज	V_{total}	$n \times V_{battery}$		36	V
संयोजित बैटरियों की कुल क्षमता	C_{total}	$m \times C_{battery}$		1350	Ah
क्षमता के अनुसार कुल उत्पादित विद्युतधारा	I_{total}	$m \times I_{battery}$		135	A
क्षमता के अनुसार प्रदान की गई कुल पॉवर	Power	$V_{total} \times I_{total}$		4.86	kW
कुल ऊर्जा	Enegry	$V_{total} \times I_{total}$		48.6	kWh

गणनाओं के लिये हमने एक बैटरी को नीचे दी गई लाक्षणिक विशेषताओं के साथ लिया है :

1. प्रत्येक बैटरी का वोल्टेज या e.m.f. = 12 V
2. 10 घंटों पर प्रत्येक बैटरी की क्षमता = 150 Ah

यहां, नीचे तालिका 7.12 में मिश्रित प्रकार के संयोजनों में जुड़ी बैटरियों की विभिन्न संख्याओं के लिये गणना कर प्राप्त परिणामों को दिया गया है एवं प्रत्येक कॉलम की आखिरी पंक्ति को रिक्त छोड़ दिया गया है जो कि विद्यार्थियों द्वारा भरी जानी है।

तालिका 7.12 मिश्रित प्रकार के संयोजनों में जुड़ी 2, 3, 6, 9, एवं 10 बैटरियों के मापदंड

श्रेणी	*समानांतर*	*बैटरियों की कुल संख्या*	V_{Total} (V)	C_{Total} (Ah)	I_{Total} (A)	*Powe*(kW)	*Enegry* (kWh)
n	m						
2	10	20	24	1500	150	3.6	36
3	9	27	36	1350	135	4.86	48.6
6	6	36	72	900	90	6.48	64.8
9	3	27	108	450	45	4.86	48.6
10	2	....	....	....	....	....	....

वर्कशीट 7.1

24 वोल्ट की वोल्टेज आवश्यकता एवं 500 Ah की क्षमता के लिये बैटरी संयंत्र डिजाइन करें। उपलब्ध बैटरी के विशेष लाक्षणिक गुण हैं 12 V वोल्टेज एवं 100 Ah क्षमता (C-capacity)।

सबसे पहले आवश्यकताओं के मान की सूची बनाते हैं :

वोल्टेज आवश्यकता (V_{system}) = ______ V एवं आवश्यक क्षमता (C_{system}) = _____ Ah

अब, ऊपर दी गई उपलब्ध बैटरी के स्टैंडर्ड मान लिखें :

स्टैंडर्ड मान हैं वोल्टेज ($V_{battery}$) = ______ V एवं क्षमता ($C_{battery}$) = _____Ah

हम जानते हैं कि श्रेणी संयोजन में वोल्टेज का योग होता है एवं समानांतर संयोजन में क्षमता का योग होता है।

आवश्यक बैटरियों की संख्या इसके लिये ____ V (N_S) = $\frac{V_{system}}{V_{battery}} = \frac{\_\_\_\_ V}{\_\_\_\_ V}$

= ___ बैटरियों की संख्या

इसी प्रकार से,

आवश्यक बैटरियों की संख्या इसके लिये ______ Ah (N_P) = $\frac{C_{system}}{C_{battery}} = \frac{\_\_\_\_ Ah}{\_\_\_\_ Ah}$

= ____ बैटरियों की संख्या

कुल आवश्यक क्षमता (C_T Ah)	*उपलब्ध स्टैंडर्ड बैटरी* (C_B Ah)	*बैटरियों की आवश्यक संख्या* (*N* =)	*पूर्णांक में संख्या* (*N*)	*कुल उपलब्ध क्षमता* (C_T)
______	______	____/____ = ____	______	____ × ___ = ____ Ah

अतः,

उपरोक्त बैटरी संयंत्र बनाने के लिये मिश्रित प्रकार के संयोजन में आवश्यक बैटरियों की कुल संख्या

= (श्रेणी संयोजन में बैटरियों की संख्या) × (समानांतर संयोजन में बैटरियों की संख्या)

= $N_S \times N_P$ = _____ × _____ = _____ बैटरियों की संख्या

अब, नीचे चित्र में दर्शाए अनुसार बैटरियों को जोड़ा गया है।

संयंत्र वोल्टेज V_s (Volts)	*उपलब्ध बैटरी वोल्टेज* V_{Batt}(Volts)	*श्रेणी में बैटरियों की संख्या कितनी है* ($Ns = V_s / V_{batt}$)	*समानांतर क्रम में बैटरियों की संख्या* ($N_p = N/N_s$)
....	....	........../.......... = ...	........../.......... = ...

7.11 बैटरी बैंक की स्थापना या इंस्टॉलेशन एवं कमीशनिंग

बैटरी बैंक का इंस्टॉलेशन एवं कमीशनिंग मुख्यतः दो प्रकार से होती है :

1. पुरानी बैटरी बैंक को नई बैटरियों से बदलना, एवं
2. बिल्कुल नई बैटरी बैंक की संस्थापना या इंस्टॉलेशन एवं कमीशनिंग

पहले प्रकार के लिये जरूरी है कि आपके पास कुल अधोसंरचना पूरी तरह तैयार हो जैसे कि बैटरी रूम, बैटरी चार्जर, बैटरी स्टैंड एवं चार्जर से बैटरी तक केबलिंग या तार एवं बैटरी से उपकरण तक केबलिंग, वहीं दूसरे प्रकार में आपको डिजाइन/चयन करना होगा सभी ऊपर लिखी गई चीजों का बैटरी बैंक की क्षमता के अनुसार जो कि है बैटरी रूम का आकार, केबल या तारों का आकार एवं क्षमता, बैटरी क्षमता आदि।

7.12 नई बैटरी बैंक की स्थापना या इंस्टॉलेशन एवं कमीशनिंग कार्य

इस वर्ग में हम पुरानी बैटरी को नई से बदलने एवं उसके इंस्टॉलेशन व कमीशनिंग के विषय में चर्चा करेंगे। इस परिस्थिति में पूरी अधोसंरचना पहले ही तैयार रहती है एवं आपको पुरानी बैटरियों को समान क्षमता वाली नई बैटरियों से बदलना होता है। इस कार्य के लिये निम्न चरणों को अपनाया जाता है।

1. चूंकि बैटरी पहले से ही चार्जर एवं उपकरण से जुड़ी हुई है आपको उपकरण को किसी अन्य उपलब्ध चार्जर/संयंत्र में बैटरी से जोड़ दें जिससे कि बैटरी उपकरण से अलग हो जाए।
2. बैटरी से जुड़े चार्जर का स्विच बंद करें।
3. सभी केबल या तारों, अंतः–सेल, अंतः–रो संयोजनों को हटा दें।
4. इलेक्ट्रोलाइट को निकाल लें एवं इसे अलग से संभाल कर रख लें (**याद रखें:** इलेक्ट्रोलाइट निकालते समय सावधानी बरतना आवश्यक है) एवं पुरानी बैटरी को सुरक्षित स्थान पर रख दें।
5. यदि पुराना बैटरी स्टैंड सही हालत में नहीं है तो उसे हटा दें।
6. यदि आवश्यक है तो नया बैटरी स्टैंड बनाएं एवं इसे बैटरी रूम में लगाएं जिससे कि इस पर नई बैटरी रखी जा सके।
7. स्टैंड पर नई बैटरियों को रखें। स्टैंड पर बैटरी रखते समय बैटरियों की ध्रुवता सुनिश्चित कर लेनी चाहिये।
8. बैटरी के कंटैनर में भरे जाने के स्तर तक विशेष गुरुत्व वाला 1185 तक का, इलेक्ट्रोलाइट भरें।
9. कम से कम 8 घंटों के लिये बैटरी में एसिड समा जाने दें।
10. इसी बीच में इंटर सेल कनेक्टर्स एवं बैटरी के केबल से चार्जर को जोड़ें। बैटरी बैंक को प्रारंभिक चार्जिंग के लिये तैयार करें।
11. शुरूआती दर पर चार्जिंग करते रहें जब तक कि सेल का वोल्टेज 2.35 V से 2.45 V तक न पहुंच जाए।
12. सेल वोल्टेज, विशिष्ट गुरुत्व एवं तापमान की प्रति घंटे में रीडिंग लें।

13. एक बार सेल का वोल्टेज 2.35 V से 2.45 V पहुंच जाए, तब चार्जिंग दर को अंतिम दर तक घटाएं (अंतिम दर 5% बैटरी क्षमता है) एवं चार्जिंग निरंतर होने दें। सुनिश्चित करें कि कुल Ah इनपुट समान बना रहे।
14. चार्जिंग की प्रक्रिया में सेल का तापमान 50°C से अधिक नहीं होना चाहिये। यदि यह बढ़ता है तो चार्जिंग बंद कर दें। तापमान को 40°C तक नीचे आने दें एवं चार्जिंग निरंतर अंतिम दर तक होने दें। सुनिश्चित करलें कि कुल Ah इनपुट समान बना रहे।
15. जब सेल वोल्टेज एवं इलेक्ट्रोलाइट विशिष्ट गुरुत्व का मान तीन घंटे लगातार स्थिर आता है वो भी 1200 के ऊपर तब सेल को पूरी तरह चार्ज माना जाता है।
16. 4 घंटों के लिये बैटरियों को वैसे ही रहने दें।
17. बैटरी डिस्चार्जिंग के लिये तैयारी करें। डिस्चार्जिंग के दौरान बैटरी को चार्जर से पृथक कर दें।
18. बैटरी डिस्चार्जिंग वॉटर लोड या रेसिस्टिव लोड के द्वारा की जा सकती है जो कि हमेशा उपलब्ध व उपर्युक्त रहती है।
19. बैटरी के विशिष्ट लक्षणों के अनुसार C/10 या C/20 दर पर बैटरियां डिस्चार्ज करें।
20. सभी सेलों का विशिष्ट गुरुत्व, सेल वोल्टेज एवं तापमान रिकॉर्ड करें।
21. बैटरी सेल का सीरियल नंबर नोट करें जिसका सेल वोल्टेज 1.82 वोल्ट से नीचे गया हो।
22. बैटरी बैंक रिचार्ज करें; चरण 11 से 16 अनुसरित करें, डिस्चार्जिंग के दौरान सभी सेलों के विशिष्ट गुरुत्व, सेल वोल्टेज, एवं तापमान रिकॉर्ड करें।
23. द्वितीय डिस्चार्ज चक्र के लिये चरण 18 से 22 का अनुसरण करें।
24. यदि द्वितीय डिस्चार्जिंग के दौरान कुछ सेलों का विशिष्ट गुरुत्व 1200 के नीचे पाएं, तो सांद्र इलेक्ट्रोलाइट मिला कर विशिष्ट गुरुत्व ठीक करें।
25. रिचार्जिंग के लिये, बैटरियों को बैटरी बैंक फ्लोट चार्जिंग पर रखें, जैसे अंतिम चार्जिंग; चरण 11 एवं 16 का अनुसरण करें। रिचार्जिंग के दौरान सभी सेलों के विशिष्ट गुरुत्व एवं सेल वोल्टेज रिकॉर्ड करें।

नई बैटरी की स्थापना एवं कमीशनिंग की इस प्रक्रिया में लगभग 6–7 दिन लग जाते हैं।

7.13 निरीक्षण

बैटरी संयंत्र का परीक्षण करने के पहले निम्न अवयवों व परिस्थितियों को इंस्पेक्ट करें :

1. बैटरी : सुनिश्चित कर लें कि बैटरी अच्छी स्थिति में एवं पूरी तरह चार्ज है।
2. बैटरी में बिल्ट–इन हाइड्रोमीटर : हाइड्रोमीटर में हरी आई/प्रकाश दिखना चाहिये।
3. बैटरी के टर्मिनलों पर वोल्टेज 12 वोल्ट से अधिक होना चाहिये ताकि जब कोई भी उपकरण जुड़ा न हो।
4. सुनिश्चित करें कि बैटरी संयोजन बिलकुल साफ एवं टाइट हों।
5. चार्जिंग संयंत्र संबंधित सभी फ्यूज एवं विद्युतीय कनेक्शन खराब एवं ढीले नहीं होने चाहिये।

7.14 बैटरी डायग्नोसिस

यदि एक बैटरी का परीक्षण परिणाम अच्छा है, फिर भी वह अच्छा प्रदर्शन नहीं कर पाती है, तो इसके निम्न कुछ कारण हो सकते हैं :

विद्युतीय उपकरण में अधिकतम पॉवर स्थानांतरण प्रतिरोध बढ़ गया है

चार्जिंग संयंत्र में इस परिस्थिति में निम्न संभावनाएं हो सकती हैं :

1. इलेक्ट्रिकल शॉर्ट
2. एक खराब वोल्टेज रेग्युलेटर
3. बैटरी का रखरखाव सही ढंग से न किया गया हो, जिनकी निम्न परिस्थितियां हो सकती हैं :

4. टर्मिनलों को टाइट रखने में असफल होना
5. टर्मिनलों को साफ रखने में असफल होना
6. बैटरी को जमाए रखने वाला ढीला रिटेनर
7. इलेक्ट्रिकल संयंत्र में पहले से ही किसी तकनीकी खराबी की वजह से पॉवर का फेल होना
8. मानवजनित त्रुटि या एक कंट्रोलर की वजह से क्रेकिंग/तड़कना आदि लंबे समय तक होना
9. बैटरी के हाइड्रोमीटर की गलत व्याख्या
10. एक डिस्चार्ज बैटरी के लिये अपर्याप्त एम्पियर–घंटा चार्ज दर रही हो
11. बैटरी के ऊपर परजीवी एकत्र होने की वजह से बैटरी से लगातार विद्युतधारा की हानि हो रही हो
12. बैटरी बहुत पुरानी हो

स्वतः–डिस्चार्ज हमेशा ही आंतरिक रासायनिक क्रियाओं की वजह से होता है, बल्कि तब भी जब बैटरी जुड़ी न हो। गर्मी के मौसम में रासायनिक क्रियाएं बहुत अधिक बढ़ जाती हैं यही कारण है कि गर्म मौसम में डिस्चार्ज बैटरियों की संख्या बढ़ जाएगी।

7.15 बैटरी क्षमता परीक्षण

यह परीक्षण करने के लिये, एक उच्च दर का डिस्चार्ज टेस्टर का उपयोग करें, बैटरी टेस्टर, जो कि डिजिटल मल्टीमीटर के साथ हो।

1. टेस्टर को बंद करें।
2. मल्टीमीटर के स्विच का चयन करने वाले सिलेक्टर को डीवी वोल्ट स्थिति में करें।
3. टेस्टर एवं मल्टीमीटर धनात्मक परीक्षण (पॉजिटिव टेस्ट) लीड को धनात्मक (पॉजिटिव) बैटरी पोस्ट से एवं ऋणात्मक परीक्षण (नेगेटिव टेस्ट) लीड को ऋणात्मक (नेगेटिव) बैटरी पोस्ट से जोड़ें। मल्टीमीटर क्लिप्स बैटरी पोस्ट से संपर्क में रहने चाहिये न कि टेस्टर क्लिप्स से। जब तक ये प्रक्रिया पूरी नहीं हो जाती, तब तक बैटरी के सिरों का वास्तविक बैटरी वोल्टेज इंगित नहीं हो पाएगा।
4. लोड कंट्रोल नॉब को घड़ी की सुईयों की (क्लॉकवाइस) दिशा में तब तक घुमाएं जब तक कि एमीटर, बैटरी में लगभग आधी कोल्ड क्रैकिंग एम्पियर न दिखने लगे।
5. जब एमीटर उपकरण का मान दर्शाने लगे तब 15 सेकंड पश्चात् मल्टीमीटर की रीडिंग नोट कर लेना चाहिये।
6. यदि मल्टीमीटर की रीडिंग 21°C पर 9.6 वोल्ट या अधिक हो, तो बैटरी में एक अच्छी आउटपुट क्षमता होती है एवं वह चार्ज आसानी से ले लेगा, यदि आवश्यकता हो।
7. यदि 21°C पर वोल्टेज की रीडिंग 9.6 से कम हो एवं बैटरी पूरी तरह चार्ज हो, तब बैटरी क्षतिग्रस्त है एवं नई बैटरी लगाई जानी चाहिये। यदि आप बैटरी के चार्ज की अवस्था, व बैटरी के चार्ज के विषय में अनिश्चय की स्थिति में हैं।
8. जब बैटरी चार्ज हो चुकी हो, तब फिर से बैटरी क्षमता परीक्षण करें।
9. यदि क्षमता परीक्षण बैटरी वोल्टेज अभी भी 21°C पर 9.6 से कम हो, तब एक नई बैटरी लगाएं।
10. यदि 21°C पर वोल्टेज 9.6 से अधिक है, तो बैटरी कार्य करने के लिये उपर्युक्त है।
11. यदि बैटरी केवल डिस्चार्ज हो रही है, तब इसकी ढीले बेल्ट, ढीले विद्युतीय कनेक्शन, चार्जिंग संयंत्र प्रदर्शन आदि के लिये जांच करें एवं बैटरी का निकास परीक्षण करें।

सावधानी : उच्च डिस्चार्ज उपकरण को बैटरी पर 15 सेकंड से अधिक समय तक छोड़ने से बचें।

7.16

एमीटर इन-लाइन से ड्रेन/ निकास परीक्षण

बैटरी से 50 मिलीएम्पियर से अधिक होने वाली विद्युतधारा निकासी या ड्रेन के लिये परीक्षण करें एवं इस समय सभी विद्युतीय उपकरण बंद होने चाहिये। विद्युतधारा निकासी का निम्न प्रक्रिया द्वारा परीक्षण किया जा सकता है।

टिप्पणी :

- अनेक विद्युतीय युक्तियां जैसे कम्प्यूटर लगातार 10 mA या अधिक खींचते हैं।
- एक इन–लाइन या क्लैम्प मीटर का उपयोग बैटरी धनात्मक/पॉजिटिव या ऋणात्मक/नेगेटिव पोस्ट एवं उसके तारों के बीच करें।

1. स्विच को mA/A dc पर सेट करें।
2. बैटरी के सिरों को संयोजन से हटाएं या डिस्कनेक्ट करें एवं प्रोब्स को छुएं।
3. विद्युतधारा ड्रेन करने वाले सर्किट के फ्यूज जंक्शन पैनल से फ्यूज को एक के बाद दूसरा निकालते हुए अलग करें। इस बीच डिस्प्ले रीडिंग या दिखने वाले मान पर ध्यान रखें। विद्युतधारा रीडिंग घटेगी जब आप खराब सर्किट का फ्यूज निकालेंगे।
4. फ्यूज को फिर से लगाएं एवं खराब अवयव देखने के लिये सर्किट के अवयवों (कनेक्टर भी) का परीक्षण करें। परीक्षण में विद्युतधारा का मान (विद्युतधारा ड्रेन) 0.05 amp से कम होना चाहिये। यदि विद्युतधारा ड्रेन 0.05 amp से अधिक हो जाए, यानि एक स्थिर दर पर विद्युतधारा ड्रेन हो रही हो तब इसका संभावित कारण यह है कि कोई अवयव या युक्ति हो सकता है कि ठीक प्रकार से बंद न होते हों।
5. यदि ड्रेन उपकरण से न हो रहा हो, तो आंतरिक फ्यूज जंक्शन पैनल से एक एक करके फ्यूज निकालें, जब तक कि ड्रेन का कारण न पता चल जाए।
6. यदि ड्रेन का पता अभी भी न चल पाया हो, तब समस्या वाला सर्किट पता लगाने के लिये पॉवर डिस्ट्रीब्यूशन बॉक्स से एक बार में एक फ्यूज निकालें।

चेतावनी : यह परीक्षण एक ऐसी लेड-एसिड बैटरी के साथ न करें जो कि हाल ही में रिचार्ज हुई हो। विस्फोटक गैस से चोट लग सकती है।

सावधानी : मीटर को क्षति से बचाने के लिये, ऐसे उपकरण उपयोग न करें जो कि 10 A से अधिक खींचते हों।

7.17

बैटरी की त्रुटि खोजना

7.17.1

विद्युतीय त्रुटि खोजना

विद्युतीय त्रुटियों को मल्टीमीटर की मदद से खोजा जा सकता है। हम मल्टीमीटर से वोल्टेज एवं विद्युतधारा जांच सकते हैं।

सावधानी : चित्र 7.14 में दर्शाए गए मल्टीमीटर के उपयोग से बैटरी से सीधे विद्युतधारा न मापें क्यों कि यह बैटरी को नुकसान पहुंचा सकता है एवं इसका परिणाम बैटरी में चिंगारी उठने जैसा हो सकता है। कारण यह है कि जब हम मल्टीमीटर से विद्युतधारा मापते हैं तब इसमें शून्य प्रतिरोध होता है (मतलब शॉर्ट सर्किट) जो कि बैटरी के टर्मिनल को शॉर्ट कर सकता है।

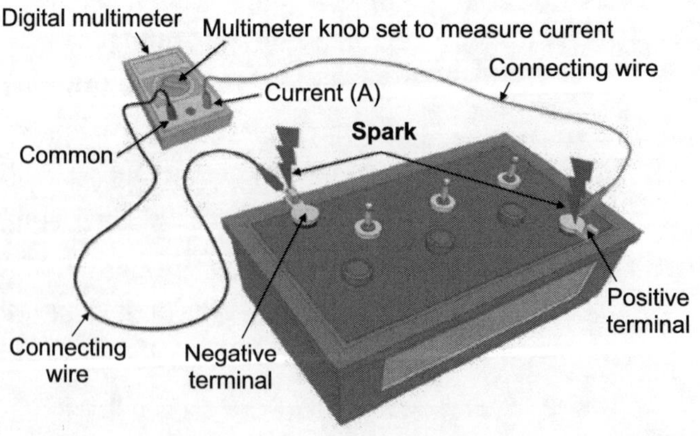

चित्र 7.14
बैटरी से सीधे डिजिटल मल्टीमीटर का कनेक्शन दर्शाता है एवं प्रत्येक टर्मिनल पर लाल रंग उत्पादित चिंगारी दर्शाता है।

वोल्टेज

एक 12 वोल्ट की बैटरी के लिये वोल्टेज रेंज 10.5 वोल्ट से 13.5 वोल्ट के बीच होती है। यदि बैटरी के सिरों पर मापा गया वोल्टेज रेंज से ज्यादा है तब निश्चित ही बैटरी में त्रुटि है। यदि मापित मान 10.5 वोल्ट से कम है तब बैटरी ओवर–डिस्चार्ज है एवं यदि वोल्टेज का मान 13.5 से अधिक है तब बैटरी ओवर चार्ज है, ये दोनों ही परिस्थितियां बैटरी के लिहाज से सही नहीं है। इस

स्थिति से बचने के लिये उपर्युक्त इलेक्ट्रॉनिक्स बैटरी में लगाना जरूरी है, ताकि इन परिस्थितियों में बैटरी अलग हो जाए । निम्न तालिका (तालिका 7.13) में विशेषतः 12 वोल्ट की बैटरी हेतु कुछ वोल्टेज स्तरों पर उनकी चार्ज की स्थिति दी गई है।

वोल्टेज

बैटरी के टर्मिनल पर वोल्टेज सीधे मापा जा सकता है जैसा कि नीचे चित्र 7.15 में दर्शाया गया है।

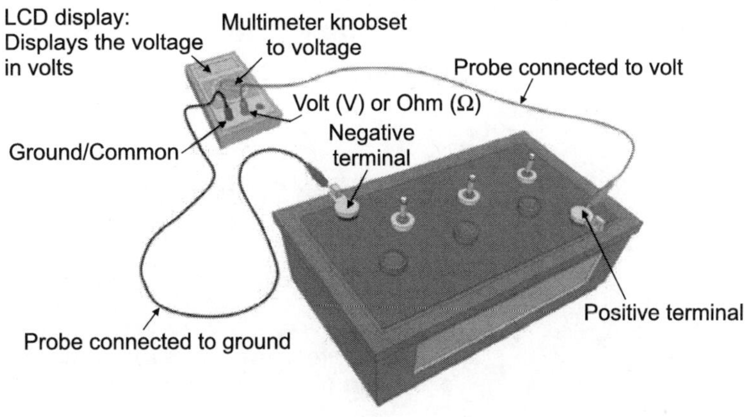

चित्र 7.15
बैटरी वोल्टेज मापते हुए मल्टीमीटर।

तालिका 7.13 चार्ज की अवस्था के साथ बैटरी वोल्टेज

क्र.स.	*वोल्टेज रीडिंग (वोल्ट)*	*चार्ज की अवस्था (प्रतिशत)*
1	13	100
2	12.5	70
3	11.5	45
4	10.5	20

विद्युतधारा

विद्युतधारा को केवल तभी मापा जा सकता है जब बैटरी से कोई उपकरण जुड़ा हुआ हो। हम उपकरण एवं बैटरी के बीच मल्टीमीटर/विद्युतधारा मीटर श्रेणी संयोजन में जोड़ सकते हैं या जैसा नीचे चित्र 7.16 में दर्शाया गया है हम सीधे क्लैम्प मीटर का उपयोग कर सकते हैं।

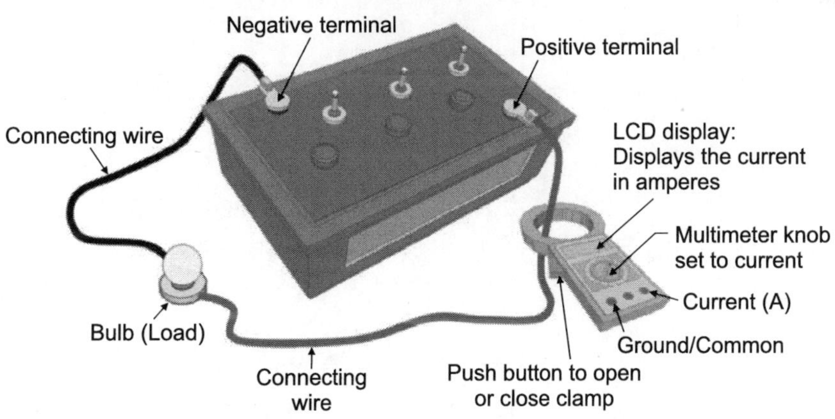

चित्र 7.16
DC क्लैम्प मीटर का उपयोग करते हुए विद्युतधारा मापन।

यदि एक निश्चित उपकरण पर मल्टीमीटर/विद्युतधारा मीटर स्थिर रीडिंग मान दर्शाता है तब मान सकते हैं कि बैटरी अच्छी तरह कार्य कर रही है। यदि रीडिंग में उतार चढ़ाव है एवं उपकरण तेजी से बंद एवं चालू हो रहा है तब हो सकता है कि कुछ ढीला संपर्क या ओवरलोडिंग हो। यदि दोनों ही नहीं हो रहा है तब बैटरी के साथ कुछ समस्या है।

क्षमता

बैटरी की क्षमता जितना संभव है उतने डिस्चार्ज की गहराई पर निर्भर करता है तात्पर्य है कि बैटरी कितने प्रतिशत डिस्चार्ज हो सकती है। सामान्यतः यह क्षमता निर्माणकर्ता द्वारा दी जाती है

यदि बैटरी डिस्चार्ज की उतनी गहराई मान को नहीं दर्शा पाती है तो इसका मतलब है कि बैटरी में कुछ त्रुटि है।

स्पष्टीकरण 7.3 हमने एक 100 Ah की बैटरी खरीदी जिसमें निर्माणकर्ता के अनुसार डिस्चार्ज की गहराई 60% है। हम 60 Ah बैटरी क्षमता का उपयोग कर सकते हैं। अब हम कोई उपकरण जोड़ते हैं जो कि 12 V वोल्टेज पर लगातार 6 A विद्युतधारा लेता है, डिस्चार्ज की गहराई (60%) के अनुसार यह उपकरण कम से कम 9–10 घंटों के लिये चलना चाहिये। यदि बैटरी इस उपकरण को 9 घंटों से अधिक घंटों के लिये चलाती है तब बैटरी अच्छी तरह से कार्य कर रही है एवं यदि नहीं तो इसका मतलब है कि बैटरी त्रुटिपूर्ण है।

7.17.2 भौतिकीय दोष का पता लगाना

भौतिकीय दोष का पता बैटरी को बाहर से देख कर भी लगाया जा सकता है कि इसमें कोई रिसाव या बैटरी टर्मिनल पर कोई ढीला संपर्क आदि तो नहीं है। बैटरी में जहां से इलेक्ट्रोलाइट का रिसाव हो रहा हो वहां बैटरी की बाहरी सतह पर किसी क्रेक या टूटे स्थान की जांच करें। यदि ऐसा है तो बैटरी की बाहरी केसिंग को बदल दें। यदि इलेक्ट्रोड संपर्क आंतरिक संयोजन से भौतिकीय रूप से अलग हो गए हैं तो इसे निर्माणकर्ता द्वारा ठीक कराएं।

7.17.3 रासायनिक दोष का पता लगाना

रासायनिक दोष सामान्यतः इलेक्ट्रोलाइट की सांद्रता एवं उसमें पानी की मात्रा से संबंधित होते हैं, जिसे इलेक्ट्रोलाइट का विशिष्ट गुरुत्व भी कहते हैं। एक सामान्य बैटरी के विशिष्ट गुरुत्व का मान 1.1 से 1.4 की रेंज में होना चाहिये। विशिष्ट गुरुत्व को माप कर हम बैटरी की चार्ज की अवस्था को भी माप सकते हैं एवं चार्ज की अवस्था के मान के अनुसार हम इलेक्ट्रोलाइट से संबंधित दोष का पता लगा सकते हैं।

उदाहरण के लियेः किसी लेड एसिड बैटरी विशेष के लिये विशिष्ट गुरुत्व का मान लिया गया है जो कि नीचे तालिका 7.14 में तालिकाबद्ध किया गया है।

तालिका 7.14 एक लेड एसिड बैटरी के लिये विशिष्ट गुरुत्व एवं चार्ज की अवस्था

क्र.सं.	*चार्ज की अवस्था (%)*	*विशिष्ट गुरुत्व*
1	100	1.380
2	75	1.300
3	50	1.230
4	25	1.190
5	0	1.100

7.17.4 बैटरी के लिये चार्जिंग एवं डिस्चार्जिंग विधियां

बैटरी में चार्जिंग एवं डिस्चार्जिंग की अनेक विधियां हैं जैसे स्थिर विद्युतधारा, स्थिर वोल्टेज, पहले स्थिर विद्युतधारा फिर कुछ वोल्टेज स्तर तक पहुंच जाने के बाद स्थिर वोल्टेज एवं पहले स्थिर वोल्टेज फिर एक स्तर तक पहुंचने के बाद स्थिर विद्युतधारा रखी जाती है।

चार्जिंग विधियां

जब बैटरी का वोल्टेज एक निश्चित सीमा से नीचे पहुंच जाता है तब हमें उस बैटरी को एक अलग विधि से चार्ज करना होता है। जब बैटरी अपने कट–ऑफ तक पहुंच जाती है तब चार्जिंग की एक अलग विधि होती है एवं चार्जिंग के पश्चात् बैटरी का वोल्टेज स्थायी बनाए रखने के लिये भी चार्जिंग की एक अन्य विधि होती है। चार्जिंग की सभी विधियां बैटरी की स्टेज ऑफ चार्ज (SOC) या चार्ज की अवस्था पर निर्भर करती हैं।

बैटरी सबसे पहले एक स्थिर विद्युतधारा से चार्ज की जाती है, जब तक कि इसके सिरों का वोल्टेज फ्लोट पोटेंशियल मान तक न पहुंच जाए, $V_{\text{bat(फ्लोट)}}$। जब बैटरी $V_{\text{bat(फ्लोट)}}$ तक चार्ज हो जाती है, तब बैटरी में विद्युतधारा धीरे–धीरे कम होती जाती है। जैसे विद्युतधारा एक पहले से निश्चित अंतिम मान तक पहुंचती है, तब बैटरी में प्रयोग किया गया वोल्टेज थोड़ा सा कम हो जाता

है जिससे कि बैटरी में चार्ज की थोड़ी सी मात्रा मिलती रहे (ट्रिकल चार्ज फेस)। लेड एसिड बैटरी में प्रयोग किया गया उच्चतम वोल्टेज मान गैसिंग वोल्टेज मान से निश्चित होता है।

स्पष्टीकरण 7.4 एक अन्य बैटरी Li-ion बैटरी है जो कि मोबाइल फोन में उपयोग होती है। जैसा कि हम जानते हैं बैटरी में उच्च चार्जिंग दक्षता होती है। यह विद्युतधारा के मान स्थिर पर चार्ज की जाती है, जब तक कि अधिकतम विशिष्ट वोल्टेज न प्राप्त हो जाए। इसके पश्चात्, बैटरी के वोल्टेज को स्थिर रखा जाता है क्योंकि विद्युतधारा का मान घटता जाता है। जब विद्युतधारा अपने रेटेड विद्युतधारा मान से 5% तक घट जाती है तब चार्जिंग बंद कर दी जाती है। Li-ion बैटरियों में सामान्यतः ट्रिकल चार्ज का प्रयोग नहीं किया जाता है।

बैटरी का रखरखाव अत्यंत महत्वपूर्ण है। बैटरी को लंबे समय तक चलाने के लिये हमें बैटरी का उपर्युक्त तरीके से रखरखाव करना चाहिये। बैटरी का रखरखाव इस बिंदु पर निर्भर करता है कि किस प्रकार की बैटरी का उपयोग किया जा रहा है परंतु किसी भी प्रकार की बैटरी हो उसे निरंतर रखरखाव की आवश्यकता होती है।

7.18 भौतिकीय रखरखाव

भौतिकीय रखरखाव में शामिल है निरंतर रूप से संपर्क बिंदुओं की सफाई, विशिष्ट गुरुत्व की निरंतर जांच, चार्जिंग एवं डिस्चार्जिंग चक्र का अवलोकन। किसी भी प्रकार के रख रखाव के लिये सबसे पहला चरण जो हमें अपनाना चाहिये वह है, बैटरी को प्रत्येक विद्युतीय कनेक्शन से अलग कर देना। दूसरा चरण है कि हमें बैटरी के रसायन के अनुसार उसकी सामग्री को निष्क्रिय कर देना चाहिये (बैटरी को सभी विद्युतीय कनेक्शन से पृथक करके एवं बैटरी का वोल्टेज स्थिर मान पर ठहरने पर ही ये सभी मापन होने चाहिये)।

7.18.1 संपर्क सिरों या टर्मिनलों की सफाई

बैटरी के संपर्क बिंदु निरंतर रूप से प्रति माह साफ किए जाने चाहिये क्योंकि कॉपर सल्फेट जो कि हल्का नीला होता है वह बैटरी के सिरों पर अधिक मात्रा में जमा हो जाता है। स्पैनर की मदद से संपर्क बिंदु के नट बोल्ट खोल कर साफ ब्रश से इस अधिक कॉपर सल्फेट को तुरंत साफ कर देना चाहिये। कॉपर सल्फेट निकालने के लिये पॉलिश पेपर का उपयोग भी किया जा सकता है जो कि उपयोग के बाद फेंक दिया जाना चाहिये। संपर्क बिंदुओं की सफाई सामान्यतः माह में एक बार की जानी चाहिये परंतु यह बैटरी के उपयोग एवं इस कितना कॉपर सल्फेट जमा है, इस पर निर्भर करता है। नीचे चित्र 7.17 में संपर्क बिंदु दिखाए गए हैं जिनमें एक में कॉपर सल्फेट जमा है एवं दूसरे में साफ करने के पश्चात् संपर्क बिंदु दर्शाया गया है।

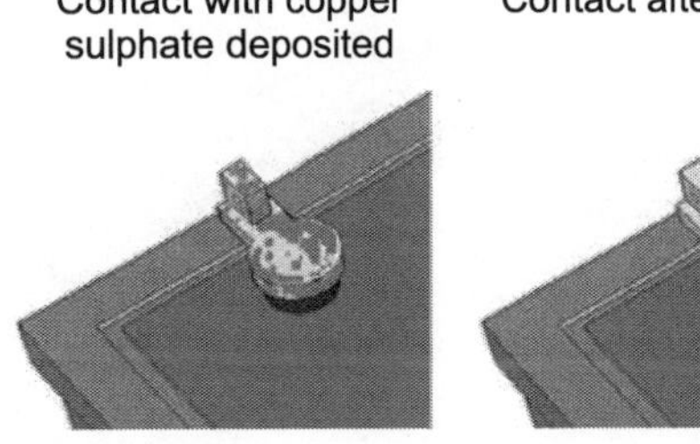

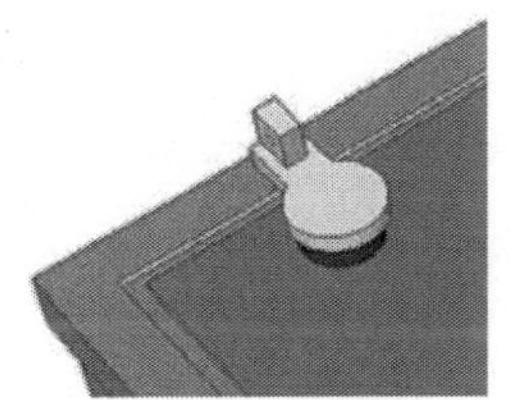

चित्र 7.17
कॉपर सल्फेटयुक्त संपर्क बिंदु एवं साफ करने के बाद संपर्क बिंदु दर्शा रहा है।

7.18.2 विशिष्ट गुरुत्व अवलोकन

बेलनाकार, गहराई तक डिस्चार्ज (डीप डिस्चार्ज) वेंटेड तरल (लिक्विड) लेड–एसिड बैटरियों में विशिष्ट गुरुत्व का अवलोकन किया जा सकता है न कि सीलबंद रखरखाव मुक्त बैटरियों में। विशिष्ट गुरुत्व मापने के लिये एक यंत्र जिसे हाइड्रोमीटर कहा जाता है, का उपयोग किया जाता है। जैसा कि नाम से स्पष्ट है यह पानी की तुलना में विशिष्ट गुरुत्व मापता है। लेड एसिड बैटरी के लिये विशिष्ट गुरुत्व का मान 1.1 से 1.4 (तालिका 7.14) की रेंज में होता है। चित्र 7.18 में बैटरी हाइड्रोमीटर का उपयोग कर विशिष्ट गुरुत्व का मापन दर्शाया गया है।

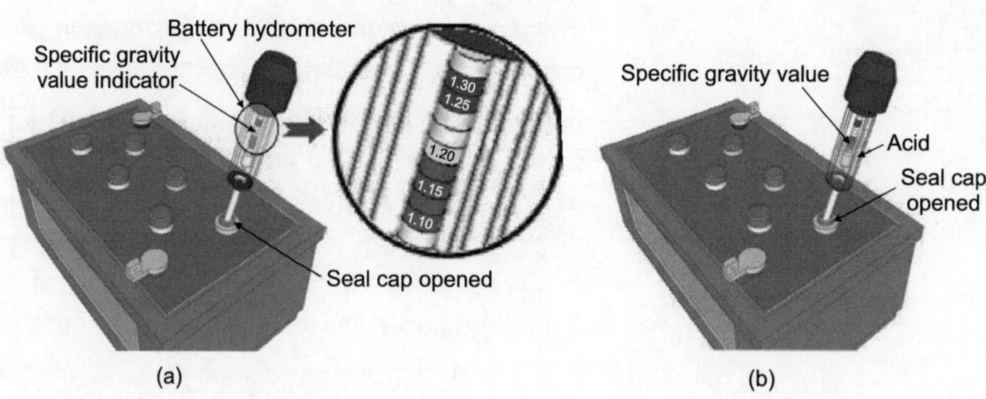

चित्र 7.18
बैटरी हाइड्रोमीटर का उपयोग करते हुए विशिष्ट गुरुत्व का मापन दर्शाता है (a) रबर बल्ब को दबाने के पहले (b) रबर बल्ब दबाने के बाद।

7.18.3 चार्जिंग एवं डिस्चार्जिंग चक्र

बैटरी के जीवन के लिये चार्जिंग एवं डिस्चार्जिंग चक्र का अवलोकन करना अत्यंत आवश्यक है। बैटरी की क्षमता इस प्रकार डिजाइन की जाती है कि बैटरी की चार्जिंग एवं इसका उपयोग (डिस्चार्जिंग) लगभग बराबर होना चाहिये। सबसे पहले हमें डिस्चार्जिंग चक्र मतलब वोल्टेज का उस समय अवलोकन करना चाहिये जब डिस्चार्जिंग शुरू होती है एवं जब डिस्चार्जिंग खत्म होती है एवं डिस्चार्ज का समयांतराल एवं डिस्चार्ज विद्युतधारा का मापन करना चाहिये। जब डिस्चार्ज चक्र खत्म हो जाए तब चार्जिंग शुरू करें एवं अंत में चार्जिंग का समयांतराल, शुरूआत में व अंत में वोल्टेज एवं चार्जिंग विद्युतधारा नोट करें। विद्युतधारा को नॉन कांटेक्ट मल्टीमीटर, जिसे क्लैम्प मीटर कहा जाता है, से मापा जा सकता है (आगे अनुभाग 7.19..4 में विस्तृत वर्णन किया गया है)।

7.19 बैटरी के रखरखाव हेतु आवश्यक उपकरण

अनेक यंत्र होते हैं जो कि बैटरी के रखरखाव एवं मापन हेतु उपयोग किए जाते हैं। विद्युतधारा, वोल्टेज एवं प्रतिरोधकता के मापन के लिये सबसे अधिक उपयोग किए जाने वाले यंत्र मल्टीमीटर एवं बैटरी टेस्टर होते हैं। अन्य यंत्र हैं इलेक्ट्रोलाइट सांद्रता का विशिष्ट गुरुत्व मापने के लिये हाइड्रोमीटर एवं विद्युतधारा मापन के लिये क्लैम्प मीटर जब बैटरी ऑपरेटिंग मोड (चार्जिंग एवं डिस्चार्जिंग) में न हो।

7.19.1 मल्टीमीटर

वोल्टेज, विद्युतधारा, प्रतिरोधकता आदि मापने के लिये मल्टीमीटर का उपयोग किया जाता है। मल्टीमीटर का उपयोग अत्यंत सावधानी के लिये किया जाना चाहिये। सामान्यतः मल्टीमीटर में तीन संपर्क बिंदु होते हैं जिनमें से एक ऋणात्मक सिरे के लिये, एक वोल्टेज मापन के लिये एवं अंतिम विद्युतधारा मापन के लिये उपयोग होते हैं। जैसा कि चित्र 7.19 में दर्शाया गया है।

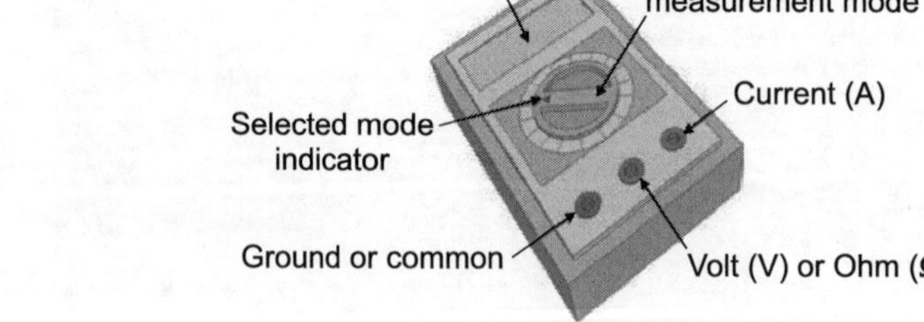

चित्र 7.19
तीन संपर्क बिंदुओं के साथ डिजिटल मल्टीमीटर दर्शाता है जिनमें से प्रत्येक का मापन हेतु संकेत दिया हुआ है।

जब मल्टीमीटर के संपर्क बिंदुओं को वोल्टेज मापने के लिये सेट किया जाता है, तब मल्टीमीटर का आंतरिक प्रतिरोध उच्चतम हो जाता है एवं जब मल्टीमीटर संपर्क बिंदु विद्युतधारा मापने के लिये सेट किया जाता है, तब मल्टीमीटर का आंतरिक प्रतिरोध निम्नतम हो जाता है। विद्युतधारा के मापन के समय हमें यह ध्यान रखना चाहिये कि शॉर्ट सर्किट न हो अन्यथा यह मल्टीमीटर एवं/या फ्यूज को क्षति पहुंचाएगा। यह बैटरी को भी क्षति पहुंचा सकता है। विद्युतधारा मापन के लिये मल्टीमीटर हमेशा श्रेणी में जुड़ा होना चाहिये उपकरण एवं बैटरी के बीच जैसा कि चित्र 7.16 में दर्शाया गया है।

7.19.2 बैटरी टेस्टर

एक सेकंडरी बैटरी की बारंबार रिचार्जिंग से बैटरी का क्षय हो सकता है एवं इसका आंतरिक प्रतिरोध बढ़ सकता है। आंतरिक सेल में एक शॉर्ट सर्किट होने से समस्याएं और बढ़ सकती हैं जिससे वोल्टेज ड्रॉप, ओवरहीटिंग एवं पूरी तरह बैटरी का खराब होना आदि हो सकता है। इन सबसे खराब बात यह है कि, ये समस्याएं जानलेवा आग और अन्य दुर्घटनाएं पैदा कर सकती हैं। चित्र 7.20 में हियोकी बैटरी Hi टेस्टर दर्शाया गया है, जो कि लेड एसिड बैटरियों के सारे डायग्नोसिस कर सकता है एवं यूपीएस बैक अप बैटरियों के लिये आदर्श है।

चित्र 7.20
3554 हियोकि बैटरी Hi टेस्टर।

7.19.3 बैटरी हाइड्रोमीटर

हाइड्रोमीटर एक यंत्र है जो कि तरल के विशिष्ट गुरुत्व को मापने के लिये उपयोग होता है। हाइड्रोमीटर इलेक्ट्रोलाइट में सल्फ्यूरिक एसिड की मात्रा को मापता है। एक तरल का विशिष्ट गुरुत्व तरल के घनत्व का पानी के घनत्व से अनुपात होता है। विशिष्ट गुरुत्व के मापन के लिये पानी को संदर्भ के रूप में लिया जाता है। पानी का विशिष्ट गुरुत्व 1 (इकाई) माना गया है। पानी से हल्के तरल का विशिष्ट गुरुत्व 1 (इकाई) से कम होता है। पानी से गाढ़े तरल का विशिष्ट गुरुत्व 1 से अधिक होता है। हाइड्रोमीटर पर मापन (विशिष्ट गुरुत्व) किए जाने वाले तरल के अनुसार मार्किंग होती है। यदि तरल हल्का है, तब हाइड्रोमीटर पर मार्किंग 1 तक होगी एवं कुछ समय के पश्चात् 0.1 से या उससे भी कम से घटती जाएगी जैसा कि चित्र 7.21 में दर्शाया गया है।

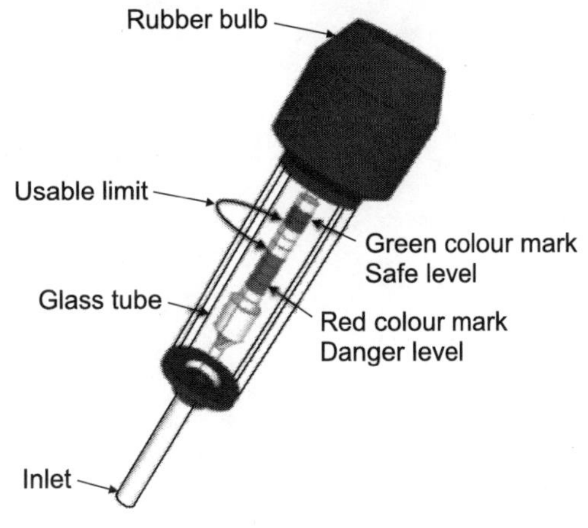

चित्र 7.21
बैटरी हाइड्रोमीटर।

यदि जिस तरल का मापन किया जा रहा है उसका विशिष्ट गुरुत्व 1 से अधिक है तब मार्किंग 1 से शुरू होगी एवं 0.1 से प्रति चरण आवश्यकता के अनुसार बढ़ेगी जैसा कि चित्र 7.18 (a) में दर्शाया गया है।

चित्र 7.21 में दर्शाया गया बैटरी हाइड्रोमीटर एक लेड–एसिड बैटरी के SoC स्तर को मापने हेतु एक तरीका है। इलेक्ट्रोलाइट के रूप में उपयोग किये जाने वाले सल्फ्यूरिक अम्ल के घनत्व से भी SoC स्तर का पता लगाया जा सकता है। एक जांचा हुआ हाइड्रोमीटर बैटरी के रखरखाव हेतु 25°C पर पानी के संदर्भ में विशिष्ट गुरुत्व मापने के लिये एक आदर्श यंत्र है।

7.19.4 क्लैम्प मीटर

चित्र 7.22 में दर्शाया गया क्लैम्प मीटर नॉन–कॉन्टेक्ट मल्टीमीटर भी कहलाता है। यह मल्टीमीटर के रूप में ही कार्य करता है केवल एक आधारभूत अंतर है कि मापन के लिये मल्टीमीटर उपकरण से भौतिकीय रूप से जुड़ा होना चाहिये परंतु क्लैम्प मीटर में, मीटर जुड़े तार से केवल क्लैम्प

या दबा होना चाहिये। क्लैम्पिंग से तात्पर्य है कि एक क्लैम्प है जो कि खुला हुआ है, पहले उसे खोला और उसमें से तार निकाला जाता है जिसमें विद्युतधारा का मापन करना है इसके बाद उसे बंद कर दिया जाता है एवं मीटर उस तार से गुजरने वाली विद्युतधारा की रीडिंग देता है इस प्रक्रिया को चित्र 7.16 में दर्शाया गया है। सामान्यतः क्लैम्प मीटर का उपयोग उच्च विद्युतधारा रेंज (>10 A) का मापन करने में उपयोग किया जाता है।

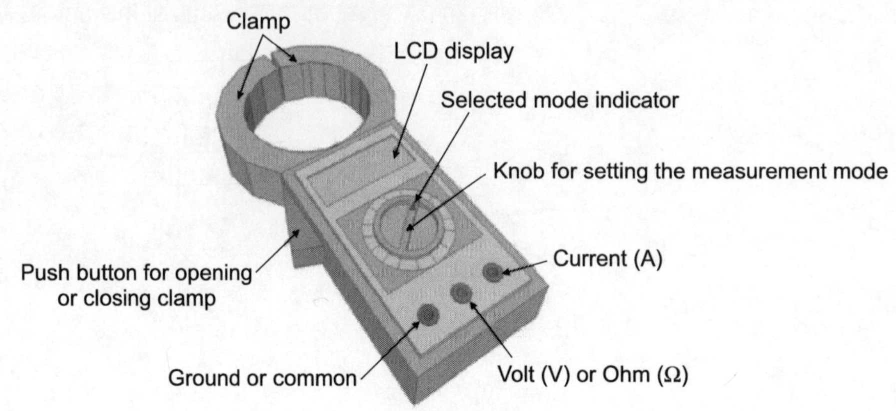

चित्र 7.22
तीन संपर्क बिंदुओं के साथ क्लैम्प मीटर, जिसमें प्रत्येक में मापन के नोटेशन हैं।

चित्र 7.23 विद्युतधारा मापन करने का लचीला यंत्र दर्शता है जिससे अनेकों कंडक्टर्स या वाहकों का एक ही समय पर विद्युतधारा मापन किया जा सकता है– यहां क्लैम्प के सिरों का उपयोग करना एक कठिन उपक्रम या कार्य हो सकता है।

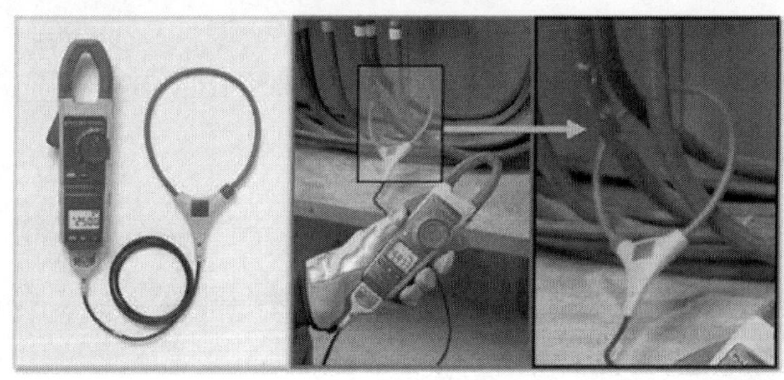

चित्र 7.23
The Fluke True-rms AC/DC Clamp meter with flexible current probe (iFlex).

7.20 बैटरी के रखरखाव के लिये आवश्यक साधन

बैटरी के रखरखाव हेतु अनेकों साधनों का उपयोग किया जाता है। नीचे तालिका 7.15 में हमने विभिन्न साधनों की उनके कार्यों एवं भौतिक स्वरूप के साथ सूची दी है।

तालिका 7.15 बैटरी के रखरखाव हेतु आवश्यक औजार

क्र.सं.	*औजार का नाम*	*उपयोग*
1	प्लायर्स	नट एवं बोल्ट खोलने के लिये, तार बांधने के लिये, एवं करंट वाले तार पकड़ने आदि के लिये
2	वायर कटर	तार को काटने के लिये
3	स्पैनर (आकार 12" to 13")	संपर्क स्थान के नट बोल्ट खोलने के लिये
4	सफाई करने का ब्रश	बैटरी के संपर्क स्थान/सिरों को सफाई करने के लिये
5	पॉलिश पेपर	खुरदरे संपर्क स्थान को साफ करने के लिये

7.21 सुरक्षा उपाय

बैटरी के साथ कार्य करते समय कुछ निश्चित सुरक्षा उपाय हैं जिनका हमें ध्यान रखना चाहिये। ये निम्न प्रकार से हैं :

1. कनेक्शन निकालने के पहले कनेक्शन डायग्राम या चित्र बना लेना चाहिये एवं इसे दुबारा कनेक्शन आदि के लिये संभाल कर रख लेना चाहिये।

2. कनेक्शन निकालने के पहले तारों पर ध्रुवता मार्किंग (+ या –) कर देना चाहिये।
3. बैटरी के साथ कुछ भी करने के पहले इसे विद्युतीय संपर्कों से डिस्कनेक्ट कर दिया जाना चाहिये।
4. ऐसी धातु की सामग्री जो कि रखरखाव के लिये आवश्यक नहीं है उन्हें उतार देना चाहिये जैसे जेवर आदि।
5. बेकिंग सोडा को अपनी पहुंच में रखना चाहिये, क्योंकि यदि एसिड छलक जाता है तो इसे तुरंत सोडा द्वारा निष्क्रिय किया जा सकता है।
6. पानी को भी अपने पास ही रखना चाहिये क्योंकि यदि कभी एसिड आपके शरीर पर गिरता है तो इसे तुरंत पानी से धोया जा सकता है।
7. सुरक्षात्मक कपड़े पहनना चाहिये जैसे आंखों के लिये चश्मा एवं हाथ के ग्लब्स, एप्रॉन आदि।
8. बैटरी को खुली जगह पर रखरखाव कार्यों हेतु रखना चाहिये क्योंकि इससे कोई भी गैस निकल सकती है।
9. झटके आदि से बचने के लिये ऐसे यंत्र उपयोग करें जो कि इंस्युलेटेड हों।
10. जब VRLA बैटरियों का संचालन उच्च तापमान पर अनुमानित होता है तब प्रभाव को निम्नतम करने के लिये निम्न बिंदुओं का ध्यान रखना चाहिये :
    1 तापमान कम से कम रखने वाली चार्जिंग तकनीकों का उपयोग करें।
    2. बैटरियों को प्रत्यक्षतः ताप प्रदान करने वाले स्रोतों से बचाएं।
    3. अच्छी हवा के आवागमन के लिये बैटरी को 1/2" अधिक जगह वाली जगह स्थापित करें।
    4. प्रभावी सक्रिय एवं निष्क्रिय वेंटीलेशन का ध्यान रखें।
    5. क्षमता टेस्टिंग क्रियाओं एवं निश्चित अवधि में रखरखाव की आवृति बढ़ाएं।

7.22 बैटरियों के लिये क्या करना चाहिये एवं क्या नहीं करना चाहिये

क्या करना चाहिये	*क्या नहीं करना चाहिये*
बैटरियों को बहुत भीड़ वाले, आनासीय व कार्य क्षेत्र आदि से दूर रखें	बैटरी के प्रकारों को न मिलाएं
हमेशा चार्ज की हुई बैटरी को ठंडी जगह पर रखें	पुरानी बैटरियों को नई बैटरियों के साथ न मिलाएं
सुरक्षा उपकरणों को बैटरियों के पास रखें (सोडा पाउडर, हाथ के ग्लब्स, पाइलर्स, सुरक्षा ग्लास आदि)	इक्वेलाइजिंग या बराबर करने के पहले पानी फिर से न भरें
पानी का स्तर बनाए रखने एवं रखरखाव का रिकॉर्ड बनाए रखें एवं अपडेट रखें	टर्मिनलों पर विद्युतधारा न मापें
बैटरी को खुले स्थान पर रखें	बैटरी के पास आग की लपट, स्पार्क, इग्नीशन फायर न लाएं
समानांतर कनेक्शन की संख्या कम रखने की कोशिश करें	नंगे हाथों से टर्मिनलों को न छुएं
उपयोग के पहले प्रत्येक सेल के विशिष्ट गुरुत्व की जांच करें	
जंग से बचने के लिये बाहरी संपर्कों से बैटरी को बचाएं	
विभिन्न टर्मिनलों के लिये हमेशा विभिन्न रंगों का उपयोग करें	
कार्य करते समय धातु के जेवर, घड़ी या अन्य कोई संवाहक सामान पहनने से बचें	
संग्रहण के लिये बैटरी निर्माणकर्ता द्वारा दी गई गाइडलाइन का पालन करें क्योंकि बैटरियों में उपयोग की गई सामग्रियां कुछ विशेष परिस्थितियों में विस्फोटक बन सकती हैं जो कि विस्फोट या आग पैदा कर सकती हैं।	

8

चार्ज कंट्रोलर, MPPT एवं इन्वर्टर

एक पीवी के इंस्टॉलेशन या संस्थापन में पीवी पैनल के अतिरिक्त अनेक अन्य घटकों की आवश्यकता होती है। इन सभी घटकों को सम्मिलित रूप से बैलेंस ऑफ सिस्टम (BoS—Balance of System) कहा जाता है एवं इनमें बैटरी, बैटरी चार्ज कंट्रोलर, DC से DC कन्वर्टर, मैक्सिमम पॉवर पॉइंट ट्रैकिंग (MPPT), उपकरणों एवं ग्रिड से जुड़े संयंत्रों के लिये DC से AC कन्वर्टर, इन्वर्टर, पीवी पैनल खड़े करने के लिये सहायक संरचनाएं, सुरक्षा सामग्री एवं कई अन्य अवयव शामिल हैं। इस अध्याय में डायरेक्ट विद्युतधारा या करंट (DC–Direct Current) एवं अल्टरनेटिंग विद्युतधारा (AC–Alternating Current) के विषय में मूल बातें समझाने के पश्चात्, चार्ज कंट्रोलर एवं इनवर्टर के विषय में चर्चा की गई है।

पूर्व अध्याय में हमने मुख्यतः सौर पीवी मॉड्यूलों एवं बैटरियों के विषय में अध्ययन किया है। सौर पीवी संयंत्रों में अनेक अन्य अवयव हैं जिनसे सौर पीवी संयंत्र को बहुत अच्छे एवं भरोसेमंद तरीके से चलाया जा सकता है। इस अध्याय में बचे हुए सौर पीवी संयंत्र अवयव, जिन्हें बैलेंस ऑफ सिस्टम (BoS) कहा जाता है, की चर्चा की गई है।

8.1 BoS की आवश्यकता

एक सौर पीवी संयंत्र में एक ऐसा स्रोत होता है, जो कि विद्युत उत्पादित करता है एवं एक ऐसा उपकरण होता है जो कि विद्युत की खपत करता है। सौर पीवी संयंत्रों को सही तरीके से चलाने के लिये, उपकरण को पॉवर तभी उपलब्ध होनी चाहिये जबकि उपयोगकर्ता को इसकी आवश्यकता हो। स्रोत से उपकरण को विश्वसनीय आपूर्ति के लिये, पीवी संयंत्रों में कई अन्य अवयवों की आवश्यकता होती है। इन अवयवों को बैलेंस ऑफ सिस्टम (BoS) कहा जाता है।

BoS अवयव मुख्यतः विद्युतीय अवयव हैं जो कि, स्रोत से उपकरण तक पॉवर को नियंत्रित रूप में पहुंचाते हैं। उदाहरण के लिये स्टैंडअलोन सौर पीवी संयंत्र में, जहां बैटरियों का उपयोग रात्रिकालीन अनुप्रयोगों के लिये विद्युत ऊर्जा संग्रहित करने के लिये होता है। बैटरी की सुरक्षा आवश्यक है। बैटरी की सुरक्षा यह सुनिश्चित करने के लिये जरूरी है कि बैटरियां ओवर–चार्ज या ओवर–डिस्चार्ज तो नहीं हैं, ये दोनों ही कारक बैटरी को नुकसान पहुंचाते हैं एवं उनका जीवनकाल घटाते हैं। एक युक्ति जिसे चार्ज कंट्रोलर कहा जाता है उसकी जरूरत पीवी संयंत्र में बैटरियों की सुरक्षा के लिये होती है। एक अन्य युक्ति जिसे मैक्सिमम पॉवर पॉइंट ट्रैकिंग या MPPT कहा जाता है, का उपयोग यह सुनिश्चित करने के लिये किया जाता है कि पीवी मॉड्यूल अधिकतम संभव पॉवर संयंत्र को प्रदान कर रहा है। MPPT की अनुपस्थिति में पीवी मॉड्यूल संभव है, यह अपनी पूरी क्षमता के बराबर पॉवर उत्पादित न कर पाए। चूंकि पीवी मॉड्यूल बहुत महंगे होते हैं, अतः यह महत्वपूर्ण है कि किलो–वॉट एवं उससे भी उच्च स्तर के संयंत्र के लिये कि पीवी मॉड्यूल

श्रेष्ठतम कार्य का प्रदर्शन करें एवं इसीलिये MPPT युक्ति की आवश्यकता होती है। हालांकि चार्ज कंट्रोलर एवं MPPT के दो भिन्न कार्य हैं, फिर भी अनेक निर्माणकर्ता इन दोनों कार्यों को एक एकल इलेक्ट्रॉनिक युक्ति के रूप में संयुक्त कर देते हैं जिसे MPPT चार्ज कंट्रोलर कहा जाता है (विस्तृत जानकारी के लिये अनुभाग 8.5 देखें)।

इसके पश्चात्, एक अन्य अवयव जिसे इन्वर्टर कहा जाता है, पीवी संयंत्रों में BoS का एक महत्वपूर्ण भाग होता है। पीवी मॉड्यूल डायरेक्ट विद्युतधारा पॉवर या DC पॉवर (अगला अनुभाग 8.2 देखें) उत्पादित करता है एवं बैटरी भी उस ऊर्जा को संग्रहित करती है जो कि DC पॉवर के रूप में उपलब्ध होती है। परंतु अधिकतर उपकरण जो हम उपयोग करते हैं, अल्टरनेटिंग या AC पॉवर पर कार्य करते हैं। इसीलिये पीवी मॉड्यूल या बैटरी से उपकरण तक पॉवर पहुंचाने के पूर्व हमें DC पॉवर को AC पॉवर में परिवर्तित करने की आवश्यकता होती है। DC पॉवर को AC पॉवर में रूपांतरित करने का कार्य एक युक्ति जिसे इन्वर्टर कहा जाता है, के द्वारा किया जाता है। इन्वर्टर की अनुपस्थिति में हम सौर पॉवर का उपयोग कर अपने AC उपकरण नहीं चला सकेंगे।

उपरोक्त चर्चा से यह स्पष्ट है कि, पॉवर के स्रोत (पीवी मॉड्यूल) से पॉवर के उपयोगकर्ता (उपकरण) के बीच में बढ़िया एवं विश्वसनीय संचालन के लिये सौर पीवी पॉवर संयंत्रों में अनेक अन्य अवयवों की आवश्यकता होती है।

सामान्यतः दूरदराज के स्थानों में अल्टरनेटर या जनरेटर में विद्युतीय पॉवर AC पॉवर के रूप में उत्पादित की जाती है एवं उपकरण के केंद्रों तक AC रूप में पहुंचाई जाती है। यही एक बड़ा कारण है जिसके कारण हम DC उपकरणों की जगह AC उपकरणों का उपयोग करते हैं। हम अपने मोबाइल फोन बैटरियों, लैपटॉप बैटरियों आदि को चार्ज करने के लिये DC पॉवर का उपयोग करते हैं।

सौर पीवी संयंत्रों के विश्वसनीय एवं एकसमान उपयोग को सुनिश्चित करने के लिये पीवी मॉड्यूलों एवं बैटरियों के अतिरिक्त अनेक अन्य अवयवों की आवश्यकता होती है, इन अवयवों को बैलेंस ऑफ सिस्टम (BoS) कहा जाता है।

जैसा कि पहले ही समझाया जा चुका है, सौर पीवी पैनल DC रूप में विद्युत उत्पादित करते हैं। हम DC उपकरणों को सीधे ही पॉवर दे सकते हैं। AC उपकरणों को उपयोग करने के लिये हमें सौर पैनल द्वारा उत्पादित DC पॉवर को AC पॉवर में रूपांतरित करने की आवश्यकता होती है। यह DC से AC में पॉवर का रूपांतरण एक इलेक्ट्रॉनिक युक्ति है जिसे इन्वर्टर कहा जाता है, के द्वारा किया जाता है।

8.2 पॉवर कन्वर्टर एवं उनकी दक्षता

कई बार हमें पीवी संयंत्र में, विद्युतधारा एवं वोल्टेज के स्तर को चाहे गए स्तर तक लाना पड़ता है। यह चाही गई विद्युतधारा एवं वोल्टेज स्तर हो सकता है कि उस मान से भिन्न हो जो कि पीवी मॉड्यूल प्रदान कर सकता है। रूपांतरण की आवश्यकता एक प्रकार की पॉवर को अन्य प्रकार की पॉवर में परिवर्तित करने के लिये भी हो सकती है; जैसे कि DC पॉवर से AC पॉवर या AC पॉवर से DC पॉवर। पॉवर कन्वर्टर का उपयोग कर वोल्टेज स्तर एवं विद्युतधारा स्तर या पॉवर का प्रकार विशेष प्राप्त किया जा सकता है। इन पॉवर कन्वर्टरों को निम्न प्रकार से श्रेणियों में विभक्त किया जा सकता है :

1. AC/DC कन्वर्टर (रेक्टिफायर)
2. DC/AC कन्वर्टर (इन्वर्टर)
3. DC/DC कन्वर्टर

ऊपर दर्शाए गए पॉवर कन्वर्टर के अतिरिक्त कई अन्य प्रकार के पॉवर कन्वर्टर भी उपलब्ध हैं। AC से DC प्रकार के पॉवर कन्वर्टर, जिन्हें रेक्टिफायर भी कहा जाता है, को हमारे कम्प्यूटरों में उपयोग किया जाता है। हम कम्प्यूटर को AC की आपूर्ति करते हैं परंतु उसके अंदर के अवयवों में DC पॉवर की आवश्यकता होती है। इसीलिये रेक्टिफायर का उपयोग AC पॉवर को DC पॉवर में रूपांतरित करने के लिये कम्प्यूटर के अंदर किया जाता है। DC रूप में ऊर्जा को संग्रहित करने के लिये बैटरियों का उपयोग किया जाता है। जब हमें बैटरी से पॉवर मिलती है तब हमें DC पॉवर आउटपुट प्राप्त होता है परंतु अनेक अनुप्रयोगों जैसे पंखा, फ्रिज, सी एफ एल लैम्प आदि AC पॉवर का उपयोग करते हैं। इसीलिये पॉवर का उपयोग करने के लिये हमें बैटरी से मिलने वाली

पॉवर कन्वर्टर में कुछ हानि भी होती है एवं इसीलिये पॉवर कन्वर्टर की दक्षता हमेशा 100 प्रतिशत से कम ही होती है।

DC पॉवर को इन्वर्टर का उपयोग कर AC पॉवर में रूपांतरित करने की आवश्यकता होती है। हमें हमारे पीवी संयंत्रों में युक्तियों जैसे MPPT, चार्ज कंट्रोलर, इन्वर्टर के उपयोग की आवश्यकता होती है। इन युक्तियों में कभी–कभी हमें वोल्टेज स्तर या विद्युतधारा स्तर को परिवर्तित करने की आवश्यकता पड़ती है। वोल्टेज स्तर में परिवर्तन को DC से DC कन्वर्टर का उपयोग कर के पाया जा सकता है।

चित्र 8.1 में दर्शाए ब्लॉक रेखाचित्र के रूप में एक कन्वर्टर को दर्शाया जा सकता है। इसे एक बॉक्स माना जा सकता है, जो कि कुछ प्रकार की इनपुट पॉवर लेता है एवं इसे चाहे गए प्रकार की आउटपुट पॉवर में रूपांतरित कर देता है। जब एक पॉवर कन्वर्टर एक प्रकार की पॉवर को अन्य प्रकार की पॉवर में रूपांतरित करता है, या जब यह विद्युतधारा एवं वोल्टेज का मान परिवर्तित करता है, तब इस रूपांतरण प्रक्रिया के दौरान कुछ पॉवर खर्च हो जाती है। कुल इनपुट पॉवर में से कुछ पॉवर की कन्वर्टर में ताप के रूप में हानि हो जाती है एवं बची हुई पॉवर आउटपुट के रूप में स्थानांतरित हो जाती है। इसीलिये, हम लिख सकते हैं:

आउटपुट पॉवर = इनपुट – पॉवर हानियां

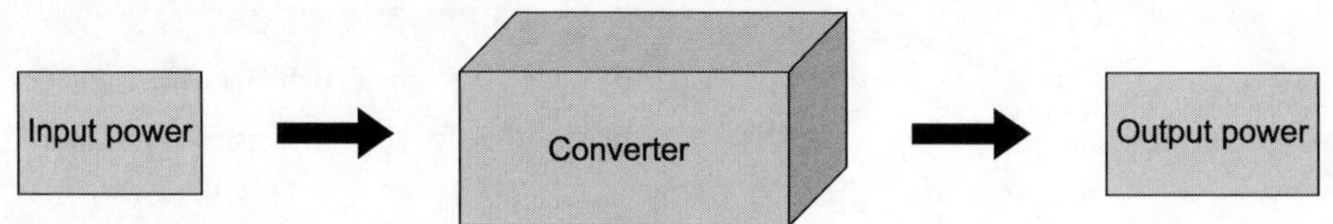

चित्र 8.1
कन्वर्टर, जो कि मुख्यतः इनपुट पॉवर को आउटपुट पॉवर में रूपांतरित करता है।

पॉवर रूपांतरण प्रक्रिया में इनपुट पॉवर के कुछ भाग की हमेशा रूपांतरण प्रक्रिया के दौरान हानि होती है इसीलिये कन्वर्टर की दक्षता 100% नहीं होती है। सामान्यतः लगभग 5 से 25% पॉवर की पॉवर कन्वर्टर में हानि होती है, एवं इसी प्रकार से कन्वर्टरों की दक्षता 75 से 95% की सीमा में होती है।

पॉवर कन्वर्टर की दक्षता को निम्न प्रकार से दिया जा सकता है:

$$\text{Efficiency of Converter} = \left(\frac{\text{Output power}}{\text{Input power}}\right) \times 100$$

उदाहरण 8.1

एक कन्वर्टर के लिये 1000 वॉट पॉवर इनपुट है एवं आउटपुट पॉवर 900 वॉट है। कन्वर्टर की दक्षता क्या है? एवं रूपांतरण के दौरान कितनी पॉवर हानि हुई है?

हल

यह दिया गया है कि कन्वर्टर की इनपुट पॉवर 1000 वॉट है एवं आउटपुट पॉवर 900 वॉट है, अतः दक्षता है:

$$\text{Efficiency} = \frac{900}{1000} \times 100 = 90\%$$

इस स्थिति में पॉवर रूपांतरण दक्षता 90% है, इसका तात्पर्य है कि पॉवर कन्वर्टर में लगभग 10% पॉवर हानि होती है, या रूपांतरण के दौरान 100 W की हानि होती है।

उदाहरण 8.2

एक पॉवर कन्वर्टर के लिये इनपुट पॉवर 300 वॉट है। निर्माणकर्ता द्वारा निर्देशित दक्षता 88% है। कन्वर्टर में कितनी पॉवर हानि होती है एवं आउटपुट पॉवर कितनी है?

निम्न मान दिये गए हैं :

हल

इनपुट पॉवर = 300 वॉट
पॉवर कन्वर्टर की दक्षता = 88%

कन्वर्टर से प्राप्त आउटपुट पॉवर की निम्न तरीके से गणना की जा सकती है:

$$\text{Efficiency of Converter} = \left(\frac{\text{Output power}}{\text{Input power}}\right) \times 100$$

$$\text{Output power} = \frac{\text{Efficiency} \times \text{input power}}{100} \text{ Watt}$$

$$= \frac{88 \times 300}{100} = 264 \text{ Watt}$$

हालांकि इस प्रकार से हम देख सकते हैं कि कन्वर्टर की इनपुट पॉवर 300 वॉट है, आउटपुट पॉवर केवल 264 वॉट है।

निम्न प्रकार से पॉवर कन्वर्टर में जो पॉवर की हानि हुई उसकी गणना कर सकते हैं,

आउटपुट पॉवर = इनपुट पॉवर – हानियां

या हानियां = इनपुट पॉवर – आउटपुट पॉवर

= 300 – 264 = 36 वॉट

पॉवर कन्वर्टर में लगभग 36 वॉट पॉवर की हानि हुई है।

प्रश्न 8.1 एक DC टीवी 24 V पर कार्य करता है एवं 120 वॉट पॉवर की खपत करता है। टीवी चलाने के लिये आवश्यक DC विद्युतधारा का आंकलन करें ?

प्रश्न 8.2 एक कन्वर्टर के लिये, इनपुट पॉवर 2000 वॉट है एवं आउटपुट पॉवर 1700 वॉट है। कन्वर्टर की दक्षता कितनी है ? एवं रूपांतरण के दौरान पॉवर की हानि कितनी है ?

प्रश्न 8.3 एक पॉवर कन्वर्टर के लिये, विशेष इनपुट पॉवर 500 वॉट है। निर्माणकर्ता द्वारा दर्शाई गई दक्षता 87% है। कन्वर्टर में कितनी पॉवर की हानि होती है? आउटपुट पॉवर कितनी है?

8.2.1 पॉवर कन्वर्टर की दक्षता का महत्व

पीवी संयंत्र में उच्च दक्षता वाला पॉवर कन्वर्टर चुना जाना आवश्यक है, परंतु उच्च दक्षता वाले पॉवर कन्वर्टर भी अधिक कीमती होते हैं।

उदाहरण 8.2 से यह देखा जा सकता है कि यदि पॉवर कन्वर्टर की दक्षता उच्च न हो तो पॉवर के एक महत्वपूर्ण हिस्से की हानि हो जाती है। पॉवर कन्वर्टर में पॉवर की हानि से सौर पीवी संयंत्रों की कीमत पर बहुत अधिक प्रभाव पड़ता है, क्योंकि सौर पीवी मॉड्यूल बहुत महंगे होते हैं एवं पीवी मॉड्यूलों द्वारा उत्पादित संपूर्ण पॉवर का उपयोग उपकरण को चलाने में होना चाहिये न कि पॉवर के रूपांतरण में। उसी समय पर, यह भी सत्य है कि दक्ष पॉवर कन्वर्टर भी काफी महंगे होते हैं। इसीलिये पॉवर कन्वर्टर की दक्षता एवं उसके मूल्य के बीच एक तरह का समन्वय होता है। इसीलिये पॉवर कन्वर्टर का चयन करते वक्त उसकी कीमत एवं दक्षता को ध्यान में रखा जाना आवश्यक है।

वर्कशीट 8.1

एक पॉवर कन्वर्टर के लिये निम्न वर्कशीट पूरी करें।

तालिका 8.1 पॉवर कन्वर्जन

इनपुट पॉवर (वॉट)	*आउटपुट पॉवर (वॉट)*	*हानियां (वॉट)*	*दक्षता (%)*
100	75	–	–
–	160	–	85
200	–	–	88
1000	–	120	–
–	250	50	–

8.3 AC से DC कन्वर्टर

AC से DC कन्वर्टर AC पॉवर को DC पॉवर में रूपांतरित करता है। कभी–कभी इसे 'AC/DC' कन्वर्टर भी लिखा जाता है। AC से DC कन्वर्टर को रेक्टिफायर भी कहा जाता है। एक रेक्टिफायर का कार्य चित्र 8.2 में दर्शाया गया है। यह देखा जा सकता है कि रेक्टिफायर को इनपुट पॉवर AC है जबकि रेक्टिफायर से आउटपुट विद्युतधारा DC है। इस तरह के रेक्टिफायर

दैनिक जीवन में बहुत अधिक उपयोग किये जाते हैं। उदाहरण के लिये अनेक इलेक्ट्रॉनिक उपकरण जो कि हम घरों में उपयोग करते हैं उनमें DC पॉवर की आवश्यकता होती है। उदाहरण के लिये, लैपटॉप, मोबाइल फोन, कम्प्यूटर आदि में संचालन के लिये DC पॉवर की जरूरत होती है। परंतु हमारे घरों में हमें AC पॉवर की आपूर्ति होती है, इसीलिये हमें AC पॉवर को DC पॉवर में रूपांतरित करने की आवश्यकता होती है जिसके लिये हम रेक्टिफायर का उपयोग करते हैं। चूंकि सौर पीवी संयंत्र DC पॉवर उत्पादित करते हैं एवं इसीलिये पीवी संयंत्रों में रेक्टिफायरों की आवश्यकता नहीं होती है। इस वजह से यहां पर AC से DC कन्वर्टरों की बहुत अधिक चर्चा नहीं की गई है।

चित्र 8.2
रेक्टिफायर या AC/DC कन्वर्टर, जो कि AC इनपुट को DC आउटपुट में रूपांतरित करता है।

हमें तब लिखना चाहिये, जब कंट्रोलरों की संख्या एक साथ हो, उदाहरण के लिये ग्रिड से जुड़े इन्वर्टर में MPPT अंतर्निहित या पहले से बना होता है, कुछ में हो सकता है कि MPPT पहले से ही शामिल हों।

8.4 DC से AC कन्वर्टर (इन्वर्टर)

हमारे आसपास के अधिकांश उपकरण AC पॉवर का उपयोग करते हैं जबकि पीवी मॉड्यूल DC पॉवर उत्पादित करते हैं। इसीलिये, इससे पहले कि हम अपने उपकरणों को चलाने के लिये पॉवर का उपयोग करें, DC पॉवर का AC पॉवर में रूपांतरण आवश्यक है। साथ ही, स्टैंडअलोन पीवी संयंत्रों में, बैटरियों में संग्रहित ऊर्जा, DC होती है। उस स्थिति में भी, जब हम बैटरियों में संग्रहित ऊर्जा का उपयोग करना चाहते हैं, उसकी DC पॉवर को AC पॉवर में रूपांतरित करने की आवश्यकता होती है। DC पॉवर को AC पॉवर में रूपांतरित कुछ युक्तियों की मदद से किया जा सकता है, जिन्हें DC से AC कन्वर्टर या DC/AC कन्वर्टर या इन्वर्टर कहा जाता है।

एक इन्वर्टर, इनपुट के रूप में DC पॉवर लेता है और आउटपुट के रूप में AC पॉवर देता है।

इनपुट पॉवरः इन्वर्टर DC इनपुट पॉवर को AC आउटपुट पॉवर में रूपांतरित करते हैं जैसा कि चित्र 8.3 में दर्शाया गया है। चूंकि इनपुट DC पॉवर का है, अतः, इन्वर्टर को दिया गया इनपुट पॉवर को इनपुट DC विद्युतधारा एवं इनपुट DC वोल्टेज के रूप में दिया जा सकता है।

$$\text{DC इनपुट पॉवर} = V_{dc} \times I_{dc}$$

आउटपुट पॉवरः इन्वर्टर की आउटपुट पॉवर AC पॉवर होती है। AC पॉवर विद्युतधारा के RMS मान, वोल्टेज के RMS मान एवं पॉवर फैक्टर (PF) के रूप में दी जा सकती है।

$$\text{AC आउटपुट पॉवर} = V_{rms} \times I_{rms}$$

इन्वर्टर की दक्षताः एक इन्वर्टर की दक्षता, आउटपुट पॉवर के रूप में दी जा सकती है एवं इनपुट पॉवर, निम्न प्रकार से दी जा सकती है :

$$\text{इन्वर्टर की दक्षता} = \frac{(\text{आउटपुट पॉवर})}{(\text{इनपुट पॉवर})} \times 100$$

DC input
Inverter
AC output

चित्र 8.3
एक इन्वर्टर का ब्लॉक रेखाचित्र।

उदाहरण 8.3

एक इन्वर्टर की इनपुट DC पॉवर 300 W है। आउटपुट AC पॉवर 250 W है। इन्वर्टर की दक्षता क्या है ?

हल

इन्वर्टर के लिये निम्न मापदंड दिए गए हैं:
इनपुट पॉवर = 300 W
आउटपुट पॉवर = 250 W
इन्वर्टर की दक्षता = 250/300 × 100 = 83.3%

प्रश्न 8.4 एक इन्वर्टर की इनपुट DC पॉवर 300 W है। इन्वर्टर की दक्षता 97% है। आउटपुट AC पॉवर कितनी है ?

प्रश्न 8.5 एक इन्वर्टर की इनपुट DC पॉवर 500 W है। इन्वर्टर की दक्षता 92% है। आउटपुट AC पॉवर कितनी है?

वर्कशीट 8.2

तालिका 8.2 को पूर्ण करें।

तालिका 8.2 रिक्त स्थानों को भरें

इनपुट पॉवर (w)	*आउटपुट पॉवर* (w)	*इन्वर्टर में हानियां* (w)	*दक्षता* (%)
300	260	–	–
–	400	–	85
400	–	–	84

8.4.1 इन्वर्टर के प्रकार

सौर इन्वर्टर सौर पीवी मॉड्यूल एवं उपकरण के बीच का महत्वपूर्ण इन्टरफेस है। इस बिंदु पर निर्भर करते हुए कि बैटरी पीवी संयंत्र में उपयोग हो रही है या नहीं, सौर इन्वर्टरों को तीन मुख्य श्रेणियों में विभक्त किया जा सकता है :

स्टैंडअलोन या ऑफ ग्रिड इन्वर्टर

ये इन्वर्टर ग्रिड से जुड़े नहीं होते हैं। ये स्टैंडअलोन पीवी पॉवर संयंत्रों में सामान्यतः उपयोग किए जाते हैं जैसा कि चित्र 8.4 में दर्शाया गया है। स्टैंडअलोन में ऊर्जा संग्रहण के लिये कोई पॉवर का बैक–अप नहीं होता है, इसीलिये, इस प्रकार के इन्वर्टर में सूर्य प्रकाश के न होने की स्थिति में उपकरण को पॉवर सप्लाई करने हेतु बैटरी बैक–अप होता है।

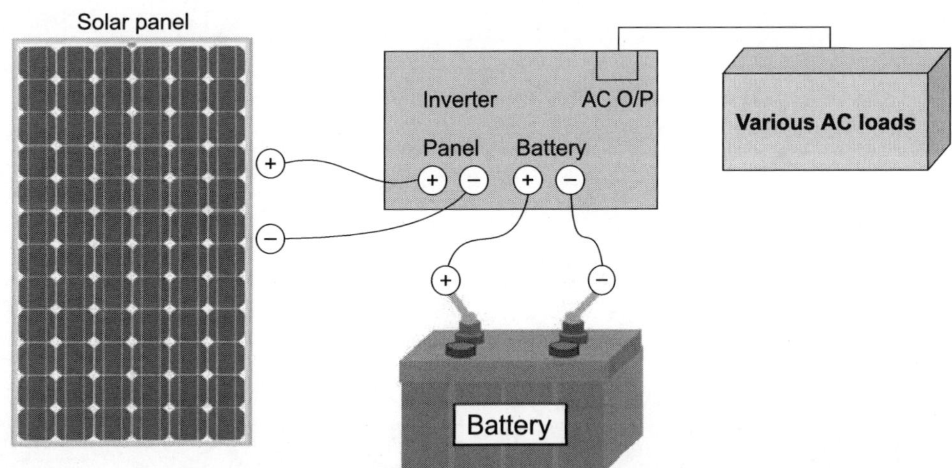

चित्र 8.4
DC बैटरी इनपुट सिरों एवं AC आउटपुट सिरों के साथ इन्वर्टर का ब्लॉक रेखाचित्र।

ग्रिड से जुड़ा या ग्रिड-इन्टरैक्टिव इन्वर्टर

ये इन्वर्टर ग्रिड से जुड़े होते हैं एवं इनमें बैटरी बैक–अप नहीं होता है। इनमें इन्वर्टर आउटपुट वोल्टेज एवं ग्रिड की आवृति, समान मान बनाए रखने हेतु एक विशेष सर्किटरी होता है। इसमें

पीवी सरणी से उत्पादित पॉवर की मात्रा जब अपर्याप्त होती है तब ग्रिड एक बैटरी बैक अप की तरह कार्य करता है। इन इन्वर्टरों में पीवी सरणी से अधिकतम संभव पॉवर निकालने के लिये, इनबिल्ट MPPT भी होता है। जब सूर्य चमक रहा हो और पीवी सरणी उपयोग के लिये आवश्यक मात्रा से अधिक मात्रा में पॉवर उत्पादित कर रहे हों, तब उपकरण को आवश्यक मात्रा की पूर्ति करने के बाद अतिरिक्त ऊर्जा ग्रिड को पहुंचा दी जाती है। यदि उपकरण की आवश्यकता की तुलना में पीवी सरणी कम पॉवर उत्पादित करता है तब, आवश्यक मात्रा की पूर्ति करने के लिये कुछ मात्रा ग्रिड से ले ली जाती है।

बैटरी बैक-अप: ये इन्वर्टर ग्रिड से जुड़े होते हैं, फिर भी स्टैंडअलोन संयंत्र की तरह इनमें भी बैटरी बैक–अप होता है।

8.4.2 इन्वर्टरों के विन्यास/कॉन्फीगरेशन, बैटरी इनपुट एवं सौर पैनल इनपुट

बैटरी वोल्टेज: निर्माणकर्ता/मैन्यूफैक्चरर वोल्टेज की रेंज निर्दिष्ट करते हैं, जिसे DC इनपुट कहा जाता है जो कि इन्वर्टर की इनपुट पर लगाया जा सकता है।

DC विद्युतधारा: यह इन्वर्टर द्वारा ली जा सकने वाली विद्युतधारा का अधिकतम मान होता है।

वोल्टेज रेंज: निर्माणकर्ता वोल्टेज की रेंज निर्दिष्ट करते हैं, जिसे DC इनपुट कहा जाता है जो कि इन्वर्टर के सौर पैनल इनपुट पर लगाया जा सकता है।

अधिकतम शॉर्ट सर्किट विद्युतधारा: यह वह अधिकतम विद्युतधारा है जो कि एक पैनल से ले सकता है।

आउटपुट

निरंतर आउटपुट पॉवर (W): इन्वर्टर पर रेटेड आउटपुट पॉवर, पॉवर का वह स्तर है जो कि लंबे समय तक बना रहे एवं इसीलिये इसे अनेक बार निरंतर आउटपुट पॉवर भी कहा जाता है। सामान्यतः, निरंतर आउटपुट पॉवर को एक तापमान विशेष पर दर्शाया जाता है। व्यावहारिक रूप से, उपलब्ध पॉवर आउटपुट तापमान पर निर्भर करता है। चित्र 8.5 में एक 500 वॉट के इन्वर्टर के लिये, तापमान की तुलना में पॉवर आउटपुट दर्शाया गया है। अंकित तापमान की तुलना में इन्वर्टर का तापमान बढ़ने के साथ, उसका पॉवर आउटपुट कम होता है, क्योंकि इन्वर्टर की आंतरिक हानियां बढ़ जाती हैं। यह ग्राफ केवल यह प्रदर्शित करता है कि इन्वर्टर की पॉवर आउटपुट तापमान के बढ़ने के साथ घटता है। हमेशा इन्वर्टर खरीदने के पहले उसके वास्तविक डाटा की सूची देखनी चाहिये, क्योंकि उसका डिजाइन और प्रदर्शन निर्माणकर्ता बदल सकते हैं।

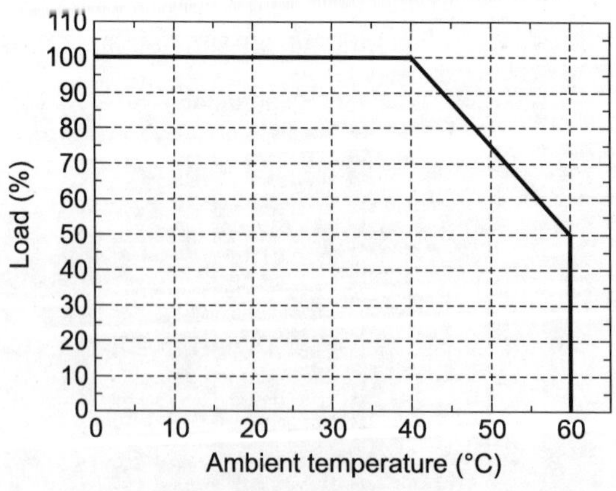

चित्र 8.5
निरंतर आउटपुट पॉवर के तापमान पर निर्भरता।

आउटपुट वोल्टेज: यह AC आउटपुट वोल्टेज है जो इन्वर्टर की आउटपुट पर दिखता है। यह 230 वोल्ट या 400 वोल्ट होता है क्योंकि उपकरण भी समान वोल्टेज स्तर पर चलते हैं।

आवृति: भारत में आवृत्ति 50 Hz और यूएसए में 60 Hz होती है। इन्वर्टर आवृति के विशेष मान के लिये डिजाइन किए जाते हैं।

दक्षता: यह एक इन्वर्टर की आउटपुट पॉवर का इनपुट पॉवर के साथ अनुपात होता है। एक इन्वर्टर की दक्षता उससे जुड़े उपकरण पर निर्भर करती है एवं उसके अनुसार बदल सकती है।

इसीलिये, किसी उपकरण विशेष के लिये दक्षता रेटेड होती है। चित्र 8.6 में एक उपकरण के कार्य में दक्षता व उपकरण के बीच संबंध दर्शाता हुआ वक्र दिखाया गया है। यह ग्राफ केवल यह इंगित करता है कि इन्वर्टर की पॉवर आउटपुट उपकरण पर निर्भर करती है। हमेशा इन्वर्टर खरीदने के पहले उसके वास्तविक डाटा की सूची देखनी चाहिये, क्योंकि उसका डिजाइन और प्रदर्शन निर्माणकर्ता बदल सकते हैं।

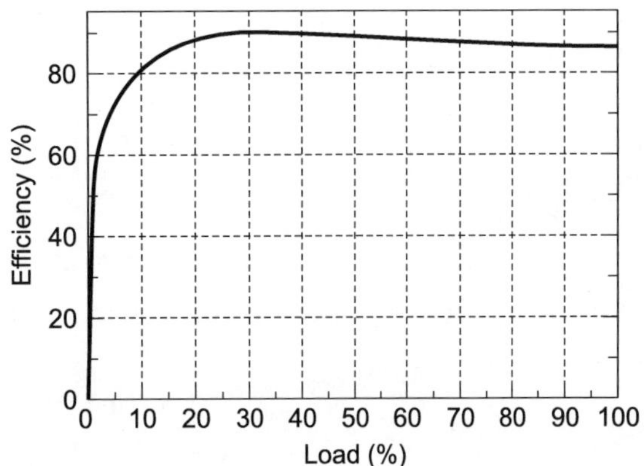

चित्र 8.6
इन्वर्टर दक्षता की उपकरण पर निर्भरता।

अन्य विनिर्देश

कोई उपकरण न होने की परिस्थिति में पॉवर की खपत: यह कोई उपकरण न होने की परिस्थिति में पॉवर की खपत है, जैसे कि जब इन्वर्टर पर कोई उपकरण कार्य न कर रहा हो। यह मात्रा इन्वर्टर पर होने वाली हानि से बचने के लिये, जितना संभव हो कम से कम होनी चाहिये।

सर्ज पॉवर (W): बहुत से इंडक्टिव उपकरण चालू होने के दौरान सामान्य पॉवर की तुलना में 5 से 6 गुना खींचते हैं। इसे सर्ज पॉवर कहा जाता है। इन्वर्टर सक्षम होने चाहिये कि वे इंडक्टिव उपकरणों को आवश्यक पॉवर की आपूर्ति कर पाएं।

आउटपुट तरंगें (Waveform): इन्वर्टरों का कार्य सामान्यतः DC पॉवर को AC पॉवर में रूपांतरित करना होता है। एक उत्तम AC पॉवर आउटपुट साइनुसांइडल तरंगें दर्शानी चाहिये, तात्पर्य है कि AC विद्युतधारा एवं AC वोल्टेज शुद्ध साइन वेव होनी चाहिये। व्यावहारिक रूप में, DC पॉवर को स्क्वैयर वेव AC पॉवर आउटपुट में रूपांतरित करना बहुत सरल कार्य है एवं कम कीमत का भी होता है, DC पॉवर को उत्तम साइन वेव AC पॉवर आउटपुट में रूपांतरित करने की तुलना में, यह बहुत महंगा भी होता है। वहीं दूसरी ओर, स्वैयर वेव युक्त AC पॉवर को निम्न गुणवत्ता का माना जाता है, जबकि साइन वेव युक्त AC पॉवर को उच्च गुणवत्तायुक्त AC पॉवर माना जाता है। AC पॉवर की गुणवत्ता उन उपकरणों का जीवनकाल एवं प्रदर्शन प्रभावित करते हैं जो कि AC पॉवर का उपयोग करते हैं।

व्यावसायिक रूप से, इन्वर्टर निम्न प्रकार की आउटपुट तरंगों के रूप या वेवफॉर्म में उपलब्ध हैं, उन्हें चित्र 8.7 में भी दर्शाया गया है।

1. स्क्वायर वेव या वर्ग तरंग
2. साइनुसॉइडल
3. संशोधित साइनुसॉइडल

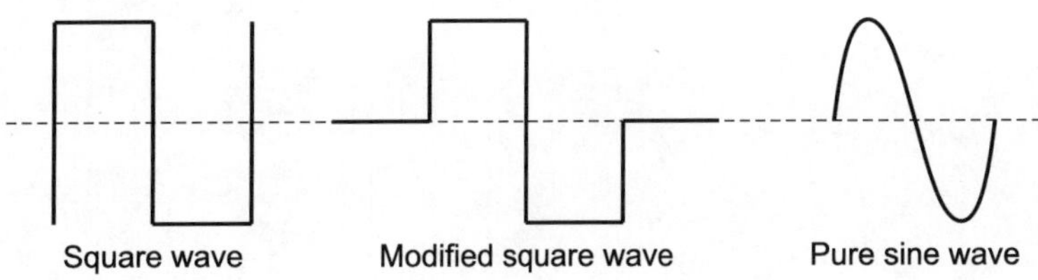

चित्र 8.7
इन्वर्टर के विभिन्न प्रकार की आउटपुट तरंगों के रूप।

इन्वर्टरों में पॉवर की गुणवत्ता: आदर्श रूप में, लगभग सभी AC उपकरणों में शुद्ध साइन वेव उपर्युक्त होता है एवं सबसे अच्छी गुणवत्ता वाली पॉवर के लिये जाना जाता है। साइनुसॉइडल से कोई भी विचलन होने पर माना जाता है कि वह पॉवर में एक लयबद्धता लाएगा जिससे कि AC पॉवर की गुणवत्ता प्रभावित होती है। AC पॉवर की गुणवत्ता में गिरावट की मात्रा को या AC पॉवर की गुणवत्ता को टोटल हार्मोनिक डिस्टॉर्शन (Total Harmonic Distorsion–THD) से मापा जाता है। यह भी कहा जा सकता है कि THD शुद्ध साइनुसॉइड से विचलन दर्शाता है। जितना अधिक THD होगा, उतना ही अधिक साइनुसॉइड से विचलन होगा एवं पॉवर उतनी ही निम्न गुणवत्ता की होगी। ऊपर हुई चर्चा को हम निम्न रूप में दर्शा सकते हैं:

निर्माणकर्ता इन्वर्टर इलेक्ट्रॉनिक्स के साथ चार्ज कंट्रोलर, सुविधा भी प्रदान करते हैं। इस स्थिति में चार्ज कंट्रोलर के विनिर्देश, इन्वर्टर के विनिर्देशों का एक हिस्सा बन जाते हैं।

THD (Sine wave) < THD (Modified sine wave) < THD (Square wave)

THD का मान इन्वर्टर में दर्शाया जाता है। यह मान कम से कम होना चाहिये। अच्छी गुणवत्ता के साइन वेव युक्त इन्वर्टर के लिये THD का मान हमेशा 4 प्रतिशत से कम होना चाहिये।

8.4.3 इन्वर्टर के विनिर्देश (Specifications)

चित्र 8.3 में 500 वॉट रेटिंग वाले इन्वर्टर के विनिर्देश दिए गए हैं।

तालिका 8.3 300 वॉट रेटेड इन्वर्टर के विनिर्देश

आउटपुट	
निरंतर पॉवर रेटिंग	500 W @ 25°C
AC आउटपुट वोल्टेज (RMS)	220 V
AC आउटपुट आवृत्ति	50 Hz
बैटरी इनपुट	
बैटरी वोल्टेज	10 ~ 15 V
DC विद्युतधारा	34 A
ऑफ मोड में विद्युतधारा का निकलना	< 1 mA
सौर पैनल इनपुट	
वोल्टेज रेंज	25 ~ 42 V
अधिकतम शॉर्ट सर्किट विद्युतधारा	16 A
चार्जर आउटपुट	
अधिकतम चार्जिंग वोल्टेज	15 V
अधिकतम चार्जिंग विद्युतधारा	24 A

उदाहरण 8.4

एक घर में 230 वोल्ट पर निम्न AC उपकरण हैं :

1. तीन 80 W लाइट
2. दो 100 W पंखे
3. एक 60 W रेडियो

सभी उपकरणों को एक साथ पॉवर मिल रही है। एक 12 वोल्ट की बैटरी उपलब्ध है। उपर्युक्त इन्वर्टर का चयन करें ?

हल

आउटपुट पॉवर का आंकलन: कुल AC उपकरण जिन्हें एक साथ पॉवर दी जानी है, निम्न प्रकार से हैं:

उपकरण	*वॉटेज*	*मात्रा*	*कुल भार*
लाइट	80 W	3	240 W
पंखा	100 W	2	200 W
रेडियो	60 W	1	60 W

इनपुट पॉवर का आंकलन: माना कि इन्वर्टर की दक्षता 90% है, तब,

इन्वर्टर इनपुट पॉवर = आउटपुट पॉवर / दक्षता = 500 W/0.9 = 466.7 W

अधिकतम इनपुट विद्युतधारा आंकलन

इनपुट विद्युतधारा = इनपुट पॉवर / वोल्टेज = 556 W/12 V = 38.9 A

इन्वर्टर विद्युतधारा के इस मान की आपूर्ति करने में सक्षम होना चाहिये, साथ ही तार/वायर भी ऐसा चुना जाना चाहिये जो इतनी विद्युतधारा संवहन में सक्षम हो।

इन्वर्टर का आउटपुट वोल्टेज एवं आवृत्ति: इनका मान उपकरण के अंकित मान या रेटेड मान के समान होना चाहिये। अतः 230 V एवं 50 Hz को चयन किया जाना है।

इन्वर्टर की सर्ज क्षमता: एकदम सही सर्ज आंकलन के लिये, हमें प्रत्येक उपकरण का सर्ज मान निकालने की आवश्यकता होगी। सामान्यतः आउटपुट पॉवर का 3 से 4 गुना उपकरणों के सर्ज के लिये उपर्युक्त होता है। अतः, उपकरणों को 466.7 × 4 = 1867 W सर्ज पॉवर प्रदान करने के लिये सक्षम होना चाहिये।

प्रश्न 8.6 एक घर में 230 वोल्ट पर निम्न AC उपकरण हैं,

1. पांच 40 W लाइट
2. तीन 60 W पंखे
3. एक 40 W रेडियो

सभी उपकरणों को एक साथ पॉवर मिल रही है। एक 24 वोल्ट की बैटरी उपलब्ध है। माना कि इन्वर्टर की दक्षता 85% है। उपर्युक्त इन्वर्टर का चयन करें?

8.4.4 समस्याओं का निदान

तालिका 8.4 में समस्याओं के निदान की चर्चा की गई है।

तालिका 8.4 समस्याओं का निदान

विफल होने की स्थिति	*संभावित कारण*	*सुझावित निदान*
AC आउटपुट वोल्टेज का न होना	अधिक तापमान सुरक्षा बिन।	सुनिश्चित करें कि बैटरी वोल्टेज न तो बहुत अधिक और न बहुत कम हो
	असामान्य इनपुट वोल्टेज	सुनिश्चित करें कि आस पास का तापमान बहुत अधिक न हो एवं वेंटिलेशन बंद न हो।
	शॉर्ट सर्किट सुरक्षा	सुनिश्चित करें कि आउटपुट शॉर्ट सर्किट नहीं है या उस पर अत्यधिक भार न हो
	अधिक उपकरण सुरक्षा	सुनिश्चित करें कि सर्ज विद्युतधारा बहुत अधिक न हो एवं आउटपुट वोल्टेज रेटेड मान से बहुत अधिक न बढ़े।
बैटरी की डिस्चार्ज होने की अवधि बहुत कम है	बैटरी पुरानी हो चुकी है या टूट चुकी है	बैटरी को बदलें।
	बैटरी की क्षमता बहुत कम है	अधिक क्षमता वाली बैटरी देखें।

8.5 DC से DC पॉवर कन्वर्टर

DC से DC पॉवर कन्वर्टर का उपयोग DC वोल्टेज के एक स्तर (सामान्यतः अनियंत्रित, या अन कंट्रोल्ड वोल्टेज स्तर) को DC वोल्टेज के अन्य स्तर (नियंत्रित, या कंट्रोल्ड वोल्टेज स्तर) में रूपांतरित करने में उपयोग किया जाता है जैसा कि चित्र 8.8 में दर्शाया गया है। कभी–कभी DC से DC कन्वर्टर को 'DC/DC' कन्वर्टर भी लिखा जाता है। अनियमित वोल्टेज स्तर को नियमित वोल्टेज स्तर में रूपांतरित करने के अतिरिक्त, DC से DC कन्वर्टर का उपयोग वोल्टेज के एक स्तर को वोल्टेज के अन्य स्तर (उच्च या निम्न) में रूपांतरित करने के लिये भी किया जाता है।

उदाहरण के लिये, एक पीवी संयंत्र को 24 वोल्ट देने के लिये डिजाइन किया जा सकता है परंतु जब हम DC पॉवर को DC पॉवर में रूपांतरित करना चाहते हैं 230 V (डिवाइस इन्वर्टर कहलाती है) के आउटपुट पॉवर के लिये, तब इन्वर्टर में इनपुट वोल्टेज की आवश्यकता उच्च होती है। इस स्थिति में DC से DC कन्वर्टर का उपयोग किया जाता है, जो कि इन्वर्टर का ही एक भाग होता है। ये कन्वर्टर पीवी संयंत्रों में एक बहुत महत्वपूर्ण भूमिका अदा करते हैं जहां कि वे चार्ज कंट्रोलर, मैक्सिमम पॉवर पॉइंट ट्रैकर के रूप में एवं पीवी स्रोत को विभिन्न प्रकार के उपकरणों के साथ इंटरफेसिंग के लिये उपयोग किये जाते हैं। DC से DC सर्किट का उपयोग नॉइस आइसोलेशन, पॉवर बस रेग्युलेशन एवं विद्युतधारा बढ़ाने के लिये भी किया जाता है।

चित्र 8.8
DC/DC कन्वर्टर, जो कि DC इनपुट को DC आउटपुट में रूपांतरित करता है।

DC से DC कन्वर्टर में दोनों इनपुट एवं आउटपुट सिरे DC पॉवर रखते हैं।

DC से DC कन्वर्टर में, दोनों, इनपुट सिरा एवं आउटपुट सिरा DC पॉवर पर कार्य करते हैं, जैसे इनपुट सिरे पर विद्युतधारा प्रवाह एवं आउटपुट सिरे पर विद्युतधारा प्रवाह। यदि हम इनपुट सिरे पर विद्युतधारा एवं वोल्टेज जानते हैं तब हम इनपुट सिरे पर DC पॉवर फीड ज्ञात कर सकते हैं। इसी प्रकार से यदि हम आउटपुट सिरे पर विद्युतधारा एवं वोल्टेज जानते हैं, तब हम आउटपुट सिरे पर DC पॉवर, DC से DC कन्वर्टर की दक्षता की गणना कर सकते हैं। याद रखें कि पॉवर विद्युतधारा एवं वोल्टेज का उत्पाद है।

उदाहरण 8.6

चित्र 8.9 में दिखाये एक DC से DC कन्वर्टर के लिये, 25 V की एक बैटरी जोड़ी गई है एवं इनपुट विद्युतधारा 4 A है। आउटपुट सिरे पर वोल्टमीटर उपकरण में 50 V एवं 1.8 A आउटपुट विद्युतधारा दर्शाता है। निम्नांकित को ज्ञात करें:

1. कन्वर्टर के लिये पॉवर इनपुट
2. कन्वर्टर द्वारा पॉवर आउटपुट या उपकरण द्वारा अवशोषित किया गया
3. हानियों के कारण कन्वर्टर में पॉवर हानि
4. कन्वर्टर की दक्षता

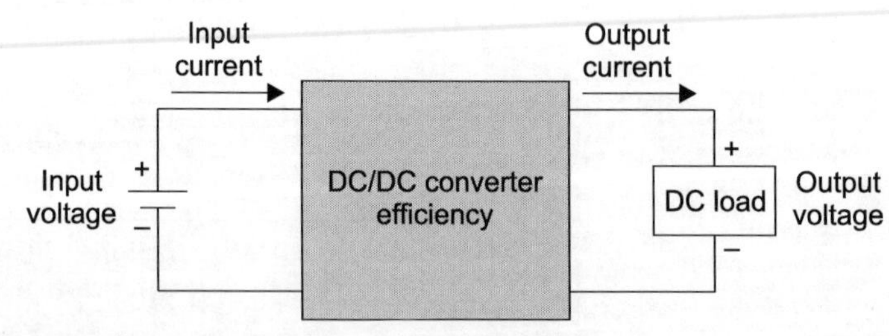

चित्र 8.9
इनपुट वोल्टेज, इनपुट विद्युतधारा, आउटपुट वोल्टेज, आउटपुट विद्युतधारा के साथ एक DC/DC कन्वर्टर।

हल

DC से DC कन्वर्टर के लिये निम्न मापदंड दिये गये हैं:
इनपुट सिरा वोल्टेज: 25 V
इनपुट सिरा विद्युतधारा: 4 A
आउटपुट सिरा वोल्टेज: 50 V
आउटपुट सिरा विद्युतधारा: 1.8 A
कन्वर्टर के लिये इनपुट पॉवर इनपुट विद्युतधारा एवं इनपुट वोल्टेज का उत्पाद है:

$$\text{इनपुट पॉवर} = \text{इनपुट विद्युतधारा} \times \text{इनपुट वोल्टेज} = 25 \times 4 = 100 \text{ वॉट}$$

कन्वर्टर का आउटपुट पॉवर आउटपुट विद्युतधारा एवं आउटपुट वोल्टेज का उत्पाद होता है:

$$\text{आउटपुट पॉवर} = \text{आउटपुट विद्युतधारा} \times \text{आउटपुट वोल्टेज} = 50 \times 1.8 = 90 \text{ वॉट}$$

कन्वर्टर के अंदर पॉवर हानि = इनपुट पॉवर – आउटपुट पॉवर = 100 – 90 = 10 वॉट

कन्वर्टर की दक्षता

$$\text{Efficiency of converter} = \left(\frac{\text{Output power}}{\text{Input power}}\right) \times 100$$

कन्वर्टर की दक्षता

$$\frac{90}{100} \times 100 = 90\%$$

प्रश्न 8.7 चित्र 8.9 में दर्शाये एक DC से DC कन्वर्टर के लिये, एक 30 V की बैटरी जोड़ी गई है एवं इनपुट विद्युतधारा 5 A है। आउटपुट सिरे पर वोल्टमीटर 60 V उपकरण के दोनों ओर दर्शाता है एवं आउटपुट विद्युतधारा:

1. कन्वर्टर के लिये पॉवर इनपुट
2. कन्वर्टर के द्वारा पॉवर आउटपुट या उपकरण द्वारा लिया गया
3. हानियों के कारण कन्वर्टर में पॉवर हानि
4. कन्वर्टर की दक्षता

वर्कशीट 8.3

DC/DC कन्वर्टर के लिये तालिका 8.5 पूर्ण करें।

तालिका 8.5 रिक्त स्थानों की पूर्ति करें

इनपुट वोल्टेज (V)	*इनपुट विद्युतधारा* (V)	*इनपुट पॉवर* (V)	*आउटपुट वोल्टेज* (V)	*आउटपुट विद्युतधारा* (V)	*आउटपुट पॉवर* (V)	*पॉवर हानि* (W)	*दक्षता* (%)
50	3	–	40	3	–	–	–
–	3	300	–	3	230	–	–

8.6 चार्ज कंट्रोलर

8.6.1 एक चार्ज कंट्रोलर के कार्य

चार्ज कंट्रोलर, जैसा कि नाम से स्पष्ट है, बैटरी से एवं बैटरी को होने वाले चार्ज प्रवाह को नियंत्रित करता है। ये बैटरी को ओवर चार्जिंग एवं बहुत अधिक चार्जिंग से बचा कर उनके जीवन एवं प्रदर्शन की सुरक्षा करते हैं। जब एक बैटरी सौर पीवी मॉड्यूल द्वारा बहुत अधिक चार्ज हो जाती है, तब एक चार्ज कंट्रोलर उसे सर्किट से अलग कर देता है जिससे कि और अधिक चार्जिंग न हो पाए। इसी प्रकार से यदि उपकरण द्वारा बैटरी के बहुत अधिक उपयोग की वजह से एक बैटरी की बहुत अधिक डिस्चार्जिंग हो जाए या ओवर डिस्चार्ज तब एक चार्ज कंट्रोलर इसका पता करता है और बैटरी को सर्किट से अलग कर देता है जिससे कि बैटरी से और अधिक विद्युतधारा न ली जा सके। इस प्रकार से चार्ज कंट्रोलर बैटरी की सुरक्षा करता है। यह ध्यान रखें कि दोनों ओवर चार्जिंग एवं ओवर डिस्चार्जिंग बैटरी को नुकसान पहुंचाती हैं। दोनों ही परिस्थितियों का परिणाम होता है बैटरियों के जीवनकाल का कम होना। बैटरी बैक–अप एवं चार्ज कंट्रोलर के साथ एक स्टैंडअलोन पीवी संयंत्र का रेखाचित्र चित्र 7.5 में दर्शाया गया है।

चार्ज कंट्रोलर ओवर चार्ज या ओवर डिस्चार्ज की स्थिति में बैटरियों को सर्किट से अलग कर के उनकी सुरक्षा करते हैं।

8.6.2 चार्ज कंट्रोलर की कार्यप्रणाली

बैटरी के वोल्टेज स्तर को माप कर उसकी ओवर–चार्ज या अधिक डिस्चार्ज की परिस्थिति को ज्ञात किया जाता है। ओवर चार्ज की स्थिति में बैटरी का वोल्टेज एक निश्चित स्तर से अधिक हो जाता है एवं अधिक डिस्चार्ज की परिस्थिति में बैटरी का वोल्टेज एक निश्चित स्तर से कम हो जाता है। ओवर चार्ज या अधिक डिस्चार्ज वोल्टेज परिस्थिति में चार्ज कंट्रोलर बैटरी को अलग कर देता है। एवं, जब बैटरी का वोल्टेज स्तर सामान्य संचालनकारी स्तर पर पहुंच जाता है, बैटरी फिर से सर्किट से जुड़ जाती है। ओवर चार्ज की स्थिति में बैटरी अधिक वोल्टेज के कारण अलग हो

जाती है। इस परिस्थिति में यदि बैटरी का उपकरण द्वारा उपयोग किया जाता है, जिसका मतलब है बैटरी का कुछ डिस्चार्ज होना, इसका टर्मिनल वोल्टेज गिरेगा। चार्ज कंट्रोलर इसका पता करता है और बैटरी को फिर से चार्जिंग के लिये जोड़ देता है।

उच्च वोल्टेज कट-ऑफ (ओवर चार्ज की वजह से) एवं निम्न वोल्टेज कट-ऑफ (ओवर डिस्चार्ज की वजह से) स्तर पहले से ही चार्ज कंट्रोलर में निर्धारित रहते हैं।

इसी प्रकार से अधिक डिस्चार्ज की स्थिति में, बैटरी कम वोल्टेज की वजह से अलग हो जाती है। अब यदि बैटरी चार्जिंग परिस्थिति में हो, इसका टर्मिनल वोल्टेज चार्जिंग की वजह से कुछ समय बाद बढ़ जाता है। चार्ज कंट्रोलर बढ़े वोल्टेज को पता कर लेगा एवं जब वोल्टेज निम्न कट–ऑफ स्तर के ऊपर बढ़ेगा, तब चार्ज कंट्रोलर बैटरी को सर्किट से जोड़ देगा जिससे कि उपकरण बैटरी से पॉवर ले सके।

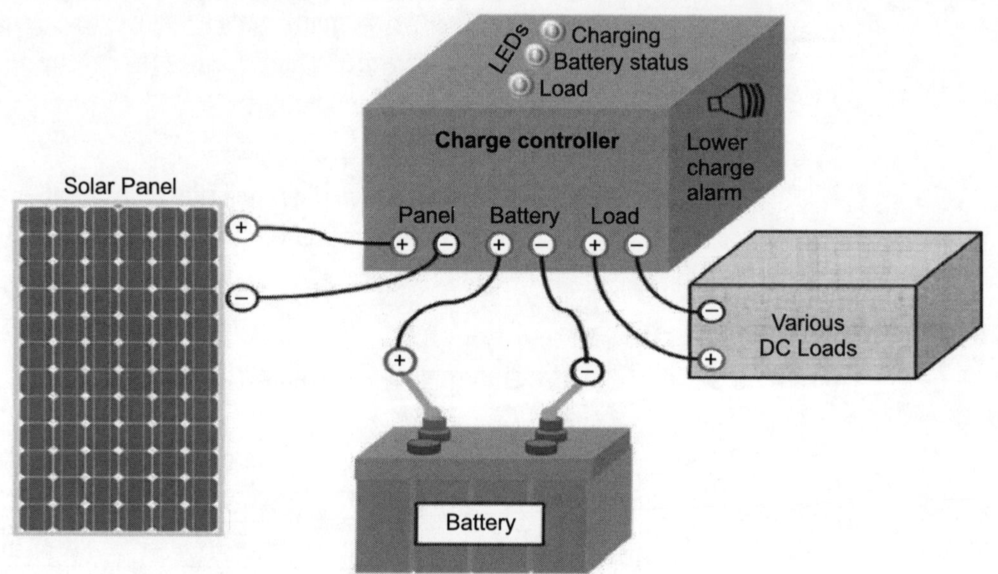

चित्र 8.10
चार्ज कंट्रोलर एवं बैटरी बैक-अप के साथ एक स्टैंडअलोन पीवी संयंत्र का मूलभूत ब्लॉक चित्र।

8.6.3 चार्ज कंट्रोलर के प्रकार

आजकल निम्न प्रकार के चार्ज कंट्रोलर मुख्यतः उपयोग किये जा रहे हैं:

1. PWM चार्ज कंट्रोलर या स्टैंडर्ड चार्ज कंट्रोलर
2. MPPT चार्ज कंट्रोलर

PWM चार्ज कंट्रोलर में बैटरी बैंक व पीवी श्रेणी के दोनों ओर नाममात्र का वोल्टेज होता है। MPPT चार्ज कंट्रोलर में बैटरी बैंक व पीवी श्रेणी के दोनों ओर विभिन्न परिमाण में वोल्टेज हो सकता है एवं यह पीवी पैनल के अधिकतम पॉवर पॉइंट या मैक्सिमम पॉवर पॉइंट (MPPT) पर कार्य करता है। MPPT चार्ज कंट्रोलर हमें बैटरी बैंक वोल्टेज की तुलना में सौर पैनल सरणी से अधिक वोल्टेज लेने देता है।

सौर पीवी संयंत्र में समान पॉवर प्रवाह के लिये निम्न विद्युतधारा बनाए रखने हेतु उच्च DC वोल्टेज बनाए रखना जरूरी है। यह मूल्य बचाता है।

समान पॉवर प्रवाह के लिये, जब वोल्टेज उच्च हो, तब तारों में प्रवाहित होने वाली विद्युतधारा का मान कम होगा। पॉवर, विद्युतधारा गुणित वोल्टेज के बराबर होता है। सामान्यतः विद्युतधारा प्रवाह को निम्न स्तर पर रखने की आवश्यकता होती है। अतः, उच्च वोल्टेज वाले सौर पैनल सरणी के होने का एक बड़ा लाभ है कि हम चार्ज कंट्रोलर तक छोटे गेज वाले तार का उपयोग कर सकते हैं, एवं छोटे गेज वाले तार का उपयोग तारों के खर्चे को घटा देता है। MPPT संकल्पना को अगले अनुभाग में विस्तृत रूप से समझाया गया है।

8.6.4 चार्ज कंट्रोलर की विशेषताएं

चार्ज कंट्रोलरों के कार्य संचालन के लिये विभिन्न वोल्टेज एवं विद्युतधारा स्तरों को निर्धारित किया गया है। वे निम्न हैं:

नाममात्र संयंत्र वोल्टेज: यह वह वोल्टेज है जिस पर बैटरी एवं चार्ज कंट्रोलर एक पीवी संयंत्र में संचालित होते हैं।

नाममात्र उपकरण विद्युतधारा: यह वह अधिकतम उपकरण की विद्युतधारा है जिसे चार्ज कंट्रोलर संभालने में समर्थ हो।

नाममात्र पीवी श्रेणी विद्युतधारा: यह वह अधिकतम पीवी सरणी विद्युतधारा है जिसे चार्ज कंट्रोलर संभालने में समर्थ हो। यह और कुछ नहीं बल्कि सरणी शॉर्ट सर्किट विद्युतधारा है। नॉन पर शॉर्ट सर्किट विद्युतधारा में होने वाले परिवर्तन के लिये 1.25 का सुरक्षा कारक उपयोग किया जाता है।

चार्ज रेग्युलेटर सेट या निर्धारित बिंदु: एक बैटरी की चार्जिंग एवं डिस्चार्जिंग चार्ज कंट्रोलर नियंत्रित करते हैं। चार्ज कंट्रोलर बैटरी के वोल्टेज को महसूस कर लेते हैं (या 'state of charge', SoC) एवं यह निर्णय लेते हैं कि इसे ओवर चार्जिंग से इसे बचाने के लिये स्रोत से (इस स्थिति में पीवी श्रेणी) वियोजित करना है या उपकरण को बहुत अधिक डिस्चार्जिंग से बचाने के लिये वियोजित करना है (बैटरी आउटपुट से)। इस प्रकार के कंट्रोलर मुख्यतः ऐसे स्थानों पर उपयोग किये जाते हैं जहां उपकरण अप्रत्याशित हों एवं बैटरियों की लागत को निम्नतम करने के लिये अनुकूलित या छोटा किया गया हो। चार्ज कंट्रोल एल्गॉरिदम के पहले से ही निर्धारित बिंदु हैं (थ्रेशहोल्ड मान) जिनके अनुसार यह निर्णय लेता है। सामान्यतः उपयोग किये जाने वाले निर्धारित बिंदुओं के विषय में नीचे संक्षिप्त रूप में चर्चा की गई हैं एवं उन्हें चित्र 8.11 में दर्शाया गया है।

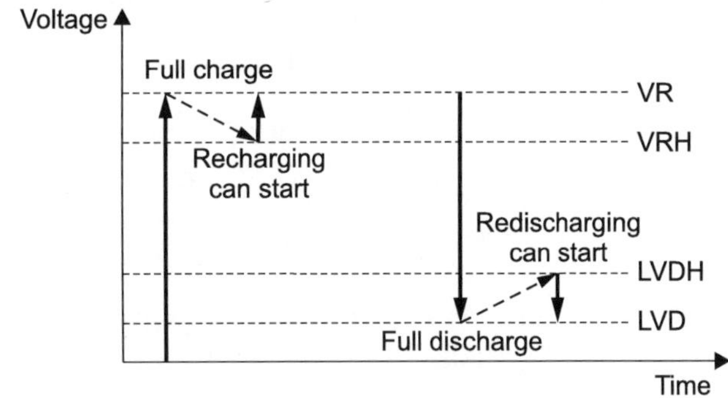

चित्र 8.11
सामान्यतः उपयोग किए जाने वाले सेट बिंदु एवं चार्ज कंट्रोलरों में उनका व्यवहार।

वोल्टेज रेग्युलेशन सेट पॉइंट (VR): यह वह अधिकतम वोल्टेज है जिस तक एक बैटरी को चार्ज किया जा सकता है (बिना ओवर चार्ज हुए)। यदि इस थ्रेशहोल्ड तक मान पहुंच जाता है, तब कंट्रोलर या तो बैटरी को स्रोत से वियोजित करेगा या यह बैटरी को दिये जाने वाली विद्युतधारा को नियंत्रित करना प्रारंभ कर देगा।

वोल्टेज रेग्युलेशन हिस्टेरिसिस (VRH): यह VR एवं वोल्टेज के बीच का अंतर है जिस पर कंट्रोलर बैटरी को पीवी स्रोत से फिर से संयोजित कर एवं चार्जिंग शुरू कर देता है। यदि VRH बहुत कम है, तब इसका परिणाम होगा तंग वोल्टेज रेग्युलेशन परंतु कंट्रोल दोलनकारी होगा जिससे बैटरी के जीवन को नुकसान पहुंच सकता है। समान समय पर, इसके अधिक मान का परिणाम हो सकता है बैटरी की प्रत्येक चक्र के दौरान 'थोड़ी सी' ओवर चार्जिंग। अतः, व्यावहारिक रूप से, एक प्रकार का समन्वय होता है। VRH यह भी निर्धारित करता है कि कंट्रोलर कितने प्रभावी ढंग से बैटरी को चार्ज कर सकता है।

निम्न वोल्टेज वियोजन (LVD): यह वह निम्न वोल्टेज है जिसके पहुंचने तक बैटरी को डिस्चार्ज किया जा सकता है, लेकिन बहुत अधिक डिस्चार्ज हुए बिना। इसे बैटरी का मैक्सिमम डेप्थ ऑफ डिस्चार्ज (DoD) डिस्चार्ज की अधिकतम गहराई भी कहा जाता है। जैसे ही बैटरी वोल्टेज LVD तक पहुंचता है चार्ज कंट्रोलर उपकरण को बैटरी के सिरों से वियोजित कर देता है, ओवर चार्जिंग से बचाने के लिये।

निम्न वोल्टेज डिस्कनेक्ट या वियोजन हिस्टेरिसिस (Low voltage disconnect hysteresis–LVDH): यह LVD मान एवं बैटरी वोल्टेज के बीच का वह अंतर है जिस पर उपकरण को फिर से बैटरी के सिरों पर संयोजित किया जा सकता है। LVDH को बहुत कम नहीं रखना चाहिये, अन्यथा

उपकरण बहुत जल्दी–जल्दी बंद व चालू होने लगेगा, जिसका बैटरी व उपकरण पर प्रतिकूल प्रभाव पड़ेगा।

8.6.5 विभिन्न चार्ज कंट्रोलर का विशिष्ट निर्दिष्टिकरण

चार्ज कंट्रोलर विभिन्न नॉमिनल संयंत्र वोल्टेज एवं पीवी श्रेणी विद्युतधारा के लिये उपलब्ध हैं। तालिका 7.1 में 12 V, 6 A रेटिंग वाले चार्ज कंट्रोलर को दर्शाया गया है।

तालिका 8.6 12 V, 6 A रेटेड PWM चार्ज कंट्रोलर की रेटिंग

Nominal system voltage	12 V
Nominal PV array current	6 A
Nominal load current	6 A
Regulation voltage	14 Volts
Low voltage disconnect	11 Volts
Low voltage reconnect	13 Volts
Type of charging	Series PWM
Temperature	−20°C to +55°C
Self-consumption	10 mA maximum

चित्र 8.12 में मॉर्निंग स्टार कॉर्पोरेशन से 4.5 A, 12 V रेटेड PWM चार्ज कंट्रोलर की डाटाशीट का उदाहरण दिया गया है।

Electrical Specifications

Rated solar input	4.5 A
Maximum input (5 min.)	5.5 A
System voltage	12 V
Maximum solar voltage	30 V
Regulation voltage	14.1 V
Accuracy	60 mV
Self-consumption	6 mA
Temperature compensation	–28 mV/°C
Reverse current leakage	<10 μA
Operating temperature	–40°C to 85°C

चित्र 8.12
4.5 A, 12 V रेटेड PWM चार्ज कंट्रोलर की डाटाशीट का उदाहरण।

उदाहरण 8.7

एक घर में निम्न DC उपकरण हैं जिनकी रेटिंग 12 V है।

1. तीन 40 W लाइट
2. एक 50 W पंखा

सभी उपकरणों को एक साथ पॉवर पहुंचानी है, दो समानांतर रूप से संयोजित मॉड्यूल का उपयोग करके। प्रत्येक मॉड्यूल का शिखर या उच्चतम विद्युतधारा 2.5 A है एवं शॉर्ट सर्किट विद्युतधारा 3.5 A है। उपर्युक्त चार्ज कंट्रोलर का चयन करें?

हल

कुल DC उपकरण आंकलन

उपकरण	*वॉटेज*	*मात्र*	*कुल भार*
लाइट	40 W	3	120 W
पंखा	50 W	1	50 W
			170 W Total

चार्ज कंट्रोलर का नॉमिनल संयंत्र वोल्टेज: उपकरण एवं पीवी सरणी के रेटेड वोल्टेज के ही समान, 12 V

नॉमिनल पीवी सरणी विद्युतधाराः नॉमिनल पीवी सरणी विद्युतधारा = 2 × 3.5 A = 7 A
अतः इनपुट सिरे पर चार्ज कंट्रोलर 7 A विद्युतधारा संभालने के लिये सक्षम होना चाहिये।

उपकरण की नॉमिनल विद्युतधारा

$$\text{Nominal load current} = \frac{\text{Total DC load}}{\text{Nominal system voltage}} = \frac{170 \text{ W}}{12 \text{ V}} = 14.17 \text{ A}$$

इस प्रकार चार्ज कंट्रोलर का आउटपुट सिरा लगभग 14.17 A विद्युतधारा संभालने के लिये सक्षम होना चाहिये।

प्रश्न 8.8 एक घर में निम्न DC उपकरण हैं जो कि 12 V पर रेटेड हैं।

1. चार 30 W लाइट
2. एक 40 W पंखा

दो समानांतर रूप में संयोजित मॉड्यूलों का उपयोग करके, सभी उपकरणों को एक साथ पॉवर देनी है। प्रत्येक मॉड्यूल की 3.5 A उच्चतम विद्युतधारा एवं 4 A शॉर्ट सर्किट विद्युतधारा होती है। उपर्युक्त चार्ज कंट्रोलर का चयन करें?

वर्कशीट 8.4

दिए उपकरण एवं पीवी सरणी के लिये PWM चार्ज कंट्रोलर रेटिंग का चयन करें।

तालिका 8.7 रिक्त स्थानों को भरें

उपकरण (W)	उपकरण वोल्टेज रेटिंग (V)	मॉड्यूल	नॉमिनल संयंत्र वोल्टेज	नॉमिनल पीवी सरणी विद्युतधारा	चार्ज कंट्रोलर की रेटिंग
Two 10 W Lights = ...W A 30W fan = ...W Total Load = ...W	12	Three modules of short circuit current of 3.5 A each			
Four 15 W Lights = ...W Two 25 W Fans = ... W Total Load = ...W	12	Two modules of short circuit current of 3.5 A each			

8.7 उच्चतम पॉवर पॉइंट ट्रैकिंग (Maximum Power Point Tracking–MPPT)

एक मॉड्यूल से पॉवर आउटपुट

मॉड्यूल द्वारा प्रदान की जाने वाली पॉवर, उससे जुड़े उपकरण पर निर्भर करती है। मॉड्यूल पर ध्यान दें जिसकी *I–V* विशेषताएं एवं प्राप्त होने वाले पॉवर चित्र 8.13 में दर्शाई गई हैं। शॉर्ट सर्किट परिस्थितियों में ($V = 0$), मॉड्यूल द्वारा प्रदान की जाने वाली विद्युतधारा अधिकतम होती है जो कि 5.1 A है। जैसे–जैसे उपकरण में 17.3 V वोल्टेज तक बढ़ता है (उपकरण परिवर्तित करने पर), वैसे ही उपकरण को प्रदान की जाने वाली पॉवर भी 84 W (17.3 V × 4.86 A) तक बढ़ती है। इस बिंदु के अतिरिक्त भले ही वोल्टेज बढ़ता है, प्रदान की जाने वाली पॉवर घटती है क्योंकि विद्युतधारा बहुत तेजी से घट रही होती है। अतः मॉड्यूल द्वारा प्रदान आपूर्ति की गई पॉवर के विषय में *I–V* विशेषता में एक बिंदु है जो कि अधिकतम पॉवर के संबंध में है जो कि उच्चतम पॉवर पॉइंट (MPP) कहलाता है।

पीवी मॉड्यूल से अधिकतम पॉवर प्राप्त करने के लिये, उससे जुड़े मॉड्यूल को अधिकतम पॉवर पॉइंट पर कार्य करना चाहिये या पीवी मॉड्यूल–उपकरण संयोजन का ऑपरेटिंग पॉइंट अधिकतम पॉवर पॉइंट होना चाहिये। ऑपरेटिंग बिंदु, एक स्रोत (पीवी मॉड्यूल) के *I–V* विशेषता का एक उपकरण (एक पंखा, एक टीवी, एक रेसिस्टर आदि) से मिलान बिंदु होता है।

पीवी मॉड्यूल के *I–V* विशेषता में केवल एक बिंदु है जिस पर मॉड्यूल द्वारा प्रदान की गई पॉवर अधिकतम है, जिसे अधिकतम पॉवर पॉइंट कहा जाता है।

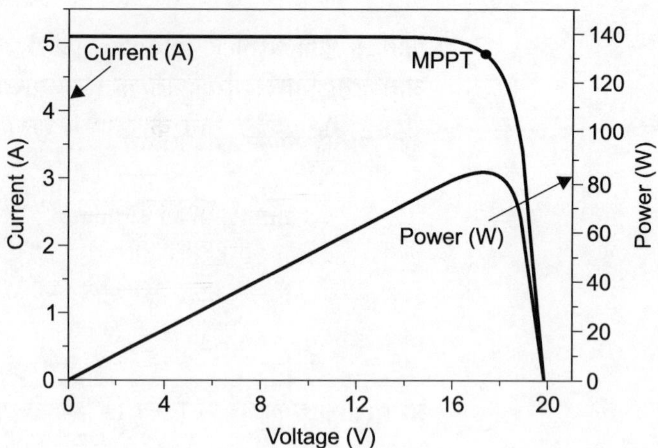

चित्र 8.13
अधिकतम पॉवर पॉइंट की परिभाषा (MPP)।

8.7.1 एक पीवी मॉड्यूल से पॉवर आउटपुट

सौर पीवी मॉड्यूल उच्चतम पॉवर आउटपुट के लिये रेटेड होते हैं। पीवी पॉवर मॉड्यूल की पॉवर आउटपुट न केवल इनपुट सौर विकिरणों पर निर्भर करता है वरन् यह ऑपरेटिंग बिंदु (विद्युतधारा एवं वोल्टेज का संयोजन) पर भी निर्भर करती है। उदाहरण के लिये जब सूर्य बहुत अधिक चमक रहा हो, तब भी, यदि पीवी मॉड्यूल ओपन सर्किट मोड या शॉर्ट सर्किट मोड में काम कर रहा हो, तब पॉवर आउटपुट शून्य होगा। एक पीवी मॉड्यूल का एक ऑपरेटिंग बिंदु होगा जिस पर पॉवर आउटपुट अधिकतम होगा (अधिकतम पॉवर पॉइंट) एवं यह ऑपरेटिंग बिंदु पीवी मॉड्यूल पर पड़ने वाले सूर्य विकिरण की तीव्रता बदलने के साथ परिवर्तित होता है। ऐसी इलेक्ट्रॉनिक युक्तियां उपलब्ध हैं जो कि यह सुनिश्चित करती हैं कि प्रकाश की सभी परिस्थितियों में, सौर पीवी मॉड्यूल अधिकतम पॉवर पॉइंट की स्थिति में कार्य करते हों। अनुभाग 8.7.2 में अधिकतम पॉवर पॉइंट ट्रैकिंग की संकल्पना की चर्चा की गई है।

8.7.2 अधिकतम पॉवर पॉइंट ट्रैकिंग की आवश्यकता

व्यावहारिक रूप में, सौर विकिरण के बदलते वातावरण के लिये, पीवी मॉड्यूल के लिये *I–V* विशेषताएं पूरे दिन परिवर्तित होती रहती हैं। अतः ऐसे उपकरण का चयन करना संभव नहीं है जिससे कि ऑपरेटिंग पॉइंट हमेशा अधिकतम पॉवर पॉइंट पर या लगभग अधिकतम पॉवर पॉइंट रहे।

सौर विकिरण तीव्रता दिन भर परिवर्तित होती रहती है। किसी दिन विशेष को विकिरण 9 a.m. पर कम तीव्र होता है एवं दोपहर तक बढ़ता जाता है। जैसे–जैसे तीव्रता परिवर्तित होती है मॉड्यूल की विशेषता *I–V* भी परिवर्तित होती है जैसा कि चित्र 8.14 में दर्शाया गया है। परिणामस्वरूप, किसी उपकरण विशेषताओं के लिये ऑपरेटिंग बिंदु भी परिवर्तित होते हैं।

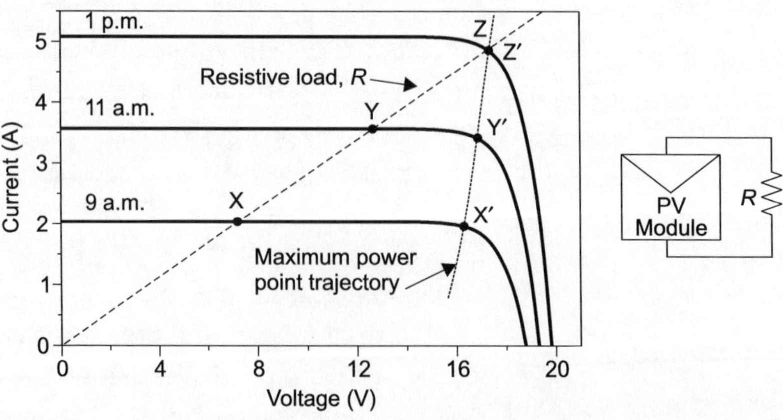

चित्र 8.14
विभिन्न दिनों के प्रकाश की परिस्थितियों में एक सौर मॉड्यूल के (*X*, *Y* एवं *Z*) ऑपरेटिंग पॉइंट जब वह एक रेसिस्टिव उपकरण से जुड़ा हो। अधिकतम पॉवर स्थानांतरण के लिये *X′*, *Y′* एवं *Z′* ऑपरेटिंग पॉइंट होने चाहिये।

एक उदाहरण के रूप में, एक पीवी मॉड्यूल एवं एक रेसिस्टिव उपकरण का 1 p.m. दोपहर, 11 a.m. एवं 9 a.m. को ऑपरेटिंग पॉइंट को चित्र 8.14 में रेखाचित्र के रूप में दर्शाया गया है।

परंतु 1 p.m. दोपहर, 11 a.m. एवं 9 a.m. के लिये अधिकतम पॉवर पॉइंट Z', Y' एवं X' है। अधिकतम पॉवर की आपूर्ति के लिये वास्तविक ऑपरेटिंग पॉइंट X, Y एवं Z को जितना संभव हो सके X', Y' एवं Z' मान के लगभग होना चाहिये।

MPPT *युक्ति*

यह एक युक्ति है जिसका कार्य है एक उपकरण के ऑपरेटिंग बिंदु को विभिन्न ऑपरेटिंग परिस्थितियों में अधिकतम पॉवर पॉइंट के पास लाना है। यह युक्ति अधिकतम पॉवर पॉइंट ट्रैकिंग या MPPT कहलाती है। इस प्रकार से MPPT का कार्य किन्हीं परिस्थितियों (कम विकिरण, अधिक विकिरण, उच्च तापमान आदि) में पीवी मॉड्यूलों से अधिकतम पॉवर निकालना है।

> पीवी मॉड्यूल का I–V वक्र पूरे दिन के दौरान परिवर्तित होता रहता है क्योंकि सूर्य प्रकाश तीव्रता भी परिवर्तित होती रहती है एवं इसीलिये अधिकतम पॉइंट भी पूरे दिन परिवर्तित होता रहता है।

अधिकतम पॉवर पॉइंट ट्रैकिंग तकनीक में एक एल्गोरिदम एवं एक इलेक्ट्रॉनिक सर्किटरी का उपयोग होता है। यह तकनीक उपकरण एवं पीवी मॉड्यूल के बीच प्रतिबाधा के सिद्धांत या प्रिंसिपल ऑफ इंपीडेंस पर निर्भर करती है, जो कि अधिकतम पॉवर स्थानांतरण के लिये आवश्यक है। अतः, सैद्धांतिक रूप से जब उपकरण की प्रतिबाधा स्रोत की प्रतिबाधा से मेल खाती है, तब उपकरण एवं स्रोत के बीच अधिकतम पॉवर स्थानांतरण होता है। इस प्रकार से स्रोत (पीवी मॉड्यूल) एवं उपकरण के बीच principle of impedance की उपस्थिति से, यह सुनिश्चित हो जाता है कि पीवी मॉड्यूल से अधिकतम उपलब्ध पॉवर प्राप्त हो रही है।

8.7.3 MPPT चार्ज कंट्रोलर

अनेक निर्माणकर्ता चार्ज कंट्रोलर एवं MPPT के कार्य को एक एकल युक्ति में संयुक्त कर देते हैं, जो कि MPPT चार्ज कंट्रोलर कहलाती है एवं चित्र 8.15 में दर्शाई गई है।

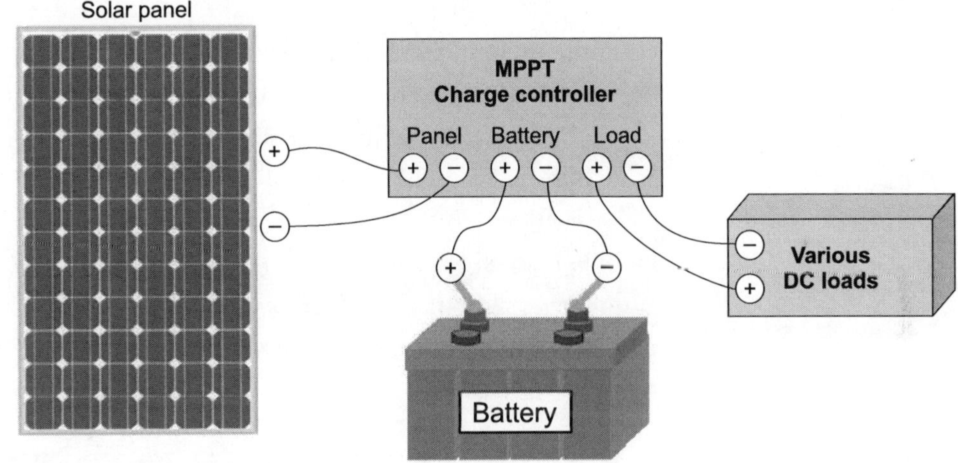

चित्र 8.15
अन्य संयंत्र अवयवों के साथ MPPT चार्ज कंट्रोलर।

अधिक पॉवर के लिये एवं सूर्य-ट्रैकिंग

MPPT युक्ति का उपयोग सभी ऑपरेटिंग परिस्थितियों में एक पीवी मॉड्यूल से अधिकतम संभव पॉवर प्राप्त करने के लिये किया जाता है। सौर पीवी मॉड्यूल में सूर्य–ट्रैकिंग एक तरह से तकनीकी ट्रैकिंग है जो कि मॉड्यूल में इस तरह से लगा होता है कि वह सदैव सूर्य प्रकाश के लम्बवत् होता है। इसमें मॉड्यूल सुबह के समय में पूर्व की ओर, दोपहर के वक्त दक्षिण की ओर एवं शाम के समय उत्तर की ओर होना चाहिये जिससे सूर्य सीधा सामने पड़े। जब पीवी मॉड्यूल पूरे समय सीधा सूर्य के सामने होता है, वह अधिक सौर विकिरण प्राप्त करता है एवं इसीलिये अधिक पॉवर उत्पादित करता है।

> MPPT युक्ति का कार्य है एक उपकरण के ऑपरेटिंग बिंदु को विभिन्न ऑपरेटिंग परिस्थितियों में, अधिकतम पॉवर प्राप्त करने के लिये, पीवी मॉड्यूल के अधिकतम पॉवर पॉइंट तक लाना।
> हालांकि MPPT एवं चार्ज कंट्रोलर दोनों ही स्वतंत्र कार्य हैं, फिर भी बहुत से निर्माणकर्ता इन दो कार्यों को एक एकल इलेक्ट्रॉनिक सर्किटरी में प्रदान करते हैं जिसे MPPT चार्ज कंट्रोलर कहा जाता है।

यहां यह ध्यान रखना चाहिये कि MPPT, सौर पीवी मॉड्यूल के सूर्य–ट्रैकिंग के समान नहीं है। सूर्य–ट्रैकिंग में, पीवी मॉड्यूल का यांत्रिक रूप से घूर्णन होता है जिससे कि एक मॉड्यूल द्वारा अवशोषित की गई विकिरण अधिकतम हो, जबकि MPPT में इलेक्ट्रॉनिक सर्किटरी का उपयोग यह सुनिश्चित करने के लिये किया जाता है कि उपकरण को अधिकतम उत्पादित पॉवर स्थानांतरित हो रही है।

MPPT इलेक्ट्रॉनिक ट्रैकिंग एवं सूर्य-ट्रैकिंग यांत्रिक ट्रैकिंग है, दोनों का मुख्य उद्देश्य है सौर पीवी मॉड्यूल का उपयोग कर अधिक पॉवर का उत्पादन करना।

यहां यह ध्यान रखें कि सौर पीवी मॉड्यूलों के सूर्य–ट्रैकिंग के समान नहीं है। सूर्य–ट्रैकिंग में, पीवी मॉड्यूल यान्त्रिक रूप से घूर्णित होते हैं जिससे कि मॉड्यूल से अवशोषित होने वाला विकिरण अधिकतम हो, जबकि में इलेक्ट्रॉनिक सर्किटरी का उपयोग यह सुनिश्चित करने के लिये किया जाता है कि उत्पादित पॉवर की अधिकतम मात्रा उपकरण को स्थानांतरित हो।

8.7.4 MPPT चार्ज कंट्रोलर की विशिष्टताएं

PV इनपुट

अधिकतम इनपुट पॉवर: यह वह अधिकतम पॉवर है जो चार्ज कंट्रोलर पीवी सरणी से संभाल सकता है।

अधिकतम ओपन सर्किट वोल्टेज: यह वह अधिकतम ओपन सर्किट वोल्टेज है जो कि चार्ज कंट्रोलर संभाल सकता है।

ट्रैकिंग वोल्टेज रेंज: ये वे वोल्टेज स्तर हैं जो कि चार्ज कंट्रोलर संभाल सकता है।

बैटरी को DC आउटपुट

नॉमिनल या नाममात्र बैटरी वोल्टेज: यह वह वोल्टेज है जिस पर संयंत्र में बैटरी संचालित होती है।

वोल्टेज रेग्युलेशन सेट पॉइंट (VR): यह वह अधिकतम वोल्टेज है जिससे एक बैटरी चार्ज हो सकती है (बिना ओवरचार्ज हुए)। यदि यह थ्रेशहोल्ड बिंदु प्राप्त हो जाता है, तो कंट्रोलर या तो बैटरी को स्रोत से अलग कर देगा या वह बैटरी को प्रदान की जाने वाली विद्युतधारा को नियंत्रित करना शुरू कर देगा।

लो या निम्न वोल्टेज डिस्कनेक्ट (LVD): यह वह निम्नतम वोल्टेज है जिसके होने पर बैटरी डिस्चार्ज हो सकती है, बिना गहराई से डिस्चार्ज हुए। इसे बैटरी का अधिकतम डिस्चार्ज की गहराई (DoD–maximum depth of discharge) भी कहा जाता है। जैसे ही बैटरी वोल्टेज LVD तक पहुंचता है, इसे ओवरचार्जिंग से बचाने के लिये चार्ज कंट्रोलर उपकरण को बैटरी टर्मिनल से अलग कर देता है।

नॉमिनल पीवी सरणी विद्युतधारा या अधिकतम चार्जिंग विद्युतधारा: यह वह अधिकतम पीवी सरणी विद्युतधारा है जिसे चार्ज कंट्रोलर आसानी से संभाल सकता है। यह और कुछ नहीं बल्कि सरणी शॉर्ट सर्किट विद्युतधारा है। STC न होने पर शॉर्ट सर्किट विद्युतधारा में परिवर्तन के लिये एक सुरक्षा फैक्टर 1.25 का उपयोग किया जाता है।

उपकरण नियंत्रण

नॉमिनल या नाममात्र का वोल्टेज: यह अधिकतम उपकरण वोल्टेज है जिसे संभालने में चार्ज कंट्रोलर सक्षम हो।

तालिका 8.8 12 V, 6 A MPPT चार्ज कंट्रोलर की विशिष्टताएं

PV Input	
Maximum input power	80 W
Maximum open circuit voltage	95 V
MPPT tracking voltage range	26 ~ 75 V
DC Optput to Battery	
Nominal battery voltage	12 V
Voltage regulation set point (VR)	12.6 ± 0.2
Low voltage disconnect (LVD)	10.5 ± 0.2
Maximum charging current	6 A
DC Load Control	
Nominal voltage	12 V
Maximum current	10 A

अधिकतम विद्युतधारा: यह वह अधिकतम उपकरण विद्युतधारा है जिसे संभालने में चार्ज कंट्रोलर सक्षम हो।

MPPT चार्ज कंट्रोलर को आउटपुट विद्युतधारा दर से मापा जाता है जिसे संभालने में वह सक्षम हो न कि सौर पैनल से इनपुट विद्युतधारा द्वारा जैसा कि स्टैंडर्ड चार्ज कंट्रोलर में किया जाता है। तालिका 7.2 में एक 12 V, 6 A MPP चार्ज कंट्रोलर की विशिष्टताएं दर्शाई गई हैं।

उदाहरण 8.8

माना कि एक 1000 वॉट का सौर पैनल सरणी है जो कि 48 वोल्ट DC एवं 24 वोल्ट DC पर बैटरी बैंक पर संचालित होता है। इस संयंत्र हेतु MPPT चार्ज कंट्रोलर रेटिंग का चयन करें।

हल

MPPT हेतु निम्न मापदंड दिये गए हैं:

सौर पीवी मॉड्यूलों का वॉटेज = 1000 वॉट

पीवी सरणी ऑपरेटिंग वोल्टेज = 48 वोल्ट

बैटरी बैंक ऑपरेटिंग वोल्टेज = 24 वोल्ट

सौर पैनल से MPPT चार्ज कंट्रोलर को वॉटेज इनपुट 1000 वॉट है। इस स्थिति में सौर पीवी मॉड्यूल MPPT के इनपुट सिरे पर जुड़े होते हैं एवं बैटरी आउटपुट सिरे पर। अतः MPPT हेतु उपकरण या विद्युत भार बैटरी है। जितना आउटपुट वोल्टेज एवं आउटपुट विद्युतधारा संभाल सकता है उसके MPPT विशिष्ट मान दिये गए हैं। अतः हमें MPPT हेतु इसके विद्युत भार या उपकरण को आवश्यक विद्युतधारा की गणना करनी चाहिये।

MPPT का इनपुट पॉवर 1000 वॉट है (पीवी मॉड्यूल), एवं यदि दक्षता मानें, तो बैटरी बैंक सिरों पर भी पॉवर 1000 W होगी। चूंकि बैटरी बैंक 24 V पर है, तो बैटरी बैंक का एम्पियरेज या विद्युतधारा दर को निम्न तरीके से ज्ञात किया जा सकता है:

$$\text{पॉवर} = \text{वोल्टेज} \times \text{विद्युतधारा}$$

$$\text{विद्युतधारा} = \frac{\text{पावर}}{\text{वोल्टेज}} = \frac{1000}{24} = 41.67 \text{ एम्पियर}$$

अतः इस परिस्थिति में एक 24 V, 41.6 एम्पियर MPPT कार्य करेगा। विशेष परिस्थितियों हेतु जिनसे सौर पैनल सरणी से अधिक पॉवर उत्पादित हो सकती है इसके सामान्य रेटिंग की तुलना में हम आंकलित विद्युतधारा मान को 25% से बढ़ा सकते हैं। इससे विद्युतधारा दर 51 A प्राप्त होती है। अतः इस संयंत्र हेतु 24 V, 51 A चार्ज कंट्रोलर के लिये उपर्युक्त है।

चुना गया MPPT चार्ज कंट्रोलर इतना सक्षम होना चाहिये कि वह सरणी के V_{oc} एवं V_{mp} को नियंत्रित कर सके।

प्रश्न 8.9 माना कि एक 3000 वॉट सौर पैनल सरणी है जो कि 36 वोल्ट DC एवं 36 वोल्ट DC के बैटरी बैंक पर संचालित होता है। इस संयंत्र हेतु MPPT चार्ज कंट्रोलर का चयन करें?

वर्कशीट 8.5

तालिका 8.9 को पूर्ण करें।

तालिका 8.9 रिक्त स्थानों को भरें

सौर पैनल वॉटेज (W)	*सौर पैनल ऑपरेटिंग वोल्टेज* (V)	*बैटरी बैंक वोल्टेज* (V)	*बैटरी बैंक एम्पियरेज* (A)	*बैटरी बैंक एम्पियरेज* (A) + 25%	MPPT *रेटिंग*
1000	24	24	41.67	51	24 V, 51 A
3000	36	36	–	–	–
4800	48	36	–	–	–

उदाहरण 8.9

150 वॉट उच्चतम सौर गृह संयंत्र हेतु माना कि निम्न पीवी मॉड्यूल का उपयोग किया जाता है। इस संयंत्र हेतु MPPT चार्ज कंट्रोलर का चयन करें?

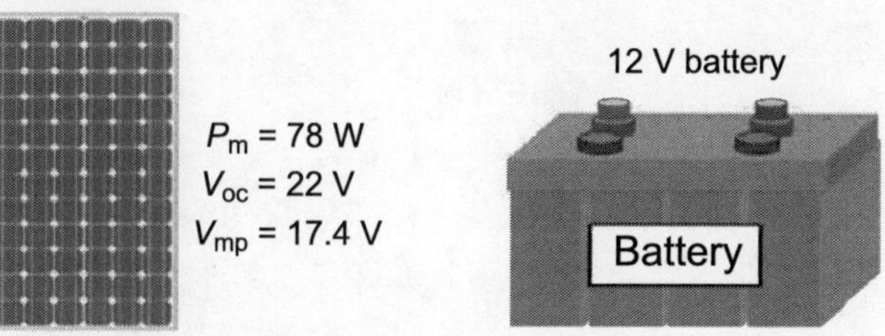

हल माना कि पीवी मॉड्यूलों को श्रेणी में जोड़ा जाता है।

$$V_{oc}\,(\text{system}) = 2 \times 22 = 44\ \text{V}$$

$$V_{mp}\,(\text{system}) = 2 \times 17.4 = 34.8\ \text{V}$$

$$P_m\,(\text{system}) = 78 \times 2 = 156\ \text{W}$$

MPPT हेतु इनपुट पॉवर 156 वॉट है (पीवी मॉड्यूल), एवं माना कि 100% दक्षता है, बैटरी बैंक सिरों पर भी पॉवर 156 W होगा। चूंकि बैटरी बैंक 12 V पर है, बैटरी बैंक का एम्पियरेज निम्न तरीके से ज्ञात किया जा सकता है:

पॉवर = वोल्टेज × विद्युतधारा

$$\text{Current} = \frac{\text{Power}}{\text{Voltage}} = \frac{156}{12} = 13\ \text{A}$$

इस प्रकार इस परिस्थिति में 12 V, 13 A MPPT अच्छी तरह कार्य करेगा। एहतियात के तौर पर हम आंकलित विद्युतधारा मान को बढ़ा सकते हैं उस विशेष परिस्थिति को ध्यान में रखते हुए जिसमें सौर पैनल सरणी सामान्य रेटिंग की तुलना में अधिक पॉवर का उत्पादन कर सकता है। इससे 16.25 A का एम्पियरेज मिलता है। अतः इस संयंत्र के लिये 24 V, 16.25 A MPPT चार्ज कंट्रोलर उपर्युक्त है।

यह चुना गया MPPT चार्ज कंट्रोलर सरणी के V_{oc} एवं V_{mp} को नियंत्रित करने में सक्षम होना चाहिये।

9

तार या वायर

किसी विद्युतीय संयंत्र में, एक उपकरण व पॉवर आपूर्ति को जोड़ने के लिये तारों की आवश्यकता होती है। तारों के चयन हेतु, तार के लिये सामग्री, तार का व्यास आदि महत्वपूर्ण भूमिका निभाते हैं। सौर पीवी संयंत्र अनुप्रयोगों में, उपर्युक्त तारों का चयन अधिक महत्वपूर्ण है क्योंकि संयंत्र का कुछ भाग हो सकता है कि DC विद्युतधारा पर कार्य करे एवं हो सकता है कुछ भाग AC विद्युतधारा पर कार्य करे। तारों का सही चयन तारों द्वारा होने वाली विद्युतीय हानियों को घटाएगा एवं क्योंकि सौर पीवी पॉवर महंगा होता है, तारों द्वारा होने वाली हानियों को जितना संभव हो कम करना आवश्यक है। साथ ही हमें पीवी संयंत्रों में शॉक हैजार्ड व अग्नि संबंधित दुर्घटनाओं से बचने के लिये तारों का सही चयन करना चाहिये।

9.1 परिचय

तार एक एकल, सामान्यतः बेलनाकार, लचीला धातु का तार/रॉड होता है। तार सामान्यतः यांत्रिक भार एवं विद्युत के प्रवाह के लिये उपयोग किए जाते हैं। यहां तार से तात्पर्य है विद्युतीय तार या विद्युत संवहन के लिये तार। विद्युतीय तार धातु के बने होते हैं क्योंकि धातु सबसे अधिक धातु संवहनीय सामग्री होती हैं। जिनमें से, चांदी सबसे अधिक संवहनीय तत्व होती है। परंतु चांदी के उच्च मूल्य के कारण, तारों को बनाने के लिये तांबे का उपयोग होता है क्योंकि यह सस्ता है एवं चांदी के पश्चात् सबसे अधिक संवहनीय धातु है। एल्युमिनियम भी तार के रूप में तांबे के बाद बहुत महत्वपूर्ण धातु है, परंतु सौर पीवी अनुप्रयोगों के लिये ऊर्जा हानि से बचने के लिये आमतौर पर तांबे के तार का उपयोग किया जाता है। साथ ही एल्युमिनियम का टिकाऊपन तांबे के तार की तुलना में कम है, विशेषतः पतले तारों का। ये तार घरों में अनुप्रयोगों के लिये उपयोग नहीं किये जाते, क्योंकि ये टूट सकते हैं एवं लगाने के दौरान ही कमजोर पड़ सकते हैं।

सामान्यतः विद्युतधारा का झटका लगने से बचने, अवांछनीय विद्युतधारा संवहन की वजह से होने वाली ऊर्जा हानि से बचने, और दो तारों के साथ–साथ लगे होने पर होने वाले शॉर्ट सर्किट से बचने के लिये, तारों पर किसी रोधन या इंसुलेटिंग सामग्री की परत चढ़ी होती है जैसे कि, पॉलीविनाइल क्लोराइड (PVC), नाइलॉन, पॉलीस्टर आदि की। किसी इंसुलेटिंग पदार्थ का चयन उसकी गुणवत्ता एवं आवश्यकता पर निर्भर करता है। कभी–कभी तारों की जगह शब्द 'केबल' का उपयोग किया जाता है। जब तारों का गुच्छे आपस में जुड़े हुए, गुंथे हुए, या मुड़े होते हैं, तब इन्हें 'केबल' या 'तार केबल' कहा जाता है। चित्र 9.1 में तार एवं तार केबल का चित्र दर्शाया गया है।

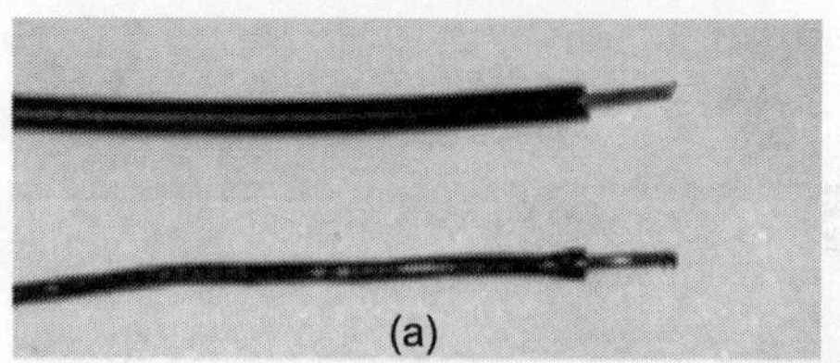

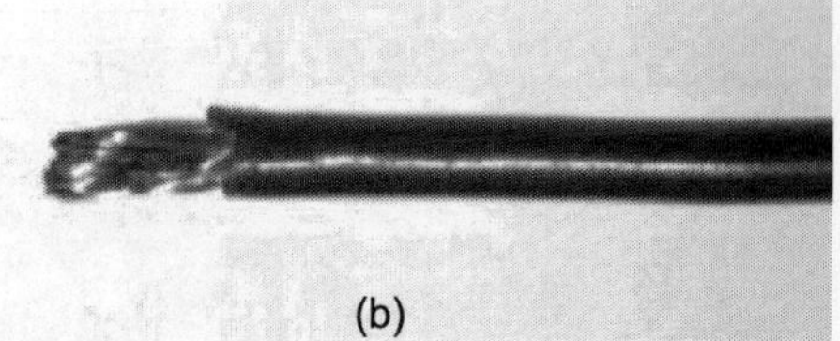

चित्र 9.1
आमतौर पर उपयोग होने वाले इलेक्ट्रिकल वायर।

9.1.1 तारों का उपर्युक्त चयन क्यों आवश्यक है?

तार, सर्किट अवयवों के बीच ऊर्जा स्थानांतरित करने का एक माध्यम है। एक पीवी संयंत्र के प्रकार एवं डिजाइन के अनुसार बैटरी से सौर पीवी मॉड्यूल को जोड़ने, बैटरी को इन्वर्टर से, उपकरण को इन्वर्टर से, इन्वर्टर को ग्रिड से जोड़ने आदि के लिये तारों की आवश्यकता होती है। यदि आप अपने पीवी संयंत्र में सभी अवयव बहुत अच्छे ढूंढते हैं, परंतु उपर्युक्त तार का उपयोग नहीं करते हैं, तो हो सकता है कि आपका संयंत्र आपकी उम्मीद के अनुसार कार्य न करे। तारों का एक अनुपर्युक्त चयन हो सकता है कि पीवी संयंत्र में एक कमजोर कड़ी बन जाए। उदाहरण के लिये यदि, आपके पीवी संयंत्र के एक भाग में बहुत अधिक विद्युतधारा प्रवाहित हो रही है एवं जिस तार का आपने चयन किया है वह बहुत पतला है, तब पतले तार में हो सकता है कि बहुत सी पॉवर की हानि हो रही हो, यह बहुत गर्म होकर के जल भी सकता है, संयंत्र में आग लग सकती है एवं हो सकता है कि पूरा संयंत्र कार्य करना बंद कर दे, जो कि बहुत ही खराब परिस्थिति होगी। अतः यहां यह महत्वपूर्ण नहीं है कि, हमारे संयंत्र के अवयव कितने दक्ष हैं, बल्कि यहां यह महत्वपूर्ण है कि, बिना तारों के सही चयन के हम हमारे पीवी संयंत्र से सबसे अच्छा प्रदर्शन प्राप्त नहीं कर पाएंगे। तार का प्रदर्शन ही अकेले चिंता का विषय नहीं है, परंतु तारों के गलत उपयोग के और भी प्रतिकूल परिणाम संभावित हैं, जैसे विद्युतधारा से झटके की घटना, आग लगने की घटना आदि। इसीलिये तारों के विषय में और अधिक समझना आवश्यक है जिससे कि एक सौर पीवी संयंत्र की डिजाइन करते समय उनका उपर्युक्त चयन किया जा सके।

तारों का उपर्युक्त चयन महत्वपूर्ण है, न केवल संयंत्र के बेहतर प्रदर्शन के दृष्टिकोण से, बल्कि झटके व आग लगने की घटनाओं से बचने और पीवी संयंत्रों पर निर्भरता बढ़ाने के लिये भी।

9.2 विद्युत संवहन के आधारभूत बिंदु

किसी अनुप्रयोग के लिये सबसे पहले हमें विद्युतधारा के प्रवाह एवं विद्युत प्रवाह के समय किस तरह तार कार्य करते हैं, यह समझने की आवश्यकता है। विद्युतधारा, वोल्टेज की उपस्थिति में इलेक्ट्रॉनों का या आवेशों का प्रवाह होता है। एक तार में विद्युतधारा प्रवाहित होती है, जब इसके दोनों ओर वोल्टेज उपस्थित हो व विद्युतधारा उच्च वोल्टेज बिंदु से निम्न वोल्टेज बिंदु की ओर प्रवाहित होती है। जब एक तार से विद्युतधारा या इलेक्ट्रॉन प्रवाहित होते हैं, तब तार जिस सामग्री से बना है उससे इलेक्ट्रॉन टकराते हैं। इसका परिणाम होता है उनकी गति का कम होना, तारों में उपस्थित वोल्टेज फिर से इलेक्ट्रॉन को धकाता है, और इलेक्ट्रॉनों में गति आ जाती है। यह इलेक्ट्रॉनों की गति का धीमा पड़ना एवं फिर से गति पकड़ने की प्रक्रिया तारों में निरंतर रूप से होती रहती है। हम कह सकते हैं कि इलेक्ट्रॉनों की यह टकराहट तारों से इलेक्ट्रॉनों के प्रवाह में एक तरह की रुकावट है। वैज्ञानिक रूप से इस रुकावट को 'इलेक्ट्रिकल प्रतिरोध' या 'प्रतिरोध' कहा जाता है। आदर्श रूप से हम तारों में जितना संभव हो इलेक्ट्रॉनों के प्रवाह में कम से कम रुकावट चाहते हैं या तारों का जितना संभव हो निम्न प्रतिरोध चाहते हैं। परंतु, प्रत्येक तार में विद्युतधारा के प्रति कुछ प्रतिरोध होता है, यहां तक कि सबसे उत्तम विद्युत संवहनीय सामग्री में भी कुछ प्रतिरोध होता है। एक ऐसा तार पाना असंभव है जिसमें विद्युत प्रवाह के प्रति शून्य प्रतिरोध हो। सामान्यतः ऐसी सामग्री जो कि विद्युत प्रवाह में निम्न प्रतिरोध दर्शाती है वे संयंत्र के अवयवों को जोड़ने के लिये तारों या केबल के रूप में चुनी जाती हैं। एलुमिनियम एवं तांबा आमतौर पर विद्युतधारा संवहनीय तार बनाने के लिये उपयोग की जाने वाली सामग्री हैं।

आदर्श रूप में हम तारों में इलेक्ट्रॉन प्रवाह में निम्नतम रुकावट चाहते हैं या जितना संभव हो उतना तारों का निम्न प्रतिरोध।

9.2.1 प्रतिरोध एवं प्रतिरोधकता

एक तार की प्रतिरोधकता वह गुण है जो कि उससे गुजरने वाली विद्युतधारा के प्रवाह को रोकता है। कुछ सामग्रियां कम प्रतिरोध दर्शाती हैं एवं कुछ विद्युतधारा प्रवाह में अधिक प्रतिरोध दर्शाती हैं। विद्युत के प्रवाह से संबंधित दो मुख्य शब्द हैं; एक है प्रतिरोधकता एवं दूसरा है प्रतिरोध। प्रतिरोधकता सामग्री का आंतरिक गुण है एवं यह सामग्री की विमाओं के साथ परिवर्तित

नहीं होता उदाहरण के लिये कम व्यास का एक एलुमिनियम तार एवं अधिक व्यास वाले तार में समान प्रतिरोधकता होगी, अतः प्रतिरोधकता तार की भौतिकीय विमाओं से मुक्त रहती है। यह ध्यान रखा जाना चाहिये कि पृथक–पृथक सामग्री की प्रतिरोधकता भी भिन्न–भिन्न होती है। वहीं दूसरी तरफ तार का प्रतिरोध न केवल तार की प्रतिरोधकता पर निर्भर करता है (जिसका तात्पर्य है तार की सामग्री), बल्कि तार की भौतिकीय विमाओं पर भी निर्भर करता है जैसे संवाहक की लंबाई, संवाहक का क्रॉस–सेक्शनल क्षेत्रफल। इसलिये केवल संवाहक की सामग्री जान कर, हम सर्किट में वास्तविक प्रतिरोध का आंकलन नहीं कर सकते, हमें तार की विमाएं भी ज्ञात करनी होंगी।

इलेक्ट्रिकल प्रतिरोधकता वह माप जिससे पता चलता है कि एक सामग्री विद्युतधारा को प्रवाहित होने से कितना अधिक रोकती है। सामग्री की कम प्रतिरोधकता यह दर्शाती है कि, यह विद्युत आवेशों को अधिक आसानी से गतिमान होने देती है। विद्युतीय प्रतिरोधकता की इकाई ओम मीटर (Ω-m) है एवं यह आमतौर पर ग्रीक अक्षर ρ (rho) से दर्शाई जाती है। प्रतिरोधकता, किसी सामग्री का गुण है एवं यह वातावरण की परिस्थितियों जैसे तापमान, आर्द्रता आदि पर भी निर्भर करती है।

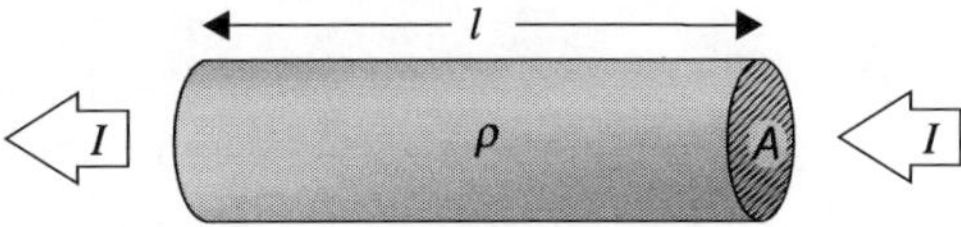

चित्र 9.2
एक चालक के टुकड़े की लंबाई से होता हुआ विद्युत संवहन।

एक संवाहक की लंबाई '*l*', (m) मीटर में होती है एवं संवाहक का क्रॉस–सेक्शन क्षेत्रफल '*A*', (m^2) मीटर वर्ग के रूप में दिया जाता है। एक तार का क्रॉस–सेक्शन क्षेत्रफल इसके व्यास (*d*) से संबंधित है। एक अधिक व्यास वाले तार में अधिक क्रॉस–सेक्शन क्षेत्रफल होगा एवं कम व्यास वाले तार में कम क्रॉस–सेक्शन क्षेत्रफल होगा। व्यास एवं क्रॉस–सेक्शन क्षेत्रफल के बीच संबंध है, जिसे चित्र 9.3 में समझाया गया है। 'A' वृत्त का क्षेत्रफल है जिसका व्यास d है।

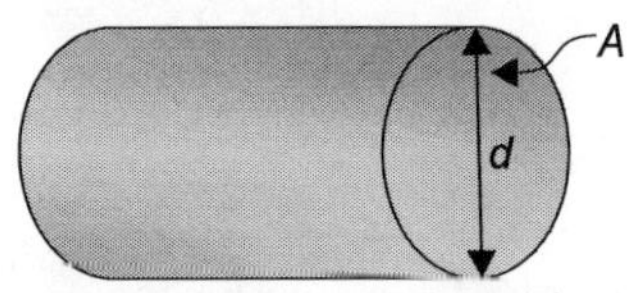

चित्र 9.3
एक तार का व्यास '*d*' एवं क्रॉस-सेक्शन क्षेत्रफल '*A*' दर्शाता हुआ रेखाचित्र।

d एवं A के बीच गणितीय संबंध निम्न समीकरण द्वारा दिया गया है :

$$\text{Cross-section area } (A) = 0.785 \times d \times d$$

उपरोक्त समीकरण में यदि व्यास की इकाई 'mm' है तब क्रॉस–सेक्शन क्षेत्रफल की इकाई mm^2 होगी, एवं, यदि व्यास की इकाई m है तब क्रॉस–सेक्शन क्षेत्रफल की इकाई m^2 होगी। सामान्यतः व्यास के लिये 'mm' का उपयोग किया जाता है। तारों के व्यास का मान 'mm' में एवं उसी के क्रॉस–क्षेत्र का मान 'mm^2' में तालिका 9.1 में दिया गया है। इस तालिका से यदि

तालिका 9.1 व्यास का मान एवं क्रॉस-सेक्शन

व्यास (mm *में*)	*क्षेत्रफल* (mm^2)	*व्यास* (mm *में*)	*क्षेत्रफल* (mm^2)
0.5	0.20	5.5	23.75
1	0.79	6	28.26
1.5	1.77	6.5	33.17
2	3.14	7	38.47
2.5	4.91	7.5	44.16
3	7.07	8	50.24
3.5	9.62	8.5	56.72
4	12.56	9	63.59
4.5	15.90	9.5	70.85
5	19.63	10	78.50

आप किसी तार का व्यास लेते हैं, तो आप तार के क्रॉस–सेक्शन क्षेत्रफल को ज्ञात कर सकते हैं या यदि आप तार का क्रॉस–सेक्शन क्षेत्रफल जानते हैं तो आप तार का व्यास निकाल सकते हैं। यह तालिका किसी दिए गए पीवी संयंत्र के लिये तारों का साइज निकालने के लिये उपयोगी है।

रेसिस्टीविटी या प्रतिरोधकता की चर्चा करने के पश्चात् आइये अब 'प्रतिरोध' के विषय में चर्चा करें। इलेक्ट्रिकल प्रतिरोध का प्रतीक '*R*' है एवं इसे ओम (Ω) इकाई में मापा जाता है। एक तार, जिस सामग्री से यह बना है उसकी प्रतिरोधकता (ρ), तार की लंबाई (l) एवं तार के क्रॉस–सेक्शन क्षेत्रफल (A) पर निर्भर करती है। चित्र 9.2 में विद्युतधारा का प्रवाह दर्शाया गया है। एवं प्रतिरोध को निम्न समीकरण द्वारा अभिव्यक्त किया जा सकता है :

$$R = \rho \frac{l}{A} \tag{8.1}$$

उपरोक्त अभिव्यक्ति से प्रतिरोध के लिये निम्न बिंदु ज्ञात किए जा सकते हैं :

1. एक अधिक लंबाई के तार में अधिक प्रतिरोध होगा (चित्र 9.4 देखें)। यह इंगित करता है कि तार का प्रतिरोध उसकी लंबाई के साथ बढ़ता है।

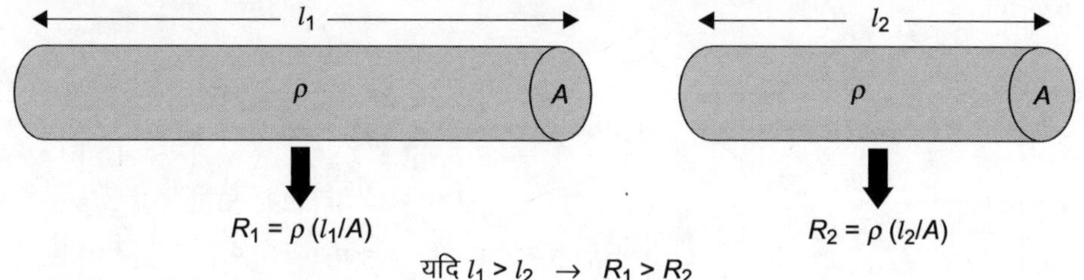

चित्र 9.4
एक तार की प्रतिरोधकता एवं उसकी लंबाई पर निर्भरता। एक लंबे तार की प्रतिरोधकता उच्च होगी।

2. एक अधिक क्रॉस–सेक्शन क्षेत्रफल या अधिक व्यास वाले तार में कम प्रतिरोधकता होगी (चित्र 9.5 देखें)। यह इंगित करता है कि तार का व्यास बढ़ने के साथ उसकी प्रतिरोधकता कम होती है।

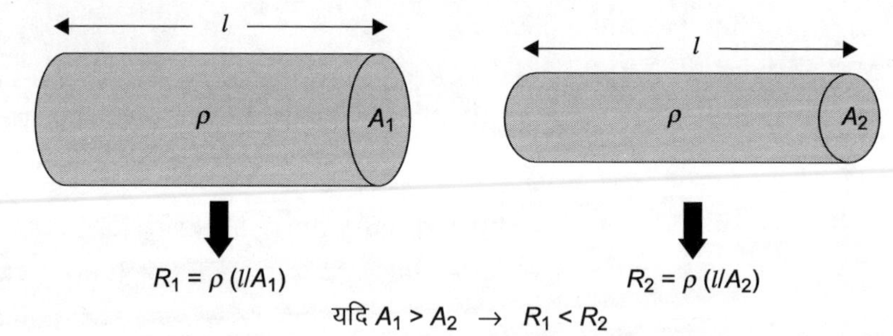

चित्र 9.5
एक तार के प्रतिरोध की उसके क्रॉस-सेक्शन क्षेत्रफल या व्यास पर निर्भरता। एक अधिक व्यास या क्रॉस-सेक्शन क्षेत्रफल वाले तार का प्रतिरोध निम्न होगा।

3. एक उच्च प्रतिरोधकता वाले तार में उच्च प्रतिरोध होगा (चित्र 9.6 देखें)। कॉपर एवं एलुमिनियम में अत्यंत निम्न प्रतिरोधकता होती है (in the range of 1×10^{-8} Ω-m) प्लास्टिक, ग्लास या लकड़ी (1×10^{5} Ω-m से अधिक) प्रतिरोधकता की तुलना में, इसीलिये कॉपर एवं एलुमिनियम को संवहनीय तार बनाने में उपयोग हेतु चुना जाता है।

तार व केबल की प्रतिरोधकता उनकी सामग्री, उनकी लंबाई व उनके व्यास पर निर्भर करती है।

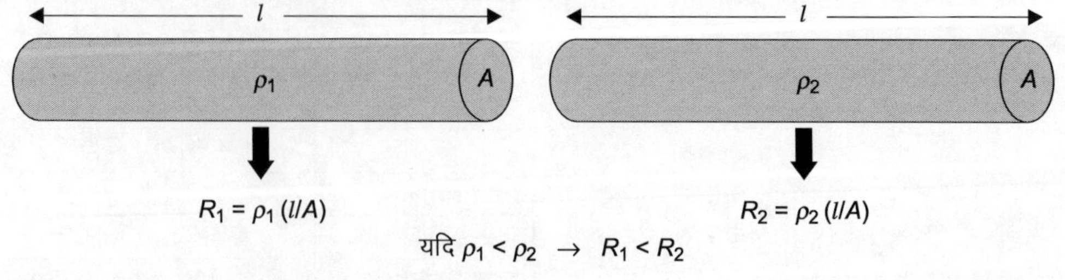

चित्र 9.6
एक तार के प्रतिरोध की प्रतिरोधकता पर निर्भरता। एक निम्न प्रतिरोधकता वाले तार का प्रतिरोध भी निम्न होगा।

प्रश्न 9.1 कॉपर व एलुमिनियम के दो तार हैं, प्रत्येक की समान लंबाई व व्यास हैं। किस तार में उच्च प्रतिरोध होगी।

9.2.2 विद्युतधारा प्रवाह के दौरान तार में वोल्टेज ड्रॉप: ओम का नियम

यह प्रारंभ में लिखा जा चुका है कि तार की प्रतिरोधकता की वजह से इसमें कुछ पॉवर की हानि होती है। पॉवर की हानि के अतिरिक्त, तार की प्रतिरोधकता के परिणामस्वरूप कुछ वोल्टेज ड्रॉप भी होता है। हम यह नहीं चाहते कि तारों में वोल्टेज ड्रॉप हो, व्यावहारिक रूप से वोल्टेज ड्रॉप जितना संभव हो उतना कम होना चाहिये। तारों में वोल्टेज ड्रॉप तार की प्रतिरोधकता व उसमें प्रवाहित होने वाली विद्युतधारा पर निर्भर करती है। यह वोल्टेज, विद्युतधारा व प्रतिरोधकता के बीच का संबंध वैज्ञानिक ओम द्वारा परिभाषित किया गया है। अतः यह नियम ओम का नियम कहलाता है।

ओम के नियम के अनुसार "एक संवाहक में होने वाला वोल्टेज ड्रॉप (V) उसकी प्रतिरोधकता (R) एवं उसमें प्रवाहित होने वाली विद्युतधारा (I) का परिणाम होता है"। यह चित्र 9.7 में दर्शाया गया है एवं समीकरण के रूप में नीचे समझाया गया है।

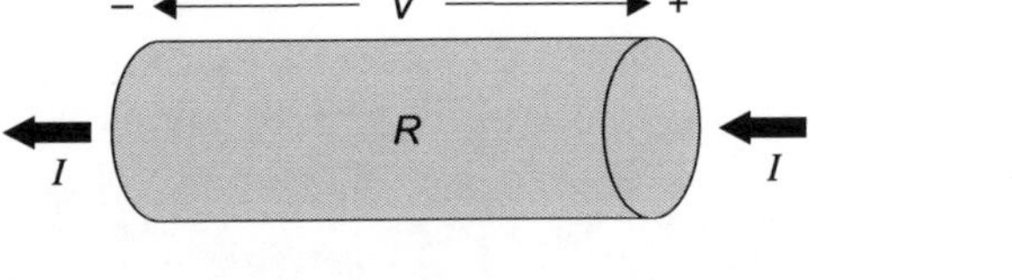

चित्र 9.7
एक विद्युतधारा प्रवाहित करने वाले कंडक्टर के टुकड़े की लंबाई में वोल्टेज का गिरना।

$$V = I \times R \tag{9.2}$$

उपरोक्त समीकरण से यह देखा जा सकता है कि प्रतिरोधकता, तार में उच्च विद्युत प्रवाह आदि के समान मान के लिये परिणाम होगा उच्च वोल्टेज ड्रॉप।

DC सर्किट में वोल्टेज ड्रॉप उच्च होता है?

सौर पीवी संयंत्र में, संयंत्र का कुछ भाग DC विद्युतधारा का व कुछ भाग AC विद्युतधारा का संवहन करता है। संयंत्र के DC भाग में वोल्टेज स्तर निम्न होता है, एवं इसीलिये समान पॉवर स्तर के लिये संयंत्र के DC भाग में विद्युतधारा स्तर उच्च होता है। याद रखें कि पॉवर = वोल्टेज × विद्युतधारा या (or $P = V \times I$)। उदाहरण के लिये पीवी मॉड्यूलों में आउटपुट वोल्टेज 15 V एवं 30 V के बीच है एवं बैटरियों का टर्मिनल वोल्टेज 12 V है। यदि कई पीवी मॉड्यूल एवं बैटरियों को श्रेणी में जोडा जाए, तब स्टैंडअलोन पीवी संयंत्रों के DC भाग का वोल्टेज मान 24 V, 36 V, 48 V, 72 V आदि होगा। यही बात एक बैटरी बैंक के टर्मिनल वोल्टेज के साथ भी लागू होती है। वहीं दूसरी तरफ AC भाग में, इन्वर्टर का आउटपुट वोल्टेज 230 V है। AC भाग का उच्च आउटपुट वोल्टेज यह दर्शाता है कि समान पॉवर के लिये तारों में निम्न विद्युतधारा का प्रवाह होगा।

चूंकि संयंत्र के DC भाग में वोल्टेज का मान निम्न है, DC भाग में उच्च विद्युतधारा प्रवाह होगा। इस कारण से, समान पॉवर के लिये, DC भाग पर अधिक वोल्टेज ड्रॉप होगा ($V = I \times R$) एवं इसीलिये DC तारों एवं पीवी संयंत्रों में केबलों में वोल्टेज हानि को कम करने के लिये निम्न प्रतिरोधकतायुक्त उपर्युक्त संवाहक का चयन किया जाना महत्वपूर्ण है। जब हम निम्न प्रतिरोधकता युक्त तारों का चयन करते हैं, इसका मतलब होता है कि हमें निम्न प्रतिरोधत्मकता व अधिक व्यास वाले तारों का चयन करना चाहिये। परंतु अधिक व्यास वाले तारों का तात्पर्य है अधिक सामग्री, जिसका मतलब है कि अधिक व्यास वाले समान सामग्री वाले कम व्यास के तारों की तुलना में अधिक मूल्य के होंगे। यहां तारों की प्रतिरोधकता व कीमत के बीच एक वाणिज्यिक समझौता है। अतः तारों की प्रतिरोधकता को देखते हुए तारों का कुछ मूल्य ऑप्टिमाइजेशन आवश्यक है।

> पीवी संयंत्रों में तारों में वोल्टेज ड्रॉप जितना निम्न संभव हो, निम्न होना चाहिये, विशेषतः जहां DC विद्युतधारा का प्रवाह हो रहा हो।

9.3 तारों के प्रकार

तारों को उनकी संरचना एवं अनुप्रयोगों के अनुसार मुख्यतः चार श्रेणियों में विभाजित किया जा सकता है :

1. सिंगल–स्ट्रेंडेड
2. मल्टी–स्ट्रेंडेड
3. सिंगल–कोर
4. मल्टी–कोर

9.3.1 सिंगल-स्ट्रेंडेड एवं मल्टी-स्ट्रेंडेड तार

सिंगल–स्ट्रेंड तार, को सॉलिड–कोर तार भी कहा जाता है। यह एक ठोस तार होता है जिसमें एक धातु के तार का टुकड़ा होता है। चित्र 9.1a में सिंगल – स्ट्रेंडेड तार का उदाहरण दर्शाया गया है। वहीं दूसरी तरफ मल्टी–स्ट्रेंडेड तार एक तारों के गुच्छे या तारों के समूह या तारों के लंबे धागों से मिलकर बना होता है जो कि एक अधिक व्यास वाला संवाहक बनाने के लिये साथ रखे जाते हैं। एक मल्टी–स्ट्रेंडेड कॉपर तार का उदाहरण चित्र 9.8 में दर्शाया गया है।

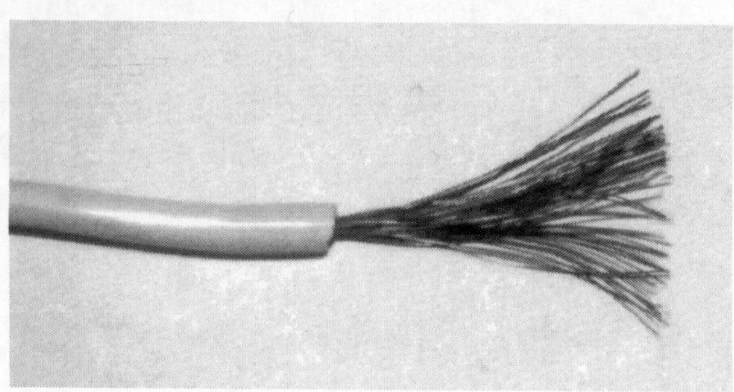

चित्र 9.8
मल्टी-स्ट्रेंडेड तार।

तार सिंगल–स्ट्रेंडेड या मल्टी–स्ट्रेंडेड का चयन किया जाना है, यह अनेकों मापदंडों पर निर्भर करता है। इन मापदंडों में शामिल हैं स्ट्रेंड की संख्या (छोटे तारों की संख्या), तार का लचीलापन, तार की मजबूती, टूटने की प्रतिरोधकता आदि। ये मापदंड संयंत्र के बेहतर प्रदर्शन के लिये महत्वपूर्ण हैं विशेषतः बड़े संयंत्रों के लिये जिनमें तार की अधिक मोटाई के साथ उच्च विद्युतधारा स्तर हो।

दोनों प्रकार के तारों के कुछ फायदे हैं व कुछ नुकसान। निम्न अनुच्छेदों में तुलना दिखाई गई है :

मूल्य : स्ट्रेंडेड तारों का मूल्य अधिक होता है क्योंकि ठोस तार बनाने में मल्टी–स्ट्रेंडेड तार की तुलना में अधिक सस्ते पड़ते हैं ।

लचीलापन : स्ट्रेंडेड तार मल्टी–स्ट्रेंडेड तारों की तुलना में अधिक लचीले होते हैं। मल्टी–स्ट्रेंडेड तार उपयोगी हो जाते हैं जहां कि तार में लचीलेपन की आवश्यकता हो जैसे कि सर्किट बोर्ड मल्टी–प्रिंटेड–सर्किट–बोर्ड युक्तियों में कनेक्शन, जहां ठोस तार की ठोसता/रिजिडिटी इतना खिंचाव पैदा कर सकती है जिसका परिणाम होगा असेम्बली या सर्विसिंग के दौरान गति।

प्रतिरोधकता : समान क्रॉस–सेक्शन क्षेत्रफल या व्यास के लिये, एक मल्टी–स्ट्रेंडेड तार में एक एकल–स्ट्रेंडेड तार की तुलना में उच्च प्रतिरोधकता होगी। ऐसा इस तथ्य के कारण है कि मल्टी–स्ट्रेंडेड तार का क्रॉस–सेक्शन पूरी तरह संवाहक धातु नहीं होती क्योंकि स्ट्रेंडेड के बीच वायु के स्थान छूटेंगे।

> समान क्रॉस सेक्शन क्षेत्रफल के लिये एक मल्टी-स्ट्रेंडेड तार की प्रतिरोधकता सिंगल-स्ट्रेंडेड तार की तुलना में अधिक होगी।

9.3.2 सिंगल-कोर एवं मल्टी-कोर तार

सिंगल कोर तार एक इंसुलेटेड ठोस बेलनाकार तार है सिंगल स्ट्रेंडेड तार की तरह, जबकि मल्टी–कोर तार में अनेक कोर होते हैं। शब्द 'मल्टी–कोर' का उपयोग सामान्यतः एक ऐसी केबल के लिये किया जाता है जिसमें अधिक कोर होते हैं।

मल्टी–कोर तार दो तरह के होते हैं : एक वह जिसमें एक से अधिक इंसुलेटेड ठोस या स्ट्रेंडेड कोर आपस में मिलकर एक अंतिम इंसुलेटिंग कवरिंग बनाते हैं, अन्य वह है जिसमें एक ठोस कोर एक के बाद एक इंसुलेटिंग एवं संवहनीय परतों से ढंका होता है, जो कि कोर की संख्या पर निर्भर करता है जैसे को–एक्सियल सिलेंडर। दूसरे प्रकार को को–एक्सियल केबल के रूप में भी जाना जाता है। मल्टी–कोर केबल का उदाहरण चित्र 9.9 में दिया गया है।

मल्टी–कोर केबल का फायदा है, कम केबल व्यास होने की वजह से कम जगह की आवश्यकता, कम वातावरणीय प्रभाव, कम बाहरी सतह क्षेत्रफल की वजह से अधिक UV सुरक्षा, दिखने में अच्छा आदि। नुकसान हैं उच्च मूल्य, पृथक–पृथक कोर के बीच में इंसुलेटिंग सामग्री की वजह से समान आकार/व्यास वाले सॉलिड कोर संवाहक की तुलना में उच्च प्रतिरोध।

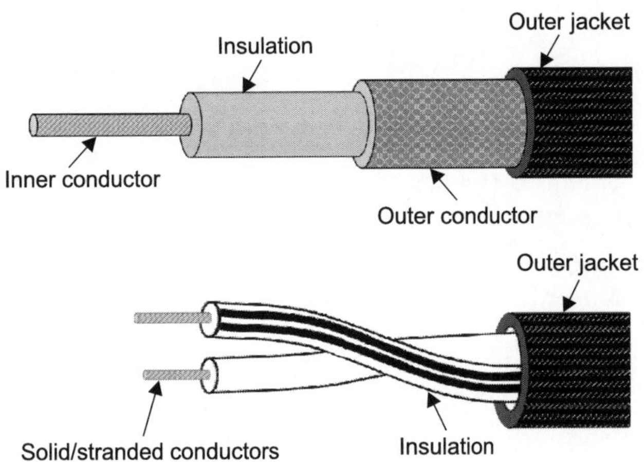

चित्र 9.9
द्वि-कोर तार का रेखाचित्र।

9.4 तार की विमाओं का मापन

अभी तक यह चर्चा की जा चुकी है कि सौर पीवी संयंत्रों में एक निम्न प्रतिरोधयुक्त तार होना चाहिये जिससे कि तारों में वोल्टेज ड्रॉप निम्न हो। साथ ही, हमने यह चर्चा की है कि तार की किसी सामग्री विशेष के लिये, तार का प्रतिरोध इसके व्यास एवं लंबाई पर निर्भर करता है। सामान्यतः तार की लंबाई का मापन करना आसान है, हम तार की लंबाई मापने के लिये स्केल या टेप का उपयोग कर सकते हैं। परंतु तारों का व्यास एकदम सही मापना आसान नहीं है क्योंकि यह विमा बहुत छोटी होती है। तार का व्यास मापने के लिये कुछ विशेष औजार विकसित किए गए हैं जिनके विषय में इस अनुभाग में नीचे चर्चा की गई है।

9.4.1 एक तार की लंबाई का मापन

तार की लंबाई का मापन करने वाले टेप रूलर की मदद से मापा जा सकता है। मापने वाले टेप में इंच एवं फुट या सेंटीमीटर एवं मीटर के निशान बने हो सकते हैं। संयंत्र के घटकों में तार की लंबाई कम से कम होनी चाहिये क्योंकि अतिरिक्त तार की लंबाई का परिणाम होता है अधिक वोल्टेज ड्रॉप। परंतु हमें लगभग 2–3 फीट अतिरिक्त लंबाई भी लेनी चाहिये जिससे जब रिपेयरिंग कार्य किया जा रहा हो तब तार की कमी न हो।

9.4.2 एक तार के व्यास का मापन

तार का प्रतिरोध या संभावित वोल्टेज ड्रॉप की गणना करने हेतु एवं यह देखने के लिये कि कोई तार विशेष एक पीवी संयंत्र के लिये उपर्युक्त है कि नहीं, तार के व्यास का मापन आवश्यक है। जब हम बाजार से तार खरीदते हैं तब हम विक्रेता से तार के व्यास के विषय में हो सकता है कि सही जानकारी न प्राप्त कर पाएं क्योंकि हो सकता है कि वह तारों के व्यास रेटिंग के विषय में अधिक पारंगत न हो; एवं यह भी आवश्यक नहीं है कि विक्रेता तार का जो व्यास बताए वह सही हो। इसीलिये एक पीवी संयंत्र डिजाइनर एवं इंस्टॉलर के रूप में हमें तार का व्यास मापने में दक्ष होना चाहिये।

> तार के व्यास के मापन में सटीकता आवश्यक है क्योंकि तार के व्यास में थोड़ी सी भिन्नता का संयंत्र के वोल्टेज ड्रॉप पर बहुत अधिक प्रभाव पड़ता है।

सामान्यतः सौर पीवी संयंत्रों में उपयोग किए जाने वाले तारों का व्यास मिमी. में होता है। तार का व्यास मापने के लिये मेज़रिंग टेप या स्केल सही टूल नहीं है। अतः, एक ऐसे मापन उपकरण की आवश्यकता है जिसमें सटीकता स्तर अच्छा हो। व्यास के मापन में सटीकता आवश्यक है क्योंकि तार के व्यास में थोड़ा सी भी भिन्नता का संयंत्र के वोल्टेज ड्रॉप पर बहुत अधिक प्रभाव पड़ता है।

माइक्रोमीटर स्क्रू गॉज

उचित सटीकता के साथ तार का व्यास मापने के लिये माइक्रोमीटर स्क्रू गॉज एक अच्छा निम्न–मूल्य का विकल्प है। यह 'स्क्रू' सिद्धांत पर कार्य करता है एवं सामान्यतः यह व्यास बहुत ही सटीकता के साथ माप सकता है बहुत निम्न 25 मिमी. तक 0.01 मिमी. तक की शुद्धता के साथ। अब बाजार में डिजिटल स्क्रू गॉज भी उपलब्ध हैं जो कि और 0.001 मिमी. के बेहतर रिसॉल्यूशन (शुद्धता स्तर) के साथ हैं। चित्र 8.10 में मैनुअल एवं डिजिटल स्क्रू गॉज की तस्वीरें दर्शाई गई हैं।

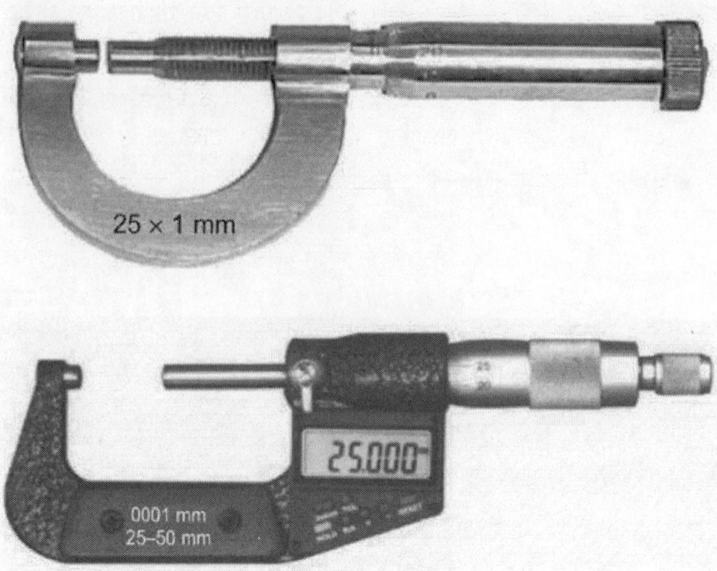

चित्र 9.10
माइक्रोमीटर स्क्रू गॉज (मैनुअल एवं डिजिटल)।

स्टैंडर्ड वायर गॉज (SWG)

सामान्यतः वायर या तार पूर्वनिर्धारित मानकों के अनुसार कुछ निश्चित मानक या स्टैंडर्ड व्यास में बनाए जाते हैं। शब्द 'गॉज' से तात्पर्य है एक पतली शीट की मोटाई या तारों का व्यास। स्टैंडर्ड वायर गॉज ऐसा टूल या साधन है जो कि पूर्वनिर्धारित तार के व्यास को मापने के काम आता है जिसे वायर गॉज या गॉज संख्या के रूप में दर्शाया जाता है। एक विशेष गॉज संख्या वाला तार एक विशेष क्रॉस–सेक्शन क्षेत्रफल या व्यास वाला होगा। इस प्रकार से केवल गॉज संख्या ज्ञात करके किसी को भी तार के व्यास या क्रॉस–सेक्शनल क्षेत्रफल का ज्ञान हो सकता है। एक बार हमें क्रॉस–सेक्शनल क्षेत्रफल ज्ञात हो जाए तब हम तार का प्रतिरोध, निश्चित परिस्थिति में संभावित वोल्टेज ड्रॉप, एवं तार की विद्युतधारा वाहन क्षमता ज्ञात कर सकते हैं।

तार का व्यास मापने के लिये स्टैंडर्ड वायर गॉज (SWG) एक जाना–माना मेट्रिक स्टैंडर्ड टूल है। यह वैश्विक रूप से अपनाया हुआ स्टैंडर्ड वायर गॉज संयंत्र है जो कि भारत में भी उपयोग किया जाता है। चित्र 9.11 में SWG का चित्र दिया गया है एवं इस वायर गॉज टूल का उपयोग करके तार का आकार ज्ञात किया जा सकता है। इस प्रकार का गॉज संख्या 0 से संख्या 36 तक के आकार वाले तारों का मापन कर सकता है। तार जो कि मापा जाना है उसे सबसे छोटे स्लॉट में डाला जाता है वह तार को समायोजित कर देगा। उस स्लॉट की गॉज संख्या तार के आकार को दर्शाती है। स्लॉट के समानांतर सिरे होते हैं एवं स्लॉट के अंत में स्थित अर्द्धवृत्ताकार खुले सिरे से भ्रमित नहीं होना चाहिये। यह अर्द्धवृत्ताकार खुला सिरा स्लॉट में तार की मुक्त गति होने देता है।

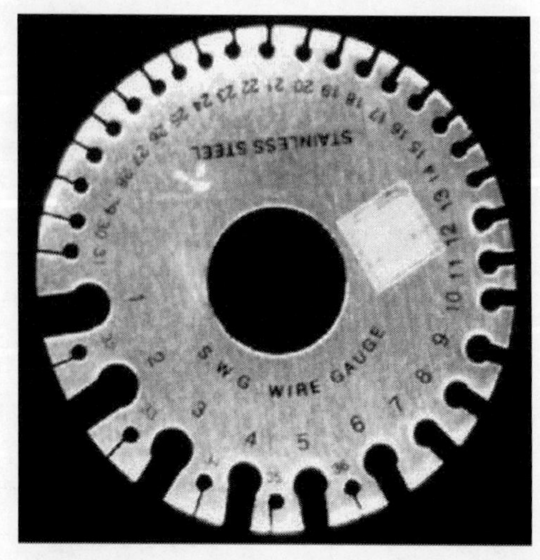

चित्र 9.11
मापने का SWG यंत्र।

SWG की रीडिंग

इसे चित्र 9.11 में दिए टूल के चित्र से देखा जा सकता है, कि जैसे–जैसे तार का व्यास या तार का आकार छोटे से बड़ा होता है, उसकी गॉज संख्या बड़ी से छोटी होती जाती है। यह बिंदु थोड़ा भ्रमित कर सकता है कि छोटी वायर गॉज संख्या अधिक तार व्यास को दर्शाती है। परंतु यह साधारण परिपाटी है। ठोस कोर तारों के व्यास की तुलना करने के लिये गॉज संख्याएं बहुत उपयोगी होती हैं, परंतु गॉज से सभी प्रकार के तार या केबल सटीक रूप से मापे नहीं जा सकते। सामान्यतः लचीलापन बढ़ाने के लिये लंबे तार बुने जाते हैं। इस प्रकार की स्थितियों में, कुल क्रॉस–सेक्शनल क्षेत्रफल तार या केबल के एक स्ट्रैंड के क्षेत्रफल को स्ट्रैंड की कुल संख्या से गुणा कर प्राप्त किया जाता है। याद रखें कि एक बार यदि हम तार का व्यास जान गए हैं, तो हम तार के क्रॉस–सेक्शनल क्षेत्रफल की गणना कर सकते हैं। तालिका 9.2 में SWG की मार्किंग के अनुसार, वायर गॉज संख्या एवं व्यास व क्रॉस–सेक्शनल क्षेत्रफल दिया गया है। तार की विमाएं तापमान के साथ भी परिवर्तित होती हैं। मानक रूप में गॉज संख्या एवं तार के व्यास के बीच संबंध 20°C के वातावरण तापमान में दिया गया है।

तार, मानकों के अनुसार पूर्व निर्धारित व्यास में बनाए जाते हैं। **SWG** का उपयोग कर पूर्वनिर्धारित तार व्यास का आसानी से मापन किया जा सकता है।

9.5 तार/वायर का आकार निर्धारण

एक पीवी संयंत्र के किन्हीं दो घटकों के बीचे विद्युतीय संबंध बनाते समय, हमें एक उपर्युक्त तार/केबल का चयन करना चाहिये जिससे कि तार या केबल में निम्नतम वोल्टेज ड्रॉप एवं पॉवर हानि हो। किसी अनुप्रयोग हेतु तार के अनुपयुक्त आकार के चयन का परिणाम तार एवं पीवी संयंत्र में अत्यधिक क्षति हो सकती है, जिसके परिणामस्वरूप आग भी लग सकती है। अतः हमें संयंत्र के वोल्टेज एवं विद्युतधारा के अनुसार सबसे पहले तार की विशेषताएं या रेटिंग (सामग्री, व्यास, लंबाई, विद्युत वाहन क्षमता, सिंगल स्ट्रैंड या मल्टी–स्ट्रैंड आदि) का निश्चय करने में सक्षम होना चाहिये। एक बार जब हम आवश्यक तार की रेटिंग निश्चित कर लेते हैं तो हम सप्लायर को रेटिंग विशेष का तार सप्लाई करने को कह सकते हैं।

तालिका 9.2 वायर गॉज की मानक माप

SWG ↓	*Conductor Diameter @ 20°C*		*Conductor cross-sectional area @ 20°C*
	(inches)	(mm)	(mm^2)
4/0	0.400	10.160	81.0731
3/0	0.372	9.449	70.1231
2/0	0.348	8.839	61.3615
0	0.324	8.230	53.1973
1	0.300	7.620	45.6036
2	0.276	7.010	38.5945
3	0.252	6.401	32.1799
4	0.232	5.893	27.2749
5	0.212	5.385	22.7751
6	0.192	4.877	18.6808
7	0.176	4.470	15.6929
8	0.160	4.064	12.9717
9	0.144	3.658	10.5094
10	0.128	3.251	8.3009
11	0.116	2.946	6.8164
12	0.104	2.642	5.4822
13	0.092	2.337	4.2895
14	0.080	2.032	3.2429
15	0.072	1.829	2.6273

(क्रमशः)

तालिका 9.2 वायर गॉज की मानक माप *(क्रमशः)*

SWG ↓	*Conductor Diameter @ 20°C*		*Conductor cross-sectional area @ 20°C*
	(inches)	**(mm)**	**(mm^2)**
16	0.064	1.626	2.0765
17	0.056	1.422	1.5881
18	0.048	1.219	1.1671
19	0.040	1.016	0.8107
20	0.036	0.914	0.6561
21	0.032	0.813	0.5191
22	0.028	0.711	0.3970
23	0.024	0.610	0.2922
24	0.022	0.599	0.2818
25	0.020	0.5080	0.2027
26	0.018	0.4572	0.1642
27	0.0164	0.4166	0.1363
28	0.0148	0.3759	0.1110
29	0.0136	0.3454	0.0937
30	0.0124	0.3150	0.0779
31	0.0116	0.2946	0.0682
32	0.0108	0.2743	0.0591
33	0.0100	0.2540	0.0507
34	0.0092	0.2337	0.0429
35	0.0084	0.2134	0.0358
36	0.0076	0.1930	0.0293
37	0.0068	0.1727	0.0234
38	0.0060	0.1524	0.0182
39	0.0052	0.1321	0.0137
40	0.0048	0.1219	0.0117

एक तार हेतु निम्न विशेषताएं होती हैं जिनका हमें निश्चय करना होता है :

- तार की सामग्री
- तार की लंबाई
- ऑपरेटिंग विद्युतधारा
- ऑपरेटिंग वोल्टेज
- पोटेंशियल ड्रॉप
- वायर ऑपरेटिंग तापमान (इंसुलेशन रेटिंग)
- तार का आकार (मोटाई या SWG)
- अन्य विशेष आवश्यकताएं (जैसे : अग्निरोधन, UV – प्रतिरोधक, सूर्यप्रकाश प्रतिरोधक आदि)

संयंत्र के वोल्टेज एवं विद्युतधारा की आवश्यकताओं के अनुसार उपर्युक्त तार का चयन करना चाहिये।

9.5.1 तार के प्रकार

पूर्व अनुभाग में तार की सामग्री एवं उनके प्रतिरोधकता के विषय में पहले ही चर्चा की जा चुकी है। सामान्यतः कॉपर तार एवं एलुमिनियम तार का उपयोग किया जाता है। सौर पीवी संयंत्रों के अनुप्रयोगों हेतु सामान्यतः कॉपर तारों का उपयोग किया जाता है। परंतु एक विशेष तार का चयन हमारी व्यक्तिगत पसंद होती है एवं यह अनुप्रयोग के प्रकार व बजट पर भी निर्भर करता है।

9.5.2 तार की लंबाई

जैसा कि पहले ही चर्चा की जा चुकी है, तार की लंबाई निश्चित करने हेतु एक संयंत्र घटक से अन्य संयंत्र घटक तक की लंबाई मेज़रिंग टेप से मापी जाती है। ये संयंत्र घटक एक दूसरे से दूर भी हो सकते हैं या वे एक दूसरे के बहुत पास भी हो सकते हैं। उदाहरण के लिये, सामान्यतः पीवी मॉड्यूल छत पर एवं बैटरियां कमरे के अंदर स्थापित की जाती हैं। इस प्रकार की परिस्थितियों में पीवी मॉड्यूल एवं बैटरी के बीच की दूरी अधिक भी हो सकती है। समान रूप से बड़े पॉवर प्लांट में एक पीवी मॉड्यूल (जिसे इन्वर्टर से जोड़ा जाना होता है) को इन्वर्टर से दूर भी स्थापित किया जा सकता है एवं इस परिस्थिति में आवश्यक तार की लंबाई अधिक हो सकती है।

सिंगल स्ट्रेंडेड तार में, वास्तविक रूप से आवश्यक तार की लंबाई पथ की लंबाई से दुगुनी होती है जहां तार को बिछाया जाना है क्योंकि हमें सर्किट पूरा करने के लिये दो तारों की आवश्यकता होती है। केबलों या मल्टी–कोर तारों में एक तरफ की लंबाई ही वास्तविक तार की लंबाई है।

9.5.3 ऑपरेटिंग विद्युतधारा

छोटे एवं मध्यम स्तर के पीवी संयंत्रों में सामान्यतः ऑपरेटिंग विद्युतधारा 1 से 20 एम्पियर की रेंज में होती है। जैसे–जैसे संयंत्र का आकार (पॉवर या उपकरण) बढ़ता है, सलाह दी जाती है कि एक पीवी संयंत्र में ऑपरेटिंग विद्युतधारा बढ़ाने के स्थान पर ऑपरेटिंग वोल्टेज बढ़ाया जाए। याद रखें कि पॉवर वोल्टेज एवं विद्युतधारा का उत्पाद होती है। अतः सर्किट में उच्च पॉवर स्तर प्राप्त किया जा सकता है या तो उच्च विद्युतधारा एवं निम्न वोल्टेज रखकर या उच्च वोल्टेज एवं निम्न विद्युतधारा रखकर।

एक पीवी संयंत्र में विद्युतधारा निम्न स्तर पर रखनी चाहिये। ऐसा प्रतिरोध से होने वाली हानियों को निम्न स्तर पर रखने के लिये किया जाता है। प्रतिरोध से होने वाली हानियां विद्युतधारा (I) एवं तार के प्रतिरोध (R) पर निर्भर करती हैं। परंतु विद्युतधारा पर निर्भरता बहुत अधिक सबल होती है। विद्युतधारा में दुगुनी बढ़त का परिणाम होता है हानियों में चार गुनी बढ़त। प्रतिरोधी पॉवर हानियां I^2R के रूप में दी जाती हैं। अतः ऑपरेशनल विद्युतधारा स्तर रेटिंग की अपेक्षा निम्न मानों पर बनी रहती है।

जैसे कि पहले ही चर्चा की जा चुकी है कि तार में विद्युतधारा लागू वोल्टेज एवं उपकरण के प्रतिरोध ($V = I \times R$) पर निर्भर करती है। अतः इसे ओम के नियम से (समीकरण 9.2 देखें) संयंत्र जैसे बैटरी एवं उपकरणों (passive systems) के लिये, सीधे आंकलित किया जा सकता है। परंतु पीवी संयंत्र (active) जैसे पीवी मॉड्यूल एवं बैटरी, पीवी मॉड्यूल एवं उपकरण; में ऑपरेटिंग विद्युतधारा स्थिर नहीं है एवं यह पूरे दिन एवं पूरे वर्ष परिवर्तित होता रहता है क्योंकि सौर ताप परिवर्तित होता रहता है। इस प्रकार से तार, विद्युतधारा, सौर ताप एवं उपकरण के प्रोफाइल पर निर्भर करता है। अतः ऑपरेटिंग विद्युतधारा स्तर के विषय में सावधान रहना चाहिये एवं मौसम व दैनिक परिवर्तन को ध्यान में रखते हुए उपर्युक्त विद्युतधारा वहन क्षमतायुक्त तार का चयन करना चाहिये। इन सक्रिय (active) संयंत्रों हेतु तार की विद्युतधारा वहन क्षमता संयंत्र में उस संभावित अधिकतम विद्युतधारा मान से निश्चित होना चाहिये जो कि संयंत्र में प्रवाहित हो सकता है। सौर पीवी संयंत्रों में, DC भाग पर विद्युतधारा स्तर सामान्यतः AC भाग से उच्च होता है। इस परिस्थिति में पीवी संयंत्र में उच्चतम संभावित विद्युतधारा, पीवी मॉड्यूल सरणी की शॉर्ट सर्किट विद्युतधारा I_{sc} होगी, (जो कि वह अधिकतम संभावित विद्युतधारा है जो कि पीवी मॉड्यूलों द्वारा उत्पादित की जा सकती है)।

एक सुरक्षित पक्ष रखने हेतु, तारों के चयन के लिए, संयंत्र में अधिकतम विद्युतधारा को 1.25 के घटक से गुणा किया जाता है। इसका तात्पर्य है कि विद्युतधारा अधिकतम मान से 25% बढ़ जाता है एवं तारों को विशेष विद्युतधारा मान को वहन करने के लिये चुना जाता है। पीवी संयंत्र में विद्युतधारा उच्च सौर ताप या मॉड्यूल पर अतिरिक्त विकिरणों के कारण आदर्श परीक्षण परिस्थितियों (STC) की तुलना में उच्च हो सकती है। इसके लिये भी, 1.25 का घटक लिया जाता है। अतः, कुल मिला कर I_{sc} को $1.25 \times 1.25 = 1.56$ (या 56% से बढ़ाया जाता है) से गुणा किया जाता है एवं इस अंतिम विद्युतधारा के अनुसार तार का चयन किया जाता है। परंतु याद रखें कि यह अतिरिक्त 25% केवल तब लेना चाहिये जब कि उस क्षेत्र जहां सौर पीवी संयंत्र की स्थापना की जानी है वहां STC परिस्थितियों की तुलना में उच्च सौर विकिरण प्राप्त होने की संभावना हो।

> एक पीवी संयंत्र की ऑपरेटिंग विद्युतधारा निश्चित करते समय, एक सुरक्षित पक्ष रखने हेतु **50%** का सुरक्षा घटक लिया जाता है।

उदाहरण 9.1

दो एकसमान संयंत्रों हेतु जो कि 48 V पर कार्य कर रहे हैं, उनके सर्किटरी के एक विशेष भाग के लिये, एक व्यक्ति कॉपर के तार का व अन्य व्यक्ति एलुमिनियम तार का उपयोग करता है। यदि दोनों प्रकार के तारों के लिये लंबाई एवं तारों का व्यास समान हो एवं क्रमशः 5 मीटर व 2 मिमी. हो। दोनों प्रकार के तारों द्वारा प्रदत्त विद्युतीय प्रतिरोधकता ज्ञात करें। कौन सा तार अधिक वोल्टेज ड्रॉप करेगा ?

दिया गया है : कॉपर तार की प्रतिरोधकता $= 1.72 \times 10^{-8}\ \Omega\text{-m} = 0.000\,000\,0172\ \Omega\text{-m}$

एलुमिनियम तार की प्रतिरोधकता $= 2.82 \times 10^{-8}\ \Omega\text{-m} = 0.000\,000\,0282\ \Omega\text{-m}$

हल

सबसे पहले हम दोनों प्रकार के तारों के लिये प्रतिरोधों की गणना करेंगे। इस सूत्र का उपयोग करते हुए

$$R = \rho \frac{l}{A}$$

जहां तार का क्रॉस–सेक्शनल क्षेत्रफल है

$$A = \frac{\pi d^2}{4} = \frac{3.14 \times (2\text{ mm})^2}{4}$$
$$= \frac{3.14 \times (0.002\text{ m})^2}{4} = \frac{3.14 \times 0.002 \times 0.002}{4}\text{ m}^2$$
$$= \frac{3.14 \times 0.000004}{4}\text{ m}^2 = 3.14 \times 0.000001\text{ m}^2$$
$$= 0.00000314\text{ m}^2$$

कॉपर तार के लिये,

$$R = \frac{\rho \cdot l}{A} = \frac{(0.0000000172\ \Omega\text{-m}) \cdot (5\text{ m})}{(0.00000314\text{ m}^2)}$$
$$= \frac{(0.0000000172 \times 5)\ \Omega\text{-m}^2}{(0.00000314\text{ m}^2)} = \frac{0.000000086}{0.00000314}\ \Omega$$
$$= 0.0274\ \Omega = 27.4\text{ m}\Omega$$

एलुमिनियम तार के लिये,

$$R = \frac{\rho \cdot l}{A} = \frac{(0.0000000282\ \Omega\text{-m}) \cdot (5\text{ m})}{(0.00000314\text{ m}^2)}$$
$$= \frac{(0.0000000282 \times 5)\ \Omega\text{-m}^2}{(0.00000314\text{ m}^2)} = \frac{0.000000141}{0.00000314}\ \Omega$$
$$= 0.0449\ \Omega = 44.9\text{ m}\Omega$$

दोनों तारों की प्रतिरोधकताओं के बीच में बहुत कम अंतर होने के बावजूद, एलुमिनियम तार में कॉपर तार की तुलना में प्रतिरोध थोड़ा सा अधिक (लगभग दुगुना) है।

अब हम दोनों प्रकार के तारों की वजह से होने वाले वोल्टेज ड्रॉप की गणना करेंगे, इस सूत्र का उपयोग करते हुए,

$$\Delta V = I_L \cdot R$$

माना कि उपकरण की विद्युतधारा $(I_L) = 1$ Amp किसी भी प्रकार के तार के संयंत्र हेतु (कॉपर / एलुमिनियम)

अतः, एलुमिनियम तार में उच्च वोल्टेज ड्रॉप होता है जिससे उच्च ऊर्जा हानि होती है।

कॉपर तार हेतु, $\Delta V = 1\text{ Amp} \times 0.0274\ \Omega = 0.0274\text{ V} = 27.4\text{ mV}$

एलुमिनियम तार हेतु $\Delta V = 1\text{ Amp} \times 0.0449\ \Omega = 0.0449\text{ V} = 44.9\text{ mV}$

प्रश्न 9.2 एक 10 मीटर लंबाई के कॉपर तार में वोल्टेज ड्रॉप ज्ञात करें जिसका व्यास 0.5 मिमी. है। माना कि तार में 5 A विद्युतधारा प्रवाहित हो रही है।

प्रश्न 9.3 एक 10 मीटर लंबाई के एलुमिनियम तार में वोल्टेज ड्रॉप ज्ञात करें जिसका व्यास 0.5 मिमी. हो। माना कि तार में 5 A विद्युतधारा प्रवाहित हो रही है।

तार की एम्पासिटी

तार की विद्युतधारा रेटिंग या विद्युतधारा वहन क्षमता को तार की एम्पासिटी के रूप में जाना जाता है एवं यह 'विद्युतधारा की वह मात्रा है जो कि एक संचालक या युक्ति बिना तुरंत या क्रमिक हानि के साथ वहन करती है'। जब विद्युतधारा तार से होकर प्रवाहित होती है वह वोल्टेज ड्रॉप पैदा करती है एवं ताप के रूप में पॉवर की हानि करती है। जिसका परिणाम होता है तार एवं उसके इंसुलेशन के तापमान में वृद्धि। सामान्यतः उपयोग किए जाने वाले तार (कॉपर या एलुमिनियम) पिघलने के पहले बहुत अधिक मात्रा में विद्युतधारा संचालित कर सकते हैं परंतु वह भी संचालक के पिघलने वाले बिंदु के बहुत पहले, उनके इंसुलेशन की इस उत्पादित ताप की वजह से क्षति हो सकती है। यह देखा गया है कि इंसुलेशन (PVC) 80°C के आसपास पिघलना शुरू कर देते हैं। अतः तार की विद्युतधारा वहन क्षमता केवल सामग्री पर ही नहीं बल्कि वह इंसुलेटर पर भी निर्भर करती है। एक तार का चयन करते समय यह सुनिश्चित करना चाहिये कि तार में जो अधिकतम ऑपरेटिंग विद्युतधारा है वह उसकी एम्पासिटी रेटिंग में ही है।

एम्पासिटी, बिना तार को कोई क्षति पहुंचाए, तार की अधिकतम विद्युतधारा वहन क्षमता होती है ।

9.5.4 ऑपरेटिंग वोल्टेज

सामान्यतः, छोटे एवं मध्यम आकार के पीवी संयंत्रों को DC स्तर पर 12 V, 24 V, 48 V, 72 V आदि के वोल्टेज स्तर पर डिजाइन किया जाता है एवं AC स्तर पर ऑपरेटिंग वोल्टेज के लिये यदि हम AC उपकरणों को चलाने के लिये इन्वर्टर का उपयोग कर रहे हों। ये ऑपरेशनल मान तारों के रेटेड वोल्टेज स्तरों से बहुत कम होते हैं। अतः वोल्टेज रेटिंग के विषय में चिंता करने की आवश्यकता है।

9.5.5 संभव वोल्टेज ड्रॉप

यह अत्यंत महत्वपूर्ण मापदंड है, विशेषतः सौर पीवी संयंत्रों के लिये। यह पहले ही चर्चा की जा चुकी है कि प्रत्येक तार में प्रतिरोध होता है जिसकी वजह से जब भी उससे कोई विद्युतधारा प्रवाहित होती है, तारों में एक निश्चित वोल्टेज ड्रॉप होता है। अतः हमें वोल्टेज ड्रॉप कम करने हेतु हमें एक उपर्युक्त तार का चयन करना चाहिये। तारों में वोल्टेज ड्रॉप मुख्यतः चार मापदंडों पर निर्भर करता है :

1. तार का प्रकार (कॉपर या एलुमिनियम)
2. तार से प्रवाहित हो वाली विद्युतधारा
3. तार का व्यास
4. तार की लंबाई

एक सीमा तक तार के तापमान का तारों में होने वाले वोल्टेज ड्रॉप पर प्रभाव पड़ता है। क्योंकि तार का ऑपरेटिंग तापमान बढ़ता है तो वोल्टेज ड्रॉप भी बढ़ता है।

सामान्यतः सौर पीवी संयंत्र वायरिंग हेतु, दो सर्किट नोड के बीच परमिटेड वोल्टेज ड्रॉप 2 से 3 प्रतिशत के बीच होता है (एक उपकरण से अन्य उपकरण तक)। यदि हम 2% से 3% तक होने वाले वोल्टेज ड्रॉप को रोकते हैं, तो इसका तात्पर्य है विद्युतधारा को रोकना (याद रखें $V = I \times R$), तार में उत्पादित होने वाला ताप बहुत कम होता है। अतः वोल्टेज सीमा को यदि ध्यान में रखें, तो आप तापमान की सीमा का अनजाने में ही ख्याल रख रहे हैं। साथ ही कम वोल्टेज ड्रॉप की इस परिस्थिति का तात्पर्य है निम्न पॉवर हानि जो कि पीवी संयंत्र को ऊर्जा दक्ष बनाता है और लंबा जीवन देता है।

एक सौर पीवी संयंत्र में तारों का संभव वोल्टेज ड्रॉप, स्रोत वोल्टेज का 2 से 3 प्रतिशत होता है।

विद्युतधारा एवं वोल्टेज ड्रॉप का मापन

उपरोक्त चर्चा से हम जानते हैं कि हमें ऐसे तार का चयन करने की आवश्यकता है जिसमें विद्युतधारा प्रवाह एवं वोल्टेज ड्रॉप की एक सीमा हो। एक तार में प्रवाहित विद्युतधारा एवं इसमें होने वाले वोल्टेज ड्रॉप के मापन हेतु हम मल्टीमीटर का उपयोग कर सकते हैं। चित्र 9.12 में सर्किट में विद्युतधारा के मापन हेतु तरीके को दिखाया गया है। विद्युतधारा मापने के लिये श्रेणी में एक मल्टीमीटर को जोड़ा गया है। याद रखें कि मापी गई विद्युतधारा का मान तारों की एम्पासिटी रेटिंग से कम होना चाहिये।

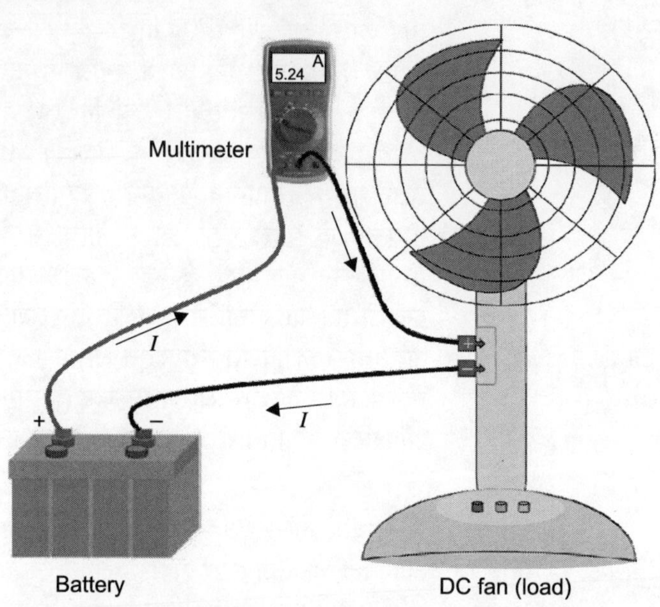

चित्र 9.12
एक साधारण DC संयंत्र में विद्युत का मापन।

चित्र 9.13 में एक संयंत्र में दो बिंदुओं के बीच वोल्टेज ड्रॉप ज्ञात करने का तरीका दिखाया गया है। वोल्टेज ड्रॉप और कुछ नहीं बल्कि दो बिंदुओं के बीच वोल्टेजों के मान का अंतर है। याद

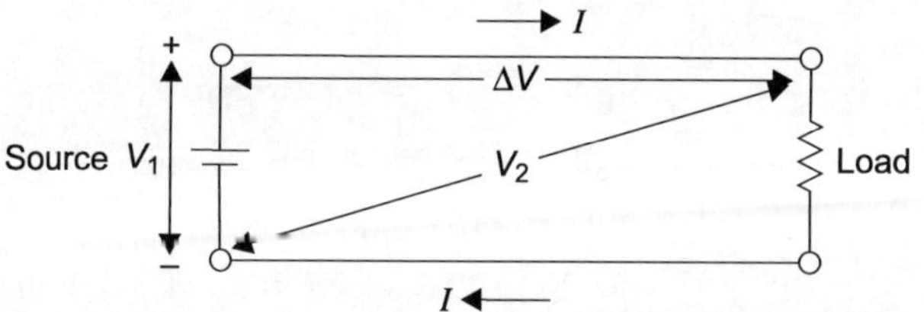

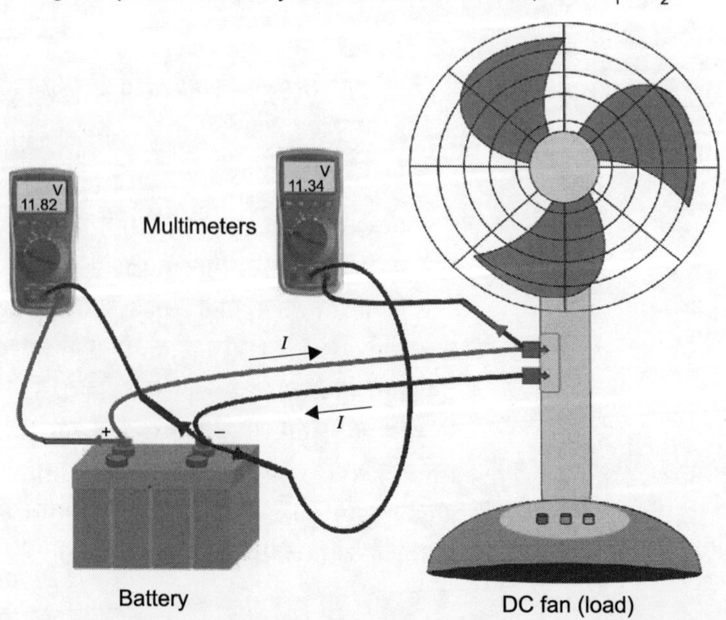

चित्र 9.13
एक साधारण DC संयंत्र में वोल्टेज ड्रॉप का मापन।

रखें कि हम दो संयंत्र घटकों को जोड़ने वाले एक तार में वोल्टेज ड्रॉप ज्ञात करना चाहते हैं। इसीलिये वे दो बिंदु जिनके बीच हम वोल्टेज ड्रॉप ज्ञात करना चाहते हैं वे तार के सिरे होने चाहिये। सर्किट के किन्हीं दो बिंदुओं के बीच वोल्टेज ड्रॉप के मापन हेतु, सर्किट के इन्हीं दो पृथक बिंदुओं पर वोल्टेज मापा जाता है एवं इन स्थितियों पर मापे गए वोल्टेजों के बीच का अंतर उनके बीच वोल्टेज ड्रॉप देता है।

ग्राफिकीय उदाहरण में (चित्र 9.13 देखें), तार के बैटरी अंत पर वोल्टेज 11.82 V दिखाया गया है एवं पंखे की तरफ (उपकरण का अंत) तार का वोल्टेज बैटरी के ऋणात्मक सिरे पर 11.34 दर्शाया गया है, अतः विद्युतधारा के प्रवाह के कारण तार में होने वाला वोल्टेज ड्रॉप दो वोल्टेज का अंतर है, जो कि है 11.82 V – 11.34 V = 0.48 V।

प्रश्न 9.4 चित्र 9.13 में दर्शाई गई परिस्थिति में यदि बैटरी की तरफ मापा गया वोल्टेज 12.2 V है एवं उपकरण की तरफ मापा गया वोल्टेज 11.9 है। तारों में होने वाला वोल्टेज ड्रॉप कितना है ?

9.5.6 तार के चयन पर तापमान का प्रभाव

तारों के प्रतिरोध एवं इसकी विद्युतधारा वहन क्षमता पर तापमान का एक प्रभाव होता है। जैसे–जैसे तापमान बढ़ता है तारों का प्रतिरोध भी बढ़ता है एवं जब तापमान घटता है तब तार का तापमान भी घटता है। उच्च वातावरणीय तापमान की वजह से तार का तापमान भी बढ़ सकता है (एवं सूर्यप्रकाश से सीधे संपर्क के कारण) या यह तारों में प्रवाहित होने वाली उच्च विद्युतधारा के कारण भी बढ़ सकता है। डिजाइन करते समय तार के प्रतिरोध पर तापमान के प्रभाव को ध्यान में रखना जरूरी है। तापमान में वृद्धि का एक परिणाम और होगा, वह है तारों में वोल्टेज ड्रॉप। अतः तारों का चयन करते समय डिजाइन में तापमान के प्रभाव को ध्यान में रखना चाहिये। सामान्यतः साल के सबसे गर्म समयांतराल में किसी स्थान विशेष हेतु तारों के चयन में सावधानी रखनी चाहिये। तार के तापमान वृद्धि के साथ उसकी विद्युतधारा वहन क्षमता घटती जाती है।

चित्र 9.14 में दिए गए ग्राफ से कॉपर तार का तापमान के साथ प्रतिरोध परिवर्तन को समझा जा सकता है। ग्राफ में तापमान के साथ प्रतिरोध के परिवर्तन को प्लॉट किया गया है।

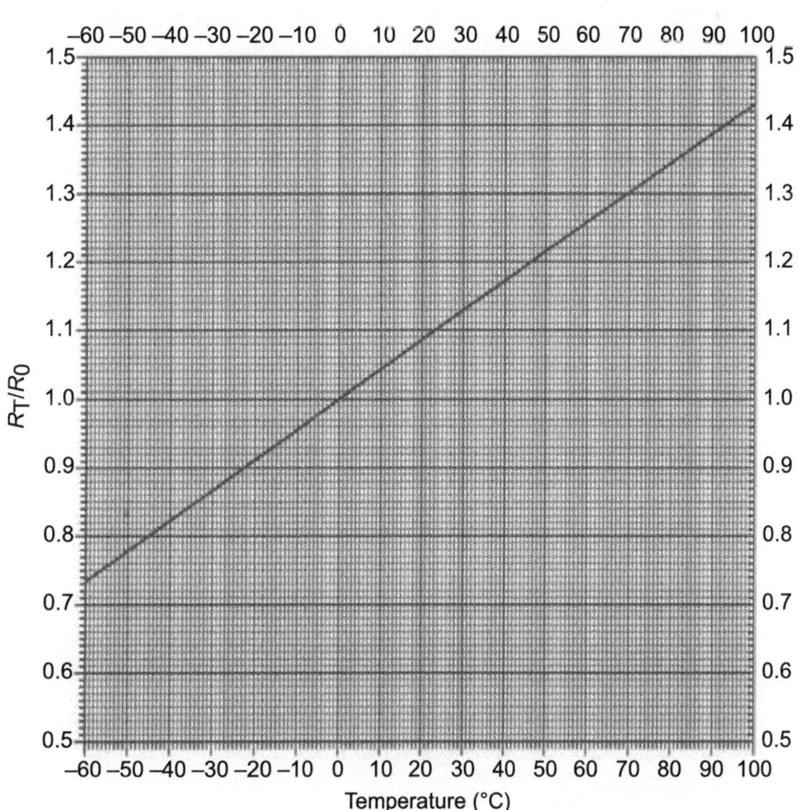

चित्र 9.14
copper wire resistance at temperature T °C (R_T) with respect to resistance at 0 °C (R_0) or R_T/R_0 versus temperature of wire (°C).

तापमान T°C (तार तापमान) पर प्रतिरोध का $0_{°C}$ (i.e. $R_{T°C}/R_{0°C}$) पर प्रतिरोध से अनुपात तार के तापमान के संबंध में प्लॉट किया गया है। इस प्रकार से ग्राफ का उपयोग कर हम किसी भी तापमान पर $R_{T°C}/R_{0°C}$ ज्ञात कर सकते हैं। एवं यदि हम $0_{°C}$ पर प्रतिरोध का मान जानते हैं जैसे R_0°C, हम एक निश्चित T°C पर तार के प्रतिरोध का मान ज्ञात कर सकते हैं।

उदाहरण 9.2 एक तार किसी चालक सामग्री का बना है उसका $0_{°C}$ पर प्रतिरोध 1.2 Ω है एवं $40_{°C}$ के लिये $R_{T°C}/R_{0°C}$ का मान 1.12 है। $40_{°C}$ पर प्रतिरोध का मान ज्ञात करें।

हल यह दिया गया है कि

$$R_{0°C} = 1.2\ \Omega$$

$$\frac{R_{T°C}}{R_{0°C}} \text{ at } 40\ °C = 1.12$$

$$\frac{R_{40°C}}{R_{0°C}} = 1.12 \rightarrow R_{40\,°C} = 1.12 \times R_{0\,°C}$$

$R_{0\,°C}$ का मान रखकर हम $R_{40°C}$ के मान की गणना कर सकते हैं :

$$R_{40\,°C} = 1.12 \times R_{0\,°C} = 1.12 \times 1.2 = 1.34\ \Omega$$

उदाहरण 9.3 एक लंबाई एवं क्रॉस–सेक्शनल क्षेत्रफल विशेष वाले कॉपर तार के 60°C पर प्रतिरोध की गणना करें। समान तार का 25°C पर प्रतिरोध 2Ω है।

हल दिया गया है, 25°C पर कॉपर तार का प्रतिरोध ($R_{25°C}$) = 2 Ω

60°C पर तार का प्रतिरोध ज्ञात करने की आवश्यकता है ($R_{60°C}$) =?

ग्राफ का उपयोग करते हुए (चित्र 8.13) हम देख सकते हैं कि :

$$\left(\frac{R_t}{R_0}\right)_{\text{at } 25°C} = \left(\frac{R_{25°C}}{R_{0°C}}\right) = 1.11$$

और

$$\left(\frac{R_t}{R_0}\right)_{\text{at } 60°C} = \left(\frac{R_{60°C}}{R_{0°C}}\right) = 1.26$$

हम उपरोक्त दो समीकारणों का अनुपात ले सकते हैं

$$\frac{R_{60°C}/R_{0°C}}{R_{25°C}/R_{0°C}} = \frac{1.26}{1.11} = 1.135$$

$$\frac{R_{60°C}}{R_{0°C}} = 1.135 \times \left(\frac{R_{25°C}}{R_{0°C}}\right)$$

$$R_{60°C} = 1.135 \times (R_{25°C}) = 1.135 \times 2 = 2.27\ \Omega$$

अतः कॉपर तार का प्रतिरोध 2 Ω (at 20 °C) से 2.27 Ω (at 60°C) तक बढ़ जाएगा।

प्रश्न 9.5 एक तार जो कि किसी चालक सामग्री का बना है उसका 0 °C पर प्रतिरोध 1.5 Ω है। एवं 60 °C के लिये $R_{T°C}/R_{0°C}$ का मान 1.25 है। 60 °C पर प्रतिरोध का मान ज्ञात करें।

9.5.7 तार ऑपरेटिंग तापमान (इंसुलेशन रेटिंग)

तारों का ऑपरेटिंग तापमान बहुत सावधानीपूर्वक पहचानने की आवश्यकता होती है। तार की सामग्री बहुत उच्च ताप सह सकती है परंतु तार की इंसुलेटिंग सामग्री बहुत उच्च तापमान नहीं सहन कर सकती है। अतः एक तार का चयन करते समय हमें उस तापमान को अवश्य देखना चाहिये जो कि तार इंसुलेशन सहन कर सकता है। इंसुलेशन तापमान रेटिंग हमेशा उस अधिकतम ऑपरेटिंग तापमान से अधिक होना चाहिये जो कि सर्वाधिक गर्म समयांतराल में हो सकता है।

सामान्यतः उपलब्ध इंसुलेशन तापमान रेटिंग जो कि चालक की सतह पर अधिकतम तापमान आने देता है वह है 60, 75 एवं 90°C, जो कि इंसुलेटिंग सामग्री पर निर्भर करता है। गर्म जलवायु में, गर्मियों के दौरान तार ऑपरेटिंग तापमान 75°C जितना ऊपर जा सकता है। अतः सुरक्षा हेतु उच्च तापमान रेटिंग का तार का चयन करना आवश्यक है।

9.5.8 तार रंग कोड

जैसा कि आपने देखा होगा तार (या वास्तव में इंसुलेटिंग सामग्री) विभिन्न रंगों में आती है। तारों के इंसुलेटिंग सामग्री का रंग कुछ मानकों के अनुसार चयन किया जाता है। ये मानक रंग या कोड एक सर्किट में विशिष्ट उद्देश्य से लगाए गए तारों के बीच अंतर करने के लिये उपयोग किए जाते हैं। यह इंसुलेटिंग रेटिंग का भी एक भाग है। विभिन्न देशों में उपयोग होने वाले रंग कोड तालिका 8.3 में दिए गए हैं।

तालिका 9.3 तार के रंगों का कोड

Region or Country	*Phases*	*Neutral*	*Protective earth/ground*
India	red	black	green
European Union (EU)	brown, black, grey	blue	green/yellow
United States	black, red, blue (120/208/240 V); brown, orange, yellow (277/480 V)	white (120/208/240 V), grey (277/480 V)	green/yellow

9.5.9 आवश्यक तार के आकार की गणना

तार का आकार, जिसमें तार का व्यास एवं लंबाई भी शामिल है, एक ऐसी महत्वपूर्ण कुंजियों में से एक है जो कि पीवी संयंत्रों में वोल्टेज ड्रॉप एवं पॉवर हानि निश्चित करती है। अतः, तार के मापदंड जैसे प्रतिरोध, एम्पासिटी, वोल्टेज सीमा, उनके इंसुलेटर आदि के विषय में सीखने के पश्चात् आइये हम सीखें कि किसी प्रकार किसी पीवी संयंत्र हेतु तार के आकार का निश्चय किया जाता है। यहां उद्देश्य है तार के आकार का निश्चय करना।

उदाहरण के लिये यदि एक तार एक बैटरी को टेलीविजन से जोड़ रहा है, एवं यदि बैटरी एवं टेलीविजन के बीच सबसे उचित पथ से भी दूरी 5 मीटर है, तब कुल तार 5 + 5 = 10 मीटर की आवश्यकता है (क्योंकि सर्किट पूरा करने के लिये दो समानांतर तारों की आवश्यकता होती है)। साथ ही तार का आकार (व्यास) निर्धारित करने के लिये दो तरफ की लंबाई (जैसे 5 + 5 = 10 मीटर) ली जानी चाहिये। इसे चित्र 9.15 में समझाया गया है।

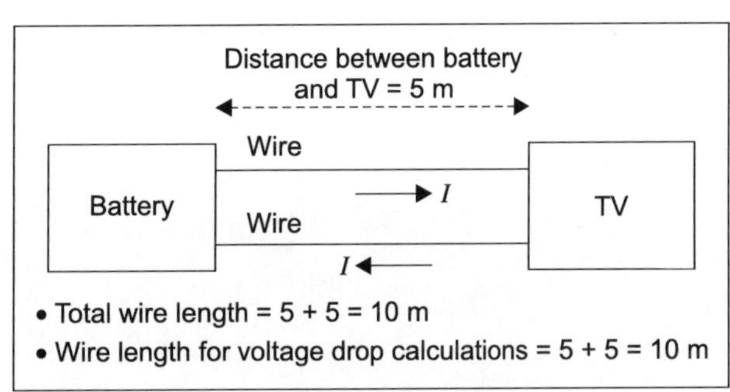

चित्र 9.15
तार की वास्तविक लंबाई एवं वोल्टेज ड्रॉप की गणना के अनुसार तार की लंबाई।

किसी विशेष अनुप्रयोग के लिये आवश्यक तार आकार का आंकलन करने हेतु तीन विधियां होती हैं। मूलतः ये सभी विधियां समान हैं एवं उनके बीच का जो अंतर है वह है उन्हें देखने का दृष्टिकोण एवं सरलता। इन विधियों को निम्न पैराग्राफ में समझाया गया है एवं ये इस प्रकार हैं :

1. तारों के आकारों की मैनुअल गणना
2. मानक ग्राफों का उपयोग करते हुए तार के आकार की गणना
3. VDI (Voltage drop index) विधि का उपयोग करते हुए तार के आकार की गणना

टिप्पणी : ध्यान दें कि यहां पहली विधि में पूरी (दो तरफ से, या एक तरफ की लंबाई की दुगुनी तार) लंबाई गणना में ली जाती है एवं यहां तारों के प्रकार से मतलब नहीं रहता है (सिंगल कोर या मल्टी–कोर)।

दूसरी एवं तीसरी विधि में, 'एक तरफ की' तार की लंबाई केवल मापदंड के रूप में उपयोग की जाती है परंतु वास्तव में पहली विधि की तरह ही ग्राफ या तालिका में वोल्टेज ड्रॉप की गणना के लिये दोनों तरफ के तार की लंबाई ली जाती है।

सिंगल कोर में, किसी भी एक तार का व्यास ही तार का आकार होता है। मल्टी–कोर (दो कोर तारों में), तार का आकार आंतरिक कोर का व्यास होता है (को–एक्सिअल केबल में) या किसी भी एक तार का व्यास (सामान्य मल्टी–कोर केबल में)।

अंत में विद्युतीय कनेक्शन बनाने के लिये कुल आवश्यक तार की लंबाई निश्चित करने हेतु, इसे सिंगल कोर तार का उपयोग करने हेतु दुगुना कर दिया जाता है या जैसा है वैसा ही लिया जाता है (एक तरफ की लंबाई) टू कोर तारों का उपयोग करते समय, यह आपके चयन पर निर्भर करता है।

प्रश्न 9.6 पॉवर स्रोत एवं उपकरण के बीच की दूरी 5 मीटर है। इस परिस्थिति में वोल्टेज ड्रॉप की गणना करने हेतु कौन सी, दूरी लेनी चाहिये ?

तार के आकार की मैनुअल गणना

एक पीवी संयंत्र में तार का आवश्यक आकार या व्यास तार के प्रतिरोध, तार की लंबाई, तार से प्रवाहित होने वाली विद्युतधारा, वोल्टेज स्तर एवं तारों में पॉवर के स्तर पर निर्भर करता है। दिए गए मापदंडों पर निर्भर करते हुए, तार के आकारों की गणना निम्न चरणों में की जा सकती है :

प्रथम चरण : स्वीकार्य वोल्टेज ड्रॉप लिखें (V_{drop})

सामान्यतः संभव वोल्टेज ड्रॉप पीवी संयंत्र वोल्टेज V_{dc} (मुख्यतः हम इसे DC भाग के लिये उपयोग करते हैं) का 2 से 3 प्रतिशत होता है। कुछ स्थितियों में 5 प्रतिशत तक का वोल्टेज ड्रॉप स्वीकार्य है।

स्वीकार्य वोल्टेज ड्रॉप, V_{drop} = ...% × V_{dc} = .../100 × V_{dc} Volts

द्वितीय चरण : दो बिंदुओं को जोड़ने के लिये कुल तार लंबाई ज्ञात करें।

यह तारों से जोड़ी जाने वाली दो युक्तियों के बीच सबसे उपर्युक्त पथ से तय की हुई दूरी है, परंतु ध्यान रखें कि तार की वास्तविक लंबाई वास्तविक दूरी से दुगुनी होती है, क्योंकि एक पूर्ण सर्किट समानांतर कनेक्शन या तारों का युग्म बनाने के लिये यह आवश्यक है (चित्र 9.15 देखें)।

तार की कुल लंबाई, $l = 2 \times$ दो बिंदुओं के बीच की वास्ततिक दूरी $= 2 \times$ ....
= .... मीटर

तृतीय चरण : सर्किट में विद्युतधारा, वोल्टेज एवं पॉवर स्तर ज्ञात करें।

एक सर्किट में विद्युतधारा (I), वोल्टेज (V) एवं पॉवर (P) निम्न समीकरण द्वारा आपस में एक दूसरे से संबंधित हैं :

$$P = V \times I \quad \text{(in DC circuit)}$$
$$P = V \times I \times PF \quad \text{(in AC circuit)}$$

यहां PF पॉवर फैक्टर है (इस मैनुअल के सबसे आधारभूत अध्याय 1 को देखें)।

अतः, यदि कोई दो मात्राएं ज्ञात हैं तब हम तीसरी मात्रा का आंकलन कर सकते हैं। सामान्यतः वोल्टेज ड्रॉप ज्ञात करने के लिये हमें सर्किट में प्रवाहित होने वाली विद्युतधारा ज्ञात करनी पड़ती है। उपरोक्त समीकरण से निम्न प्रकार से विद्युतधारा की गणना की जा सकती है :

$$I = \frac{P}{V} \qquad \text{(in DC circuit)}$$

$$I = \frac{P}{V \times PF} \qquad \text{(in AC circuit)}$$

विद्युतधारा = ...एम्पियर

सामान्यतः जैसे कि पूर्व अनुभाग में चर्चा की जा चुकी है, तार के आकार की गणना के लिये सुरक्षित पक्ष लेते हुए गणना किए हुए मान से 25% अधिक विद्युतधारा ली जाती है। हमें उपरोक्त विद्युतधारा मान को 1.25 से गुणा करना होता है।

सुरक्षित पक्ष के साथ विद्युतधारा = ... × 1.25 = ...एम्पियर

टिप्पणी : यदि STC परिस्थिति से अधिक सौर विकिरण का अवसर हो, तब गुणन फैक्टर 1.25 × 1.25 = 1.56 होगा।

चतुर्थ चरण : तार का व्यास ज्ञात करें।

यदि प्रथम चरण से द्वितीय चरण तक जिन मापदंडों का उल्लेख किया गया है वे सभी उपलब्ध हैं, तब तार के व्यास की गणना करना संभव है। हमारी पूर्व चर्चा से हम जानते हैं कि वोल्टज में ड्रॉप विद्युतधारा प्रवाह एवं तार के प्रतिरोध से संबंधित है। आइये हम वोल्टेज ड्रॉप को V_{drop} लिखें। तब V_{drop} के लिये अभिव्यक्ति को निम्न प्रकार से लिखा जा सकता है :

$$V_{drop} = I \times R$$

या

$$R = \frac{V_{drop}}{I}$$

R = ...Ω (Ohm)

L = ...meter

चूंकि हम V_{drop} एवं I का मान प्राप्त कर लेंगे, उपरोक्त अभिव्यक्ति से हम R का मान प्राप्त कर सकते हैं। एक बार जब R का मान ज्ञात हो जाएगा, तब तालिका का उपयोग कर (तालिका 9.4 एवं तालिका 9.5 देखें) हम तार का आवश्यक व्यास ज्ञात कर सकते हैं। इन तालिकाओं में तार के प्रतिरोध की किसी सामग्री विशेष, एवं किसी व्यास एवं लंबाई विशेष के लिये के लिये गणना की गई है।

ये तालिकाएं (तालिका 9.4 एवं 9.5) क्रमशः कॉपर एवं एलुमिनियम तार के प्रतिरोध हेतु तैयार तालिकाएं हैं। इन तालिकाओं में सुरक्षा पक्ष को देखते हुए तारों का ऑपरेटिंग तापमान 75°C माना गया है। ये तैयार तालिकाएं तार की एक विशेष लंबाई के लिये बनाई गई हैं। गणना किए हुए मापदंड से आप तार की एक लंबाई विशेष के लिये R का मान प्राप्त कर पाएंगे (जैसा कि द्वितीय चरण में दिया गया है), तालिकाओं से आप व्यास का मान mm में एवं क्रॉस सेक्शन क्षेत्रफल mm^2 में पढ़ सकते हैं।

तालिका 9.4 तार (तांबे का तार) विभिन्न लंबाईयों के लिये, व्यास, क्रॉस-सेक्शनल क्षेत्रफल एवं प्रतिरोध

Diameter, d (mm)	*Area, A* (mm^2)	*Resistance of Wire, R* (Ω) *(for Copper wire)*										
		Total (two way) wire length, l (m)										
		1	2	4	6	8	**10**	12	15	20	25	30
0.5	0.20	0.1090	0.2181	0.4362	0.6543	0.8724	1.0904	1.3085	1.6357	2.1809	2.7261	3.2713
1	0.79	0.0273	0.0273	0.1090	0.1636	0.2181	0.2726	0.3271	0.4089	0.5452	0.6815	0.8178
1.5	1.77	0.0121	0.0121	0.0485	0.0727	0.0969	0.1212	0.1454	0.1817	0.2423	0.3029	0.3635
2	3.14	0.0068	0.0068	0.0273	0.0409	0.0545	0.0682	0.0818	0.1022	0.1363	0.1704	0.2045
2.5	4.91	0.0044	0.0044	0.0174	0.0262	0.0349	0.0436	0.0523	0.0654	0.0872	0.1090	0.1309
3	7.07	0.0030	0.0030	0.0121	0.0182	0.0242	**0.0303**	0.0363	0.0454	0.0606	0.0757	0.0909
3.5	9.62	0.0022	0.0022	0.0089	0.0134	0.0178	0.0223	0.0267	0.0334	0.0445	0.0556	0.0668
4	12.56	0.0017	0.0017	0.0068	0.0102	0.0136	0.0170	0.0204	0.0256	0.0341	0.0426	0.0511
4.5	15.90	0.0013	0.0013	0.0054	0.0081	0.0108	0.0135	0.0162	0.0202	0.0269	0.0337	0.0404
5	19.63	0.0011	0.0011	0.0044	0.0065	0.0087	0.0109	0.0131	0.0164	0.0218	0.0273	0.0327
5.5	23.75	0.0009	0.0009	0.0036	0.0054	0.0072	0.0090	0.0108	0.0135	0.0180	0.0225	0.0270
6	28.26	0.0008	0.0008	0.0030	0.0045	0.0061	0.0076	0.0091	0.0114	0.0151	0.0189	0.0227
6.5	33.17	0.0006	0.0006	0.0026	0.0039	0.0052	0.0065	0.0077	0.0097	0.0129	0.0161	0.0194
7	38.47	0.0006	0.0006	0.0022	0.0033	0.0045	0.0056	0.0067	0.0083	0.0111	0.0139	0.0167
7.5	44.16	0.0005	0.0005	0.0019	0.0029	0.0039	0.0048	0.0058	0.0073	0.0097	0.0121	0.0145
8	50.24	0.0004	0.0004	0.0017	0.0026	0.0034	0.0043	0.0051	0.0064	0.0085	0.0106	0.0128
8.5	56.72	0.0004	0.0004	0.0015	0.0023	0.0030	0.0038	0.0045	0.0057	0.0075	0.0094	0.0113
9	63.59	0.0003	0.0003	0.0013	0.0020	0.0027	0.0034	0.0040	0.0050	0.0067	0.0084	0.0101
9.5	70.85	0.0003	0.0003	0.0012	0.0018	0.0024	0.0030	0.0036	0.0045	0.0060	0.0076	0.0091
10	78.50	0.0003	0.0003	0.0011	0.0016	0.0022	0.0027	0.0033	0.0041	0.0055	0.0068	0.0082

तालिका 9.5 तार (एल्युमिनियम का तार) विभिन्न लंबाईयों के लिये, व्यास, क्रॉस-सेक्शनल क्षेत्रफल एवं प्रतिरोध

Diameter, d (mm)	*Area, A* (mm^2)	*Resistance of Wire, R* (Ω) *(for Aluminium wire)*										
		Total (two way) wire length, l (m)										
		1	2	4	6	8	10	12	15	20	25	30
0.5	0.20	0.1773	0.3546	0.7093	1.0639	1.4186	1.7732	2.1279	2.6599	3.5465	4.4331	5.3197
1	0.79	0.0443	0.0887	0.1773	0.2660	0.3546	0.4433	0.5320	0.6650	0.8866	1.1083	1.3299
1.5	1.77	0.0197	0.0394	0.0788	0.1182	0.1576	0.1970	0.2364	0.2955	0.3941	0.4926	0.5911
2	3.14	0.0111	0.0222	0.0443	0.0665	0.0887	0.1108	0.1330	0.1662	0.2217	0.2771	0.3325
2.5	4.91	0.0071	0.0142	0.0284	0.0426	0.0567	0.0709	0.0851	0.1064	0.1419	0.1773	0.2128
3	7.07	0.0049	0.0099	0.0197	0.0296	0.0394	0.0493	0.0591	0.0739	0.0985	0.1231	0.1478
3.5	9.62	0.0036	0.0072	0.0145	0.0217	0.0290	0.0362	0.0434	0.0543	0.0724	0.0905	0.1086
4	12.56	0.0028	0.0055	0.0111	0.0166	0.0222	0.0277	0.0332	0.0416	0.0554	0.0693	0.0831
4.5	15.90	0.0022	0.0044	0.0088	0.0131	0.0175	0.0219	0.0263	0.0328	0.0438	0.0547	0.0657
5	19.63	0.0018	0.0035	0.0071	0.0106	0.0142	0.0177	0.0213	0.0266	0.0355	0.0443	0.0532
5.5	23.75	0.0015	0.0029	0.0059	0.0088	0.0117	0.0147	0.0176	0.0220	0.0293	0.0366	0.0440
6	28.26	0.0012	0.0025	0.0049	0.0074	0.0099	0.0123	0.0148	0.0185	0.0246	0.0308	0.0369
6.5	33.17	0.0010	0.0021	0.0042	0.0063	0.0084	0.0105	0.0126	0.0157	0.0210	0.0262	0.0315
7	38.47	0.0009	0.0018	0.0036	0.0054	0.0072	0.0090	0.0109	0.0136	0.0181	0.0226	0.0271
7.5	44.16	0.0008	0.0016	0.0032	0.0047	0.0063	0.0079	0.0095	0.0118	0.0158	0.0197	0.0236
8	50.24	0.0007	0.0014	0.0028	0.0042	0.0055	0.0069	0.0083	0.0104	0.0139	0.0173	0.0208
8.5	56.72	0.0006	0.0012	0.0025	0.0037	0.0049	0.0061	0.0074	0.0092	0.0123	0.0153	0.0184
9	63.59	0.0005	0.0011	0.0022	0.0033	0.0044	0.0055	0.0066	0.0082	0.0109	0.0137	0.0164
9.5	70.85	0.0005	0.0010	0.0020	0.0029	0.0039	0.0049	0.0059	0.0074	0.0098	0.0123	0.0147
10	78.50	0.0004	0.0009	0.0018	0.0027	0.0035	0.0044	0.0053	0.0066	0.0089	0.0111	0.0133

उदाहरण के लिये यदि तार की लंबाई 10 मीटर है एवं प्रतिरोध का आंकलित मान 0.03 Ohm (Ω) है एवं आप कॉपर तार का उपयोग कर रहे हैं, तब कॉपर तार की तालिका 8.4 से, आवश्यक व्यास का मान 3 mm एवं क्रॉस–सेक्शन क्षेत्रफल 7.07 mm^2 है। तालिका 9.4 में इन मानों को विशेष रूप से दर्शाया गया है।

अब आपको बाजार में इस आकार विशेष का तार ढूंढने की आवश्यकता है (जैसे 3 मिमी व्यास वाला कॉपर तार)। जैसा कि पहले उल्लेख किया जा चुका है कि कुछ मानक व्यास वाले तार निर्मित किए जाते हैं। अब; आपको तालिका 9.2 मानक/स्टैंडर्ड वायर गॉज विमाओं की तालिका देखनी चाहिये, जिससे आपको ऐसा वायर या तार गॉज मिले जो कि आपके लिये सबसे अच्छा हो एवं बाजार में उपलब्ध हो। यदि, आप तालिका (तालिका 9.2 देखें) को सावधानीपूर्वक देखें तो आप पाएंगे कि SWG 11 तार का व्यास 2.946 mm है, 3 mm के बहुत करीब। अतः आपको SWG 11 कॉपर तार का चयन करना चाहिये या खरीदना चाहिये। तालिका 9.2 में इन मानों पर रौशनी डाली गई है।

सर्किट में विभिन्न बिंदुओं को जोड़ने के लिये पृथक तार व्यास आंकलन की आवश्यकता होती है यदि बिंदुओं के बीच वोल्टेज एवं विद्युतधारा स्तर समान न हो।

टिप्पणी : उपरोक्त पैराग्राफ में जो विधि समझाई गई है वह संयंत्र में दो बिंदुओं या दो घटकों को जोड़ने हेतु तार का आकार निकालने के लिये है। यह पीवी पैनल को बैटरी से या बैटरी को इन्वर्टर से जोड़ने के लिये हो सकता है। याद रखें कि प्रत्येक कनेक्शन हेतु आकार निकालने के लिये पृथक–पृथक गणना करने की आवश्यकता होती है यदि संयंत्र में विभिन्न भागों में वोल्टेज एवं विद्युतधारा का स्तर समान न हो।

यदि तार का व्यास दिया गया हो तो वोल्टेज ड्रॉप ज्ञात करना

अभी तक हम सौर पीवी संयंत्र में किसी विशेष अनुप्रयोग के लिये तार के व्यास की गणना करने की कोशिश कर रहे हैं जहां पर कि वोल्टेज में स्वीकार्य प्रतिशत ड्रॉप का उल्लेख हो। कुछ परिस्थितियों में तार का व्यास फिक्स किया जा सकता है, या एक निश्चित व्यास के मान वाला तार उपलब्ध है तब उस परिस्थिति में वोल्टेज में ड्रॉप की गणना करना संभव है। एवं तब हम देख सकते हैं कि आंकलित वोल्टेज ड्रॉप स्वीकार्य है या नहीं।

यदि तार का व्यास एवं तार की लंबाई दी गई है, तब हमें तालिकाओं (तालिका 9.4 एवं 9.5) से तार का प्रतिरोध ज्ञात करने में सक्षम होना चाहिये। एक बार हम यदि तार का प्रतिरोध जान जाते हैं, तब निम्न अभिव्यक्ति का उपयोग कर हम किसी तार विशेष में वोल्टेज में ड्रॉप की गणना कर सकते हैं :

$$V_{\text{drop}} = I \times R$$

उदाहरण 9.4

माना कि एक DC संयंत्र क्रमशः 12 V एवं 10 A वोल्टेज एवं विद्युतधारा स्तर पर कार्य कर रहा है। तार का आकार (व्यास) एवं उसकी पॉवर स्रोत व उपकरण (एक तरफ की तार की लंबाई) से दूरी क्रमशः 2 mm एवं 6 mm है। यदि तार कॉपर का बना हुआ है, तब वोल्टेज ड्रॉप का प्रतिशत क्या है ?

हल

सबसे पहले हम 2 mm (व्यास) का उपयोग करते हुए तार का प्रतिरोध निकालते हैं एवं

6 meters (तार की लंबाई) तालिका 8.4

प्रतिरोध $R = 0.0409\ \Omega$

अतः एक तार विशेष में वोल्टेज ड्रॉप है :

$$V_{\text{drop}} = I \times R$$

$$V_{\text{drop}} = 10\text{ A} \times 0.0409\ \Omega = 0.409\text{ V}$$

$$\%V_{\text{drop}} = \frac{V_{\text{drop}}}{V} \times 100 = \frac{0.409\text{ V}}{12\text{ V}} \times 100 = 3.4\%$$

प्रश्न 9.7 माना कि एक DC संयंत्र क्रमशः 12 V एवं 5 A वोल्टेज एवं विद्युतधारा स्तर पर कार्य कर रहा है। तार का आकार (व्यास) एवं पॉवर स्रोत व उपकरण (एक तरफ की तार की लंबाई) क्रमशः 1 mm एवं 12 meters है। यदि तार एलुमिनियम का बना हो, तब वोल्टेज ड्रॉप प्रतिशत क्या होगा ?

उदाहरण 9.5

पीवी संयंत्र के एक सेक्शन विशेष में, समान रेटिंग वाले 6 पीवी मॉड्यूल आपस में जुड़े हुए हैं (2 श्रेणियों में 3 समानांतर संयोजन) एवं पैनल का अंतिम आउटपुट एक कंपेटिबल बैटरी को चार्ज करने हेतु जुड़ा हुआ है। STC पर मॉड्यूल की रेटिंग निम्न तालिका में दी गई हैं :

तालिका 9.6 उदाहरण 9.5 हेतु तालिका

Parameters	*Ratings*
Rated power (P_{max})	40 W
Nominal voltage (V)	12 V
Module efficiency	11.50%
Current at rated power (I_{mp})	2.32 A
Voltage at rated power (V_{mp})	17.2 V
Short circuit current (I_{sc})	2.52 A
Open circuit voltage (V_{oc})	21.6 V

सर्किट में पैनल से बैटरी तक विद्युतधारा निकालें जिसके लिये तार का आकार निकालना है। जहां भी आवश्यकता हो उपर्युक्त काल्पनिक मान रखें एवं साथ ही उनके विषय में निर्दिष्ट करें।

हल

यह एक सक्रिय संयंत्र है एवं उपकरण से जुड़े साधारण स्रोत से भिन्न है। यहां विद्युतधारा का मान सदैव परिवर्तित होता रहता है, अतः हम उस अधिकतम विद्युतधारा हेतु तार का आकार निकालेंगे जो कि सर्किट में संभव हो सकती है, यहां सुरक्षा पक्ष को भी ध्यान में रखा जाता है। तार के आकार हेतु ऑपरेटिंग विद्युतधारा निर्धारण हेतु हम निम्न प्रकार से चरणबद्ध प्रक्रिया अपनाएंगे (अनुभाग 9.5.9 देखें) :

प्रथम चरण : परिणामस्वरूप प्राप्त होने वाले पीवी पैनल शॉर्ट–सर्किट विद्युतधारा की गणना करें (I_{sc})

प्रत्येक मॉड्यूल की शॉर्ट–सर्किट विद्युतधारा (I_{sc}) = 2.52 A (जैसा दिया गया है)

चूंकि दो मॉड्यूल श्रेणियों में जुड़े हुए हैं (वोल्टेज दुगुना हो जाएगा परंतु विद्युतधारा समान बनी रहेगी) एवं इस तरह के 3 संयोजन हैं जो कि समानांतर में जुड़े हुए हैं (वोल्टेज समान बना रहेगा जबकि विद्युतधारा तिगुनी हो जाएगी)।

अतः, पैनल की शॉर्ट–सर्किट विद्युतधारा (I_{sc}) = 3×2.52 A = 7.56 A

द्वितीय चरण : तार की क्षमता को बढ़ाएं

1. पूर्ण विद्युतधारा को संभालने हेतु
   ऐसा I_{sc} को 25% बढ़ाकर किया जाता है
   विद्युतधारा स्तर = $I_{sc} + 25\%$ of $I_{sc} = I_{sc} \times 1.25 = 7.56 \text{ A} \times 1.25 = 9.45 \text{ A}$
2. बादल/बर्फ से होने वाले परावर्तन की वजह से पैदा हुए उच्च ताप के कारण सीमा से अधिक पैदा हुई विद्युतधारा (STC से अधिक) को संभालना

   ऐसा विद्युतधारा को 56% से बढ़ा कर किया जाता है, को सीधे बढ़ा कर ($I_{sc} \times 1.25 \times 1.25 = I_{sc} \times 1.56 = 7.56 \text{ A} \times 1.56 = 11.8 \text{ A}$)

अतः तार का आकार निकालना या साइजिंग 11.8 A विद्युतधारा स्तर पर या कम से कम 9.45 A पर किया जाना चाहिये यह सुरक्षा पक्ष एवं रूढ़िवादिता पर निर्भर करता है।

उदाहरण 9.6

24 V DC पीवी संयंत्र हेतु तार के आकार की गणना करें बैटरी को DC उपकरण से जोड़ने हेतु जिससे कि बैटरी एवं DC उपकरण के बीच होने वाला वोल्टेज ड्रॉप संयंत्र के वोल्टेज के 2% से अधिक न हो। बैटरी एवं DC उपकरण के बीच दूरी 12 फीट (एक तरफ के तार की लंबाई) है। संयंत्र से जुड़े कुल उपकरण 500 W के हैं। संयंत्र हेतु कॉपर तार का उपयोग करें।

हल

तार के आकार या तार के व्यास की गणना करने के लिये हम अनुभाग 9.5.9 में समझाई गई चरणबद्ध प्रक्रिया को अपनाएंगे।

प्रथम चरण : लिखें कि स्वीकार्य वोल्टेज ड्रॉप कितना है (V_{drop})

इस स्थिति में स्वीकार्य वोल्टेज ड्रॉप है = संयंत्र वोल्टेज का 2%

संयंत्र वोल्टेज = 24 V

अतः वोल्टेज ड्रॉप $V_{drop} = 2\% \times V_{dc} = 2/100 \times 24 = 0.48$ V

द्वितीय चरण : दो बिंदुओं को जोड़ने के लिये कुल तार की लंबाई ज्ञात करें।

इस स्थिति में बैटरी एवं DC उपकरण के बीच की दूरी = 12 feet

एक तरफ के तार की लंबाई = 12 feet (1 foot = 0.3048 meter)

परंतु तार की कुल लंबाई एक तरफ के तार की लंबाई की दुगुनी होती है,

अतः कुल (दोनों तरफ की) तार की लंबाई $l = 2 \times 12$ feet = 24 feet = 7.3152 meters

तृतीय चरण : सर्किट में विद्युतधारा, वोल्टेज एवं पॉवर स्तर ज्ञात करें।

इस स्थिति में कुल संयोजित उपकरण या पॉवर = 500 Watt

संयंत्र का वोल्टेज, $V = 24$ V

अतः संयत्र में विद्युतधारा की इस प्रकार से गणना की जा सकती है :

$$I = \frac{P}{V} = \frac{500}{24} = 20.83 \text{ A}$$

यह वह विद्युतधारा है जिसे दो बिंदुओं के बीच तार संभालने में सक्षम हो, जिसके लिये गणना की गई है। सामान्यतः हमें तार की विद्युतधारा वहन क्षमता के लिये 25% का सुरक्षा मार्जिन लेना चाहिये। अतः तार की चाही गई विद्युतधारा वहन क्षमता

$$= I \times 125\% = I \times 1.25.$$

I (for wire size calculation) $= I \times 1.25 = 20.83 \times 1.25 = 26.04$ ।

चतुर्थ चरण : तार का व्यास ज्ञात करें।

सबसे पहले हम सूत्र का उपयोग करते हुए प्रतिरोध की गणना करते हैं,

$$V_{drop} = I \times R$$

या

$$R = \frac{V_{drop}}{I}$$

$$R = \frac{V_{drop}}{I} = \frac{0.48 \text{ V}}{26.04 \text{ A}} = 0.0184\ \Omega$$

अब, हम तालिका 9.4 का उपयोग करते हैं एवं तार के गणना किए हुए प्रतिरोध हेतु तार का व्यास निकालते हैं $(R) = 0.0184\ \Omega$,

तार की कुल लंबाई $(l) = 7.3152$ m

जब हम तालिका 9.4 को देखते हैं : 7.3152 लंबाई से मिलता हुआ कोई मान नहीं है, अतः हमें इस लंबाई से करीब का कोई मान लेना चाहिये, जो कि 8 मीटर है। समान रूप से जब हम 8 मीटर लंबाई के लिये कॉलम देखते हैं, तो प्रतिरोध का ऐसा कोई मान नहीं है जो कि 0.0184 Ω से मिलता हो एवं हमें संभावित सबसे करीबी मान हेतु कोशिश करनी चाहिये। तालिका में प्रतिरोध हेतु सबसे करीबी संभावित मान है 0.0178।

इस प्रकार हम तार लंबाई $l = 8$ m एवं प्रतिरोध $R = 0.0178$ के आकार का एक तार देखेंगे। अब यदि (तालिका 8.4) देखी जाए; इन मानों के अनुसार हम पाएंगे कि तार का व्यास, $d = 3.5$ mm एवं क्रॉस सेक्शनल क्षेत्रफल, A = 9.62 mm^2 है। अब तार 3.5 mm व्यास (d) (तालिका 8.2 का उपयोग करते हुए), तार का गॉज SWG # 9 है, एवं गॉज संख्या 9 है।

अतः तार का आकार है :

3.5 mm (व्यास) या 9.62 mm^2 (क्रॉस सेक्शनल क्षेत्रफल) या SWG # 9 (तार गॉज संख्या)

प्रश्न 9.8 एक बैटरी को DC उपकरण से इस तरह जोड़ने हेतु कि बैटरी एवं DC उपकरण के बीच वोल्टेज ड्रॉप संयंत्र के वोल्टेज के 2% से अधिक नहीं हो, एक 96 V DC PV संयंत्र के लिये आवश्यक तार के आकार की गणना करें। बैटरी एवं DC उपकरण (एक तरफ की तार की लंबाई) के बीच की दूरी 5 मीटर है। संयंत्र से जुड़ा उपकरण 5000 W का है। संयंत्र हेतु कॉपर तार का उपयोग करें।

मानक ग्राफ का उपयोग करते हुए तार के आकार की गणना करें

पूर्व अनुभाग में हमने सौर पीवी संयंत्र में किसी विशेष परिस्थिति हेतु तार के आकार की गणना करने के लिये मैनुअल गणना विधि का उपयोग किया। पूर्व विधि में तार के आकार को ज्ञात करने हेतु हमें अधिक समय की आवश्यकता होती है। तार के आकार की गणना एक ऐसी विधि से भी की जा सकती है जिसमें कम समय लगता है। यहां समान विचार है, कि एक स्वीकार्य वोल्टेज ड्रॉप एवं तार की आवश्यक लंबाई हेतु, हमें तारों के प्रतिरोध की गणना करना आवश्यक है, इन मानों से हम तारों के आवश्यक व्यास की गणना कर सकते हैं। समान बिंदुओं को ग्राफ के रूप में दर्शाया जा सकता है एवं इससे ग्राफिकल विधि का उपयोग करते हुए इन मानों को पढ़ना एवं तार का व्यास निकालना आसान है।

वोल्टेज ड्रॉप ग्राफ 75°C ऑपरेटिंग तापमान पर प्रतिरोध के मान लेकर बनाया जाता है। ये ग्राफ 2% वोल्टेज ड्रॉप पर 12 V, 24 V एवं 48 V के लिये एवं 3% वोल्टेज ड्रॉप पर 24 V व 48 V के लिये तार में विद्युतधारा व व्यास को ध्यान में रखते हुए तार की लंबाई (फीट में) के विषय में विचार प्रदान करते हैं। सामान्यतः DC संयंत्र इनमें से किसी एक वोल्टेज स्तर एवं स्वीकार्य वोल्टेज ड्रॉप जो कि 2–3% की रेंज में होते हैं, पर कार्य करते हैं एवं ऊर्जा हानि घटाने हेतु कॉपर के तार का उपयोग किया जाता है। अतः निम्न ग्राफ उपर्युक्त तार का व्यास ज्ञात करने हेतु आसान तरीका प्रदान करते हैं।

टिप्पणी : निम्न ग्राफों का उपयोग करते समय, तार की लंबाई केवल एक तरफ की लेनी चाहिये (संयंत्र के अवयवों के बीच चाहे गए पथ की दूरी)। इससे केवल तार के आकार की गणना की जाती है (व्यास/क्रॉस–सेक्शनल क्षेत्रफल/SWG) परंतु वास्तव में हमें तार पूरी लंबाई (दोनों तरफ का) खरीदना होता है।

विभिन्न वोल्टेज, वोल्टेज ड्रॉप के विभिन्न प्रतिशत एवं कॉपर के तार के लिये सभी पांच ग्राफ आगे दिए गए हैं :

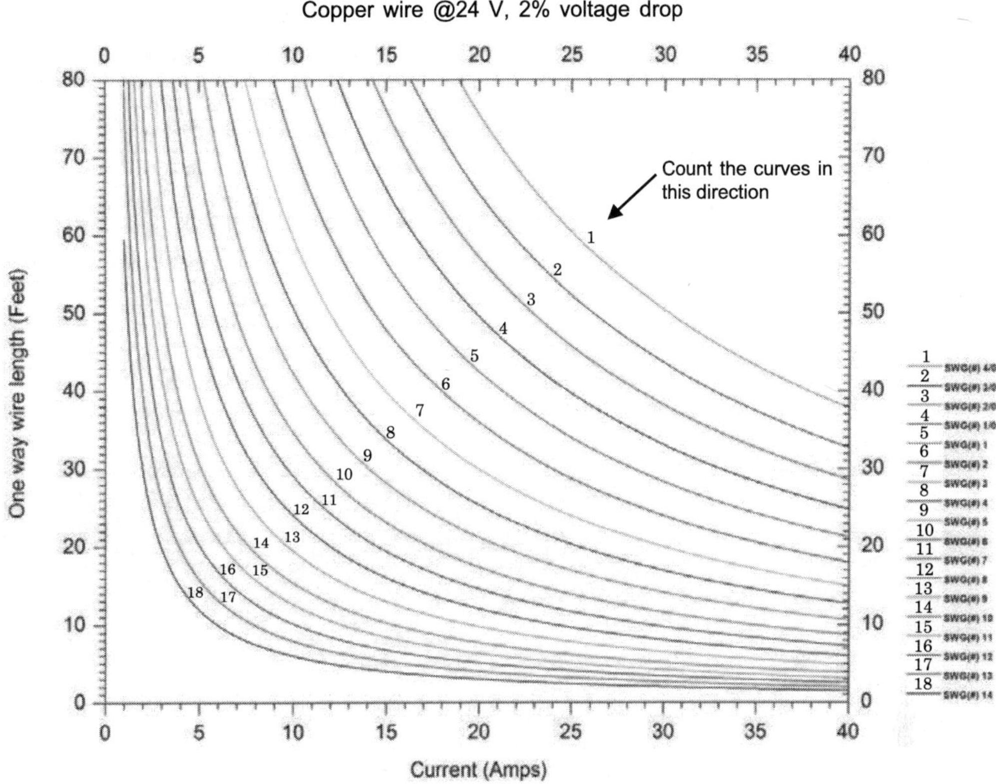

चित्र 9.16
एक 12 वोल्ट DC पीवी संयंत्र में विद्युतधारा के विभिन्न स्तरों पर (फीट में) तार की लंबाई, जिसमें स्वीकार्य वोल्टेज ड्रॉप 2% है (तांबे के तार के लिये)।

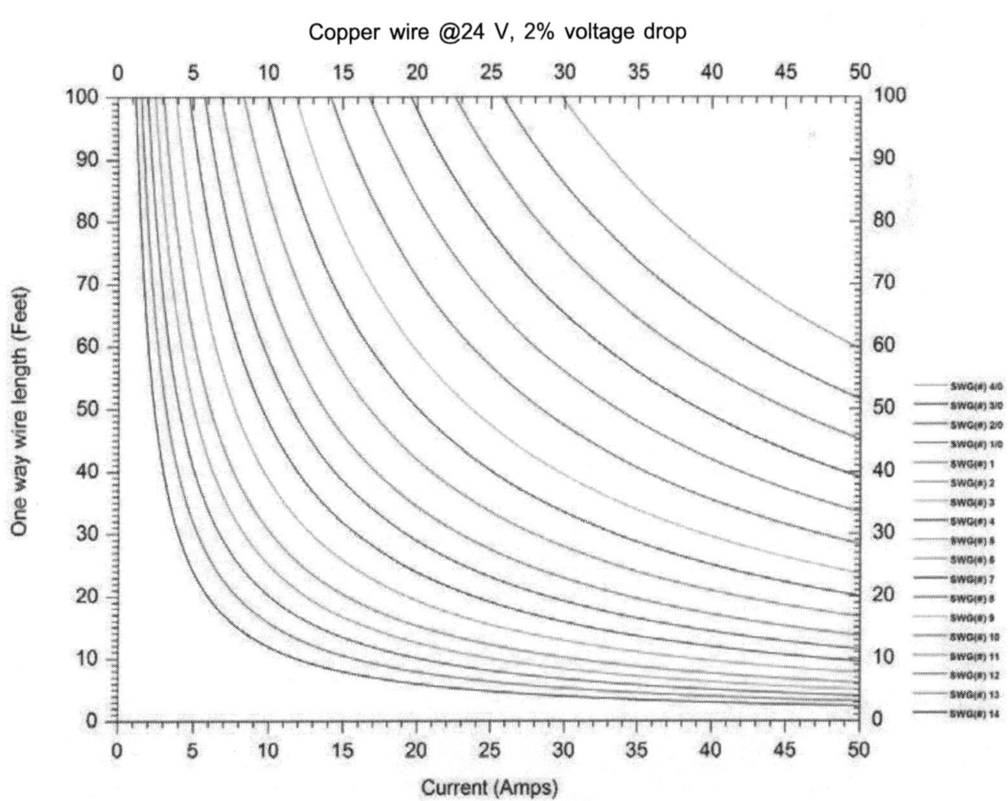

चित्र 9.17
एक 24 वोल्ट DC पीवी संयंत्र में विद्युतधारा के विभिन्न स्तरों पर (फीट में) तार की लंबाई, जिसमें स्वीकार्य वोल्टेज ड्रॉप 2% है (तांबे के तार के लिये)।

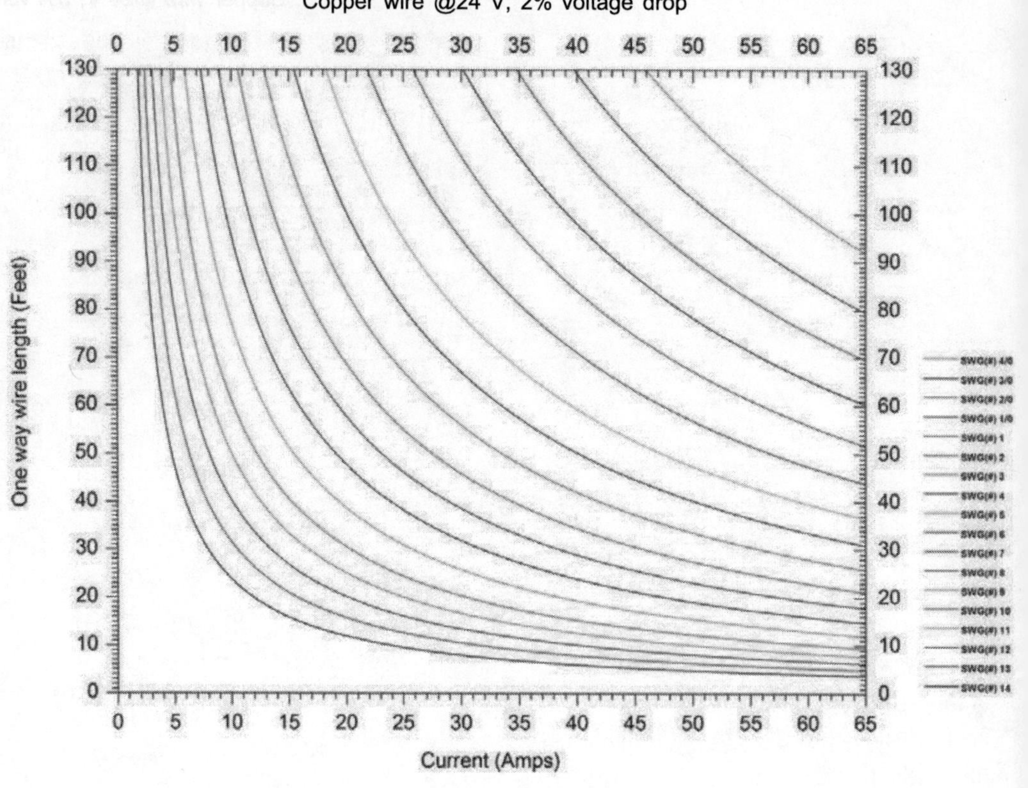

चित्र 9.18
एक 48 वोल्ट DC पीवी संयंत्र में विद्युतधारा के विभिन्न स्तरों पर (फीट में) तार की लंबाई, जिसमें स्वीकार्य वोल्टेज ड्रॉप 2% है (तांबे के तार के लिये)।

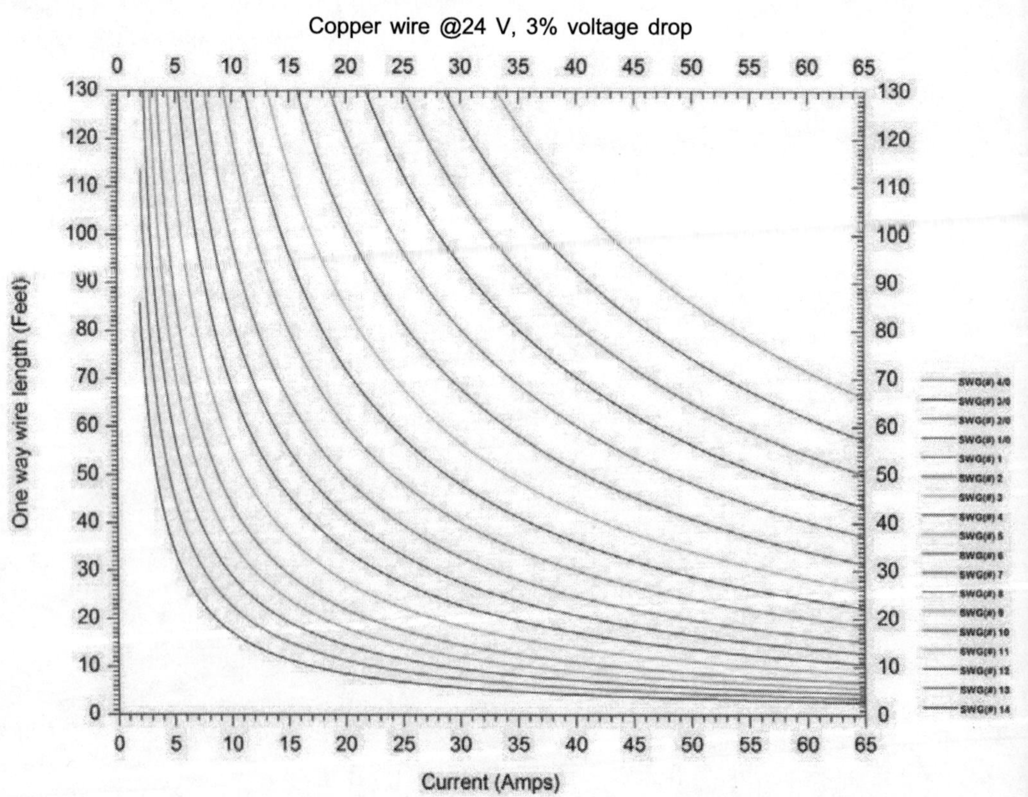

चित्र 9.19
एक 24 वोल्ट DC पीवी संयंत्र में विद्युतधारा के विभिन्न स्तरों पर (फीट में) तार की लंबाई, जिसमें स्वीकार्य वोल्टेज ड्रॉप 3% है (तांबे के तार के लिये)।

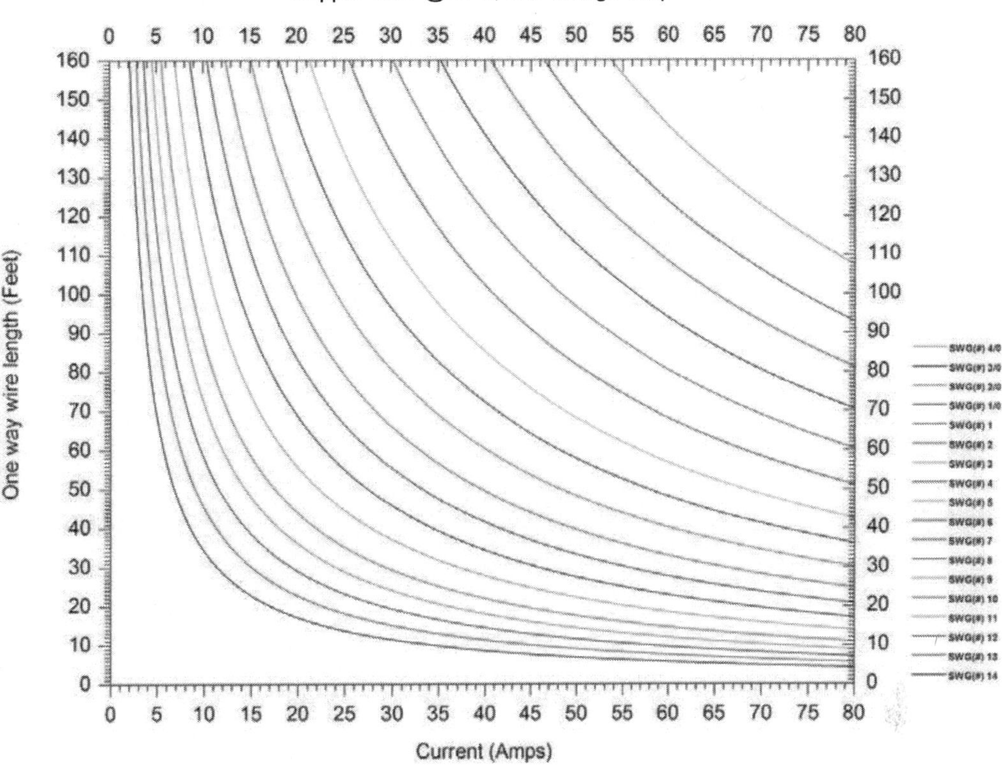

चित्र 9.20
एक 48 वोल्ट DC पीवी संयंत्र में विद्युतधारा के विभिन्न स्तरों पर (फीट में) तार की लंबाई, जिसमें स्वीकार्य वोल्टेज ड्रॉप 3% है (तांबे के तार के लिये)।

ग्राफ किस तरह पढ़ते हैं?

दी गई तार की लंबाई एवं विभिन्न वोल्टेज स्तर पर उससे प्रवाहित होने वाली विद्युतधारा, स्वीकार्य वोल्टेज ड्रॉप एवं तार की दी गई सामग्री (कॉपर) के लिये तार का व्यास निकालने हेतु ग्राफ प्लॉट किए गए हैं (स्टैंडर्ड ग्राफ देखें)। इस प्रकार से सभी मापदंड जो कि तार के व्यास को प्रभावित करते हैं, लिये गए हैं।

ग्राफ का Y–अक्ष या एक्सिस फीट इकाई में तार की लंबाई है एवं ग्राफ का X–अक्ष एम्पियर (Amps) इकाई में विद्युतधारा है। प्रत्येक मानक या स्टैंडर्ड ग्राफ में, विभिन्न व्यासों या तारों के गॉज संख्या से संबंधित अनेकों वक्र चिन्हित किए गए हैं।

एक सौर पीवी अनुप्रयोग विशेष अनुप्रयोग हेतु उपर्युक्त तार गॉज ज्ञात करें, संयंत्र वोल्टेज एवं स्वीकार्य वोल्टेज ड्रॉप प्रतिशत से संबंधित उपर्युक्त ग्राफ का चयन करें (उदाहरण के लिये चित्र 9.16. चित्र 9.17, चित्र 9.18, चित्र 9.19, एवं चित्र 9.20 देखें)।

तार का आकार ज्ञात करने हेतु मानक ग्राफ के क्रमबद्ध तरीके को अपनाया गया है जो कि निम्न प्रकार से दिया गया है :

प्रथम चरण : सही मानक या स्टैंडर्ड ग्राफ के चयन हेतु, सबसे पहले पीवी संयंत्र के उस भाग में विद्युतधारा का मान लिखें, जिसके लिये तार का आकार निकाला जाना है, साथ ही उपर्युक्त पथ से होते हुए पीवी संयंत्र के दो बिंदुओं को जोड़ने के लिये तार की अनुमानित लंबाई (एक तरफ की) भी लिखें, स्वीकार्य वोल्टेज ड्रॉप प्रतिशत, संयंत्र ऑपरेटिंग वोल्टेज एवं तार की सामग्री (कॉपर) भी लिखें।

द्वितीय चरण : प्रथम चरण में विभिन्न मापदंडों के मानों से संबंधित उपर्युक्त ग्राफ का चयन करें। उपर्युक्त मानक ग्राफ का चयन करने के पश्चात् X–अक्ष पर एक नोट किए गए विद्युतधारा मान के लिये एक ऊर्ध्वाधर रेखा खींचें एवं Y–अक्ष पर नोट की गई तार की लंबाई के लिये एक क्षैतिज रेखा खींचे। ऊर्ध्वाधर रेखा खींचने के स्थान पर, हम मानक तार गॉज संख्या ज्ञात करने के लिये इंटरसेक्शन या मिलान बिंदु जानने के लिये दो स्केलों का उपयोग भी कर सकते हैं।

उदाहरण के लिये, 20 Amps विद्युतधारा मान एवं 50 फीट तार की लंबाई हेतु चित्र 9.16 में ऊर्ध्वाधर एवं क्षैतिज रेखाएं खींची गई हैं (ध्यान रखें कि चित्र 9.16 संयंत्र 12 V वोल्टेज के लिये है जहां स्वीकार्य वोल्टेज ड्रॉप 2% है) जैसा कि निम्न चित्र में दर्शाया गया है।

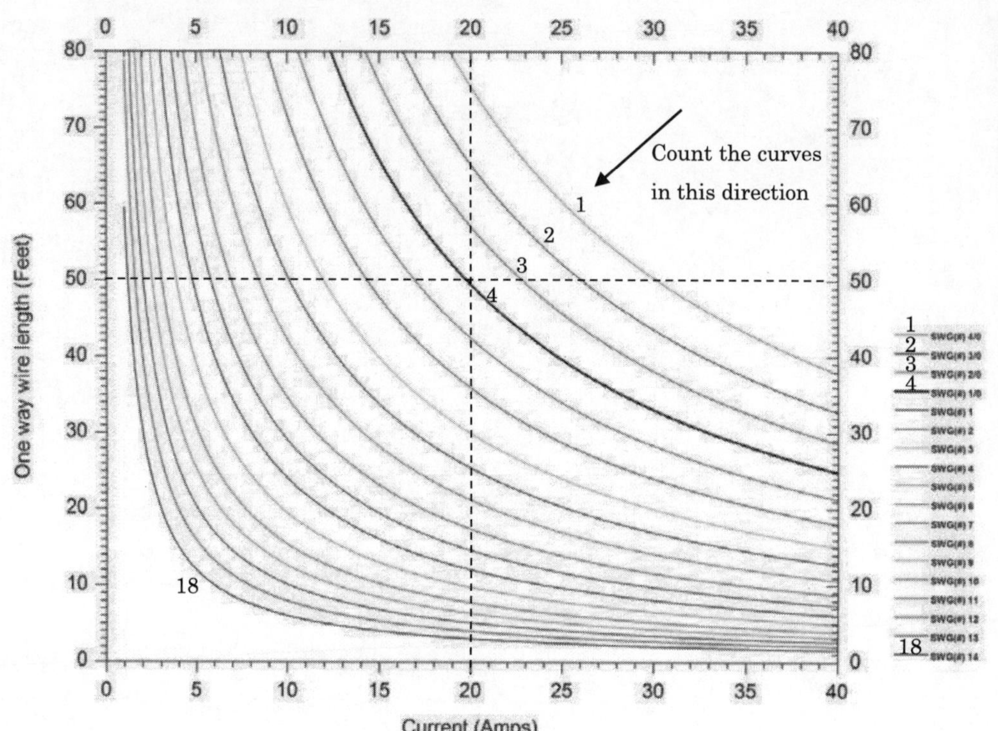

चित्र 9.21
एक 12 वोल्ट DC पीवी संयंत्र में विद्युतधारा के विभिन्न स्तरों पर (फीट में) तार की लंबाई, जिसमें स्वीकार्य वोल्टेज ड्रॉप 2% है (तांबे के तार के लिये)।

चित्र 9.21 में, वक्रों को ऊपर से नीचे तक संख्या 1 से 18 दी जा सकती है जैसा कि चित्र 9.16 में दर्शाया गया है (अन्य ग्राफों के लिये यह नहीं दिया गया है परंतु यह संख्यात्मक गणना दिमागी तौर पर भी की जा सकती है)। विद्युतधारा हेतु ऊर्ध्वाधर रेखा का क्रॉस–सेक्शन बिंदु एवं तार की लंबाई के लिये क्षैतिज रेखा वक्र–4 के बहुत करीब है। अब ग्राफ की दायीं तरफ बिंदुओं को देखें, वक्र–4, 1/0 के SWG के तार हेतु है। अतः इस अनुप्रयोग हेतु (उदाहरण) मानक तार गॉज संख्या 1/0 है। अब आप मानक तार गॉज विमाओं के लिये तालिका 9.2 देख सकते हैं। SWG # 1/0, तार व्यास 8.23 mm के अनुरूप है। इस प्रकार से इस विशेष अनुप्रयोग के लिये आपको 8.32 mm व्यास के तार का चयन करने की आवश्यकता है। यह तार के लिये बहुत बड़ा साइज है। तार के व्यास को कम करने का एक तरीका है संयंत्र का वोल्टेज स्तर बढ़ाना, जिसका परिणाम होगा विद्युतधारा की घटना, जिसका तात्पर्य है कम वोल्टेज ड्रॉप, जिसका मतलब है कि अपेक्षाकृत कम व्यास के तार का उपयोग किया जा सकता है।

उपरोक्त अनुच्छेद में दर्शाई गई तार का व्यास ज्ञात करने की विधि का किसी भी अन्य स्थिति में भी उपयोग किया जा सकता है। परंतु एक बात का सावधानीपूर्वक ध्यान रखने की आवश्यकता है, कि तार की लंबाई एवं विद्युतधारा स्तर की दो क्षैतिज एवं ऊर्ध्व रेखाओं का मिलन बिंदु मानक ग्राफ की दो रेखाओं के बीच तो नहीं पड़ रहा है। तब सदैव अधिक व्यास (मतलब निम्न SWG#) का तार इन दो तारों के बीच चयन किया जाना चाहिये। यहां निर्दिष्ट वोल्टेज ड्रॉप स्तर/परिस्थिति को प्राप्त करने के लिये अधिक सावधान रहने की आवश्यकता है।

उदाहरण 9.7

(उदाहरण 9.6 की तरह ही) 24 V DC पीवी संयंत्र में एक बैटरी को एक DC उपकरण से जोड़ने के लिये तार के आकार की गणना करें जिससे कि बैटरी एवं DC उपकरण के बीच वोल्टेज ड्रॉप

संयंत्र के वोल्टेज के 2% से अधिक न हो। बैटरी एवं DC उपकरण (एक तरफ की तार की लंबाई) के बीच की दूरी 12 फीट है। संयंत्र से जुड़ा उपकरण कुल 500 W का है। संयंत्र के लिये कॉपर तार का उपयोग करें।

हल

प्रथम चरण : मानक ग्राफ का उपयोग करते हुए तार का आकार निकालने हेतु मापदंडों के मान लिखें:

$$\text{सर्किट में विद्युतधारा, } I_L = \frac{P}{V} = \frac{500\text{ W}}{24\text{ V}} = 20.83\text{ A}$$

विद्युतधारा की वहन क्षमता बढ़ाने के लिये, तार को डिजाइन किया गया है $I_L \times 125\% = I_L \times 1.25 = 20.83 \times 1.25 = 26.04$ A के लिये

तार की एक तरफ की लंबाई है = 12 feet (दिया गया है)
स्वीकार्य वोल्टेज ड्रॉप = 2%
संयंत्र ऑपरेटिंग वोल्टेज = 24 V

कॉपर तार का उपयोग किया गया है।

द्वितीय चरण : तार के आकार की गणना करने हेतु उपर्युक्त मानक ग्राफ देखें।

उदाहरण हेतु चित्र 9.17 देखें (कॉपर तार @ 24*V*, 2% वोल्टेज ड्रॉप)।

इस प्रकार एक तरफ के तार की लंबाई के अनुसार दो सीधी रेखाएं एवं विद्युतधारा स्तर जैसा कि नीचे दर्शाया गया है डालें एवं मिलन बिंदु का स्थान देखें।

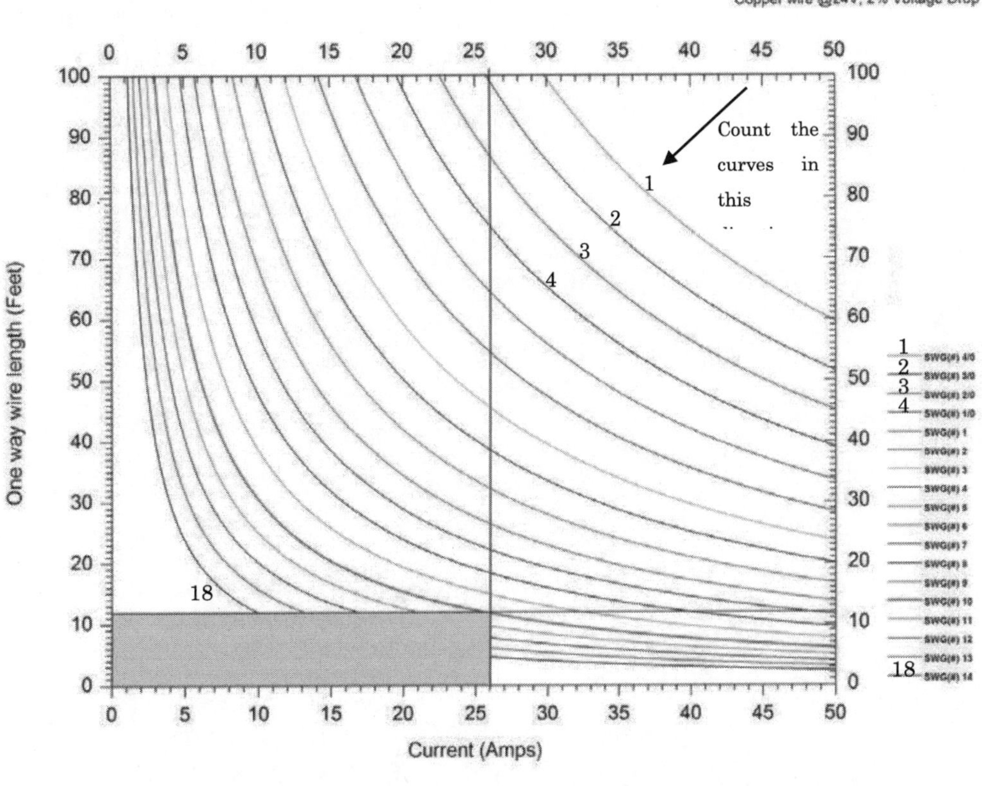

चित्र 9.22
उदाहरण 9.7 का चित्र।

हम देख सकते हैं कि मिलन बिंदु SWG#10 एवं SWG#9 ग्राफ के बीच में है। यह SWG#10 के बिलकुल ऊपर है। परंतु सुरक्षित पक्ष को यदि देखा जाए तो जैसा कि प्रश्न में विशेष रूप से दिया गया है कि वोल्टेज ड्रॉप 2% स्तर से अधिक नहीं होना चाहिये, हम SWG#9 तार का उपयोग करते हैं। इसलिये SWG#10 तक (#14, #13, #12, #11 एवं #10) अंधेरे वाले क्षेत्रों में कार्य नहीं करते हैं। मोटे तार (जैसे SWG#9), दिए गए सर्किट में 2% वोल्टेज ड्रॉप हेतु उपर्युक्त पाए गए हैं।

तार की वास्तविक आवश्यक लंबाई = 12 feet (2-core cable with each wire of size SWG# 9)
या 12 × 2 = 24 feet (single core wire of size SWG# 9)

प्रश्न 9.9 इस प्रश्न को ग्राफ विधि का उपयोग कर हल करें। 24 V DC पीवी संयंत्रा में एक बैटरी को एक DC उपकरण से जोड़ने के लिये तार के आकार की गणना करें जिससे कि बैटरी एवं DC उपकरण के बीच वोल्टेज ड्रॉप संयंत्र के वोल्टेज के 2% से अधिक न हो। बैटरी एवं DC उपकरण (एक तरफ की तार की लंबाई) के बीच की दूरी 12 फीट है। संयंत्र से जुड़ा उपकरण कुल 500 W का है। संयंत्र के लिये कॉपर तार का उपयोग करें।

VDI (वोल्टेज ड्रॉप इंडेक्स) तार का आकार ज्ञात करने हेतु विधि

यह एक पीवी संयंत्र के लिये तार का आकार ज्ञात करने की एक अन्य विधि है एवं VDI की गणना करने हेतु एक समीकरण दिया गया है। यह उपर्युक्त तार का आकार (SWG #) ज्ञात करने का एक आसान, तीव्र एवं लचीला तरीका है। VDI की गणना करने के पश्चात् वोल्टेज ड्रॉप इंडेक्स चार्ट जैसा कि तांबे के लिये नीचे दिया गया है (तालिका 9.6 देखें), का उपयोग कर तार का आकार ज्ञात किया जा सकता है। यहां तार का आकार किसी भी वोल्टेज ड्रॉप एवं किसी भी संयंत्र वोल्टेज के लिये ज्ञात किया जा सकता है। इसलिये पूर्व विधि की तुलना में एक अधिक लचीली विधि है।

$$\text{VDI} = \frac{\text{Ampere} \times \text{Feet}}{\text{\% Voltage drop} \times \text{Voltage}}$$

यहां; एम्पियर—सर्किट से प्रवाहित होने वाली अधिकतम विद्युतधारा (एम्पियर में), फीट—तार की एक तरफ की दूरी (संयंत्र के अवयवों के बीच उपर्युक्त पथ से होते हुए दूरी), % वोल्टेज ड्रॉप—वोल्टेज ड्रॉप का चाहा गया प्रतिशत (माना कि यह 2% है, तब सूत्र में 2 रखें), वोल्टेज—उपर्युक्त संयंत्र वोल्टेज दर्शाते हैं।

तालिका 9.7 तांबे के तार के लिये वोल्टेज ड्रॉप इंडेक्स (VDI) चार्ट

Wire size (SWG #)	*VDI*	*Ampacity* (ampere)
4/0	60	195
3/0	52	179
2/0	45	165
0	39	150
1	34	136
2	29	123
3	24	111
4	20	101
5	17	91
6	14	81
7	12	73
8	10	64
9	8	55
10	6	46
11	5	39
12	4	33
13	3	27
14	2	21

यहां तार के केवल आकार की गणना करने हेतु मापदंड के रूप में एक तरफ के तार की लंबाई का उपयोग किया गया है। वास्तव में हमें पूरी तार लंबाई (दोनों तरफ की) खरीदनी होती हैं।

उदाहरण 9.8

(उदाहरण 9.6 की तरह) 24 V DC पीवी संयंत्र में एक बैटरी को एक DC उपकरण से जोड़ने के लिये तार के आकार की गणना करें जिससे कि बैटरी एवं DC उपकरण के बीच वोल्टेज ड्रॉप संयंत्र के वोल्टेज के 2% से अधिक न हो। बैटरी एवं DC उपकरण (एक तरफ की तार की लंबाई) के बीच की दूरी 12 फीट है। संयंत्र से जुड़ा उपकरण कुल 500 W का है। संयंत्र के लिये तांबे के तार का उपयोग करें।

हल

प्रथम चरण : VDI की गणना करने हेतु मापदंडों के मान लिखें :

1. जिस तार का आकार निकालना है उसमें विद्युतधारा

   सर्किट में विद्युतधारा, $I_L = \frac{P}{V} = \frac{500 \text{ W}}{24 \text{ V}} = 20.83 \text{ A}$

   विद्युतधारा वहन क्षमता बढ़ाने के लिये, तार को डिजाइन किया गया है,

   $$I_L \times 125\% = I_L \times 1.25 = 20.83 \times 1.25 = 26.04 \text{ A}$$

2. एक तरफ के तार की लंबाई है = 12 फीट (दिया गया है)
3. स्वीकार्य वोल्टेज ड्रॉप = 2%
4. संयंत्र ऑपरेटिंग DC वोल्टेज = 24 V
5. कॉपर का तार उपयोग करना है

द्वितीय चरण : मापदंडों के दिए गए मानों हेतु VDI की गणना करें :

$$\text{VDI} = \frac{\text{Ampere} \times \text{Feet}}{\% \text{ Voltage drop} \times \text{Voltage}}$$

$$\text{VDI} = \frac{26.04 \times 12}{2 \times 24}$$

$$\text{VDI} = 6.5$$

तृतीय चरण : VDI तालिका का उपयोग करते हुए, तार के आकार की गणना करें :

Wire size (SWG #)	*VDI*
9	8
10	6

यहां गणना कर प्राप्त VDI (6.5), 6 से अधिक है एवं 6 व 8 के बीच का मान है, जिसका मतलब है कि तार का आकार SWG#10 एवं SWG#9 के बीच का होना चाहिये। चूंकि गणना कर प्राप्त मान SWG#10 (VDI = 6) के करीब है एवं इसका उपयोग किया जा सकता है, परंतु विशेष वोल्टेज ड्रॉप परिस्थिति जो कि 2% से अधिक नहीं होना चाहिये; मोटा तार (SWG #9) दिए गए उदाहरण के लिये उपर्युक्त है। अब, कोई भी तार का व्यास एवं इसका क्रॉस–सेक्शनल क्षेत्रफल SWG#9 के अनुसार (तालिका 8.2 का उपयोग कर) ज्ञात कर सकता है एवं यह 3.5 mm (व्यास) या 9.62 mm^2 (क्रॉस–सेक्शनल क्षेत्रफल) है।

प्रश्न 9.10 इस प्रश्न को VDI विधि से हल करें। 24 V DC पीवी संयंत्र में एक बैटरी को एक DC उपकरण से जोड़ने के लिये तार के आकार की गणना करें जिससे कि बैटरी एवं DC उपकरण के बीच वोल्टेज ड्रॉप संयंत्र के वोल्टेज के 2% से अधिक न हो। बैटरी एवं DC उपकरण (एक तरफ की तार की लंबाई) के बीच की दूरी 12 फीट है। संयंत्र से जुड़ा उपकरण कुल 500 W का है। संयंत्र के लिये कॉपर तार का उपयोग करें।

9.5.10 अन्य विशेष आवश्यकताएं

यदि आप बेहतर प्रदर्शन एवं केबल या तार को दीर्घ काल तक चलाना चाहते हैं, तो कुछ अतिरिक्त गुणों से युक्त केबल खरीद सकते हैं : फ्लेम रिटार्डेंट, UV–प्रतिरोधी, सूर्य प्रकाश प्रतिरोधी आदि।

9.6 जंक्शन बॉक्स

यह संयंत्र का एक छोटा परंतु महत्वपूर्ण भाग है। जंक्शन बॉक्स वे युक्तियां हैं जिनमें इलेक्ट्रिकल तार जंक्शन या मिलन बिंदु या इंटरकनेक्शन होते हैं जो कि घर के तारों के जाल को मुख्य पॉवर आपूर्ति के साथ जोड़ते हैं। जंक्शन बॉक्स सामान्यतः खुले हुए तारों के जंक्शन की तुलना में बेहतर माने जाते हैं।

ये सामान्यतः धातु या ठोस प्लास्टिक के बने होते हैं। सामान्यतः जंक्शन बॉक्स या तो आयताकार या घन के आकार के होते हैं जिनमें बॉक्स के सामने वाले हिस्से में एक दरवाजा होता है जिससे बॉक्स के आंतरिक भाग को देखा जा सकता है।

बाजार में अनेकों प्रकार के जंक्शन बॉक्स उपलब्ध हैं एवं विशिष्ट उद्देश्य बताने पर सही प्रकार का जंक्शन बॉक्स आसानी से पाया जा सकता है। तारों का चयन करते समय रेटिंग विद्युतधारा, वोल्टेज, ऑपरेटिंग तापमान, इंसुलेशन, सुरक्षा स्तर आदि का ध्यान रखा जाना चाहिये एवं तपन व ऊर्जा हानि से बचने के लिये बड़े आकार के जंक्शन बॉक्स का चयन करना बेहतर होता है।

चित्र 9.23
एक सौर पीवी जंक्शन बॉक्स।

जंक्शन बॉक्स का मुख्य उद्देश्य होता है इलेक्ट्रिकल जंक्शन को ढंकना। आंतरिक कॉन्फीगरेशन थोड़ा परिवर्तित हो सकते हैं जो कि जंक्शन बॉक्स के डिजाइन एवं लक्षणों पर निर्भर करते हैं परंतु इनका उद्देश्य समान होता है।

इलेक्ट्रिकल सर्किट में जंक्शन बॉक्स के लाभ निम्न प्रकार से हैं :

1. इलेक्ट्रिकल जंक्शन को ढंकता है जिससे व्यवस्थित संयंत्र दिखता है।
2. अनेकों जंक्शन बिंदुओं पर तारों के जोड़ को सुरक्षा प्रदान करता है।
3. कुछ कारणों से होने वाली जंक्शन ओवरलोडिंग की वजह से उठने वाली चिंगारी आदि से बचाता है, एवं इसीलिये होने वाली क्षति को कम करता है।
4. यदि इसमें एक सुरक्षा स्विच दिया जाए, तो यह एमरजेंसी में बॉक्स में ही कनेक्शन्स को बंद कर देगा।
5. अतिरिक्त इलेक्ट्रिकल जंक्शन या बड़े इलेक्ट्रिकल केबलों के लिये यह स्थान देता है, यदि अधिक क्षमता व अतिरिक्त जंक्शन बिंदुओं वाले आपने खरीद लिये हों।
6. रिपेयरिंग कार्य की वजह से होने वाले तार शॉर्टेज परिस्थितियों से बचाने में मदद करता है।
7. कम अतिरिक्त तार एवं टाइट कनेक्शन बनाए रख कर यह संयंत्र को ऊर्जा दक्ष बनाने में सक्षम करता है।
8. एक जंक्शन बॉक्स का जीवन काल सौर पीवी पैनल के जीवन काल के बराबर ही होता है।
9. संयंत्र का प्रदर्शन एवं खराबी देखने में आसानी रहती है।
10. पहले से की गई वायरिंग को बिना काटे या छेड़े यह संयंत्र में अतिरिक्त लक्षण जोड़ने देता है।
11. सुरक्षा प्रदान करता है।

9.7 चेकलिस्ट

1. सही रेटिंग एवं आवश्यक विशेष लक्षण वाले तार।
2. वायरिंग को सहारा देने के लिये केबल क्लैम्प सही तरीके से स्थापित किए गए हैं कि नहीं।
3. अंदरूनी कंडक्टर्स सही तरीके से इंगित किए गए हैं।
4. सभी जंक्शन बॉक्स तक पहुंच आसान हो।
5. तार के इंसुलेशन को हटा कर तार की मोटाई को मापा जा सकता है।
6. रिपेयरिंग कार्य के दौरान तार के शॉर्टेज की स्थिति से बचने के लिये 1–2 फीट अतिरिक्त तार की लंबाई रखी जाती है।
7. पीवी सर्किट की कंडक्टर रेटिंग रेटेड शॉर्ट सर्किट की कम से कम 156 प्रतिशत होती है।
8. उपयोग किए गए संयंत्र अवयव सर्टिफाइड होने चाहिये (जैसे—ISO International Organization for Standardization), BIS (Bureau of Indian Standards) International Electrotechnical Commission (IEC)
9. केबलों में कभी–कभी, मल्टी–कोर केबल में 3 तार होते हैं। तब इलेक्ट्रिकल झटके से बचने के लिये एक अतिरिक्त तार होता है।
10. सौर अनुप्रयोगों हेतु कुछ कंपनियां होती हैं जो कि तार/केबल ही बनाती हैं। इन कंपनियों से संयंत्र अवयव खरीदे जा सकते हैं।

10

सौर पीवी संयंत्र डिजाइन एवं समाकलन (Integration)

एक संयंत्र को, एक तंत्र में सामूहिक रूप से कार्य करने वाले घटकों के समूह के रूप में परिभाषित किया जा सकता है या एक अंतर्संयोजित जाल जो कि एक विशेष प्रयोजन के संपादन हेतु कार्य करता है। एक सौर पीवी संयंत्र, एक संयंत्र है जिसका मुख्य कार्य है सूर्य प्रकाश का उपयोग करते हुए विद्युत का उत्पादन करना एवं उसे जब आवश्यकता हो उपकरण तक पहुंचाना। इस उद्देश्य की प्राप्ति हेतु सौर पीवी संयंत्र में अनेक अवयव या घटक आपस में जोड़े जाते हैं, पीवी मॉड्यूल के अतिरिक्त। उदाहरण के लिये, एक सौर पीवी मॉड्यूल सूर्य प्रकाश को विद्युत में रूपांतरित कर सकता है। यह विद्युत तब उपलब्ध होती है जबकि सूर्य प्रकाश उपस्थित हो। परंतु उपकरण को विद्युत की आवश्यकता उन घंटों में भी हो सकती है जबकि सूर्य प्रकाश न हो।

इसीलिये पीवी मॉड्यूल द्वारा उत्पादित विद्युत का, उपकरण द्वारा आवश्यकता के मुताबिक उपयोग करने हेतु, एवं रात्रि कालीन अनुप्रयोगों के लिये ऊर्जा को संग्रहित करने की आवश्यकता है। बैटरी DC रूप में ऊर्जा संग्रहित करती है, जबकि कभी–कभी कुछ उपकरण केवल AC पॉवर का उपयोग करते हैं, अतः DC पॉवर को AC पॉवर में रूपांतरित करने की आवश्यकता होती है। यह पॉवर रूपांतरण एक युक्ति है जिसे इन्वर्टर कहते हैं इसके उपयोग द्वारा किया जाता है। उपकरण को सतत् पॉवर की आवश्यकता हो सकती है, जिसकी आपूर्ति संयंत्र में पीवी मॉड्यूल या बैटरी द्वारा संभव नहीं है। इसीलिये एक तरह की पॉवर कंडीशनिंग की आवश्यकता होती है। इस प्रकार से पीवी मॉड्यूल का उपयोग कर उपकरण को एक भरोसेमंद पॉवर आपूर्ति करने हेतु पीवी मॉड्यूल के अतिरिक्त अनेक अन्य अवयवों या घटकों की आवश्यकता होती है। इन सभी अवयवों के संयोजन को सम्मिलित रूप से सौर पीवी संयंत्र कहा जाता है। पूर्व अध्याय में हमने पीवी मॉड्यूल के अवयवों के विषय में विस्तार से चर्चा की थी। इस अध्याय में हम पीवी संयंत्र को संपूर्ण रूप में एवं पीवी संयंत्र की डिजाइन के विषय में चर्चा करेंगे।

> पीवी संयंत्र में अनेक अवयव उपकरण को विश्वसनीय रूप से पॉवर की आपूर्ति करने हेतु आपस में जुड़े होते हैं।

10.1 सौर पीवी संयंत्रों के प्रकार

ऐसे अनेक तरीके हैं जिनसे पीवी संयंत्रों में पीवी मॉड्यूल एवं उपकरण जोड़े जा सकते हैं। उपकरण के प्रकार, ग्रिड की उपलब्धता एवं अन्य पॉवर जनरेटर, इत्यादि पर संयोजन का प्रकार निर्भर करता है। सौर पीवी संयंत्रों (solar PV systems SPV) को मुख्यतः तीन श्रेणियों में विभक्त किया जा सकता है, जैसा कि आगे दिया गया है :

1. स्टैंडअलोन SPV संयंत्र
2. ग्रिड कनेक्टेड SPV संयंत्र
3. हाइब्रिड SPV संयंत्र

इस अनुभाग में हम उपरोक्त तीनों प्रकार के संयंत्रों के संयंत्र विन्यास या कॉन्फीगरेशन के विषय में चर्चा करेंगे।

10.1.1 स्टैंडअलोन SPV संयंत्र

भारत में अनेक स्थान हैं जहां विद्युत ग्रिड उपलब्ध नहीं हैं। इस स्थिति में यदि ऐसे स्थानों पर हम एक पॉवर संयंत्र को डिजाइन कर रहे हैं, तब सौर पीवी मॉड्यूल पॉवर ही आपूर्ति के एकमात्र स्रोत होंगे। इस प्रकार के SPV संयंत्रों को स्टैंडअलोन पीवी संयंत्र कहा जाता है। वे ग्रिड या किसी अन्य विद्युत पॉवर आपूर्ति पर निर्भर नहीं होते हैं, इसीलिये ये ऑफ–ग्रिड पीवी संयंत्र भी कहलाते हैं। स्टैंडअलोन पीवी संयंत्रों में, यदि उपकरण को रात में संचालित करना हो, तब ऊर्जा संग्रहित करने के लिये किसी माध्यम की आवश्यकता होती है। इसीलिये स्टैंडअलोन पीवी संयंत्रों में बैटरियां महत्वपूर्ण भाग हैं। परंतु यदि उपकरण को केवल दिन के समय ही संचालित करने की आवश्यकता है, तब सौर वॉटर पम्पिंग की तरह बैटरी के उपयोग को नजरअंदाज किया जा सकता है।

स्टैंडअलोन सौर पीवी संयंत्र वे हैं जिनमें पॉवर के एकमात्र स्रोत सौर पीवी मॉड्यूल होते हैं।

स्टैंडअलोन सौर पीवी संयंत्र दूरस्थ इलाकों में स्थित छोटे विद्युतीय उपकरणों के लिये उपर्युक्त होते हैं जहां ग्रिड से आपूर्ति न होती हो। स्टैंडअलोन पीवी संयंत्रों के कुछ उदाहरण हैं सौर लालटेन, सौर होम लाइटिंग संयंत्र, सौर वॉटर पम्पिंग संयंत्र आदि।

यहां तक कि उपकरण के प्रकार व कंट्रोल सर्किटरी के अनुसार स्टैंडअलोन पीवी संयंत्र को विभिन्न तरीकों से कॉन्फीगर किया जा सकता है। इनके अनुसार स्टैंडअलोन सौर पीवी संयंत्रों को निम्न प्रकार से श्रेणियों में विभक्त किया जा सकता है :

1. केवल DC उपकरण के साथ SPV संयंत्र
2. DC उपकरण व इलैक्ट्रॉनिक कंट्रोल सर्किटरी के साथ SPV संयंत्र
3. DC उपकरण, इलैक्ट्रॉनिक कंट्रोल सर्किटरी व बैटरी के साथ SPV संयंत्र
4. AC/DC उपकरण, इलेक्ट्रॉनिक कंट्रोल सर्किटरी व बैटरी के साथ SPV संयंत्र

केवल DC उपकरण के साथ SPV संयंत्र

इस प्रकार का पीवी संयंत्र कॉन्फीगरेशन सभी SPV संयंत्र विन्यास/कॉन्फीगरेशन में सबसे साधारण है। इस प्रकार के संयंत्र कॉन्फीगरेशन का उपयोग किया जाता है जब उपकरण केवल दिन के समय उपयोग किया जा रहा हो। इस संयंत्र में केवल दो अवयव होते हैं एक SPV मॉड्यूल या मॉड्यूलों की सरणी एवं दूसरा स्वयं उपकरण। इस प्रकार का संयंत्र चित्र 10.1 में दर्शाया गया है। चूंकि उपकरण DC है एवं पीवी मॉड्यूल भी DC पॉवर उत्पादित करता है, इस कॉन्फीगरेशन में उपकरण सीधे SPV मॉड्यूलों या मॉड्यूलों की सरणी से जोड़ा जाता है। इस संयंत्र को केवल सूर्य प्रकाश की उपस्थिति में संचालित करने के लिये डिजाइन किया गया है।

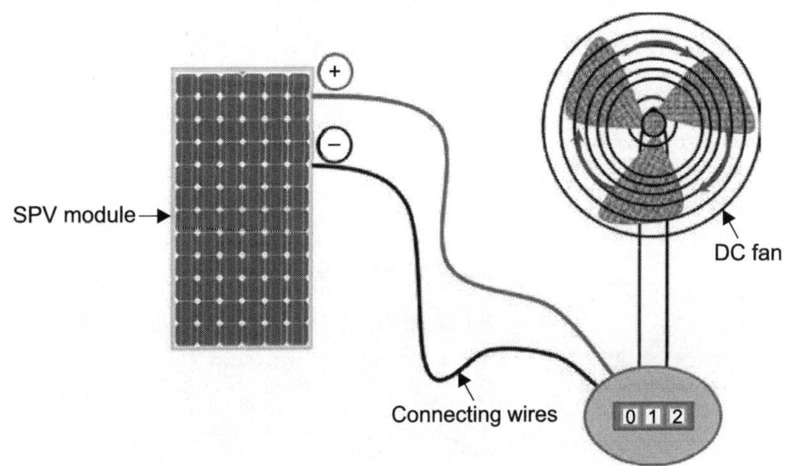

चित्र 10.1
केवल DC उपकरण के साथ सरल SPV संयंत्र।

चूंकि पूरे दिन के दौरान सूर्य प्रकाश की मात्रा परिवर्तित होती रहती है, उत्पादित विद्युत की मात्रा भी परिवर्तित होती रहेगी। अतः, इस प्रकार के संयंत्र कॉन्फीगरेशन का चयन किया जाता है जब उपकरण के किसी विशेष उपयोग की आवश्यकता न हो। उदाहरण के लिये पानी पीने या सिंचाई के लिये सौर वॉटर पंप का उपयोग। सौर वॉटर पंपिंग में, प्रत्येक घंटे में समान मात्रा में पानी को पंप करके खींचने की आवश्यकता नहीं होती है। सौर विकिरण तीव्रता में परिवर्तन के परिणामस्वरूप प्रति घंटे पंप किए गए पानी की मात्रा में परिवर्तन स्वीकार्य है। अन्य उदाहरण है सौर पीवी मॉड्यूल के उपयोग से DC पंखे का सीधे चलना; यह स्वीकार्य होगा जब DC के संचालन की आवश्यकता केवल दिन के समय हो और जब पूरे दिन पंखे की एक सी गति की आवश्यकता न हो।

एक सौर पीवी मॉड्यूल से सीधे जुड़ा DC उपकरण, सबसे सरल संभव पीवी संयंत्र है।

इस संयंत्र कॉन्फीगरेशन में SPV मॉड्यूल/सरणी द्वारा उत्पादित पॉवर के अधिकतम उपयोग के लिये कोई कंट्रोल सर्किटरी नहीं होती है इसीलिये यह संयंत्र अनरेग्युलेटेड या अनियंत्रित संयंत्र भी कहलाता है। यह संयंत्र अधिकतर सीधे DC उपकरण चलाने के लिये उपर्युक्त होते हैं जिनमें विद्युत उत्पादन की दर बहुत महत्वपूर्ण नहीं होती है।

DC उपकरण के साथ SPV संयंत्र एवं इलेक्ट्रॉनिक कंट्रोल सर्किटरी

इस प्रकार का संयंत्र कॉन्फीगुरेशन पूर्व संयंत्र कॉन्फीगरेशन के समान है परंतु एक अंतर है, वह है SPV मॉड्यूल/सरणी द्वारा उत्पादित पॉवर के उपयोग को और अच्छा बनाने के लिये, कंट्रोल सर्किटरी का उपयोग। यह कंट्रोल सर्किटरी इलेक्ट्रॉनिक सौर चार्ज कंट्रोलर हो सकती है (SCC–solar charge controller) (वोल्टेज या विद्युतधारा रेग्युलेटर) या एक मैक्सिमम पॉवर पॉइंट ट्रैकर (MPPT), आदि।

चार्ज कंट्रोलर का उपयोग (सौर पीवी मॉड्यूल एवं DC उपकरण के बीच) पीवी मॉड्यूल से DC उपकरण को आपूर्ति किए गए वोल्टेज या विद्युतधारा को नियंत्रित कर सकता है एवं इसीलिये यह उपकरण के कार्यों को नियंत्रित कर सकता है। MPPT सर्किट का उपयोग सभी परिस्थितियों में पीवी मॉड्यूल से अधिकतम पॉवर प्राप्त करने के लिये किया जाता है। अतः इस संयंत्र कॉन्फीगरेशन में MPPT का उपयोग पीवी मॉड्यूलों के सर्वोत्तम उपयोग को सुनिश्चित करता है। जैसा कि चित्र 10.2 में दर्शाया गया है पीवी मॉड्यूलों एवं DC उपकरण के बीच कंट्रोल सर्किट को जोड़ा गया है।

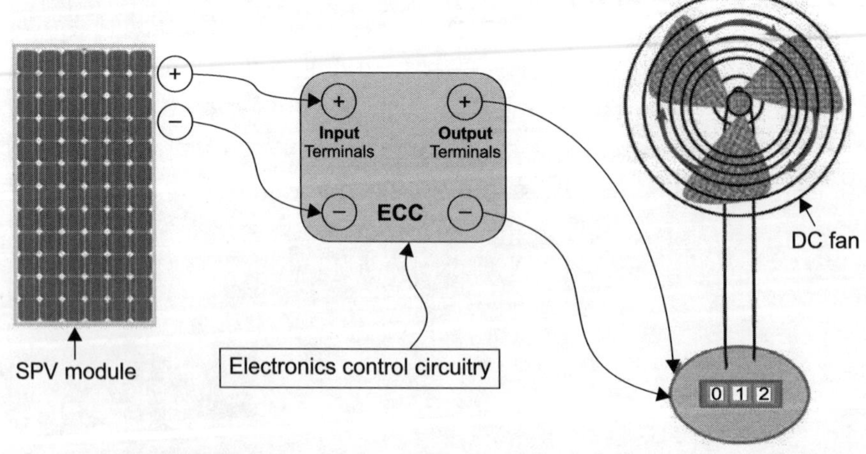

चित्र 10.2
DC उपकरण एवं कंट्रोल सर्किटरी के साथ SPV संयंत्र।

पीवी पैनल के अधिकतम उपयोग को सुनिश्चित करने या उपकरण के बढ़िया संचालन हेतु कंट्रोल सर्किट जोड़ा जाता है। इस कॉन्फीगरेशन में एक अतिरिक्त अवयव के कारण पीवी संयंत्र की कीमत अधिक होगी, परंतु संयंत्र के बेहतर प्रदर्शन से यह कीमत बराबर हो जाएगी। इस प्रकार का संयंत्र कॉन्फीगरेशन एक दिन के समय उपयोग होने वाले DC उपकरण के संचालन के लिये उपर्युक्त है जहां उपकरण कोई विशेष कार्य नहीं कर रहा हो जैसे कि DC पंखा या DC पंप आदि, जैसा कि चित्र 10.2 में दर्शाया गया है।

DC उपकरण के साथ SPV संयंत्र, इलेक्टॉनिक कंट्रोल सर्किटरी व बैटरी

अधिकांश परिस्थितियों में हमें जब सूर्य प्रकाश न हो उन घंटों में उपकरणों को चलाने की आवश्यकता होती है। अतः पीवी संयंत्र कॉन्फीगरेशन में, रात के समय उपयोगों के लिये पीवी संयंत्र में ऊर्जा संग्रहित करने हेतु एक बैटरी जोड़ दी जाती है। इस SPV संयंत्र में मुख्यतः चार अवयव हैं जिनमें हैं SPV मॉड्यूल/सरणी, इलेक्ट्रॉनिक कंट्रोल सर्किटरी, बैटरी/बैटरियां, एवं DC उपकरण जैसा कि चित्र 10.3 में दर्शाया गया है।

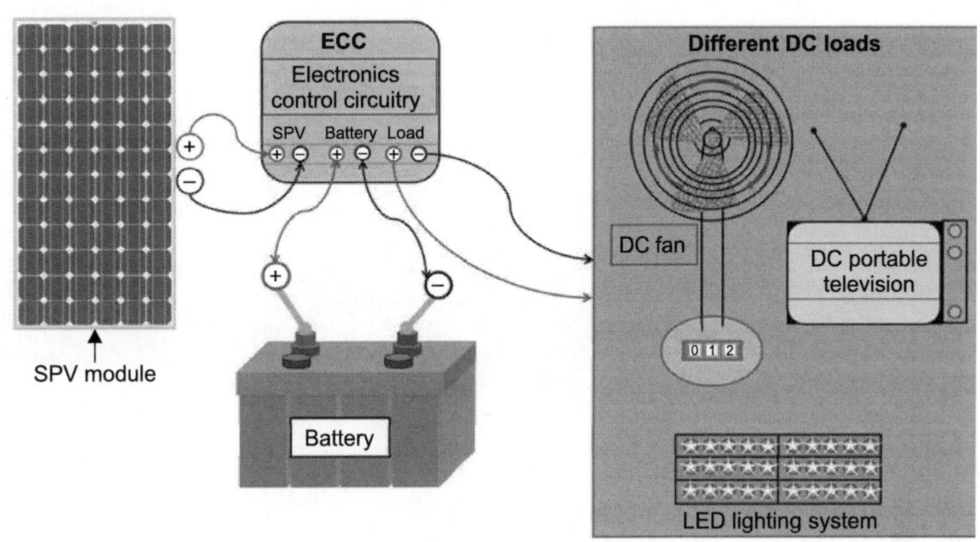

चित्र 10.3
DC उपकरण के साथ इलेक्ट्रॉनिक कंट्रोल सर्किटरी एवं बैटरी।

इस प्रकार के पीवी संयंत्र कॉन्फीगरेशन में बैटरियां दिन के समय ऊर्जा संग्रहित करती हैं। पीवी मॉड्यूलों द्वारा उत्पादित ऊर्जा का उपयोग बैटरियों को चार्ज करने के लिये किया जाता है। बैटरियों में संग्रहित ऊर्जा का उपयोग दिन के समय साथ ही साथ रात के समय उपकरण को चलाने के लिये किया जाता है। कंट्रोल सर्किट बैटरी में व बैटरी के बाहर जाने वाले आवेशों के प्रवाह को नियंत्रित करता है। कंट्रोल सर्किट बैटरी को ओवरचार्जिंग व ओवर डिस्चार्जिंग से बचाता है।

इस संयंत्र का उपयोग DC उपकरणों जैसे DC टेलीविजन, LED लाइटनिंग संयंत्र (उदाहरण के लिये होम लाइटनिंग, स्ट्रीट लाइट, आदि) को संचालित करने के लिये किया जाता है। LED लैम्प DC पॉवर से कार्य करते हैं। कार्यालयों में व घरों में प्रकाश के लिये LED लैम्प का उपयोग अब एक बहुत ही आम अनुप्रयोग हो गया है। साथ ही, LED आधारित सौर लालटेन बहुत अधिक उपयोग किए जा रहे हैं एवं वे बहुत से आकारों, व कीमत में उपलब्ध हैं।

AC/DC उपकरण के साथ SPV संयंत्र, इलेक्ट्रॉनिक कंट्रोल सर्किटरी एवं बैटरी

सौर मॉड्यूल DC रूप में पॉवर उत्पादित करता है एवं बैटरी ऊर्जा DC रूप में ऊर्जा संग्रहित करती है, इसीलिये सौर पीवी संयंत्रों में DC उपकरणों को संचालित करना आसान होता है। परंतु हमारे आस पास अधिकांश उपकरण पॉवर AC का उपयोग करते हैं। अतः हमें ऐसा पीवी संयंत्र कॉन्फीगरेशन बनाने की आवश्यकता होती है जो कि AC उपकरणों को भी पॉवर की आपूर्ति कर सके। इसे बनाने के लिये जो कि DC पॉवर को AC पॉवर में रूपांतरित कर सके, ऐसे एक अतिरिक्त संयंत्र घटक को पीवी संयंत्र कॉन्फीगरेशन में जोड़ा जाता है। इस घटक को इन्वर्टर कहा जाता है। साथ ही, चूंकि बैटरियां वे युक्तियां हैं जो ऊर्जा संग्रहण के लिये उपयोग की जाती हैं, जो कि DC रूप में आउटपुट देती हैं। इसीलिये इस प्रकार के पीवी संयंत्र कॉन्फीगरेशन में दोनों AC एवं DC उपकरण संचालित किए जा सकते हैं। इस SPV संयंत्र में विभिन्न अवयव उपयोग किए जाते हैं; SPV मॉड्यूल/सरणी, इलेक्ट्रॉनिक कंट्रोल सर्किटरी, बैटरी/बैटरियां, इन्वर्टर, AC एवं DC उपकरण चित्र 9.4 में दर्शाए गए हैं। अनेक स्थितियों में DC उपकरण संयंत्र में नहीं जोड़े जा सकते हैं।

> पीवी संयंत्र में इन्वर्टर DC पॉवर को AC पॉवर में रूपांतरित करने के लिये उपयोग किया जाता है। हमारे आसपास अधिकांश उपकरण संचालन के लिये AC पॉवर का उपयोग करते हैं।

यह संयंत्र एक वैश्विक संयंत्र है जिसमें किसी भी प्रकार का AC या DC उपकरण संचालित किया जा सकता है। इस प्रकार का पीवी संयंत्र कॉन्फीगरेशन आमतौर पर स्टैंडअलोन पीवी संयंत्र

बैटरी संग्रहण एवं AC व DC दोनों उपकरणों को चलाने की क्षमतायुक्त स्टैंडअलोन SPV संयंत्र आमतौर पर सबसे अधिक उपयोग किए जाने वाले पीवी संयंत्र हैं।

की तरह उपयोग किए जाते हैं। सभी प्रकार के उपकरण जैसे पंखे, कम्प्यूटर, टीवी, ट्यूब लाइट, CFL, LED लैम्प आदि इस प्रकार के संयंत्र कॉन्फीगरेशन के उपयोग द्वारा संचालित किए जा सकते हैं। इस प्रकार का संयंत्र अंदरूनी इलाकों जहां ग्रिड कनेक्टिविटी न हो वहां के लिये उपर्युक्त है। यह संयंत्र कॉन्फीगरेशन ऐसे क्षेत्रों के लिये भी उपयोगी है जहां ग्रिड कनेक्टिविटी कम समय के लिये उपलब्ध है, इस परिस्थिति में सौर पीवी संयंत्र विद्युत का एक अतिरिक्त स्रोत होगा।

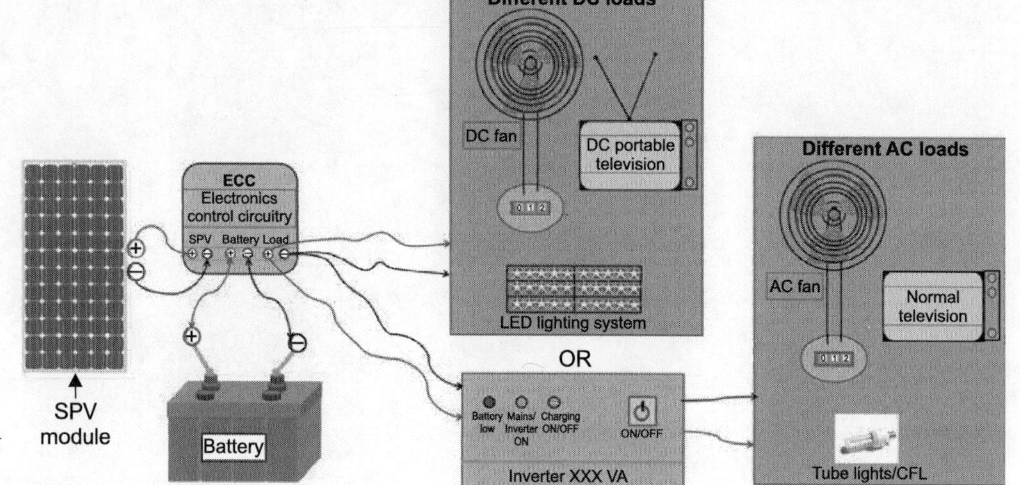

चित्र 10.4
AC/DC उपकरण, बैटरी, इन्वर्टर, इलेक्ट्रॉनिक कंट्रोल सर्किटरी, के साथ SPV संयंत्र।

10.1.2 ग्रिड कनेक्टेड संयंत्र

आप प्रतिदिन विद्युत ग्रिड देखते होंगे। ग्रिड एक ट्रांसमिशन रेखाओं या तारों का जाल है जो कि पॉवर प्लांट से हमारे घरों तक होता है। इन तारों का कार्य होता है पॉवर प्लांट से हमारे घरों तक विद्युत स्थानांतरित करना। पूरा देश ग्रिड से कनेक्टेड होता है। इस ग्रिड का उपयोग करते हुए एक स्थान पर उत्पादित पॉवर को किसी अन्य स्थान तक स्थानांतरित किया जा सकता है एवं उपयोग किया जा सकता है। उदाहरण के लिये यदि ग्रिड का उपयोग करते हुए पॉवर गुजरात में उत्पादित की गई है तो यह मध्यप्रदेश तक स्थानांतरित व उपयोग की जा सकती है। तारों के रूप में ग्रिड का नेटवर्क सैकड़ों किलोमीटर लंबा होता है।

पहले से स्थित विद्युत ग्रिड का उपयोग उत्पादित पॉवर को बड़े सौर पीवी पॉवर प्लांट से स्थानांतरित करने के लिये भी उपयोग किए जा सकते हैं। सौर पीवी प्लांट सामान्यतः 1 MW क्षमता से अधिक के होते हैं। ग्रिड कनेक्टेड सौर पीवी संयंत्रों में, सौर पीवी मॉड्यूलों द्वारा उत्पादित पॉवर पहले से स्थित विद्युत ग्रिड तक पहुंचाई जाती है इसीलिये ये ग्रिड कनेक्टेड पीवी संयंत्र कहलाते हैं। बड़े सौर पीवी पॉवर प्लांट का कार्य है विद्युत उत्पादित करना एवं इसे जब भी सूर्य प्रकाश हो ग्रिड तक पहुंचाना। सौर पीवी पॉवर प्लांट पॉवर की खपत नहीं करते एवं उन्हें रात के घंटों में पॉवर की आवश्यकता नहीं होती है। इसीलिये ग्रिड कनेक्टेड सौर पीवी प्लांट में बैटरी के रूप में ऊर्जा के संग्रहण की आवश्यकता नहीं होती है। तो भी अनेक देशों में घरेलू उपयोग हेतु उपयोग किए जाने वाले कम क्षमता के (1 से 5 kW) सौर पीवी संयंत्रों को भी ग्रिड से कनेक्टेड किया जा सकता है। जब घरों के पीवी संयंत्र ग्रिड से कनेक्टेड होते हैं, तब संयंत्र ग्रिड को ऊर्जा संग्रहण माध्यम के रूप में उपयोग करते हैं। जब घर में आवश्यक ऊर्जा से अधिक ऊर्जा उत्पादित हो जाती है, तब अतिरिक्त ऊर्जा ग्रिड को स्थानांतरित कर दी जाती है, एवं जब उपकरण को अधिक ऊर्जा की आवश्यकता होती है, तब विद्युत ग्रिड से ले ली जाती है। इस प्रकार के ग्रिड कनेक्टेड घरेलू पीवी संयंत्र में भी संग्रहण के लिये किसी बैटरी की आवश्यकता नहीं होती है। बहुत ही कम ग्रिड कनेक्टेड पीवी संयंत्रों में लोग ऊर्जा संग्रहण के लिये बैटरी का उपयोग करते हैं।

ग्रिड कनेक्टेड SPV संयंत्र का कॉन्फीगरेशन ऑफ–ग्रिड या स्टैंडअलोन सौर पीवी संयंत्र से भिन्न होते हैं। ग्रिड कनेक्टेड पीवी संयंत्र में दो मुख्य घटक होते हैं, एक सौर पीवी मॉड्यूल एवं एक सौर इन्वर्टर । इनमें से, सौर इन्वर्टर बहुत महत्वपूर्ण घटक है जो कि पीवी मॉड्यूलों

द्वारा उत्पादित पॉवर को DC पॉवर में रूपांतरित कर देता है एवं चाहे गए वोल्टेज एवं आवृति पर इसे ग्रिड तक पहुंचा देता है।

बैटरी के उपयोग या बिना बैटरी के ग्रिड–कनेक्टेड संयंत्रों के अनुसार, ये दो श्रेणियों में विभक्त किए जा सकते हैं :

1. ग्रिड कनेक्टेड SPV संयंत्र बिना बैटरी संग्रहण के
2. बैटरी संग्रहण के साथ ग्रिड कनेक्टेड SPV संयंत्र

बिना बैटरी संग्रहण क्षमता के, ग्रिड कनेक्टेड SPV संयंत्र

ग्रिड कनेक्टेड SPV संयंत्र में केवल तीन घटक होते हैं एक है SPV सरणी, ग्रिड से जुड़ा इन्वर्टर एवं ग्रिड जिसमें यह संयंत्र चित्र 10.5 की तरह जुड़ा होता है। इस प्रकार का संयंत्र कॉन्फीगरेशन अधिक क्षमता वाले सौर पीवी प्लांट के लिये उपयोग किए जाते हैं। पीवी संयंत्र द्वारा उत्पादित विद्युत को ग्रिड तक पहुंचाई जाने की आवश्यकता है। इसीलिये पीवी संयंत्र द्वारा उत्पादित विद्युत की वोल्टेज एवं आवृति ग्रिड के वोल्टेज एवं आवृति के ही समान होनी चाहिये। सामान्यतः भारतीय ग्रिड 50 Hz आवृति पर कार्य करती हैं, इसीलिये ग्रिड कनेक्टेड सौर इन्वर्टर का आउटपुट भी 50 Hz होना चाहिये। ग्रिड का वोल्टेज स्तर भिन्न हो सकता है, उस बिंदु पर भी निर्भर करता है जहां विद्युत ग्रिड को पहुंचाई गई है। वोल्टेज स्तर 230 V, 11 kV, 33 kV, आदि हो सकता है।

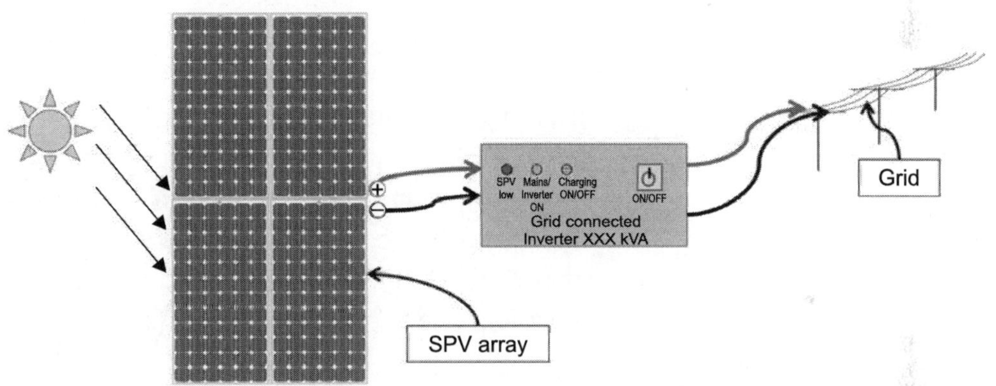

चित्र 10.5
बिना बैटरी के ग्रिड कनेक्टेड SPV संयंत्र।

ग्रिड कनेक्टेड इन्वर्टर में इलेक्ट्रॉनिक कंट्रोल सर्किटरी भी होती है जो कि सौर चार्ज कंट्रोलर (SCC), मैक्सिमम पॉवर पॉइन्ट ट्रैकिंग (MPPT) आदि जैसा कि पूर्व अध्याय में अध्ययन किया गया है, की मदद से उत्पादित विद्युत को नियंत्रित करता है। इलेक्ट्रॉनिक कंट्रोल सर्किट का कार्य है जैसी आवश्यकता है वैसे वोल्टेज एवं आवृति को बनाए रखें। इस प्रकार के पीवी संयंत्र कॉन्फीगरेशन में कोई भी ऊर्जा संग्रहण का उपयोग नहीं किया जाता है, क्योंकि इस प्रकार के संयंत्रों का मुख्य कार्य है जब सूर्य प्रकाश हो तब पॉवर उत्पादित करना। पीवी प्लांट स्वयं किसी पॉवर की खपत नहीं करते हैं एवं इसीलिये जब सूर्य न चमक रहा हो तब के लिये कोई ऊर्जा संग्रहण की आवश्यकता नहीं है।

> बड़े पीवी पॉवर प्लांट के लिये ग्रिड कनेक्टेड संयंत्र के पीवी संयंत्र कांफीगरेशन का उपयोग किया जाता है। ग्रिड का उपयोग करके पॉवर को लंबी दूरी तक भी स्थानांतरित किया जा सकता है।

बैटरी संग्रहण के साथ ग्रिड कनेक्टेड SPV संयंत्र

इस प्रकार के पीवी संयंत्र कॉन्फीगरेशन में, संयंत्र में एक ऊर्जा संग्रहण अवयव जोड़ा जाता है। चित्र 10.6 में इस तरह का एक उदाहरण दर्शाया गया है। ऊर्जा संग्रहण अवयव को जोड़ने का बिंदु इस बात पर निर्भर करता है कि संयंत्र को केवल दिन के दौरान उपयोग किया जाना है या रात के समय भी या 24 घंटे। इस प्रकार के पीवी संयंत्र कॉन्फीगरेशन टेलीकॉम टॉवर्स या अस्पतालों में उपयोग किए जाते हैं जहां उपकरणों को 24 घंटे चलाना जरूरी हो जाता है। बैटरी में ऊर्जा संग्रहित की जाती है जिससे कि जब ग्रिड विद्युत उपलब्ध न हो तब ऊर्जा आपूर्ति संभव हो सके।

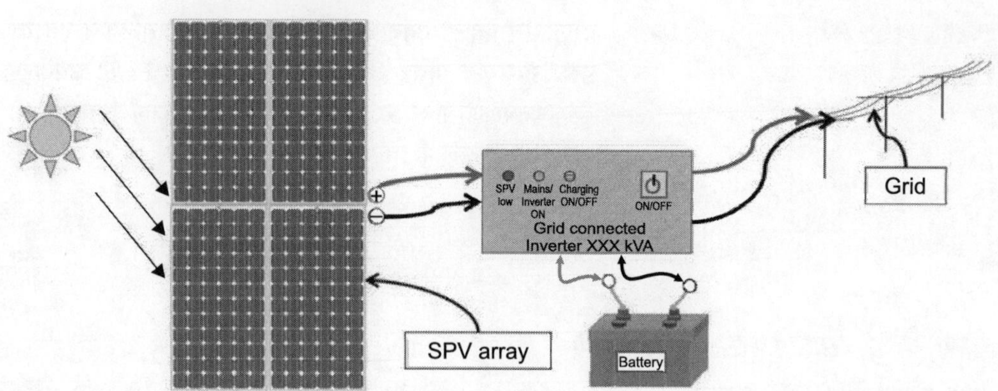

चित्र 10.6
बैटरी के साथ ग्रिड कनेक्टेड SPV संयंत्र।

10.1.3 हाइब्रिड SPV संयंत्र

पीवी मॉड्यूल तब पॉवर उत्पादित करता है जब उस पर सूर्य प्रकाश गिर रहा हो। सौर पीवी संयंत्र केवल दिन के समय पॉवर उत्पादित कर सकता है, रात के समय चूंकि सूर्य नहीं होता है तो SPV संयंत्र पॉवर उत्पादित नहीं कर सकता। रात के समय विद्युत भार की आवश्यकता पूर्ण करने हेतु एक विकल्प है ऊर्जा संग्रहण हेतु बैटरी बैंक का उपयोग करना। बैटरी बैंक का उपयोग न केवल संयंत्र की कीमत बढ़ाता है, बल्कि यह विश्वसनीयता भी घटाता है क्योंकि बैटरी बैंक में रखरखाव की आवश्यकता होती है। सूर्य प्रकाश न होने की स्थिति में विद्युत भार या उपकरणों को पॉवर की आपूर्ति करने का एक अन्य तरीका है दूसरा पॉवर उत्पादन इकाई का उपयोग। अन्य पॉवर उत्पादन इकाई डीजल जनरेटर, विन्ड मिल, फ्यूल सेल इत्यादि हो सकते हैं। इस प्रकार से एक संयंत्र में दो पॉवर उत्पादन इकाईयां होंगी; एक सौर पीवी मॉड्यूल एवं दूसरी कोई भी अन्य पॉवर उत्पादन इकाई हो सकती है। एक संयंत्र में दो से अधिक पॉवर उत्पादन इकाई हो सकती हैं उदहारण के लिये पीवी मॉड्यूल, विन्ड टर्बाइन एवं डीजल जनरेटर। इस प्रकार का संयंत्र कॉन्फीगरेशन जहां एक संयंत्र में मल्टीपल पॉवर उत्पादन इकाई होती है उसे हाइब्रिड SPV संयंत्र कहते हैं। मल्टीपल पॉवर उत्पादन इकाई का उपयोग सुनिश्चित करता है कि जब आवश्यकता थी तब उपकरण को पॉवर की आपूर्ति की गई है। इस प्रकार से, हाइब्रिड संयंत्र मुख्यतः उपकरण के ऑपरेशन या कार्यशीलता को सुनिश्चित करने के लिये किया जाता है।

SPV-डीजल जनरेटर हाइब्रिड संयंत्र

इस प्रकार के संयंत्र में दो पॉवर उत्पादन स्रोत होते हैं एक SPV एवं अन्य डीजल जनरेटर जैसा कि चित्र 10.7 में दर्शाया गया है। पॉवर स्रोत की स्विचिंग को इलेक्ट्रॉनिक कंट्रोल सर्किटरी (ECC-Electronic Control Circuitry) द्वारा नियंत्रित किया जाता है। इस परिस्थिति में डीजल जनरेटर AC तरंगों के रूप में पॉवर उत्पादित करता है परंतु इसे उपकरण तक पहुंचाने हेतु विनियमन या

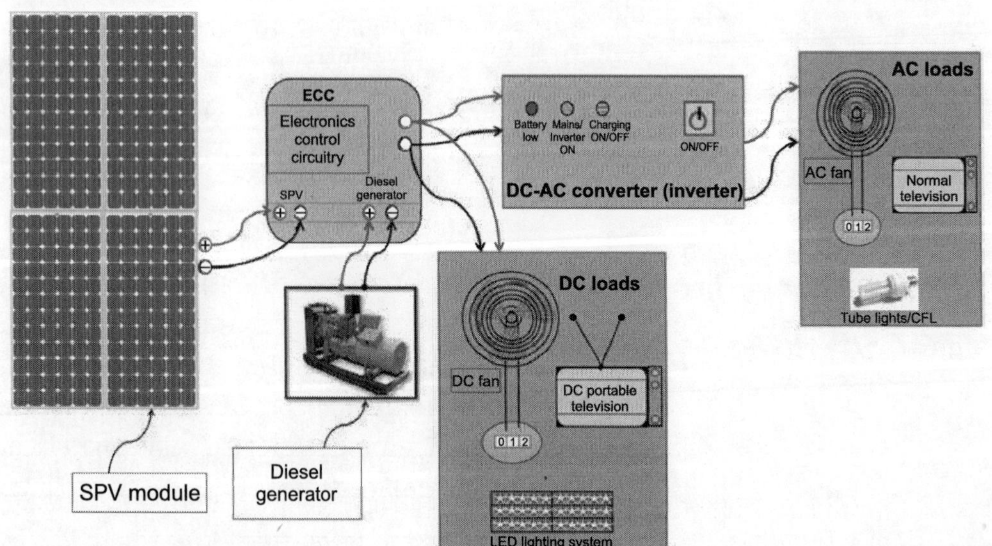

चित्र 10.7
SPV -डीजल जनरेटर हाइब्रिड संयंत्र।

सौर पीवी-डीजल हाइब्रिड संयंत्र दो पॉवर उत्पादन इकाईयों का उपयोग करते हैं; पीवी माड्यूल एवं डीजल जनरेटर जो कि संयंत्र की विश्वसनीयता को बढ़ाते हैं।

रेगुलेशन करना आवश्यक होता है। पॉवर रेगुलेशन का कार्य ECC द्वारा किया जाता है। जब सौर पीवी मॉड्यूल पॉवर उत्पादित करते हैं, तब ECC उपकरण को SPV से जोड़ते हैं एवं सूर्य प्रकाश की अनुपस्थिति में ECC उपकरण को डीजल जनरेटर से जोड़ देता है। इस संयंत्र में दोनों AC एवं DC उपकरण चलाए जा सकते हैं।

SPV - विन्ड/वायु हाइब्रिड संयंत्र

इस प्रकार के संयंत्र में दो पॉवर उत्पादन स्रोत होते हैं एक SPV एवं अन्य विन्ड टर्बाइन जैसा कि चित्र 10.8 में दर्शाया गया है। पॉवर स्रोतों का उपकरण से कनेक्शन को इलेक्ट्रॉनिक कंट्रोल सर्किटरी (ECC—Electronic Control Circuitry) द्वारा नियंत्रित किया जाता है। इस परिस्थिति में चूंकि दोनों पीवी पॉवर एवं विन्ड पॉवर प्रकृति में अस्थिर होते हैं, इसलिये इस प्रकार के संयंत्र कॉन्फीगरेशन में कुछ बैटरी बैक–अप का उपयोग किया जा सकता है।

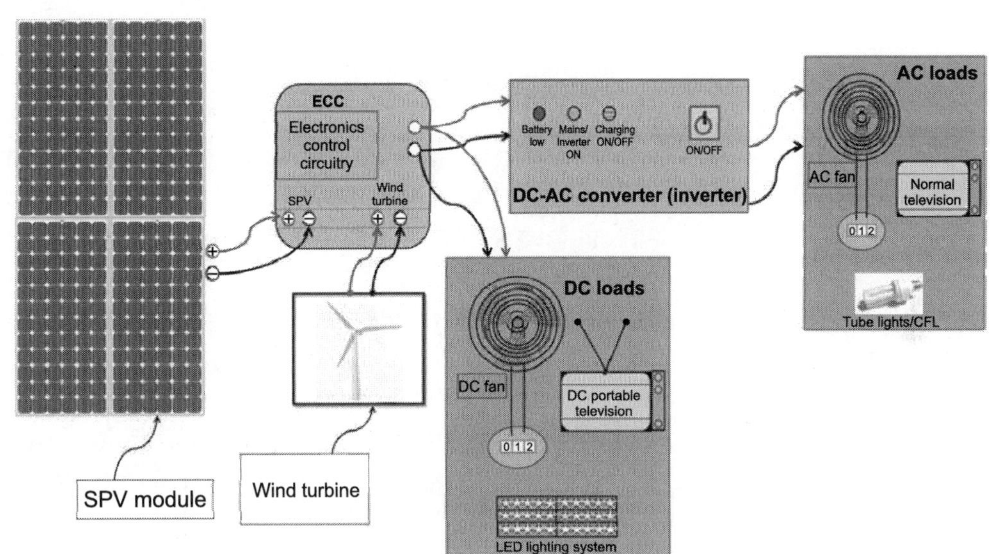

चित्र 10.8
SPV-विन्ड टर्बाइन हाइब्रिड संयंत्र।

10.2 SPV संयंत्र हेतु डिजाइन कार्यप्रणाली

इस अनुभाग में आप सीखेंगे कि एक निश्चित आवश्यकता हेतु एक सौर पीवी संयंत्र को किस तरह डिजाइन किया जाता है। प्रत्येक घर में विभिन्न प्रकार के उपकरणों के सेट होते हैं, उनके उपयोग का तरीका भिन्न होता है एवं इसी कारण प्रत्येक घर में विद्युत की मात्रा की भिन्न–भिन्न आवश्यकताएं होती हैं। आपको, सौर पीवी संयंत्र के डिजाइनर एवं इंस्टॉलर के रूप में बदलती हुई आवश्यकताओं का ध्यान रखना चाहिये, उन्हें अच्छी तरह समझना एवं उसके अनुसार सौर पीवी संयंत्रों को डिजाइन करने की कोशिश करनी चाहिये। इस प्रकार से प्रत्येक सौर संयंत्र को आपके ग्राहक की आवश्यकता पूर्ण करने हेतु डिजाइन किया जाता है।अभी तक पूर्व अध्याय में आपने सौर पीवी संयंत्र में उपयोग होने वाले सभी अवयवों के विषय में बहुत कुछ सीखा। अतः आपके लिये सौर पीवी संयंत्रों में उपर्युक्त अवयव का उपयोग करना आसान हो गया है जिससे कि ग्राहक को आवश्यक विद्युत मात्रा की भरोसेमंद आपूर्ति की जा सके।

आइये अब सौर पीवी संयंत्र की डिजाइन पर ध्यान दें। पीवी संयंत्र की डिजाइन से क्या तात्पर्य है? SPV संयंत्र के डिजाइन से तात्पर्य हैं एक संपूर्ण पीवी संयंत्र (जैसे मॉड्यूल, बैटरी, चार्ज कंट्रोलर आदि) बनाने हेतु विभिन्न आवश्यक अवयवों के मानों की गणना, जिससे कि प्राप्त पीवी संयंत्र कनेक्टेड उपकरण को आवश्यकतानुसार विद्युत आपूर्ति कर सके। डिजाइन में सबसे पहले आवश्यकता होती है उपकरण को आवश्यक ऊर्जा का आंकलन एवं तब क्षमता एवं पीवी संयंत्र में उपयोग किए जाने वाले विभिन्न अवयवों के आकार का निर्धारण डिजाइन में शामिल होते हैं। एक सौर पीवी संयंत्र डिजाइन में, शुरूआत करने के पूर्व ही अनेक जानकारियों की आवश्यकता होती है। जानकारियों में शामिल है इंस्टॉलेशन का स्थान, सूर्यप्रकाश की मात्रा, जोड़े जाने वाले उपकरणों की संख्या, प्रत्येक उपकरण के उपयोग के घंटे, बाजार में उपलब्ध अवयव एवं उनकी

सौर पीवी संयंत्र को डिजाइन करने से तात्पर्य है सौर पीवी संयंत्र में उपयोग किए जाने वाले अवयवों की संख्या एवं रेटिंग निश्चित करना जिससे कि जब आवश्यकता हो उपकरण को भरोसेमंद रूप से विद्युत की आपूर्ति की जा सके।

रेटिंग, उस स्थान विशेष का तापमान, आदि। चूंकि सौर पीवी संयंत्रों के डिजाइन में अनेक मापदंड आते हैं, अधिकांशतः 'सन्निकट डिजाइन' स्वीकार्य होता है। इस स्थिति में डिजाइन किया हुआ संयंत्र 100% सही नहीं होगा परंतु वह अपने उद्देश्य की पूर्ति करेगा। सन्निकट डिजाइन उपयोगी होती है जब आपके संयंत्र का आकार बहुत बड़ा न हो जैसे वह कुछ kW की रेंज के हो या छोटा हो। परंतु यदि आपके संयंत्र का आकार अनेक kW या कई 100 की kW रेंज में जा रहा है तब सलाह यह दी जाती है कि अधिक 'सटीक डिजाइन' हो। सटीक डिजाइन में सभी मापदंड जो कि पीवी संयंत्र के प्रदर्शन को प्रभावित करते हैं उन्हें ध्यान में रखा जाता है। सौर पीवी संयंत्र की डिजाइन को निम्न तरीके से श्रेणियों में विभक्त किया जा सकता है :

1. सन्निकट/लगभग डिजाइन
2. सटीक डिजाइन

10.2.1 स्टैंडअलोन संयंत्र का सन्निकट डिजाइन

छोटे पीवी संयंत्रों के लिये सन्निकट डिजाइन कार्यप्रणाली सामान्यतः उपयोग की जाती है। सन्निकट डिजाइन में कुछ साधारण मान्यताएं बनाई जाती हैं जिनके कारण वे मापदंड जो कि डिजाइन करने के लिये जाते हैं, उनकी संख्या कम हो जाती है एवं इसीलिये डिजाइन साधारण व लगभग या सन्निकट होती है। सटीक डिजाइन में उपयोग किए जाने वाले मापदंडों जैसे सौर विकिरण की सटीक मात्रा, स्थान विशेष पर तापमान भिन्नता, मौसम के अनुसार उपकरणों में भिन्नता आदि का ध्यान नहीं रखा जाता है।

इस अभ्यास में हम मुख्यतः स्टैंडअलोन पीवी संयंत्र की डिजाइन पर ध्यान देंगे जिसमें शामिल हैं सौर पीवी मॉड्यूल, बैटरियां, इन्वर्टर, चार्ज कंट्रोलर एवं उपकरण।

अधिकांशतः पीवी अनुप्रयोगों में सूर्यप्रकाश न होने की स्थिति में उपकरण को चलाने एवं सूर्यप्रकाश होने की स्थिति में भी विकिरण तीव्रता में भिन्नता होने पर भी उपकरण के एकसमान रूप से कार्य करने की आवश्यकता होती है। इस कारण से स्टैंडअलोन पीवी संयंत्र में बैटरी का उपयोग अनिवार्य हो जाता है। जब भी एक बैटरी उपयोग की जाती है, बैटरी के लंबे जीवनकाल को सुनिश्चित करने के लिये एक चार्ज कंट्रोलर का उपयोग भी किया जाता है। अधिकांशतः उपकरण AC प्रकार के होते हैं, जिनमें संयंत्र में DC को AC में रूपांतरित करने हेतु एक इन्वर्टर की आवश्यकता होती है। पीवी स्रोत उपयोग को अनुकूल बनाने हेतु एक MPPT सर्किट का संयंत्र में उपयोग किया जा सकता है। चित्र 10.9(a) में इस प्रकार के संयंत्र का कॉन्फीगरेशन दर्शाया गया है। कंट्रोल इलेक्ट्रॉनिक्स, चार्ज कंट्रोलर, एवं इन्वर्टर सर्किट को समान बॉक्स में रखा गया है, इन्हें सम्मिलित रूप से 'इलेक्ट्रॉनिक कंट्रोल एवं पॉवर इलेक्ट्रॉनिक सर्किट' कहा जाता है एवं इस ब्लॉक के द्वारा बैटरी को पीवी पैनल एवं उपकरण के संपर्क में दर्शाया गया है।

> सन्निकट डिजाइन में कुछ धारणाएं बना ली जाती हैं एवं कुछ मापदंड जैसे तापमान एवं विकिरण का प्रभाव आदि को नजरअंदाज किया जाता है जिससे पीवी संयंत्र की डिजाइन सरल बने।

ऊर्जा प्रवाह रेखाचित्र एवं डिजाइन प्रवाह (Energy flow diagram and design flow)

स्टैंडअलोन पीवी संयंत्र में सौर पीवी मॉड्यूल द्वारा ऊर्जा उत्पादित की जाती है, इसे बैटरियों में संग्रहित किया जाता है एवं तब उपकरण को आवश्यकतानुसार इसकी आपूर्ति की जाती है। चित्र 10.9(b) में इस कॉन्फीगरेशन का ऊर्जा प्रवाह पथ दर्शाया गया है। ऊर्जा प्रवाह रेखाचित्र का उपयोग सौर पीवी संयंत्र को डिजाइन करने में उपयोगी होता है। यह दर्शाया गया है कि सूर्यप्रकाश युक्त घंटों में ऊर्जा का प्रवाह पीवी स्रोत से इलेक्ट्रॉनिक सर्किटरी से होते हुए (मुख्यतः पॉवर रूपांतरण इकाईयों जैसे MPPT एवं चार्ज कंट्रोलर जो कि इलेक्ट्रॉनिक सर्किट द्वारा नियंत्रित होते हैं) बैटरी की ओर होता है। जब उपकरण कार्य कर रहा हो, ऊर्जा इलेक्ट्रॉनिक सर्किटरी से होते हुए (मुख्यतः चार्ज कंट्रोलर, एवं AC उपकरण होने की स्थिति में इन्वर्टर के द्वारा) बैटरी से उपकरण की ओर प्रवाहित होती है। कुल मिला कर ऊर्जा पॉवर कन्वर्टर एवं बैटरी के द्वारा पीवी पैनल से उपकरण की ओर प्रवाहित होती है।

संयंत्र का डिजाइन ऊर्जा प्रवाह की विपरीत दिशा में बनता है। अतः सबसे पहले उपकरण एवं उनकी आवश्यकताएं (पॉवर, कार्य करने के घंटे, ऊर्जा आवश्यकताएं आदि) के विषय में जानकारी ली जाती है। तब आकार निश्चित किया जाता है। इसके पश्चात् बैटरी का आकार निश्चित करना,

> स्टैंडअलोन पीवी संयंत्र की डिजाइन ऊर्जा प्रवाह की विपरीत दिशा में आगे बढ़ती है।

पॉवर कन्वर्टर का आकार निश्चित करना, चार्ज कंट्रोलर एवं MPPT सर्किट डिजाइन आदि का निश्चय करने के पश्चात् पीवी पैनल का आकार ज्ञात किया जाता है।

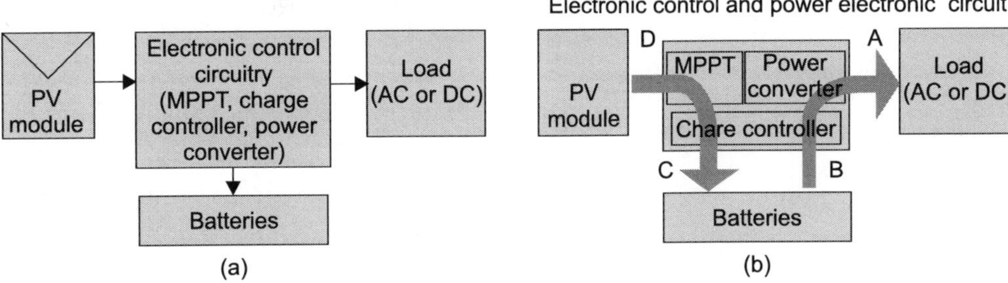

चित्र 10.9
(a) एक पीवी संयंत्र का कॉन्फीगरेशन जिसमें बैटरी का उपयोग आवश्यक इलेक्ट्रॉनिक कंट्रोल सर्किटरी के साथ ऊर्जा संग्रहण के लिये किया जाता है, (b) संयंत्र डिजाइन हेतु एक पीवी संयंत्र के ऊर्जा प्रवाह रेखाचित्र का उपयोग किया जाता है।

सौर पीवी संयंत्रों के सन्निकट डिजाइन हेतु निम्न डिजाइन चरणों का अनुपालन किया जा सकता है :

प्रथम चरण जुड़े हुए उपकरण एवं उनकी ऊर्जा आंकलन निश्चित करें (वॉट एवं WHr)

द्वितीय चरण इलेक्ट्रॉनिक अवयवों का एवं उनके आकार का चयन करें (उनकी पॉवर रेटिंग, वोल्टेज एवं इलेक्ट्रॉनिक के इनपुट व आउटपुट पर विद्युतधारा)

तृतीय चरण बैटरी का आकार निश्चित करें (उनकी संख्या, क्षमता, वोल्टेज एवं Ah रेटिंग)

चतुर्थ चरण पीवी मॉड्यूल का आकार निश्चित करें (उनकी संख्या, पॉवर रेटिंग, वोल्टेज एवं विद्युतधारा रेटिंग)

पंचम चरण तारों का आकार निश्चित करें (mm में), फ्यूज (A), जंक्शन बॉक्स (V, A) साइनजिंग आदि।

आइये हम सौर पीवी संयंत्र के डिजाइन के चरणों के विषय में समझ कर डिजाइन करना सीखें :

प्रथम चरण : विद्युत भार/ उपकरण का आंकलन

विद्युत भार से तात्पर्य ऐसे उपकरण से है जिसे पीवी संयंत्र द्वारा पॉवर की आपूर्ति की आवश्यकता हो। इस पद में यह आंकलन करने की आवश्यकता है कि उपकरण के संचलन के दौरान कितनी ऊर्जा की आवश्यकता है। एक दिए हुए दिन में एक उपकरण द्वारा खपत की गई ऊर्जा को सरल रूप से इसकी पॉवर रेटिंग को संचलन के या कार्य करने के घंटों से गुणा कर प्राप्त किया जा सकता है। यहां ऊर्जा की इकाई Watt × Hour या Watt-Hr या सरल रूप में Wh होगी। यदि समान प्रकार के अधिक उपकरण हैं, तब प्रत्येक प्रकार के उपकरण द्वारा खपत की गई ऊर्जा को, प्रकार विशेष के उपकरणों की संख्या को Wh से गुणा करने पर ज्ञात किया जा सकता है। सामान्यतः प्रत्येक उपकरण हेतु ऊर्जा आंकलन की गणना करने हेतु तालिकाएं तैयार की गई हैं। तालिकाएं दोनों AC एवं DC प्रकार के उपकरणों या विद्युत भार के लिये तैयार की गई हैं। सामान्यतः हमारे घरों में केवल AC प्रकार के उपकरण उपयोग किए जाते हैं। परंतु इन दिनों LED लैम्प (जो कि एक DC उपकरण है) का उपयोग बढ़ने के साथ–साथ DC उपकरण का उपयोग भी बढ़ गया है।

ऊर्जा का आंकलन करने हेतु एक उदाहरण के लिये तालिका दी गई है जिसे भरा जाना है :

तालिका 10.1 ऊर्जा का आंकलन करने हेतु तालिका

Column numbers						
1	*2*	*3*	*4*	*5 = (3 × 4)*	*6*	*7 = (5 × 6)*
S. No	*Name of appliance*	*watts (W)*	*No. (#)*	*Total watts (W × No.) (W)*	*No. of hours (n)*	*Energy = (Total watts × No. of hours) (Wh)*
1						
2						
3						
4						
				Total power =		Total energy =

ऊर्जा आंकलन तालिका को किस तरह भरा जाए?

तालिका में 7 स्तंभ हैं जिन्हें भरा जाना है।

- पहला क्रमांक संख्या है।
- दूसरे स्तंभ में उपकरण का नाम है जिसमें उपयोग किए जाने वाले उपकरण का नाम लिखना है जैसे पंखा, टीवी, सीएफएल आदि।
- तीसरे स्तंभ में द्वितीय स्तंभ में लिखे गए उपकरणों के पृथक वॉटेज का मान भरा जाना है। प्रत्येक उपकरण का वॉटेज उपकरण एवं इसके कवर पर लिखा रहता है। सामान्यतः वॉटेज रेटिंग 5 से 1000 वॉट के बीच परिवर्तित होती है।
- चौथा स्तंभ समान प्रकार के समान उपकरणों की कुल संख्या की सूची बनाने के लिये है। अतः यदि घर में 12 वॉट के तीन CFL उपयोग किए जा रहे हैं तब पॉवर रेटिंग के सामने, आप 3 लिखेंगे। यही प्रक्रिया सभी प्रकार के उपकरणों के साथ दोहराई जाएगी।
- पांचवां स्तंभ समान प्रकार के सभी अवयवों के कुल वॉटेज का आंकलन करने के लिये होता है। अतः, यदि 12 वॉट की तीन CFL हैं, तब CFL की कुल पॉवर $12 \times 3 = 36$ Watt होगी। आपको ये सभी प्रकार के उपकरणों हेतु करने की आवश्यकता है। घर में उपयोग किए जाने वाले सभी उपकरणों की कुल पॉवर को, स्तंभ 5 में सभी मानों को तालिका में जोड़ कर ज्ञात किया जा सकता है।
- छठे स्तंभ में उन कुल घंटों की संख्या लिखी जाती है जिनमें उपकरण एक दिन में कार्य करता है। यदि समान प्रकार के अधिक उपकरण प्रति दिन में अलग–अलग समयांतराल के लिये कार्य करते हैं तो संचलन के घंटों की संख्या का औसत निकाला जा सकता है।
- सातवें स्तंभ में प्रत्येक उपकरण हेतु ऊर्जा का आंकलन किया जाता है। एक उपकरण द्वारा एक दिन में खपत की गई ऊर्जा को सरल रूप से इसकी पॉवर रेटिंग (वॉट) को संचलन के घंटों की संख्या (Hr) से गुणा कर ज्ञात किया जा सकता है, या स्तंभ 5 में दी गई संख्या को स्तंभ 6 की संख्या से गुणा करना होगा। गुणन का उत्पाद जो कि WHr में ऊर्जा है, को स्तंभ 7 में लिखी जानी है। घर में खपत होने वाली कुल ऊर्जा की गणना करने हेतु, स्तंभ 7 के सभी मानों को तालिका के अंत में जोड़ना होता है।

उपरोक्त गणनाओं में तालिका में उपयोग के घंटों की संख्या प्रति दिन के आधार पर दी गई है, अतः उपकरण द्वारा खपत की गई ऊर्जा भी प्रतिदिन के आधार पर ही ज्ञात होती है। साथ ही, तालिका के अंत में घर में सभी उपकरणों द्वारा खपत की गई कुल ऊर्जा भी प्रति दिन के आधार पर है। मासिक आंकलन दैनिक ऊर्जा खपत को माह में दिनों की संख्या से गुणा करने पर प्राप्त किया जा सकता है।

नीचे दी गई तालिका में एक घर में उसके AC उपकरणों द्वारा खपत की गई ऊर्जा के आंकलन का उदाहरण दिया गया है :

तालिका 10.2 एक घर के AC उपकरणों द्वारा दैनिक रूप से खपत की गई ऊर्जा का आंकलन

(a) Load Chart (AC)

Column numbers						
1	*2*	*3*	*4*	*5 = (3 × 4)*	*6*	*7 = (5 × 6)*
S. No	*Name of appliance*	*Watts (W)*	*No. (#)*	*Total watts (W × Nos.) (W)*	*No. of hours (n)*	*Energy = (Total watts × No. of hours) (Wh)*
1	Fan	100	1	100 (100 × 1)	6	600 (100 × 6)
2	Tubelight	50	2	100 (50 × 2)	8	800 (100 × 8)
3	CFL	18	5	90 (18 × 5)	5	450 (90 × 5)
4	LCD TV	80	1	80 (80 × 1)	5	400 (80 × 5)
				Total wattage = 370 W (100 + 100 + 90 + 80)		Total energy = 2250 Wh (600 + 800 + 450 + 400)

यह तालिका एक घर में उपकरणों का कुल वॉटेज एवं उस घर में सभी उपकरणों द्वारा खपत की गई कुल दैनिक ऊर्जा दर्शाता है।

जिस तरह AC उपकरणों के लिये ऊर्जा आंकलन किया जाता है, समान तरीके से DC उपकरणों हेतु भी दैनिक ऊर्जा आंकलन ज्ञात किया जा सकता है। अधिकांशतः घरों में कोई DC उपकरण नहीं होते हैं। इस स्थिति में DC उपकरणों द्वारा खपत की गई कुल ऊर्जा शून्य होगी। परंतु भविष्य में यह संभव है कि DC उपकरण उपयोग में आएं एवं इसीलिये DC उपकरणों हेतु पृथक तालिका तैयार की जानी चाहिये।

तालिका 10.3 एक घर में DC उपकरण द्वारा दैनिक ऊर्जा खपत के आंकलन का उदाहरण

(b) Load Chart (DC)

Column numbers						
1	*2*	*3*	*4*	*5 = (3 × 4)*	*6*	*7 = (5 × 6)*
S.No	*Name of appliance*	*Watts (W)*	*No. (#)*	*Total watts (W × No.) (W)*	*No. of hours (n)*	*Energy = (Total watts × No. of hours) (Wh)*
1	DC fan	50	1	50 (50 × 1)	4	200 (50 × 4)
2	LED light	15	2	30 (15 × 2)	8	240 (30 × 8)
3	DC pump	1000	1	1000 (1000 × 1)	5	5000 (1000 × 5)
				Total wattage = 1080 W (50 + 30 + 1000)		Total energy = 5640 Wh (400 + 240 + 5000)

वर्कशीट 10.2

किसी घर में सभी AC उपकरणों द्वारा दैनिक ऊर्जा खपत के आंकलन हेतु निम्न तालिका 10.4 भरें।

तालिका 10.4 Load Chart (AC)

Column numbers						
1	*2*	*3*	*4*	*5 = (3 × 4)*	*6*	*7 = (5 × 6)*
S. No	*Name of appliance*	*Watts (W)*	*Nos. (#)*	*Total watts (W × Nos.) (W)*	*No. of hours (n)*	*Energy = (Total watts × No. of hours) (Wh)*
1	Fan	60	1	___ × 1 = ___	4	___ × ___ = ___
2	Tubelight	35	–	35 × 2 = ___	8	___ × ___ = ___
3	Computer	400	1	400 × ___ = ___	5	___ × ___ = ___
				Total wattage = ___ W (___ + ___ + ___)		Total energy = ___ Wh (___ + ___ + ___)

प्रश्न 10.1 एक घर में 12 वॉट के 3 CFL हैं जिन्हें प्रतिदिन 6 घंटों, एवं वॉट का 1 पंखा प्रतिदिन 10 घंटों के लिये उपयोग किया जाता है। घर द्वारा खपत की गई कुल दैनिक ऊर्जा का आंकलन करें। सभी उपकरण AC पॉवर का उपयोग करते हैं।

प्रश्न 10.2 एक घर में केवल DC उपकरण हैं। 5 वॉट प्रत्येक के 5 LED लैम्प, एवं 30 वॉट के दो पंखे हैं। एक टीवी भी है जो कि DC पॉवर पर कार्य करती है एवं 80 वॉट की खपत करती है। सभी उपकरण प्रतिदिन 2 घंटे के लिये चलाए जाते हैं। सभी उपकरणों द्वारा एक दिन में खपत की गई कुल ऊर्जा का आंकलन करें।

द्वितीय चरण : इलेक्ट्रॉनिक अवयवों का आकार निर्धारण एवं चयन (वोल्ट एवं एम्पियर)

उपकरण को आवश्यक ऊर्जा का आंकलन करने के पश्चात् अगला चरण है इस पीवी संयंत्र हेतु उपर्युक्त इलेक्ट्रॉनिक्स का चयन। इलेक्ट्रॉनिक अवयवों में शामिल हैं इन्वर्टर (DC-AC converter), DC-DC कन्वर्टर (उच्च या निम्न वोल्टेजों हेतु) एवं MPPT/चार्ज कंट्रोलर (विद्युत के अनुकूल उत्पादन के लिये)। इन अवयवों की क्षमता का निर्धारण उपकरणों के कुल वोल्टेज एवं विद्युतधारा

पर निर्भर करता है। इन्वर्टर में, इन्वर्टर की क्षमता वोल्टेज × विद्युतधारा या VA के रूप में दी जाती है। इन्वर्टर की क्षमता उपकरण के कुल वॉटेज एवं इन्वर्टर दक्षता पर निर्भर करती है। इन्वर्टर की दक्षता है आउटपुट पॉवर क्षमता (वॉट) विभाजित इनपुट पॉवर क्षमता (वॉट) है।

इन्वर्टर से चाही गई आउटपुट पॉवर उससे जुड़े हुए विद्युतभार की कुल पॉवर के बराबर होती है। व्यावहारिक रूप में ऐसा इन्वर्टर चुना जाता है जिसकी पॉवर क्षमता कनेक्टेड विद्युतभार के कुल पॉवर की अपेक्षा अधिक हो।

अ. इन्वर्टर का चयनः इन्वर्टर का चयन इस प्रकार किया जाना चाहिये कि वह उपकरण को चाही गई पॉवर की आपूर्ति कर सके। उपकरण के लिये चाही गई पॉवर (तालिका 10.2 देखें) जुड़े हुए उपकरण की कुल पॉवर है। जुड़े हुए उपकरण की कुल पॉवर इन्वर्टर द्वारा चाही गई कुल आउटपुट पॉवर के बराबर है। व्यावहारिक रूप से एक ऐसा इन्वर्टर का चयन करना सही होता है जिसकी पॉवर क्षमता कुल कनेक्टेड विद्युतधारा से अधिक हो। एक बार इन्वर्टर की आउटपुट पॉवर ज्ञात होने पर हमें जानने की आवश्यकता है कि इन्वर्टर को कितनी पॉवर की आपूर्ति की जानी है। इन्वर्टर की दक्षता को ध्यान में रखते हुए हम इन्वर्टर में आवश्यक इनपुट पॉवर का आंकलन कर सकते हैं। आउटपुट पॉवर, इनपुट पॉवर एवं इन्वर्टर की दक्षता के बीच संबंध चित्र 9.10 में दर्शाया गया है।

$$\text{Efficiency} = \frac{\text{Output power}}{\text{Input power}} \times 100$$

$$\text{Input power} = \frac{\text{Output power}}{\text{Efficiency}} \times 100$$

यहां तीन मापदंड दिए जाएंगे परंतु वह मापदंड जिसका यहां आंकलन किया जाना है वह है इन्वर्टर की इनपुट पॉवर क्षमता जो निम्न प्रकार से होगी–

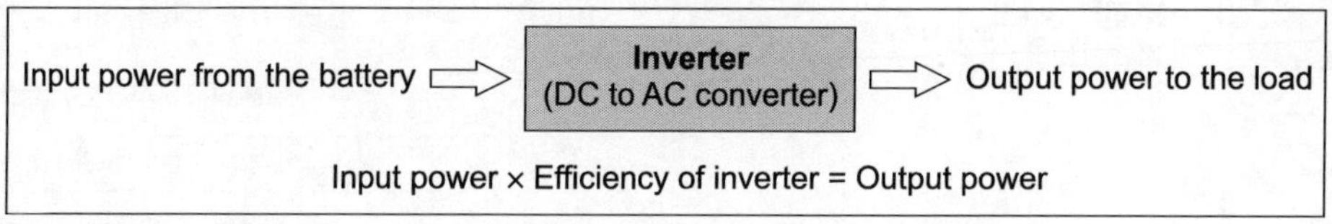

Input power from the battery ⇨ **Inverter** (DC to AC converter) ⇨ Output power to the load

Input power × Efficiency of inverter = Output power

चित्र 10.10
आउटपुट पॉवर, इनपुट पॉवर एवं इन्वर्टर की दक्षता के बीच संबंध।

आइये हम तालिका 10.2 में दिए गए घर के उदाहरण को लें जिसके लिये हमें उपर्युक्त इन्वर्टर का निर्धारण करने की आवश्यकता है। इन्वर्टर की आउटपुट पॉवर क्षमता AC उपकरणों के कुल वॉटेज के बराबर होगी जिन्हें पॉवर आपूर्ति दी जानी है। (तालिका 10.2 देखें)। नीचे तालिका 10.2 में AC उपकरणों के लिये दिए गए एक उपकरण एवं ऊर्जा आंकलन चार्ज पर ध्यान दें। इस चार्ट में सभी उपकरणों हेतु कुल आंकलित वॉटेज 370 वॉट है। यह मान इन्वर्टर के आउटपुट पॉवर क्षमता के बराबर होना चाहिये। यहां माना कि इन्वर्टर की दक्षता 93% है। इस स्थिति में गणना निम्न प्रकार से होगी।

तालिका 10.5 दिए गए कनेक्टेड उपकरण हेतु इन्वर्टर को आवश्यक इनपुट पॉवर का आंकलन

(a) Inverter Capacity

Load	*Inverter*		
Total wattage of load (W)	*Output* (W)	*Efficiency (%)*	*Input* (VA) *(output* (W) *× 100) ÷ Efficiency*
370	370	93	= (370 × 100) ÷ 93 = 37000 ÷ 93 = 397.84 VA ≈ 400 VA

ऊपर हमने इनपुट पॉवर हेतु गणना की है जो कि इन्वर्टर को पहुंचाई जानी है। समान तरीके से हम इनपुट ऊर्जा के लिये गणना कर सकते हैं जिसे उपकरण की मांग को पूरा करने के लिये पर्याप्त ऊर्जा आउटपुट हेतु इन्वर्टर को पहुंचाया जाना आवश्यक है। इन्वर्टर में होने वाली दक्षता हानियों की वजह से इन्वर्टर के लिये दोनों इनपुट पॉवर एवं इनपुट ऊर्जा का मान आउटपुट पॉवर

व ऊर्जा से अधिक होता है। इन्वर्टर इनपुट पर आवश्यक इनपुट ऊर्जा के आंकलन का उदाहरण तालिका 10.4 में दर्शाया गया है।

तालिका 10.6 सभी उपकरणों द्वारा खपत की गई ऊर्जा हेतु इन्वर्टर को आवश्यक इनपुट ऊर्जा का आंकलन
Total energy calculations

Total energy (Wh)	*Efficiency* (%)	*Total Energy* (Wh)
2250	93	2250 × (100/93) ≈ 2420

आंकलित इन्वर्टर क्षमता को बाजार में उपलब्ध इन्वर्टर की रेटिंग से मिलाना

एक इन्वर्टर DC इनपुट पॉवर लेता है एवं इसे AC आउटपुट पॉवर में रूपांतरित करता है। एक बार हम जब इनवर्टर की पॉवर क्षमता या आकार ज्ञात कर लेते हैं तब हमें यह देखना है कि मार्केट में क्या उपलब्ध है। इन्वर्टर का चयन या विकल्प महत्वपूर्ण है क्योंकि उपलब्ध इन्वर्टर से यह निर्धारित होगा कि वह इनपुट सिरे पर कितना DC वोल्टेज ले सकता है। उदाहरण के लिये यदि आंकलित पॉवर रेटिंग से मिलान किए गए उपलब्ध इन्वर्टर केवल 'X' वोल्ट इनपुट वोल्टेज के रूप में ले सकता है, तब हमारे सभी अन्य संयंत्र डिजाइन भी 'X' वोल्ट के लिये ही किया जाना चाहिये।

इस उदाहरण के लिये इन्वर्टर की हमारी आंकलित पॉवर रेटिंग 400 VA है। मार्केट में उपलब्ध इन्वर्टर का स्टैंडर्ड मान 400 VA है जिसमें 12 वोल्ट DC इनपुट एवं 230 V AC आउटपुट है। चूंकि इन्वर्टर इनपुट केवल 12 V DC ले सकता है अतः हमें शेष संयंत्र वोल्टेज के लिये ठीक क़रना होगा (बैटरी एवं पीवी मॉड्यूल)। (इन्वर्टरयुक्त SPV संयंत्र हेतु संयंत्र वोल्टेज मुख्यतः इन्वर्टर के DC इनपुट वोल्टेज पर निर्भर करता है)।

उच्च DC वोल्टेज मतलब निम्न विद्युतधारा

सामान्यतः ऐसे इन्वर्टर का चयन करना अच्छा होता है जो कि उच्च इनपुट DC वोल्टेज ले सके। उच्च वोल्टेज में समान पॉवर के प्रवाह हेतु संयंत्र में निम्न विद्युतधारा की आवश्यकता होगी। पॉवर विद्युतधारा एवं वोल्टेज (पॉवर = वोल्टेज × विद्युतधारा) का उत्पाद होती है। अतः समान पॉवर के प्रवाह हेतु यदि वोल्टेज बढ़ता है तो विद्युतधारा घटती है। संयंत्र में निम्न विद्युतधारा प्रवाह के अनेक लाभ हैं निम्न विद्युतधारा यानि निम्न पॉवर हानि एवं पतला तार, जिसका मतलब है संयंत्र का मूल्य कम होना।

स्टैंडअलोन संयंत्र डिजाइन के इस उदाहरण में इन्वर्टर की आंकलित पॉवर रेटिंग 400 VA है। समान इन्वर्टर हेतु पॉवर रेटिंग, भिन्न DC इनपुट वोल्टेज एवं संयंत्र में भिन्न विद्युतधारा प्रवाह हो सकता है। माना कि तीन स्थितियां हैं जिनमें संयंत्र वोल्टेज 12, 24, 48 वोल्ट हैं यह (मानते हुए कि इन्वर्टर इनपुट इन DC वोल्टेजों को ले सकता है) एवं तदनुरूप संयंत्र में आंकलित विद्युतधारा प्रवाह का मान नीचे तालिका में दिया गया है।

तालिका 10.7 संयंत्र के विभिन्न DC वोल्टेजों के मान हेतु पीवी संयंत्र में विद्युतधारा का आंकलन करें। पॉवर = वोल्टेज × विद्युतधारा का इस तालिका में उपयोग किया गया है।

Total system wattage (VA)	*System voltage* (V)	*System current* (A)
400	12	400 ÷ 12 ≈ 34 A
400	24	400 ÷ 24 ≈ 17 A
400	48	400 ÷ 48 ≈ 9 A

सर्किट में निम्न विद्युतधारा एवं निम्न पॉवर हानि हेतु, उच्च DC इनपुट वोल्टेज के साथ इन्वर्टर का चयन करना अच्छा होता है। यदि संभव हो तो हमें उच्च संयंत्र DC वोल्टेज का चयन करना चाहिये।

उपरोक्त तालिका से यह स्पष्ट रूप से देखा जा सकता है कि जैसे–जैसे संयंत्र का DC वोल्टेज या इन्वर्टर इनपुट DC वोल्टेज बढ़ता है संयंत्र में विद्युतधारा प्रवाह घटता है। एवं संयंत्र में निम्न DC विद्युतधारा के अनेक लाभ हैं अतः जहां तक संभव हो हमें उच्च संयंत्र वोल्टेज का चयन करने की कोशिश करनी चाहिये। जैसा भी हो, हम बाद में देखेंगे कि उच्च संयंत्र वोल्टेज में अधिक संख्या में बैटरियों की आवश्यकता होती है। यह एक रुकावट है।

वर्कशीट 10.3

संयंत्र के विभिन्न DC वोल्टेज मानों हेतु पीवी संयंत्र में विद्युतधारा का आंकलन करें। संयंत्र या इन्वर्टर की पॉवर रेटिंग 1000 VA मानें। तालिका 10.8 में खाली स्थानों को भरें।

तालिका 10.8 विभिन्न DC वोल्टेज मानों हेतु पीवी संयंत्र में विद्युतधारा का आंकलन करें

Total system wattage (VA)	*System voltage* (V)	*System current* (A)
_____ W	12	_____ ÷ 12 = _____ A
_____ W	24	_____ ÷ 24 = _____ A
_____ W	48	_____ ÷ 48 = _____ A

वर्कशीट 10.4

500 वॉट के विद्युतभार को पॉवर आपूर्ति हेतु एक सौर इन्वर्टर का चयन करने की आवश्यकता है। निम्न तालिका 10.9 में खाली स्थानों को भरें।

तालिका 10.9 रिक्त स्थानों को भरो

Load	*Inverter*		
Total wattage of load (W)	*Output power* (W)	*Efficiency* (%)	*Input* (VA) = (*output* (W) × 100) ÷ *Efficiency*
_____ W	_____ W	90	(_____ × 100) ÷ 90 = _____ VA ≈ _____ VA

वर्कशीट 10.5

एक घर में उपयोग किए जाने वाले उपकरणों को चलाने के लिये प्रति दिन 2000 Wh ऊर्जा की आपूर्ति करने हेतु एक सौर इन्वर्टर का चयन किया गया है। इन्वर्टर के इनपुट सिरे पर कितनी ऊर्जा की आपूर्ति की जानी चाहिये?

तालिका 10.10 खाली स्थानों को भरें

Total energy (Wh)	*Efficiency* (%)	*Total energy* (Wh)
_____ W	90	_____ × 100 ÷ 90 = _____ W

(अ) DC-DC कन्वर्टर का चयन

जब पीवी संयंत्र में अनेक भिन्न–भिन्न DC उपकरण जुड़े हुए हैं, तब विभिन्न उपकरणों को DC वोल्टेज की आपूर्ति करने हेतु एक DC से DC कन्वर्टर की आवश्यकता हो सकती है।

यदि संयंत्र में DC उपकरण हैं, तब हमें वोल्टेज के विभिन्न DC वोल्टेज स्तर की आवश्यकता हो सकती है। ऐसा इसलिये है क्योंकि सही तरीके से कार्य करने हेतु विभिन्न DC उपकरणों में विभिन्न DC वोल्टेज मान की आवश्यकता हो सकती है। यह एक DC वोल्टेज स्तर को अन्य DC वोल्टेज स्तर में रूपांतरित करने का कार्य DC से DC कन्वर्टर का उपयोग करके किया जाता है। DC से DC कन्वर्टर का चयन जुड़े हुए DC उपकरणों पर निर्भर करता है, विशेषतः DC उपकरणों की इनपुट वोल्टेज रेंज पर। डिजाइन हेतु, सबसे पहले हमें प्रत्येक DC उपकरण, जिसे संयंत्र में जोड़ा जाना है, हेतु इनपुट वोल्टेज मानों की सूची बनानी होगी। निम्न तालिका में एक उदाहरण दर्शाया गया है।

तालिका 10.11 विभिन्न उपकरणों की DC वोल्टेज मान रेंज

S. No.	*Name of the DC load*	*Input voltage (volts)*
1	Fan	12
2	LED light	12
3	DC pump	24

अब, जैसा कि तालिका से देखा गया है मोटर का ऑपरेटिंग 24 V वोल्टेज है एवं वह पंखे एवं LED लाइटिंग हेतु 12 V है। अतः एक DC से DC कन्वर्टर का चयन करें जिसमें मल्टीपल

आउटपुट हों जैसे 12 V एवं 24 V आउटपुट। DC-DC कन्वर्टर का इनपुट वोल्टेज संयंत्र का वोल्टेज होगा जो कि 12 या 24 या 48 V या अन्य कोई मान। उच्च वोल्टेज मान को प्राथमिकता दी जाती है क्योंकि जैसे–जैसे संयंत्र का वोल्टेज बढ़ता है संयंत्र में प्रवाहित विद्युतधारा का घटना है इसीलिये तार की मोटाई भी घटती है और संयंत्र मूल्य भी घटता है।

(ब) सौर चार्ज कंट्रोलर (SCC–Solar charge controller) या MPPT का चयन

सौर चार्ज कंट्रोलर या MPPT का चयन उपकरण एवं बैटरी को आवश्यक इनपुट व आउटपुट वोल्टेज एवं विद्युतधारा के अनुसार होना चाहिये। चुना गया सौर चार्ज कंट्रोलर या MPPT इतना सक्षम होना चाहिये कि वह संयंत्र में प्रवाहित होने वाली विद्युतधारा एवं वोल्टेज मान को संभाल सके। यदि इस उदाहरण में संयंत्र लिया जाए तो, या MPPT का चयन लगभग 12 Volts एवं 34 A के क्रमशः आउटपुट वोल्टेज एवं विद्युतधारा मान संभालने की क्षमता के आधार पर होना चाहिये। MPPT एवं SCC सौर चार्ज कंट्रोलर के विषय में विस्तृत जानकारी अध्याय 8 में दी गई है।

तालिका 10.12 संयंत्र विनिर्देश/स्पेसीफिकेशन

Energy (Wh)	*Wattage* (VA)	*Voltage* (V)	*Maximum current* (A)
2420	400	12	34

तृतीय चरण : बैटरी के आकार/साइज का निर्धारण (उनकी संख्या, क्षमता, वोल्टेज एवं Ah रेटिंग)

बैटरी की साइजिंग AC उपकरणों एवं DC उपकरणों हेतु इन्वर्टर (DC-AC) साइजिंग एवं DC-DC कन्वर्टर के चयन के पश्चात् की जानी चाहिये। जैसा कि पूर्व में चर्चा की गई है पीवी संयंत्रों की डिजाइन ऊर्जा प्रवाह की विपरीत दिशा में आगे बढ़ती है। इन्वर्टर एवं DC से DC कन्वर्टर में कुछ हानि होगी क्योंकि उनमें दक्षता 100% से कम होगी। अतः हमें बैटरियों का चयन इस प्रकार से करना होगा कि वे न केवल उपकरण को आवश्यक पॉवर एवं ऊर्जा की आपूर्ति करे, बल्कि इन्वर्टर व DC से DC कन्वर्टर में ऊर्जा की हानि की आपूर्ति भी पूरी करने में सक्षम हो। कन्वर्टर में होने वाली हानि की भरपाई बैटरी द्वारा की जानी चाहिये।

कृपया ध्यान रखें कि इस उदाहरण में उपकरण को जो ऊर्जा आपूर्ति की जानी है वह 2250 Wh है एवं इन्वर्टर के इनपुट पर आपूर्ति की जाने वाली ऊर्जा 2420 Wh है। इतनी ऊर्जा आपूर्ति हेतु हमें कितनी क्षमता व कितनी संख्या में बैटरियों की आवश्यकता है? बैटरी के साइजिंग हेतु हमें बैटरियों के अनेक अन्य मापदंडों का ध्यान रखना भी आवश्यक है। ये मापदंड निम्न हैं :

- संयंत्र वोल्टेज एम्पियर–घंटा बैटरी की क्षमता
- बैटरी की डिस्चार्ज की गहराई या डेप्थ ऑफ डिस्चार्ज (DoD)
- ऑटोनॉमी दिन

संयंत्र वोल्टेज देखें एवं Ah क्षमता का आंकलन करें इस उदाहरण में हमें इन्वर्टर के इनपुट पर 2420 Wh ऊर्जा की आपूर्ति करने की आवश्यकता है एवं संयंत्र का 12 V वोल्टेज चुना गया है। अतः Ah क्षमता जिसकी हमें आपूर्ति करनी है ज्ञात करने हेतु हमें ऊर्जा को वोल्टेज को विभाजित करने की आवश्यकता है जो निम्न प्रकार से हैः

$$\text{Energy} = \text{W} \times \text{h} = \text{V} \times \text{I} \times \text{H}$$

इसलिए,

$$\text{Ah} = \frac{\text{Wh}}{\text{V}} = \frac{\text{V} \times \text{I} \times \text{h}}{\text{V}} = \text{Ah}$$

इस उदाहरण हेतु इन्वर्टर को आपूर्ति की जाने वाली Ah क्षमता का आंकलन निम्न तालिका में किया गया है :

तालिका 10.13 Ah क्षमता का आंकलन

Energy (Wh)	*System voltage* (V)	Ah *capacity to be supplied*
2420	12	2420 ÷ 12 = 201.66 Ah

वर्कशीट 10.6

इन्वर्टर इनपुट पर आपूर्ति की जाने वाली Ah क्षमता का आंकलन करने हेतु निम्न तालिका 10.14 में खाली स्थान भरें। इन्वर्टर को आपूर्ति की गई कुल ऊर्जा एंव संयंत्र वोल्टेज तालिका 10.14 में दिया गया है।

तालिका 10.14 Ah क्षमता का आंकलन हेतु रिक्त स्थानों को भरें

Energy (Wh)	*System voltage* (V)	Ah *capacity to be supplied*
5640	24	_____ ÷ _____ = _____ Ah

बैटरियों का DoD बैटरियों का DoD इंगित करता है कि बैटरी का कितना कुल आवेश/चार्ज उपयोग किया जा सकता है। यदि DoD, 50% है तो इसका तात्पर्य है कि बैटरी में संग्रहित कुल चार्ज का केवल 50% ही उपयोग किया जा सकता है। सौर पीवी संयंत्र में सामान्यतः 50 से 60% रेंज वाले DoD युक्त डीप डिस्चार्ज बैटरियों का उपयोग किया जाता है। इस कारक की वजह से, कि DoD 100%, नहीं होता, इन्वर्टर को आवश्यक ऊर्जा की आपूर्ति करने हेतु वास्तविक बैटरी Ah क्षमता आंकलित 201.66 Ah की तुलना में उच्च होनी चाहिये। Ah क्षमता का आंकलन नीचे दर्शाया गया है।

तालिका 10.15 उपयोगी चार्ज या बैटरी की Ah क्षमता के आंकलन का उदाहरण यदि बैटरी का DoD दिया गया हो

Required capacity (Ah)	*DoD* (%)	*Actual capacity* (Ah)
2420 ÷ 12 = 201.66 Ah	50	201.66 ÷ 0.5 = 403.32

ऑटोनॉमी दिनों की संख्या का विचार स्टैंडअलोन पीवी संयंत्रों में बैटरियां सूर्य प्रकाश नहीं होने वाले घंटों में पॉवर आपूर्ति करने हेतु ऊर्जा संग्रहित करती हैं। स्थितियां जैसे बारिश के मौसम में, यह संभव है कि कई दिनों के लिये सूर्य प्रकाश उपलब्ध न हो। इस परिस्थिति में, बादलों वाले दिनों में, यदि हम उपकरण को पॉवर की आपूर्ति करना चाहते हैं, तो हमें बैटरियों में अधिक ऊर्जा संग्रहित करनी चाहिये। बादलों वाले उन दिनों की संख्या जिनके लिये हम ऊर्जा संग्रहित करना चाहते हैं, 'ऑटोनॉमी दिनों की संख्या' कहलाती हैं। इसका तात्पर्य है कि DoD को ध्यान में रखते हुए हमने जो भी आंकलन किया हो, हमें ऑटोनॉमी दिनों की संख्या को ध्यान में रखते हुए बैटरियों में अतिरिक्त ऊर्जा संग्रहित करने हेतु बैटरियों की क्षमता बढ़ाने की आवश्यकता है। अतः यदि हम एक अतिरिक्त दिन हेतु ऊर्जा संग्रहित करना चाहते हैं, तो हमारी बैटरी की क्षमता दुगुनी होनी चाहिये (एक आज के लिये एवं दूसरी अतिरिक्त दिन हेतु)। एवं यदि हम दो अतिरिक्त दिनों हेतु ऊर्जा संग्रहित करना चाहते हैं तब हमारी बैटरी क्षमता तीन गुनी होनी चाहिये (एक आज के लिये एवं दुगुनी क्षमता दो अतिरिक्त दिनों हेतु)। निम्न तालिका में 2 दिनों के ऑटोनॉमी को ध्यान में रखते हुए बैटरी क्षमता का आंकलन किया गया है।

तालिका 10.16 बैटरी Ah क्षमता का आंकलन

Actual Ah capacity after DoD (Ah)	*Number of days of autonomy*	*Final required battery capacity* (Ah)
403.3	2	403.3 × 2 = 806.6

उपरोक्त तालिका से हम देख सकते हैं कि इन्वर्टर के इनपुट को प्रतिदिन 2420 Wh ऊर्जा की आपूर्ति करने हेतु बैटरी को आवश्यक कुल क्षमता 806.6 Ah है। इन गणनाओं के अनुसार 12 V संयंत्र वोल्टेज, 50% बैटरियों का DoD एवं बैटरी ऑटोनॉमी के 2 दिन हैं।

बैटरी क्षमता के आंकलन हेतु एक पंक्ति में गणना उपरोक्त चर्चा से हमने देखा कि बैटरी का DoD, संयंत्र वोल्टेज एवं ऑटोनॉमी दिनों की संख्या आदि बैटरी की Ah क्षमता को प्रभावित करते हैं। एक दिए गए स्टैंडअलोन पीवी संयंत्र हेतु आवश्यक कुल Ah क्षमता के आंकलन हेतु सभी तीन मापदंडों को एक सरल समीकरण में साथ रखा जा सकता है :

$$\text{Total Ah capacity of battery} = \frac{\text{Energy input to inverter} \times \text{No. of days of autonomy}}{\text{DoD} \times \text{System voltage}}$$

इस उदाहरण (तालिका 10.13) में दैनिक ऊर्जा जो कि इन्वर्टर इनपुट तक पहुंचाई जानी है वह 2420 Wh है। हमनें 12 V संयंत्र के वोल्टेज के रूप में, बैटरियों का 50% DoD एवं ऑटोनॉमी के 2 दिन लिए हैं। इन मापदंडों एवं उपरोक्त समीकरण का उपयोग करते हुए हम बैटरी की आवश्यक कुल Ah क्षमता की गणना कर सकते हैं।

$$\text{Total Ah capacity of battery} = \frac{2420 \times 2}{0.50 \times 12} = 806.6 \text{ Ah}$$

DoD को ध्यान में रखते हुए बैटरियों की कुल आंकलित क्षमता, संयंत्र वोल्टेज एवं ऑटोनॉमी के दिनों की संख्या आदि उतना ही है जितना हमने स्टेप बाय स्टेप (विभिन्न पदों में) विधि से आंकलित किया था। यहां कृपया ध्यान रखें कि बैटरी की क्षमता संयंत्र के वोल्टेज पर निर्भर है। इस स्थिति में हमने चुना है 12 V, परंतु हम इन्वर्टर के अनुसार 24 V का चयन भी कर सकते हैं।

बैटरियों की संख्या उपरोक्त आंकलन से, उदाहरण के लिये इस स्थिति में स्टैंडअलोन पीवी संयंत्र लिया गया है, हमें बैटरियों से 806.6 Ah की आवश्यकता है, जबकि टर्मिनल वोल्टेज 12 V हो। अब हमें बाजार में उपलब्ध उपर्युक्त बैटरियों के चयन की आवश्यकता है। आइये हम मानें कि बैटरियों की क्षमता 12 V, 150 Ah है। अन्य क्षमताओं जैसे 100 Ah, 50 Ah, 200 Ah आदि क्षमता युक्त बैटरियों के विषय में भी विचार किया जा सकता है। यहां हम मान रहे हैं कि इन बैटरियों में 50% DoD है।

अब हमारी बैटरी की कुल Ah क्षमता जो कि उपलब्ध कराई जानी है वह 806.6 Ah है एवं बैटरी 150 Ah की है, अतः आवश्यक कुल बैटरियों की संख्या है :

$$\text{Total number of batteries} = \frac{\text{Total Ah capacity required}}{\text{Ah capacity of one battery}}$$

$$\text{Total number of batteries} = \frac{806.6}{150} = 5.37 \cong 6 \text{ batteries}$$

गणनाओं से पता चलता है कि हमें बैटरियां उपयोग करने की आवश्यकता है। इसे हम पूर्णांक में परिवर्तित कर सकते हैं तब जो संख्या प्राप्त होगी वह है। अतः हमें 150 Ah क्षमता, 12 V की 6 बैटरियों की आवश्यकता है।

यहां ध्यान रखें कि हमने 12 V बैटरियां ली हैं एवं इन्वर्टर को इनपुट वोल्टेज भी 12 V है। इसका तात्पर्य है कि हमें सभी बैटरियों को समानांतर में जोड़ने की आवश्यकता है। चित्र 10.11 में बैटरियों का संयोजन दर्शाया गया है। यदि हमने जिस संयंत्र का चयन किया है उसमें संयंत्र वोल्टेज 24 Volt है, तब हमें 24 Volt प्राप्त करने हेतु दो बैटरियों को आपस में श्रेणी में जोड़ने की आवश्यकता है। साथ ही याद रखें कि यह चर्चा पूर्व में भी की जा चुकी है कि सर्किट में विद्युतधारा प्रवाह को कम करने हेतु उच्च संयंत्र वोल्टेज का चयन किया जाता है।

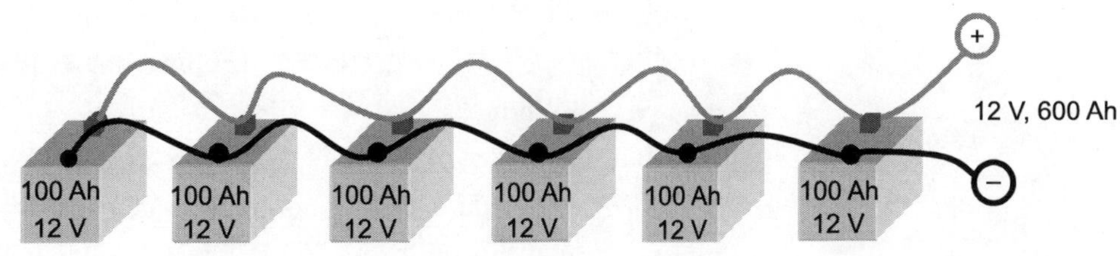

चित्र 10.11
समानांतर कॉन्फीगरेशन में संयोजित 6 बैटरियां।

चतुर्थ चरणः पीवी मॉड्यूल आकार निर्धारित करें (उनकी संख्या, पॉवर रेटिंग, वोल्टेज एवं विद्युतधारा रेटिंग)

SPV मॉड्यूल द्वारा बैटरी को पर्याप्त ऊर्जा पहुंचनी चाहिये, जिससे कि बैटरी इन्वर्टर को पर्याप्त ऊर्जा की आपूर्ति कर सके, जिससे इन्वर्टर उपकरण को उसकी आवश्यकतानुसार पर्याप्त ऊर्जा की आपूर्ति कर सके। इस उदाहरण में इन्वर्टर इनपुट पर आपूर्ति की जाने वाली ऊर्जा की मात्रा 2420 Wh है। यह ऊर्जा बैटरी बैंक द्वारा पहुंचाई जाती है। अब चूंकि बैटरी दक्षता 100% नहीं है, बैटरी इनपुट (चित्र 10.12 देखें) को अधिक ऊर्जा पहुंचाने की आवश्यकता है। बैटरी की इनपुट एवं आउटपुट ऊर्जा का इसकी दक्षता से संबंध को निम्न समीकरण द्वारा दर्शाया जा सकता है :

$$\text{Battery efficiency} = \frac{\text{Output energy}}{\text{Input energy}} \times 100$$

$$\text{Input energy} = \frac{\text{Output energy}}{\text{Battery efficiency}} \times 100$$

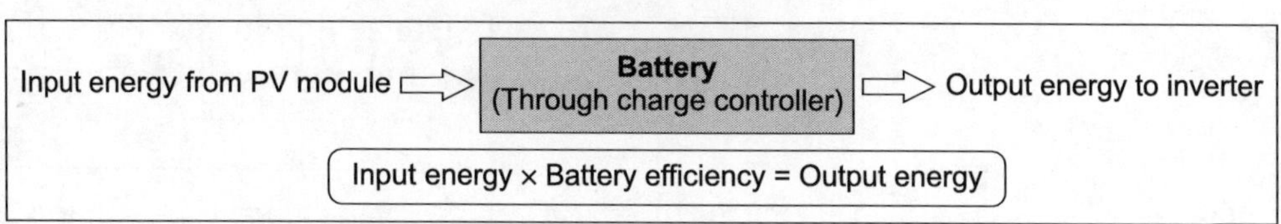

चित्र 10.12
बैटरी के इनपुट एवं आउटपुट ऊर्जा के बीच संबंध।

उपरोक्त समीकरण से यदि हम बैटरी से इन्वर्टर को पहुंचाई जाने वाली ऊर्जा की मात्रा जानते हैं, तो हम उस इनपुट ऊर्जा की मात्रा जान सकते हैं जो कि बैटरी बैंक को पहुंचाई जानी है (चित्र 10.12 देखें)। यह इनपुट ऊर्जा पीवी मॉड्यूल द्वारा दैनिक रूप से उत्पादित की जानी चाहिये। बैटरी की दक्षता 80 से 90% है। बैटरियों की दक्षता को ध्यान में रखते हुए पीवी मॉड्यूल द्वारा उत्पादित ऊर्जा के आंकलन हेतु गणना को तालिका में दर्शाया गया है।

तालिका 10.17 इस उदाहरण हेतु पीवी मॉड्यूल द्वारा जो दैनिक ऊर्जा आपूर्ति की जाने वाली है, उसका आंकलन करें

Total energy (Wh)	*Battery efficiency* (%)	*Energy from SPV module* (Wh)
2420	95	= 2420 ÷ 0.90 = 2688.9 ≈ 2689 Wh

उपरोक्त तालिका से हम देख सकते हैं कि इस उदाहरण में जिस उपकरण या विद्युत भार को लिया गया है, उसे सौर पीवी मॉड्यूल द्वारा प्रतिदिन 2689 Wh ऊर्जा की आपूर्ति की जानी चाहिये। अब जो अगला तथ्य हमें ज्ञात करने की आवश्यकता है वह यह है कि हमें आवश्यक ऊर्जा की मात्रा की आपूर्ति करने हेतु कितनी पॉवर रेटिंग वाले एवं कितनी संख्या में मॉड्यूलों को संयंत्र में संयोजित करने की आवश्यकता है।

सूर्य की उपस्थिति के घंटों के संदर्भ में दैनिक सौर विकिरण इस बिंदु पर आवश्यक पीवी मॉड्यूलों की संख्या का आंकलन करने हेतु, हमें उस स्थान जहां पर पीवी संयंत्र स्थापित किया गया है, पर सौर विकिरणों की मात्रा ज्ञात करने की आवश्यकता है। भारत के अनेक शहरों के लिये तालिका के रूप में सौर विकिरण डाटा दिया गया है। यदि किसी स्थान विशेष का सौर विकिरण डाटा उपलब्ध नहीं है, तब सबसे करीबी स्टेशन का सौर विकिरण डाटा लिया जाना चाहिये।

सौर विकिरण डाटा प्रतिदिन, प्रति माह या प्रति वर्ष के आधार पर दिया गया है। इस उदाहरण में चूंकि हम दैनिक ऊर्जा के साथ गणना कर रहे हैं, हमें दैनिक सौर विकिरण लेने की आवश्यकता है। दैनिक सौर विकरण kWh/m^2/day में दिया गया है। भारत में दैनिक सौर विकिरण 4 से 7 kWh/m^2/day के बीच परिवर्तित होता है। माना कि वह स्थान जिसके लिये हम संयंत्र डिजाइन कर रहे हैं, दैनिक सौर विकिरण 5 kWh/m^2/day है। सौर पीवी मॉड्यूल 1000 W/m^2 या 1 kW/m^2 (Standard Test Condition or STC) सौर विकिरण तीव्रता हेतु रेटेड हैं। अतः यह 5 kWh/m^2/day सौर विकिरण निम्न तरीके से लिखा जा सकता है :

$$\text{Daily solar radiation} = 5\ \text{kWh/m}^2\ \text{day} = 5\ \text{kW} \times \text{h/m}^2 \times \text{day}$$
$$= 5\ \text{h/day} \times 1\ \text{kW/m}^2$$
$$= \text{STC power density} \times \text{EquiValent daily sunshine hours}$$

इस प्रकार से हम कह सकते हैं कि 5 kWh/m^2/day मान के लिये 1 kW/m^2 सौर विकिरण के 5 घंटों के बराबर हैं या यह दैनिक धूप के 5 घंटों के बराबर है। दैनिक सौर विकिरण ज्ञात करने हेतु धूप घंटों के आंकलन हेतु निम्न तालिका भरें :

तालिका 10.18 दैनिक सौर विकिरण हेतु समतुल्य धूप के घंटे

Name of location	*Daily solar radiation* (kWh/m^2/day)	*Standard Test Condition (STC) power density* (kW/m^2)	*Equivalent daily sunshine hours* (hours/day or hr/day or h/day)	*Daily solar radiation = STC power density × Daily sunshine hours* (kWh/m^2/day)
Indore	5.5	1	5.5	1 × 5.5 = 5.5
Chennai	4.5	1	–	–
Gandhinagar	7	–	7	–

अब, इस उदाहरण में हम मान रहे हैं कि स्थान पर दैनिक सौर विकिरण 5 kWh/m^2/day है, उपरोक्त चर्चा से हम आंकलन कर सकते हैं कि दैनिक समतुल्य धूप के घंटे 5 घंटे/दिन हैं।

पीवी मॉड्यूल साइजिंग/आकार ज्ञात करना इस उदाहरण हेतु हमें 2689 Wh/day दैनिक ऊर्जा की आपूर्ति करने की आवश्यकता है। अतः शब्द दैनिक ऊर्जा की इकाई हेतु घंटा/दिन उपयोग किया जाता है। दैनिक ऊर्जा को निम्न प्रकार से लिखा जा सकता है :

$$\text{Daily energy} = 2689\ \frac{\text{W} \times \text{h}}{\text{day}} = 2689\ \frac{\text{W}}{\text{h} \times \text{day}}$$

दैनिक सौर विकिरण आंकलन से पता चलता है कि स्थान का दैनिक सौर विकिरण 5 hr/day है। अतः यदि हम वह दैनिक ऊर्जा जो पीवी मॉड्यूल द्वारा आपूर्ति की जानी है, को दैनिक सौर विकिरण से विभाजित करते हैं, तो हमें वॉट में उत्तर प्राप्त होगा, जो कि पॉवर है। यह पॉवर और कुछ नहीं, बल्कि पीवी मॉड्यूल द्वारा आवश्यक पॉवर है। निम्न तालिका में पीवी मॉड्यूल पॉवर का आंकलन दिया गया है :

तालिका 10.19 समतुल्य धूप के घंटों के मान का उपयोग करते हुए पीवी मॉड्यूल पॉवर का आंकलन

Daily energy to be supplied by SPV module (Wh)	*Equivalent daily sunshine hours* (h)	*SPV module wattage* (W)/Wp
2689	5.0	2689 ÷ 5.0 = 537.8 ≈ 540 watts or watt peak

अतः, उपरोक्त तालिका से हम देख सकते हैं कि आवश्यक ऊर्जा की आपूर्ति करने हेतु पीवी मॉड्यूल के कुल 540 वॉट की आवश्यकता होगी। अब अगला चरण है यह देखना कि मार्केट में कौन से पीवी मॉड्यूल उपलब्ध हैं, एवं हमें कितने पीवी मॉड्यूल के उपयोग एवं संयोजन की आवश्यकता है।

वर्कशीट 10.8

एक स्थान विशेष पर पीवी मॉड्यूल द्वारा उत्पादन हेतु दैनिक ऊर्जा तालिका 10.20 में दी गई है। समतुल्य धूप के घंटों का उपयोग करते हुए एक सौर पीवी मॉड्यूल पॉवर के आंकलन हेतु निम्न तालिका भरें।

तालिका 10.20 सौर पीवी मॉड्यूल पॉवर का आंकलन

Daily energy to be supplied by SPV module (Wh)	*Equivalent daily sunshine hours (h)*	*SPV module wattage* (W)
___________ Wh	6.0	=_____ ÷ _____ = _____ watts
5940	4.5	= _____ ÷ 4.5 = _____ ≈ _____ watts

पीवी मॉड्यूलों का चयन कुल आवश्यक पीवी मॉड्यूल पॉवर उच्चतम 540 Watt है (or Wp)। मार्केट में अनेक रेटिंग वाले पीवी मॉड्यूल उपलब्ध हैं। पीवी मॉड्यूल की रेटिंग 40 Wp, 60 Wp, 75 Wp, 100 Wp, 120 Wp, 200 Wp आदि हो सकती है। अब इस उद्देश्य हेतु आइये हम 75 Wp के पीवी मॉड्यूल का चयन करें। ये मॉड्यूल आकार आमतौर पर उपलब्ध रहते हैं। पीवी मॉड्यूल की संख्या ज्ञात करने हेतु हमें एक पीवी आवश्यक पीवी पॉवर मॉड्यूल को एकल पीवी मॉड्यूल पॉवर जो कि बाजार में उपलब्ध है से विभाजित करने की आवश्यकता है :

$$\text{Total number of PV modules} = \frac{\text{Total estimated module power}}{\text{Power of single module}}$$

$$\text{Total number of PV modules} = \frac{540}{75} = 7.2 \approx 8 \text{ PV modules}$$

आंकलन के पश्चात् मॉड्यूलों की संख्या 7.2 ज्ञात हुई है, जो कि पूर्णांक में 8 होगी। इस प्रकार हम देख सकते हैं कि हमें 75 Wp पॉवर रेटिंग के कुल 8 पीवी मॉड्यूलों की आवश्यकता है। 75 Wp मॉड्यूल में अधिकतम पॉवर पॉइंट पर लगभग 15 V वोल्टेज होगा। इस उदाहरण में हमने संयंत्र वोल्टेज के रूप में 12 वोल्ट चुना है, जो कि मॉड्यूल वोल्टेज के अनुरूप ही है। जिसका तात्पर्य है कि हमें वोल्टेज बढ़ाने हेतु पीवी मॉड्यूल के श्रेणी संयोजन की आवश्यकता है। अतः पॉवर की आपूर्ति करने हेतु सभी 8 पीवी मॉड्यूल को समानांतर क्रम में संयोजित किया जाना चाहिये। चित्र 10.13 मॉड्यूलों का संयोजन दर्शाता है। एवं चित्र 10.14 संपूर्ण संयंत्र दर्शाता है।

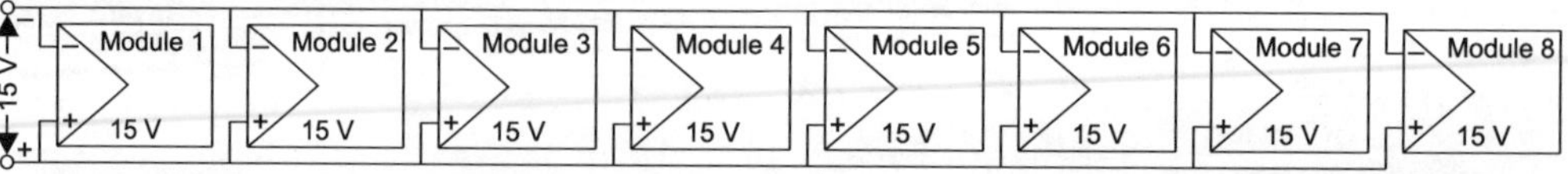

चित्र 10.13
यहां लिये गए उदाहरण के लिये पीवी मॉड्यूलों का संयोजन।

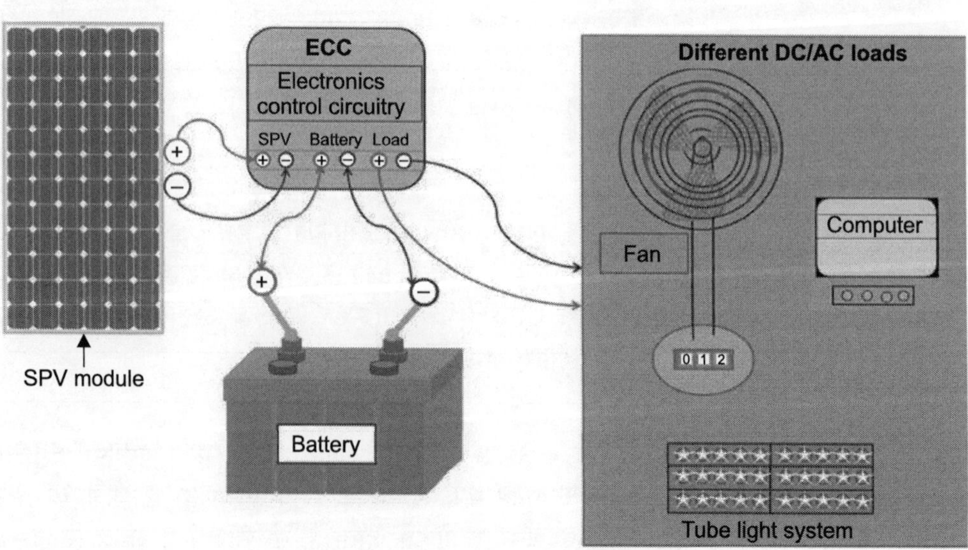

चित्र 10.14
उपरोक्त उदाहरण में लिये गए विद्युत भार हेतु संपूर्ण डिजाइन किया हुआ स्टैंडअलोन पीवी संयंत्र।

पंचम चरण : फ्यूज, वायर एवं जंक्शन बॉक्स का चयन

फ्यूज, तार एवं जंक्शन बॉक्स का चयन संयंत्र में संभावित अधिकतम संभावित विद्युतधारा एवं वोल्टेज के मान के अनुसार होना चाहिये। इन उत्पादों के चयन हेतु मुख्य मापदंड विद्युतधारा है। सामान्यतः स्टैंडअलोन संयंत्र में दोनों DC एवं AC सिरे होते हैं। अतः हमें DC एवं AC सिरों के लिये अधिकतम वोल्टेज एवं विद्युतधारा को देखना होगा, अधिकतम विद्युतधारा यह आंकलन हमें उपर्युक्त अवयवों, फ्यूजों, जंक्शन बॉक्स एवं तारों का निर्धारण करने में उपयोगी है। ध्यान रखें कि विद्युतधारा एवं वोल्टेज का अधिकतम मान सर्किट में पॉवर स्तर पर निर्भर करता है। यहां पॉवर स्तर के आधार पर वोल्टेज एवं विद्युतधारा का अधिकतम मान ज्ञात करने हेतु तालिका का निर्माण किया गया है।

अधिकतम DC संयंत्र मापदंडों जैसे वोल्टेज एवं विद्युतधारा का आंकलन

तालिका 10.21 अधिकतम डायरेक्ट करंट (DC) एवं वोल्टेज

System	*Max DC wattage* (W)	*System DC voltage* (V)	*Max DC current* (A)
1	570	12	570 ÷ 12 ≈ 48
2	____ W	____ V	____ ÷ ____ = ____
3	1320	24	1320 ÷ 24 ≈ 55

अधिकतम AC संयंत्र मापदंडों जैसे वोल्टेज एवं विद्युतधारा का आंकलन

तालिका 10.22 अधिकतम अल्टरनेटिंग करंट (AC) एवं वोल्टेज

System	*Max AC wattage* (W)	*System AC voltage* (V)	*Max AC current* (A)
1	370 W	230	370 ÷ 230 = 1.61 ≈ 2
2	____ W	230	____ ÷ 230 = ____

विभिन्न इलेक्ट्रिकल अवयवों जैसे स्विच, फ्यूज, स्टैंडर्ड वायर गॉज (SWG–Standard Wire Gauge) का DC कनेक्शन हेतु आंकलन

तालिका 10.23 : DC वायरिंग, फ्यूज एवं जंक्शन बॉक्स का चयन

System	*Max DC voltage* (V) *and current* (A)	*SWG*	*Fuse*	*Switch/Junction box*
1	12 V, 48 A			
2	______ V, ______ A			
3	24 V, 55 A			

विभिन्न इलेक्ट्रिकल अवयवों जैसे स्विच, फ्यूज, स्टैंडर्ड वायर गॉज (SWG– Standard Wire Gauge) का AC कनेक्शन हेतु आंकलन

तालिका 10.24 AC वायरिंग, फ्यूज एवं जंक्शन बॉक्स का चयन

System	*Max AC voltage* (V) *and current* (A)	*SWG (wire)*	*Fuse*	*Switch/Junction box*
1	230 V, 2 A			
2	230 V, ____ A			

इस प्रकार एक संपूर्ण स्टैंडअलोन सौर पीवी संयंत्र का डिजाइन पूर्ण होता है। वर्णन में, जो कि स्टेप बाय स्टेप विधि में दर्शाया गया है, यह एक लंबी प्रक्रिया दिखती है। परंतु एक बार यदि यह अभ्यास में आ जाता है, तो सौर पीवी संयंत्र डिजाइन को बहुत कम समय में तैयार किया जा सकता है।

डिजाइन उदाहरण :

उदाहरण 10.1

एक घर हेतु सौर पीवी संयंत्र डिजाइन करें, जहां प्रत्येक 70 वॉट के 3 पंखे प्रतिदिन 5 घंटों के लिये, प्रत्येक 35 वॉट की 3 ट्यूब लाइट प्रतिदिन 6 घंटों के लिये एवं एक 250 वॉट का फ्रिज प्रतिदिन 6 घंटों के लिये चलता है। (बैटरी ऑटोनॉमी शून्य दिन है।)

हल

प्रथम चरण : AC विद्युतभार चार्ट तैयार करें

S. No.	*Name of appliances*	*Watts* (W)	*No.* (#)	*Total watts* (W × No.) (W)	*No. of hours* (n)	*Energy* (Total watts × No. of hours) (Wh)
1	Fans	70	3	210 (70 × 3)	4	840 (210 × 4)
2	Tubelight	35	3	105 (35 × 3)	8	840 (105 × 8)
3	Refrigerator	250	1	250 (250 × 1)	6	1500 (250 × 6)
				Total wattage = 565 W (210 + 105 + 250)		Total energy = 2580 Wh (210 + 240 + 1500)

द्वितीय चरण : इलेक्ट्रॉनिक अवयवों का चयन

अ. इन्वर्टर क्षमता चयन

Load	*Inverter*		
Total wattage of load (W)	*Efficiency* (%)	*Output* (W)	*Input* (VA) (*Output (W) × 100) ÷ Efficiency*)
565	93	565	(565 × 100) ÷ 93 = 56500 ÷ 93 = 607.52 VA ≈ 610 VA

Total energy (Wh)	*Efficiency (%)*	*Total energy* (Wh)
2580	93	= 2580 × 100 ÷ 93 ≈ 2775

ब. सौर चार्ज कंट्रोलर का चयन

Energy (Wh)	*Wattage* (W)	*Voltage* (V)	*Maximum current* (A)
2775	565	12	48

यहां संयंत्र का वोल्टेज 12 वोल्ट है।

तृतीय चरण : बैटरी साइजिंग

बैटरी क्षमता

Energy (Wh)	*System voltage* (V)	*Battery capacity* (Ah)	*DoD* (%)	*Actual battery capacity* (Ah)
2775	12	= 2775 ÷ 12 ≈ 232 Ah	50	= 232 ÷ 0.5 = 464 Ah

चतुर्थ चरण : SPV साइजिंग

1. ऊर्जा आंकलन

Total energy (Wh)	*Battery efficiency* (%)	*Energy from SPV module* (Wh)
2775	95	= 275÷ 0.95 = 2931 ≈ 2935 Wh

2. SPV मॉड्यूल वॉटेज आंकलन

Energy from SPV module (W)	*Number of sunshine hours* (h)	*SPV module wattage* (W)
2935	4.5	= 29.35 ÷ 4.5 = 652.2 ≈ 655 Watts

पंचम चरण : वायरिंग, फ्यूज एवं जंक्शन बॉक्स का चयन

1. अधिकतम डायरेक्ट विद्युतधारा (DC) एवं वोल्टेज

System	*Max DC wattage* (W)	*System DC voltage* (V)	*Max DC current* (A)
1	4 × 160 = 640	12	640 ÷ 12 = 53.33 ≈ 55 A

2. DC वायरिंग, फ्यूज एवं जंक्शन बॉक्स चयन

System	*Max DC voltage* (V) *and current* (A)	*SWG*	*Fuse*	*Switch/Junction box*
1	12 V, 45 A			

3. अधिकतम अल्टरनेटिंग विद्युतधारा (AC) एवं वोल्टेज

System	*Max AC wattage* (W)	*System AC voltage* (V)	*Max AC current* (A)
1	600 W	230	600 ÷ 230 = 2.6 ≈ 3 A

4. AC वायरिंग, फ्यूज एवं जंक्शन बॉक्स चयन

System	*Max DC voltage* (V) *and current* (A)	*SWG* (wire)	*Fuse*	*Switch/Junction box*
1	230 V, 3 A			

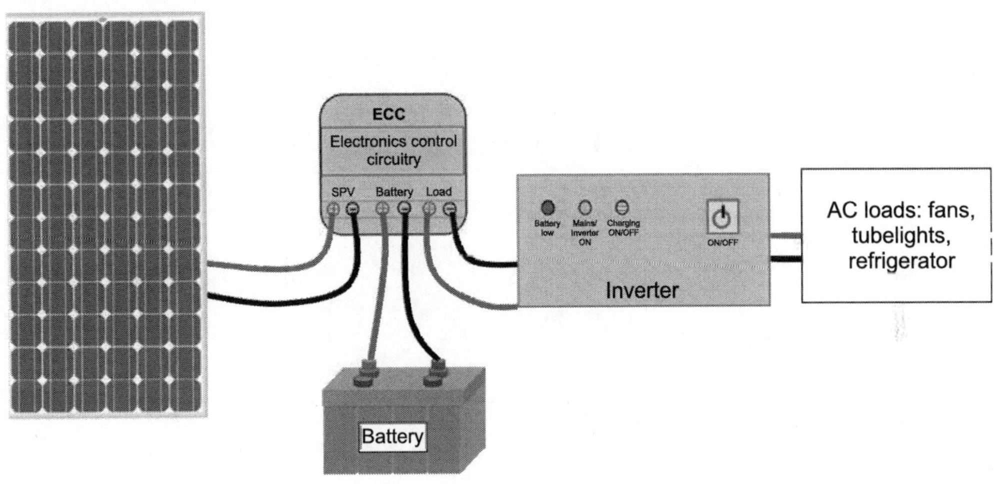

चित्र 10.15
संपूर्ण पीवी संयंत्र।

उदाहरण 10.2

एक फैक्टरी हेतु एक SPV संयंत्र डिजाइन करें जिसमें जो कि प्रतिदिन 1 hp motor (1hp = 747 W) 4 घंटों हेतु, 50 वॉट की 8 ट्यूब लाइट प्रतिदिन 7 घंटों हेतु चलती हैं। बैटरी हेतु ऑटोनॉमी दिन 1 मानें।

हल

प्रथम चरण : AC विद्युतभार चार्ट तैयार करें

S. No.	*Name of appliances*	*Watts* (W)	*No.* (#)	*Total watts* (W × No.) (W)	*No. of hours* (n)	*Energy* (Total watts × No. of hours) (Wh)
1	Motor	747	1	747 (747 × 1)	4	2988 (747 × 4)
2	Tubelight	50	8	400 (50 × 8)	7	2800 (400 × 7)
				Total wattage = 1147 W (747 + 400)		Total energy = 5788 Wh (2988 + 2800)

द्वितीय चरण : इलेक्ट्रॉनिक अवयव का चयन

1. इन्वर्टर क्षमता का चयन

Load	*Inverter*		
Total wattage of load (W)	*Efficiency* (%)	*Output* (W)	*Input* (VA) (*Output* (W) × *100*) ÷ *Efficiency*
1147	93	1147	(1147 × 100) ÷ 93 = 114700 ÷ 93 = 1233.33 VA ≈ 1235 VA

Total energy (Wh)	*Efficiency* (%)	*Total energy* (Wh)
5788	93	5788 × 100 ÷ 93 ≈ 6225 Wh

2. सौर चार्ज कंट्रोलर चयन

Energy (Wh)	*Wattage* (W)	*Voltage* (V)	*Maximum current* (A)
6225	1147	24	48

यहां संयंत्र का वोल्टेज 24 वोल्ट है।

तृतीय चरण : बैटरी साइजिंग

1. बैटरी क्षमता

चूंकि ऑटोनॉमी मान एक दिन लिया गया है, अतः बैटरी में जो ऊर्जा संग्रहित की जानी है वह दुगुनी होगी

Energy (Wh)	*System voltage* (V)	*Battery capacity* (Ah)	*DoD* (%)	*Actual battery capacity* (Ah)
6225 × 2 = 12450	24	12450 ÷ 24 ≈ 520 Ah	50	520 ÷ 0.5 = 1040 Ah

चतुर्थ चरण : SPV साइजिंग

1. ऊर्जा आंकलन

Total energy (Wh)	*Battery efficiency* (%)	*Energy from SPV module* (Wh)
6225*	95	6225 ÷ 0.95 = 6552.6 ≈ 6555 Wh

* बैटरी में जो कुल ऊर्जा संग्रहित की जानी है वह 12450 है, परंतु मॉड्यूल से दैनिक चार्जिंग हेतु जो ऊर्जा मान है वह केवल 6225 Whr है।

2. SPV मॉड्यूल वॉटेज आंकलन

Energy from SPV module (W)	*Number of sunshine hours* (h)	*SPV module wattage* (W)
6555	4.5	6555 ÷ 4.5 = 1456.6 ≈ 1460 Watts

पंचम चरण : वायरिंग, फ्यूज एवं जंक्शन बॉक्स का चयन

1. अधिकतम डायरेक्ट विद्युतधारा (DC) एवं वोल्टेज

System	*Max DC wattage* (W)	*DC system voltage* (V)	*Max DC current* (A)
1	1460	24	1460 ÷ 24 = 60.88 ≈ 62 A

2. DC वायरिंग, फ्यूज एवं जंक्शन बॉक्स का चयन

System	*Max DC voltage* (V) *and current* (A)	*SWG*	*Fuse*	*Switch/Junction box*
1	24 V, 60 A			

3. अधिकतम अल्टरनेटिंग विद्युतधारा (AC) एवं वोल्टेज

System	*Max AC wattage* (W)	*System AC voltage* (V)	*Max AC current* (A)
1	1147 W	230	1147 ÷ 230 = 4.98 ≈ 5 A

4. AC वायरिंग, फ्यूज एवं जंक्शन बॉक्स का चयन

System	*Max DC voltage* (V) *and current* (A)	*SWG (wire)*	*Fuse*	*Switch/junction box*
1	230 V, 5 A			

उदाहरण 10.3

एक घर के लिये एक सौर पीवी संयंत्र का चयन करें जिसमें प्रत्येक 70 वॉट के 3 पंखे प्रतिदिन 5 घंटों के लिये, प्रत्येक 35 वॉट की 3 ट्यूब लाइट प्रतिदिन 6 घंटों के लिये एवं 250 वॉट का एक फ्रिज प्रतिदिन 6 घंटों के लिये चलता है।

हल

प्रथम चरण : AC विद्युतभार चार्ट तैयार करें

S. No.	*Name of appliances*	*Watts* (W)	*No.* (#)	*Total watts* (W × No.) (W)	*No. of hours* (n)	*Energy* (Total watts × No. of hours) (Wh)
1	Fans	70	3	210 (70 × 3)	4	840 (210 × 4)
2	Tubelights	35	3	105 (35 × 3)	8	240 (30 × 8)
3	Refrigerator	250	1	250 (250 × 1)	6	1500 (250 × 6)
				Total wattage = 565 W (210 + 105 + 250)		Total Energy = 2580 Wh (= 210 + 240 + 1500)

द्वितीय चरण : इलेक्ट्रॉनिक अवयव का चयन

1. इन्वर्टर क्षमता का चयन

Load	*Inverter*		
Total wattage of load (W)	*Efficiency* (%)	*Output* (W)	*Input* (VA) (*Output* (W) × 100) ÷ *Efficiency*
565	93	565	(565 × 100) ÷ 93 = 56500 ÷ 93 = 607.52 VA ≈ 610 VA

610 VA हेतु उपलब्ध निकटतम इन्वर्टर क्षमता 650 VA है, अतः स्थापित इंस्टॉल्ड इन्वर्टर क्षमता 12 V, 650 VA होगी (इनपुट सिरा)

2. सौर चार्ज कंट्रोलर चयन

Energy (Wh)	*Wattage* (W)	*Voltage* (V)	*Maximum current* (A)
2580	565	12	48

यहां संयंत्र वोल्टेज 12 वोल्ट है।

तृतीय चरण : बैटरी साइजिंग

1. बैटरी क्षमता

Energy (Wh)	*System voltage* (V)	*Battery capacity* (Ah)	*DoD* (%)	*Actual battery capacity* (Ah)
2580	12	2580 ÷ 12 = 215 Ah	50	215 ÷ 0.5 = 430 Ah

2. उपलब्ध स्टैंडर्ड बैटरी क्षमता

Actual battery capacity (Ah)	*Standard battery capacity* (Ah)	*Total number of batteries* (#)
430	150	430 ÷ 150 = 2.86 ≈ 3

3. श्रेणी एवं/या समानांतर संयोजनों की संख्या

Number of batteries (#)	*System voltage* (V)	*Standard battery voltage* (V)	*Series connections*	*Parallel connection*
3	12	12	12 ÷ 12 = 1	3 ÷ 1 = 3

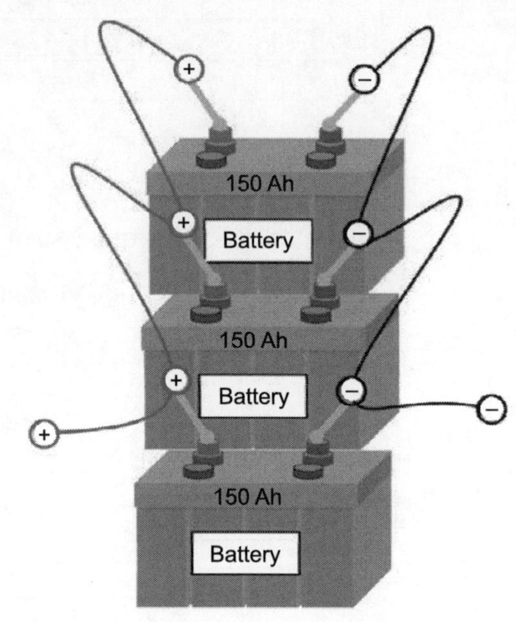

चित्र 10.16
समानांतर संयोजन में 3 बैटरियां।

बैटरी की कुल क्षमता होगी 3 × 150 Ah = 450 Ah

चतुर्थ चरण : SPV साइजिंग

1. ऊर्जा आंकलन

Total energy (Wh)	*Battery efficiency* (%)	*Energy from SPV module* (Wh)
2580	95	2580 ÷ 0.95 = 2716 ≈ 2720 Wh

2. SPV मॉड्यूल वॉटेज आंकलन

Energy from SPV module (W)	*Number of sunshine hours* (h)	*SPV module wattage* (W)
2720	4.5	2720 ÷ 4.5 = 604.5 ≈ 605 watts

3. स्टैंडर्ड SPV मॉड्यूल क्षमता

Actual SPV module capacity (W)	*Standard SPV module capacity* (W)	*Total Number of SPV modules* (#)
605	90 या 160	605 ÷ 90 = 6.72 ≈ 7 या 605 ÷ 160 = 3.78 ≈ 4

4. श्रेणी या समानांतर में मॉड्यूलों की संख्या

Number of SPV modules (#)	*System voltage* (V)	*Standard SPV module voltage* (V)	*Series connections*	*Parallel connection*
4	12	12	12 ÷ 12 = 1	4 ÷ 1 = 4

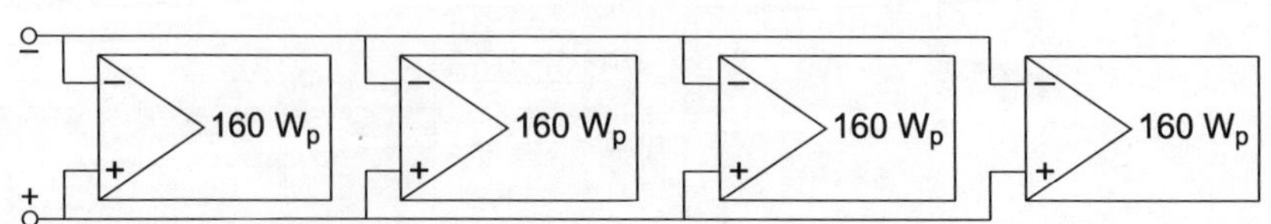

चित्र 10.17
समानांतर में 4 मॉड्यूल।

पंचम चरण : वायरिंग, फ्यूज एवं जंक्शन बॉक्स का चयन

1. अधिकतम डायरेक्ट विद्युतधारा (DC) एवं वोल्टेज

System	*Max DC wattage* (W)	*System DC voltage* (V)	*Max DC current* (A)
1	4 × 160 = 640	12	640 ÷ 12 = 53.33 ≈ 55 A

2. DC वायरिंग, फ्यूज एवं जंक्शन बॉक्स का चयन

System	*Max DC voltage* (V) *and current* (A)	*SWG*	*Fuse*	*Switch/junction box*
1	12 V, 45 A			

3. अधिकतम अल्टरनेटिंग विद्युतधारा (AC) एवं वोल्टेज

System	*Max AC wattage* (W)	*System AC voltage* (V)	*Max AC current* (A)
1	600 W	230	600 ÷ 230 = 2.6 ≈ 3 A

4. AC वायरिंग, फ्यूज एवं जंक्शन बॉक्स का चयन

System	*Max AC voltage* (V) *and current* (A)	*SWG (wire)*	*Fuse*	*Switch/Junction box*
1	230 V, 3 A			

10.2.2 सौर पीवी संयंत्र डिजाइन चार्ट

सौर पीवी संयंत्र का डिजाइन चार पदों में किया गया है; दैनिक ऊर्जा खपत का आंकलन, इन्वर्टर गणनाएं, बैटरी गणनाएं एवं अंतिम रूप से सौर पीवी मॉड्यूल हेतु गणनाएं। स्टेप बाय स्टेप तरीके को डिजाइन चार्ज के रूप में प्रस्तुत किया गया है। एक पीवी संयंत्र डिजाइनर चार्ज में दी गई विभिन्न तालिकाओं को भर कर एक दिए अनुप्रयोग हेतु पीवी संयंत्र की डिजाइन तैयार कर सकता है। इस चार्ट को प्रिंट करके डिजाइनर अपने पास रख सकता है जिससे कि, जब भी वह अपने नए ग्राहक से मिले, डिजाइन चार्ट भरा जा सकता है। इसके द्वारा ग्राहक को रांयंत्र की डिजाइन एवं लगभग मूल्य बताया जा सकता है।

तालिका 10.25 सौर पीवी संयंत्र डिजाइन चार्ट

Design Chart 1: Daily Load Energy Estimation

Input parameters					*Calculated parameters*	
A_1	A_2	A_3	A_4	A_5	$A_6 = (A_3 \times A_5)$	$A_7 = (A_5 \times A_6)$
S. No.	*Name of appliances*	*Watts* (W)	*No.* (#)	*No. of hours* (n)	*Total watts* (W × No.) (W)	*Energy (Total watts × No. of hours)* (Wh)
1						
2						
3						
4						
5						
6						
					Total wattage (add all the values above) = ______ W	Total energy (add all the values above) = ______ Wh

तालिका 10.26 इन्वर्टर संबंधी गणनाएं

Design Chart 2: Inverter Calculations

Input parameters				*Calculated parameters*		
B_1	B_2	B_3	B_4	$B_5 = (B_4 \times B_1)$	$B_6 = (B_3 \times B_1)$	$B_7 = (B_4 \div B_2)$
Efficiency	Input voltage (DC)	Total load energy (Wh) = A_7	Total load (W) = A_6	Inverter capacity or input power (watts)	Input energy to inverter (Wh)	Input DC current to inverter (A)

तालिका 10.27 बैटरी संबंधी गणनाएं

Design Chart 3: Battery Calculations

Input parameters							*Calculated parameters*			
C_1	C_2	C_3	C_4	C_5	C_6	C_7	C_8	$C_9 = C_7 \div C_2$	$C_{10} = C_8 \div C_3$	$C_{11} = C_9 \times C_{10}$
Efficiency (%)	Voltage of single battery (V)	Capacity of single battery (Ah)	Total output energy = B_6 (Wh)	DoD (%)	Days of autonomy (#)	Input DC voltage to inverter (V)	Total capacity of battery (Ah)	No. of batteries in series (#)	No. of batteries in parallel (#)	Total number of batteries (#)

तालिका 10.28 पीवी मॉड्यूल गणनाएं

Design Chart 4: PV module calculations

Input parameters								*Calculated parameters*				
D_1	D_2	D_3	D_4	D_5	D_6	D_7	D_9	$D_{10} = D_9/D_1$	$D_{11} = D_{10}/D_7$	D_{12}	$D_{13} = D_{11}/(D_2 \times D_{12})$	$D_{14} = D_{11}/D_2$
Battery efficiency = C_1	Wattage of PV module P_m (W)	Peak current of module, I_m (A)	Peak voltage of module, V_m (V)	Name of location	Average daily solar radiation (kWh/m^2-day)	Average daily 1000 W/m^2 equivalent solar radiation hours (hours)	Daily energy input to inverter = A_6	Total daily energy input to the battery = output from PV module	Total solar PV module wattage	No. of PV modules in series = same as number of batteries in series	No. of PV modules in parallel	Total number of PV modules

10.2.3 पीवी संयंत्र हेतु तालिका

पीवी संयंत्र ग्रिड–कनेक्टेड या ऑफ ग्रिड अनुप्रयोगों हेतु डिजाइन किए जाते हैं। इस अध्याय में पीवी संयंत्र डिजाइन मुख्यतः ऑफ–ग्रिड संयंत्र हेतु की गई है। जब हम घरों के लिये ऑफ–ग्रिड पीवी संयंत्रों को देखते हैं, तो हम पाएंगे कि उपकरणों के उपयोग का एक पैटर्न दिखाई देता है। उपयोग की गई विद्युत की मात्रा दिए घर की आर्थिक स्थिति पर निर्भर करती है। एक छोटे घर में सामान्यतः एक या दो लाइट की आवश्यकता होती है, एक थोड़े बड़े घर में पंखे की जरूरत, एवं उससे बड़े घर में टीवी व कंप्यूटर व अन्य उपकरणों की आवश्यकता होगी। जैसे–जैसे एक घर की आय बढ़ती है, उसकी विद्युत आवश्यकताएं भी बढ़ती जाती हैं। इस जानकारी के आधार पर, हम उपकरणों व उनकी बिजली खपत का एक पैटर्न परिभाषित कर सकते हैं। इस अनुभाग में कुछ निश्चित उपकरण जैसे CFL ,पंखा, टीवी आदि लिये गए हैं एवं कुल ऊर्जा खपत का आंकलन किया गया है। इस प्रकार से, एक घर में उपयोग किए जाने वाले उपकरण एवं उनकी संख्या से कुल दैनिक ऊर्जा खपत ज्ञात करने हेतु एक तालिका (तालिका 10.29 देखें) तैयार की गई है। तालिका 10.20 को संयोजित उपकरणों की संख्या के आधार पर दैनिक ऊर्जा खपत ज्ञात करने हेतु एक संदर्भ के रूप में उपयोग किया जा सकता है। एक बार यदि हमें दैनिक ऊर्जा खपत ज्ञात हो जाती है, तब अगला बिंदु जो हमें ज्ञात करना है, वह है इन्वर्टर के आकार, बैटरी एवं पीवी मॉड्यूल जो कि उपकरण को आवश्यक कुल दैनिक ऊर्जा की आपूर्ति कर सके। एक अन्य तालिका (तालिका 10.29) तैयार की गई है जो कि दैनिक ऊर्जा खपत के आधार पर पीवी संयंत्र की साइजिंग प्रदान करती है। इस प्रकार से तालिका 10.20 एवं तालिका 10.21 को उपयोग करते हुए हम ऊर्जा आवश्यकता पूर्ण करने हेतु पीवी संयंत्र अवयवों के आकार ज्ञात कर सकते हैं।

तालिका 10.29 विभिन्न उपकरण एवं उनकी संख्या के आधार पर दैनिक ऊर्जा के आंकलन हेतु तालिका

S. No.	*CFL*			*Fan*	*Fridge*	*TV*	*Computer*	*Music System*	*Total power* (W)	*Total energy* (Wh)
	5 W	14 W	20 W	50 W	200 W	100 W	250 W	150 W		
1	3	0	0	0	0	0	0	0	15	75
2	3	1	0	0	0	0	0	0	29	145
3	3	2	1	0	0	0	0	0	63	315
4	3	2	1	1	0	0	0	0	113	715
5	2	2	2	2	0	0	0	0	178	1190
6	2	3	1	2	0	0	0	0	172	1160
7	3	4	2	4	1	0	0	0	511	2755
8	3	3	2	3	1	1	0	0	547	2585
9	3	4	2	4	1	1	1	0	861	3805
10	4	3	3	4	1	1	1	1	1022	4010
11	4	3	4	4	2	1	1	1	1242	4710
12	5	4	3	5	2	2	1	1	1391	5405
13	3	5	2	5	2	2	2	1	1625	6075
14	2	6	3	6	2	1	2	2	1754	6470
15	4	5	4	6	2	2	2	2	1870	6850

टिप्पणी : इस तालिका में यह माना गया है कि, CFL 5 घंटे प्रतिदिन, पंखा 8 घंटे प्रति दिन, टीवी 3 घंटे प्रतिदिन, कंप्यूटर 3 घंटे प्रतिदिन, म्यूजिक सिस्टम 1 घंटा प्रतिदिन उपयोग किया गया है। यह हमेशा सलाह दी जाती है कि ग्राहक के इनपुट के आधार पर कुल दैनिक ऊर्जा की वास्तविक गणना करें।

तालिका 10.30 ऊर्जा की दी गई आवश्यकता को पूरा करने के लिये पीवी संयंत्र अवयव

S. No.	*Energy* (Wh)	*Load wattage* (W)	*SPV capacity* (W_p)	*Total battery capacity* (Ah)	*Inverter rating* (VA)	*1 battery capacity* (Ah)	*System voltage* (V)	*No of batteries in*			*Battery bank voltage* (V)	I_m (A)	V_m (V)
								Series	*Parallel*	*Total*			
1	75	15	30	18	100	18	12	1	0	1	12	2	15
2	145	29	60	35	100	35	12	1	0	1	12	4	15
3	315	63	120	70	100	70	12	1	0	1	12	8	15
4	715	113	270	165	200	165	12	1	0	1	12	18	15
5	1190	178	450	270	200	135	12	2	1	2	12	30	15
6	1160	172	450	270	200	135	12	2	1	2	12	30	15
7	2755	511	1000	600	600	150	12	4	1	4	12	70	15
8	2585	547	1000	600	600	150	12	4	1	4	12	70	15
9	3805	861	1400	900	1000	150	12	2	3	6	24	50	30
10	4010	1022	1500	950	1400	165	12	2	3	6	24	50	30
11	4710	1242	1800	1200	1400	150	12	2	4	8	24	60	30
12	5405	1391	2000	1200	1500	150	12	2	4	4	24	70	30
13	6075	1625	2200	1440	2000	180	12	4	2	8	48	40	60
14	6470	1754	2400	1440	2000	180	12	4	2	8	48	40	60
15	6850	1870	2500	1600	2000	200	12	4	2	8	48	45	60

11

ग्रिड-कनेक्टेड सौर पीवी पॉवर संयंत्र

सौर पीवी संयंत्रों को मुख्यतः दो श्रेणियों में विभाजित किया जा सकता हैः स्टैंडअलोन पीवी संयंत्र जो कि ऊर्जा संग्रहण के लिये बैटरी का उपयोग करता है एवं ग्रिड–कनेक्टेड संयंत्र जिनमें बैटरी का उपयोग होता भी है और नहीं भी। वे ग्रिड के संपर्क में होते हैं। यह अध्याय मुख्यतः ग्रिड–कनेक्टेड पीवी संयंत्रों के लिये लिखा गया है।

11.1 ग्रिड-कनेक्टेड पीवी संयंत्रों से परिचय

ग्रिड–कनेक्टेड संयंत्र को मुख्यतः दो श्रेणियों में विभाजित किया जा सकता है :

1. छोटे पॉवर अनुप्रयोगों के लिये ग्रिड–कनेक्टेड पीवी संयंत्र, जैसे घरों में।
2. अधिक पॉवर वाले अनुप्रयोगों के लिये ग्रिड–कनेक्टेड पीवी संयंत्र जैसे सौर पॉवर प्लांट में।

एक ग्रिड–कनेक्टेड सौर पीवी संयंत्रों के मुख्य घटक हैं: (अ) सौर पीवी मॉड्यूल, (ब) एक पॉवर कंडीशनिंग इकाई या इन्वर्टर एवं (स) उपकरण या ग्रिड। एक विद्युत ग्रिड को एक बड़ा सिंक/ऊर्जा संग्रहण का स्थान माना जा सकता है, जहां सौर पीवी संयंत्र द्वारा उत्पादित ऊर्जा ग्रिड तक पहुंचाई जा सकती है या ग्रिड से ली जा सकती है जब भी आवश्यकता हो। पीवी संयंत्र को ग्रिड से जोड़ने के पीछे विचार है ग्रिड को एक ऊर्जा संग्राहक माध्यम के रूप में उपयोग करना जिससे कि, जितना संभव हो बैटरी के उपयोग से बचा जा सके।

कम क्षमता वाले ग्रिड-कनेक्टेड पीवी संयंत्र, सामान्यतः घरेलू अनुप्रयोगों के लिये उपयोग किए जाते हैं एवं अधिक क्षमतायुक्त संयंत्र पॉवर प्लांट अनुप्रयोगों के लिये उपयोग किए जाते हैं।

छोटे पॉवर अनुप्रयोगों एवं अधिक पॉवर के अनुप्रयोगों के लिये ग्रिड–कनेक्टेड पीवी संयंत्र, एक–दूसरे से भिन्न–भिन्न होते हैं। इन अंतरों के विषय में संलग्न अनुच्छेद में चर्चा की गई है।

11.1.1 छोटे पॉवर अनुप्रयोगों हेतु ग्रिड-कनेक्टेड पीवी संयंत्र

छोटे पॉवर वाले घरेलू अनुप्रयोगों के लिये उपयोग किए जाने वाले ग्रिड–कनेक्टेड संयंत्रों का मुख्य उद्देश्य है, ऊर्जा उत्पादित करना एवं घरेलू कार्यों में इसका उपयोग करना। इस प्रकार के पीवी संयंत्र की पॉवर रेटिंग 1 kW से अधिक kW की रेंज में होता है। छोटे पॉवर हाउसहोल्ड/घरेलू संयंत्र में "ग्रिड कनेक्टिविटी" का कार्य है, अतिरिक्त उत्पादित ऊर्जा को ग्रिड तक पहुंचाना, तब जब उपकरण को जितनी आवश्यकता हो पीवी संयंत्र उससे भी अधिक ऊर्जा उत्पादित करे या फिर कमी होने पर ग्रिड से ऊर्जा ले। फिर भी, अनेक परिस्थितियों में कुछ बैटरियां भी जोड़ी जाती हैं, यह सुनिश्चित करने के लिये कि उपकरण सदैव ऊर्जा प्राप्त करें, भले ही ग्रिड पॉवर उपलब्ध न हो। यह संभव है कि, दुनिया के कई भागों में पॉवर की कमी के कारण लोड शेडिंग हो एवं ग्रिड पॉवर उपलब्ध न हो। यह परिस्थिति भारत में पैदा होना मामूली बात है। परंतु, जर्मनी में घरों की छतों पर करोड़ों सौर पीवी संयंत्र स्थापित किए गए हैं और ग्रिड से जोड़े गए हैं परंतु वे कोई

बैटरी बैकअप का उपयोग नहीं करते, क्योंकि ग्रिड पॉवर उपलब्धता बहुत अच्छी है। चित्र 11.1 में छोटे पॉवर अनुप्रयोगों हेतु ग्रिड–कनेक्टेड संयंत्र का उदाहरण दर्शाया गया है। पॉवर कंडीशनिंग यूनिट/इकाई (PCU) या इन्वर्टर छोटे ग्रिड–कनेक्टेड पीवी पॉवर संयंत्रों में बहुत महत्वपूर्ण भूमिका निभाते हैं। चूंकि संयंत्र ग्रिड से पॉवर ले सकता है या ग्रिड को पॉवर दे सकता है, में पॉवर को दोनों दिशाओं में प्रवाहित करने की सुविधा होनी चाहिये, पीवी संयंत्र से ग्रिड एवं ग्रिड से पीवी संयंत्र। यह भी संभव है कि कुछ एक दिशा में हों, जो कि पॉवर प्रवाह को केवल एक दिशा में नियंत्रित करते हों, मुख्यतः ग्रिड से पीवी संयंत्र। इस स्थिति में ग्रिड पीवी संयंत्र के लिये पॉवर का एक अतिरिक्त स्रोत बन जाता है परंतु पीवी संयंत्र द्वारा उत्पादित अतिरिक्त पॉवर ग्रिड को आपूर्ति नहीं की जा सकती। भारत में उपयोग किए जाने वाले इन्वर्टर संयंत्र (पीवी मॉड्यूल के साथ) इस प्रकार के संयंत्रों का एक उदाहरण है। यह ध्यान रखा जाना चाहिये कि द्वि–दिशीय PCU एकल दिशीय PCU की अपेक्षा महंगे होते हैं। जवाहरलाल नेहरू नेशनल सौर मिशन के अंतर्गत लगभग 2000 MW के इस तरह के पीवी संयंत्र वर्ष 2022 तक स्थापित किए जाने की योजना है।

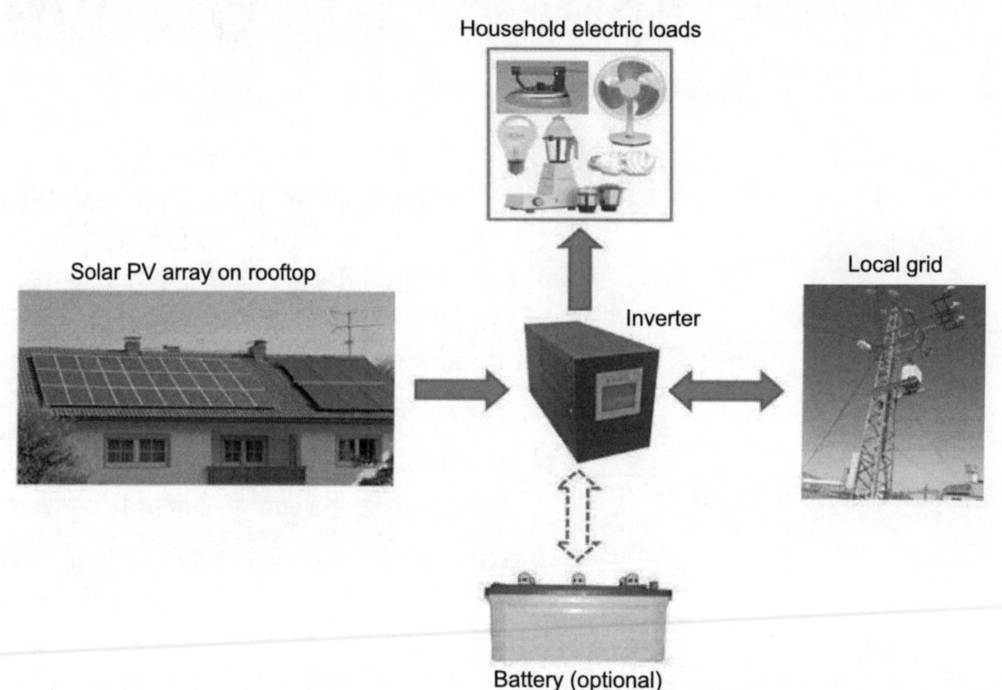

चित्र 11.1
कम पॉवर वाले अनुप्रयोगों हेतु ग्रिड-कनेक्टेड पीवी संयंत्र।

11.1.2 अधिक पॉवर अनुप्रयोगों के लिये ग्रिड-कनेक्टेड पीवी संयंत्र

अधिक पॉवर अनुप्रयोगों के लिये ग्रिड–कनेक्टेड संयंत्र मुख्यतः पॉवर प्लांट की तरह कार्य करने के लिये डिजाइन किए जाते हैं एवं इन पॉवर प्लांटों का मुख्य उद्देश्य होता है, पॉवर उत्पादित करना एवं इसे ग्रिड तक पहुंचाना। इस प्रकार से वे कोयला पॉवर प्लांट या हाइड्रो पॉवर प्लांट के ही समान हैं। चूंकि इस प्रकार के ग्रिड–कनेक्टेड पीवी संयंत्र का मुख्य उद्देश्य है ग्रिड को पॉवर पहुंचाना, अतः इनकी पॉवर रेटिंग सामान्यतः 1 MW से कई दशीय (10) MW तक होती है। यह माना गया है कि ग्रिड, ऊर्जा का एक बड़ा ऊर्जा संग्रहण स्थान या सिंक है एवं पीवी प्लांट द्वारा उत्पादित ऊर्जा की बड़ी मात्रा ग्रिड में पहुंचाई जा सकती है एवं इस तरह के प्लांट में किसी बैटरी संग्रहण की आवश्यकता नहीं होती है। इस तरह के बड़े पॉवर के लिये बैटरी संग्रहण बहुत महंगा भी होता है। चित्र 11.2 में ग्रिड–कनेक्टेड पीवी पॉवर प्लांट का उदाहरण दर्शाया गया है।

जवाहरलाल नेहरू नेशनल सौर मिशन के अंतर्गत लगभग 18000 MW के सौर पॉवर प्लांट की योजना है, जिसमें सौर पीवी के साथ सौर थर्मल भी शामिल हैं, इन्हें भारत में वर्ष 2022 तक स्थापित किया जाएगा।

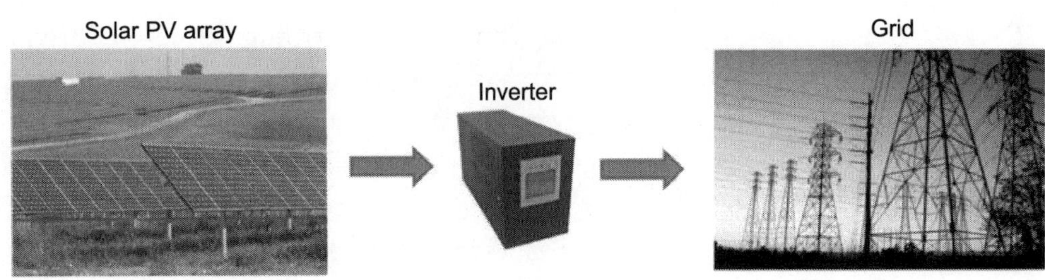

चित्र 11.2
बड़े पॉवर अनुप्रयोगों हेतु ग्रिड-कनेक्टेड पीवी संयंत्र।

ग्रिड-कनेक्टेड प्लांट का आकार एवं उनके अनुप्रयोग

छोटे पॉवर अनुप्रयोगों (1 kW–100 kW) के लिये ग्रिड–कनेक्टेड पीवी संयंत्रों का उपयोग घरेलू, कमर्शियल एवं औद्योगिक अनुप्रयोगों के लिये वितरित AC पॉवर की आपूर्ति के लिये किया जाता है। ये संयंत्र AC ग्रिड पॉवर आपूर्ति से जुड़े विशेषतः, दिन के समय उपयोग किए जाने वाले उपकरणों को पॉवर की आपूर्ति करते हैं। अतिरिक्त उत्पादित ऊर्जा अपने आप ही ग्रिड पॉवर आपूर्ति से जुड़े अंदरूनी इलाकों के उपकरणों को पहुंचा दी जाती है।

अधिक पॉवर अनुप्रयोगों के लिये ग्रिड–कनेक्टेड पीवी संयंत्र दो प्रकार के होते हैं, वितरण ग्रिड से जुड़े संयंत्र एवं संचरण या उत्पादन ग्रिड से जुड़े संयंत्र।

मध्यम से बड़े आकार (100 kW–1 MW) के ग्रिड–कनेक्टेड सौर पीवी पॉवर प्लांट स्थानीय पॉवर वितरण ग्रिड में पॉवर देने के लिये उपयोग किए जाते हैं। इन वितरण ग्रिड का कार्य एक छोटे गांव या गांवों के समूह या एक बड़े उद्योग या एक औद्योगिक कांप्लेक्स में पॉवर की आपूर्ति करने के लिये होता है।

> ग्रिड–कनेक्टेड पीवी संयंत्र की पॉवर क्षमता 1 kW से कई MW तक होती है। विभिन्न अनुप्रयोगों के लिये विभिन्न क्षमता वाले पीवी संयंत्र उपर्युक्त होते हैं।

बड़े से बहुत बड़े (1 MW–100 MW) ग्रिड–कनेक्टेड सौर पीवी पॉवर प्लांट का उपयोग मुख्य AC ट्रांसमिशन या जनरेशन/उत्पादन ग्रिड तक पॉवर की आपूर्ति करने में किया जाता है।

प्रश्न 11.1 स्टैंडअलोन संयंत्र एवं एक ग्रिड–कनेक्टेड पीवी संयंत्र में क्या अंतर होता है?

ग्रिड-कनेक्टेड पीवी संयंत्र के बुनियादी संचालन

प्रत्येक छोटे या बड़े पॉवर अनुप्रयोगों हेतु ग्रिड–कनेक्टेड पीवी संयंत्र के आधारभूत संचालन कार्य समान होते हैं। ग्रिड–कनेक्टेड पीवी संयंत्र का आउटपुट ग्रिड से जुड़ा होता है (विद्युतीय पॉवर आपूर्ति)। पूरे विश्व में ग्रिड में AC पॉवर होती है। भारत में पॉवर उत्पादन की कमी के कारण ग्रिड में पूरे समय पॉवर नहीं होती। इस कारण से इस प्रकार के संयंत्र का संचालन ग्रिड की उपलब्धता पर निर्भर करता है। जब ग्रिड उपलब्ध न हो या जब ग्रिड में पॉवर न हो, तब पीवी संयंत्र का आउटपुट ग्रिड तक पहुंचाया नहीं जा सकता।

संयंत्र में मुख्यतः सौर पीवी श्रृंखला एवं (DC से AC) इन्वर्टर होता है। सौर पीवी श्रृंखला का DC आउटपुट इन्वर्टर द्वारा AC में रूपांतरित हो जाता है। इन्वर्टर में पहले से निर्मित एक कंट्रोलर होता है, जोकि सौर पीवी श्रृंखला से अधिकतम पॉवर निकालता है। वोल्टेज स्तर, अवस्था व इन्वर्टर आउटपुट की आवृत्ति को ग्रिड के साथ संयोजित किया जाता है। इन्वर्टर AC विद्युतधारा को ग्रिड में पहुंचाता है एवं इस जुड़े हुए उपकरण को ग्रिड द्वारा उपलब्ध कराता है।

ग्रिड-कनेक्टेड पीवी संयंत्र का उदाहरण

भिन्न–भिन्न वोल्टेज एवं विद्युतधारा स्तरों के आधार पर पीवी संयंत्र, विभिन्न विशेषज्ञता वाले हो सकते हैं। जब हम एक सौर पीवी संयंत्र डिजाइन करते हैं, तब हमें दिया गया वोल्टेज एवं विद्युतधारा डिजाइन करना होता है। जब हम एक इन्वर्टर का चयन करते हैं तब हम इसे एक निश्चित इनपुट विद्युतधारा एवं इनपुट वोल्टेज के लिये चुनते हैं, साथ ही एक निश्चित आउटपुट विद्युतधारा एवं आउटपुट वोल्टेज के लिये। याद रखें यहां कि इनपुट एवं आउटपुट पर पॉवर स्तर, विद्युतधारा स्तर एवं वोल्टेज स्तर पर निर्भर करता है।

उदाहरण के लिये एक 2.4 kW के पीवी मॉड्यूल को इस तरह से कनेक्ट किया जा सकता है कि ये व्यवस्था आपको 24 V वोल्टेज स्तर एवं 100 A विद्युतधारा स्तर प्रदान कर सकती है

(एवं विद्युतधारा × वोल्टेज का उत्पाद होगा = 24 × 100 = 2.4 kW)। याद रखें कि पीवी मॉड्यूल पॉवर उत्पादित करेगा। इस प्रकार से हम लिख सकते हैं कि 2.4 kW पीवी संयंत्र में 24 V/100 A DC आउटपुट है। सौर पीवी मॉड्यूलों के एक ग्रिड–कनेक्टेड संयंत्र को एक इन्वर्टर का इनपुट पहुंचाया जाएगा। अतः एक इन्वर्टर अपने इनपुट पर 24 V/100 A DC प्राप्त करेगा। इन्वर्टर का आउटपुट AC पॉवर में होगा। इन्वर्टर का वोल्टेज आउटपुट ग्रिड के वोल्टेज स्तर के बराबर होगा जिससे यह कनेक्टेड है। एकल फेस लाइन का वोल्टेज स्तर सामान्यतः 240 V है। इसीलिये एक इन्वर्टर का आउटपुट वोल्टेज स्तर 240 V होगा। वहीं दूसरी तरफ यदि इन्वर्टर हाईटेंशन तीन फेस ग्रिड से जुड़ा हुआ है तब इन्वर्टर का आउटपुट 415 V, 11,000 V या 11 kV या कभी 33 kV हो सकता है। एक इन्वर्टर के आउटपुट पर विद्युतधारा स्तर इनपुट पॉवर पर निर्भर करेगा।

इन्वर्टर में होने वाली हानियों के कारण एक इन्वर्टर आउटपुट में पॉवर हमेशा इनपुट पॉवर से कम होगा। इन हानियों की मात्रा इन्वर्टर की दक्षता से मापी जाती है। इन्वर्टर दक्षता, इसकी इनपुट पॉवर एवं आउटपुट पॉवर में संबंध चित्र 11.3 में दिया गया है।

चित्र 11.3
एक ग्रिड-कनेक्टेड इन्वर्टर पर इनपुट एवं आउटपुट वोल्टेज, विद्युतधारा एवं पॉवर आदि को दर्शाया गया है।

> ग्रिड–कनेक्टेड इन्वर्टर में DC पॉवर से AC पॉवर रूपांतरण के दौरान कुछ पॉवर हानि होती है।
> ग्रिड–कनेक्टेड इन्वर्टर की दक्षता बहुत उच्च होती है व उच्च दक्षता जैसे, 98% दक्षता के इन्वर्टर उपलब्ध हैं।

सामान्यतः ग्रिड–कनेक्टेड इन्वर्टर की दक्षता बहुत अच्छी होती है। इन्वर्टर उच्च दक्षता 98% के साथ उपलब्ध है। हालांकि दक्षता उच्च है, तब भी कुछ पॉवर हानि DC पॉवर से AC पॉवर रूपांतरण के दौरान होती है। उपरोक्त चर्चा पर आधारित निम्न समीकरण लिखा जा सकता है :

पॉवर आउटपुट = पॉवर इनपुट × इन्वर्टर की दक्षता

इन्वर्टर में पॉवर हानि = आउटपुट पॉवर – इनपुट पॉवर

ग्रिड तक पहुंचाई गई AC विद्युतधारा का आंकलन

एक उदाहरण लें, जिसमें 2.4 kW DC पीवी सरणी पर अंकित आउटपुट है, 24 V/100 A DC। एक आदर्श संयंत्र में जिसमें कोई हानि न हो (100% दक्षता), इन्वर्टर का आउटपुट 240 V/10 A AC होगा एवं वह 2.4 kW AC पॉवर उत्पादित करेगा, जबकि वह, 240 V AC ग्रिड से जुड़ा हुआ होगा। व्यावहारिक रूप में एक संयंत्र में पॉवर को DC पॉवर AC में रूपांतरित करने से होने वाली हानि के कारण, उत्पादित AC पॉवर 2 kW होगी। ग्रिड में पहुंचाए गए AC पॉवर व विद्युतधारा की गणना करने हेतु, समीकरण 1 व 2 का उपयोग करें।

प्रथम चरण: ग्रिड में पहुंचाई गई AC पॉवर

ग्रिड में पहुंचाई गई AC पॉवर = पॉवर पीवी सरणी द्वारा उत्पादित DC पॉवर – DC पॉवर से AC पॉवर में रूपांतरण के दौरान पॉवर हानि।

द्वितीय चरण: ग्रिड को पहुंचाई गई AC विद्युतधारा

ग्रिड को पहुंचाई गई AC विद्युतधारा = ग्रिड में पहुंचाई गई AC पॉवर / AC वोल्टेज

उदाहरण 11.1

एक सौर पीवी सरणी की रेटिंग 100 V/50 DC है। संयंत्र की पॉवर हानि 20% है। ग्रिड को पहुंचाई गई AC पॉवर कितनी है ? ग्रिड का वोल्टेज है 240 V AC, ग्रिड को पहुंचाई गई AC विद्युतधारा कितनी है ?

हल

DC पॉवर = 100 V × 50 A = 5000 W = 5 kW
पॉवर हानि = 5000 × 20/100 = 1000 W = 1 kW
ग्रिड को पहुंचाई गई पॉवर = DC पॉवर – पॉवर हानि = 5 – 1 = 4 kW = 4000 W
ग्रिड को पहुंचाई गई विद्युतधारा = AC पॉवर/AC वोल्टेज = 4000/240 = 16.67 A

प्रश्न 11.2 सौर पीवी सरणी की रेटिंग 96 V/150 A DC है। संयंत्र की पॉवर हानियां 22% हैं। ग्रिड को पहुंचाई गई AC पॉवर कितनी है ? यदि ग्रिड वोल्टेज 240 V AC है, तब ग्रिड को पहुंचाई गई AC विद्युतधारा कितनी है ?

11.2 ग्रिड-कनेक्टेड सौर पीवी संयंत्रों का विन्यास/कॉन्फीगरेशन

अपने कार्यों के आधार पर छोटे पॉवर अनुप्रयोगों के लिये सौर पॉवर संयंत्रों को मुख्यतः दो प्रकारों में विभाजित किया जा सकता है—बैटरी बैक–अप के साथ एवं बिना बैटरी के। छोटे पॉवर अनुप्रयोगों के लिये ग्रिड–कनेक्टेड पीवी संयंत्रों को दो भागों में विभाजित किया जा सकता है उनके उपयोग या अनुप्रयोगों के आधार पर।

1. कैप्टिव पॉवर संयंत्र
2. ग्रिड सपोर्ट पॉवर संयंत्र

बड़े पॉवर अनुप्रयोगों के लिये ग्रिड–कनेक्टेड पीवी संयंत्रों का केवल एक उपयोग होता है ग्रिड को पॉवर की आपूर्ति करना, ऐसे संयंत्रों में बैटरी बैक–अप नहीं होता है।

11.2.1 बिना बैटरी बैक अप के ग्रिड-कनेक्टेड पीवी संयंत्र

सामान्यतः उपलब्ध संयंत्र बिना बैटरी के होते हैं एवं इनमें दो मुख्य घटक होते हैं सौर पीवी सरणी एवं ग्रिड से जुड़ा इन्वर्टर। पीवी श्रृंखला से अधिकतम DC पॉवर निकालने के लिये इन्वर्टर में कंट्रोलर पहले से निर्मित होता है। इस प्रकार का संयंत्र स्थापित करने या लगाने में आसान होता है, दक्षता व लागत प्रभावी होते हैं, तो भी, इसमें AC पॉवर सप्लाई करने का कोई साधन नहीं होता है जबकि ग्रिड उपलब्ध न हो।

छोटे पॉवर अनुप्रयोगों में, जब तक सौर श्रृंखला स्थानीय मांग की अपेक्षा अधिक पॉवर उत्पादित करती है, तब तक अतिरिक्त पॉवर यूटिलिटी वितरण ग्रिड तक पहुंचाई जाती है। वितरण ग्रिड के द्वारा अतिरिक्त पॉवर अंदरूनी इलाकों में उपकरणों को पहुंचाई जाती है। कभी–कभी जैसे सुबह या शाम को जब स्थानीय उपकरण जितनी पॉवर सौर श्रृंखला उत्पादित कर सकती है उससे मांग अधिक है, तब ग्रिड से डेफिसिट या घाटे की पॉवर ली जाती है। ग्रिड रात में भी पॉवर की आपूर्ति करता है।

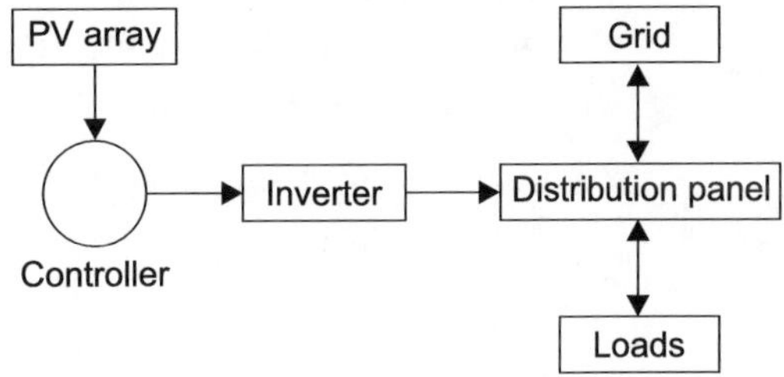

चित्र 11.4
बिना बैटरी बैक-अप के ग्रिड-कनेक्टेड सौर पीवी पॉवर संयंत्र।

बिना बैटरी बैक-अप के ग्रिड-कनेक्टेड पीवी संयंत्र, उपकरण को पॉवर की आपूर्ति नहीं कर सकता, यदि ग्रिड उपलब्ध न हो।

बड़े पॉवर अनुप्रयोगों में, संयंत्र से उत्पादित पॉवर हमेशा ही संचरण / ट्रांसमिशन या उत्पादन ग्रिड को पहुंचा दिया जाता है। संयुक्त पारंपरिक ग्रिड पॉवर एवं पीवी उत्पादित पॉवर वितरण ट्रांसफार्मर द्वारा वितरण ग्रिड से होते हुए उपकरणों को किया जाता है।

11.2.2 बैटरी बैक-अप के साथ ग्रिड-कनेक्टेड पीवी संयंत्र

बैटरी बैक–अप के साथ ग्रिड–कनेक्टेड पीवी संयंत्र छोटे पॉवर अनुप्रयोगों में उपयोग किए जाते हैं। सौर पीवी सरणी व इन्वर्टर के अतिरिक्त, बैटरी बैक–अप के साथ संयंत्र में दो अतिरिक्त घटक होते हैं—बैटरी बैंक एवं चार्ज कंट्रोलर। सौर पीवी श्रृंखला का DC आउटपुट का उपयोग बैटरी बैंक चार्ज करने के लिये किया जाता है। चार्ज कंट्रोलर बैटरी बैंक चार्जिंग वोल्टेज एवं विद्युत–धारा को नियंत्रित करता है यह सुनिश्चित करने के लिये कि बैटरी बैंक न तो ओवर–चार्ज हो न ही ओवर–डिस्चार्ज। श्रृंखला द्वारा उत्पादित अतिरिक्त DC ऊर्जा AC में इन्वर्टर द्वारा रूपांतरित हो जाती है एवं वह उपकरण को ग्रिड से होते हुए सप्लाई कर दी जाती है। इस प्रकार का संयंत्र तब भी AC पॉवर सप्लाई कर सकता है जबकि ग्रिड उपलब्ध न हो। इस प्रकार का संयंत्र

अधिक घटक होने की वजह से स्थापित करने में कुछ मुश्किलें होती हैं। साथ ही ये कम दक्ष होते हैं एवं अतिरिक्त बैटरी बैक–अप के कारण महंगे भी होते हैं।

जब ग्रिड उपलब्ध हो, तब संयंत्र संचालन बिना बैटरी बैक–अप के साथ संयंत्र के समान ही होता है। जब ग्रिड उपलब्ध होता है तब बैटरी बैंक में संग्रहित ऊर्जा का चक्रीकरण नहीं होता है। अधिक चार्ज होने की स्थिति में सौर पीवी श्रृंखला, बैटरी बैंक का संतुलन बनाए रखती है। जब ग्रिड कार्य करना बंद कर देता है, तब बैटरी बैक–अप का उपयोग इन्वर्टर को DC इनपुट सप्लाई करने के लिये किया जाता है। इन्वर्टर, आउटपुट ग्रिड से पृथक होता है एवं यह बैक–अप उपकरणों को पॉवर सप्लाई करता है।

जब ग्रिड उपलब्ध न होने की स्थिति में भी, बैटरी बैक-अप के साथ ग्रिड-कनेक्टेड पीवी संयंत्र उपकरण को पॉवर की आपूर्ति कर सकते हैं।

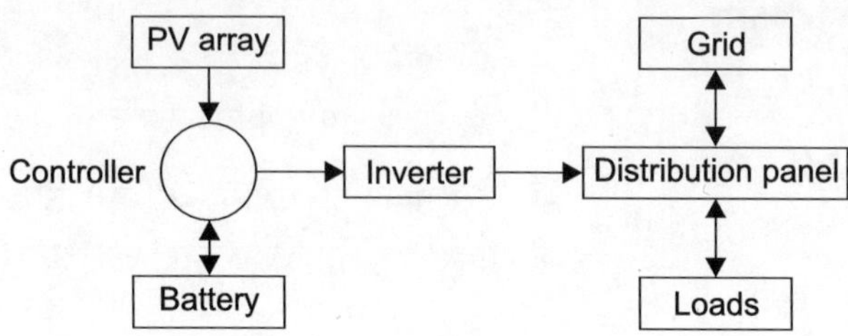

चित्र 11.5
बैटरी बैक-अप के साथ ग्रिड-कनेक्टेड सौर पीवी संयंत्र।

11.2.3 ग्रिड-कनेक्टेड सौर पीवी कैप्टिव पॉवर संयंत्र

ग्रिड–कनेक्टेड पीवी कैप्टिव पॉवर संयंत्रों का उपयोग छोटे एवं मध्यम पॉवर अनुप्रयोगों में किया जाता है। शब्द कैप्टिव से तात्पर्य है कि सौर पीवी सरणी द्वारा उत्पादित पॉवर का स्थानीय रूप से यूटिलिटी ग्रिड से जुड़े उपकरणों द्वारा होता है। इस प्रकार के संयंत्र में सौर पीवी सरणी द्वारा उत्पादित पॉवर की मात्रा स्थानीय उपकरण द्वारा उपयोग की गई पॉवर की मात्रा से कम होती है। इन्वर्टर का AC पॉवर आउटपुट, यूटिलिटी ग्रिड से होते हुए स्थानीय उपकरण से जुड़ा होता है। उपकरण को आवश्यक अतिरिक्त पॉवर, ग्रिड से मिल जाती है। उदाहरण के लिये, यदि ग्रिड–कनेक्टेड सौर पीवी संयंत्र दिन के दौरान 5 kW पॉवर उत्पादित करने में समर्थ है, एवं उपकरण की खपत 8 kW है, तब 3 kW पॉवर ग्रिड से ले ली जाती है।

उद्योगों में उपयोग किए जाने वाले इस प्रकार के संयंत्र में सौर पीवी सरणी द्वारा उत्पादित पॉवर की मात्रा स्थानीय उपकरण द्वारा उपयोग की गई पॉवर से अधिक हो सकती है, विशेषतः साप्ताहांत पर। अतिरिक्त पीवी पॉवर ग्रिड को पहुंचा दी जाती है एवं ग्रिड द्वारा अंदरूनी इलाकों को। उदाहरण के लिये यदि ग्रिड–कनेक्टेड सौर पीवी संयंत्र दिन में 5 kW पॉवर उत्पादित करता है, एवं उपकरण की खपत 3 kW है, तब अतिरिक्त 2 kW पॉवर दूरस्थ इलाकों में उपकरणों को ग्रिड द्वारा पहुंचा दी जाती है।

कैप्टिव पॉवर प्लांट का मुख्य उद्देश्य है— पॉवर उत्पादित करना। मुख्यतः स्थानीय उपकरणों के लिये।

PV array
Grid
Inverter
Distribution panel
Controller
Loads

चित्र 11.6
ग्रिड-कनेक्टेड सौर पीवी कैप्टिव पॉवर संयंत्र।

11.2.4 ग्रिड सपोर्ट सौर पीवी पॉवर संयंत्र

ग्रिड सपोर्ट सौर पीवी पॉवर संयंत्रों का उपयोग छोटे पॉवर अनुप्रयोगों में किया जाता है। ग्रिड सपोर्ट सौर पीवी संयंत्रों को उपकरणों द्वारा पॉवर देने के लिये डिजाइन किया गया है, जब ग्रिड उपलब्ध न हों। जब ग्रिड उपलब्ध हो, तब उपकरण ग्रिड से पॉवर लेता है एवं सौर उत्पादित पॉवर का उपयोग बैटरी बैंक को चार्ज करने के लिये करता है। यदि अतिरिक्त सौर पॉवर उपलब्ध हो, यह उपकरण को पहुंचा दी जाती है। इसके अतिरिक्त उत्पादित सौर पॉवर को वापस ग्रिड में पहुंचा दिया जाता है।

इस विन्यास में जब ग्रिड काम करना बंद कर देता है, तब बैटरी बैंक उपकरण को पॉवर की आपूर्ति करता है एवं सौर श्रृंखला बैटरी बैंक को चार्ज करता है। यदि अतिरिक्त सौर पॉवर उपलब्ध हो, तो यह सीधे उपकरण को पहुंचा दी जाती है। एवं, जब सौर पीवी पॉवर उपलब्ध न हो, बादल वाले दिनों में या रात में, तब यदि आवश्यकता हो तो बैटरी को चार्ज करने के लिये ग्रिड का उपयोग किया जा सकता है। उपयोग हेतु सौर पीवी पॉवर को पहली प्राथमिकता दी जाती है, तब द्वितीय प्राथमिकता बैटरी को एवं ग्रिड को अंतिम स्थान दिया जाता है।

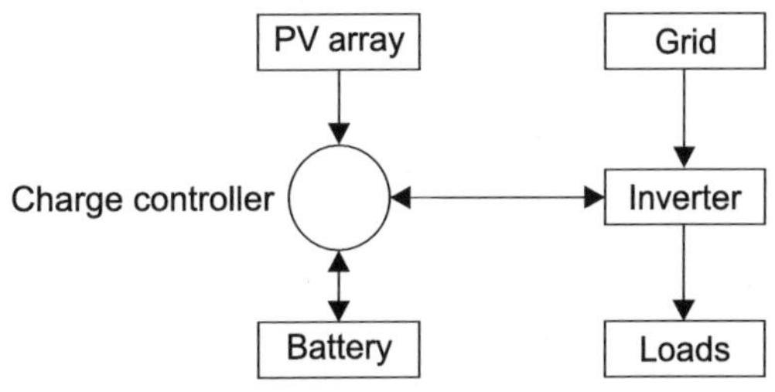

चित्र 11.7
ग्रिड सपोर्ट सौर पीवी पॉवर संयंत्र।

11.3 ग्रिड से जुड़े/कनेक्टेड सौर पीवी संयंत्रों के अवयव

ग्रिड–कनेक्टेड सौर पीवी संयंत्र में मुख्यतः निम्न अवयव होते हैं :

(1) सौर पीवी सरणी
(2) सरणी कंबाइनर बॉक्स
(3) DC केबलिंग (Cabling)
(4) DC वितरण बॉक्स (Distribution Box)
(5) इन्वर्टर
(6) AC केबलिंग (Cabling)
(7) AC वितरण बॉक्स (Distribution Box)

चित्र 11.8 में एक ग्रिड–कनेक्टेड सौर पीवी संयंत्र में इन अवयवों का आपस में संबंध दर्शाया गया है। निम्न अनुच्छेद में इन अवगवों में से प्रत्येक को विस्तारपूर्वक समझाया गया है।

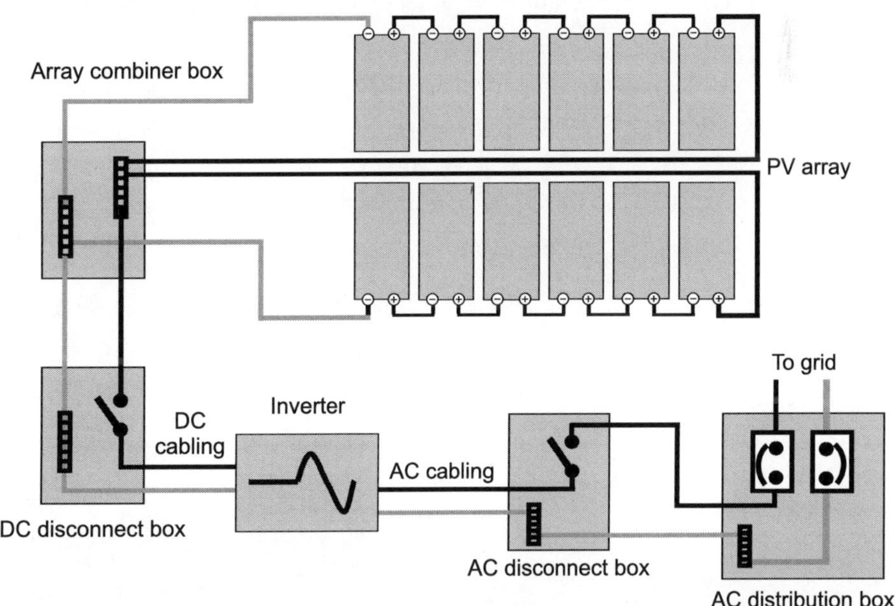

चित्र 11.8
ग्रिड-कनेक्टेड सौर पीवी संयंत्र के अवयवों का अंतर्संबंध दर्शाता हुआ रेखाचित्र।

11.3.1 सौर पीवी सरणी

सौर पीवी सरणी का उपयोग सौर ऊर्जा को DC विद्युतीय ऊर्जा में रूपांतरित करने के लिये किया जाता है। श्रृंखला में बहुत से सौर पीवी मॉड्यूल सरणी में एवं/या समानांतर क्रम में जुड़े होते हैं। श्रेणी संयोजन का उपयोग वोल्टेज आउटपुट बढ़ाने के लिये किया जाता है वहीं समानांतर

क्रम का उपयोग विद्युतधारा आउटपुट बढ़ाने के लिये किया जाता है। एक श्रेणी श्रृंखला में बहुत से मॉड्यूल श्रेणी क्रम में जुड़े होते हैं एवं बहुत सी श्रेणी श्रृंखला, एक श्रेणी–समानांतर क्रम सौर पीवी श्रृंखला बनाने के लिये, समानांतर क्रम में जुड़े होते हैं। समानांतर श्रृंखला में बहुत–से मॉड्यूल जोड़े जा सकते हैं।

श्रेणी-संयोजित सौर पीवी श्रृंखला: DC वोल्टेज का बढ़ना

एक पीवी मॉड्यूल श्रृंखला में बहुत-से सौर पीवी मॉड्यूल, वोल्टेज आउटपुट का मान बढ़ाने के लिये श्रेणी में जोड़े जाते हैं।

एक श्रेणी–संयोजित सौर पीवी श्रृंखला में बड़ी संख्या में सौर पीवी मॉड्यूल श्रेणी क्रम में जुड़े होते हैं जैसा कि चित्र 11.9 में दर्शाया गया है। श्रेणी संयोजन श्रृंखला का DC वोल्टेज आउटपुट बढ़ाने के लिये उपयोग किया जाता है। एक श्रृंखला की DC विद्युतधारा आउटपुट श्रेणी संयोजन द्वारा नहीं बढ़ता है। एक श्रेणी–संयोजित श्रृंखला का वोल्टेज आउटपुट 100–1000 V DC तक होता है एवं इसकी विद्युतधारा आउटपुट 5–10 A DC तक होता है। सौर श्रृंखला अधिकतम या मैक्सिमम पॉवर पॉइंट पर संचालित करने के लिये निर्मित किये जाते हैं, जब वे इन्वर्टर से जुड़े होते हैं। पीवी मॉड्यूलों के श्रृंखला संयोजन के विषय में विस्तृत जानकारी के लिये अध्याय 5 एवं अध्याय 6 देखें।

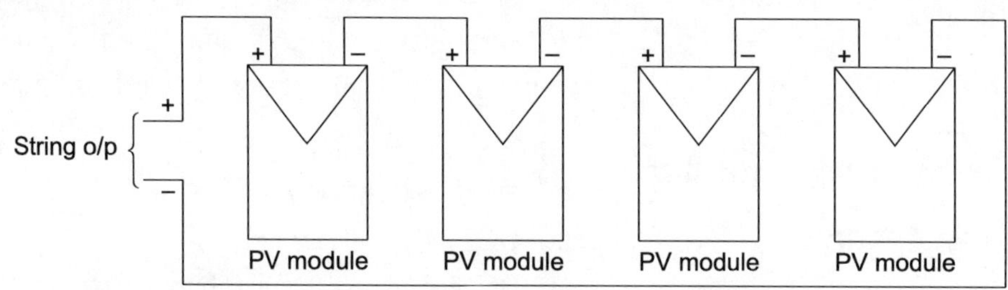

चित्र 11.9
श्रेणी संयोजित सौर पीवी श्रृंखला।

श्रेणी संयोजित पीवी मॉड्यूल श्रृंखला के DC वोल्टेज एवं विद्युतधारा: श्रृंखला में जुड़े हुए पीवी मॉड्यूलों का DC वोल्टेज निम्न प्रकार से आंकलित किया जा सकता है :

प्रथम चरण: श्रेणी संयोजित सौर पीवी श्रृंखला का DC वोल्टेज

श्रेणी संयोजित सौर पीवी श्रृंखला का कुल वोल्टेज सरल रूप में, पृथक पीवी मॉड्यूल के DC वोल्टेज को श्रेणी में जोड़े जाने वाले पीवी मॉड्यूलों की संख्या से गुणा करके प्राप्त किया जा सकता है।

श्रेणी संयोजित सौर पीवी श्रृंखला का DC वोल्टेज = पृथक सौर पीवी मॉड्यूल का DC वोल्टेज × श्रेणी में जोड़े जाने वाले मॉड्यूलों की संख्या

इससे, यदि हम चाहा गया श्रृंखला वोल्टेज जानते हैं एवं पृथक मॉड्यूल का वोल्टेज जानते हैं, तब चाहे गए श्रृंखला वोल्टेज को पृथक मॉड्यूल वोल्टेज से विभाजित करने पर हमें श्रेणी में जोड़े जाने वाले मॉड्यूलों की संख्या प्राप्त हो जाएगी।

द्वितीय चरण: श्रेणी संयोजित सौर पीवी श्रृंखला की DC विद्युतधारा

श्रेणी संयोजित सौर पीवी श्रृंखला की DC विद्युतधारा = पृथक सौर पीवी मॉड्यूल की DC विद्युतधारा

तृतीय चरण: श्रेणी संयोजित सौर पीवी श्रृंखला का DC पॉवर आउटपुट

श्रेणी संयोजित सौर पीवी श्रृंखला का DC पॉवर आउटपुट = श्रेणी संयोजित सौर पीवी श्रृंखला का DC वोल्टेज × श्रेणी संयोजित सौर पीवी श्रृंखला की DC विद्युतधारा

$$= 384 \text{ V} \times 8\text{A} = 4608 \text{ W} \text{ या } 4.6 \text{ kW}$$

उदाहरण 11.2

एक सौर पीवी मॉड्यूल की रेटिंग $V_{oc} = 40$ V, $V_{mp} = 32$ V, $I_{sc} = 8.5$ A है एवं $I_{mp} = 8$ A है। एक सौर पीवी श्रृंखला डिजाइन करें जो कि 384 V, DC वोल्टेज आउटपुट उत्पादित करे। श्रृंखला का DC विद्युतधारा आउटपुट क्या होगा ? श्रेणी संयोजित श्रृंखला का DC पॉवर आउटपुट क्या होगा ?

हल

चूंकि पॉवर प्रदान करते समय पीवी मॉड्यूलों को अधिकतम पॉवर बिंदु पर कार्य करना चाहिये, इसीलिये अधिकतम पॉवर पॉइंट पर विद्युतधारा एवं वोल्टेज V_{mp} एवं I_{mp} को गणनाओं के वक्त ध्यान रखा जाता है।

प्रथम चरण: श्रेणी संयोजित सौर पीवी श्रृंखला का DC वोल्टेज = पृथक सौर पीवी मॉड्यूल का DC वोल्टेज × श्रेणी में जुड़े मॉड्यूलों की संख्या

अतः, श्रेणी में मॉड्यूलों की संख्या = श्रृंखला वोल्टेज / मॉड्यूल वोल्टेज

= 384 / 32 = 12

अतः, 384 V श्रृंखला वोल्टेज प्राप्त करने के लिये 12 PV मॉड्यूलों को संयोजित करने की आवश्यकता है।

द्वितीय चरण: श्रेणी संयोजित सौर पीवी श्रृंखला की DC विद्युतधारा = पृथक सौर पीवी मॉड्यूल की DC विद्युतधारा

श्रृंखला की DC विद्युतधारा = 8 A

तृतीय चरण: श्रेणी संयाजित सौर पीवी श्रृंखला का DC पॉवर आउटपुट

= श्रेणी संयोजित सौर पीवी श्रृंखला का DC वोल्टेज × श्रेणी संयोजित सौर पीवी श्रृंखला की DC विद्युतधारा

= 384 V × 8 A = 4608 W या 4.6 kW

प्रश्न 11.3 एक सौर पीवी मॉड्यूल की रेटिंग V_{oc} = 36 V, V_{mp} = 30 V, I_{sc} = 8.5 A है एवं I_{mp} = 7.9 A है । एक ऐसा सौर पीवी मॉड्यूल श्रृंखला की डिजाइन करें जो कि 120 V, DC वोल्टेज आउटपुट उत्पादित करे। श्रृंखला की DC विद्युतधारा आउटपुट क्या होगी? श्रेणी–संयोजित श्रृंखला का DC पॉवर आउटपुट क्या होगी ?

समानांतर संयोजित सौर पीवी श्रृंखला : विद्युतधारा मान का बढ़ना

समानांतर संयोजन में अनेक पीवी मॉड्यूल या पीवी मॉड्यूल श्रृंखला विद्युतधारा आउटपुट बढ़ाने के लिये समानांतर क्रम में जोड़े जाते हैं।

समानांतर संयोजित सौर पीवी श्रृंखला में बड़ी संख्या में सौर पीवी मॉड्यूल जुड़े होते हैं, जैसा कि चित्र 11.10 में दर्शाया गया है। समानांतर संयोजन का उपयोग श्रृंखला का DC विद्युतधारा आउटपुट बढ़ाने के लिये किया जाता है। एक श्रृंखला का DC वोल्टेज आउटपुट समानांतर संयोजन में समान रहता है। एक समानांतर क्रम में संयोजित श्रृंखला का वोल्टेज आउटपुट 20–30 V DC की रेंज में होता है एवं विद्युतधारा आउटपुट 50–200 A DC की रेंज में होता है। सौर श्रृंखला जब इन्वर्टर से जोड़ी जाती है तो यह सौर श्रृंखला इस तरह डिजाइन की जाती है कि यह अधिकतम पॉवर पॉइंट पर कार्य करे। पीवी मॉड्यूल के समानांतर संयोजन को विस्तृत रूप में समझने के लिये अध्याय 5 एवं अध्याय 6 देखें।

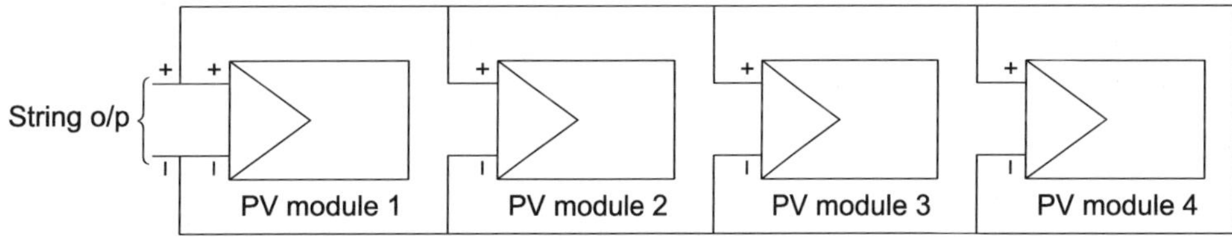

चित्र 11.10
समानांतर क्रम में संयोजित सौर पीवी श्रृंखला।

समानांतर संयोजित पीवी मॉड्यूल श्रृंखला का DC वोल्टेज एवं विद्युतधारा

प्रथम चरण: समानांतर संयोजित सौर पीवी श्रृंखला की DC विद्युतधारा

समानांतर क्रम में संयोजित पीवी मॉड्यूलों की कुल विद्युतधारा ज्ञात करने के लिये, पृथक पीवी मॉड्यूल की DC विद्युतधारा को समानांतर श्रृंखला में मॉड्यूलों की संख्या से गुणा किया जा सकता है।

समानांतर क्रम में जुड़े सौर पीवी श्रृंखला की DC विद्युतधारा = पृथक सौर पीवी मॉड्यूल की DC विद्युतधारा × समानांतर क्रम में जुड़े मॉड्यूलों की संख्या

वहीं दूसरी ओर, यदि हमें एक समानांतर संयोजित सौर पीवी श्रृंखला से चाही गई विद्युतधारा की मात्रा ज्ञात है, तब हम श्रृंखला से चाही गई विद्युतधारा मात्रा को पृथक मॉड्यूल विद्युतधारा मात्रा से विभाजित करके श्रृंखला में आवश्यक पीवी मॉड्यूलों की संख्या की गणना कर सकते हैं।

द्वितीय चरण: समानांतर संयोजित सौर पीवी श्रृंखला का DC वोल्टेज

समानांतर संयोजित सौर पीवी श्रृंखला का DC वोल्टेज = पृथक सौर पीवी मॉड्यूल का DC वोल्टेज

तृतीय चरण: समानांतर क्रम में संयोजित सौर पीवी श्रृंखला का DC पॉवर आउटपुट

समानांतर क्रम में संयोजित सौर पीवी श्रृंखला का DC पॉवर आउटपुट = समानांतर क्रम में जुड़े सौर पीवी श्रृंखला का DC वोल्टेज × समानांतर क्रम में जुड़े सौर पीवी श्रृंखला की DC विद्युतधारा

उदाहरण 11.3

एक सौर पीवी मॉड्यूल की रेटिंग $V_{oc} = 40$ V, $V_{mp} = 32$ V, $I_{sc} = 5.5$ A एवं $I_{mp} = 5$ A है। एक ऐसा सौर पीवी श्रृंखला डिजाइन करें जो कि 200 A की DC विद्युतधारा आउटपुट दे। श्रृंखला का DC वोल्टेज आउटपुट क्या होगा ? समानांतर संयोजित श्रृंखला का DC पॉवर आउटपुट क्या होगा ?

हल

चूंकि पॉवर प्रदान करते समय पीवी मॉड्यूलों को अधिकतम पॉवर पॉइंट पर कार्य करना चाहिये, अतः अधिकतम पॉवर पॉइंट पर विद्युतधारा I_{mp} एवं वोल्टेज V_{mp}, को गणनाओं के दौरान लेना होगा।

प्रथम चरण: समानांतर संयोजित सौर पीवी श्रृंखला की DC विद्युतधारा = पृथक सौर पीवी मॉड्यूल की DC विद्युतधारा × समानांतर क्रम में जुड़े मॉड्यूलों की संख्या

अतः, समानांतर में मॉड्यूलों की संख्या = श्रृंखला विद्युतधारा / मॉड्यूल विद्युतधारा
= 200/5 = 40

द्वितीय चरण: समानांतर–संयोजित सौर पीवी श्रृंखला का DC वोल्टेज = पृथक सौर पीवी मॉड्यूल का DC वोल्टेज

श्रृंखला का DC वोल्टेज = 32 V

तृतीय चरण: समानांतर संयोजित सौर पीवी श्रृंखला का DC पॉवर आउटपुट

= समानांतर संयोजित सौर पीवी श्रृंखला का DC वोल्टेज × समानांतर संयोजित सौर पीवी श्रृंखला की DC विद्युतधारा

= 32 V × 200 A = 6400 W या 6.4 kW

श्रेणी समानांतर संयोजित सौर पीवी सरणी

जब विद्युतधारा एवं वोल्टेज दोनों को बढ़ाने की आवश्यकता हो, तब पीवी मॉड्यूल श्रृंखला को श्रेणी समानांतर मिश्रण में जोड़ा जाता है। इस प्रकार के विन्यास में, कुछ पीवी मॉड्यूल श्रेणी श्रृंखला को समानांतर क्रम में जोड़ा जाता है जैसा कि चित्र 11.11 में दर्शाया गया है। इन

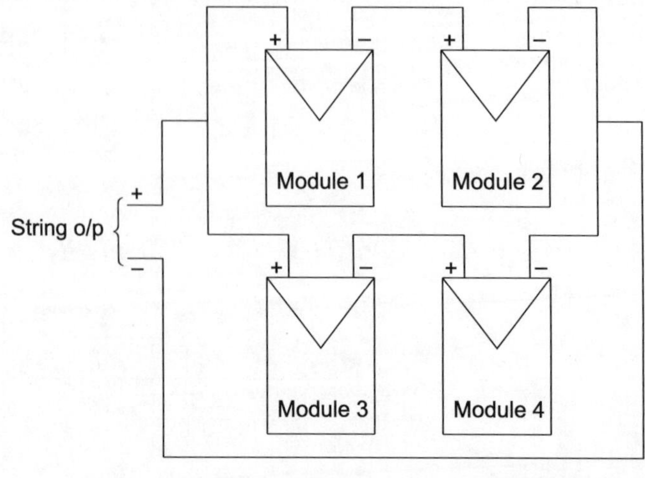

चित्र 11.11
श्रेणी-समानांतर संयोजित सौर पीवी सरणी (mark strings, array)।

जब विद्युतधारा एवं वोल्टेज दोनों को बढ़ाने की आवश्यकता हो, अनेक पीवी मॉड्यूल श्रृंखला (जो कि उच्च वोल्टेज प्रदान करती हैं) को समानांतर क्रम में जोड़ दिया जाता है।

परिस्थितियों में, श्रृंखला का वोल्टेज आउटपुट एक पीवी श्रृंखला के वोल्टेज आउटपुट के समान होता है एवं पीवी श्रृंखला की विद्युतधारा आउटपुट समानांतर रूप से जुड़ी श्रृंखलाओं की संख्या के गुणज में बढ़ता है। एक श्रेणी समानांतर संयोजित सौर पीवी श्रृंखला का वोल्टेज आउटपुट 1000 V DC की रेंज में होता है एवं इसकी विद्युतधारा आउटपुट 50–200 A DC की रेंज में होती है। सौर श्रृंखला इस तरह बनाई जाती है कि वह अधिकतम पॉवर पॉइंट पर कार्य करे जब इन्वर्टर से जुड़ी हो। पीवी मॉड्यूलों के श्रेणी समानांतर संयोजन को विस्तृत रूप में जानने के लिये अध्याय 6 देखें।

श्रेणी समानांतर क्रम में संयोजित पीवी मॉड्यूल के DC वोल्टेज एवं विद्युतधारा

इस प्रकार के कॉन्फीगरेशन में अनेक पीवी श्रृंखला समानांतर क्रम में जुड़ी होती हैं। चूंकि पीवी मॉड्यूल श्रृंखला में अनेक मॉड्यूल श्रेणी में जुड़े होते हैं, एवं इसीलिये श्रृंखला का DC उच्च होता है। जब हम अनेक पीवी मॉड्यूल श्रृंखला को समानांतर क्रम में जोड़ते हैं तब सभी श्रृंखलाओं की विद्युतधारा का योग हो जाता है एवं इस प्रकार से हमें उच्च विद्युतधारा भी प्राप्त होती है। अतः, दोनों उच्च वोल्टेज एवं उच्च विद्युतधारा श्रेणी समानांतर विन्यास/कॉन्फीगरेशन में प्राप्त किये जा सकते हैं।

प्रथम चरण: श्रेणी समानांतर संयोजित सौर पीवी श्रृंखला का DC वोल्टेज

श्रेणी समानांतर संयोजित सौर पीवी सरणी का DC वोल्टेज = श्रेणी संयोजित श्रृंखला का DC वोल्टेज।

द्वितीय चरण: श्रेणी समानांतर संयोजित सौर पीवी श्रृंखला की DC विद्युतधारा

श्रेणी समानांतर संयोजित पीवी मॉड्यूलों की कुल विद्युतधारा पृथक पीवी मॉड्यूल के DC विद्युतधारा को समानांतर क्रम में जोड़े जाने वाली पीवी मॉड्यूल श्रृंखला की संख्या से गुणा करने पर प्राप्त की जा सकती है।

श्रेणी समानांतर संयोजित सौर पीवी श्रृंखला की DC विद्युतधारा = पृथक श्रेणी संयोजित श्रृंखला की DC विद्युतधारा × समानांतर क्रम में जोड़ी जाने वाली श्रृंखलाओं की संख्या

वहीं दूसरी ओर यदि हम एक श्रेणी समानांतर संयोजित सौर पीवी श्रृंखला से चाही गई विद्युतधारा एवं पृथक पीवी मॉड्यूल श्रृंखला की विद्युतधारा जानते हैं, तब हम श्रृंखला से चाही गई विद्युतधारा को पृथक मॉड्यूल श्रृंखला विद्युतधारा से विभाजित कर सकते हैं जिससे हमें समानांतर क्रम में जोड़ने के लिये आवश्यक पीवी मॉड्यूल श्रृंखला की संख्या प्राप्त हो जाएगी।

तृतीय चरण: श्रेणी समानांतर संयोजित सौर पीवी सरणी का DC पॉवर आउटपुट

श्रेणी समानांतर संयोजित सौर पीवी सरणी का DC पॉवर आउटपुट = श्रेणी समानांतर संयोजित सौर पीवी सरणी का DC वोल्टेज × श्रेणी समानांतर संयोजित सौर पीवी श्रृंखला की DC विद्युतधारा

उदाहरण 11.4

एक सौर पीवी श्रृंखला की रेटिंग $V_{mp} = 400$ V एवं $I_{mp} = 8$ A है। एक ऐसा श्रेणी समानांतर संयोजित सौर पीवी सरणी डिजाइन करें जो कि 16 kW DC पॉवर उत्पादित करे। सरणी का DC आउटपुट वोल्टेज एवं विद्युतधारा क्या होगी ?

हल

चूंकि पॉवर प्रदान करते समय पीवी मॉड्यूलों को अधिकतम पॉवर बिंदु पर कार्य करना चाहिये, अतः अधिकतम पॉवर पॉइंट पर विद्युतधारा एवं वोल्टेज, V_{mp} व I_{mp} को गणना करते समय लेना होगा।

प्रथम चरण: श्रेणी समानांतर संयोजित सौर पीवी श्रृंखला का DC वोल्टेज = श्रेणी संयोजित श्रृंखला का DC वोल्टेज

श्रृंखला का DC वोल्टेज = 400 V

द्वितीय चरण: एक श्रेणी समानांतर संयोजित सौर पीवी सरणी का DC पॉवर आउटपुट = श्रेणी समानांतर संयोजित सौर पीवी श्रृंखला का DC वोल्टेज × श्रेणी समानांतर संयोजित सौर पीवी सरणी की DC विद्युतधारा

अतः, सरणी की DC विद्युतधारा = सरणी की DC पॉवर / सरणी का DC वोल्टेज = 16,000 / 400 = 40 A

तृतीय चरण: श्रेणी समानांतर संयोजित सौर पीवी सरणी की DC विद्युतधारा = पृथक श्रेणी संयोजित श्रृंखला की DC विद्युतधारा × समानांतर क्रम में जोड़ी जाने वाली श्रृंखलाओं की संख्या

अतः, समानांतर में श्रृंखलाओं की संख्या = DC सरणी विद्युतधारा / DC श्रृंखला विद्युतधारा = 40/8 = 5

प्रश्न 11.4 एक सौर पीवी श्रृंखला की रेटिंग V_{mp} = 460 V एवं I_{mp} = 100 A है। एक श्रेणी–समानांतर–संयोजित सौर पीवी श्रेणी डिजाइन करें जो कि 46 kW DC पॉवर उत्पादित करे। सरणी का DC आउटपुट वोल्टेज एवं विद्युतधारा क्या होगी ?

11.3.2 DC केबलिंग

श्रृंखला में उपयोग किए जाने वाले पीवी मॉड्यूल DC केबल का उपयोग करके ही आपस में जुड़े होते हैं। DC केबल का उपयोग श्रृंखलाओं को आपस में जोड़कर सरणी बनाने हेतु भी किया जाता है एवं पीवी सरणी आउटपुट को DC इन्वर्टर इनपुट को भी इसी केबल से जोड़ा जाता है। श्रृंखला केबल, प्रत्येक स्थान विशेष पर, श्रृंखला शॉर्ट सर्किट विद्युतधारा के मान के, कम से कम 1.25 गुना के लिये रेटेड होती है (अधिक जानकारी हेतु अध्याय 9 देखें), श्रृंखला फ्यूज वैकल्पिक हैं। परंतु, श्रृंखला DC केबल सुरक्षित रूप से व विशेष रूप से श्रृंखला शॉर्ट सर्किट विद्युतधारा के 1.5 गुना रेटेड होती हैं। 4 श्रृंखलाओं से कम उपयोग करने वाले छोटे संयंत्रों के लिये श्रृंखला ब्लॉकिंग डायोड की आवश्यकता नहीं होती है।

11.3.3 सरणी कंबाइनर बॉक्स

सरणी कंबाइनर बॉक्स का उपयोग सौर पीवी श्रृंखलाओं को सरणी बनाने हेतु आपस में विद्युतीय रूप से जोड़ने के लिये किया जाता है। कंबाइनर बॉक्स का उपयोग एक सौर पीवी श्रेणी में DC वोल्टेज एवं विद्युतधारा को सुरक्षित रखने के लिये भी किया जाता है। चित्र 11.12 में एक कंबाइनर बॉक्स का रेखाचित्र दर्शाया गया है। श्रृंखला से DC केबलों को बॉक्स से MC4 कनेक्टर का उपयोग करते हुए जोड़ा जाता है। धनात्मक एवं ऋणात्मक सिरों को अलग रखा जाता है एवं इन्हें बॉक्स के अंदर शॉर्टेड टर्मिनल स्ट्रिप का उपयोग करते हुए जोड़ दिया जाता है। सरणी कंबाइनर बॉक्स से धनात्मक एवं ऋणात्मक आउटपुट केबलों को अच्छी तरह ढंक (सीलबंद) कर सुरक्षित रखा जाता है। बॉक्स के अंदर DC सर्ज सुरक्षा युक्तियों को रखा जाता है। कंबाइनर बॉक्स के अंदर वैकल्पिक श्रृंखला फ्यूज एवं ब्लॉकिंग डायोड को भी रखा जा सकता है। कंबाइनर बॉक्स के अंदर एक वैकल्पिक 2 पोल DC डिस्कनेक्ट स्विच भी लगाया जाता है।

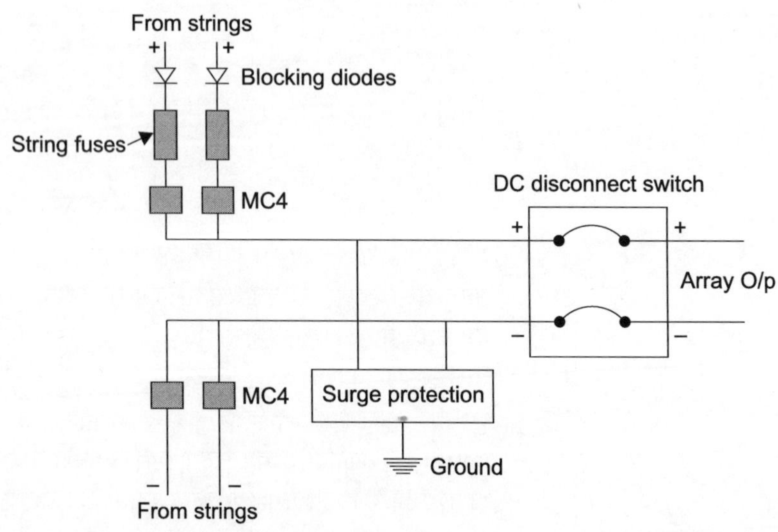

चित्र 11.12
सरणी कंबाइनर बॉक्स व्यवस्था।

कंबाइनर बॉक्स की रेटिंग, सरणी के उच्च DC वोल्टेज आउटपुट से लगने वाले विद्युतीय झटके या शॉक के कारण, सुरक्षा स्तर/प्रोटेक्शन क्लास II (दुगुनी इंसुलेशन) के अंतर्गत रखी जाती है। स्थापित पीवी सरणी हेतु ग्राउंड फॉल्ट डिटेक्टर इंटरप्टर (GFDI—Ground Fault Detector Interrupter) का उपयोग किया जाता है। बॉक्स की IP65 के इनग्रेस प्रोटेक्शन (ingress protection) रेटिंग भी आवश्यक होती है। (यहां संख्या 6 से तात्पर्य है धूल आदि से संपूर्ण सुरक्षा एवं संख्या 5 से तात्पर्य है किसी भी दिशा से कम दबाव वाले पानी की धार से कुछ हद तक सुरक्षा) है।

सौर पीवी श्रृंखला को आपस में विद्युतीय रूप से जोड़ कर एक सरणी बनाने हेतु एक सरणी कंबाइनर बॉक्स का उपयोग किया जाता है।

11.3.4 DC वितरण/डिस्ट्रीब्यूशन बॉक्स

DC वितरण बॉक्स का उपयोग इन्वर्टर तक DC केबल को वितरित करने के लिये किया जाता है। दो पोल DC डिस्कनेक्ट स्विच का उपयोग पीवी सरणी को इन्वर्टर से पृथक करने के लिये किया जाता है। DC सर्ज सुरक्षा युक्तियों को DC वितरण बॉक्स के साथ संयुक्त भी किया जा सकता है। इस बॉक्स के आउटपुट का इन्वर्टर DC इनपुट से जोड़ा जा सकता है जैसा कि चित्र 11.13 में दर्शाया गया है।

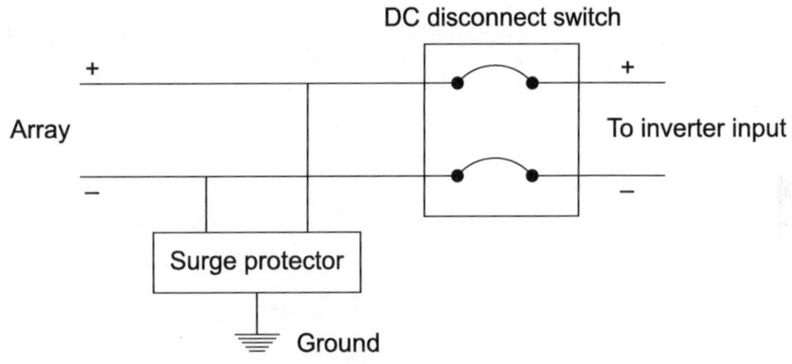

चित्र 11.13
DC वितरण बॉक्स रेखाचित्र।

11.3.5 ग्रिड-कनेक्टेड इन्वर्टर

इन्वर्टर मुख्यतः AC वोल्टेज पर मुख्य ग्रिड में AC विद्युतधारा देता है एवं उपकरण को मुख्य AC पॉवर की आपूर्ति करता है। ग्रिड–कनेक्टेड इन्वर्टर के ऑपरेशन हेतु मुख्य AC ग्रिड वोल्टेज (जिसका तात्पर्य है कि ग्रिड 'ऑन' या पॉवर्ड होना चाहिये) आवश्यक होता है।

ग्रिड–कनेक्टेड इन्वर्टर का उपयोग पीवी सरणी DC आउटपुट को AC वोल्टेज एवं विद्युतधारा में रूपांतरित करने के लिये किया जाता है। ग्रिड–कनेक्टेड इन्वर्टर का आउटपुट मुख्य AC ग्रिड से बंधा होता है। AC वोल्टेज, आवृत्ति एवं इन्वर्टर आउटपुट का फेज़ मुख्य ग्रिड के वोल्टेज, आवृत्ति एवं फेज़ से मिलाया जाता है।

ग्रिड–कनेक्टेड इन्वर्टर में अधिकतम पॉवर पॉइंट ट्रैकर कंन्ट्रोलर (MPPT) इनपुट स्टेज होता है जिसका उपयोग पीवी सरणी से पूरे समय अधिकतम DC पॉवर प्राप्त करने के लिये किया जाता है। इन्वर्टर की MPP ट्रैकिंग वोल्टेज रेंज, सरणी की MPP वोल्टेज रेंज से मेल खानी चाहिये। सरणी का MPP वोल्टेज सौर विकिरण, ऑपरेटिंग तापमान एवं अन्य वातावरणीय कारकों के साथ परिवर्तित होता है (विस्तृत जानकारी हेतु अध्याय 8 देखें)।

ग्रिड–कनेक्टेड इन्वर्टर में पहले से ही निर्मित DC एवं AC वोल्टेज व विद्युतधारा सुरक्षा साधन होते हैं। इन्वर्टर में DC व AC डिस्कनेक्ट स्विच भी एकीकृत होते हैं। ग्रिड–कनेक्टेड इन्वर्टर में आइलेंडिंग सुरक्षा भी अनिवार्य होती है। ग्रिड कार्य न करने की स्थिति में इन्वर्टर आउटपुट को ग्रिड से पृथक करने हेतु आइलेंडिंग का उपयोग किया जाता है। आइलेंडिंग सुरक्षा मुख्य AC ग्रिड पर कार्य कर रहे ऑपरेटर को विद्युतीय झटके या इलेक्ट्रोक्यूशन से बचाता है, जब ग्रिड पॉवर उपलब्ध न हो।

ग्रिड–कनेक्टेड इन्वर्टर, आउटपुट पर ट्रांसफॉर्मर के साथ व बिना ट्रांसफॉर्मर दोनों ही उपलब्ध हैं। इन्वर्टर आउटपुट को मुख्य AC ग्रिड से जोड़ने के पूर्व एक इन्वर्टर के आउटपुट पर एक बाह्य ट्रांसफॉर्मर का उपयोग भी किया जाता है। बाह्य ट्रांसफॉर्मर का उपयोग इन्वर्टर आउटपुट वोल्टेज को मुख्य AC ग्रिड वोल्टेज तक पहुंचाने के लिये भी किया जाता है।

चित्र 11.14
ग्रिड-कनेक्टेड इन्वर्टर का रेखाचित्र।

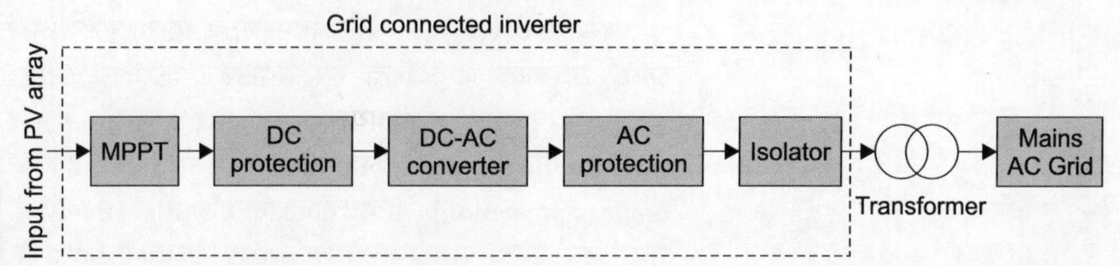

एक ग्रिड-कनेक्टेड इन्वर्टर के आउटपुट को ग्रिड से जोड़ने के पूर्व एक आइसोलेशन ट्रांसफॉर्मर की आवश्यकता होती है, जो कि या तो इन्वर्टर में पहले से ही बिल्ट-इन या निर्मित होता है या बाह्य रूप से जुड़ा होता है।

ग्रिड इन्वर्टर मुख्यतः तीन प्रकार के होते हैं : सेंट्रल या केंद्रीय इन्वर्टर, स्ट्रिंग इन्वर्टर एवं मॉड्यूल इन्वर्टर। इन इन्वर्टरों का प्रकार उस शैली पर निर्भर करता है जिसके अनुसार एक सरणी बनाने हेतु सौर मॉड्यूल आपस में जुड़े होते हैं।

सेंट्रल/केंद्रीय इन्वर्टर

अधिक पॉवर के अनुप्रयोगों हेतु एक सौर पीवी ग्रिड–कनेक्टेड संयंत्र में केंद्रीय इन्वर्टर का उपयोग किया जाता है। एक बड़ी सरणी बनाने हेतु श्रेणी श्रृंखलाओं की अधिक संख्या को समानांतर संयोजन में जोड़ा जाता है (चित्र 11.15 देखें)। केंद्रीय इन्वर्टर तभी उपयोग किया जा सकता है, जब उपयोग किए गए सभी मॉड्यूल एक ही प्रकार, समान तरह से निर्मित एवं समान पॉवर रेटिंग के हों। एक श्रेणी श्रृंखला संयोजन में मॉड्यूल MPP विद्युतधारा समान होनी चाहिये एवं मॉड्यूल की श्रेणी श्रृंखला जब एक संख्या में समानांतर क्रम में जुड़े हों तब वोल्टेज का समान होना आवश्यक है। केंद्रीय इन्वर्टर तब उपयोग नहीं किए जाते जब एक या अधिक श्रृंखलाओं पर दिन के दौरान थोड़ी या पूरी छाया पड़ रही है।

केंद्रीय इन्वर्टर सामान्यतः 250 kW–1 MW आउटपुट पॉवर हेतु एवं 400–1000 V DC सरणी वोल्टेज हेतु रेटेड होते हैं। ये इन्वर्टर सामान्यतः 1 MW–100 MW की रेंज के बड़े या बहुत बड़े इंस्टॉलेशन के लिये उपयोग किए जाते हैं। बहुत बड़े इंस्टॉलेशन में केंद्रीय इन्वर्टर के उपयोग से AC केबल मार्ग का बेहतर तरीके से प्रबंधन होना संभव हो पाता है। केंद्रीय इन्वर्टर सामान्यतः नियंत्रित वातावरण में स्थापित किए जाते हैं एवं ऐसे प्लांट में उपयोग किए जाते हैं जहां परिवेश का प्रतिकूल तापमान, आर्द्रता एवं धूल भरा माहौल होता है। केंद्रीय इन्वर्टर ऐसी सरणी में उपयोग हेतु उपर्युक्त होता है, जहां सरणी में लगे मॉड्यूलों में क्रिस्टिलीन सिलिकॉन या थिन फिल्म मॉड्यूल तकनीक का उपयोग किया गया हो।

केंद्रीय इन्वर्टर का उपयोग अधिक क्षमता युक्त पॉवर प्लांट में किया जाता है जिनमें क्षमता MW की रेंज में होती है।

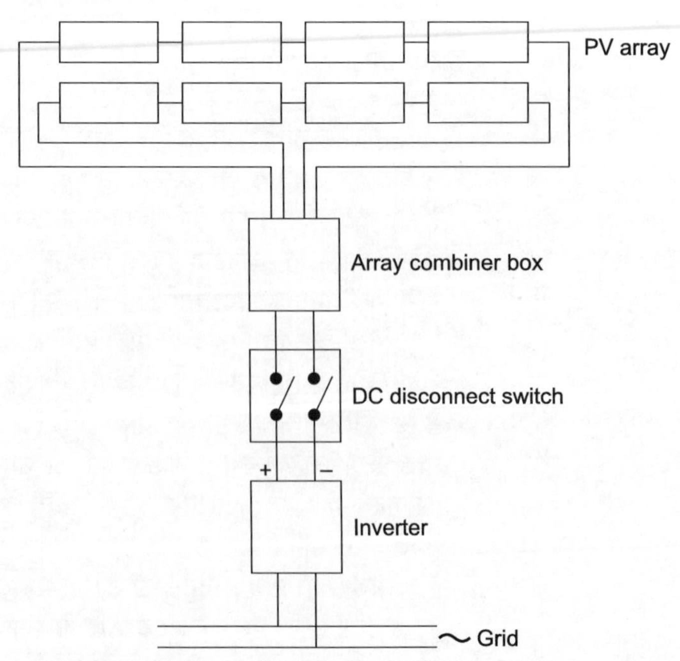

चित्र 11.15
सेंट्रल/केंद्रीय इन्वर्टर रेखाचित्र।

बड़े आकार (MW) के मास्टर–स्लेव विन्यास/कॉन्फीगुरेशन में बहुत बड़ी संख्या में केंद्रीय इन्वर्टर उपयोग किए जाते हैं। उदाहरण के लिये, 250 kW रेटेड, 4 केंद्रीय इन्वर्टरों को एक 1 MW पॉवर प्लांट में उपयोग किया जा सकता है। 1 MW सरणी में चार अनुभाग (प्रत्येक में 250 kW) होते हैं एवं प्रत्येक अनुभाग का आउटपुट 250 kW रेटेड इन्वर्टर से जुड़ा होता है। इन इन्वर्टरों में एक कंट्रोल इन्वर्टर की तरह कार्य करेगा जिसे मास्टर इन्वर्टर कहा जाता है, जो कि अन्य इन्वर्टर जिन्हें स्लेव इन्वर्टर कहते हैं, को नियंत्रित करेगा। एक मास्टर इन्वर्टर एवं 3 स्लेव इन्वर्टर आउटपुट डिस्ट्रीब्यूशन ग्रिड के साथ समानांतर क्रम में जुड़े होते हैं। मास्टर इन्वर्टर पूरे समय कार्यशील रहता है एवं यह स्लेव इन्वर्टरों के आउटपुट को मॉनीटर व उनके संचालन को नियंत्रित करता है जो कि कुल उपलब्ध सरणी पॉवर आउटपुट पर निर्भर करता है। उदाहरण के लिये, यदि प्लांट 500 kW उत्पादित करता है, तो मास्टर इन्वर्टर के अतिरिक्त केवल एक स्लेव इन्वर्टर कार्यशील अवस्था में रहता है। मास्टर–स्लेव व्यवस्था DC से AC रूपांतरण प्रक्रिया की दक्षता को अधिकतम बिंदु तक बढ़ाने एवं इन्वर्टर का ऑपरेटिंग/कार्यशील जीवन बढ़ाने के लिये उपयोग की जाती है।

श्रेणी श्रृंखला इन्वर्टर

जब अनेक संख्या में पीवी मॉड्यूल एक श्रृंखला निर्मित करने हेतु श्रेणी संयोजन में जुड़े होते हैं तब श्रेणी श्रृंखला इन्वर्टर बनता है (चित्र 11.16 देखें)। उपयोग किए गए इन्वर्टरों की संख्या श्रृंखलाओं की संख्या पर निर्भर करती है। श्रेणी श्रृंखला इन्वर्टरों का एक सेट पीवी सरणी के साथ उपयोग किया जा सकता है जब श्रेणी श्रृंखला में उपयोग किए गए मॉड्यूल एकसमान प्रकार के, समान रूप से निर्मित या समान पॉवर के न हों। मॉड्यूल की MPP विद्युतधारा का एक श्रेणी श्रृंखला संयोजन में जुड़े अन्य मॉड्यूलों की विद्युतधारा के समान होना जरूरी है, तथापि, श्रृंखला के MPP वोल्टेज का अन्य श्रृंखला के MPP वोल्टेज के समान होना जरूरी नहीं है क्योंकि प्रत्येक श्रृंखला का अपना इन्वर्टर होता है। श्रेणी श्रृंखला इन्वर्टरों का तब भी उपयोग किया जाता है जब एक या अधिक श्रृंखलाएं दिन के दौरान आंशिक या पूर्ण रूप से छाया में हों। श्रृंखला इन्वर्टर के उपयोग से पृथक श्रेणी श्रृंखला का पॉवर आउटपुट अधिकतम बिंदु तक पहुंच जाता है। सामान्यतः श्रेणी श्रृंखला इन्वर्टर ऐसे पीवी सरणी जिनमें थिन फिल्म तकनीक का उपयोग किया गया हो, क्योंकि उनमें निम्न श्रृंखला विद्युतधारा होती है।

श्रेणी श्रृंखला इन्वर्टर निम्न श्रृंखला विद्युतधारा के कारण सामान्यतः थिन फिल्म तकनीक उपयोग करने वाले पीवी सरणी हेतु उपर्युक्त होते हैं।

विशेषतः श्रेणी श्रृंखला इन्वर्टर 10 kW–100 kW आउटपुट पॉवर एवं 200–600 V DC श्रृंखला वोल्टेज हेतु रेटेड होते हैं। ये इन्वर्टर विशेषतः मध्यम से बड़े आकार के इंस्टॉलेशन, जिनकी रेंज 100 kW से 1 MW हो सकती है, के लिये उपयोग किए जाते हैं। श्रेणी श्रृंखला इन्वर्टर प्रतिकूल परिस्थितियों (Water and Dust Ingress Protection) में कार्य करने हेतु विशेषतः बाहर स्थापित किए जाते हैं एवं IP54 या IP65 के लिये रेटेड होते हैं।

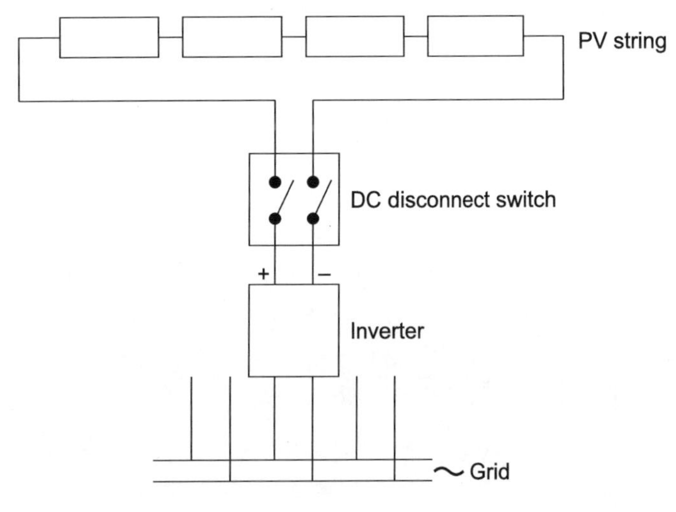

चित्र 11.16
श्रेणी श्रृंखला इन्वर्टर रेखाचित्र, प्रत्येक श्रृंखला में अपना श्रृंखला इन्वर्टर है।

समानांतर श्रृंखला इन्वर्टर

समानांतर श्रृंखला इन्वर्टर का उपयोग किया जाता है, जब अधिक संख्या में पीवी मॉड्यूल श्रृंखला निर्मित करने हेतु पीवी मॉड्यूल समानांतर क्रम में जुड़े होते हैं (चित्र 11.17 देखें)। समानांतर श्रृंखला इन्वर्टर का एक सेट पीवी सरणी के साथ उपयोग किया जा सकता है, जब दो या अधिक समानांतर श्रृंखलाएं असमान प्रकार, निर्माण या पॉवर रेटिंग के मॉड्यूलों के उपयोग करती हैं। मॉड्यूल MPP वोल्टेज एवं समानांतर श्रृंखला संयोजन में जुड़े अन्य मॉड्यूलों का वोल्टेज समान होना चाहिये, एवं, आवश्यक नहीं है कि श्रृंखला MPP विद्युतधारा अन्य श्रृंखलाओं की MPP विद्युतधारा के समान हो क्योंकि प्रत्येक श्रृंखला का अपना इन्वर्टर होता है। समानांतर श्रृंखला इन्वर्टरों का उपयोग किया जाता है जब एक या अधिक श्रृंखलाएं दिन के दौरान आंशिक या पूर्ण रूप से छाया में हों। समानांतर श्रृंखला इन्वर्टर के उपयोग से पृथक–पृथक श्रृंखला का पॉवर आउटपुट अधिकतम हो जाता है।

समानांतर श्रृंखला इन्वर्टरों को थिन फिल्म मॉड्यूलों के साथ उपयोग किया जा सकता है जिनमें उच्च वोल्टेज आउटपुट एवं निम्न विद्युतधारा आउटपुट होता है। समानांतर श्रृंखला का विद्युतधारा आउटपुट पृथक मॉड्यूल विद्युतधाराओं का कुल जोड़ होता है एवं इसके द्वारा समानांतर श्रृंखला इन्वर्टर इनपुट विद्युतधारा रेटिंग मिलाई जा सकती है। समानांतर श्रृंखला इन्वर्टर विशेषतः प्रतिकूल परिस्थितियों में कार्य करने हेतु (Water and Dust Ingress Protection) बाह्य रूप से स्थापति किए जाते हैं एवं IP54 या IP65 के लिये रेटेड होते हैं।

समानांतर श्रृंखला इन्वर्टरों का उपयोग थिन फिल्म मॉड्यूलों के साथ किया जाता है जिनमें उच्च वोल्टेज आउटपुट एवं निम्न विद्युतधारा आउटपुट होता है।

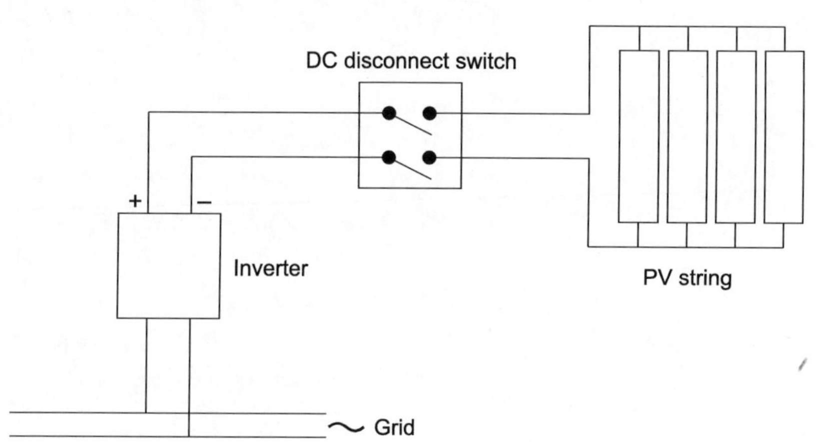

चित्र 11.17
समानांतर श्रृंखला इन्वर्टर रेखाचित्र।

मॉड्यूल इन्वर्टर

मॉड्यूल इन्वर्टर का उपयोग प्रत्येक मॉड्यूल के साथ किया जा सकता है, जब असमान पीवी मॉड्यूलों (नॉन–आइडेंटिकल प्रकार, निर्माण या पॉवर रेटिंग) का एक सरणी में उपयोग किया गया हो या जब असमान रूप से पड़ने वाले छाया पैटर्न की वजह से मॉड्यूलों पर असमान रूप से छाया पड़ रही हो (चित्र 11.18 देखें)। ग्रिड से समानांतर क्रम में मॉड्यूल इन्वर्टरों का एक सेट जोड़ा जा सकता है एवं वे एक–दूसरे से पृथक रूप से कार्य कर सकते हैं। न ही मॉड्यूल MPP वोल्टेज एवं न ही MPP विद्युतधारा का अन्य मॉड्यूलों के समान होना आवश्यक है क्योंकि प्रत्येक मॉड्यूल का अपना इन्वर्टर है। मॉड्यूल आउटपुट के उपयोग से पृथक मॉड्यूलों का पॉवर आउटपुट अधिकतम हो जाता है इसके फलस्वरूप सरणी से अधिकतम पॉवर आउटपुट की आपूर्ति होती है। मॉड्यूल इन्वर्टर का वोल्टेज एवं विद्युतधारा आउटपुट रेटिंग इस तरह चुना जाता है कि वह मॉड्यूलों के वोल्टेज एवं विद्युतधारा आउटपुट के समान हो। जब मॉड्यूल इन्वर्टर को पीवी मॉड्यूल के साथ एकीकृत किया जाता है, इसे पिगी–बैक इन्वर्टर कहा जाता है एवं मॉड्यूल को AC मॉड्यूल कहा जाता है क्योंकि यह सीधे AC आउटपुट प्रदान करता है जो कि मुख्य AC ग्रिड वोल्टेज के अनुकूल होता है। AC मॉड्यूल सीधे मुख्य AC ग्रिड से जुड़ा होता है।

मॉड्यूल इन्वर्टर प्रतिकूल परिस्थितियों में कार्य करने हेतु बाह्यरूप से स्थापित होता है एवं IP65 (Water and Dust Ingress Protection) हेतु रेटेड होता है।

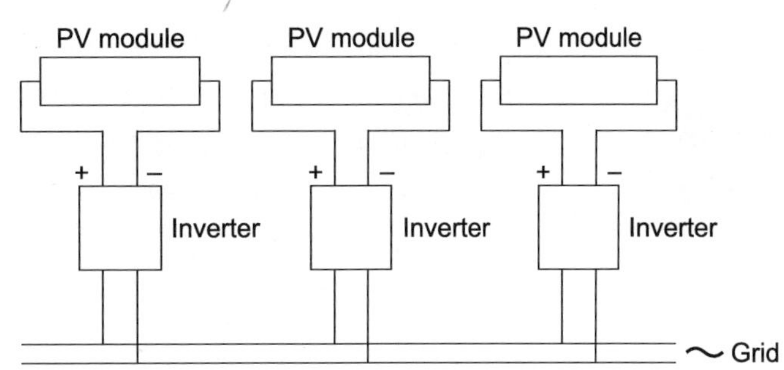

चित्र 11.18
मॉड्यूल इन्वर्टर रेखाचित्र।

11.3.6 AC केबलिंग

सौर सरणी के साथ उपयोग किए जाने वाले इन्वर्टरों के आउटपुट केबलों का उपयोग करते हुए AC डिस्ट्रीब्यूशन बॉक्स से जोड़ा जाता है। केबलों की रेटिंग कम से कम AC सर्किट ब्रेकर विद्युतधारा रेटिंग की 1.25 गुना होती है। जब इन्वर्टर को इनडोर या अंदर स्थापित किया जाता है तब AC केबलों की रेटिंग इंडोर वातावरण हेतु की जाती है जैसे कि केंद्रीय इन्वर्टर। जब इन्वर्टर की स्थापना बाहर की गई हो जैसे श्रृंखला या मॉड्यूल इन्वर्टर तब AC केबलों की रेटिंग आउटडोर वातावरण के लिये की जाती है।

11.3.7 AC डिस्ट्रीब्यूशन बॉक्स

डिस्ट्रीब्यूशन बॉक्स का उपयोग केबलों को ट्रांसफॉर्मर या उपकरण तक AC केबलों के वितरण हेतु किया जाता है। इन्वर्टर को ट्रांसफार्मर या उपकरण से पृथक करने हेतु द्वि पोल AC सर्किट ब्रेकर का उपयोग किया जाता है। AC सर्किट ब्रेकर विद्युतधारा रेटिंग विशेषतः अधिकतम उपकरण विद्युतधारा की 1.2 गुना होती है। AC लाइन फ्यूज एवं सर्ज प्रोटेक्शन/सुरक्षा युक्तियों को AC डिस्ट्रीब्यूशन बॉक्स के साथ संयुक्त किया जा सकता है। AC डिस्ट्रीब्यूशन बॉक्स के आउटपुट को ट्रांसफॉर्मर या उपकरण से ऊर्जा मीटर द्वारा जोड़ा जाता है, जिसका उपयोग पीवी उत्पादित ऊर्जा को मॉनीटर करने में किया जाता है जैसा कि चित्र 11.19 में दर्शाया गया है।

निम्न वोल्टेज ट्रांसफॉर्मर को इन्वर्टर के साथ संयुक्त किया जा सकता है। विद्युतभार/उपकरण सर्किट पृथक्करण हेतु एक बाह्य ट्रांसफॉर्मर की आवश्यकता होती है जब ट्रांसफॉर्मरमुक्त इन्वर्टर का उपयोग किया गया हो। एक तीन फेज वाली निम्न से मध्यम वोल्टेज रोट अप ट्रांसफॉर्मर का उपयोग किया जाता है जब डिस्ट्रीब्यूशन स्तर पर (11–33 kV) इन्वर्टर के आउटपुट को मध्यम वोल्टेज ग्रिड से जोड़ा गया हो।

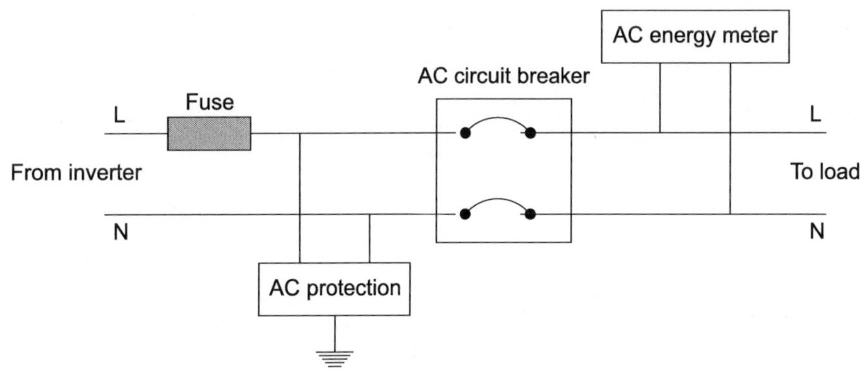

चित्र 11.19
डिस्ट्रीब्यूशन बॉक्स रेखाचित्र।

AC ऊर्जा एवं कुल/नेट मीटरिंग

सौर पीवी संयंत्र द्वारा उत्पादित ऊर्जा को निर्धारित करने हेतु AC ऊर्जा मीटरिंग आवश्यक है। मीटरिंग विन्यास/कॉन्फीगरेशन अनुप्रयोग पर निर्भर करता है। इन्वर्टर आउटपुट के साथ श्रेणी में संयोजित पीवी ऊर्जा मीटर का उपयोग पीवी उत्पादित ऊर्जा को मॉनीटर करने हेतु किया जाता है। उपकरणों के साथ श्रेणी में जुड़े विद्युतभार/उपकरण ऊर्जा मीटर का उपयोग उपकरण द्वारा उपयोग की गई ऊर्जा को मॉनीटर करने में किया जाता है। नेट ऊर्जा मीटर का उपयोग ग्रिड से या ग्रिड को आपूर्ति की या पहुंचाई गई ऊर्जा को मॉनीटर करने हेतु किया जाता है।

पीवी एवं उपकरण ऊर्जा मीटर एक-दिशीय होते हैं एवं वे आगे की दिशा में ऊर्जा प्रवाह को मापित करते हैं। नेट ऊर्जा मीटर द्वि-दिशीय होते हैं एवं वे ऊर्जा प्रवाह को दोनों आगे व विपरीत/उल्टी दिशा में मापित करते हैं।

पीवी एवं उपकरण ऊर्जा मीटर एक–दिशीय होते हैं एवं वे आगे की दिशा में ऊर्जा प्रवाह को नोट करते हैं। नेट ऊर्जा मीटर द्वि–दिशीय होते हैं एवं वे ऊर्जा प्रवाह को दोनों आगे एवं विपरीत दिशाओं में नोट करते हैं। चित्र 11.20 में दर्शाया गया है कि तीन ऊर्जा मीटर; (अ) पीवी मीटर, (ब) उपकरण/विद्युतभार मीटर, (स) नेट मीटर को एक पीवी संयंत्र में उपयोग किया जा सकता है। कुल ऊर्जा प्रवाह को निर्धारित करने हेतु कम से कम दो ऊर्जा मीटरों की आवश्यकता होती है (चित्र 11.20 देखें)।

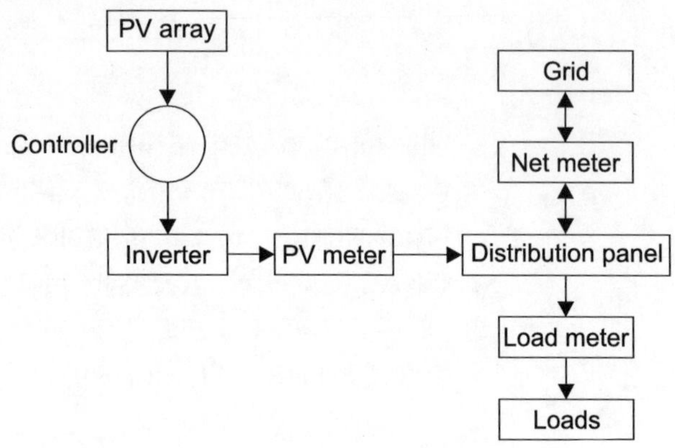

चित्र 11.20
एक ग्रिड-कनेक्टेड संयंत्र में AC ऊर्जा मीटरिंग।

जब उत्पादित ऊर्जा की मात्रा खपत की गई ऊर्जा से कम होती है, तब नेट ऊर्जा मीटर अग्रिम या आगे की दिशा में चलता है (धनात्मक रीडिंग)। यदि पीवी उत्पादित ऊर्जा खपत की गई ऊर्जा से अधिक होती है, तब अतिरिक्त ऊर्जा ग्रिड को पहुंचा दी जाती है। इस स्थिति में नेट मीटर विपरीत दिशा में चलता है (ऋणात्मक रीडिंग)। अतः नेट मीटर अग्रिम के साथ–साथ विपरीत दिशा में भी कार्य कर सकता है। एक निश्चित समय के दौरान यदि उपकरण द्वारा अधिक ऊर्जा की खपत होती है (पीवी द्वारा उत्पादित ऊर्जा की तुलना में) तब नेट मीटर रीडिंग धनात्मक होगी एवं यदि पीवी मॉड्यूल द्वारा उत्पादित ऊर्जा खपत की तुलना में अधिक होती है तब नेट मीटर रीडिंग ऋणात्मक होगी। ऋणात्मक नेट मीटर रीडिंग से पता चलता है कि ऊर्जा ग्रिड को पहुंचाई गई है।

धनात्मक नेट मीटर रीडिंग : यदि पीवी उत्पादित ऊर्जा उपकरण द्वारा खपत की गई ऊर्जा की तुलना में कम होती है तब, ग्रिड से ऊर्जा ली जाती है। नेट मीटर में ऊर्जा प्रवाह अग्रिम दिशा में होता है।

उपकरण द्वारा खपत की गई ऊर्जा = पीवी द्वारा उत्पादित ऊर्जा + ग्रिड से ली गई ऊर्जा

जब ग्रिड से ऊर्जा ली जाती है तब नेट मीटर रीडिंग धनात्मक होती है।

जब ग्रिड से ऊर्जा ली जाती है तब नेट मीटर रीडिंग धनात्मक होती है एवं जब ऊर्जा ग्रिड तक पहुंचाई जाती है तब नेट मीटर रीडिंग ऋणात्मक होती है।

ऋणात्मक नेट मीटर रीडिंग : यदि पीवी उत्पादित ऊर्जा उपकरण द्वारा खपत की गई ऊर्जा की तुलना में अधिक होती है, तब ऊर्जा ग्रिड को पहुंचा दी जाती है। नेट मीटर में ऊर्जा प्रवाह विपरीत दिशा में होता है।

पीवी उत्पादित ऊर्जा = उपकरण द्वारा खपत की गई ऊर्जा + ग्रिड को पहुंचाई गई ऊर्जा

जब ऊर्जा ग्रिड को पहुंचाई जाती है तब नेट मीटर रीडिंग ऋणात्मक होती है।

उदाहरण 11.5

यदि पीवी मीटर की रीडिंग 10 kWh एवं विद्युतभार/उपकरण मीटर की रीडिंग 8 kWh है, तब नेट ऊर्जा मीटर रीडिंग क्या होगी ?

हल

पीवी रीडिंग = 10 kWh

उपकरण मीटर रीडिंग = 8 kWh

चूंकि पीवी उत्पादित ऊर्जा उपकरण द्वारा खपत की गई ऊर्जा की तुलना में अधिक है, इससे पता चलता है कि ऊर्जा ग्रिड को पहुंचाई गई है।

पीवी उत्पादित ऊर्जा = उपकरण द्वारा खपत की गई ऊर्जा + ग्रिड को पहुंचाई गई ऊर्जा

ग्रिड को पहुंचाई गई ऊर्जा = पीवी उत्पादित ऊर्जा – उपकरण द्वारा खपत की गई ऊर्जा
= 10 kWh – 8 kWh = 2 kWh

ग्रिड को कुल ऊर्जा प्रवाह है एवं इसीलिये नेट ऊर्जा मीटर की रीडिंग होगी 2 kWh। ऋणात्मक चिह्न दर्शाता है कि ऊर्जा ग्रिड को पहुंचाई गई है।

उदाहरण 11.6

यदि नेट ऊर्जा मीटर की रीडिंग +4 kWh है एवं उपकरण मीटर की 10 kWh, तब पीवी उत्पादित ऊर्जा कितनी है?

हल

रीडिंग से पता चलता है कि नेट ऊर्जा मीटर रीडिंग धनात्मक है, जो यह दर्शाती है कि उपकरण द्वारा उत्पादित ऊर्जा की तुलना में अधिक ऊर्जा की खपत की गई है।

नेट ऊर्जा मीटर रीडिंग : + 4 kWh

उपकरण मीटर रीडिंग : 10 kWh

उपकरण द्वारा खपत की गई ऊर्जा = पीवी द्वारा उत्पादित ऊर्जा + ग्रिड से ली गई ऊर्जा

पीवी उत्पादित ऊर्जा = उपकरण द्वारा खपत की गई ऊर्जा + ग्रिड को पहुंचाई गई ऊर्जा
= 10 kWh – 4 kWh = 6 kWh

पीवी उत्पादित ऊर्जा 6 kWh है।

प्रश्न 11.5 एक पीवी संयंत्र में नेट मीटरिंग की जा चुकी है। यदि पीवी मीटर की रीडिंग 20 kWh एवं उपकरण मीटर की रीडिंग 10 kWh है, तब नेट ऊर्जा मीटर रीडिंग क्या होगी ?

11.4 छोटे पॉवर अनुप्रयोगों हेतु ग्रिड-कनेक्टेड पीवी संयंत्र डिजाइन

संयंत्र डिजाइन हेतु विचारणीय बिंदु

छोटे पॉवर अनुप्रयोगों हेतु एक उच्च गुणवत्ता युक्त ग्रिड–कनेक्टेड पीवी पॉवर प्लांट डिजाइन करते समय कुछ मूलभूत सिद्धांतों का पालन करना आवश्यक है, जो निम्नलिखित हैं:

1. ग्राहक की जरूरतें पूर्ण करने हेतु एक संपूर्ण संयंत्र का चयन करें। किसी ग्राहक की जरूरतों को ध्यान में रखते हुए, एक संयंत्र के मापदंड है वार्षिक ऊर्जा आवश्यकताओं को पूरा करना, मासिक बिजली के बिल को घटाना, पर्यावरणीय लाभ, बैक–अप पॉवर, प्रारंभिक बजट सीमाएं आदि।
2. अपेक्षित विद्युतीय पॉवर एवं ऊर्जा प्रदान करने हेतु पीवी सरणी का आकार एवं आधार।
3. सुनिश्चित करना कि वांछित संयंत्र के आकार हेतु छत का क्षेत्रफल या स्थान जहां स्थापना की जानी है, वह जरूरत के अनुसार है।
4. सरणी को सही तरीके से लगाना जिससे छाया व अन्य अवरोधों को कम से कम रखा जा सके।
5. सुनिश्चित करें कि सरणी से इन्वर्टर तक DC केबल बिछाने हेतु उपर्युक्त केबल डक्ट उपलब्ध हैं।
6. सुनिश्चित करें कि इन्वर्टर के साथ–साथ DC एवं AC डिस्ट्रीब्यूशन बॉक्स रखने हेतु कंट्रोल रूम उपलब्ध है।
7. सभी आउटडोर उपकरणों हेतु सूर्यप्रकाश एवं जलवायुरोधी सामग्री का उपयोग निर्दिष्ट करें।
8. ऐसा संयंत्र डिजाइन करें जिसमें वायरिंग, फ्यूज, स्विचों एवं इन्वर्टरों की वजह से कम से कम विद्युतीय हानि हो।
9. ऐसा संयंत्र डिजाइन करें जिसमें सभी बिल्डिंग एवं विद्युतीय कोड, नियमों का अनुपालन किया जा रहा हो।
10. सुनिश्चित करें कि डिजाइन से सभी स्थानीय उपयोगिता की आवश्यकताएं पूर्ण हो रही हैं।

11.4.1 संयंत्र डिजाइन के चरण

हमें वार्षिक ऊर्जा खपत आवश्यकताओं को पूर्ण करने हेतु संयंत्र को डिजाइन करने की आवश्यकता है। ऊर्जा का प्रवाह पीवी सरणी से उपकरण की ओर होता है एवं पीवी संयंत्र डिजाइन का ऊर्जा प्रवाह के विपरीत दिशा के अनुसार होना चाहिये, जैसे उपकरण से पीवी सरणी। रिवर्स या विपरीत

ऊर्जा का प्रवाह पीवी सरणी से उपकरण की ओर होता है एवं पीवी संयंत्र की डिजाइन ऊर्जा प्रवाह की विपरीत दिशा के अनुसार होना चाहिये।

पथ में, हमें पीवी संयंत्र में होने वाली सभी हानियों को ध्यान में रखना चाहिये। ग्रिड–कनेक्टेड पीवी संयंत्र में, चूंकि पॉवर क्षमता सामान्यतः छोटे स्टैंडअलोन संयंत्र की तुलना में अधिक होती है, एवं इसीलिये DC के साथ–साथ AC केबलों में होने वाली पॉवर हानि को ध्यान में रखना जरूरी है।

चित्र 11.21 में एक ग्रिड–कनेक्टेड पीवी संयंत्र का एक सरल ब्लॉक रेखाचित्र दर्शाया गया है। इसमें पीवी संयंत्र को ग्रिड से जुड़ा माना गया है। यह मानते हुए कि उपकरण को आवश्यक कुल पॉवर की आपूर्ति केवल पीवी सरणी द्वारा की जानी है, पीवी डिजाइन विश्लेषण दर्शाया गया है। तो भी, चूंकि ग्रिड पीवी संयंत्र से जुड़ी हुई है, पीवी सरणी द्वारा उत्पादित कोई भी अतिरिक्त पॉवर (उपकरण को आवश्यक पॉवर की तुलना में) ग्रिड को पहुंचाई जाएगी, एवं उपकरण को पॉवर की कमी होने पर वह ग्रिड से ली जाएगी। सैद्धांतिक रूप से एक ग्रिड कनेक्टेड पीवी संयंत्र को इस तरह भी डिजाइन किया जा सकता है कि वह कुछ प्रतिशत पॉवर पीवी सरणी से एवं कुछ प्रतिशत पॉवर ग्रिड से ले सके। एक ग्रिड–कनेक्टेड पीवी संयंत्र में पीवी मॉड्यूल की स्थापना हेतु उपलब्ध क्षेत्रफल एक ग्रिड–कनेक्टेड पीवी संयंत्र के लिये अवरोध पैदा करने वाला कारक हो सकता है। यदि छत का पूरा क्षेत्रफल पीवी मॉड्यूलों द्वारा घेर लिया जाए, तो उत्पादित पॉवर सरप्लस/अतिरिक्त या कम हो सकती है, यह इस बिंदु पर निर्भर करता है कि पॉवर ग्रिड को पहुंचाई जाएगी या ग्रिड से ली जाएगी। इस प्रकार से एक ग्रिड–कनेक्टेड पीवी संयंत्र डिजाइन में अनेकों संभावनाएं हैं, एवं डिजाइन अवरोधों पर निर्भर करता है जो कि उपकरण की ओर, ग्रिड की ओर से या भौतिक ढांचे की ओर से हो सकते हैं।

एक ग्रिड-कनेक्टेड पीवी संयंत्र की डिजाइन अनेक प्रकार से संभव हैं, एवं कोई भी डिजाइन उन अवरोधों पर निर्भर करती है, जो कि उपकरण की वजह से, ग्रिड की वजह से या भौतिक ढांचे की वजह से हो सकते हैं।

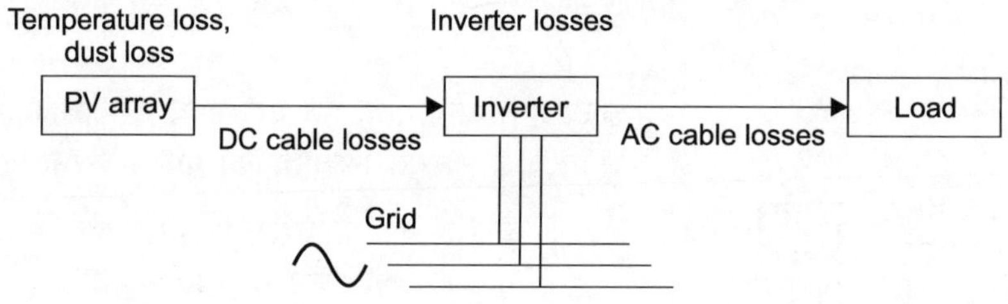

चित्र 11.21
पीवी संयंत्र में विभिन्न हानियों के संकेतों के साथ एक ग्रिड-कनेक्टेड पीवी संयंत्र का रेखाचित्र।

चरण-1: ऊर्जा के वार्षिक उपयोग का आंकलन

इस चरण में उपकरण द्वारा की गई ऊर्जा खपत का आंकलन किया गया है। अध्याय 2 में यह प्रक्रिया विस्तारपूर्वक समझाई गई है। उदाहरण के लिये, आइये यह मानें कि उपकरण द्वारा खपत की गई ऊर्जा 15 kWh या 15 इकाई प्रतिदिन है।

भविष्य में अतिरिक्त विद्युतभार भी संभव है। उदाहरण के लिये भविष्य में, नए पंखे या कंप्यूटर आदि का लगना। माना कि भविष्य में बढ़े विद्युतभार के कारण 5 kWh की खपत की जाएगी। तब उपकरण द्वारा खपत की गई कुल आंकलित ऊर्जा होगी :

$$\text{वर्तमान विद्युतभार} + \text{भविष्य विद्युतभार} = 15 + 5 = 20 \text{ kWh /day}$$

दैनिक ऊर्जा आवश्यकताओं के आधार पर, मासिक एवं वार्षिक ऊर्जा आवश्यकताओं का आंकलन भी किया जा सकता है।

चरण-2: औसत दैनिक सौर विकिरण, सूर्यप्रकाश/धूप के घंटों के समतुल्य

किसी स्थान विशेष हेतु औसत दैनिक सौर विकिरण, जहां सौर पीवी प्लांट की स्थापना की जानी है, सामान्यतः $kWh/m^2/day$ के रूप में दिया जाता है। सामान्यतः भारत में दैनिक सौर विकिरण 4 से 7 $kWh/m^2/day$ के बीच परिवर्तित होता है। अब चूंकि सौर पीवी मॉड्यूलों की रेटिंग स्टैंडर्ड टेस्ट परिस्थितियों/कंडीशन (STC) हेतु की गई है जो कि 1000 W/m^2 या 1 kW/m^2 सूर्य प्रकाश पॉवर घनत्व एवं 25°C तापमान के बराबर है। जिसका तात्पर्य है कि एक मॉड्यूल, 100 Wp आउटपुट पावर तभी प्रदान करेगा जबकि परिस्थितियां STC के समान होंगी।

माना कि किसी स्थान विशेष के लिये औसत दैनिक सौर विकिरण 5 $kWh/m^2/day$ है, जिसे 1 $kW/m^2 \times 5$ hour/day भी लिखा जा सकता है (विस्तार जानकारी हेतु अध्याय 10 देखें)। इस प्रकार से हम कह सकते हैं कि 5 $kWh/m^2/day$ दैनिक सौर विकिरण, 5 घंटा प्रतिदिन के लिये

प्राप्त, 1 kW/m^2 सौर पॉवर घनत्व के बराबर है। हालांकि एक दिन में सूर्य अधिक घंटों के लिये चमकता है, एवं सुबह से शाम के दौरान तीव्रता परिवर्तित होती है। इस परिस्थिति में 5 घंटे/दिन सूर्यप्रकाश/धूप का मान लिया गया है।

चरण-3: उपकरण को सप्लाई किए गए AC पॉवर का आंकलन

AC पॉवर आउटपुट (kWh में), उपकरण को सप्लाई की गई कुल ऊर्जा को, दैनिक धूप के घंटों के समतुल्य मान (घंटे या 'h' के) से विभाजित करने पर (kW में) ज्ञात किया जा सकता है। इस उदाहरण में खपत की गई दैनिक ऊर्जा 18 kWh है एवं h, 5 घंटे लिया गया है।

$$\text{उपकरण को AC पॉवर (kW)} = \frac{\text{उपकरण को दैनिक ऊर्जा (kWh)}}{\text{समत दैनिक धूप के घंटे (h में)}}$$

$$= 20 \text{ kWh} / 5 \text{ h} = 4 \text{ kW}$$

चरण-4: इन्वर्टर की AC पॉवर आउटपुट या पीवी प्लांट आउटपुट पॉवर का आंकलन

AC आउटपुट पॉवर की हानियों में शामिल हैं ट्रांसफॉर्मर एवं AC केबल द्वारा होने वाली हानियां। AC आउटपुट पॉवर हानियां विशेषतः 2 से 5% होते हैं। इस उदाहरण में माना यह 5% है।

$$\text{इन्वर्टर का AC पॉवर आउटपुट (kW)} = \frac{\text{उपकरण को पॉवर (kW)}}{(1 - \text{AC पॉवर हानियां})}$$

अतः, इन्वर्टर AC आउटपुट पॉवर $= 4/(1 - 5/100) = 4/(1 - 0.05) = 4/(0.95) = 4.21$ kW.

चरण-5: इन्वर्टर को DC पॉवर आउटपुट का आंकलन

इन्वर्टर के लिये इनपुट DC पॉवर होगा। इन्वर्टर में हानियों की वजह से इन्वर्टर में इनपुट DC पॉवर, इन्वर्टर AC आउटपुट पॉवर की तुलना में अधिक होगा। इन्वर्टर पॉवर हानियों में शामिल हैं, ट्रैकिंग एवं DC से AC रूपांतरण में होने वाली हानियां। इन्वर्टर बहुत ही दक्ष होते जा रहे हैं एवं इन्वर्टर में पॉवर की हानि 2 से 5% की रेंज में है। आइये मानें कि इस उदाहरण में इन्वर्टर हानियां 3% हैं।

$$\text{इन्वर्टर की DC पॉवर इनपुट (kW)} = \frac{\text{इर्न्वटर की AC पॉवर आउटपुट (kW)}}{(1 - \text{इन्वर्टर पॉवर हानियां})}$$

अतः, इन्वर्टर DC आउटपुट पॉवर $= 4.21/(1 - 3/100) = 4.21/(1 - 0.03) = 4.21/(0.97) = 4.34$ kW

चरण-6: पीवी सरणी की DC पॉवर आउटपुट का आंकलन

पीवी सरणी एवं इन्वर्टर इनपुट के बीच, DC केबल होती हैं। DC केबल में भी पॉवर हानियां होती हैं। DC केबल हानियां केबल की मोटाई एवं लंबाई पर निर्भर करती हैं। संयंत्रों को अधिकतम 3%, DC केबल हानियों हेतु डिजाइन किया गया है। केबल हानियों की वजह से पीवी सरणी को अधिक पॉवर उत्पादित करनी होगी। माना कि केबल हानियां 3% हैं :

$$\text{इन्वर्टर की DC पॉवर इनपुट (kW)} = \frac{\text{इन्वर्टर की AC पॉवर इनपुट (kW)}}{(1 - \text{इन्वर्टर की पॉवर हानि})}$$

अतः, पीवी सरणी DC आउटपुट पॉवर

$$= 4.34/(1 - 3/100) = 4.34/(1 - 0.03) = 4.34/0.97 = 4.47 \text{ kW}$$

इस प्रकार से पीवी सरणी का आंकलित आकार 4.03 kW होगा। याद रखें कि पीवी मॉड्यूल की यह पॉवर रेटिंग STC परिस्थितियों के तहत् पॉवर रेटिंग है, जिसका तात्पर्य है कि इसकी उच्चतम पॉवर रेटिंग 'p' के साथ 4.47 kWp या लगभग 4.5 kWp के बराबर है।

चरण-7: ऑपरेशन/संचालन के दौरान होने वाली हानियों को ध्यान रखें

व्यावहारिक रूप से, जब पीवी मॉड्यूल कार्य करते हैं, तब अनेक हानियां संभावित होती हैं। कुछ हानियां कम तो कुछ अधिक होती हैं। मॉड्यूल या पीवी सरणी आउटपुट निम्न कारणों से घट जाता है :

1. मैन्युफैक्चरिंग टॉलरेंस/मॉड्यूल का बेमेल होना
2. मॉड्यूल तापमान हानि
3. मॉड्यूल सॉइलिंग हानि

बेमेल मॉड्यूल से होने वाली हानियां : पीवी मॉड्यूल आउटपुट पॉवर का मैन्यूफैक्चरिंग टॉलरेंस +/– 3% होता है। अतः मॉड्यूल बेमेल होने से होने वाली हानियां 3% हैं।

मॉड्यूल तापमान हानि : मॉड्यूल तापमान हानियां ज्ञात करने हेतु, मॉड्यूल औसत ऑपरेटिंग तापमान (NOCT–Normal Operating Cell Temperature) ज्ञात करना आवश्यक है। 25°C पर STC तहत सामान्य/नॉर्मल ऑपरेटिंग सेल तापमान को मॉड्यूल सेल तापमान माना जाता है। 45°C पर विशेषतः पीवी मॉड्यूल NOCT निर्दिष्ट है। मॉड्यूल सेल का औसत ऑपरेटिंग तापमान औसत वातावरणीय तापमान परिस्थितियों पर निर्भर करता है। 30°C औसत वातावरणीय तापमान हेतु मॉड्यूल औसत ऑपरेटिंग तापमान 50°C है।

पीवी मॉड्यूल के आउटपुट पॉवर हेतु तापमान गुणांक 0.25%/°C से 0.5%/°C की रेंज में होता है। यह पॉवर तापमान गुणांक एक मॉड्यूल हेतु प्रति डिग्री सेंटीग्रेड तापमान बढ़त के लिये पॉवर हानि इंगित करता है। क्रिस्टिलीन सिलिकॉन मॉड्यूल में पॉवर तापमान गुणांक लगभग 0.45%/°C होता है जबकि थिन फिल्म मॉड्यूल में निम्न तापमान गुणांक होता है 0.2%/°C से 0.3%/°C की रेंज में। सामान्यतः पीवी मॉड्यूलों का पॉवर तापमान गुणांक निर्माणकर्ताओं/मैन्युफैक्चरर की डाटाशीट में दिया जाता है। यह अधिकांशतः पीवी मॉड्यूलों की सामग्री पर निर्भर करता है परंतु एक सीमा तक यह निर्माण पर भी निर्भर करता है। नोट करें कि तापमान गुणांक प्रति डिग्री सेंटीग्रेड में दिया जाता है। अतः यदि पीवी मॉड्यूल की 25°C पर STC परिस्थितियों के तहत विशेषताएं बताई जाएं तो औसत ऑपरेटिंग तापमान 50°C है, तब मॉड्यूल या सरणी में तापमान वृद्धि की वजह से पॉवर आउटपुट में होने वाली हानि है :

- तापमान वृद्धि की वजह से क्रिस्टिलीन सिलिकॉन मॉड्यूल या पीवी सरणी में पॉवर हानियों का प्रतिशत है :
  मॉड्यूल तापमान हानि = (50°C – 25°C) × 0.45%/0°C = 11.25%
- तापमान वृद्धि के कारण थिन फिल्म पीवी मॉड्यूलों में पॉवर हानियों का प्रतिशत, माना कि यहां पॉवर तापमान गुणांक 0.3%/°C है :
  मॉड्यूल तापमान हानि = (50°C – 25°C) × 0.3%/0°C = 7.5%

पॉवर तापमान गुणांक, किसी मॉड्यूल में प्रति डिग्री सेंटीग्रेड तापमान वृद्धि होने पर होने वाली पॉवर हानि को इंगित करता है। यह गुणांक मुख्यतः पीवी मॉड्यूल की सामग्री पर निर्भर करता है, परंतु एक सीमा तक यह निर्माणकर्ता पर भी निर्भर करता है।

मॉड्यूल पर धूल-मिट्टी जमने से होने वाली हानियां : मॉड्यूलों में सॉइलिंग या मिट्टी जमना मुख्यतः धूल, गंद, पक्षियों की बीट आदि से होती है। सॉइलिंग हानि कम से कम हो इसके लिये निश्चित समयांतराल पर सफाई की सलाह दी जाती है। मॉड्यूल की सॉइलिंग हानि लगभग 5% आंकलित है।

अतः ऑपरेशन/कार्य करने के दौरान कुल पीवी मॉड्यूल हानि है :

(Total module loss = Mismatch loss + Temperature loss + Soiling loss)
= 3% + 11.25% + 5% = 19.25%

चरण-8: अंतिम रूप से आवश्यक पीवी सरणी क्षमता का आंकलन

पीवी सरणी से अपेक्षित है कि वह चरण–6 में आंकलित किया गया DC पॉवर प्रदान करें, परंतु साथ ही वह चरण–7 में आंकलित ऑपरेटिंग हानियों की भी आपूर्ति करे। ये बिंदु ध्यान में रखते हुए आवश्यक कुल पीवी सरणी होगी :

$$\text{अंतिम पीवी सरणी पॉवर आउटपुट (kW)} = \frac{\text{पीवी सरणी DC पॉवर आउटपुट (kW)}}{(1 - \text{ऑपरेटिंग हानियां})}$$

$$= 4.5/\,(1 - 19.25/100) = 4.5/\,(1 - 0.192)$$

$$= 4.5/\,(0.808) = 5.57 \text{ kWp}$$

अतः आवश्यक अंतिम पीवी सरणी क्षमता 5.57 kWp है। याद रखें कि सब्सक्रिप्ट 'p' पॉवर में जोड़ा गया है अर्थात् Wp यहां इंगित करता है कि यह पॉवर रेटिंग STC परिस्थितियों हेतु है।

चरण-9: पीवी मॉड्यूलों की आवश्यक संख्या का आंकलन

इस उद्देश्य हेतु हमें देखना होता है कि बाजार में कौन से मॉड्यूल उपलब्ध हैं, साथ ही उनकी निर्माण संबंधी जानकारी एवं उनकी पॉवर रेटिंग। पीवी मॉड्यूल 30 से 300 Wp की क्षमता में बाजार में उपलब्ध हैं। सामान्यतः अनुप्रयोगों हेतु अनेक kWp में पीवी मॉड्यूलों की आवश्यकता होती है, अतः हमें उच्च वॉटेज रेटिंग वाले मॉड्यूलों का चयन करना चाहिये। 230 Wp, 235 Wp एवं 240 Wp युक्त उच्च वॉटेज रेटिंग क्रिस्टिलीन Si PV मॉड्यूल बाजार में उपलब्ध हैं। उदाहरण के लिये यदि हम 240 Wp पीवी मॉड्यूल का उपयोग करने का चयन करते हैं, जो कि आजकल उपलब्ध है। तब आवश्यक पीवी मॉड्यूलों की कुल संख्या होगी :

$$5.57 \text{ kW} / 240 = 5570/240 = 23.20$$

या अगला पूर्णांक मान लेने पर, हम कह सकते हैं कि 24 पीवी मॉड्यूल की आवश्यकता होगी।

इन पीवी मॉड्यूलों का संयोजन इन्वर्टर पॉवर रेटिंग एवं उस इनपुट DC वोल्टेज पर निर्भर करता है जो कि इन्वर्टर ले सकता है।

चरण-10: इन्वर्टर पॉवर रेटिंग का आंकलन

चरण–6 में यह आंकलित है कि इन्वर्टर को DC पॉवर इनपुट 4.34 kW है, इसका तात्पर्य है कि एक इन्वर्टर इतना सक्षम हो कि इतनी पॉवर उत्पादित कर सके। सामान्यतः सुरक्षा उद्देश्यों से थोड़ी उच्च पॉवर रेटिंग का चयन किया जाता है। यह आवश्यक है, क्योंकि बादलों या अन्य वस्तुओं की वजह से होने वाले परिवर्तन की वजह से मॉड्यूल पर गिरने वाले सूर्यप्रकाश की मात्रा कुछ समय के लिये बढ़ सकती है, जिसका परिणाम उच्च पॉवर उत्पादन हो सकता है। इन्वर्टर का चयन, लगभग 10% उच्च क्षमता का करना चाहिये। साथ ही, बेमेल मॉड्यूलों की वजह से होने वाली हानियां 3% मानी गई, यदि मॉड्यूलों में कोई बेमेल हो। यह अतिरिक्त पॉवर इन्वर्टर इनपुट पर होगी, हमें इस बिंदु की वजह से भी सुरक्षा कारकों पर ध्यान देना होगा। कुल मिला कर हमारी इन्वर्टर क्षमता चरण–6 में आंकलित किये गए इनपुट पॉवर मान से 10% से 15% उच्च होना चाहिये।

$$\text{इन्वर्टर पॉवर रेटिंग (kW)} = \frac{\text{इन्वर्टर को DC पॉवर इनपुट (kW)}}{(1 - \text{सुरक्षा कारक})}$$

$$= 4.34/(1 - 15/100) = 4.34/(1 - 0.15)$$

$$= 4.34/(0.85) = 5.11 \text{ kW}$$

नोट करें कि यह इन्वर्टर की इनपुट पॉवर रेटिंग है। इन्वर्टर में होने वाली हानियों की वजह से इन्वर्टर की आउटपुट पॉवर रेटिंग, इससे कम होगी।

चरण-11: पीवी सरणी कॉन्फीगरेशन

पीवी सरणी कॉन्फीगरेशन या श्रेणी या श्रृंखला में जोड़े जाने वाले पीवी मॉड्यूलों की संख्या, एवं समानांतर क्रम में श्रृंखलाओं की संख्या आदि, इन्वर्टर वोल्टेज रेटिंग पर निर्भर करती है। पीवी श्रृंखला V_{oc} एवं V_{mp} इन्वर्टर रेटिंग की स्वीकार्य सीमा के अंदर होनी चाहिये। पीवी सरणी के अधिकतम I_{sc} का मान इन्वर्टर की स्वीकार्य सीमा के अंदर होना चाहिये।

अंतिम सरणी कॉन्फीगरेशन, इन्वर्टर के चलने के दौरान इनपुट DC वोल्टेज पर निर्भर करता है। इन्वर्टर निर्माणकर्ता इसके MPPT ऑपरेशन हेतु V_{mp} मान की एक रेंज निर्दिष्ट करते हैं। मॉड्यूल टॉलरेंस एवं इसके ऑपरेशन के निम्नतम व अधिकतम तापमान के आधार पर, मॉड्यूल V_{mp} आउटपुट की एक रेंज निर्धारित होती है। एक श्रेणी श्रृंखला में जुड़े हुए मॉड्यूलों की संख्या हेतु, श्रृंखला के V_{mp} मानों की रेंज की गणना कर ली जाती है। एक श्रेणी श्रृंखला में मॉड्यूलों की संख्या इस प्रकार निर्धारित कर ली जाती है कि इसके V_{mp} आउटपुट की रेंज इन्वर्टर के V_{mp} मानों की स्वीकार्य रेंज के अंदर आती हो। इस बिंदु को विस्तारपूर्वक चित्र 11.22 में समझाया गया है।

इन्वर्टर निर्माणकर्ता अधिकतम इनपुट DC वोल्टेज रेटिंग भी विशेष रूप से दर्शाते हैं। मॉड्यूल टॉलरेंस एवं इसके ऑपरेशन के निम्नतम तापमान के आधार पर, अधिकतम मॉड्यूल V_{oc} आउटपुट ज्ञात कर लिया जाता है। एक श्रेणी श्रृंखला में संयोजित मॉड्यूलों की एक संख्या हेतु, अधिकतम

श्रृंखला V_{oc} आउटपुट, अधिकतम मॉड्यूल V_{oc} गुणित मॉड्यूलों की संख्या से प्राप्त मान के बराबर होता है। अधिकतम सरणी V_{oc}, सरणी बनाने हेतु समानांतर क्रम में जुड़ी श्रृंखलाओं की संख्या के लिये अधिकतम श्रृंखला V_{oc} के बराबर होता है। यह फिर सत्यापित किया जाता है कि अधिकतम सरणी V_{oc}, इन्वर्टर के अधिकतम इनपुट DC वोल्टेज रेटिंग से कम होता है। इसे चित्र 11.22 में समझाया गया है।

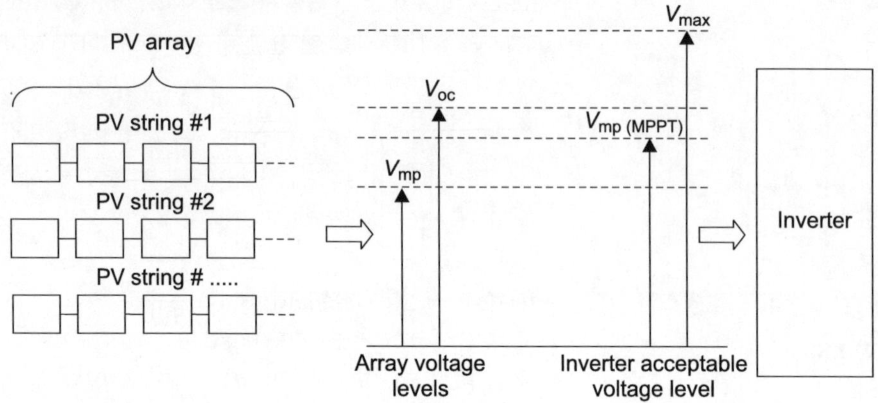

चित्र 11.22
सरणी वोल्टेज स्तर एवं इन्वर्टर के इनपुट पर स्वीकार्य वोल्टेज स्तर।

पीवी क्रम कॉन्फीगरेशन या श्रेणी में (श्रृंखला की तरह) जोड़े जाने वाले पीवी मॉड्यूलों की संख्या एवं समानांतर श्रृंखलाओं की संख्या इन्वर्टर वोल्टेज रेटिंग पर निर्भर करती है।

यह भी सत्यापित किया गया है कि अधिकतम सरणी I_{sc}, इन्वर्टर के अधिकतम इनपुट DC विद्युतधारा रेटिंग के बराबर होता है। अधिकतम मॉड्यूल I_{sc}, मॉड्यूल टॉलरेंस, अधिकतम उपलब्ध सौर विकिरण एवं ऑपरेशन के अधिकतम तापमान से निर्धारित होता है। अधिकतम श्रृंखला I_{sc}, एक श्रेणी–संयोजित श्रृंखला हेतु अधिकतम मॉड्यूल I_{sc} के बराबर होता है एवं अधिकतम सरणी I_{sc} है अधिकतम श्रृंखला I_{sc} गुणित एक सरणी में श्रृंखलाओं की संख्या।

श्रृंखला में मॉड्यूलों की संख्या का निर्धारण

आइये हम जानते हैं कि एक श्रृंखला में कितने मॉड्यूल जोड़े जाने चाहिये। यह इंस्टॉलेशन हेतु चुने गए पीवी मॉड्यूलों के V_{mp} एवं V_{oc} एवं इन्वर्टर के इनपुट पर स्वीकार्य V_{mp} एवं V_{max} एवं द्वारा निर्धारित किया जाता है।

तालिका 11.1 व्यावसायिक पीवी मॉड्यूलों के विशेष मापदंड

S. No.	*Model X*	P_m (W_p)	V_{oc} (V)	I_{sc} (A)	V_m (V)	I_m (A)
1	Module 1	125	22.1	7.9	18.2	6.9
2	Module 2	135	22.0	8.38	17.7	7.63
3	Module 3	145	22.4	8.5	18.35	7.9
4	Module 4	200	32.5	8.42	26.1	7.66
5	Module 5	210	41.59	7.13	33.81	6.21
6	Module 6	230	36.0	8.45	28.6	8.05
7	Module 7	240	37.38	8.45	30.60	7.85

तालिका 11.2 व्यावसायिक रूप से उपलब्ध ग्रिड-कनेक्टेड इन्वर्टरों के विशेष मापदंड

AC power output (kVA)	*Model*	*Maximum DC input voltage* (V)	*Maximum power point* (MPP) *voltage tracking range* (V)	*Maximum DC current* (A)	*Peak efficiency* (%)
5	Inveter 1	600	80–120	50	97.0
10	Inveter 2	600	100–160	75	97.5
17	Inveter 3	600	400–800	35	98.2
250	Inveter 4	600	330–600	800	97.5
500	Inveter 5	600	330–600	1470	98.6
1000	Inveter 6	1000	460–875	2100	98.6

तालिका 11.1 में व्यावसायिक रूप से जो उनकी विभिन्न मापदंडों के साथ पीवी मॉड्यूल की सूची दी गई है। इन मॉड्यूलों को ग्रिड–कनेक्टेड पीवी अनुप्रयोगों हेतु उपयोग किया जा सकता है। इन पीवी मॉड्यूलों का उपयोग करते हुए कुछ kW से MW स्तर के प्लांट स्थापित किए जा सकते हैं। सामान्यतः MW स्तर के प्लांट हेतु उच्च वॉटेज रेटिंग वाले पीवी मॉड्यूलों को प्राथमिकता दी जाती है। तालिका 11.2 व्यावसायिक रूप से उपलब्ध ग्रिड–कनेक्टेड इन्वर्टर के मापदंड दर्शाती है। इन इन्वर्टर के मुख्य मापदंड हैं अधिकतम DC इनपुट वोल्टेज, अधिकतम पॉवर पॉइंट ट्रैकिंग वोल्टेज रेंज, अधिकतम DC इनपुट विद्युतधारा, इन्वर्टर की दक्षता एवं उनकी पॉवर रेटिंग। चित्र 11.21 द्वारा एवं तालिका 11.1 व 11.2 का उपयोग करते हुए, हम एक पीवी श्रृंखला में पैनलों की जो संख्या जोड़ सकते हैं उनका आंकलन कर सकते हैं एवं ज्ञात कर सकते हैं कि किसी पॉवर अनुप्रयोग विशेष के लिये इस तरह की कितनी श्रृंखलाओं की आवश्यकता हो सकती है।

आवश्यक पीवी मॉड्यूलों की संख्या : इस उदाहरण में आवश्यक कुल पीवी सरणी क्षमता 5.57 या लगभग 6 kWp (चरण–8 से), माना कि हम मॉड्यूल–3 (तालिका 11.1 से) का चयन करते हैं। मॉड्यूल–3 की रेटेड पॉवर क्षमता 145 Wp है। अतः 6 kWp हेतु आवश्यक मॉड्यूल–3 की संख्या है :

$$\text{आवश्यक मॉड्यूलों की संख्या} = \frac{\text{PV प्लांट की कुल क्षमता}}{\text{एक माड्यूल की रेटेड पॉवर}}$$

$$= 6\text{ kWp}/145\text{ Wp} = 6000/145 = 41.37$$

या पूर्णांक में हमें इस पीवी संयंत्र हेतु 145 Wp के लगभग 42 पीवी मॉड्यूलों की आवश्यकता है।

एक श्रृंखला में पीवी मॉड्यूलों की संख्या : सरणी में पीवी मॉड्यूलों की संख्या निर्धारित करने के लिये हमें इन्वर्टर की स्वीकार्य वोल्टेज रेटिंग देखना चाहिये एवं यह मान श्रृंखला के वोल्टेज रेटिंग के समान होना चाहिये जैसा कि चित्र 11.21 में दिया गया है। पीवी मॉड्यूल–3 का V_{oc}, 22.4 V है, V_{mp} है 18.35 V एवं I_m है 7.9A। अब चरण–10 के अनुसार इन्वर्टर पॉवर रेटिंग 5.11 kVA है। आइये मानते हैं कि बाजार में 5 kVA का एक व्यावसायिक इन्वर्टर उपलब्ध है (तालिका 11.2 में इन्वर्टर–1 देखें)। इसका अधिकतम पॉवर पॉइंट (MPP) वोल्टेज ट्रैकिंग रेंज 80 –120 V है एवं अधिकतम इनपुट DC विद्युतधारा 50 A है।

चूंकि जब हम पीवी मॉड्यूलों को श्रेणी में जोड़ते हैं वोल्टेज का योग या जोड़ होता है। अतः हमें इन्वर्टर–1 में आवश्यक वोल्टेज रेंज को पाने के लिये अनेक मॉड्यूल–3 को श्रेणी में जोड़ने की आवश्यकता है। यदि हम इन्वर्टर–1 के V_{mp} रेंज को मॉड्यूल–3 के V_{mp} से विभाजित करें, तो हमें एक श्रृंखला निर्मित करने हेतु श्रेणी में जोड़ने हेतु पीवी मॉड्यूलों की संख्या ज्ञात हो जाएगी।

$$\text{श्रृंखला में मॉड्यूलों की संख्या} = \frac{\text{चुने गए इन्वर्टर का } V_{mp} \text{ वोल्टेज}}{\text{चुने गए PV मॉड्यूल का } V_{mp}}$$

चूंकि इन्वर्टर V_{mp} ट्रैकिंग रेंज 80 से 120 है, हम इसका औसत लेंगे, जो कि 100 वोल्ट है। यह 100 V पीवी मॉड्यूल श्रृंखला का V_{mp} है। याद रखें कि इन्वर्टर ट्रैकिंग रेंज में किसी अन्य वोल्टेज स्तर को भी चुना जा सकता है। हमें केवल यह सुनिश्चित करना है कि सरणी V_{mp} बिंदु सभी ऑपरेटिंग परिस्थितियों में इन्वर्टर V_{mp} रेंज में होना चाहिये।

$$= 100 / 18.35 = 5.44$$

उपरोक्त गणनाएं दर्शाती हैं कि हमें श्रेणी में 5.44 पीवी मॉड्यूलों को जोड़ने की आवश्यकता है, या पूर्णांक में 6 मॉड्यूल। 6 मॉड्यूल श्रेणी का V_{mp} होगा $18.35 \times 6 = 111.9$। यह अभी भी इन्वर्टर के V_{mp} ट्रैकिंग रेंज में है एवं स्वीकार्य है। साथ ही याद रखें कि यदि मॉड्यूल में सेलों का तापमान 25°C से अधिक है, तब वास्तविक मॉड्यूल V_{mp} निम्न होगा। इसका तात्पर्य है कि श्रेणी में 6 पीवी मॉड्यूलों का V_{mp} स्वीकार्य सीमा में होगा।

समानांतर में पीवी श्रृंखलाओं की संख्या : कुल मिलाकर हमें इस ग्रिड–कनेक्टेड पीवी संयंत्र में 42 पीवी मॉड्यूल जोड़ने की आवश्यकता है। पीवी मॉड्यूलों की एक श्रृंखला में 6 पीवी मॉड्यूल होंगे। अतः श्रृंखलाओं की वह संख्या जिसे समानांतर क्रम में जोड़ा जाना है, होगी :

$$\text{समानांतर में श्रृंखलाओं की संख्या} = \frac{\text{संयंत्र में पीवी माड्यूलों की कुल सख्या}}{\text{एक श्रृंखला में माड्यूलों की संख्या}}$$

$$= 42/6 = 7$$

अतः, हमें 6 मॉड्यूलों की 7 श्रृंखलाओं को समानांतर क्रम में जोड़ने की आवश्यकता है। याद रखें कि, जब हम श्रृंखलाओं को समानांतर में जोड़ेंगे तो प्रत्येक श्रृंखला की विद्युतधारा का योग होगा। समानांतर संयोजन की कुल विद्युतधारा प्रत्येक श्रृंखला की विद्युतधारा का योग होगी। हमें यह सुनिश्चित करना होगा कि श्रृंखलाओं की कुल विद्युतधारा इन्वर्टर की सीमा में है। इस उदाहरण में इन्वर्टर–1 की अधिकतम DC विद्युतधारा सीमा 50 A है। इस स्थिति में, मॉड्यूल–3 I_{sc} है 8.5 A, एवं 7 श्रृंखलाएं समानांतर क्रम में जुड़ी हैं, अतः सभी श्रृंखलाओं की कुल विद्युतधारा होगी :

$$\text{समानांतर में श्रृंखलाओं की कुल विद्युतधारा} = \text{एक श्रृंखला की विद्युतधारा} \times \text{श्रृंखलाओं की कुल संख्या}$$

$$= 8.5 \times 7 = 59.5 \text{ A}$$

जब इन्वर्टर रेटिंग, पीवी सरणी रेटिंग के समान न हो, तब, या तो आप अपनी पीवी सरणी आवश्यकताओं हेतु उपर्युक्त किसी अन्य इन्वर्टर का चयन करेंगे या इन्वर्टर की रेटिंग से मिलान करने हेतु अपने पीवी संयंत्र की आवश्यकताओं को परिवर्तित करेंगे।

इस गणना से हम देख सकते हैं कि 7 श्रृंखलाओं की एक साथ विद्युतधारा इन्वर्टर की अधिकतम स्वीकार्य DC विद्युतधारा से अधिक है। इससे पता चलता है कि इस अनुप्रयोग हेतु इन्वर्टर–1 उपर्युक्त नहीं है। अतः, इस परिस्थिति में, या तो आप अपनी पीवी सरणी आवश्यकताओं को पूर्ण करने हेतु किसी अन्य इन्वर्टर को चुनेंगे या आप अपने इन्वर्टर रेटिंग का मिलान करने हेतु अपने पीवी संयंत्र की आवश्यकताओं को परिवर्तित करेंगे।

चरण-12: बैलेंस ऑफ सिस्टम (BoS—Balance of System) अवयव को चुनें

DC BoS अवयव : संयंत्र को संयोजित करने हेतु अनेक बैलेंस ऑफ सिस्टम (BoS) की आवश्यकता होती है। पीवी सरणी को आधार देने वाली या सपोर्ट संरचना, DC केबल, श्रृंखला एवं सरणी कंबाइनर बॉक्स एवं DC डिस्ट्रीब्यूशन बॉक्स आदि DC संयंत्र में उपयोग किए जाते हैं।

पीवी सरणी सपोर्ट संरचना तीन प्रकार की होती हैं : फिक्स्ड या स्थापित, मैनुअल ट्रैकिंग एवं ऑटो–ट्रैकिंग। यह संरचना सामान्यतः उपयोग किए जाने वाले मॉड्यूल, श्रृंखला एवं सरणी डिजाइन के प्रकार के अनुसार एवं जिस भूभाग पर सरणी को स्थापित किया जाना है उसकी ढलान आदि के अनुसार डिजाइन की जाती है। मॉड्यूल को खड़ा करने वाली फ्रेम विशेषतः गैल्वेनाइज्ड आयरन या एलुमिनियम को उपयोग कर निर्मित की जाती है जिससे कि वह बाह्य तापमान, आर्द्रता, हवा एवं अन्य पर्यावरणीय कारकों का सामना कर सके। मॉड्यूल या तो फ्रेम पर बोल्ट द्वारा कसे जाते हैं या क्लिप द्वारा। इन फ्रेमों या ढांचों को छत पर या जमीन पर उपर्युक्त सहारा देने वाली संरचनाओं का उपयोग कर सुरक्षित रूप से लगाया जाता है। सहारा देने वाली संरचनाओं को विशेष रूप से मॉड्यूल की फ्रेम के समान ही धातु के टुकड़ों से या लकड़ी के टुकड़ों से निर्मित किया जाता है। सहारा देने वाली संरचनाओं को छत पर कंक्रीट ब्लॉक पर या मजबूत जमीन पर खड़ा किया जाता है।

श्रृंखला/सरणी कंबाइनर बॉक्स पर विशेष रूप से दोहरी पर्त/इंसुलेटेड चढ़ाई जाती है एवं वह IP65 हेतु रेटेड होता है। सर्ज प्रोटेक्शन युक्तियां विशेष रूप से 600 से 1000 V DC हेतु रेटेड होती हैं। दो पोल वाला डिस्कनेक्ट स्विच कम से कम पीवी सरणी शॉर्ट सर्किट विद्युतधारा के 1.25 गुना हेतु रेटेड होता है। सरणी कंबाइनर बॉक्स के अंदर DC डिस्कनेक्ट स्विच का उपयोग बिल्डिंग एवं इन्वर्टर में पीवी सरणी को DC केबल से पृथक करने हेतु किया जाता है। ग्राउंड फॉल्ट डिटेक्टर इंटरप्टर (GFDI—Ground Fault Detector Interrupter) युक्ति को विशेष रूप से पीवी सरणी अधिकतम आउटपुट विद्युतधारा के 5 प्रतिशत का ग्राउंड फॉल्ट विद्युतधारा व इंटरप्ट इनपुट सर्किट के रूप में पता लगाने हेतु डिजाइन किया गया है।

इन्वर्टर के पास स्थित DC डिस्ट्रीब्यूशन बॉक्स के अंदर DC डिस्कनेक्ट स्विच एवं सर्ज प्रोटेक्शन युक्तियां भी रखी जाती हैं। वैकल्पिक रूप से, उन्हें इन्वर्टर DC इनपुट सर्किट के साथ एकीकृत किया जाता है। DC डिस्ट्रीब्यूशन बॉक्स के अंदर DC डिस्कनेक्ट स्विच का उपयोग बिल्डिंग के अंदर DC सर्किट को पृथक करने के लिये किया जाता है।

यदि प्रत्येक स्थान पर श्रृंखला शॉर्ट सर्किट विद्युतधारा के कम से कम 1.25 गुना हेतु DC केबल रेटेड हैं, तो श्रृंखला फ्यूज वैकल्पिक होते हैं। 4 श्रृंखलाओं से कम उपयोग करने वाले छोटे आकार के पॉवर प्लांट के लिये श्रृंखला ब्लॉकिंग डायोड भी वैकल्पिक होते हैं। केबल या तो बाह्य वातावरण हेतु रेटेड होते हैं या नलिकाओं के अंदर होते हैं जो कि बाहरी उपयोग हेतु भी रेटेड होते हैं।

DC केबल साइज इस प्रकार से चुना जाता है कि DC केबल की पूरी लंबाई में होने वाली पॉवर हानि रेटेड पीवी सरणी आउटपुट पॉवर के 3% के अंदर हो।

श्रृंखला DC केबलों की कुल लंबाई मॉड्यूलों एवं श्रृंखला कंबाइनर बॉक्स के बीच दूरी की दुगुनी (धनात्मक एवं ऋणात्मक केबल) होती है। सरणी DC केबलों (धनात्मक एवं ऋणात्मक केबल) की कुल लंबाई सरणी कंबाइनर बॉक्स व इन्वर्टर के बीच की दूरी की दुगुनी होती है। DC केबल साइज इस प्रकार से चुना जाता है कि DC केबल की पूरी लंबाई में होने वाली पॉवर हानि रेटेड पीवी सरणी आउटपुट पॉवर के 3% के अंदर हो।

AC BoS अवयव : AC संयंत्र में अवयव हैं AC सर्किट ब्रेकर, AC ओवर–वोल्टेज प्रोटेक्शन युक्तियां, AC आउटपुट ट्रांसफॉर्मर, AC केबल, AC डिस्ट्रीब्यूशन बॉक्स एवं AC ऊर्जा मीटर।

AC सर्किट ब्रेकर एवं AC ओवर–वोल्टेज प्रोटेक्शन युक्तियों को इन्वर्टर आउटपुट AC सर्किट के साथ एकीकृत किया जाता है। वैकल्पिक रूप से, इन्हें AC डिस्ट्रीब्यूशन बॉक्स के अंदर भी रखा जा सकता है जिससे कि इन्वर्टर आउटपुट को AC आउटपुट ट्रांसफॉर्मर या उपकरणों के निकट पृथक किया जा सके। AC सर्किट ब्रेकर विशेषतः इन्वर्टर के अधिकतम AC आउटपुट विद्युतधारा के 1.2 गुना हेतु रेटेड होते हैं।

AC वोल्टेज प्रोटेक्शन युक्तियां विशेषतः 400 V AC के लिये 230 V सिंगल फेस सर्किट हेतु एवं 600 V AC के लिये 415 V तीन फेस सर्किट हेतु रेटेड होती हैं।

AC आउटपुट ट्रांसफॉर्मर सामान्यतः LV सर्किट के लिये इन्वर्टर के अंदर ही निर्मित किए जाते हैं एवं ये इन्वर्टर के अधिकतम AC आउटपुट पॉवर के 1.2 गुना हेतु रेटेड होते हैं। MV सर्किट के लिये, MV ग्रिड को AC पॉवर की आपूर्ति करने के लिये एक बाह्य तीन फेस स्टेप–अप ट्रांसफॉर्मर का उपयोग किया जाता है। MV ट्रांसफॉर्मर, इन्वर्टर की अधिकतम AC आउटपुट पॉवर के 1.05 से 1.1 गुना के लिये रेटेड होता है। AC आउटपुट ट्रांसफॉर्मर के साथ AC इनपुट व आउटपुट सर्किट ब्रेकर एवं AC वोल्टेज प्रोटेक्शन युक्तियों का उपयोग किया जाता है। ट्रांसफॉर्मर की हानियां विशेषतः इसकी रेटेड आउटपुट पॉवर की 2 से 5 प्रतिशत की रेंज में होती हैं।

AC केबल साइज इस प्रकार चुना जाता है कि संपूर्ण लंबाई में होने वाली कुल पॉवर हानि रेटेड इन्वर्टर AC आउटपुट पॉवर के 2% के अंदर हो।

AC केबल की रेटिंग उस अधिकतम AC विद्युतधारा मान के 1.2 गुना के बराबर होती है जो वह वहन कर सकती है। इन्वर्टर आउटपुट से कंट्रोल रूम के अंदर ट्रांसफार्मर तक AC केबल की रेटिंग अंतःवातावरण के अनुसार होती है। ट्रांसफॉर्मर आउटपुट से बिल्डिंग के अंदर स्थित उपकरण तक की AC केबल की रेटिंग अंतःवातावरण के अनुसार ही निर्दिष्ट होती है। ट्रांसफॉर्मर आउटपुट से ग्रिड तक की AC केबल की रेटिंग बाह्य वातावरण के लिये होती है। LV AC केबल की कुल लंबाई इन्वर्टर एवं ट्रांसफार्मर या उपकरण के बीच की दूरी के दुगुने मान के बराबर होती है। MV AC केबल की कुल लंबाई ट्रांसफॉर्मर एवं ग्रिड डिस्ट्रीब्यूशन केंद्र के बीच की दूरी के दुगुने मान के बराबर होती है। AC केबल साइज इस प्रकार चुना जाता है कि संपूर्ण लंबाई में होने वाली कुल पॉवर हानि रेटेड इन्वर्टर AC आउटपुट पॉवर के 2% के अंदर हो।

चरण-13: ऊर्जा मीटर का चयन करें

पीवी पॉवर प्लांट द्वारा उत्पादित ऊर्जा, उपकरण द्वारा खर्च की गई ऊर्जा एवं प्लांट द्वारा ग्रिड को आपूर्ति की गई ऊर्जा आदि को मॉनीटर करने हेतु ऊर्जा मीटर का उपयोग किया जाता है।

छोटे पॉवर अनुप्रयोगों के लिये पीवी पॉवर प्लांट में, नेट या शुद्ध ऊर्जा मीटर का उपयोग किया जाता है जिससे ग्रिड द्वारा उपकरण ने जो कुल ऊर्जा ली है या इन्वर्टर द्वारा ग्रिड को

जो शुद्ध ऊर्जा की आपूर्ति की गई है, को मॉनीटर किया जाता है। नेट या शुद्ध ऊर्जा मीटर LV ग्रिड वोल्टेज एवं पीवी पॉवर प्लांट के अधिकतम आउटपुट AC विद्युतधारा या अधिकतम उपकरण AC विद्युतधारा हेतु, जिसका भी मान उच्च हो, के लिये रेटेड होता है। पीवी उत्पादित AC ऊर्जा एवं उपकरण द्वारा खपत की गई AC ऊर्जा को पृथक ऊर्जा मीटर द्वारा मॉनीटर किया जा सकता है। वैकल्पिक रूप से, पीवी उत्पादित DC ऊर्जा को मॉनीटर करने हेतु पीवी सरणी के आउटपुट पर DC ऊर्जा मीटर का उपयोग किया जाता है। बड़े पॉवर अनुप्रयोगों हेतु पीवी पॉवर प्लांट में, पीवी पॉवर प्लांट द्वारा उत्पादित एवं MV ग्रिड को आपूर्ति की गई ऊर्जा को मॉनीटर करने हेतु तीन फेस युक्त AC ऊर्जा मीटर का उपयोग किया जाता है। ये ऊर्जा मीटर MV AC वोल्टेज हेतु रेटेड होते हैं। साथ ही, इन्वर्टर भी पीवी पॉवर प्लांट द्वारा उत्पादित AC ऊर्जा को मॉनीटर करते हैं।

प्रश्न 11.6 12 kWh/ / दिन की उपकरण की ऊर्जा आवश्यकता को पूर्ण करने हेतु एक ग्रिड–कनेक्टेड पीवी संयंत्र को डिजाइन करें। माना कि यह ग्रिड पूरे समय उपलब्ध है एवं कोई भी बैटरी संग्रहण आवश्यक नहीं है। इस प्लांट हेतु जिन अवयवों का चयन किया गया है उनकी विस्तारपूर्वक जानकारी दें। यहां औसत वातावरणीय तापमान 25°C एवं औसत सौर विकिरण 5.5 kWh/m^2/day लें।

प्रश्न 11.7 25 kWh/दिन की उपकरण की ऊर्जा आवश्यकता पूर्ण करने हेतु एक ग्रिड–कनेक्टेड पीवी संयंत्र को डिजाइन करें। माना कि ग्रिड पूर्ण समय के लिये उपलब्ध है एवं बैटरी संग्रहण की आवश्यकता नहीं है। इस प्लांट हेतु चुने गए अवयवों की जानकारी दें। यह प्लांट चेन्नई में स्थापित किया जाना है जहां सौर विकिरण 5.7 kWh/m^2/day हैं।

11.5 पॉवर प्लांट हेतु ग्रिड-कनेक्टेड पीवी संयंत्र डिजाइन

पॉवर प्लांट अनुप्रयोगों हेतु जो पीवी संयंत्र डिजाइन किए गए हैं उनका प्राथमिक कार्य है केवल ग्रिड को पॉवर पहुंचाना, न कि कैप्टिव पॉवर प्लांट की तरह किसी स्थानीय उपकरण को। जब हम एक कैप्टिव पॉवर प्लांट डिजाइन करते हैं, तो मूल बिंदु जो ध्यान रखा जाता है, वह है स्थानीय उपकरण की ऊर्जा आवश्यकता पूर्ण करने हेतु पीवी संयंत्र को डिजाइन करना, यदि अतिरिक्त ऊर्जा उत्पादन हो रहा हो या अतिरिक्त उत्पादित ऊर्जा ग्रिड को पहुंचाई गई हो, तो यहां उपकरण को आपूर्ति करने हेतु ग्रिड कनेक्टिविटी मदद करती है । वहीं दूसरी ओर जब हम पॉवर प्लांट हेतु सौर पीवी संयंत्र को डिजाइन करते हैं तब मूलभूत संकल्पना होती है पॉवर प्लांट की क्षमता या आकार को निश्चित करना एवं तब पॉवर प्लांट को इस तरह डिजाइन करना कि प्लांट से उत्तम रूप से विद्युत उत्पादन प्राप्त हो। उदाहरण के लिये, जवाहरलाल नेहरू राष्ट्रीय सौर मिशन के तहत, सरकार 5 MWp क्षमतायुक्त सौर पीवी पॉवर प्लांट स्थापित करने हेतु अनुबंध प्रदान कर रही है। अन्य भी योजनाएं हैं जिनके तहत 1 MWp क्षमतायुक्त पीवी प्लांट की स्थापना की जा सकती है। इस प्रकार की परिस्थितियों में, पीवी प्लांट स्थापित करने वाले प्लांट को इस प्रकार स्थापित करने की कोशिश करते हैं कि प्लांट में होने वाली हानियां कम से कम हों एवं फलस्वरूप ऊर्जा उत्पादन अधिकतम हो। अधिकांशतः पीवी पॉवर प्लांट में उत्पादित ऊर्जा पूर्व–निर्धारित दरों पर सरकार को बेच दी जाती है। पीवी प्लांट डिजाइन में, हम डिजाइन दो भागों में कर सकते हैं :

भाग 1: पीवी प्लांट के ऊर्जा आउटपुट का आंकलन

भाग 2 : पीवी प्लांट के कॉन्फीगुरेशन का निर्धारण (श्रृंखला का आकार / साइज, इन्वर्टर रेटिंग आदि)।

> पीवी पॉवर प्लांट में अवयवों के डिजाइन या साइजिंग ऊर्जा प्रवाह की दिशा में की जाती है।

छोटे ग्रिड–कनेक्टेड पीवी प्लांट या स्टैंडअलोन पीवी संयंत्र डिजाइन में, अवयवों की डिजाइन या साइजिंग ऊर्जा प्रवाह के विपरीत दिशा में की जाती है। परंतु पीवी पॉवर प्लांट में अवयवों की

डिजाइन या साइजिंग ऊर्जा प्रवाह की दिशा में ही की जाती है। ऐसा इसलिये है क्योंकि, जैसे कि चर्चा की गई है, पीवी प्लांट क्षमता पहले से ही तय कर ली जाती है। इस अनुभाग में आइये देखें कि हम MW स्केल पॉवर प्लांट को डिजाइन कर सकते हैं एवं इन प्लांट से कितनी ऊर्जा उत्पादित की जा सकती है।

11.5.1 पीवी प्लांट के ऊर्जा आउटपुट का आंकलन

चरण-1: पीवी पॉवर प्लांट की क्षमता निर्धारित करना

पहला चरण है पॉवर प्लांट के आकार/साइज या क्षमता को निर्धारित करना। यह निर्धारण सामान्यतः शासन की उन योजनाओं के तहत किया जाता है जिनका मुख्य उद्देश्य ऊर्जा उत्पादन एवं उत्पादित ऊर्जा सरकार को बेचने हेतु पीवी पॉवर प्लांट की स्थापना है। इन प्लांट की रेटिंग विशेषतः 1 MWp, 2 MWp या 5 MWp है। कुछ सरकारें बहुत अधिक क्षमतायुक्त पीवी पॉवर प्लांट की स्थापना कर रही हैं, जिनकी रेंज 500 MWp तक होती है। संपूर्ण प्लांट की क्षमता सामान्यतः 1 MWp के गुणित मान में होती है। इस स्थिति में आइये हम 1 MWp क्षमता के पॉवर प्लांट को डिजाइन करें।

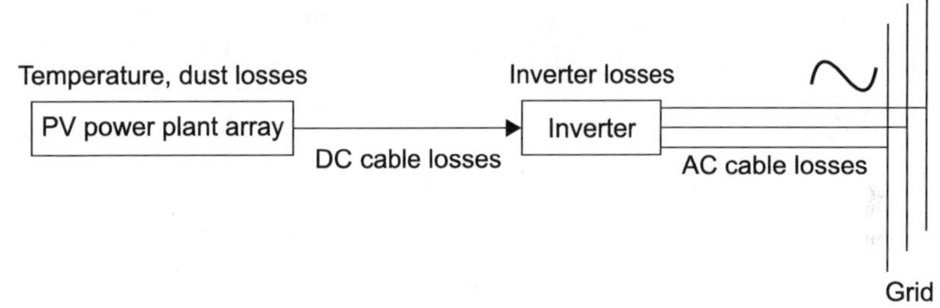

चित्र 11.23
संबद्ध हानियों के साथ एक अधिक क्षमतायुक्त पॉवर प्लांट।

चरण-2: औसत दैनिक सौर विकिरण एवं समतुल्य धूप के घंटे

जैसा कि पूर्व अनुभाग में चर्चा की गई है हमें उस स्थान का जहां पीवी प्लांट की स्थापना की जानी है, दैनिक सौर विकिरण डाटा प्राप्त होना चाहिये। इस डाटा का उपयोग करते हुए एक दी गई क्षमता वाले पॉवर प्लांट से कितनी विद्युत का उत्पादन हो सकता है, उसका आंकलन किया जा सकता है। एक दिए गए स्थान के लिये, जहां सौर पीवी प्लांट की स्थापना की जानी है, सौर विकिरण kWh/m^2/day में दिये जाते हैं। सामान्यतः भारत में दैनिक सौर विकिरण 4 से 7 kWh/m^2/day के बीच परिवर्तित होते हैं।

> सौर पीवी पॉवर प्लांट डिजाइन करने के लिये, सौर पीवी मॉड्यूल की सरणी की सतह (plane of array) पर (न कि क्षैतिज सतह पर) सौर विकिरण डाटा को ध्यान रखना चाहिये।

चूंकि सौर तीव्रता दिन प्रतिदिन एवं माह प्रतिमाह परिवर्तित होती है। अतः किसी स्थान विशेष पर औसत दैनिक सौर विकिरण भी परिवर्तित होता है। यदि हम प्लांट से संभावित ऊर्जा उत्पादन का सटीक आंकलन चाहते हैं, तो हमें उस स्थान का मासिक औसत डाटा प्राप्त करने की कोशिश करनी चाहिये। एवं इसी प्रकार हमें, प्रत्येक माह हेतु संभावित विद्युत उत्पादन का आंकलन करना चाहिये। साथ ही ध्यान रखें कि सौर विकिरण डाटा क्षैतिज सतह पर उपलब्ध होता है। अधिक सौर विकिरण एकत्रित करने हेतु सौर पीवी मॉड्यूलों को इस तरह स्थापित किया जाता है कि वे दक्षिण दिशा की ओर झुके होते हैं। झुकाव का यह कोण एक स्थान से दूसरे स्थान पर परिवर्तित होता है। अतः यह महत्वपूर्ण है कि सौर विकिरण डाटा झुकी सतह या सरणी की सतह (PoA—plane of array) हेतु ज्ञात किए जाएं। सामान्यतः सौर विकिरण डाटा PoA पर सदैव अधिक होते हैं, क्षैतिज सतह पर सौर विकिरण डाटा की तुलना में। उदाहरण के रूप में कुछ स्थानों हेतु सौर विकिरण डाटा तालिका 11.3 में दिया गया है।

> सौर विकिरण डाटा एक स्थान से दूसरे स्थान पर परिवर्तित होता है, साथ ही समान स्थान पर भी मॉड्यूलों के सरणी की सतह पर पीवी मॉड्यूलों के विभिन्न झुकाव कोण पर यह मान भिन्न होता है।

आइये जानें कि हमें तालिका 10.3 में दिए गए डाटा का उपयोग कर एक 1 MWp प्लांट डिजाइन करना है। इस अनुभाग में हम एक माह हेतु गणनाएं करेंगे, एवं यह अपेक्षित है कि पाठक अन्य महीनों के लिये स्वयं गणनाएं करेंगे।

तालिका 11.3 कुछ स्थानों का सौर विकिरण डाटा जिसमें शामिल है, औसत दैनिक एवं मासिक सौर विकिरण डाटा। यह विकिरण डाटा एक स्थान से दूसरे स्थान पर परिवर्तित होता है।

Month	*Radiation on horizontal radiation* (kWh/m^2)	*Radiation on plane of array* (kWh/m^2)	*Equivalent daily sunshine hours* (Hours)	*No. of days*	*Monthly radiation on plane of array* (kWh/m^2)
January	4.95	5.50	5.50	31	171
February	5.50	6.12	6.12	28	171
March	5.8	6.45	6.45	31	200
April	5.9	6.66	6.66	30	200
May	5.93	6.59	6.59	31	204
June	5.58	6.20	6.20	30	186
July	5.49	6.10	6.10	31	189
August	4.63	5.15	5.15	31	160
September	4.68	5.20	5.20	30	156
October	4.70	5.23	5.23	31	162
November	4.84	5.38	5.38	30	161
December	4.87	5.42	5.42	31	168
			Annual solar radiation on plane of array (kWh/m^2)		2128

समतुल्य धूप के घंटे : आइये जनवरी माह के लिये गणनाएं करें। जिस स्थान को लिया गया है वहां जनवरी माह में सरणी की सतह पर औसत दैनिक सौर विकिरण 5.5 kWh/m^2/day हैं (तालिका 11.3 देखें)। 5.5 kWh/m^2/day औसत दैनिक सौर विकिरण 5.5 घंटे प्रतिदिन (विस्तृत जानकारी हेतु इस अध्याय का अनुभाग 11.4 देखें) 1 kW/m^2 सौर पॉवर घनत्व के बराबर है।

अतः, इस स्थिति में समतुल्य धूप के घंटे 5.5 प्रति दिन एवं मासिक समतुल्य धूप के घंटे $5.5 \times 31 = 170.5$ या 170.5 घंटे प्रति माह (जनवरी माह हेतु) हैं। ध्यान रखें कि ये विकिरण प्लेन ऑफ अरे या झुकी हुई सतह के लिये हैं।

चरण-3: दिए गए समय विशेषों में ऊर्जा उत्पादन का आंकलन

इस उदाहरण में हम जनवरी माह के लिये गणना करेंगे। जनवरी माह के लिये औसत दैनिक सौर विकिरण 5.5 kWh/m^2/day हैं (तालिका 10.3 देखें) एवं औसत दैनिक धूप के घंटे 5.5 हैं। प्लांट से संभावित ऊर्जा का आंकलन सरल रूप से पीवी प्लांट क्षमता को प्लेन ऑफ अरे या मॉड्यूलों की सतह पर दैनिक सौर विकिरण डाटा से गुणा करने पर किया जा सकता है। इस उदाहरण में पीवी प्लांट क्षमता 1 MWp है। अतः प्लांट द्वारा जून माह में अधिकतम संभावित उत्पादित ऊर्जा है :

= PV प्लांट क्षमता × धूप घंटों की औसत संख्या × माह में दिनों की संख्या

= 1 MWp × 5.5 hours × 31

$= 1000{,}000 \times 5.5 \times 31 = 170500000$ Wh

1000 से विभाजित करने पर हम विद्युत kWh में पाएंगे

= 170500000/1000 Wh = 170500 kWh

यह जनवरी माह में प्लांट द्वारा उत्पादित विद्युत है। इसी प्रकार से हम अन्य महीनों के लिये भी 1 MWp पीवी प्लांट द्वारा उत्पादित विद्युत की गणना कर सकते हैं। तालिका 11.4 में प्रत्येक माह के लिये गणनाएं दर्शाई गई हैं। इस तालिका से हम यह देख सकते हैं कि इस 1 MWp पीवी पॉवर प्लांट द्वारा कुल 2.12 Million kWh विद्युत उत्पादित की जा सकती है।

तालिका 11.4 किसी स्थान विशेष पर 1 MWp सौर पीवी पॉवर प्लांट द्वारा मासिक एवं वार्षिक विद्युत उत्पादन

Month	*Power plant capacity*	*Monthly radiation on PoA* (kWh/m^2)	*Equivalent monthly sunshine hours (hours)*	*Monthly energy production* (kWh)
January	1 MWp	171	171	170500
February	1 MWp	171	171	171360
March	1 MWp	200	200	199950
April	1 MWp	200	200	199800
May	1 MWp	204	204	204395
June	1 MWp	186	186	186000
July	1 MWp	189	189	189100
August	1 MWp	160	160	159650
September	1 MWp	156	156	156000
October	1 MWp	162	162	162130
November	1 MWp	161	161	161400
December	1 MWp	168	168	168020
	Total electricity production potential by 1 MW plant in one year without considering any losses (kWh)			2,128,305
				2.12 Million kWh

यहां ध्यान दें कि यहां हमने पीवी प्लांट में होने वाली किसी भी हानि को नहीं लिया है। निम्न गणना में इस 1 MW पीवी प्लांट द्वारा ग्रिड को पहुंचाई जाने वाली वास्तविक ऊर्जा का आंकलन करने हेतु हमें सभी प्रकार की हानियों को ध्यान में रखना होगा।

चरण-4: पीवी सरणी स्तर पर हानियां

तालिका 11.4 से हम स्थान विशेष के लिये कुल विद्युत उत्पादन क्षमता (जिसके लिये सौर विकिरण डाटा लिया गया है), देख सकते हैं कि जनवरी माह के लिये यह मान 170500 kWh है। यह विद्युत उत्पादन आदर्श परीक्षण परिस्थितियों (STC) द्वारा दी गई आदर्श परिस्थितियों के लिये है जिसमें पीवी मॉड्यूल तापमान (संक्षेप में मॉड्यूलों में सेलों का तापमान) 25°C लिया गया है। व्यावहारिक रूप में, आदर्श परिस्थितियां न होने के कारण पीवी मॉड्यूल स्तर पर अनेक हानियां होती हैं जो कि पीवी मॉड्यूल आउटपुट को घटाती हैं:

- मॉड्यूल तापमान हानि
- धूल की वजह से मॉड्यूल सॉइलिंग हानि
- मॉड्यूल समान न होने से हानि
- DC केबल हानि
- सौर विकिरण हानि

मॉड्यूल तापमान हानियां: इसके विषय में पूर्व अनुभाग (11.4.1 देखें) में चर्चा की जा चुकी है जहां छोटे पॉवर अनुप्रयोगों हेतु ग्रिड–कनेक्टेड प्लांट को लिया गया है। पॉवर के तापमान गुणांक द्वारा तापमान के कारण होने वाली पॉवर की हानि दी गई है क्रिस्टिलीन सिलिकॉन मॉड्यूलों में पॉवर तापमान गुणांक लगभग 0.45%/°C है जबकि थिन फिल्म मॉड्यूलों में निम्न तापमान गुणांक 0.2%/°C से 0.3%/°C की रेंज में है।

साथ ही, यह ध्यान रखा जाना चाहिये कि पीवी मॉड्यूलों में सेल वातावरणीय तापमान की तुलना में 20 से 25°C उच्च तापमान पर हैं। एवं, यह सेल तापमान है जिसका परिणाम पॉवर हानियों में होता है (अध्याय 3 देखें)। माना कि यह प्लांट जिस स्थान हेतु डिजाइन किया गया है वहां का वातावरणीय तापमान जनवरी माह में 35°C है। सेल का तापमान वातावरणीय तापमान से 20°C उच्च है यानि सेल तापमान 35 + 20 = 55°C है। तब, तापमान की वजह से क्रिस्टिलीन सिलिकॉन मॉड्यूलों या पीवी सरणी का प्रतिशत में पॉवर हानियां हैं:

$$\text{मॉड्यूल तापमान हानि} = (55°C - 25°C) \times 0.45\%/°C = 13.5\%$$

मॉड्यूल सॉइलिंग हानियां : यह हानि पीवी मॉड्यूल पर जमने वाली धूल की वजह से होती है क्योंकि यह जमी धूल सौर विकिरण को अंदर जाने से रोकती है एवं जिससे पॉवर आउटपुट घटता है। सामान्यतः, पीवी मॉड्यूलों की निरंतर सफाई के बावजूद, हानियां 1 से 2% की रेंज में होती हैं। इस उदाहरण हेतु हानि लगभग 1.5% मान लें।

मॉड्यूल समान न होने से हानियां : आउटपुट पॉवर का विशिष्ट विनिर्माण टॉलरेंस/सहनशीलता +/– 3% है। आइये इन हानियों को लगभग 1.5% मान लें।

DC केबल हानि : ये प्रतिरोधक हानियां हैं जो कि मॉड्यूल को जोड़ने वाली DC केबलों में होता है। हानियों को 2% के अंदर रखने के लिये केबल की मोटाई का विशेष रूप से ध्यान रखा जाता है। इस उदाहरण हेतु आइये इन हानियों को लगभग 1.2% मानें।

सौर विकिरण हानि : यह ग्लास सतह से पीवी मॉड्यूल के परावर्तन की वजह से होने वाली हानि है। यह सामान्यतः 2 से 4% में होना चाहिये। यहां इसे 2.5% मानते हैं।

इस प्रकार से कुल पीवी मॉड्यूल हानियां, यहां वर्णित सभी हानियों का योग होंगी। सभी हानियों में, तापमान की हानि सबसे अधिक प्रभावी है, जो कि स्थान के चयन पर निर्भर करती है। सामान्यतः जिस स्थान पर उच्च तापमान है वहां पर उच्च सौर विकिरण होंगे। उच्च सौर विकिरणों से होने वाला लाभ सामान्यतः उच्च तापमान के कारण होने वाली पॉवर हानि से अधिक होता है। अतः कुल मॉड्यूल हानियां हैं :

$$= 13.5\% + 1.5\% + 1.5\% + 1.2\% + 2.5\% = 20.2\%$$

चरण-5 : मॉड्यूल हानियों पर विचार करते हुए ऊर्जा उत्पादन क्षमता

अभी तक हमने आदर्श परिस्थितियों में एक स्थान विशेष हेतु 1 MW प्लांट के लिये ऊर्जा उत्पादन क्षमता का आंकलन किया है। पूर्व चरण में मॉड्यूल स्तर पर जनवरी माह में आंकलित हानियां 20.2% हैं। पॉवर प्लांट में जनवरी माह के लिये आदर्श ऊर्जा उत्पादन 170500 kWh है। हानियों पर विचार करते हुए 1 MWp पीवी प्लांट का ऊर्जा आउटपुट होगा :

माड्यूल स्तर की हानियां देखने के पश्चात् ऊर्जा उत्पादन

= हानियों के बिना आदर्श उत्पादित ऊर्जा × (1 मॉड्यूल स्तर की हानियां)

$= 170500\ \text{kWh} \times (1 - 20.2/100) = 170500\ \text{kWh} \times (1 - 0.202)$

$= 170500\ \text{kWh} \times (0.798)$

= 136059 kWh **(in month of January)**

इसी प्रकार से, अन्य महीनों के लिये भी गणनाएं की जा सकती हैं।

चरण-6 : इन्वर्टर के आउटपुट पर उपलब्ध ऊर्जा

विद्युत पीवी मॉड्यूलों द्वारा उत्पादित की जाती है एवं तब यह DC रूप में इन्वर्टर के इनपुट पर प्रवाहित होती है। इन्वर्टर द्वारा यह DC पॉवर, AC पॉवर में रूपांतरित हो जाती है। DC पॉवर को AC पॉवर में रूपांतरित करने के अतिरिक्त, इन्वर्टर अधिकतम पॉवर पॉइंट ट्रैकिंग (MPPT) का कार्य भी करता है।

इस पीवी प्लांट डिजाइन में अभी तक हमने ऊर्जा रूप में गणनाएं की हैं। इन्वर्टर स्तर पर, इन्वर्टर में होने वाली हानियों के कारण, इन्वर्टर का ऊर्जा आउटपुट, इन्वर्टर में जाने वाली ऊर्जा की मात्रा की तुलना में कम होगा। इन्वर्टर पॉवर हानियों में शामिल हैं MPPT ट्रैकिंग एवं DC से AC रूपांतरण हानियां। उच्च पॉवर इन्वर्टर (कई 100 kW से MW की रेंज के) बहुत अधिक दक्ष हैं एवं इनमें पॉवर हानियां 1.5 से 3% की रेंज में है। आइये इस उदाहरण में मानें कि इन्वर्टर हानियां 2% हैं। जनवरी माह के लिये इस उदाहरण में इन्वर्टर के इनपुट पर आने वाली ऊर्जा 136059 kWh है। तब, इन्वर्टर के आउटपुट पर उपलब्ध ऊर्जा होगी :

इन्वर्टर आउटपुट पर ऊर्जा (kWh) = इन्वर्टर इनपुट पर ऊर्जा (kWh) × (1 इन्वर्टर पर हानियां)

$= 136059\ \text{kWh} \times (1 - 2/100) = 136059\ \text{kWh} \times (1 - 0.02)$

$= 136059\ \text{kWh} \times (1 - 0.98)$

= 133337.8 kWh (जनवरी माह में)

चरण-7: ग्रिड को पहुंचाई गई ऊर्जा

इन्वर्टर ग्रिड से AC केबलों एवं पृथक ट्रांसफॉर्मर द्वारा जुड़ा होता है, यदि यह पहले ही इन्वर्टर के भाग न हों। कुछ हानियां AC केबलों में भी होती हैं। यह हानि सामान्यतः बहुत छोटी होती है एवं 1% से कम होती है। इस उदाहरण में आइये मान लें कि यह हानि लगभग 0.5% है। इन्वर्टर के आउटपुट पर उपलब्ध ऊर्जा 133337.8 kWh है, एवं अंत में ग्रिड को पहुंचाई गई ऊर्जा होगी :

ग्रिड को पहुंचाई गई ऊर्जा (kWh) = इन्वर्टर आउटपुट पर ऊर्जा (kWh) × (1 − AC केबलों में हानियां)

= 133337.8 kWh × (1 – 0.5/100) = 133337.8 kWh × (1 – 0.005)

= 136059 kWh × (1 – 0.995)

= 132671.1 kWh (जनवरी माह में)

अतः जनवरी माह में सभी हानियों को ध्यान में रखते हुए ग्रिड को पहुंचाई गई (इस स्थान विशेष के लिये एवं 1 MW प्लांट से) विद्युत 132671.1 kWh है।

समान गणनाएं अन्य महीनों के लिये भी की जा सकती हैं। तालिका 10.5 में प्रत्येक माह के लिये गणनाओं का संक्षिप्त विवरण दिया गया है।

तालिका 11.5 प्लांट से मासिक विद्युत उत्पादन जो कि ग्रिड को पहुंचाई जा सकती है

Month	*Power plant capacity*	*Equivalent monthly sunshine hours (hours)*	*Monthly energy production (without any losses)* (kWh)	*Monthly energy production (considering all losses)* (kWh)
January	1 MWp	171	170500	132666
February	1 MWp	171	171360	133335
March	1 MWp	200	199950	155581
April	1 MWp	200	199800	155464
May	1 MWp	204	204395	159040
June	1 MWp	186	186000	144727
July	1 MWp	189	189100	147139
August	1 MWp	160	159650	124224
September	1 MWp	156	156000	121384
October	1 MWp	162	162130	126153
November	1 MWp	161	161400	125585
December	1 MWp	168	168020	130736
Total annual electricity production (kWh)			2128305	1656034
			2.12 Million kWh	1.65 Million kWh

पीवी प्लांट प्रदर्शन अनुपात : एक पीवी पॉवर प्लांट प्रदर्शन अनुपात ग्रिड को पहुंचाई गई वास्तविक विद्युत का किसी भी हानि की अनुपस्थिति में किसी दिये प्लांट क्षमता द्वारा जो विद्युत उत्पादित की जाएगी, का अनुपात है। इसे निम्न प्रकार से दिया जा सकता है :

$$\text{PV प्लांट प्रदर्शन अनुपात} = \frac{\text{ग्रिड को पहुंचाई गई विद्युत}}{\text{बिना हानि के प्लांट द्वारा उत्पादित विद्युत}}$$

इस स्थिति में 1 MWp पीवी मॉड्यूल द्वारा उत्पादित ऊर्जा 2.12 million kWh है एवं सभी हानियों को ध्यान में रखते हुए, ग्रिड को जो विद्युत पहुंचाई जा सकती है वह 1.65 million kWh है। अतः प्लांट का प्रदर्शन अनुपात है :

प्रदर्शन अनुपात = 1.65 / 2.12 = 0.778 या 77.8%.

आमतौर पर पीवी पॉवर प्लांट का प्रदर्शन अनुपात 70 से 80% के बीच परिवर्तित होता है एवं, आजकल पॉवर प्लांट से अपेक्षित प्रदर्शन अनुपात कम से कम 75% है।

पीवी पॉवर प्लांट का प्रदर्शन अनुपात 70 से 80% के बीच परिवर्तित होता है। एवं, आजकल पॉवर प्लांट से अपेक्षित प्रदर्शन अनुपात कम से कम 75% है।

पीवी पॉवर प्लांट में ऊर्जा हानियों के अवलोकन हेतु सैंकी (Sankey diagram) आरेख: यह चर्चा पूर्व में की जा चुकी है कि मॉड्यूल स्तर पर विद्युत के उत्पादन से ग्रिड तक विद्युत पहुंचाने के बीच में अनेक तरीकों से विद्युत की हानि होती है। तापमान, धूल, की वजह से होने वाली हानियां, DC केबल हानियां, AC केबल हानियां, इन्वर्टर हानियां आदि को पीवी पॉवर प्लांट में कुल ऊर्जा प्रवाह का एक अवलोकन प्राप्त करने हेतु सैंकी रेखाचित्र के रूप में दर्शाया जा सकता है। 1 MW के पीवी प्लांट में विभिन्न स्तरों पर होने वाली विभिन्न हानियों के साथ ऊर्जा प्रवाह का उदाहरण चित्र 11.24 में दर्शाया गया है।

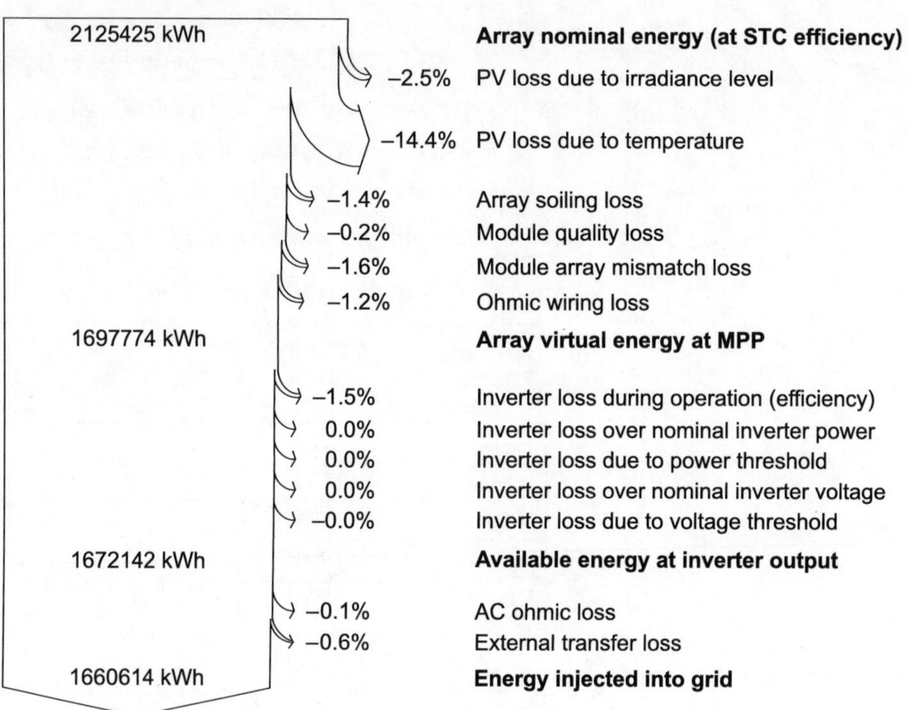

चित्र 11.24
रूपांतरण के विभिन्न चरणों पर होने वाली विभिन्न हानियों को दर्शाता हुआ पीवी पॉवर प्लांट का सैंकी रेखाचित्र।

11.5.2 पीवी प्लांट कॉन्फीगरेशन का निर्धारण

अभी तक हमने पीवी प्लांट में होने वाले ऊर्जा उत्पादन को देखा है, विभिन्न हानियों पर विचार किया है एवं जनवरी माह हेतु ग्रिड को पहुंचाई जाने वाली विद्युत का आंकलन किया है। हमने यह विचार नहीं किया है कि 1 MWp पीवी प्लांट में कितनी पीवी मॉड्यूलों की आवश्यकता होगी। किस तरह एक पीवी मॉड्यूल का चयन करना है, किस तरह एक इन्वर्टर का चयन करना है आदि इस अध्याय के चरण–10, अनुभाग 11.4.1 में दिया गया है, कृपया इसे फिर से पढ़ें। एक अनुप्रयोग विशेष के लिये किस तरह तार का आकार निश्चित करना है यह अध्याय 9 में दिया गया है। पीवी मॉड्यूलों की श्रेणी एवं समानांतर कनेक्शन एवं उनके वोल्टेज व विद्युतधारा के योग आदि के विषय में विस्तारपूर्वक अध्याय 5 में समझाया गया है। यहां हम विस्तारपूर्वक चर्चा किये बिना गणनाएं करेंगे। आपको सलाह दी जाती है कि आप ऊपर वर्णित अध्यायों को पढ़ें।

कुल पीवी सरणी क्षमता : यहां पीवी पॉवर प्लांट संयंत्र में, यह निश्चित किया गया है कि हम पीवी सरणी क्षमता 1 MWp लेंगे जिसके लिये हमने हानि संबंधी गणनाएं की हैं। एवं, जितनी संभव हो उतनी ऊर्जा उत्पादन हेतु प्रयास किए जाते हैं। (याद रखें कि अन्य छोटे पॉवर अनुप्रयोगों में, प्लांट की क्षमता उपकरण की ऊर्जा आवश्यकता के अनुसार निर्धारित कर ली जाती है)।

इन्वर्टर रेटिंग: चूंकि इस प्लांट को 1 MWp पीवी सरणी क्षमता हेतु डिजाइन किया गया है, अतः प्लांट में इन्वर्टर भी इस क्षमता का होना चाहिये कि वह इतने पॉवर स्तर को प्रोसेस करने में सक्षम हो। इसीलिये इन्वर्टर भी 1 MW या 1000 kVA रेटिंग के होने चाहिये। हालांकि तापमान हानियां एवं अन्य हानियों की वजह से इन्वर्टर को पहुंचाई गई पॉवर 1000 kVA से कम होगी, परंतु जब

हानियां निम्न होंगी, तब यह संभव है कि इन्वर्टर तक संपूर्ण 1000 kVA पॉवर की आपूर्ति की जा सके।

पीवी मॉड्यूल एवं इन्वर्टर का चयन : आइये सबसे पहले इस 1 MWp पीवी प्लांट हेतु पीवी मॉड्यूलों का चयन करें। सामान्यतः बड़े स्तर पर पॉवर प्लांट हेतु, उच्च वॉटेज रेटिंग युक्त पीवी मॉड्यूलों का चयन किया जाता है, तालिका 11.1 में दिए गए पीवी मॉड्यूल मापदंडों को देखते हुए, आइये हम एक 240 Wp वॉटेज रेटिंग युक्त पीवी मॉड्यूल–7 का चयन करें। पीवी मॉड्यूल–7 के अन्य मापदंड निम्न हैं :

- मॉड्यूल की रेटेड पॉवर –7: 240 Wp
- ओपन सर्किट वोल्टेज (V_{oc}) : 37.38 V
- अधिकतम पॉवर पॉइंट पर वोल्टेज (V_{mp}): 30.60 V
- शॉर्ट सर्किट विद्युतधारा (I_{sc}): 8.45 A
- अधिकतम पॉवर पॉइंट पर विद्युतधारा (I_{mp}): 7.85A

आइये अब इन्वर्टर का चयन करें। तालिका 11.2 देखने के पश्चात्, हम इन्वर्टर–6 का चयन कर सकते हैं जिसकी पॉवर रेटिंग (1000 kVA) आवश्यकता से मेल खाती है। इन्वर्टर–6 के अन्य मापदंड निम्न प्रकार से हैं :

- AC पॉवर आउटपुट : 1000 kVA
- अधिकतम DC इनपुट वोल्टेज रेंज : 1000 V
- MPP ट्रैकिंग : 460 – 875 V
- अधिकतम DC विद्युतधारा : 2100 A DC
- उच्चतम दक्षता : 98.6%

कम क्षमतायुक्त इन्वर्टरों का उपयोग : ध्यान रखें कि अनेकों बार हम बड़े पॉवर अनुप्रयोगों हेतु कम क्षमतायुक्त इन्वर्टरों का उपयोग कर सकते हैं। उदाहरण के लिये 1 MWp प्लांट को डिजाइन करने हेतु, एक 1000 kVA इन्वर्टर का उपयोग करने के स्थान पर हम 500 kVA क्षमतायुक्त दो इन्वर्टरों का उपयोग भी कर सकते हैं। किसी विशेष स्थिति हेतु हम प्रत्येक श्रृंखला हेतु एक इन्वर्टर का उपयोग कर सकते हैं या प्रत्येक मॉड्यूल हेतु एक इन्वर्टर का उपयोग कर सकते हैं।

आवश्यक पीवी मॉड्यूलों की संख्या : इस उदाहरण में कुल आवश्यक पीवी सरणी क्षमता 1 MWp है एवं हमने स्थापना हेतु 240 Wp पीवी मॉड्यूल का चयन किया है। अतः इस प्लांट में आवश्यक मॉड्यूलों की संख्या है :

$$\text{आवश्यक माड्यूलों की कुल संख्या} = \frac{\text{कुल PV प्लांट क्षमता}}{\text{एक माड्यूल की रेटेड पॉवर}}$$

$$= 1 \text{ MWp} / 240 \text{ Wp} = 1000{,}000/240$$

$$= 4166.6 \text{ मॉड्यूल}$$

या पूर्णांक में, हमें 1 MWp पीवी पॉवर प्लांट हेतु लगभग 240 Wp के 4167 पीवी मॉड्यूलों की आवश्यकता है।

एक श्रृंखला में पीवी मॉड्यूलों की संख्या : सरणी में पीवी मॉड्यूलों की संख्या निर्धारित करने हेतु हमें इन्वर्टर की स्वीकार्य वोल्टेज रेटिंग देखनी चाहिये एवं इसे जैसा कि चित्र 10.20 में दिया गया है, श्रृंखलाओं के वोल्टेज रेटिंग से मिलाने की कोशिश करनी चाहिये। पीवी मॉड्यूल–7 का V_{oc} है 37.38 V, V_{mp} है 30.60 V एवं I_m है 7.85 A एवं, 1000 kVA के इन्वर्टर–6 हेतु, इसकी अधिकतम पॉवर पॉइंट (MPP) वोल्टेज ट्रैकिंग रेंज 460 – 875 V है एवं अधिकतम DC इनपुट विद्युतधारा 2100 A है। एक श्रृंखला में पीवी मॉड्यूलों की संख्या निर्धारित करते समय हमें सुनिश्चित करना होता है कि श्रृंखला का V_{mp}, इन्वर्टर के V_{mp} की रेंज में है एवं श्रृंखला का V_{oc}, इन्वर्टर के अधिकतम DC वोल्टेज से कम है।

चूंकि हम पीवी मॉड्यूलों को श्रेणी में जोड़ते हैं जिसके परिणामस्वरूप वोल्टेज का योग हो जाता है। अतः हमें इन्वर्टर–6 की रेंज में आवश्यक वोल्टेज प्राप्त करने के लिये अनेक मॉड्यूल–7 को श्रेणी में जोड़ना होगा। यदि हम इन्वर्टर–6 के V_{mp} रेंज को मॉड्यूल–7 के V_{mp} से विभाजित करते हैं, हमें एक श्रृंखला निर्मित करने हेतु श्रेणी में जोड़ने के लिये पीवी मॉड्यूलों की संख्या प्राप्त हो जाएगी

$$\text{श्रृंखला में मॉड्यूलों की संख्या} = \frac{\text{चुने गए इन्वर्टर का } V_{mp} \text{ वोल्टेज}}{\text{चुने गए PV मॉड्यूल का } V_{mp}}$$

चूंकि इन्वर्टर V_{mp} ट्रैकिंग रेंज 460 से 875 है, आइये हम इसका औसत लें, जो कि लगभग 667 V है। यह 667 V पीवी मॉड्यूल श्रृंखला का V_{mp} होगा। याद रखें कि इन्वर्टर ट्रैकिंग रेंज में कोई अन्य वोल्टेज स्तर का चयन भी किया जा सकता है। हमें केवल यह सुनिश्चित करना है कि सभी ऑपरेटिंग परिस्थितियों में सरणी V_{mp} बिंदु इन्वर्टर V_{mp} रेंज में ही होना चाहिये।

श्रृंखला में 240 Wp मॉड्यूलों की संख्या :

$$\text{इन्वर्टर का } V_{mp} / \text{मॉड्यूल का } V_{mp}$$
$$= 667/30.60 = 21.79$$

श्रेणी (श्रृंखला के रूप में) में जोड़ने हेतु पीवी मॉड्यूलों की संख्या डिजाइन करते समय हमें यह सावधानी रखने की आवश्यकता है कि श्रृंखला का V_{mp}, सभी संभावित ऑपरेटिंग परिस्थितियों में इन्वर्टर के V_{mp} ट्रैकिंग रेंज में होना चाहिये।

उपरोक्त गणनाएं दर्शाती हैं कि हमें श्रेणी 21.79 में पीवी मॉड्यूल जोड़ने की आवश्यकता है, या पूर्णांक में, 22 मॉड्यूल। श्रेणी (श्रृंखला के रूप में) में जोड़ने हेतु पीवी मॉड्यूलों की संख्या डिजाइन करते समय हमें यह सावधानी रखने की आवश्यकता है कि श्रृंखला का V_{mp}, सभी संभावित ऑपरेटिंग परिस्थितियों में इन्वर्टर के V_{mp} ट्रैकिंग रेंज में होना चाहिये।

समानांतर में पीवी श्रृंखलाओं की संख्या : इस 1 MWp पीवी पॉवर प्लांट हेतु हमें कुल 4167 पीवी मॉड्यूलों को जोड़ने की आवश्यकता है। पीवी मॉड्यूलों की एक श्रृंखला में 22 पीवी मॉड्यूल होंगे। अतः समानांतर में जोड़ने हेतु श्रृंखलाओं की संख्या है :

$$\text{समानांतर में श्रृंखलाओं की संख्या} = \frac{\text{संयंत्र में PV मॉड्यूलों की कुल संख्या}}{\text{एक श्रृंखला में मॉड्यूलों की संख्या}}$$

$$= 4167/22 = 189.4 \text{ समानांतर श्रृंखलाएं}$$

या पूर्णांक में हमें इस 1 MWp पॉवर प्लांट में 190 समानांतर श्रृंखलाओं को जोड़ने की आवश्यकता है (प्रत्येक श्रेणी में 22 पीवी मॉड्यूल हैं)।

नोट करें, कि जब हम श्रेणियों को समानांतर में जोड़ते हैं तब प्रत्येक श्रृंखला की विद्युतधारा का योग होता है। समानांतर संयोजन की कुल विद्युतधारा, प्रत्येक श्रृंखला की विद्युतधारा का योग होगी। हमें यह सुनिश्चित करना होगा कि श्रृंखलाओं की कुल विद्युतधारा इन्वर्टर की सीमा में है। इस उदाहरण में इन्वर्टर–1 की अधिकतम DC विद्युतधारा सीमा 2100 A है। एवं मॉड्यूल–7 का I_{sc} है 8.45 A। एक पीवी मॉड्यूल की अधिकतम विद्युतधारा एक श्रृंखला की अधिकतम विद्युतधारा होगी। अतः समानांतर क्रम में संयोजित 190 श्रृंखलाओं की कुल विद्युतधारा होगी :

$$\text{समानांतर में श्रृंखलाओं की कुल विद्युतधारा} = \text{एक श्रृंखला की विद्युतधारा} \times \text{श्रृंखलाओं की संख्या}$$
$$= 8.45 \times 190 = 1605.5 \text{ A}$$

उपरोक्त गणनाओं से हम देख सकते हैं कि एक साथ 190 श्रृंखलाओं की विद्युतधारा इन्वर्टर की अधिकतम DC विद्युतधारा सीमा से कम होगी (जो कि 2100 A है)। अतः यह डिजाइन स्वीकार्य है एवं कार्यान्वित किया जा सकता है।

इस प्रकार 1 MWp सौर पीवी पॉवर प्लांट की डिजाइन पूर्ण होती है। तालिका 10.6 में संक्षिप्त रूप में 1 MWp प्लांट की जानकारी दी गई है।

तालिका 10.6 डिजाइन किए हुए 1 MWp पीवी पॉवर प्लांट के मापदंडों का सारांश

Power rating of selected PV module	240 Wp
Number of PV modules in a string	22
Number of strings in parallel	190
Total number of modules used in plant	22 × 190 = 4180
Total rated peak power of plant	4180 × 240 = 1003200 W_p
V_{mp} voltage of PV array	22 × 30.60 = 673.2 V
I_{mp} current of PV array	190 × 7.85 = 1491.5 A
Expected annual energy generation of plant	1.65 million kWh

पीवी पॉवर प्लांट के बैलेंस ऑफ सिस्टम (BoS) अवयवों का निर्धारण

संयंत्र को एकीकृत करने हेतु विभिन्न बैलेंस ऑफ सिस्टम (BoS) अवयवों की आवश्यकता होती है। पीवी सरणी सपोर्ट संरचना, DC केबल, श्रृंखला एवं सरणी कंबाइनर बॉक्स एवं DC डिस्ट्रीब्यूशन बॉक्स आदि DC संयंत्र में उपयोग किए जाते हैं। जैसा कि पूर्व अनुभाग में चर्चा की गई है उसी प्रकार से BoS अवयवों की डिजाइनिंग की जानी चाहिये (चरण–12, अनुभाग 11.4 देखें)। उपर्युक्त अवयवों का चयन किया जाना अत्यंत महत्वपूर्ण है, विशेष रूप से केबल का। DC केबल का साइज इस प्रकार चुना जाना चाहियें कि DC केबल की पूरी लंबाई में होने वाली कुल पॉवर हानि रेटेड पीवी सरणी आउटपुट पॉवर के 2% के अंदर हो एवं यह हानि 1% से कम होनी चाहिये। सामान्यतः बड़े स्तर के पॉवर प्लांट में इन हानियों को सीमा में रखने के प्रयास किए जाते हैं।

सॉफ्टवेयर का उपयोग करते हुए पीवी प्लांट डिजाइन करना

व्यावसायिक स्तर पर समान तरीके से पीवी प्लांट को डिजाइन किया जाता है। बाजार में अनेक सॉफ्टवेयर उपलब्ध हैं जिनका एक सौर पीवी पॉवर प्लांट को डिजाइन करने में उपयोग किया जा सकता है। पीवी प्लांट डिजाइन सॉफ्टवेयर में विश्व के विभिन्न स्थानों के लिये सौर विकिरण का रिकोर्डेड डाटा, तापमान डाटा, आदर्श पीवी मॉड्यूलों का डाटा आदि होता है। एक बार यदि आप स्थान विशेष को निर्दिष्ट करते हैं तो ये सॉफ्टवेयर अपने आप ही ये डाटा ले लेता है या फिर आप यह डाटा प्रदान कर सकते हैं। तब यह सॉफ्टवेयर आवश्यक पॉवर प्लांट हेतु मापदंडों की (जैसा कि तालिका 11.6 में दिया गया है) गणना कर देता है। परंतु वे और भी विस्तार में जानकारी देते

PV module	Si-poly	Model	**STP 275-24/Vd**		
		Manufacturer	Suntech		
Number of PV modules		In series	18 modules	In parallel	205 strings
Total number of PV modules		Nb. modules	3690	Unit Nom. power	275 W_p
Array global power		Nominal (STC)	**1015 kW_p**	At operating cond.	851 kW_p (60°C)
Array operating characteristics (50°C)		U mpp	546 V	I mpp	1559 A
Total area		Module area	7160 m^2		
Inverter		Model	**RPS TL1110**		
		Manufacturer	Bonfiglioli		
Characteristics		Operating voltage	460–875 V	Unit Nom. power	1000 kW Ac
PV array loss factors					
Thermal loss factor		Uc (const)	28.8 W/m^2K	Uv (wind)	0.0 $W/m^2K/m/s$
⇒ Nominal Oper. Coll. Temp. (G = 800 W/m^2, Tamb = 20°C, Wind velocity = 1 m/s.)				NOCT	45°C
Wiring ohmic loss		Global array res.	6.3 m Ohm	Loss fraction	1.5% at STC

Array soiling losses

Jan.	Feb.	Mar.	Apr.	May	June	July	Aug.	Sep.	Oct.	Nov.	Dec.
0.4%	0.5%	1.0%	3.3%	4.2%	3.9%	1.0%	0.2%	0.3%	0.2%	0.2%	0.3%

Module quality loss		Loss fraction	0.2%
Module mismatch losses		Loss fraction	1.5% at MPP
Incidence effect, ASHRAE parametrization	IAM = 1 – bo(1/cos i – 1)	bo Parameter	0.05

System loss factors				
AC loss, transfer to injection	Grid voltage	33 kV		
	Wires	245618 m 3 x 5000 mm^2	Loss fraction	0.1% at STC
External transformer	Iron loss	1008 W	Loss fraction	0.1% at STC
	Resistive/Inductive losses	0.9 m Ohm	Loss fraction	0.1% at STC

चित्र 11.25
एक 1 MWp पॉवर प्लांट की सारांश शीट का एक उदाहरण।

हैं। सॉफ्टवेयर आपको विद्युत का दैनिक उत्पादन, दैनिक हानियां आदि के आंकड़े प्रदान कर सकते हैं, आप प्रत्येक माह के लिये उत्पादन का हानियों के साथ चार्ट तैयार कर सकते हैं एवं और भी बहुत कुछ कर सकते हैं। चित्र 11.25 में 1 MWp पॉवर प्लांट का सारांश शीट के रूप में दिया गया है।

प्रश्न 11.8 पूना में स्थापित करने हेतु एक 500 kWp सौर पीवी प्लांट को डिजाइन करें। प्लांट के वार्षिक ऊर्जा आउटपुट का आंकलन करें। निम्न रेटिंग युक्त पीवी मॉड्यूल एवं इन्वर्टर का उपयोग करें :

- मॉड्यूल की रेटेड पॉवर: 240 Wp
- ओपन सर्किट वोल्टेज (V_{oc}) : 37.0 V
- अधिकतम पॉवर पॉइंट पर वोल्टेज (V_{mp}): 30.5 V
- शॉर्ट सर्किट विद्युतधारा (I_{sc}): 8.5 A
- अधिकतम पॉवर पॉइंट पर विद्युतधारा (I_{mp}): 7.8A
- इन्वर्टर रेटिंग
- AC पॉवर आउटपुट : 500 kVA
- अधिकतम DC इनपुट वोल्टेज रेंज : 1000 V
- MPP ट्रैकिंग : 460–875 V
- अधिकतम DC विद्युतधारा : 1000 A DC
- उच्चतम दक्षता : 98.2%

प्रश्न 11.9 एक 1 MWp पॉवर प्लांट में प्रश्न 11.8 में वर्णित रेटिंग के पीवी मॉड्यूल का उपयोग किया गया है। प्लांट को ऐसे स्थान पर लगाया गया है जहां औसत तापमान 45°C तक पहुंच जाता है। इस पॉवर प्लांट में होने वाले मॉड्यूल स्तर की हानियों का आंकलन करें।

प्रश्न 11.10 राजस्थान में स्थापना करने हेतु एक 10 MWp सौर पीवी पॉवर प्लांट को डिजाइन करें। प्लांट के मासिक ऊर्जा उत्पादन के साथ–साथ मासिक ऊर्जा हानियों का आंकलन करें। प्रश्न 11.8 में निर्दिष्ट पीवी मॉड्यूल एवं इन्वर्टर का उपयोग करें। ऐसी तालिका बनाएं जिससे सभी पॉवर प्लांट मापदंडों का सारांश प्राप्त हो।

प्रश्न 11.11 एक स्थान पर 5.7 kWh/m^2/day सौर विकिरण हैं। इस स्थान पर एक 100 kWp पीवी प्लांट की स्थापना की गई है। माना कि वातावरणीय तापमान 25°C है, तब प्लांट से होने वाले वार्षिक ऊर्जा उत्पादन का आंकलन करें। मान लें कि प्लांट में कोई भी हानि नहीं हो रही है।

12

स्थापना, समस्या निवारण एवं सुरक्षा

सौर पीवी संयंत्र के तकनीशियन के रूप में सबसे महत्वपूर्ण बात है, एक सौर संयंत्र उपयोग करने वाले की आवश्यकताओं को समझना एवं एक उपर्युक्त पीवी संयंत्र डिजाइन करने के पश्चात् उसे सही तरीके से स्थापित/इंस्टॉल करना जिससे कि संयंत्र जब तक लगा है तब तक अपेक्षानुसार कार्य कर सके। पीवी संयंत्र की स्थापना में किसी भी त्रुटि से उपकरण को मिलने वाली विद्युत आपूर्ति में रुकावट आ सकती है, यानि उपयोगकर्ता का असंतोष एवं सबसे नकारात्मक प्रतिक्रिया होगी, पीवी तकनीक के कार्य करने की क्षमता के प्रति अविश्वास पैदा होना और बिजली पाने के लिये इस पर भरोसा नहीं किया जा सकता। जबकि एक तकनीशियन के रूप में आपको इस क्षेत्र में अपना कैरियर बनाना है, तब जितना अधिक संभव हो, इन सभी ऋणात्मक बिंदुओं से बचना आवश्यक है।

एक बार जब पीवी संयंत्र की डिजाइन एवं स्थापना सही तरीके से की जा चुकी है, तब पीवी संयंत्र की विफलता के अवसर बहुत कम हो जाते हैं। फिर भी यदि कुछ कारणों से यह उपकरण को विद्युत प्रदान करने में विफल हो जाता है, तब एक तकनीशियन के रूप में आपको इतना सक्षम होना चाहिये कि आप उस गलती को पकड़ पाएं और उसे सुधार पाएं। पीवी संयंत्र के प्रत्येक अवयव की अपनी भूमिका होती है, एवं वे एक निश्चित तरीके से दी गई परिस्थितियों में कार्य करते हैं, खराबियों को पहचानना एवं इनको ठीक करना या निकालना ही मुख्य कार्य है।

एक सौर तकनीशियन के लिये सबसे महत्वपूर्ण है पीवी संयंत्र को सही तरीके से स्थापित करना जिससे कि, संयंत्र अपने जीवन काल में संतोषजनक रूप से कार्य कर सके।

इन सब के अतिरिक्त, व्यक्ति जो कि संयंत्र की स्थापना व उससे संबंधित समस्याओं का निवारण कर रहा है, उसकी खुद की सुरक्षा भी अत्यंत महत्वपूर्ण है। किसी भी दुर्घटना या पीवी संयंत्र से होने वाले संभावित स्वास्थ्य संबंधी खतरों से बचने के लिये सावधानी बरतना अत्यंत आवश्यक है। इस अध्याय में हम स्थापना, समस्या निवारण एवं सुरक्षा संबंधी विषय पर चर्चा करेंगे।

12.1 पीवी संयंत्र अवयव, सारांश में

उपकरण की आवश्यकतानुसार एक संपूर्ण सौर पीवी संयंत्र बनाने के लिये विभिन्न अवयव होते हैं। उपकरण घरेलू उपकरण हो सकते हैं जैसे पंखे, टीवी, आदि, ये वॉटर पंप, एक ग्रिड कनेक्टेड उपकरण या फिर सौर पॉवर प्लांट। सभी संभावित प्रकार के पीवी संयंत्रों की डिजाइन तैयार करने व उन्हें स्थापित करने के लिये, पीवी संयंत्र में अनेक अवयवों का उपयोग किया जाता है। संयंत्र अवयवों की सूची निम्न प्रकार से है :

1. सौर पीवी मॉड्यूल
2. मॉड्यूल स्थापना करने के लिये अधोसंरचना
3. बैटरियां
4. इलेक्ट्रॉनिक्स कंट्रोल सर्किटरी (चार्ज कंट्रोलर, इन्वर्टर या DC-DC कन्वर्टर)
5. उपकरण (AC या DC प्रकार)
6. जंक्शन या कम्बाइनर बॉक्स
7. AC एवं DC केबल
8. ऊर्जा मीटर
9. सर्किट ब्रेकर
10. पॉवर वितरण बॉक्स

याद रखें कि उपरोक्त सारे अवयव, सभी पीवी संयंत्रों में हो भी सकते हैं और नहीं भी। कुछ निश्चित अवयव जोड़े जा सकते हैं या हटाए जा सकते हैं, यह निर्भर करता है, उपकरण पर और पॉवर रेटिंग के साथ–साथ उपयोगकर्ता की आवश्यकताओं पर। एक सौर पीवी संयंत्र को घरेलू अनुप्रयोगों के लिये उसके संभावित अवयवों के साथ चित्र 12.1 में दर्शाया गया है।

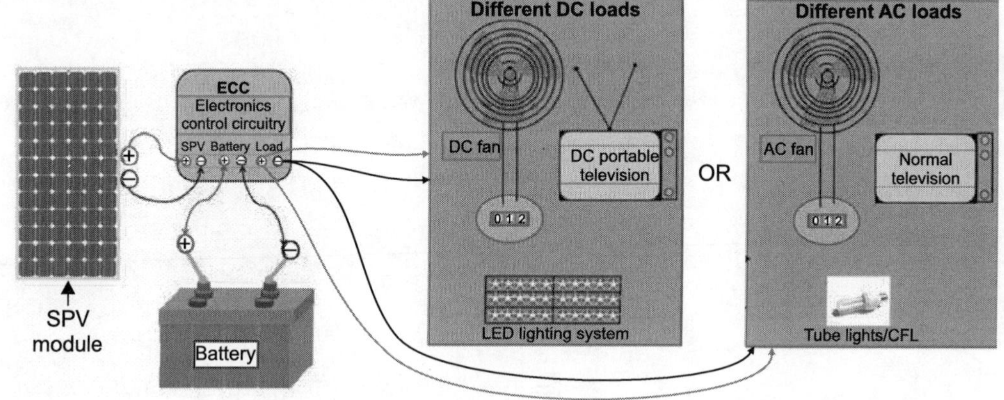

चित्र 12.1
अपने अवयवों के साथ एक साधारण सौर फोटोवोल्टाइक संयंत्र।

12.2 संक्षिप्त में सौर पीवी संयंत्रों के प्रकार

सौर फोटोवोल्टाइक संयंत्र के मुख्यतः तीन विन्यास/कॉन्फीगुरेशन होते हैं। इनमें शामिल हैं :

1. स्टैंडअलोन SPV संयंत्र
2. ग्रिड कनेक्टेड या ऑन–ग्रिड SPV संयंत्र
3. हाइब्रिड SPV संयंत्र

पीवी संयंत्र कॉन्फीगरेशन के सभी संभावित प्रकारों को उपरोक्त श्रेणियों में से किसी एक श्रेणी के अंतर्गत रखा जा सकता है।

12.2.1 स्टैडअलोन सौर पीवी संयंत्र

स्वयं पर निर्भर या ऑटोनोमस सौर पीवी संयंत्रों को स्टैंडअलोन पीवी संयंत्रों के रूप में जाना जाता है। वे ग्रिड या अन्य किसी विद्युत पॉवर आपूर्ति पर निर्भर नहीं होते, इसीलिये वे ऑफ–ग्रिड पीवी संयंत्र भी कहलाते हैं। ये संयंत्र ऐसे छोटे विद्युतीय उपकरण हैं, जो कि दूरस्थ स्थानों में हों जहां ग्रिड भी न हों, के लिये उपर्युक्त होते हैं। स्टैंडअलोन पीवी संयंत्र घरेलू अनुप्रयोगों के लिये सर्वोतम होते हैं। जैसा कि चित्र 12.2 में दर्शाया गया है स्टैंडअलोन संयंत्र AC/DC उपकरण, इलेक्ट्रॉनिक सर्किटरी, बैटरी, इन्वर्टर आदि के साथ हो सकते हैं (अध्याय 10 में विस्तृत रूप से चर्चा की गई है।)

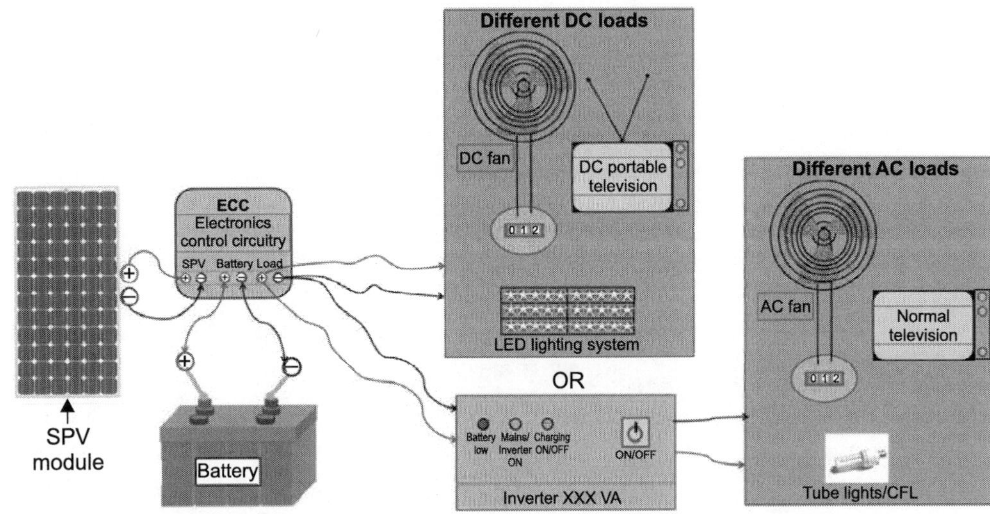

चित्र 12.2
स्टैंडअलोन एसपीवी संयंत्र।

12.2.2 ग्रिड कनेक्टेड या ऑन-ग्रिड संयंत्र

ग्रिड कनेक्टेड SPV संयंत्र एक SPV संयंत्र है, जो कि SPV संयंत्र द्वारा उत्पादित पॉवर को ग्रिड तक पहुंचाता है। ग्रिड कनेक्टेड SPV संयंत्र में विभिन्न अवयव होते हैं जो कि संयंत्र की आवश्यकता पर निर्भर करते हैं। इस संयंत्र का मुख्य अवयव ग्रिड कनेक्टेड इन्वर्टर है जो कि DC को AC में रूपांतरित करता है (चित्र 12.3 देखें।) ग्रिड कनेक्टेड SPV संयंत्र में बैटरी हो भी सकती है और नहीं भी। यह संयंत्र ऑन–ग्रिड या ग्रिड इंटरेक्टिव संयंत्र भी कहलाता है क्योंकि यह फेज मिलाने के लिये एवं आइलैंडिंग स्थिति से बचने के लिये SPV संयंत्र ग्रिड पॉवर आपूर्ति से भी संबंधित होता है। ग्रिड कनेक्टेड संयंत्र में क्षमता कम से कम 10 kW से लेकर अधिक से अधिक कई MWs तक हो सकती है। अध्याय 11 में संयंत्र को विस्तार से समझा जा सकता है।

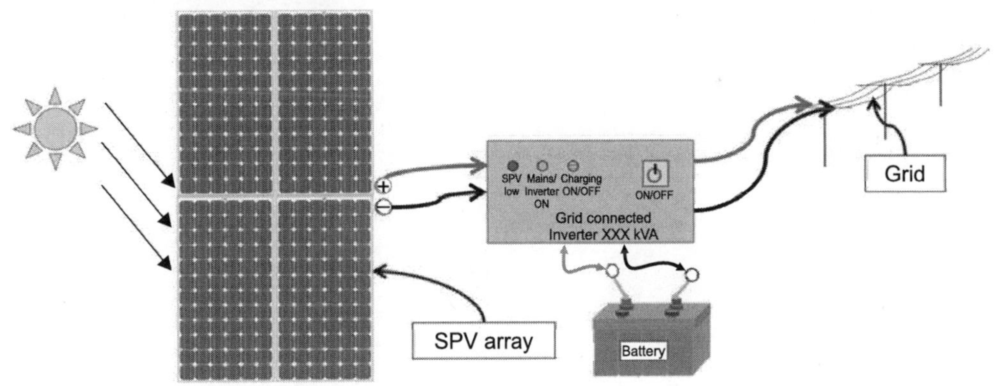

चित्र 12.3
ग्रिड कनेक्टेड या ग्रिड से जुड़ा हुआ या ऑन-ग्रिड एसपीवी संयंत्र।

12.2.3 हाइब्रिड सौर पीवी संयंत्र

इस प्रकार के संयंत्र में पॉवर सप्लाई के लिये एक से अधिक स्रोत होते हैं। जिनमें से एक सौर पीवी मॉड्यूल से और अन्य, विन्ड टर्बाइन, एक डीजल जनरेटर या एक जीवद्रव्य/बायोमास संयंत्र से हो सकती है। हाइब्रिड सौर पीवी संयंत्रों की यहां चर्चा नहीं की गई है।

स्टैंडअलोन पीवी संयंत्र एवं ग्रिड कनेक्टेड पीवी संयंत्र पॉवर संभालने की क्षमता में एक दूसरे से भिन्न होते हैं। स्टैंडअलोन पीवी संयंत्र सामान्यतः छोटे होते हैं, कुछ kW से 10 kW के एवं इनमें बहुत उच्च विद्युतधारा एवं वोल्टेज स्तर नहीं होता है। साथ ही ये छत पर खड़े किए जाते हैं एवं कभी–कभी ही जमीन पर भी लगाए जा सकते हैं। स्टैंडअलोन संयंत्र में पीवी मॉड्यूलों द्वारा घेरा गया क्षेत्र बहुत बड़ा नहीं होता है। वहीं दूसरी ओर ग्रिड कनेक्टेड पीवी संयंत्रों में बहुत अधिक क्षमता हो सकती है। MW स्तर के सौर पीवी प्लांट बहुत बड़ा क्षेत्र 100 एकड़ तक का घेर सकते हैं एवं इसीलिये इनकी स्थापना का स्केल स्टैंडअलोन सौर पीवी संयंत्रों की तुलना में

बहुत अलग होता है। इस कारण से पीवी संयंत्र की स्थापना एवं समस्या निदान को दो श्रेणियों में विभाजित किया गया है:

- स्टैंडअलोन सौर पीवी संयंत्रों की स्थापना एवं समस्या निदान
- पीवी पॉवर प्लांट की स्थापना एवं समस्या निदान

12.3 स्टैंडअलोन सौर पीवी संयंत्रों की स्थापना/इंस्टॉलेशन एवं समस्या निदान

स्थापना एक प्रक्रिया है, जिसमें पूर्व निर्धारित आवश्यकताओं को पूरा करने हेतु, उपर्युक्त कार्यकारी सौर पीवी संयंत्र बनाने हेतु विभिन्न अवयव एक व्यवस्थित तरीके से जोड़े जाते हैं।

स्थापना/इंस्टॉलेशन एक प्रक्रिया है जिसमें पूर्व निर्धारित आवश्यकताओं को पूरा करने हेतु विभिन्न अवयवों को एक सुनियोजित तरीके से जोड़ा जाता है जिससे एक उत्तम रूप से कार्य करने वाला सौर पीवी संयंत्र बन सके। आवश्यकता के अनुसार विभिन्न प्रकार एवं विभिन्न संख्या में पीवी संयंत्र में अवयवों को जोड़ा जाता है। उदाहरण के लिये, बिना बैटरी के एक सबसे सरल संभावित स्टैंडअलोन सौर पीवी संयंत्र में, एक DC पंखा व सौर पीवी मॉड्यूल/मॉड्यूलों को एक साधारण तरीके से जोड़ा जा सकता है जैसा कि चित्र 12.4 में दर्शाया गया है। इस परिस्थिति में पीवी संयंत्र की स्थापना में शामिल है आवश्यक पीवी मॉड्यूल की संख्या की गणना, उन्हें उपर्युक्त रूप से श्रेणी या समानांतर संयोजन में जोड़ा जाना, यदि आवश्यक हो तो पीवी पैनल के आउटपुट को पंखे के इनपुट से जोड़ना एवं इस तरह स्थापना पूरी हो जाती है। एक बड़ी पॉवर क्षमता वाले पीवी संयंत्र में, ऐसे अनेक अन्य अवयव हैं जो कि सौर पीवी संयंत्र के सही तरीके से कार्य करने के लिये आवश्यक हैं। उदाहरण के लिये, बैक–अप के साथ एक ग्रिड कनेक्टेड संयंत्र बैटरी। इस स्थिति में उपकरण को चाही गई ऊर्जा देने के लिये व स्थापना के लिये सभी अवयवों को सही तरीके से आपस में जोड़ने की आवश्यकता होती है।

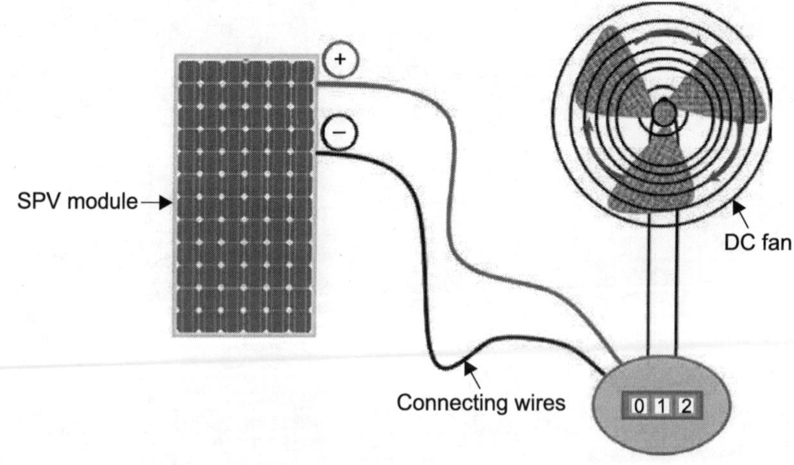

चित्र 12.4
साधारण स्टैंडअलोन एसपीवी संयंत्र।

इस प्रकार से आवश्यकता के अनुसार विभिन्न SPV संयंत्र विभिन्न व्यवस्थित तरीकों से जोड़े जाते हैं।

12.3.1 पीवी संयंत्र अवयवों की स्थापना BoS

बैलेंस ऑफ सिस्टम अवयवों में सौर फोटोवोल्टाइक के लिये इलेक्ट्रॉनिक्स होते हैं, जिनमें तार, जो कि विभिन्न अवयवों को जोड़ने के काम आता है, भी शामिल हैं। यह इलेक्ट्रॉनिक सर्किटरी एक सरल DC–DC कन्वर्टर से एक जटिल इन्वर्टरयुक्त मैक्सिमम पॉवर पॉइंट ट्रैकिंग (MPPT) सर्किट भी हो सकती है। BoS में बैटरी व तार भी शामिल होते हैं।

इलेक्ट्रॉनिक अवयव स्थापना/इंस्टॉलेशन

यह अवयव अच्छी तरह से पैक होकर आता है। सुरक्षित स्थापना के लिये, एक उपर्युक्त स्थान की आवश्यकता होती है, जो कि बहुत अधिक गर्म न हो जाता हो (उस स्थान पर अच्छा वायु संचार होना चाहिये) एवं हमें इन अवयवों पर धूल नहीं जमने देनी चाहिए।

AC एवं DC केबल की स्थापना/इंस्टॉलेशन

पीवी संयंत्र में विद्युत ले जाने के लिये केबल की विमाएं उचित रूप से चुनी जानी चाहिये। यदि केबल सही तरीके से डिजाइन न किए गए हों, एवं वे विद्युतधारा का संवहन कर रहे हों, तो ये तार गर्म हो जाते हैं एवं सामान्य स्थिति की अपेक्षा ये जल्दी क्षतिग्रस्त हो जाते हैं। अधिक गर्म होने की स्थिति में आग लगने का भी डर रहता है। अध्याय 9 में उपर्युक्त विद्युतधारा ले जाने के लिये केबलों के डिजाइन के विषय में चर्चा की गई है।

बैटरी स्थापना/इंस्टॉलेशन

बैटरी स्थापना का स्थान : बैटरी स्थापना का स्थान ऊष्मा के स्रोत एवं ऐसे स्थान जहां चिंगारी लगना आसान हो, से दूर होना चाहिये। वह स्थान जहां बैटरी की स्थापना हुई हो वह इलैक्ट्रिक या बिजली के स्विच आदि से दूर होना चाहिये। यह दूरी कम से कम 50 सेमी. होनी चाहिये। बैटरियों पर सूर्य की किरणें सीधे नहीं पड़नी चाहिये। बैटरी की स्थापना ऐसे क्षेत्र में होनी चाहिये जो कि निवास क्षेत्र न हो।

बैटरी स्थापना हेतु स्थान : बैटरियों की स्थापना हेतु पर्याप्त जगह दी जानी चाहिये। बैटरी के सिरों एवं दीवार के बीच पर्याप्त स्थान होना चाहिये एवं यह 20 सेमी. से कम नहीं होनी चाहिये।

बैटरियों का इंटरकनेक्शन : बैटरी का इंटरकनेक्शन सही तरीके से होना चाहिये, कनेक्शन पॉइंट खुला नहीं होना चाहिये, अन्यथा उत्पन्न चिंगारी से आग लग सकती है। बैटरी में इलेक्ट्रोलाइट होता है जिसमें एसिड होता है। वह क्षेत्र जहां बैटरियां स्थापित हैं वहां से कुछ धुआं निकलता है जो कि स्वास्थ्य के लिये हानिकारक है। बैटरियां सामान्यतः बहुत भारी होती हैं, इन्हें ले जाते समय बहुत सावधानी बरतने की आवश्यकता है। बैटरी को घसीटना या फेंकना निसिद्ध है। हमें बैटरियों की स्थापना करते समय उन्हें शॉर्ट सर्किट एवं बाहरी विद्युत संवहन से बचाना चाहिये। अनेक बैटरियों का उपयोग करते समय, विभिन्न प्रकार की बैटरियों को साथ में नहीं रखना चाहिये।

12.3.2 यांत्रिक संरचना की स्थापना एवं पीवी मॉड्यूल खड़ा करना

एक पीवी संयंत्र में, आवश्यकता के अनुसार, अनेक मॉड्यूल पीवी सरणी बनाने के लिये श्रेणी या समानांतर संयोजन में जुड़े होते हैं। इस सरणी को एक विशेष क्रम में रखा जाता है एवं वह क्रम निर्भर करता है अनेक बिंदुओं पर, जैसे कि, श्रेणी समानांतर में मॉड्यूलों की संख्या एवं सरणी के लिये डिजाइन की गई संरचना एवं जिस पर खड़ा किया जाना है, निम्नांकित सावधानियां वह संरचना बरतनी चाहिये :

- यांत्रिक संरचना डिजाइन करते समय उस स्थान जहां पर सौर फोटोवोल्टाइक संयंत्र की स्थापना की जानी है, के वायु गति आंकड़े ध्यान में रखना चाहिये ताकि संरचना उतनी वायु गति झेल सके। दिए गए वायु भार के लिये संरचना डिजाइन करने के लिये आदर्श नियम दिये गए हैं। सौर पीवी संयंत्र में संरचना इस तरह डिजाइन की जानी चाहिये कि वह 150 kmph (kilometer per hour) तक की वायुगति को झेल सके।
- संयंत्र खड़ा करने के लिये संरचना हेतु उपर्युक्त सामग्री का उपयोग किया जाना चाहिये। सामान्यतः पीवी मॉड्यूल 25 वर्ष तक चलना चाहिये; अतः पीवी संरचना भी 25 वर्ष तक चलनी चाहिये। गैल्वेनाइज्ड लोहा या एल्युमिनियम संरचना का उपयोग किया जा सकता है। गैल्वेनाइजेशन की उपर्युक्त मोटाई का उपयोग करने की सावधानी बरतनी चाहिये। सामान्यतः 80 से 100 माइक्रॉन की गैल्वेनाइजेशन मोटाई संरचना के 25 साल तक जंगमुक्त रहने के लिये काफी है।
- सौर पीवी मॉड्यूल या तो सूर्य ट्रैकिंग संरचना या स्थायी संरचना पर स्थापित किए जाते हैं। अधिकांश स्थितियों में पीवी मॉड्यूल स्थायी संरचनाओं पर स्थापित किए जाते हैं। सौर पीवी मॉड्यूल एक कोण पर स्थापित किए जाते हैं (दक्षिण दिशा में उत्तर हेमिस्फियर की ओर एवं उत्तर दिशा में दक्षिण हेमिस्फियर की ओर)। दक्षिण दिशा की ओर बिंदु रखने

के लिये सावधानी रखी जानी चाहिये, एवं संरचना के सही कोण के लिये भी। बाजार में आपको दिशाएं व कोण बताने के लिये सरल युक्तियां उपलब्ध हैं चित्र 12.5 में मॉड्यूल खड़ा करने के लिये संरचना दर्शाई गई है।

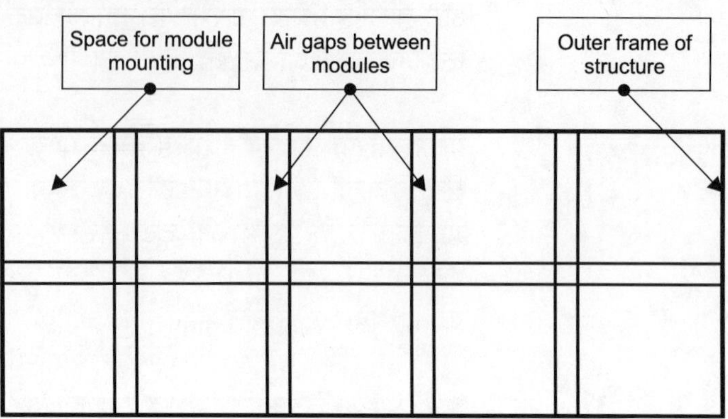

चित्र 12.5
वायु के लिये रिक्त स्थान के साथ मॉड्यूल की संरचना।

- संयंत्र के पूरे जीवनकाल के दौरान जंग से बचने के लिये स्टेनलेस स्टील बोल्ट का उपयोग किया जाना चाहिये।
- किसी भी शॉर्ट या चिंगारी से बचने के लिये कनेक्शन बहुत मजबूत होने चाहिये।
- श्रेणी एवं समानांतर क्रम में विभिन्न रेटिंग वाले पीवी मॉड्यूल स्थापित नहीं किए जाने चाहिये।

12.3.3 सौर पीवी संयंत्र का रखरखाव

रखरखाव से तात्पर्य है किसी भी प्रकार की यांत्रिक, पाइपलाइन संबंधी या विद्युतीय कार्य को ठीक करना जिससे कि अवयव या संयंत्र या उपकरण आदि ठीक से कार्य करें और न टूटें। यह रखरखाव विभिन्न प्रकार का हो सकता है; इनमें से दो ऐसे बिंदु हैं, जो कि लगभग सभी जगह ठीक किए जा सकते हैं जैसा कि नीचे बताया गया है :

अनिर्धारित रखरखाव: अनिर्धारित रखरखाव तब किया जाता है जब संयंत्र या उसके अवयव को अचानक कोई त्रुटि हुई हो या क्षति हुई हो। इस रखरखाव में संयंत्र के अवयवों को ठीक करना या बदलना शामिल है।

निर्धारित रखरखाव: किसी भी संयंत्र के लिये या एक संयंत्र के अवयवों का प्रतिदिन चैक–अप आवश्यक है जिससे कि संयंत्र एवं इसके अवयव सही तरीके से कार्य करते रहें। निर्धारित रखरखाव निश्चित समयांतराल पर किया जाता है।

फोटोवोल्टाइक संयंत्रों या इसके अवयवों को अन्य पॉवर संयंत्रों की तुलना में कम रखरखाव की आवश्यकता होती है फिर भी कुछ निश्चित समयांतराल पर पीवी संयंत्र अवयवों पर रखरखाव कार्य किए जाने चाहिये।

> रखरखाव करते समय एक टेकनीशियन को अवयवों के साथ मिले विवरण पत्र अवश्य पढ़ना चाहिये, ताकि वह उस अवयव को समझ सके एवं आवश्यक एहतियात बरत सके।

पीवी संयंत्र के रखरखाव के दौरान उसके विवरण पत्र या सप्लायर द्वारा दिए गए कैटलॉग को पढ़ना अवश्य चाहिये, जिससे कि उस अवयव को सही तरीके से पहचाना जा सके एवं अवयव के रखरखाव के दौरान आवश्यक एहतियात बरती जा सके। आइये यहां सौर पीवी संयंत्र के विभिन्न अवयवों के रखरखाव की आवश्यकता के विषय में संक्षिप्त रूप से चर्चा करें।

फोटोवोल्टाइक सरणी

पीवी सरणी को कम रखरखाव की आवश्यकता होती है। यदि संयंत्र धूल भरे वातावरण में है तब फोटोवोल्टाइक मॉड्यूल को नियमित रूप से साफ करना आवश्यक है। ऐसे स्थान जहां पर जलवायु गर्म है एवं वातावरण में नमी की मात्रा कम है वहां पर फोटोवोल्टाइक मॉड्यूल को साफ करने के लिये एक मुलायम कपड़े का उपयोग किया जा सकता है। कुछ स्थानों में जहां जलवायु कुछ वर्षा वाली है और नमी की मात्रा ज्यादा है, वहां फोटोवोल्टाइक मॉड्यूल पानी से साफ किए जा सकते हैं। पक्षियों के मल को साफ करने के लिये मृदु डिटर्जेंट का उपयोग भी किया जा सकता है।

पीवी मॉड्यूल पर पड़ने वाली छाया की जांच की जानी चाहिये। ऐसा भी संभव है कि स्थापना के बाद किसी पेड़ या उसकी शाखाएं इतनी बढ़ जाएं कि उसके कारण छाया पड़ने लगे जो कि स्थापना के समय नहीं थी। पीवी संयंत्र से उच्च ऊर्जा उत्पादन प्राप्त करने के लिय छाया से बचाव आवश्यक है। पीवी सरणी में कनेक्शन को निरंतर जांचना चाहिये जिससे तारों में खुले सिरे या टूटने से बचा जा सके।

सरणी जंक्शन बॉक्स

जैसा कि पहले कहा गया है, तारों में खुले सिरे या टूटे सिरे से बचने के लिये सभी कनेक्शन को निरंतर जांच लेना चाहिये, उसी प्रकार से सरणी जंक्शन बॉक्स को नियमित अंतराल से जांच लेना चाहिये जिससे खुले सिरे, टूटे सिरों से बचा जा सके एवं जलवायु से सुरक्षा भी की जा सके।

बैटरियां

बैटरियां सौर पीवी संयंत्रों में मुख्य अवयव होती हैं जो कि बैक–अप क्षमता के साथ होती हैं। उचित संचालन सुनिश्चित करने के लिये बैटरियों के निश्चित समयांतराल पर निरीक्षण की आवश्यकता होती है। बैटरी का रखरखाव मुख्यतः बैटरी के प्रकार पर निर्भर करता है। सुझाव यह दिया जाता है कि, बैटरी के प्रकार के आधार पर बैटरियों का निरंतर रूप से रखरखाव किया जाए। बैटरी का रखरखाव करते समय बैटरी की चार्ज की अवस्था को देखना आवश्यक है। बैटरी के वोल्टेज को जांचने हेतु मल्टीमीटर का उपयोग किया जा सकता है (उपकरण को कुछ मिनट चलाने से बैटरी का वोल्टेज स्थिर किया जा सकता है)। सुझाव यह दिया जाता है कि बैटरी की चार्जिंग या डिस्चार्जिंग के समय उसके वोल्टेज की जांच न की जाए। बैटरी के वोल्टेज की जांच करते समय, सभी उपकरण एवं बैटरी से जुड़ी पीवी सरणी को डिस्कनेक्ट कर देना चाहिये। मापी गई वोल्टेज रीडिंग को बैटरी निर्माणकर्ता द्वारा प्रदान की गई, चार्ज की अवस्था के आंकड़े से तुलना की जा सकती है। तरल इलेक्ट्रोलाइट बैटरियों के लिये, चार्ज की अवस्था को इसके विशेष गुरुत्व की जांच करके निश्चित किया जा सकता है (निम्न अनुच्छेद में वर्णन किया गया है)।

सीलबंद रखरखाव मुक्त (SMF–Sealed Maintenance Free) बैटरियां : सीलबंद रखरखाव मुक्त बैटरियां (Nicad, VRLA) वे बैटरियां हैं, जिनमें केवल वार्षिक रखरखाव की आवश्यकता होती है। भले ही वे "रखरखाव मुक्त" बैटरियां कहलाती हैं तब भी VRLA बैटरियों में केसिंग या आवरण, थर्मल या तापीय कनेक्शन, तारों के जोड़, वोल्टेज एवं उन्हें निकालने हेतु निरीक्षण की आवश्यकता होती है।

ट्यूब्युलर लेड-एसिड (Liquid Electrolyte) तरल इलेक्ट्रोलाइट बैटरियां : ट्यूब्युलर लेड–एसिड बैटरियां डीप डिस्चार्ज तरल इलेक्ट्रोलाइट लेड–एसिड बैटरियां हैं जो कि विद्युतीय वाहनों एवं ऑटोमोबाइल्स में भी उपयोग होती हैं। ये वे बैटरियां हैं जिनमें कम रखरखाव की आवश्यकता होती है। इन बैटरियों में अन्य बैटरियों की अपेक्षा उच्च मात्रा में गैसिंग होती है एवं इनमें डिस्टिल वॉटर डालने की आवश्यकता होती है।

> यह आवश्यक है कि बैटरी के उपर्युक्त संचालन हेतु बैटरियों का विशिष्ट घनत्व एक निश्चित रेंज या सीमा में बना रहे।

विशिष्ट गुरुत्व के मापन से चार्ज की अवस्था का निर्धारण करना : हाइड्रोमीटर की मदद से बैटरियों के इलेक्ट्रोलाइट के विशिष्ट गुरुत्व को माप कर उसकी आवेश की अवस्था को संक्षेप में जांचा जा सकता है। बैटरी के सही संचालन के लिये आवश्यक है कि बैटरी का विशिष्ट गुरुत्व एक सीमा में बना रहे। एक हाइड्रोमीटर एक बल्ब के समान बेलनाकार सीरिंज होता है जिसमें अंदर ग्लास की रॉड होती है एवं जिसके माप को पारे या लेड के वजन से केलीब्रेट या ठीक किया जाता है। चित्र 12.6 में हाइड्रोमीटर के भागों को दर्शाया गया है। ग्लास रॉड पर एक माप बना हुआ है, जो कि तरल इलेक्ट्रोलाइट में तैरता है। तैरते हुए ग्लास रॉड का स्केल विशिष्ट गुरुत्व का मान बताता है जहां हाइड्रोमीटर के अंदर तरल का स्तर तैरते ग्लास रॉड का स्केल छूता है। ग्लास रॉड जितना इलेक्ट्रोलाइट के अंदर डूबता है, उतना ही विशिष्ट गुरुत्व का मान कम होता है एवं उतनी ही बैटरी चार्जिंग की अवस्था कम होती है।

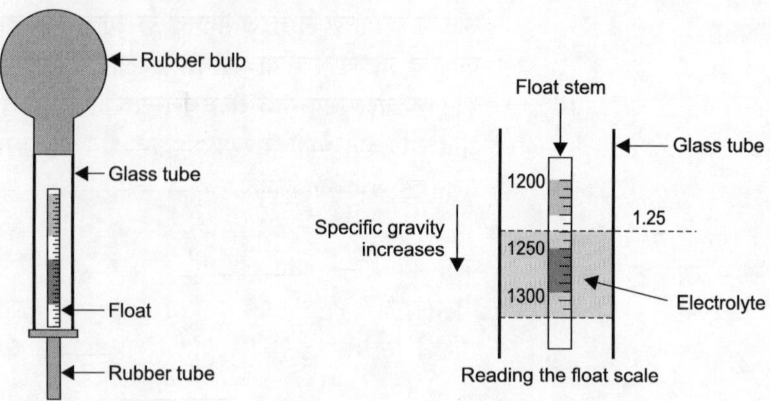

चित्र 12.6
हाइड्रोमीटर के विभिन्न भाग।

बैटरी में डिस्टिल वॉटर डालना : इलेक्ट्रोलाइट में पर्याप्त मात्रा में लेड एसिड एवं डिस्टिल वॉटर की मात्रा होती है जो कि उपर्युक्त विशिष्ट गुरुत्व निर्मित करते हैं, इसीलिये इलेक्ट्रोलाइट के विशिष्ट गुरुत्व को मापने के पश्चात् आवश्यक विशिष्ट गुरुत्व प्राप्त करने के लिये मिश्रण में डिस्टिल वॉटर मिलाया जा सकता है। यदि हाइड्रोमीटर की ग्लास रॉड इलेक्ट्रोलाइट में अधिक डूब जाती है, तो यह सूचक है कि उच्च विशिष्ट गुरुत्व, जिसका तात्पर्य है कि बैटरी में डिस्टिल वॉटर डालने की आवश्यकता है। बैटरी में डिस्टिल वॉटर डालने के पश्चात्, तुरंत ही हाइड्रोमीटर से बैटरी के विशिष्ट गुरुत्व को नहीं मापना चाहिये, बल्कि बैटरी की चार्जिंग के द्वारा पानी इलेक्ट्रोलाइट में अच्छी तरह मिलाना चाहिये।

समस्या निवारण समस्या की तार्किक एवं क्रमबद्ध खोज है जिससे कि उसका निदान किया जा सके।

12.3.4 पीवी संयंत्र अवयवों का समस्या निदान

समस्या निवारण एक तरह से समस्याओं को हल करना है, जिसमें अक्सर विफल हुए उत्पादों या प्रक्रिया या संयंत्र की मरम्मत की जाती है। यह तार्किक, समस्या की क्रमबद्ध खोज होती है जिससे कि उसका निदान किया जा सके, एवं जिससे कि अवयव या प्रक्रिया या संयंत्र फिर से संचालित किया जा सके। समस्या निवारण की आवश्यकता नहीं होती यदि संयंत्र बिना किसी समस्या के कार्य कर रहा हो। पीवी संयंत्र का सही प्रकार से कार्य करना संभव है यदि डिजाइन किया गया संयंत्र सही तरीके से स्थापित किया गया हो। संयंत्र व इसके अवयवों के नियमित रखरखाव के द्वारा भी, समस्याओं से बचा जा सकता है।

पीवी संयंत्र में समस्याएं बादलों वाले मौसम, पीवी मॉड्यूलों की छाया, पीवी मॉड्यूलों में धूल, फ्यूजों के उड़ने, खाली बैटरियों, सर्किट ब्रेकर के फंसने एवं गलत कनेक्शन की वजह से हो सकती हैं। एक पीवी संयंत्र में समस्या निवारण निम्न अवयवों के कुछ दृष्टिक निरीक्षण द्वारा किया जा सकता है :

- पीवी सरणी पर आंशिक छाया या धूल का निरीक्षण
- सभी फ्यूजों व सर्किट ब्रेकर का निरीक्षण
- जंक्शन बॉक्स, वितरण बॉक्स, एवं ढीले कनेक्शन के लिये एवं/या जंग के लिये निरीक्षण
- सही श्रेणी/समानांतर कॉन्फीगरेशन के लिये पीवी मॉड्यूल एवं बैटरियों का निरीक्षण
- सही ध्रुवता हेतु तारों का निरीक्षण
- सही वोल्टेज एवं विद्युतधारा रीडिंग के लिये संयंत्र में स्थापित मीटर का निरीक्षण।

आइये अब चर्चा करें कि किस तरह एक पीवी संयंत्र में विभिन्न समस्याओं को ढूंढा जा सकता है एवं एक क्रमबद्ध तरीके से उनका निदान किया जा सकता है।

एक पीवी संयंत्र में मल्टीमीटर का उपयोग कर उसकी मरम्मत करना

एक मल्टीमीटर का उपयोग अनेक मापदंडों को मापने व जांचने के लिये किया जा सकता है जैसे; वोल्टेज, विद्युतधारा, निरंतरता, एवं ध्रुवता। यदि मापा गया वोल्टेज एवं विद्युतधारा उम्मीद के अनुसार न हो तब यह दर्शाता है कि, अवयव या अवयवों के इंटरकनेक्शन में कोई त्रुटि है।

वोल्टेज मापना

एक सर्किट का वोल्टेज मापने के लिये, मल्टीमीटर की सेटिंग को AC/DC वोल्टेज एवं वोल्टेज की रेंज के लिये ठीक करना चाहिये।

वोल्टेज मापन के लिये निम्न पदों का अनुसरण करें :

1. मल्टीमीटर पर वोल्टेज का चयन करें DC या AC के रूप में
2. वोल्टेज मापन के लिये उपर्युक्त रेंज का चयन करें
3. वोल्टेज मापन के लिये मल्टीमीटर को सर्किट से जोड़ें

मापन के लिये कुछ मीटर में धनात्मक (+) एवं ऋणात्मक (–) बिंदु होते हैं। जब मीटर की लीड सही तरीके से जुड़ी हों तब ये वोल्टेज के लिये धनात्मक मान लेगी एवं यदि लीड गलत तारों पर रखी है तब मीटर ऋणात्मक मान लेगा। एकांतर विद्युतधारा सर्किट में वोल्टेज मापन के लिये, मीटर को AC वोल्टेज पर सेट करें। कुछ मीटरों में AC मापन के लिये प्रतीक (~) होता है। ठीक DC की तरह, यदि मीटर की लीड गलत तारों पर जुड़ी हुई हैं, तो मीटर ऋणात्मक मान लेगा। मीटर पर रेंज का चयन मीटर के लिये मान लेने हेतु महत्वपूर्ण है, यदि वोल्टेज मान ज्ञात नहीं है तब अधिकतम वोल्टेज स्केल के लिये रेंज सेट करें।

विद्युतधारा का मापन

एक सर्किट में विद्युतधारा का मापन ठीक वोल्टेज मापन के समान है, सिवाय इस बात के कि विद्युतधारा सर्किट में प्रवाहित होता है वहीं वोल्टेज सर्किट में स्थिर रहता है एवं सर्किट में दो विपरीत बिंदुओं पर प्राप्त किया जा सकता है। वोल्टेज मापन के लिये निम्न पदों का अनुसरण करें :

1. मल्टीमीटर पर विद्युतधारा को DC या AC के रूप में चुनें
2. विद्युतधारा मापन के लिये सही रेंज का चयन करें
3. लाल लीड को धनात्मक (+) जैक A में डालें एवं काली लीड को मल्टीमीटर की ऋणात्मक (–) जैक में डालें
4. लाल लीड को सर्किट में धनात्मक (+) एवं काली लीड को ऋणात्मक (–) से जोड़ें।

मापन के लिये कुछ मीटर में धनात्मक (+) एवं ऋणात्मक (–) बिंदु होते हैं। जब मीटर की लीड सही तरीके से जुड़ी हों तब ये वोल्टेज हेतु धनात्मक मान लेगी एवं यदि लीड गलत तारों पर रखी है तब मीटर ऋणात्मक मान लेगा। एकांतर विद्युतधारा सर्किट में विद्युतधारा मापन के लिये, मीटर को AC विद्युतधारा पर सेट करें। कुछ मीटरों में AC मापन के लिये प्रतीक (~) होता है। ठीक DC की तरह, यदि मीटर की लीड गलत तारों पर जुड़ी हुई हैं, तो मीटर ऋणात्मक मान लेगा। मीटर पर रेंज का चयन मीटर के लिये मान लेने हेतु महत्वपूर्ण है, यदि विद्युतधारा मान ज्ञात नहीं है तब अधिकतम विद्युतधारा स्केल के लिये रेंज सेट करें।

ध्रुवता की जांच

एक सर्किट की ध्रुवता की बात केवल DC विद्युतधारा सर्किट से संबंधित है। किसी भी सर्किट में, सर्किट को आपूर्ति देने के पूर्व यह आवश्यक है कि, इसकी सही ध्रुवता की जांच कर ली जाए। विपरीत ध्रुवता के अनेक नुकसान एवं खतरे हो सकते हैं। DC मोटर उल्टी चल सकती है, अनेक उपकरणों में अत्यधिक तापन हो सकता है, अनेक परिस्थितियों में हो सकता है कि उपकरण बिल्कुल भी कार्य न करें एवं साथ ही विपरीत ध्रुवता के कारण उपकरण नष्ट भी हो सकते हैं। एक सर्किट में ध्रुवता को जांचने के लिये निम्न पदों का अनुसरण करें :

1. सर्किट को डिस्कनेक्ट करें एवं मल्टीमीटर का उपयोग कर जांचें कि यह खुला तो नहीं है।
2. मल्टीमीटर पर, वोल्टेज का प्रकार DC के रूप में चुनें।
3. लाल लीड को मल्टीमीटर के धनात्मक (+) जैक V में डालें एवं काली लीड को ऋणात्मक (–) जैक में डालें।
4. लाल लीड को सर्किट के धनात्मक (+) एवं काली लीड को ऋणात्मक (–) बिंदु से जोड़ें।

यदि मान धनात्मक है, तब ध्रुवता सही है एवं यदि मीटर ऋणात्मक मान दिखाता है, तब यह विपरीत ध्रुवता की वजह से है।

निरंतरता जांचना

निरंतरता जांचने से यह पता चलता है कि एक सर्किट खुला है या बंद। टूटे तार, शॉर्ट सर्किट, फ्यूज या स्विच संचालन आदि की उपर्युक्त जांच की जाती है। एक सर्किट में निरंतरता जांचने के लिये निम्न पदों का अनुसरण करें:

1. मल्टीमीटर में निरंतरता या कन्टीन्युटी मोड चुनें।
2. लाल लीड को धनात्मक (+) जैक V में डालें। एवं काली लीड को मल्टीमीटर की ऋणात्मक (–) जैक में डालें।
3. मल्टीमीटर की लीड को सर्किट के दो बिंदुओं से जोड़ें जिनकी निरंतरता जांची जानी है।

यदि निरंतरता है तो मल्टीमीटर एक बीप या आवाज करता है; अन्यथा यदि निरंतरता नहीं है तब मल्टीमीटर बीप की आवाज नहीं करेगा।

12.4 सौर पीवी संयंत्रों की स्थापना में सुरक्षा

एक पीवी संयंत्र की स्थापना, रखरखाव एवं समस्या निवारण के समय अनेक सुरक्षा उपायों को ध्यान में रखना आवश्यक है। सामान्यतः विभिन्न श्रेणियों जैसे विद्युतीय, रासायनिक, यांत्रिक, वातावरणीय व स्वास्थ्य संबंधी बिंदुओं के लिये सुरक्षा का उपाय करना चाहिये।

12.4.1 विद्युतीय सुरक्षा

स्थापना के स्थान पर कार्य कर रहे पेशेवरों की सुरक्षा के लिये, विद्युतीय सुरक्षा सबसे अधिक महत्वपूर्ण भाग मानी जाती है। पीवी संयंत्र की स्थापना एवं रखरखाव के दौरान कुछ विद्युतीय सुरक्षा बिंदु नीचे दिये गए हैं :

सूर्य प्रकाश के संपर्क में आए पीवी मॉड्यूलों की देखरेख : पीवी मॉड्यूलों को देखरेख के लिये हमेशा इस संदर्भ में मॉड्यूल के पीछे चेतावनी लिखी होती है। इन चेतावनियों व सावधानियों को ध्यानपूर्वक पढ़ना जरूरी है। चूंकि पीवी मॉड्यूल विद्युत तब उत्पादित करते हैं जब वे सूर्य प्रकाश के संपर्क में होते हैं अतः, सावधानियां बरतनी आवश्यक हैं जिससे कि पीवी मॉड्यूलों को देखरेख के वक्त किसी प्रकार की दुर्घटना न हो। साथ ही पीवी मॉड्यूल के धनात्मक व ऋणात्मक सिरों को एक दूसरे से अलग रखना चाहिये जिससे जब पीवी मॉड्यूल सूर्य प्रकाश में हो तब सिरों की शॉर्टनिंग न हो।

पीवी संयंत्र में बैटरियों को देखरेख : हमेशा बैटरियों को कहीं ले जाते समय या उठाते समय उन्हें डिस्कनेक्ट करना न भूलें। अधिक क्षति से बचने के लिये बैटरियों के सिरों की शॉर्टनिंग से बचें। मल्टीमीटर से बैटरी के वोल्टेज की जांच करते समय, हमेशा यह जांच करें कि मल्टीमीटर वोल्टेज मोड में हो। यदि मल्टीमीटर विद्युतधारा मोड में हो और बैटरी के सिरों से जुड़ा हो तो बैटरी के सिरों का शॉर्ट सर्किट होगा जिसका परिणाम अधिक क्षति एवं आग में हो सकता है।

खुले हुए विद्युतीय संवाहकों से उचित दूरी : एक खुले हुए विद्युतीय संवाहक का स्थान जानना एक अच्छी आदत है, जिससे कि आप इससे एक उचित दूरी बना सकें। उसी समय यह आवश्यक है कि संवाहक में क्षमता को जानना एवं एक व्यक्ति द्वारा रखी जाने वाली उचित दूरी।

गीले या नम स्थानों में उपर्युक्त कार्य व्यवहार को समझना जहां विद्युत हो : विद्युतीय सुरक्षा के लिये कार्यकारी क्षेत्र का चयन आवश्यक है, विद्युतीय संवाहकों या उपकरणों पर कार्य करने के पूर्व, पर्याप्त जगह, संवाहक सामग्री के लिये स्थान पर ध्यान देना चाहिये, खासकर यदि स्थान गीला या नम हो।

विद्युतीय संयंत्रों एवं उपकरणों का यथोचित लॉक आउट/टैग-आउट प्रक्रिया : विद्युतीय उपकरणों एवं संयंत्रों के लिये लॉकआउट / टैग आउट प्रक्रिया की हमेशा आवश्यकता होती है, यह अभ्यास यह सुनिश्चित करने के लिये किया जाता है कि केवल एक व्यक्ति ही उपकरण या संयंत्र के संचालन के लिये जिम्मेदार हो एवं उसी के पास लॉक एवं खोलने की जिम्मेदारी हो।

औजारों एवं उपकरणों को साफ करने, समायोजित करने या मरम्मत करते समय उनके प्लग निकालना न भूलें : अनेक परिस्थितियों में कई बार, अनेकों दुर्घटनाएं विद्युत की वजह से होती हैं क्योंकि कार्य करने वाले पेशेवर संवाहकों या उपकरणों की मरम्मत करते समय उन्हें मुख्य विद्युतीय स्विच से निकालना भूल जाते हैं। विद्युतीय सुरक्षा के लिये हमेशा बिजली वाले मुख्य स्विच से प्लग निकालना याद रखें।

12.4.2 बैटरियों के लिये सुरक्षा उपाय

बैटरियों के साथ काम करते समय निम्न सावधानियां बरतना जरूरी :

सल्फ्यूरिक एसिड : बैटरी में सल्फ्यूरिक एसिड होता है जिसकी वजह से जलन या अन्य चोट लग सकती है। जब बैटरी को क्षति पहुंचती है तो, सल्फ्यूरिक एसिड इससे बाहर बहने लगता है। इस कारण से, उपर्युक्त सावधानियां एप्रॉन, ग्लव्स एवं सुरक्षा ग्लास आदि पहन कर बरती जा सकती हैं। सल्फ्यूरिक एसिड के संपर्क में आने पर, अपने अंग को तुंरत अच्छी तरह से धोएं एवं इलाज के लिये जल्दी से जल्दी अस्पताल जाएं।

गैस : बैटरी में विस्फोटक गैस भी बन सकती है, इसलिये ईंधन, आग या धुंआ बनाने वाली सामग्री आदि बैटरी रूम में निसिद्ध होनी चाहिये। बैटरी रूम में अग्निरोधक यंत्र होना चाहिये। सभी औजार इन्सुलेटेड विद्युतीय टेप में लिपटे होने चाहिये जिससे कि बैटरी की स्थापना करते समय शॉर्ट सर्किट की किसी भी संभावना से बचा जा सके। बैटरी पर किसी भी तरह की चीज, औजार, एवं अन्य संवाहक सामग्री रखना वर्जित है।

बिजली से लगने वाले झटके : संयंत्र जिसमें कई सेल होते हैं वह उच्च वोल्टेज उत्पादित कर सकता है, इसलिये बैटरी की स्थापना करते समय हमें बिजली के प्रभाव से लगने वाले झटकों के खतरों से बचना चाहिये।

12.4.3 यांत्रिक सुरक्षा

पीवी संयंत्रों की संरक्षा के समय, ऑनसाइट कार्य कर रहे पेशेवरों के लिये यांत्रिक सुरक्षा का ध्यान रखना बहुत जरूरी है। पेशेवरों को सुरक्षा उपकरण साथ रखने चाहिये, खास कर छत पर पीवी मॉड्यूल लगाते समय।

12.5 सौर पीवी पॉवर प्लांट की स्थापना एवं समस्या निवारण

सौर पीवी प्लांट की स्थापना एवं समस्या निवारण स्टैंडअलोन सौर पीवी प्लांट से थोड़ी अलग है, क्योंकि पीवी प्लांट की पॉवर रेटिंग सामान्यतः उच्च होती है। इस भाग में हम देखेंगे कि सौर पीवी पॉवर प्लांट की स्थापना के लिये शुरूआत व अंत कैसे की जाती है एवं वे सावधानियां जो कि प्लांट की स्थापना एवं रखरखाव के दौरान बरती जाती हैं।

12.5.1 स्थापना की तैयारी

- स्थापना के पहले बिल्डिंग एवं विद्युत प्राधिकारी वर्ग से आवश्यक अनुमति/परमिट प्राप्त करें।
- स्थापना के दौरान लगने वाले सुरक्षा उपकरण हमेशा तैयार रखें।
- यह सुनिश्चित करें कि सभी भाग एवं अतिरिक्त उपकरण आदि प्राप्त कर लिये गए हों, उनका परीक्षण कर लिया गया हो एवं स्थापना के लिये आपको उपलब्ध हों।
- प्रत्येक अवयव के लिये स्थापना अनुदेशों को पढ़ें एवं स्थापना प्रक्रिया को अच्छी तरह समझें।

12.5.2 स्थापना हेतु सामान्य बिंदु

- यह सुनिश्चित करें कि छत या अन्य स्थापना हेतु स्थान हमारे संयंत्र के साइज को आसानी से वहन करने में सक्षम है।
- यदि यह छत पर लगाया जा रहा है तो सुनिश्चित कर लें कि छत में पीवी संयंत्र के अतिरिक्त भार को झेलने की क्षमता है।
- उपकरणों को निर्माणकर्ता द्वारा दिए गए निर्देशों, स्थापना की आवश्यकताओं एवं प्रक्रिया के अनुसार स्थापित करें।

- मॉड्यूलों की बाह्य संरचना खड़ी करने, कंबाइनर बॉक्स एवं DC केबलिंग (IP सुरक्षा, वातावरण प्रतिरोध आदि) के लिये निर्देशों को ध्यानपूर्वक पढ़ें। पीवी सरणी के DC स्थापना के लिये विशेष ध्यान दें। किसी भी झटके आदि से बचने या संभावनाओं को कम करने हेतु संयंत्र के भागों को सही तरीके से लगाएं।
- सही पीवी संयंत्र संचालन के लिये निम्न चेकआउट प्रक्रिया को अपनाएं जो कि पीवी संयंत्र स्थापना या इंस्टॉलेशन चेकलिस्ट में दी गई है।
- यह सुनिश्चित करें कि डिजाइन स्थानीय उपयोग इंटरकनेक्शन आवश्यकताओं को पूर्ण करती हो।
- संबंधित अधिकारियों से अंतिम रूप से निरीक्षण कराएं।

12.5.3 सरणी को सहारा देने वाली संरचना की स्थापना

- पीवी सरणी को सहारा देने वाला ढांचा प्री–फेब्रिकेटेड होता है एवं छत या जमीन पर स्थापित करने हेतु तैयार रहता है।
- छत पर लगाने वाली सपोर्ट संरचना छत पर पहले से बने कंक्रीट के ब्लॉक में लगे होते हैं।
- एक सपोर्ट या सहारा देने वाली संरचना जिसे पीवी पैनल कहा जाता है पर अनेक संख्या में पीवी मॉड्यूल की स्थापना होती है। एक पैनल में पीवी मॉड्यूल सामान्यतः एक श्रेणी में जुड़े होते हैं।
- पीवी मॉड्यूलों को जब जोड़ा जाता है तब पीवी पैनल इस तरह डिजाइन किया जाता है कि पीवी मॉड्यूलों के बीच का गैप कम यानि 1 सेमी. तक हो। इस व्यवस्था का परिणाम होता है—उच्च वायु प्रतिरोधन।
- रखरखाव में आसानी हेतु एक श्रेणी में स्थापित पीवी पैनलों के बीच पर्याप्त स्थान (0.5–1.0 m) होता है।
- पीवी पैनलों की दो श्रृंखलाएं इस तरह लगाई जाती हैं कि एक श्रृंखला की दूसरी श्रृंखला पर छाया न पड़े। नियमानुसार, दो श्रृंखलाओं के बीच की निम्नतम चौड़ाई पैनल संरचना की ऊंचाई के बराबर होती है।
- छत पर प्रक्रम को स्थापित करते समय छत की दीवारों से पर्याप्त दूरी होनी चाहिये। खाली छोड़े जाने वाले स्थान की निम्नतम चौड़ाई छत की दीवार की ऊंचाई के बराबर होनी चाहिये।

12.5.4 स्थापना या इंस्टॉलेशन हेतु सामान्य टिप्पणी

- स्थापित करने के बाद मॉड्यूल विद्युतीय रूप से चालू रहते हैं एवं उनका स्विच बंद नहीं किया जा सकता है। अतः, इंस्टॉलेशन के समय मॉड्यूल को हल्की–प्रतिरोधी सामग्री से ढंकना चाहिये।
- मॉड्यूल की विद्युतधारा आउटपुट की मात्रा सौर विकिरण की मात्रा के समानुपाती होती है, जो भी हो, आवश्यक आउटपुट वोल्टेज तब भी प्राप्त हो जाता है जब विकिरण कम हों।
- पीवी मॉड्यूल/सरणी की शॉर्ट सर्किट विद्युतधारा आवश्यक विद्युतधारा के लगभग 20% होती है। DC फ्यूज/सर्किट ब्रेकर आदि का ध्यान रखा जाना चाहिये।
- पीवी मॉड्यूलों, श्रृंखलाओं, क्रम, कंबाइनर बॉक्स, DC सर्किट ब्रेकर एवं DC केबल आदि को जोड़ते समय उनकी ध्रुवता का ध्यान रखा जाना चाहिये। यदि ध्रुवता विपरीत हो जाती है, तो बायपास डायोड एवं इन्वर्टर का इनपुट स्टेज को क्षति पहुंच सकती है।

12.5.5 मॉड्यूलों की स्थापना/इंस्टॉलेशन

- मॉड्यूल का इंस्टॉलेशन करने के पूर्व V_{oc} एवं I_{sc} को जांचें एवं देखें कि वे निर्दिष्ट सीमा में हैं या नहीं।
- आवरणयुक्त (touchproof) MC4 कनेक्टर्सयुक्त मॉड्यूल को प्राथमिकता दी जाती है क्योंकि वे विद्युतीय रूप से सुरक्षित होते हैं एवं उन्हें श्रृंखला से पृथक करना आसान होता है।

- मॉड्यूलों का इंस्टॉलेशन खुश्क मौसम में होना चाहिये एवं ऐसा करते समय बिजली के झटके से बचने के लिये खुश्क उपकरणों का उपयोग किया जाना चाहिये।
- निर्माणकर्ता द्वारा जिस माउंटिंग संयंत्र (क्लैम्प/फास्टनर, माउंटिंग बिंदु आदि) की अनुशंसा की गई है उसका उपयोग करें। पहले से ही ड्रिल किए गए माउंटिंग छेदों का उपयोग करें। फ्रेम में यदि अतिरिक्त छिद्रों को ड्रिल किया जाता है तो वे वारंटी खत्म कर सकते हैं।
- इंस्टॉलेशन के दौरान मॉड्यूल के ऊपर कोई भी सामान नहीं रखा जाना चाहिये विशेषतः कोई भी भारी या नुकीली धार वाला सामान उस पर नहीं रखा जाना चाहिये अन्यथा उसके ग्लास कवर को क्षति पहुंच सकती है।
- मॉड्यूल का इंस्टॉलेशन होने के पश्चात् यह सुनिश्चित कर लें कि किसी भी रखरखाव कार्य हेतु उस तक पहुंच पाना आसान हो। मॉड्यूल जो कि पहले से ही पूरे तैयार हों या जिनमें पहले से ही पूरी वायरिंग हो रखी हो उनका उपयोग यदि छत के लिये किया गया हो तो उन तक पहुंच पाना बहुत कठिन होता है। बिना फ्रेम पतली फिल्म वाले मॉड्यूलों के कोने एवं किनारे विशेष रूप से बहुत संवेदनशील होते हैं एवं ट्रांसपोर्ट व इंस्टॉलेशन के दौरान उनके टूटने की संभावना बहुत अधिक होती है। इन मॉड्यूल के इंस्टॉलेशन के समय इन्हें रखते व संभालते समय बहुत अधिक सावधानी की आवश्यकता होती है।
- एक सहायक संरचना या ढांचे पर अनेक मॉड्यूल की स्थापना करते समय, सभी मॉड्यूलों को ठीक से देख लेना चाहिये जिससे यह सुनिश्चित हो जाए कि उनके बीच सही स्थान या गैप छूट रहा है।

12.5.6 मॉड्यूलों का इंटरकनेक्शन, श्रृंखला एवं कंबाइनर बॉक्स

- मॉड्यूलों के सही मेल न खाने की वजह से होने वाली क्षतियों के कारण होने वाली हानियों से बचने हेतु, यह सुनिश्चित करें कि एक श्रेणी श्रृंखला में समान MPP विद्युतधारा वाले मॉड्यूल जुड़े हैं।
- मॉड्यूल कनेक्टर को ओपन सर्किट में जोड़ें। कनेक्टर की क्षति आदि से बचने हेतु मॉड्यूल आउटपुट को शॉर्ट सर्किट न करें।
- बिना कनेक्टर वाले मॉड्यूलों हेतु, उपर्युक्त क्लैम्प टर्मिनलों का उपयोग करें, मॉड्यूल जंक्शन बॉक्स में ऐसे केबल का उपयोग करें जिनमें तनाव या खिंचाव न होता हो एवं जो वॉटर प्रूफ हों। सुनिश्चित करें कि जंक्शन बॉक्स का कवर अच्छी तरह सीलबंद हो एवं जिसमें पानी प्रवेश न कर पाता हो।
- जब उपकरण जुड़ा हो तब मॉड्यूल कनेक्टर को डिस्कनेक्ट न करें। इन्वर्टर को बंद करें एवं मॉड्यूल कनेक्टर को डिस्कनेक्ट करने के पूर्व उपकरण को पृथक करने के पश्चात् सर्किट ब्रेकर को हटाएं।
- अन्य श्रृंखलाओं के साथ समानांतर क्रम में जोड़ने के पूर्व श्रृंखला ओपन सर्किट वोल्टेज का मापन करें। सुनिश्चित करें कि श्रृंखला का ओपन सर्किट वोल्टेज के मान निर्दिष्ट मान से मेल खाते हों।
- सुरक्षित इंस्टॉलेशन हेतु यह सुझाव दिया जाता है कि फ्रेम/सतह का इंसुलेशन प्रतिरोध एवं शॉर्ट सर्किट विद्युतधारा का मापन करें।
- श्रृंखला लक्षणों के मापन से यह सुनिश्चित हो जाता है कि श्रृंखला वोल्टेज एवं विद्युतधारा मान निर्दिष्ट सीमाओं से मेल खाते हैं।
- श्रृंखला/सरणी कंबाइनर बॉक्स का स्थान इस तरह निश्चित किया जाता है जिससे कि DC केबल की लंबाई कम से कम हो। बॉक्स को इंस्टॉल करते समय यह सुनिश्चित करें कि इंटरकनेक्शन एवं रखरखाव हेतु उन तक पहुंच पाना आसान हो।
- कंबाइनर बॉक्स के अंदर श्रृंखला फ्यूज, ब्लॉकिंग डायोड एवं DC आवेश/लाइटनिंग सुरक्षा युक्तियां इंस्टॉल की जाती हैं।

- DC मुख्य केबल को कंबाइनर बॉक्स से जोड़ते समय, सुनिश्चत करें कि कंबाइनर बॉक्स को पीवी श्रृंखला/क्रम से पृथक रखा गया है अन्यथा इसका परिणाम DC पॉवर इनपुट में हो सकता है जो कि बहुत बड़ा जोखिम है।
- बिना कंबाइनर बॉक्स के श्रृंखला इन्वर्टर का उपयोग करने वाले संयंत्रों हेतु, एक मॉड्यूल केबल पर डिस्कनेक्ट स्विच का उपयोग करते हुए श्रृंखला को पृथक करें, जिससे DC वोल्टेज अंतर के जोखिम से बचा जा सकता है जब DC मुख्य केबल से जोड़ा जाता है।
- जब DC मुख्य केबल को इन्वर्टर इनपुट से जोड़ा जाता है, यह सुनिश्चित करें कि DC सर्किट ब्रेकर का उपयोग करते हुए इन्वर्टर DC इनपुट पृथक है।

12.5.7 केबल की जानकारी व कनेक्शन हेतु निर्देश

- DC एवं AC केबल पृथक–पृथक रूप से इंस्टॉल किए एवं सही तरीके से लेबल किए जाने चाहिये।
- केबल को जितना अधिक घुमाया जा सकता है उस त्रिज्या पर विशेषतः ध्यान दिया जाना आवश्यक है। छत पर स्थापना हेतु, छत का सहारा लेकर केबलों को उपर्युक्त बंधनों का उपयोग करके अच्छी तरह लगाना चाहिये।
- जहां तक संभव हो केबलों को छायादार स्थानों पर ही लगाना चाहिये एवं वे इस तरह लगे होने चाहिये कि बारिश का पानी निकलने में अवरोध पैदा न करें।
- केबल, फास्टनर/केबल बांधने हेतु साधन आदि मौसम प्रतिरोधी होने चाहिये।
- केबल बिजली के संवाहकों/कंडक्टर से दूर होने चाहिये।
- टर्मिनल या सिरे की डिजाइन के अनुसार केबल के सिरे या तो मोड़ कर या बेल्डिंग कर लगाए जाने चाहिये। समान ज्वांइट या जोड़ पर ये दोनों क्रियाएं एक साथ नहीं की जानी चाहिये। बेल्डिंग किए गए जोड़ों की अपेक्षा मोड़े गए सिरे बेहतर होते हैं।
- केबल इंसुलेशन को तीखे किनारों एवं यांत्रिक क्षति से बचाना चाहिये।
- केबल लगाने हेतु निर्देशों का पालन एवं उपर्युक्त अनुशंसित उपकरणों का उपयोग करना चाहिये।
- जब केबलों को आपस में जोड़ा जाता है तब सुनिश्चित करें कि DC एवं AC सर्किट पृथक–पृथक हों।

12.5.8 ग्राउंडिंग संबंधी बिंदु

- विभिन्न वोल्टेजों, लाइटनिंग या बिजली गिरने की वजह से वोल्टेज को सीमित करने, लाइन सर्ज या उच्च वोल्टेज लाइन से दुर्घटनावश हुए संपर्क होने से बचाव हेतु एवं ओवर करंट या विद्युतधारा सुरक्षा युक्तियों के संचालन हेतु पृथ्वी या धरती को एक आम संदर्भ बिंदु/कॉमन रेफरेंस पॉइंट के रूप में प्रदान करने हेतु उपकरण एवं संयंत्र ग्राउंडिंग आवश्यक है।
- ग्राउंडिंग के अंतर्गत होते हैं ग्राउंडिंग इलेक्ट्रोड, ग्राउंडेड कंडक्टर/संवाहक एवं ग्राउंडिंग कंडक्टर आदि। ग्राउंडेड कंडक्टर ग्राउंडिंग इलेक्ट्रोड द्वारा एक बिंदु पर ग्राउंडेड किया जाता है एवं ग्राउंडेड कंडक्टर द्वारा सभी उपकरण आदि को ग्राउंडिंग इलेक्ट्रोड से जोड़ा जाता है।
- उपकरण की ग्राउंडिंग उन्हें किसी त्रुटि की वजह से लगने वाले झटके से बचाती है एवं यह सभी पीवी संयंत्रों हेतु आवश्यक है। उपकरण का चेसिस ग्राउंडिंग कंडक्टर द्वारा ग्राउंडिंग इलेक्ट्रोड से जोड़ा जाता है। पीवी सरणी, कंबाइनर बॉक्स, इन्वर्टर, DC एवं AC वितरण बॉक्स आदि की ग्राउंडिंग में आवश्यकता होती है। ग्राउंडिंग कंडक्टर फ्यूज्ड या स्विच्ड नहीं होना चाहिये।
- सरणी को सहारा देने वाली संरचना में कैपेसिटर से डिस्चार्ज होने वाली विद्युतधारा के धरती में सुरक्षित संवहन हेतु समान–विभव बॉन्डिग एवं ग्राउंडिंग व्यवस्था होनी चाहिये।

- सभी ग्रिड कनेक्टेड पीवी संयंत्रों में DC वोल्टेज (400–800 V), 50 V से अधिक एवं आवश्यक संयंत्र ग्राउंडिंग होना चाहिये। DC संयंत्र ग्राउंडिंग करने हेतु एक एकल बिंदु पर ऋणात्मक कंडक्टर को जमीन से जोड़ा जाता है। वोल्टेज सर्ज आदि से संयंत्र सुरक्षा हेतु एकल बिंदु ग्राउंड पीवी सरणी के पास स्थित होता है। AC संयंत्र समान ग्राउंडिंग इलेक्ट्रोड का उपयोग कर सकता है। यदि संयंत्रों हेतु दो पृथक इलेक्ट्रोड का उपयोग किया जाता है, तो उन्हें आपस में जोड़ने की आवश्यकता होती है।
- उपकरण एवं संयंत्र ग्राउंडिंग संवाहकों के जमीन से संतुलन बनाने, जबकि संयंत्र से उपकरण निकाल दिया गया हो, के लिये जंपर्स लगाए जा सकते हैं।
- ग्राउंडेड ऋणात्मक संवाहक को जमीन से पृथक करने के लिये जिससे कि किसी भी त्रुटि से बचा जा सके, ग्राउंड फॉल्ट डिटेक्टर एवं इंटरप्टर (GFDI–Ground fault detector and interrupter) का उपयोग किया जाता है। GFDI अंडरग्राउंड धनात्मक संवाहक को भी पृथक कर देता है। अधिकतम ग्रिड–टाइड इन्वर्टर में किसी भी त्रुटि से बचने हेतु पहले से ही साधन होते हैं। यदि नहीं, तब बाह्य ग्राउंड फॉल्ट/त्रुटि सुरक्षा उपाय आवश्यक हैं।

12.5.9 DC एवं AC एवं पॉवर डिस्ट्रीब्यूशन बॉक्स का इंस्टॉलेशन

- DC एवं AC डिस्ट्रीब्यूशन बॉक्स की स्थिति इन्वर्टर के पास होती है।
- कंबाइनर बॉक्स से सरणी आउटपुट तारों को सबसे छोटे पथ से होते हुए डिस्ट्रीब्यूशन बॉक्स तक पहुंचाया जाता है।
- सुनिश्चित करें कि DC या AC आइसोलेटर स्विच एवं सर्ज सुरक्षा युक्तियां ग्राउंड त्रुटि एवं शॉर्ट सर्किट प्रूफ हैं।
- DC वोल्टेज > 50 V, के लिये दो पोल DC आइसोलेटर स्विच में संपर्क बिंदुओं में कम से कम का अंतर/दूरी होनी चाहिये जिससे सुरक्षित एवं भरोसेमंद पृथककरण हो पाए।
- सुनिश्चित करें कि DC आइसोलेटर की टाइप प्लेट ऑपरेशन का DC वोल्टेज स्तर स्पष्ट रूप से दर्शाती हो।
- DC वितरण बॉक्स से जोड़ने पर इन्वर्टर इनपुट एवं AC वितरण बॉक्स से जोड़ने पर इन्वर्टर आउटपुट पृथक रूप रो ज्ञात होना चाहिये।
- वितरण बॉक्स को विद्युतभार/उपकरण वितरण बॉक्स के साथ संयोजित किया जा सकता है। यदि पृथक किया जाए तो यह विद्युतभार वितरण बॉक्स के पास स्थित होना चाहिये।
- DC पीवी ऊर्जा मीटर DC वितरण बॉक्स के अंदर स्थापित किया जाता है एवं AC पीवी ऊर्जा मीटर AC वितरण बॉक्स के अंदर स्थापित किया जाता है।
- DC एवं AC वितरण बॉक्स इन्क्लोजर ग्राउंड या जमीन से जुड़े होने चाहिये।

12.5.10 इन्वर्टर की स्थापना/लगाना

- इन्वर्टर को ऐसे स्थान पर स्थापित किया जाना चाहिये जहां त्रुटिहीन ऑपरेशन की गारंटी हो। कारक जिनका ध्यान रखा जाना चाहिये वह हैं वातावरणीय तापमान, आर्द्रता, वेंटीलेशन, ताप अपव्ययन क्षमता, शोर उत्सर्जन के साथ–साथ धूल, पानी एवं कीड़ों का प्रवेश।
- इन्वर्टर इस तरह लगा होना चाहिये कि उस तक आसानी से पहुंचा जा सके एवं उसके रखरखाव व सर्विसिंग आदि हेतु उसके आस–पास पर्याप्त स्थान होना चाहिये।
- जमीन या दीवार पर लगा इन्वर्टर इतनी ऊंचाई पर होना चाहिये कि उसके डिस्प्ले को आसानी से पढ़ा जा सके।
- बड़े पॉवर अनुप्रयोगों हेतु इन्वर्टर जमीन पर लगाया जाता है एवं उसे कंक्रीट की सतह पर सुरक्षित रूप से बोल्ट आदि द्वारा लगाया जाता है।
- छोटे पॉवर अनुप्रयोगों हेतु इन्वर्टर दीवार पर लगाया जाता है एवं उसे दीवार से बोल्ट द्वारा सुरक्षित रूप से जोड़ा जाता है।
- सुनिश्चित करें कि ताप के निकलने हेतु वेंटीलेशन पैनल की चारों तरफ पर्याप्त खुली जगह दी गई है।

- श्रृंखला इन्वर्टर जो कि बाहर स्थापित किए जाते हैं उनकी रेटिंग IP65 होती है। अर्द्ध–नियंत्रित वातावरण में स्थापित श्रृंखला/केंद्रीय इन्वर्टर की रेटिंग IP54 होती है। नियंत्रित वातावरण में स्थापित किए जाने वाले इन्वर्टर की रेटिंग IP21 होती है।

12.6 सौर पीवी प्लांट इंस्टालेशन चेकलिस्ट

12.6.1 पीवी सरणी का विद्युतीय/इलेक्ट्रिकल परीक्षण

- डिस्कनेक्ट स्विच का उपयोग करते हुए इन्वर्टर से पीवी सरणी का आउटपुट पृथक करें।
- पीवी सरणी माउंटिंग संरचना का जमीन से प्रतिरोध जांचें कि वह मुनासिब सीमा में है या नहीं (सामान्यतः 0.1 Ohm)
- फील्ड वेट रेसिस्टेंस टेस्ट (FWRT- Field Wet Resistance Test) : पीवी सरणी धनात्मक आउटपुट एवं जमीन के बीच इंसुलेशन की जांच करें कि वह निर्दिष्ट सीमा में है या नहीं। मेगाओम में निम्नतम लीकेज प्रतिरोध 36/A होना चाहिये, जहां A सरणी टेस्ट अनुभाग सरफेस क्षेत्र में वर्ग मीटर में मान है। टेस्ट/परीक्षण वोल्टेज, मॉड्यूल के संयंत्र वोल्टेज रेटिंग द्वारा नियंत्रित रहता है। (सामान्यतः 1000 VDC)
- सुनिश्चित करें कि मेगाओम मीटर/इंसुलेशन टेस्टर वोल्टेज सर्ज अरेस्टर वोल्टेज रेटिंग से अधिक न जाए। साथ ही, सुनिश्चित करें कि GFDI युक्तियों को इंसुलेशन टेस्टर द्वारा क्षति न पहुंचे। सर्ज अरेस्टर/GFDI युक्तियों को यदि आवश्यकता हो तो इंसुलेशन परीक्षण के पूर्व डिस्कनेक्ट करें एवं परीक्षण के पश्चात् फिर से कनेक्ट करें।
- प्रत्येक सरणी अनुभाग में एक थर्मली बॉन्डेड थर्मोकपल (TC-thermocouple) प्रोब द्वारा सतह के तापमान को मॉनीटर करें।
- जांच करें कि सरणी का ओपन सर्किट वोल्टेज मानक सीमा में है या नहीं (सामान्यतः 0 से ±3%)। ओपन सर्किट वोल्टेज एक चमकीले सूर्यप्रकाशयुक्त दिन में जांचा जाना चाहिये जिससे मॉड्यूल का तापमान गुणांक प्राप्त हो सके।
- +3% कि सरणी की शॉर्ट सर्किट विद्युतधारा मानक सीमा में है कि नहीं (सामान्यतः 0 से +3%)। शॉर्ट सर्किट विद्युतधारा एक चमकीले सूर्यप्रकाशयुक्त दिन को जांचा जाना चाहिये जिससे कि सरणी की सतह पर सौर विकिरण गिरे। शॉर्ट सर्किट विद्युतधारा के लिये उपयोग किया जाने वाला डिस्कनेक्ट स्विच पूर्ण सरणी ओपन सर्किट वोल्टेज को सहन करने वाला होना चाहिये जब कि शॉर्ट सर्किट को हटा दिया गया हो। शॉर्ट सर्किट विद्युतधारा को मॉनीटर करने हेतु क्लैम्प–ऑन विद्युतधारा प्रोब का उपयोग करें। यह सलाह दी जाती है कि प्रकाश न होने की स्थिति में शॉर्टिंग कंडक्टर/संवाहक को डिस्कनेक्ट कर दिया जाए (सरणी ढंकी हो या अंधेरा हो)।
- सरणी शॉर्ट सर्किट विद्युतधारा का मापन करते समय 0.95 के घटक को ध्यान में रखें, सरणी में धूल आदि लगने, अलाइनमेंट बिगड़ने या अन्य किसी कारक हेतु।
- सरणी के प्रदर्शन को ज्ञात करने हेतु सरणी *I-V* वक्र परीक्षण उपयोगी है। श्रृंखला या उप–सरणी *I-V* वक्र परीक्षण पृथक श्रृंखलाओं या पृथक उप–सरणियों को श्रृंखला या सरणी कंबाइनर बॉक्स में फ्यूज को निकाल कर किया जाता है। वक्र परीक्षण के पूर्व इन्वर्टर से सरणी के सभी तीन पायों (धनात्मक, ऋणात्मक एवं ग्राउंड) को पृथक करें। कम से कम 10 *I-V* युग्मों, सरणी की सतह पर सौर प्रकाश विकिरण एवं मॉड्यूल की पिछली सतह पर तापमान को मॉनीटर करें। सभी वक्रों के समान आकार होने चाहिये (एकसमान सौर एवं वातावरणीय परिस्थितियों में)। मॉनीटर किया गया फिल फैक्टर एवं अधिकतम पॉवर दी गई सौर एवं वातावरणीय परिस्थितियों के लिये संयंत्र के निर्दिष्ट मानों से मिलना चाहिये।

12.6.2 इन्वर्टर का विद्युतीय/इलेक्ट्रिकल परीक्षण

- दृष्टिक निरीक्षण : डिस्कनेक्ट, सुरक्षा अवयव/घटक, वायरिंग, संलग्नक/एनक्लोजर, एवं ग्राउंडिंग।
- आपात स्थिति/इमरजेंसी में बंद करना एवं अन्य सुरक्षा नियंत्रण उपाय आदि की जांच।

- शटडाउन मोड में इन्वर्टर को चालू करें।
- AC डिस्कनेक्ट स्विच द्वारा इन्वर्टर आउटपुट को मुख्य AC ग्रिड से जोड़ें।
- DC डिस्कनेक्ट स्विच द्वारा पीवी सरणी आउटपुट को इन्वर्टर इनपुट से जोड़ें।
- इन्वर्टर ऑपरेशन शुरू करने हेतु स्टार्ट–अप स्विच दबाएं।
- इन्वर्टर शटडाउन एवं रीस्टार्ट ऑपरेशन को दुबारा जांचें।
- ऑपरेशन को निरीक्षण करें। वोल्टेज एवं विद्युतधारा को रिकॉर्ड करें एवं दिए गए सौर एवं वातावरणीय परिस्थितियों में संयंत्र में उत्पादित अधिकतम पीवी पॉवर को जांचें।
- AC आउटपुट वोल्टेज एवं विद्युतधारा को मॉनीटर करें एवं जांचें कि प्लांट की AC आउटपुट पॉवर संयंत्र के निर्दिष्टों के अनुसार है या नहीं।
- AC आउटपुट आवृत्ति एवं फेज को मॉनीटर करें व जांचें कि परिणाम निर्दिष्ट सीमाओं के अंदर है या नहीं। एक पूरे दिन के लिये पीवी प्लांट द्वारा उत्पादित AC आउटपुट ऊर्जा को मॉनीटर करें एवं जांचें कि परिणाम अपेक्षित रेंज में हैं या नहीं।

12.6.3 आइलेंडिंग प्रोटेक्शन/सुरक्षा का परीक्षण

- इस परीक्षण का मुख्य उद्देश्य है इन्वर्टर के सही संचालन या कार्यशीलता को परखना उन परिस्थितियों में जब मुख्य ग्रिड की परिस्थिति ठीक न हो या उसे कार्यकारी अवस्था में फिर से लाना हो।
- इस परीक्षण में, वह समय देखा जाता है, जो कि उपयोग के दौरान/यूटिलिटी के वोल्टेज की हानि के बाद इन्वर्टर को ग्रिड से डिस्कनेक्ट होने में एवं फिर से जब यूटिलिटी वोल्टेज प्राप्त होता है तब कनेक्ट होने में लगता है।
- यदि ग्रिड से मल्टीपल या अनेक इन्वर्टर समीप्यता से जोड़े जाते हैं, तब यह परीक्षण एक इन्वर्टर पर एक समय में किया जाता है। सारे कार्यशील इन्वर्टरों पर। अनावश्यक उपकरणों को बंद करें या निकाल दें जो कि इन्वर्टर की ''यूटिलिटी की हानि'' वाले सिरे पर जुड़े हों।
- ग्रिड से जुड़े इन्वर्टर आउटपुट के साथ AC ग्रिड वोल्टेज को मॉनीटर करें। सुनिश्चित करें कि जब यूटिलिटी ग्रिड बंद हो जाता है तब जल्द ही ग्रिड वोल्टेज शून्य तक पहुंच जाए।
- क्लैम्प–ऑन विद्युतधारा प्रोब का उपयोग करते हुए इन्वर्टर आउटपुट विद्युतधारा को मॉनीटर करें। सुनिश्चित करें कि जब ग्रिड फिर से चालू हो जाता है तब शीघ्र ही इन्वर्टर उपकरण/ग्रिड को विद्युतधारा आपूर्ति कर रहा हो।
- एक डिजिटल स्टोरेज ऑक्सिलोस्कोप को लाइन–साइन वोल्टेज एवं कॉन्टेक्टर स्टेटस को मॉनीटर करने के लिये उपयोग किया जा सकता है। 'ग्रिड बंद होने की स्थिति' एवं 'ग्रिड चालू होने' के बीच होने वाले समय की देरी को ध्यान में रखें। इन्वर्टर, IEEE Std. 929–2000 में निर्दिष्ट समय पर या अन्य राष्ट्रीय आदर्शमान में आवश्यक समय पर या यूटिलिटी इंटरकनेक्शन आवश्यकताओं के अनुसार बंद एवं फिर से चालू होना चाहिये।

12.6.4 संयंत्र को चालू करना/कमीशनिंग एवं कार्यशील संयंत्र परीक्षण

- जब संयंत्र की स्थापना या इंस्टॉलेशन पूर्ण हो जाए तब उसका परीक्षण करना चाहिये। परीक्षण करें कि सभी मॉड्यूल एवं संयंत्र अवयव आदि सुरक्षित रूप से बोल्ट आदि द्वारा लगा दिए गए हैं। यह भी परीक्षण करें कि सभी वायरिंग कनेक्शन आदि रेखाचित्र एवं निर्देशानुसार सही तरीके से लगा दिए गए हैं।
- सुनिश्चित करें कि सभी आवश्यक भाग सही तरीके से स्थापित कर दिए गए हैं।
- सुनिश्चित करें कि सभी डिस्कनेक्ट एवं सर्किट ब्रेकर बंद कर दिए गए हैं एवं सभी फ्यूज उनके होल्डर से निकाल दिए गए हैं।
- कंबाइनर बॉक्स एवं इन्वर्टर में सभी पीवी श्रृंखलाओं एवं सरणियों, दोनों की ध्रुवता की जांच करें।

- सभी पीवी श्रृंखलाओं एवं सरणियों के ओपन सर्किट वोल्टेजों की जांच करें। श्रृंखला ओपन सर्किट वोल्टेज निर्दिष्ट सहनशील सीमा/टॉलरेंस में ही होना चाहिये।
- उस सर्किट पर जहां शॉर्टिंग लिंक स्थापित किया जाना है, उसके सिरों पर वोल्टेज का मापन करें। केवल यदि यह वोल्टेज शून्य है, पीवी आउटपुट सर्किट के उपकरण वाले सिरे पर शॉर्टिंग लिंक की स्थापना करें, उस दौरान डिस्कनेक्ट खुला होना चाहिये। ये कार्य करने के दौरान किसी भी डिस्कनेक्ट, ब्रेकर को बंद न करें, या इन्वर्टर या बैटरी की ओर कोई फ्यूज न डालें। तब पहली श्रृंखला फ्यूज होल्डर में एक पीवी श्रृंखला फ्यूज डालें एवं उससे जुड़े डिस्कनेक्ट को बंद करें। शॉर्ट सर्किट विद्युतधारा का मापन करें, एवं तब डिस्कनेक्ट को खोलें। प्रत्येक श्रृंखला सर्किट फ्यूज होल्डर में फ्यूज को ले जाते हुए सारी प्रक्रिया दोहराएं, हर बार विद्युतधारा का मापन करें। श्रृंखला शॉर्ट सर्किट विद्युतधारा निर्दिष्ट टॉलरेंस या सह्य सीमा में ही होना चाहिये।
- पीवी आउटपुट सर्किट पर डिस्कनेक्ट खुला होना चाहिये एवं शॉर्टिंग लिंक निकाल दी जानी चाहिये। सभी स्रोत श्रृंखलाओं में फ्यूज को लगा देना चाहिये। अगला चरण है पीवी सरणी के ओपन सर्किट वोल्टेज का मापन। यह मान निम्नतम पृथक श्रृंखला ओपन सर्किट वोल्टेज के लगभग होना चाहिये एवं निर्दिष्ट टॉलरेंस सीमा में ही होना चाहिये।
- यदि उपरोक्त किसी भी परीक्षण के दौरान ग्राउंड फॉल्ट/त्रुटि सुरक्षा युक्ति हिल जाती है, तो सुनिश्चित करें कि केवल एक ग्राउंडिंग बिंदु है एवं ग्राउंड त्रुटि ज्ञात करने के लिये ट्रबल–शूटिंग या समस्या निदान प्रक्रिया अपनाएं।
- आउटपुट डिस्कनेक्ट/सर्किट ब्रेकर आदि को बंद कर पीवी सरणी एवं यूटिलिटी स्रोत से इन्वर्टर को जोड़ें । इन्वर्टर कुछ समय के लिये बंद रहेगा एवं पीवी सरणी ओपन सर्किट वोल्टेज के लिये इसका इनपुट वोल्टेज बंद व AC आउटपुट विद्युतधारा शून्य रहेगी।
- जब इन्वर्टर उपकरण/ग्रिड को पॉवर की आपूर्ति करना प्रारंभ करेगा, इन्वर्टर आउटपुट AC विद्युतधारा एवं DC इनपुट वोल्टेज व विद्युतधारा अपने अधिकतम बिंदु पर पहुंच जाएंगे।
- क्लैम्प–ऑन विद्युतधारा प्रोब का प्रयोग करते हुए इन्वर्टर आउटपुट विद्युतधारा के मान का ध्यान रखें। इन्वर्टर आउटपुट AC विद्युतधारा, वोल्टेज एवं आवृत्ति को रिकॉर्ड करें। ये सभी मान निर्दिष्ट सीमाओं के अंदर होने चाहिये।
- इन्वर्टर DC इनपुट वोल्टेज एवं विद्युतधारा को देखें तथा सुनिश्चित करें कि वे अधिकतम पॉवर निर्दिष्टिकरण मान की सीमा में ही हैं।

अनुक्रमणिका